Dante Alighieri

Commedia Paradiso

con il commento di
Anna Maria Chiavacci Leonardi

DANTES ALLIGHERIVS FLORENTINVS

Ritratto di Dante, XV secolo (Codice Palatino 320, Firenze, Biblioteca Nazionale Centrale).

Dante Alighieri

 # Commedia

con il commento di
Anna Maria Chiavacci Leonardi

A mia figlia Emanuela **3** | **Paradiso**

Zanichelli

IV

INDICE

La terza Cantica	IX

Introduzione al canto I	2
CANTO I	7
■ approfondimenti	23
■ suggerimenti per la ricerca	24

Introduzione al canto II	26
CANTO II	30
■ approfondimenti	44
■ suggerimenti per la ricerca	44

Introduzione al canto III	46
CANTO III	49
■ approfondimenti	61
■ suggerimenti per la ricerca	61

Introduzione al canto IV	63
CANTO IV	67
■ approfondimenti	78
■ suggerimenti per la ricerca	79

Introduzione al canto V	80
CANTO V	83
■ approfondimenti	95
■ suggerimenti per la ricerca	95

Introduzione al canto VI	96
CANTO VI	100
■ approfondimenti	114
■ suggerimenti per la ricerca	114

Introduzione al canto VII	116
CANTO VII	119
■ approfondimenti	131
■ suggerimenti per la ricerca	132

Introduzione al canto VIII	133
CANTO VIII	136
■ approfondimenti	150
■ suggerimenti per la ricerca	150

Introduzione al canto IX	152
CANTO IX	155
■ approfondimenti	170
■ suggerimenti per la ricerca	172

Introduzione al canto X	173
CANTO X	176
■ approfondimenti	190
■ suggerimenti per la ricerca	191

Introduzione al canto XI	193
CANTO XI	196
■ approfondimenti	209
■ suggerimenti per la ricerca	209

Introduzione al canto XII	211
CANTO XII	215
■ approfondimenti	229
■ suggerimenti per la ricerca	230

Introduzione al canto XIII	231
CANTO XIII	234
■ approfondimenti	246
■ suggerimenti per la ricerca	246

Introduzione al canto XIV	248
CANTO XIV	252
■ approfondimenti	264
■ suggerimenti per la ricerca	264

Introduzione al canto XV	266
CANTO XV	269
■ approfondimenti	282
■ suggerimenti per la ricerca	283

Introduzione al canto XVI	284
CANTO XVI	287
■ approfondimenti	301
■ suggerimenti per la ricerca	301

Introduzione al canto XVII	302
CANTO XVII	306
■ approfondimenti	318
■ suggerimenti per la ricerca	318

Introduzione al canto XVIII	320
CANTO XVIII	324
■ approfondimenti	336
■ suggerimenti per la ricerca	336

Introduzione al canto XIX	338
CANTO XIX	341
■ approfondimenti	354
■ suggerimenti per la ricerca	355

Introduzione al canto XX   356
CANTO XX   360

  ▓ approfondimenti   372
  ▓ suggerimenti per la ricerca   372

Introduzione al canto XXI   374
CANTO XXI   378

  ▓ approfondimenti   389
  ▓ suggerimenti per la ricerca   390

Introduzione al canto XXII   392
CANTO XXII   396

  ▓ approfondimenti   408
  ▓ suggerimenti per la ricerca   408

Introduzione al canto XXIII   410
CANTO XXIII   413

  ▓ approfondimenti   424
  ▓ suggerimenti per la ricerca   425

Introduzione al canto XXIV   426
CANTO XIV   430

  ▓ approfondimenti   442
  ▓ suggerimenti per la ricerca   442

Introduzione al canto XXV   444
CANTO XXV   448

  ▓ suggerimenti per la ricerca   460

Introduzione al canto XXVI   461
CANTO XXVI   465

  ▓ approfondimenti   477
  ▓ suggerimenti per la ricerca   477

Introduzione al canto XXVII   479
CANTO XXVII   483

  ▓ approfondimenti   497
  ▓ suggerimenti per la ricerca   498

Introduzione al canto XXVIII   499
CANTO XXVIII   503

  ▓ approfondimenti   514
  ▓ suggerimenti per la ricerca   514

Introduzione al canto XXIX   516
CANTO XXIX   520

  ▓ approfondimenti   533
  ▓ suggerimenti per la ricerca   533

Introduzione al canto XXX   534
CANTO XXX   538

  ▓ approfondimenti   552
  ▓ suggerimenti per la ricerca   552

Introduzione al canto XXXI   554
CANTO XXXI   558

  ▓ approfondimenti   569
  ▓ suggerimenti per la ricerca   569

Introduzione al canto XXXII   571
CANTO XXXII   575

  ▓ approfondimenti   587
  ▓ suggerimenti per la ricerca   587

Introduzione al canto XXXIII   589
CANTO XXXIII   594

  ▓ approfondimenti   608
  ▓ suggerimenti per la ricerca   608

  ▓ Letture consigliate   613
  ▓ Indice dei nomi delle 3 Cantiche   617

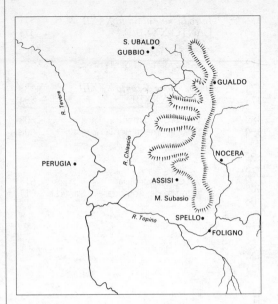

A sinistra: la posizione di Assisi
(Paradiso, canto XI).

Sotto: Firenze, la cerchia delle mura
(Paradiso, canto XV).

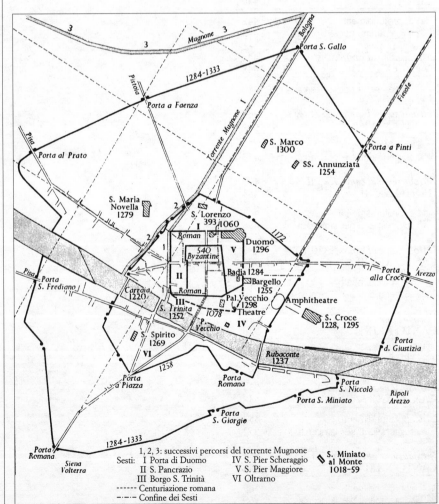

1, 2, 3: successivi percorsi del torrente Mugnone

Sesti: I Porta di Duomo   IV S. Pier Scheraggio
        II S. Pancrazio   V S. Pier Maggiore
        III Borgo S. Trinità VI Oltrarno

-------- Centuriazione romana
--·-- Confine dei Sesti

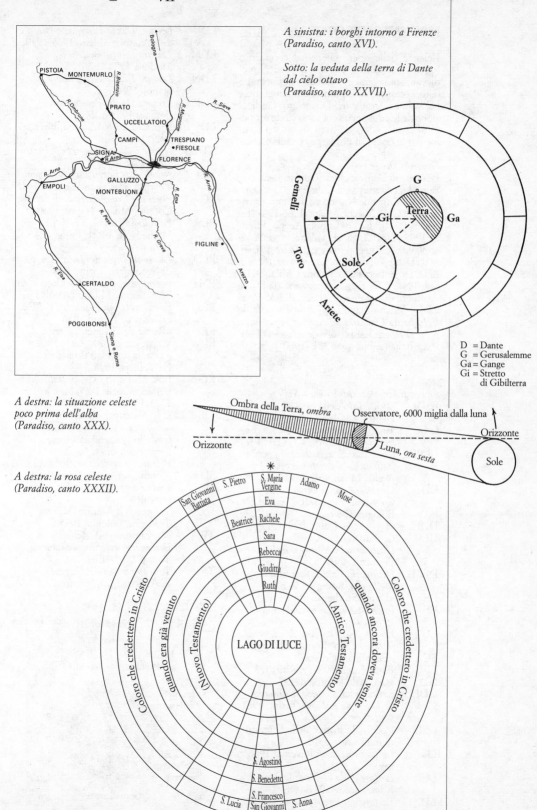

A sinistra: i borghi intorno a Firenze
(Paradiso, canto XVI).

Sotto: la veduta della terra di Dante
dal cielo ottavo
(Paradiso, canto XXVII).

D = Dante
G = Gerusalemme
Ga = Gange
Gi = Stretto
di Gibilterra

A destra: la situazione celeste
poco prima dell'alba
(Paradiso, canto XXX).

A destra: la rosa celeste
(Paradiso, canto XXXII).

PRINCIPALI OPERE CITATE

L'elenco delle opere citate nel commento (opere di consultazione, autori classici e medievali, studi critici, commenti al poema) è dato, completo di riferimento bibliografico, nel volume *Strumenti*. Diamo qui l'indicazione delle edizioni da cui sono citate le opere di Dante, e le sigle usate in questo volume per le opere di più larga consultazione.

Opere di Dante
Le opere di Dante si citano dalle seguenti edizioni: La *Commedia*, il *Convivio* e la *Monarchia* dall'Edizione Nazionale, rispettivamente a c. di G. Petrocchi, Milano 1966-1967 (Firenze 1994²), di F. Brambilla Ageno, Firenze 1995 e di P.G. Ricci, Milano 1965; la *Vita Nuova*, le *Rime*, il *Fiore* e il *Detto d'Amore* da Dante Alighieri, *Opere minori*, I/1, a c. di D. De Robertis e G. Contini, Milano-Napoli 1984; il *De vulgari eloquentia* da Dante Alighieri, *Opere minori*, II, a c. di P.V. Mengaldo, Milano-Napoli 1979; le *Epistole*, le *Egloghe*, la *Quaestio de aqua et terra* da *Le opere di Dante*, testo critico della Società Dantesca Italiana, Firenze 1921 (1960²).

Opere di larga consultazione – Sigle
BSDI   «Bollettino della Società Dantesca Italiana»
C.G.   Tommaso d'Aquino, *Somma contro i Gentili*, Torino, UTET, 1975
CLPIO   *Concordanze della lingua poetica italiana delle origini*, a c. di d'A.S. Avalle, Milano-Napoli 1992
DD   *Dizionario della Divina Commedia*, a c. di R. Merlante, Bologna 1999
DDJ   «Deutsches Dante Jahbuch»
DEI   C. Battisti - G. Alessio, *Dizionario etimologico italiano*, Firenze 1950-1957
DEM   *Dizionario Enciclopedico del Medioevo*, Roma 1998-1999
DS   «Dante Studies»
ED   *Enciclopedia dantesca*, Roma 1970-1978
EI   *Enciclopedia italiana di scienze, lettere ed arti*, Roma 1929 sgg.
FC   «Filologia e Critica»
FF   *Fonti Francescane*, Assisi 1978
GD   «Giornale Dantesco»
GDLI   S. Battaglia, *Grande dizionario della lingua italiana*, Torino 1961 sgg.
GSLI   «Giornale storico della letteratura italiana»
LC   *Letture classensi*, Ravenna 1966 sgg.
LCD   *Letture della Cassa di Dante in Roma*, Roma 1977-1989
LD   *Letture dantesche*, a c. di G. Getto, Firenze 1955-1961

LDI   *Lectura Dantis Internazionale*, a c. di V. Vettori, Milano 1963-1970
LDM   *Lectura Dantis modenese*, Modena 1984-1986
LDN   *Lectura Dantis Neapolitana*, Napoli 1980 sgg.
LDP   *Lectura Dantis-Pompeiana*, Pompei 1983 e 1985
LDS   *Lectura Dantis Scaligera*, Firenze 1967-1968
NDL   *Nuove letture Dantesche*, Firenze 1966-1976
NTF   *Nuovi testi fiorentini del Dugento*, a c. di A. Castellani, Firenze 1952
PD   *Poeti del Duecento*, a c. di G. Contini, Milano-Napoli 1960
PL   *Patrologia Latina*, a c. di J.P. Migne, voll. 1-221, Parigi 1841-1876
PLD   *La poesia lirica del Duecento*, a c. di E. Salinari, Torino 1968
PMT   *Poemi minori del Trecento*, a c. di N. Sapegno, Milano-Napoli 1964
RCD   *Rimatori comico-realistici del Due e Trecento*, Torino 1956
REI   «Revue des Études italiennes»
REW   W. Meyer Lübke, *Romanisches e tymologisches Wörterbuch*, Heidelberg 1935
RIS   L.A. Muratori, *Rerum Italicarum scriptores*, voll. 1-25, Milano 1723-1751
RIS²   L.A. Muratori, *Rerum Italicarum scriptores*, (nuova ed.), Città di Castello-Bologna 1900 sgg.
RVF   *Rerum vulgarium fragmenta*; Petrarca, *Canzoniere*, Torino 1964
SD   «Studi Danteschi»
SPCT   «Studi e problemi di critica testuale»
S.T.   Tommaso d'Aquino, *Somma Teologica*, Bologna 1985
TB   N. Tommaseo-B. Bellini, *Dizionario della lingua italiana*, Torino 1865-1879
TF   *Testi fiorentini del Dugento*, a c. di A. Schiaffini, Firenze 1926

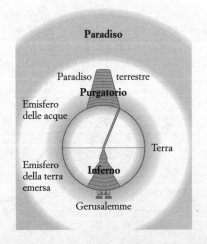

Paradiso

Paradiso terrestre
Purgatorio

Emisfero delle acque

Terra

Emisfero della terra emersa

Inferno

Gerusalemme

LA TERZA
CANTICA

Nel dedicare il *Paradiso* a Cangrande della Scala, Dante chiama questa sua opera estrema «la sublime cantica, che si fregia del titolo di Paradiso». Tale definizione corrisponde, nella profonda consapevolezza dell'autore, alla singolarità e altezza di questo testo, che appare diverso da ogni altra composizione letteraria a noi nota. Diverso anche rispetto alle altre due cantiche, già così rivoluzionarie nell'invenzione e nel linguaggio, che fanno parte dello stesso poema. Se si volesse indicare il carattere che costituisce tale sua unicità, crediamo che esso possa ritrovarsi, usando le parole stesse del poeta, in quel verso che nel canto XXIV, traducendo il testo della *Lettera agli Ebrei*, definisce la fede: «sostanza di cose sperate». Tale ci appare infatti la poesia del *Paradiso* nella sua singolarità: essa si sostanzia tutta di cose che non si vedono, e che soltanto, per fede, si sperano.

Il suo argomento infatti, la beatitudine del paradiso, cioè il perfetto compimento dell'infinito desiderio dell'uomo nel suo immedesimarsi con la realtà divina, è un qualcosa che non è sperimentato, ma soltanto sperato, e che solo può esserci dato, in qualche breve istante della nostra vita terrena, di confusamente intravedere.

Di qui l'assoluta novità della cantica dantesca, che si fa memoria di cose soltanto sperabili, o soltanto misticamente sperimentabili.

Certo il racconto poetico dà figura sensibile a tale realtà, conferendole bellezza in forme di assoluto splendore, ma tutto questo – come il poeta avverte – non è che un'ombra, come un tenue ricordo di un sogno appena svanito, un'impressione rimasta nell'animo; ombra da cui egli trae tutto quello che il suo verso ci dirà (I, 10-12). E d'altra parte quel mondo ricordato non ha nessun carattere di indeterminatezza, ma ha un ordine e una struttura razionalmente definiti, fondati sulla «somiglianza» tra la mente umana e quella divina propria del cristianesimo.

Per questo il *Paradiso* di Dante non è assomigliabile né ad altri racconti di visioni – che rappresentano luoghi analoghi a quelli terreni, con le due figure bibliche del meraviglioso giardino e dell'aurea città – né alle esperienze narrate dai mistici, che normalmente non hanno la struttura razionale propria invece della letteratura.

Della novità dell'impresa Dante si rende ben conto, come appare quando apre, con una seconda protasi, il II canto del suo *Paradiso*: *L'acqua ch'io prendo già mai non si corse*. In questa singolare e alta apertura si configura fin dall'inizio quello che sarà il carattere tutto particolare di questa cantica, e cioè l'identità fra l'esperienza del personaggio e quella dell'autore, fra il *fatto* narrato e il *dire* che lo raffigura, fino al limite dove si arresta la possibilità dell'umano linguaggio. Quella nave infatti (il *legno che cantando varca*), che è antica metafora della poesia, non sai più se voglia significare l'impresa mai tentata da un poeta nel rappresentare il mondo divino, o l'esperienza eccezionale vissuta dall'uomo che ancora in vita ha visitato quel mondo.

Nuovo dunque questo terzo regno, nel quale Dante ha coerentemente rinun-

ciato ad ogni forma di raffigurazione sensibile usata negli altri due, quali il paesaggio e la figura umana, creando un singolare racconto di visione di oggetti
incorporei, dove l'unico paesaggio è il cielo, e le persone sono soltanto fiamme. La differenza è segnata in modo sensibile dal distacco fisico di questo mondo
celeste dalla terra. *Inferno* e *Purgatorio* ancora le appartengono: la terra contiene l'uno, sostiene l'altro. Quei due regni e i loro abitanti sono infatti legati
al tempo e alla storia. E quel distacco fisico è figura della vera, sostanziale differenza tra le due dimensioni e i due linguaggi poetici: le prime due cantiche
sono il racconto di una memoria storica, dove hanno posto gli eventi quotidiani,
i vizi e le virtù degli uomini, le loro individuali vicende. Il *Paradiso* invece ricorda e racconta anch'esso un'esperienza, ma un'esperienza interiore, che possiamo chiamare con sicurezza mistica, perché a questo ci autorizza il testo di Dante
con il preciso riferimento alla visione di san Paolo posto al centro del primo
canto (vv. 73-5); e a questa esperienza occorre una diversa qualità di memoria.

Lo iato, lo stacco tra l'ultima cantica e le prime due – che tutti i lettori avver-
tono, e che Dante stesso dichiara (I 16-8; II 1-9) – sta in questa differente qualità di esperienza e di memoria, da cui discendono tutte le differenze.

Alla memoria storica appartengono il tempo e lo spazio, i luoghi che il pellegrino percorre con il suo piede mortale (nell'*Inferno* il peso, nel *Purgatorio*
l'ombra sono il segno della sua corporeità), i paesaggi in tutto uguali alla geografia terrestre, infine le singole storie degli uomini sempre esattamente deli-
mitate da un luogo, un tempo, un gesto. (Ricordiamo il bacio di Paolo e
Francesca, il conto dei giorni di Ugolino nella torre, il conto dei mesi sul mare
notturno di Ulisse, il fiume dove arriva a morire Buonconte e il suo ultimo gesto
di fede, le lacrime della vedovella di Forese che lo hanno condotto in meno di
cinque anni in cima alla montagna.)

Ma alla memoria mistica tutto questo è sottratto: qui non si misura il tempo,
non si descrive il cammino (il passare da un cielo all'altro non è mai un atto
del corpo, ma solo dello sguardo, e talvolta neppure consapevole; *e io era con
lui; ma del salire / non m'accors'io, se non com'uom s'accorge, anzi 'l primo pensier, del suo venire*: X 34-6).

Anche le similitudini che creano i paesaggi celesti non sono più geograficamente determinate (le macchie di Corneto, i sepolcri di Arles, la pineta di
Chiassi), ma in certo modo anonime, universali:

> *Quale ne' plenilunii sereni*
> *Trivïa ride tra le ninfe etterne*
> *che dipingon lo ciel per tutti i seni...*
> (XXIII 25-7)

> *E sì come al salir di prima sera*
> *comincian per lo ciel nove parvenze,*
> *sì che la vista pare e non par vera...*
> (XIV 70-2)

> *E come clivo in acqua di suo imo*
> *si specchia, quasi per vedersi addorno,*
> *quando è nel verde e ne' fioretti opimo...*
> (XXX 109- 11)

Anche gli uomini hanno perduto la loro individuale prepotenza fisica e morale (quale appare nell'*Inferno* in Farinata, o Filippo Argenti, o Vanni Fucci); né
ci si affollano intorno a narrare i loro gesti terreni per essere ricordati nel mondo
della storia (come accade in *Purg.* VI 1-12). Poche, brevi, non in primo piano,

le singole private vicende narrate, proprie solo dei primi tre cieli (Piccarda, Romeo, Cunizza). Le altre storie, quelle di ampio respiro, hanno sempre un'altra funzione, pubblica e non privata, un valore cioè profetico, di rimprovero ed esortazione per il mondo corrotto: tali sono le grandi vite di Francesco e di Domenico, quella di Giustiniano che si identifica con la storia provvidenziale dell'Impero, come quella di Cacciaguida con la vita dell'antica, sobria e casta Firenze. Ciò accade perché *Inferno* e *Purgatorio* hanno come primo oggetto l'uomo storico e il suo cammino nel tempo (mentre la vita oltre il tempo è presente come in secondo piano), il *Paradiso* invece ha per primo oggetto quella realtà assoluta ed eterna a cui l'uomo tende come a suo supremo desiderio, verso la quale il cammino non è misurabile coi tempi storici, e i singoli eventi terreni sono davanti ad essa piccoli e lontani.

Le parti si sono invertite. E la memoria, come la parola, devono adeguarsi a questo rovesciamento. Le immagini sono leggere, diafane, luminose: aria, luce, stelle, musica. Il linguaggio si raffina nel vocabolario e nel suono, si sublima nei latinismi, nei neologismi, nelle citazioni bibliche, nel ritmo ardente o di alta pace che alternamente lo conduce.

Anche nel *Paradiso*, si osserverà, ci sono tuttavia i nove cieli fisici da percorrere, c'è un incontrare, un parlare, uno spiegare, una dimensione anch'essa in qualche modo storica, inevitabile nel linguaggio umano. Ma questo cammino attraverso i cieli dell'astronomia tolemaica non è presentato come un percorso misurato nello spazio e nel tempo (*l'atto suo* – si dirà dell'avanzare di Beatrice con Dante da un cielo all'altro – *per tempo non si sporge*: X 39), bensì come un graduale accrescimento del vedere, nell'avvicinarsi a quella realtà suprema che è il solo oggetto della cantica, gradualità che è necessaria alla condizione corporea di colui che compie tale percorso.

Ma la cosa più singolare è che questa salita «per le scale» dei nove cieli è situata tutta in una dimensione irreale, intermedia, si potrebbe dire, tra il tempo e l'eternità.

Anche *Inferno* e *Purgatorio* rappresentano un aldilà che può dirsi incompiuto, in attesa della fine dei tempi (i dannati aspettano di riassumere i loro corpi, come dicono Ciacco e Pier delle Vigne; i salvati aspettano di entrare – con quei corpi – nel regno celeste), ma c'è fra le due condizioni una sostanziale differenza: gli spiriti dei primi due regni abitano realmente, con i loro corpi fittizi, ma consistenti, i luoghi corporei a loro assegnati, ambedue situati sulla terra. Le anime del *Paradiso* abitano invece nell'Empireo, cioè nel cielo divino, quel cielo di «luce intellettuale» dove Dante entrerà alla fine del suo cammino. Essi appaiono, «si mostrano» qui nei cieli dei pianeti solo per Dante, il pellegrino della terra, perché egli si renda conto dei diversi ruoli che i diversi tipi di santità, gerarchicamente disposti, hanno nel mondo della storia. Questo «paradiso intermedio», se così può chiamarsi, è dunque qualcosa che non ha vera realtà, e la sua singolare consistenza è figurata da quei corpi eterei, diafani, che sono i cieli, e da quegli abitanti che sono soltanto luci, luci che poi non sono altro che irraggiamento delle loro anime.

Tale luogo intermedio, che Dante ha come racchiuso tra il primo e il trentesimo canto (canto nel quale si entra nell'Empireo), cioè tra i due luoghi «reali» del suo racconto, rappresenta quell'intervallo fra la morte dei singoli e la fine del tempo, ben difficile a definire in termini teologici, al quale la poesia di Dante, usando l'immagine offerta dalla cosmologia tolemaica, ha in questo modo genialmente dato figura.

Qual è infatti la condizione, in quell'intervallo, delle anime beate separate dal corpo che aspettano di rivestire? È un tempo che non è un tempo, e non è ancora eternità, perché in esso c'è attesa. I corpi che non ci sono ancora sono infatti sospirati, e qualcosa dunque manca alla perfetta beatitudine dell'uomo, come appare nella grande scena del canto XIV, quando è celebrata la resurrezione della carne.

Quell'intervallo, infine, di fatto non esiste, se non per la nostra mente umana, incapace di concepire delle realtà fuori dal tempo.

E infatti il paradiso delle sfere dantesche, con le sue schiere di beati in scala, è immaginato come fittizio, o meglio come una forma sensibile di una realtà puramente spirituale, creata per venire incontro alla umanità di colui che lo percorre, il cui intelletto può comprendere – come insegnava Aristotele – solo attraverso i sensi: *Qui si mostraro, non perché sortita / sia questa spera lor, ma per far segno / de la spiritüal c'ha men salita. / Così parlar conviensi al vostro ingegno, / però che solo da sensato apprende / ciò che fa poscia d'intelletto degno* (IV 37-42).

Il cammino lungo le sfere tolemaiche corrisponde dunque alla corporeità terrestre che Dante ha conservato nella sua salita al cielo, carattere primario della sua invenzione. Tutto ciò che è corporeo richiede gradualità, cioè tempo, che il puro spirito ignora. Gli angeli, intelligenze incorporee, non hanno infatti memoria, come sarà detto nel nono cielo; mentre l'uomo che Dante ha immaginato salire nei cieli porta con sé la sua memoria, perché porta il suo corpo. Il paradiso delle sfere è quello che, come permette al corpo di percorrerlo, così permetterà alla memoria di raccontarlo. Ma la sua realtà sta oltre di esso, in quell'ultimo cielo spirituale dal quale soltanto discende ogni realtà. Paradossalmente, le sfere tolemaiche sono la figura, mentre il cielo invisibile, e scientificamente inesistente, è la realtà.

Di fatto ai pianeti – luoghi del tempo – sono riservati gli incontri con gli uomini, le loro storie, e quella disposizione gerarchica rispondente alle varie indoli che i pianeti stessi hanno il compito di assegnare agli individui, e che soltanto nella storia ha un significato. In questa concezione rientra anche il graduale sparire allo sguardo di Dante della forma corporea dei beati, ancora vagamente percepibile nei primi tre cieli, fin dove giungeva (secondo l'astronomia tolemaica posta al servizio della teologia poetica dantesca) l'ombra della terra.

Questa salita celeste, pur corporea, si svolge tuttavia con modalità diverse da quelle di un percorso terrestre. Essa è affidata soltanto allo sguardo. Solo il vedere cose diverse (maggior luce nel cielo, maggior splendore negli occhi di Beatrice) dà a Dante coscienza dei diversi luoghi raggiunti, solo nel campo visivo si raccoglie ciò che del mondo etereo si potrà ridire. Ma non è questa l'unica singolarità di tale salita. Dante ha immaginato infatti il suo paradiso come un'ascesa del vedere distinto in una duplice specie di vedere, come duplice è la natura dell'uomo, e duplice il senso che il verbo «vedere» ha nell'umano linguaggio.

La visione nella quale si risolve tutta la cantica procede di fatto parallela, come visione sensibile e visione intellettuale, visione del bello e visione del vero, le due forme con cui l'uomo vede, finché le due visioni vengono a identificarsi nella contemplazione diretta di Dio propria dell'ultimo canto.

Due modi di vedere, due linguaggi: da una parte la visione dei cieli e dei fulgori che li abitano, dall'altra la visione teologica delle grandi realtà della fede. Di cielo in cielo, le due forme si alternano, prendendo sempre più campo la visione sensibile – figura del diretto incontro con Dio – e diminuendo lo spazio dato al discorso teologico, che è la via indiretta, o mediata, percorsa dall'intelligenza.

L'una e l'altra forma riflettono l'eccezionalità e l'altezza di quell'esperienza, per cui il *Paradiso* di Dante è difficile e arduo a intendere e gustare, come è di tutte le cose grandi di questo mondo. Quelle realtà sensibili che appaiono lassù, i cieli splendenti come gemme, le luci fulgide dei beati in essi racchiuse, sono realtà che non ci sono su questa terra; immaginabili però, per la loro analogia con le cose terrene che per via di similitudine Dante sempre richiama, in quanto sono specchio di quella realtà che noi non possediamo, ma che possiamo sperare.

Da questa analogia nascono le straordinarie similitudini fatte per cose non reali, che stabiliscono il nesso tra l'uno e l'altro mondo, per il lettore come per il poeta stesso: dove se non sulla terra poteva egli trovare «l'ombra del beato regno», quella terra dove è impressa l'orma, il «vestigio» (come dicevano Agostino e Bonaventura) della realtà divina? È quell'orma che nutre la sua memoria. Come scriveva san Paolo, citato nella *Monarchia* (II, II 8), «le cose invisibili di Dio sono rese visibili alla mente dalle cose che lui ha fatto».

Vaghe e delicate similitudini sono queste, tali che il tenue limite corporeo non possa imprigionare il soffio quasi inafferrabile, il lume d'eterno che il poeta vi specchia. Tolte dal cielo: *Come distinta da minori e maggi / lumi biancheggia tra' poli del mondo / Galassia sì, che fa dubbiar ben saggi...*; dai fiori: *Come a raggio di sol, che puro mei / per fratta nube, già prato di fiori / vider, coverti d'ombra, li occhi miei...*; dalle creature alate, come i colombi, l'allodola, l'ignoto uccello che sospira l'aurora: *Come l'augello, intra l'amate fronde, / posato al nido de' suoi dolci nati / la notte che le cose ci nasconde...* .

Ognuna di esse porta racchiuso in sé un significato che oltrepassa quello letterale (e per questo è un errore critico il pretendere di gustarle – come voleva il Croce – avulse dal loro contesto): è il significato mistico che Dio stesso ha posto nel creato, e che il poeta riscopre e trae in qualche modo alla luce. Quell'uccellino che aspetta il sole non è immagine di idillio pastorale, non è, per intendersi, «soltanto» un uccellino, ma è figura della speranza dell'uomo che dalla cieca notte del mondo guarda con fede alla luce divina che illuminerà la storia, la sua personale come quella di tutte le creature. Se l'universo «somiglia» a Dio (I 105), Dio sarà raccontabile attraverso gli aspetti dell'universo: di ogni cosa creata, scrive ancora Dante nella *Monarchia*, può dirsi che abbia in sé la similitudine di Dio: «l'intero universo non è niente altro che un vestigio della divina bontà» (I, VIII 2).

Così egli ha fatto il suo paradiso visibile servendosi dell'universo come sua immagine. Non possiamo qui fermarci ad analizzare le varie forme poetiche in cui questo mondo prende voce; ricorderemo soltanto il doppio aspetto, del ritmo e della figura, che le caratterizza. Da una parte il fervore incessante, dove si significa l'eterno vigilare dello spirito (*'l sacro amore in che io veglio / con perpetüa vista*, dirà Cacciaguida), di cui sono segno le danze, i loro vortici circolari, lo sfavillio delle luci, il tripudio dei cori osannanti. Dall'altra parte, una ferma pace distende e placa in forme forse anche più alte il verso e l'immagine. Questa pace al di là di ogni fatica e di ogni guerra, quiete della mente e dei disordinati moti della volontà, vero termine del desiderio, accompagna come tema continuo la cantica, quasi indicandone il fine. Ricordiamo Piccarda: *E 'n la sua volontade è nostra pace*; Boezio: *da martiro / e da essilio venne a questa pace*; san Bernardo: *colui che 'n questo mondo, / contemplando, gustò di quella pace*. È questo il più alto sospiro della vita di Dante, dell'esule della terra e del cielo, e la più alta conquista della sua poesia.

Tale profonda quiete dello spirito sostanzia il verso della terza cantica, sembra aprire silenzio intorno alle parole, pausa il ritmo della terzina, dilata i confini delle immagini, dandoci forse la misura più grande in cui la parola umana sia riuscita a raccogliere nella sua veste sensibile quella sperata realtà che si fa presente in rari momenti della vita. Ricordiamo almeno l'inizio del canto XXX:

Forse semilia miglia di lontano
ci ferve l'ora sesta, e questo mondo
china già l'ombra quasi al letto piano,

quando 'l mezzo del cielo, a noi profondo,
comincia a farsi tal, ch'alcuna stella
perde il parere infino a questo fondo;

e come vien la chiarissima ancella
del sol più oltre, così 'l ciel si chiude
di vista in vista infino a la più bella.

Questa grande misura poetica fiorisce poi in quei versi supremamente semplici che solo nel *Paradiso* è dato trovare. Sono i luoghi in cui Dante arriva ad esprimere nel modo più diretto e spoglio l'alta esperienza interiore di cui tutta la cantica è memoria. Come la vista dell'intelletto ha gran bisogno della parola, della sua articolata ricchezza, per ridire ciò che essa intende, così la vista dello spirito ne ha appena bisogno: si tratta quasi di dar voce al silenzio. Così lo splendido linguaggio del *Paradiso* si piega in modi piani e disadorni, dove non si avverte quasi più il peso sensibile e intellettuale della parola, che pure altrove gli dà forza e lo sostiene. Resta la trasparenza pura che a pochi poeti è dato raggiungere nella loro fatica. Tale è il già citato inizio del canto XXIII:

Come l'augello, intra l'amate fronde,
posato al nido de' suoi dolci nati
la notte che le cose ci nasconde... (XXIII 1-3)

Tale la vita nell'eremo di san Pier Damiano:

che pur con cibi di liquor d'ulivi
lievemente passava caldi e geli,
contento ne' pensier contemplativi. (XXI 115-117)

Tale il sorriso di Beatrice nel cielo di Marte:

ché dentro a li occhi suoi ardeva un riso
tal, ch'io pensai co' miei toccar lo fondo
de la mia grazia e del mio paradiso. (XV 34-36)

Se ora consideriamo l'altra specie di visione che accompagna la salita, quella che si configura nella forma del discorso teologico, essa apparirà stilisticamente condotta su un registro quasi opposto. Il vedere dell'intelletto è mediato, – la ragione infatti «discorre», nel suo procedere, da un punto all'altro dell'argomentare – come immediato è quello dello spirito. Da questo deriva la ricchezza verbale, l'ampiezza sintattica, la complessità del movimento ritmico che caratterizzano questi passi del *Paradiso*, ardui talvolta a comprendere, non sempre liberati dai legami del procedimento logico proprio delle scuole, ma che accolgono, nella loro dimensione di contemplazione del vero, la profonda bellezza riposta nell'universo illuminato dall'ordine che la ragione vi scopre.

La visione teologica non è altro infatti che il paradiso della mente, l'appagamento sul piano dell'intelligenza che l'uomo, finché vive nel tempo, sempre sospira, quel *vero in che si queta ogne intelletto* che lo spirito di Dante ha per tutta la vita appassionatamente cercato, con amore pari soltanto a quello per la bellezza, i due oggetti appunto del vedere, che nel suo verso, come nel volto di Beatrice, vengono a identificarsi.

Per comprendere il fondamento, e la possibilità stessa, della poesia teologica di Dante, bisogna tener presente la condizione in cui si trova il teologo medievale, che crede nell'ordine razionale dell'universo in quanto creato da Dio, e crede nelle realtà di fede di cui parla come da Dio rivelate, per cui esse sono viste come qualcosa di certo, di vero per sempre, di cui si può contemplare la bellezza.

Gli argomenti che Dante svolge nei suoi grandi discorsi teologici sono infatti sostanzialmente due soli: l'ordine armonioso dell'universo, creato e condotto da Dio al suo fine (I 103-105) e il grande mistero cristiano della incarnazione, l'elemento nuovo che s'introdusse nella perfetta costruzione della filosofia greca, assumendo la storia nella dimensione dell'assoluto e dell'eterno.

L'uno e l'altro argomento sono, come si vede, non problemi logici, ma eventi, che si svolgono su due piani diversi, il primo nel cosmo immutabile e il secondo nella storia, ma ambedue descrivibili, raccontabili, come accade appunto nei più importanti e più belli di tali discorsi. Così accade nel canto VII, dove si narra la redenzione, così nel I o nel XXIX, dove si contemplano la creazione e il suo fine o nel breve ma sublime passo del XIV, dedicato alla resurrezione della carne.

Anche in questo teologico narrare sono riconoscibili, nella diversa struttura del discorso, le due componenti già individuate nella descrizione della visione sensibile: l'alacre fervore per cui la mente sembra accendersi, di terzina in terzina, nella meraviglia che va scoprendo, e la pace alta e serena nella quale lo sguardo intellettuale trova quasi riposo, contemplando ciò che finalmente lo appaga.

Così, per fare due esempi, il discorso sulla resurrezione dei corpi trasforma il sillogismo in un fervido successivo aumentare di gioia e di luce, scandito da una terzina all'altra con riprese verbali e ritmiche che vengono a figurare il movimento circolare del pensiero:

Come la carne glorïosa e santa
fia rivestita, la nostra persona
più grata fia per esser tutta quanta;

per che s'accrescerà ciò che ne dona
di gratüito lume il sommo bene,
lume ch'a lui veder ne condiziona;

onde la visïon crescer convene,
crescer l'ardor che di quella s'accende,
crescer lo raggïo che da esso vene. (XIV 43-51)

D'altra parte non meno grande di questa vertiginosa crescita di luci si dispiega il calmo e solenne attacco del discorso sulla creazione nel canto XXIX, con quella placata apertura di orizzonti propria di chi tutto vede da remote altezze, come qui Beatrice, che tiene lo sguardo fisso in Dio:

Non per aver a sé di bene acquisto,
ch'esser non può, ma perché suo splendore
potesse, risplendendo, dir "Subsisto",

in sua etternità di tempo fore,
fuor d'ogne altro comprender, come i piacque,
s'aperse in nuovi amor l'etterno amore.

Né prima quasi torpente si giacque;
ché né prima né poscia procedette
lo discorrer di Dio sovra quest'acque. (XXIX 13-21)

Ora questa bellezza armoniosa del cosmo – su cui si fonda l'intera creazione poetica del *Paradiso* dantesco, che si costruisce su un ordine, come già l'*Inferno* e il *Purgatorio* – ha la sua fonte sicura in quella concezione dell'universo che, nata nel *Timeo* di Platone, attraverso il neoplatonico Proclo, Dionigi Aeropagita, Boezio, l'arabo Avicenna, dominò tutto il pensiero medievale, e cioè quella che è detta la cosmologia neoplatonica.

In questo mondo – dove le intelligenze motrici dei cieli sono tramite tra Dio e la realtà sensibile fino alle ultime delle creature, e attraverso le degradanti sfere ruotanti la luce divina, cioè l'essere, discende per tutto l'universo illuminandolo e risplendendo in esso (*per l'universo penetra, e risplende*), e lo riconduce poi, con opposto movimento, fino a se stesso – il pensiero filosofico e la scienza fisica vengono di fatto a coincidere, l'intelligibile e il sensibile (ciò che si pensa con la mente e ciò che si sperimenta con i sensi) si identificano, tutta la realtà è come innervata dallo spirito, di cui la luce è figura.

L'astronomia tolemaica, con le sfere concentriche dei suoi cieli e la terra al loro centro, offriva a questa concezione il linguaggio con il quale esprimersi; l'universo fisico era quasi la figura di quello metafisico.

Di un tale mondo, che sembrava fatto per aspettare un poeta che lo raffigurasse, si impadronì il genio di Dante, che lo ricevette già riplasmato a misura cristiana, secondo la quale il Primo Motore, l'Uno della filosofia, è il Dio personale biblico che crea per amore, le intelligenze che muovono i cieli sono gli angeli che operano nella storia come provvidenza, e l'anima dell'uomo è unica e individuale, direttamente creata, libera ed immortale.

Il cosmo concepito dal più alto pensiero filosofico del nostro mondo – quale fu quello di Platone – che veniva a coincidere con il testo biblico («io riempio il cielo e la terra»), e si offriva in una forma già di per sé percepibile dai sensi, divenne così, sotto la penna del poeta fiorentino, quella splendida e resistente realtà che è ancora il suo *Paradiso*, dove l'intelligibilità – cioè l'ordine – del creato è la sua bellezza, la musica delle sfere è armonizzata da Dio stesso, la luce degli astri non è che il trasparire in essi della vita divina.

Ma in questo universo di supremo ordine, attraverso i cieli eterei mossi dalle intelligenze angeliche, il primo canto del *Paradiso* introduce una singolare novità. Attraverso il cosmo platonico cammina un uomo mortale, che sale con il suo corpo, accompagnato da colei che fu l'amore della sua giovinezza. Che l'anima umana risalga al cielo, era fatto che rientrava naturalmente nell'ordine qui rappresentato; ma che l'uomo vi portasse il suo corpo, era razionalmente e fisicamente inconcepibile.

Ora quel corpo umano che sale fino all'ultimo cielo, e taglia con la direzione verticale la circolarità delle sfere, è il segno della rivoluzione operata dal cristianesimo all'interno del mondo antico. Il mistero della incarnazione – il secondo tema, come si disse, della teologia paradisiaca – innalza di fatto l'uomo, con la sua carne e la sua temporalità, nell'eterna realtà divina. Ciò accade attraverso una trasfigurazione dell'umano – il «trasumanare» di cui Dante parla nel suo primo canto, e che i teologi cristiani definiscono come «deificari», secondo l'idea già formulata da Agostino («Dio si è fatto uomo, perché l'uomo potesse farsi Dio») ma non attraverso un suo annullamento. La storia, che introducendo questo commento abbiamo indicato come l'elemento caratterizzante e nuovo del poema dantesco, entra così, con quel corpo mortale che appartiene per definizione al tempo, nel cielo eterno.

L'invenzione di Dante è tuttavia, come ogni altra del poema, non gratuita, ma storicamente giustificata. Un caso solo, ma uno ce n'era stato, nel ricordo umano, di un simile evento: era quello dell'apostolo Paolo, rapito al terzo cielo, le cui parole infatti Dante riprende e cita nel suo primo canto (vv. 73-5). L'apostolo non è sicuro di avere portato con sé, in quel rapimento, il proprio corpo e dice di non saperlo (cfr. *2 Cor.* 12, 2). Ma attraverso quella incertezza, quasi una porta lasciata aperta dalle parole di Paolo, passa in realtà la cantica dantesca.

E Dante porta con sé, con il corpo, nell'immutabile cielo, le sue domande, i suoi ricordi, i suoi desideri, ciò che solo il tempo conosce. La sua persona è l'unico soggetto storico nel racconto del terzo regno; ma con lui tutta la molteplice, drammatica vicenda umana entra nella cantica. La missione profetica di cui egli si sentiva portatore, e che riguarda appunto la storia, ha quassù la più autorevole celebrazione (si veda l'investitura che il poeta si fa dare da san Pietro stesso nel canto XXVII, ai vv. 64-6). E la dolorosa condizione umana nel tempo, fissa nell'animo del pellegrino celeste, sempre ritorna, di cielo in cielo, a confronto con la beata condizione della gloria: *Oh trina luce che 'n unica stella / scintillando a lor vista, sì li appaga! / guarda qua giuso a la nostra procella!*.

Quel pellegrino è un esule che torna alla propria casa (*Inf.* XV 54), a quella che è la casa, la vera patria di ogni uomo; ma che alla casa della terra non potrà ritornare. E si crea così la profonda tensione drammatica dei due canti che portano a compimento i due destini del poeta-autore: il XVII, che ne annunzierà il doloroso esilio terreno, e il XXV, dove allo stesso uomo si apriranno le porte gloriose della patria del cielo.

La storia umana penetra nel cielo di Dante, ma la sua onda dolorosa si ferma tuttavia al limite estremo dell'universo, il Primo Mobile o cielo Cristallino. Oltrepassata la soglia del tempo, entrato nell'Empireo, Dante raggiunge il luogo dove tacciono le tempeste (quella *procella* del mondo per cui egli prega...), dove l'uomo tocca il suo fine, e il desiderio, il *disio* che lo conduce, trova il suo compimento. Lo splendore e la pace che dilagano nei versi degli ultimi canti sono il segno ultimo dell'esperienza interiore che tutta la cantica raffigura.

Ma in questo immaginato cielo di luce, che non è corporea, ma «intellettuale», e sostanziata di amore (XXX 40), l'uomo che giunge, ancora con il suo corpo mortale, troverà infine degli altri corpi, i corpi degli uomini risorti. Questo luogo che non ha realtà se non metafisica o potremmo dire mistica, si rivela infine il luogo più reale di tutta la cantica. Come sopra abbiamo osservato, le parvenze che si incontrano lungo le sfere fisiche non sono che figure, tutto ciò che finora si è visto era solo un'ombra, una «prefigurazione» della sua vera realtà, Ora siamo di fronte alla realtà nella sua fonte prima, l'unica realtà – quella divina – che abbia in se stessa la sua verità (*che da sé è vera*).

Per rappresentare questo vero paradiso, che si dispiega infine davanti ai suoi occhi, Dante ha creato una figura che è forse la sua più superba invenzione: quella della grande, candida rosa i cui petali sono i beati stessi. Non più la biblica immagine della città, ma soltanto un fiore, germinato dall'amore che si riaccese nel ventre di Maria il giorno dell'incarnazione. Tale straordinaria figura esprime nella sua bellezza vivente il fiorire, cioè il compiersi e l'effondersi, nel cielo divino, della gloria celata, quasi seminata, nell'umanità fin dal momento della sua creazione, e portata a germinazione dall'atto d'amore del Verbo incarnato.

Quelle *bianche stole* – i suoi bianchi petali – che vi si affollano innumerevoli (*quanto è 'l convento de le bianche stole!*) sono le stesse che nel canto XXV venivano indicate, nel testo dell'*Apocalisse* di san Giovanni, come l'oggetto della virtù della speranza (vv. 94-6). Ciò che allora era annunciato come una certa, ma futura realtà (*"Spene", diss'io, "è uno attender certo / de la gloria futura ..."*) si fa d'un tratto presente. Il tempo precipita nell'eterno, l'ultimo giorno ci raggiunge all'improvviso. E qui dove ogni dimensione spaziale è sparita, risplende nella sua luminosa bianchezza quel corpo umano che ora giace racchiuso nella terra (*che tutto dì la terra ricoperchia*).

Tuttavia anche questa ultima figura viene infine abbandonata, o meglio lasciata alle spalle, dal poeta della *Commedia* alla fine del poema, e del suo cammino, che termina là dove termina il desiderio stesso dell'uomo.

Dell'estremo incontro, in cui Dante raggiungerà la visione diretta e l'unione con Dio, parleremo nel commento all'ultimo canto.

Ma una cosa resta tuttavia da dire, a conclusione di questo quadro che abbiamo tentato di delineare dell'ultimo lavoro dantesco: nella forma che racconta quell'incontro, e che lo racconta come una vera visione mistica, diventa più che mai evidente quell'indissolubile nesso tra realtà e poesia che la nave del secondo canto figurava. Qui tutto lo sforzo, la tensione del poeta nel cogliere, ed esprimere, quella realtà che gli appare in un *punto*, un attimo di tempo, e gli sfugge, si identifica con la tensione dello spirito dell'uomo nel tentare di raggiungerla.

La richiesta di aiuto è estremamente significativa a questo riguardo. Dante all'apertura del canto invoca da Maria, attraverso san Bernardo, l'aiuto a poter vedere – dissipate dall'occhio le nebbie della mortalità – la suprema bellezza, il *sommo piacere*, che è Dio. Ma poco dopo, nel corso stesso della visione, chiederà, proprio come nel I canto, un secondo aiuto: quello di poter ridire ciò che ha potuto vedere.

L'ineffabilità del divino, quel motivo ricorrente a più riprese per tutta la cantica – sempre ricordando al lettore l'inadeguatezza del mezzo del poeta a riferire ciò che ha visto (*Ma chi pensasse il ponderoso tema / e l'omero mortal che se ne carca, / nol biasmerebbe se sott'esso trema*), e ricordando così che di un'opera di poeta si tratta – raggiunge qui il suo ultimo termine di confronto.

Per tutto il canto il vedere, il suo svanire, e la possibilità sempre più fioca, sempre più debole (*Oh quanto è corto il dire e come fioco...*) della parola a ridirlo, si alternano quasi scambiandosi la propria realtà. Fino a che agli ultimi versi, e all'ultimo mistero che si rivela – quello della incarnazione appunto –, la parola cede, perché il vedere non ha più l'immagine, né l'intelletto può formularla.

Ma la parola in realtà è necessaria fin che l'uomo che la pronuncia è distinto dal suo oggetto, vale a dire nella dimensione del tempo e del sensibile. Quando lo spirito umano si fa divino, entra cioè a far parte della realtà di Dio, la parola non ha più corso:

A l'alta fantasia qui mancò possa;
ma già volgeva il mio disio e 'l velle,
sì come rota ch'igualmente è mossa,

l'amor che move il sole e l'altre stelle.

Tale profonda realtà mistica è raffigurata nell'ultimo canto del poema che forse più di ogni altra opera umana è riuscito ad esprimere in forme sensibili il significato che il cristianesimo ha posto nella vita dell'uomo, e del mondo.

Il *dire* accoglie l'essere, come il tempo accoglie l'eternità. Non è un puro caso che, terminato il poema, terminato cioè il *dire*, sia venuta a mancare al suo autore anche la vita.

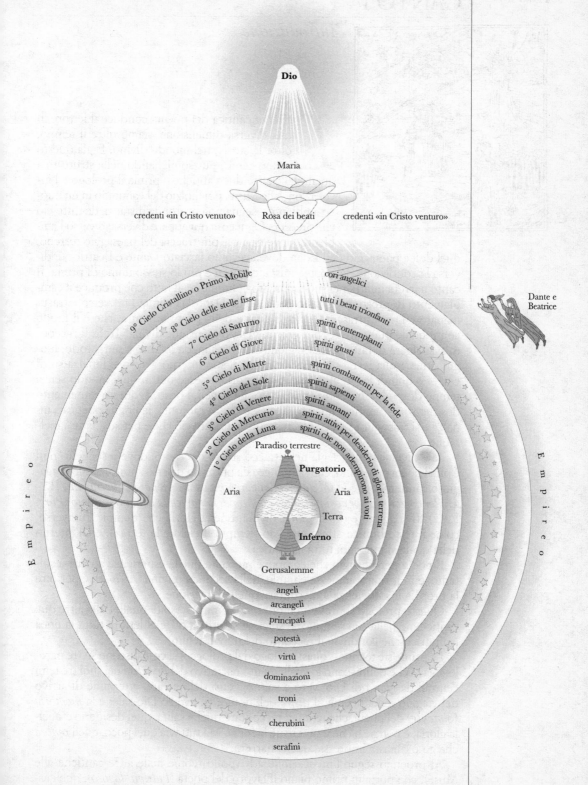

Dio

Maria

credenti «in Cristo venuto»   Rosa dei beati   credenti «in Cristo venturo»

Dante e
Beatrice

9° Cielo Cristallino o Primo Mobile — cori angelici
8° Cielo delle stelle fisse — tutti i beati trionfanti
7° Cielo di Saturno — spiriti contemplanti
6° Cielo di Giove — spiriti giusti
5° Cielo di Marte — spiriti combattenti per la fede
4° Cielo del Sole — spiriti sapienti
3° Cielo di Venere — spiriti amanti
2° Cielo di Mercurio — spiriti attivi per desiderio di gloria terrena
1° Cielo della Luna — spiriti che non adempirono ai voti

Paradiso terrestre

Purgatorio

Aria   Aria

Terra

Inferno

Gerusalemme

Empireo   Empireo

angeli
arcangeli
principati
potestà
virtù
dominazioni
troni
cherubini
serafini

CANTO I

Introduzione

La terza cantica del poema conduce il lettore in una diversa dimensione: siamo oltre il tempo, oltre la storia, nel mondo divino. E già questo primo canto, pur somigliando nella struttura a quelli delle altre due cantiche – prima il prologo e l'invocazione alle Muse, poi l'inizio del cammino in un nuovo ambiente – segna una profonda distanza da tutto ciò che precede. Ogni cosa qui appare diversa: diverso l'ambiente, dove non c'è più traccia del paesaggio terreno, quel dolce paesaggio dell'Eden dove avevamo lasciato Dante e Beatrice; e diversa la condizione del protagonista, che non è più lo stesso uomo di prima. Il canto narrerà infatti, nel suo momento culminante, il fatto che produce il cambiamento di prospettiva, fatto per il quale Dante ha coniato un verso, «trasumanare»: l'uomo trascende cioè il limite della propria natura, che è il modo con il quale può entrare, per grazia, nella dimensione divina. Tutto il racconto si svolgerà di fatto in una regione oltreumana: da inferno e purgatorio, luoghi situati sulla terra – l'uno si inabissa al suo interno, l'altro si innalza su di essa – e quindi legati al tempo e alla storia, si esce ora in quel mondo senza tempo dove abitano i puri spiriti, Dio, gli angeli, i beati. E questo mutamento di situazione cambia il linguaggio stesso che la racconta: la lingua poetica s'innalza e si trasfigura a sua volta, tentando di ridire ciò che è per sua natura ineffabile.

Tale diversità appare già nell'attacco stesso del canto, dove il soggetto non è più il poeta pellegrino, che si accinge (sia pure con diverso spirito) al suo coraggioso cammino: ... *e io sol uno / m'apparecchiava a sostener la guerra* (Inf. II 3-4); *Per correr miglior acque alza le vele / omai la navicella del mio ingegno* (Purg. I 1-2). Il soggetto è ora la *gloria* divina, quella gloria che riempie l'universo, come il testo biblico affermava («io riempio il cielo e la terra»), e all'interno della quale si muoverà tutta la cantica.

Il poeta personaggio che compie e racconta quella esperienza apparirà soltanto, e in forma sommessa e umile, nella seconda terzina (*fu' io...*), e per dire la propria insufficienza a raccontare quell'alta visione.

Questo prologo si presenta inoltre molto più esteso di quelli delle altre due cantiche, e nella sua semplice e solenne struttura offre al lettore tutta la linea ispiratrice che condurrà il racconto del nuovo regno.

Le prime tre terzine – quasi prologo del prologo – si costruiscono su tre parole-chiave che definiscono lo svolgimento narrativo del *Paradiso* nei suoi tre temi centrali: la *gloria* di Dio, vero e solo oggetto del narrare, e termine di arrivo del viaggio e del poema; il *disire* dell'uomo, che verso Dio sale; e la *memoria* (o *mente*) del poeta, che tenta di raccontare quella salita, quel desiderio e quella gloria, e non ne ha né il potere né la forza. Ma tuttavia quel poco, quell'*ombra* che gli è rimasta impressa, quella narrerà.

Al proemio segue l'invocazione ad Apollo (come nelle altre cantiche alle Muse), che porta in primo piano il lavoro del poeta (*l'ultimo lavoro*), quell'assidua fatica tante volte ricordata lungo il poema (si veda per esempio *Purg.* XXIX 37-8 o XXXI 140-1) e che verso la fine della cantica (canto XXV, vv. 1-3) sarà definita nel modo più alto: *il poema sacro / al quale ha posto mano e cielo e terra, / sì che m'ha fatto per molti anni macro.* Quella fatica dello scrivere apparirà allora, in modo evidente, coincidere con la vita stessa dell'anima di colui che scrive: ciò che racconta e ciò che vive fanno tutt'uno. E lo stesso ardente desiderio di vedere, che toccherà il suo termine alla fine del poema, si identifica con l'ansioso desiderio di poter ridire: *O divina virtù, se mi ti presti / tanto che l'ombra del beato regno / segnata nel mio capo io manifesti...* Parole a cui faranno eco, nell'ultimo canto, quelle rivolte al Dio che ormai gli si è rivelato: *e fa la lingua mia tanto possente, / ch'una favilla sol de la tua gloria / possa lasciare a la futura gente.*

In questo così preciso riscontro si rende manifesto l'aspetto che caratterizza tutto il primo canto, e cioè il suo stretto legame con l'ultimo, quasi i due capi di un cerchio che si chiude. Scrivendo il primo, Dante ha la mente rivolta al canto che concluderà il poema: là ritroveremo il *disire* (*disio*) finalmente saziato, il cedere della memoria e del linguaggio stesso in quella ultima sfida, l'ansia del poeta che sopra abbiamo citata. Il *ciel che più de la sua luce prende*, nominato al quarto verso, cioè il cielo che più è illuminato dallo splendore divino, è infatti quell'Empireo dove si giungerà alla fine. È là che lui è stato, è quella l'esperienza che vuole trasmettere agli uomini (di allora e di ora) con i suoi versi. I due testi sono così strettamente connessi, che tutto ciò che accade tra l'uno e l'altro appare infine come un intermezzo, la necessaria strada da percorrere per giungere là dove soltanto importa arrivare.

Dopo il grande prologo, il canto si svolge in tre principali sequenze: descrizione della situazione di partenza (come già la selva e la spiaggia nella prima e seconda cantica); l'azione vera e propria – che si riduce a uno sguardo, come si vedrà (ma che è l'evento decisivo su cui si fonda tutta la novità del terzo viaggio) –; e infine, elemento nuovo rispetto a *Inferno* e *Purgatorio*, il discorso teologico, il primo della cantica, che darà la ragione e il senso stesso all'azione narrata.

Già il primo tempo della narrazione – quello che abbiamo chiamato «situazione di partenza» – appare del tutto diverso da quello delle altre due cantiche: qui è sparito, come si è detto, il paesaggio terreno, la stessa sublime bellezza del paradiso terrestre appare ormai come appartenente a un altro mondo, e non se ne fa parola. Solo il cielo resta come punto di riferimento, e il luogo dove i due protagonisti si trovano è indicato soltanto come l'*emisfero* opposto al nostro, fatto tutto *bianco* per la gran luce solare. Il cielo stesso di cui qui si parla non è il firmamento che contempliamo dalla terra, ma il cielo astronomico, dove si incrociano con l'orizzonte i tre cerchi massimi dell'equatore celeste, dell'eclittica e del coluro equinoziale; è il cielo che avvolge la terra con le sue coordinate geometriche, tracciando su di essa i segni del cerchio e della croce, segni dell'eternità e dell'umanità divina. Un paesaggio quindi astratto, svincolato dai familiari aspetti della nostra terra.

Su questo sfondo si svolge l'unica azione del canto – la partenza per il nuovo regno, il sollevarsi verso l'alto – che tuttavia non è descritta come tale. Solo due sguardi – uno di Beatrice verso il sole, uno di Dante, che ne è come il riflesso – sono gli atti qui rappresentati. Ma in questi sguardi accade quel fatto, il *trasumanare*, che rende possibile tutto l'immaginato viaggio. Il verbo significa alla lettera «l'oltrepassare la dimensione umana», essere cioè sollevato a far parte della natura divina (come il mito di Glauco, il pescatore della Beozia trasformato in divinità marina, qui evocato a paragone, chiaramente fa intendere). Solo questa trasformazione può permettere all'uomo mortale di entrare nel luogo dell'eternità, fuori della storia, del tempo e dello spazio, e giungere fino alla contemplazione di Dio.

C'era stato solo un caso simile nella storia cristiana, che rendeva possibile l'invenzione di Dante, quello di san Paolo, innalzato fino all'ultimo cielo, come narra lo stesso apostolo nella seconda lettera ai Corinzi (12, 2-4). E a quello appunto Dante qui si richiama, con esplicita citazione: *S'i' era sol di me quel che creasti / novellamente, amor che 'l ciel governi, / tu 'l sai, che col tuo lume mi levasti.*

Egli ci dice così che quell'esperienza è il modello e insieme la legittimazione della sua. E, come l'apostolo, il poeta dichiara di «non sapere» se è salito anche con il suo corpo. Non sa perché non ne ha coscienza, ma di fatto, come tutto il racconto della cantica e il seguito stesso di questo primo canto dimostrano, il corpo, con i suoi sensi (vista, udito), lo segue nel paradiso. L'incertezza lasciata da Paolo («se con il corpo, se senza corpo, io non lo so, lo sa Dio») è come una porta aperta che rende teologicamente possibile tutto il racconto della terza cantica dantesca. La grande invenzione, fondata sulla Scrittura, della salita al cielo con il corpo, dà infatti al poeta la possibilità di raccontare quel mondo in forme sensibili, di «figurare» il paradiso, come più avanti egli si esprimerà. Invenzione alla cui origine sta il dogma cristiano della risurrezione della carne, per cui il corpo è destinato a seguire l'anima in paradiso, trasformato, trasfigurato, a somiglianza del corpo glorioso di Cristo, come Paolo stesso dichiara nel celebre passo della prima lettera ai Corinti (*1 Cor.* 15; e cfr. *Phil.* 3, 21) su cui si fonda tutta la teologia della risurrezione. Ma su questo tema, centrale nel *Paradiso*, avremo modo di ritornare. Diciamo qui che esso è un altro dei legami fra il primo canto e la fine del poema, quel cielo Empireo dove appariranno appunto i corpi dei beati – le *bianche stole* – così come si vedranno nel giorno del giudizio finale (XXX 43-5). Subito dopo la citazione paolina, comincia, senza tuttavia esser descritta, la salita di Dante verso il cielo: di essa si dicono solo i suoi effetti, cioè le impressioni che recepiscono i due sensi più nobili, la vista e l'udito. Impressioni che trascendono anch'esse quelle che si possono avere sulla terra; luce e musica accolgono l'uomo che sale nel nuovo regno, ma l'una e l'altra non sono quelle a lui note, hanno qualcosa di arcano, di soprannaturale; la luce è più forte del sole stesso, un lago immenso di fuoco; la musica non è di umani strumenti, ma è quella misteriosa musica prodotta dal moto delle sfere celesti, armonia di matematici accordi.

Dante condensa in un solo verso (*La novità del suono e 'l grande lume*) le due componenti di ciò che sarà l'aspetto sensibile del paradiso (luce e musica) nei loro caratteri eccezionali rispetto a quelle terrene (novità e grandezza), che lo colpiscono nel momento in cui entra, tutto stupito, nel nuovo mondo. E da questa straordinaria impressione trae lo spunto per la spiegazione che Beatrice farà, dandogli ragione di ciò che vede e sente, e di come sia possibile una tale salita di un corpo mortale nel regno celeste.

Il discorso di Beatrice, che costituisce la terza e ultima sequenza del canto, risulta così strettamente legato e funzionale all'azione appena iniziata, e anzi ancora in corso (*Tu non se' in terra, sì come tu credi; / ma folgore, fuggendo il proprio sito, / non corse come tu ch'ad esso riedi*).

Questo grande discorso, il primo discorso teologico della cantica, narra l'ordine e la finalità posti da Dio nell'universo, ordine che vi imprime il sigillo della sua somiglianza con il creatore. Tale narrazione, indicando la differente meta stabilita per ogni creatura, comprese quelle che hanno «intelletto ed amore», spiega la ragione e il significato del volo già in atto di Dante. Così il primo canto ci offre quasi un campione esemplare della struttura di tutta la cantica, dove si alternano la visione sensibile e quella intellettuale, illuminandosi a vicenda. Ma il discorso di Beatrice oltrepassa in realtà la domanda di Dante, implicando nella risposta la descrizione dell'intero ordine cosmico, che serve da fondamento a tutta la raffigurazione del racconto che seguirà.

Il modo con cui esso è condotto ci offre come il modello dei discorsi teologici di tutto il *Paradiso*: cioè di quella teologia visibile, fondata sulle immagini, che narra eventi concreti, di cui si è detto nella *Introduzione* alla cantica. Il tema è il ritorno di tutte le cose verso Dio, come a loro porto, o patria, ritorno nel quale si inscrive il singolo cammino compiuto da Dante nel poema. Tre grandi immagini o metafore lo sostengono, tutte essenziali, che ci offrono i primi esempi della serie figurativa propria della teologia dantesca, e in ognuna delle quali è ben riconoscibile la «somiglianza» dell'universo a Dio che la prima terzina dichiara: *Le cose tutte quante / hanno ordine tra loro, e questo è forma / che l'universo a Dio fa simigliante.*

La prima immagine, che fonda tutte le altre, è quella dell'*orma* (che traduce la parola agostiniana «vestigium»), cioè l'impronta di Dio sul creato, che rende intelligibile l'universo, e in qualche modo visibile Dio. (Così Paolo citato da Dante nella *Monarchia*: «le cose invisibili di Dio si vedono attraverso le cose che da lui sono state fatte»). Figura questa analoga a quella della cera e del suggello, che tornerà più e più volte lungo la cantica.

La seconda immagine è quella del mare, il *gran mar de l'essere* con i suoi porti di arrivo, immagine che sembra fondersi con la realtà stessa che rappresenta: l'universo è come un infinito mare, sul quale le creature si dirigono ognuna al suo porto. Figura anch'essa prediletta da Dante, che la riprenderà due canti dopo, di poco variata, nelle parole di Piccarda: *E 'n la sua volontade è nostra pace: / ell'è quel mare al qual tutto si move / ciò ch'ella crïa o che natura face* (III 85-7).

Lo stesso può dirsi della terza metafora, quella dell'arco che proietta verso la loro meta tutte le creature. A Dio, rappresentato come arciere, l'uomo presta così il suo gesto, o meglio glielo restituisce. La somiglianza non potrebbe essere maggiore.

Il discorso finale, dando la spiegazione dell'azione che prima si compie, stringe in unità figurativa l'intero svolgimento del canto. Così l'immagine del raggio riflesso che torna alla sua fonte (*pur come pelegrin che tornar vuole*, v. 51) sembra quasi riecheggiata dalle parole di Beatrice: *ma folgore, fuggendo il proprio sito, / non corse come tu ch'ad esso riedi* (vv. 92-93). Tutto il canto appare così condotto da un unico tema, quell'ascesa verso Dio che già i primi versi dichiaravano.

Il tema è riconoscibile, sul piano della tradizione filosofica europea, come la grande concezione neoplatonica di un universo che da Dio promana ed a lui ritorna, tema che specie per opera del teologo mistico Dionigi pseudo-Aeropagita era stato assunto già nel V secolo dalla teologia cristiana e che Boezio aveva altamente cantato. Ma il meraviglioso, il nuovo di questa pagina di poesia è che attraverso questo splendido ordine del mondo, all'interno di questa spinta *concreata e perpetüa* verso il motore supremo che muove ogni creatura (II 19), salga un uomo storico, accompagnato da colei che fu l'amore della sua giovinezza. Nell'universo neoplatonico-cristiano, tra la luce che *penetra e risplende*, e l'amore che riconduce in alto le creature come saetta al segno, si accampa umilmente, ma con assoluta concretezza e dignità, questa figura umana, che formula domande precise (*... ma ora ammiro / com'io trascenda questi corpi levi*).

Questo rapporto tra l'universale grandezza e immutabilità dell'ordine del cosmo e la singola persona storica che lo percorre, con la sua individualità determinata, fatta di ricordi e speranze, gioie e dolori, è ciò che fonda la singolare qualità della poesia del *Paradiso* dantesco che su di esso è costruita nella sua stessa orditura narrativa; e tale straordinaria invenzione discende direttamente dal rapporto stabilito dalla teologia cristiana tra la grandiosità astratta della cosmologia neoplatonica e la concretezza della persona umana, quella persona che col suo corpo mortale può salire fino all'eterna realtà divina, nel cuore stesso di quella *luce intellettüal, piena d'amore* (XXX 40) che muove il mondo.

Certo appare singolare questa stretta vicinanza tra il mondo delle idee e la vita della storia, tale che l'una entra nell'altro senza apparente frattura; essa è dovuta al paradosso cristiano per cui il poeta medievale può «figurare» il paradiso allo stesso modo con cui raffigura la terra in cui egli abita, perché l'uno e l'altro luogo gli appartengono allo stesso titolo; anzi il primo dei due è in realtà quello più propriamente suo, *il proprio sito*, come qui è detto al verso 92.

In quella concretezza è il segreto della capacità di seduzione, del fascino ancora esercitato in tutto il mondo da questa antica poesia, in un tempo come il nostro, nel quale quella teologia non è più culturalmente attiva. La grande poesia di Boezio che canta l'ordine del cosmo nel Ritmo IX della *Consolazione della filosofia*, certo tra i più importanti testi ispiratori del paradiso dantesco, è ancora bella e suggestiva nella sua forma elegante e melodiosa, ma appare lontanissima alla nostra moderna sensibilità. Il racconto di Dante invece è un fatto personale, dove si gioca il destino di un individuo, e riguarda quindi direttamente ognuno di noi.

CANTO I

Il proemio e l'ascesa verso il cielo: il trasumanar

1-36 *Il proemio propone i temi della cantica: la gloria di Dio effusa nell'universo, il desiderio che muove l'uomo verso il suo compimento, l'inadeguatezza della parola a raccontare le cose viste nel cielo; ciò che del regno santo è rimasto impresso nella memoria del poeta sarà argomento del canto. Segue l'invocazione ad Apollo, dal cui aiuto Dante spera di ottenere l'incoronazione poetica ormai raramente ambita dagli uomini. Infine Dante esprime la speranza che altri poeti possano seguire le sue orme.*

37-81 *Riprende la narrazione del viaggio dal punto in cui era stata interrotta: ormai nell'Eden è mezzogiorno, quando Dante vede Beatrice che, volta a sinistra, fissa il sole. Egli fa altrettanto, ma non potendo sopportare a lungo quel bagliore, torna a rivolgere a lei lo sguardo. È il momento del* trasumanar *che non si può descrivere con parole: Dante sale verso il cielo senza accorgersene, solo è colpito da una musica mai sentita e da una straordinaria luminosità.*

82-93 *Dante vorrebbe avere spiegazioni della luce e della dolce armonia, ma prima che si decida a chiedere a Beatrice, ella sorridendo lo avverte che non si trovano più sulla terra, ma stanno salendo verso il cielo.*

94-142 *Un nuovo dubbio allora prende il poeta: come può egli col corpo grave salire in alto attraverso corpi leggeri? Beatrice per rispondere adeguatamente gli descrive l'ordinamento del cosmo: tutte le cose create sono disposte secondo un ordine che rende l'universo simile a Dio e che le fa tendere al proprio fine, così anch'egli, ora che è libero da ogni impedimento, è portato per forza naturale verso il fine dell'uomo che è Dio.*

La gloria di colui che tutto move

1-12. L'apertura del *Paradiso* è insieme grandiosa e raccolta, contenendo nelle quattro terzine proemiali l'infinito splendore della presenza di Dio nell'universo e l'interiore, individuale ascesa dell'anima umana verso il suo desiderio, il suo fine, che sarà il tema guida della cantica. Il proemio è più ampio che nelle prime due cantiche, come si conviene al più alto argomento, e intona con potenza e profondità tutto il grande racconto che segue, definendone fin dai primi versi la qualità, il timbro e il respiro poetico e spirituale.

1. La gloria: questa parola esprime non la potenza, o magnificenza, ma la stessa realtà divina nel suo rendersi presente e visibile nel creato. Come Dante scrive nell'*Epistola a Cangrande* – nella quale commenta questi primi dodici versi – la *gloria* è il «divino raggio» e «la ragione ci manifesta che la divina luce, cioè la divina bontà, sapienza e potenza, risplende dovunque» nel mondo (*Ep.* XIII 64; 61). Bontà sapienza e potenza sono i tre attributi della Trinità, gli stessi che troviamo incisi sulla porta dell'inferno (*Inf.* III 5-6), dove appunto Dio è presente, nel luogo più basso come nel più alto dell'universo. Il senso che Dante vuol dare al termine *gloria* appare del resto dalle citazioni scritturali riportate nell'*Epistola*, dove essa è identificata allo spirito di Dio nel mondo: «Dice infatti lo Spirito Santo per bocca di Geremia: "Io riempio il cielo e la terra"; e nel Salmo: "Dove andrò io lontano dal tuo spirito? e dove fuggirò lontano dalla tua faccia? Se salirò al cielo, tu sei lì; se scenderò nell'inferno, tu sei presente"... E la Sapienza dice che "lo spirito del Signore riempie il mondo tutto". E l'Ecclesiastico nel capitolo 42: "Ogni opera del Signore è piena della sua gloria"» (*Ep.* XIII 62). La parola che apre la cantica significa dunque la presenza divina in ogni parte del creato, intesa come splendore, cioè nella sua visibilità; *gloria* è infatti termine relativo, richiedendo qualcuno – l'uomo – che la percepisca. E ciò è detto nel verso di Lucano che nell'*Epistola* segue i versetti biblici sopra citati, coinvolgendo così nel riconoscimento di Dio l'età classica pagana: "Giove è dovunque guardi, dovunque ti muovi" (*Ep.* XIII 63).

– **colui che tutto move**: è questa la definizione filosofica di Dio, data da Aristotele (Dio come primo motore, o causa prima dell'universo), che tuttavia, legata qui alla gloria biblica che si effonde risplendendo ovunque, già passa dall'astratto al concreto; il Dio della metafisica è insieme il Dio della Scrittura. Umana ragione e divina rivelazione, i due fondamenti di ogni discorso dantesco (cfr. *Mon.* II, I 7), sono così presenti insieme all'inizio dell'ultima cantica del poema al quale, come l'autore dirà, *ha posto mano e cielo e terra*.

■

La gloria di colui che dà il movimento a tutto ciò che esiste ...

per l'universo penetra, e risplende
3 in una parte più e meno altrove.
Nel ciel che più de la sua luce prende
fu' io, e vidi cose che ridire
6 né sa né può chi di là sù discende;
perché appressando sé al suo disire,

2. penetra, e risplende: «penetra, in quanto all'essenza; risplende, in quanto all'essere» (*Ep.* XIII 64). Già il Giuliani notò «la somma proprietà dei due verbi». L'*essenza* infatti è la sostanza o la specificità della cosa, l'*essere* è il suo esistere: «onde la luce di Dio *penetra* nelle cose in quanto le costituisce nella loro essenza; e ivi *risplende*, in quanto le fa esistere, e così rivela in esse la sua bontà, sapienza e virtù» (Giuliani, *Metodo*, p. 56). Si osservi come è solo in forza di un verbo (*risplende*) che la gloria diventa luce, stabilendo la grande metafora (Dio come sole, la sua azione come luce) che aveva una sicura tradizione teologica e che permette a Dante di creare il suo visibile e descrivibile paradiso.

3. più e meno: «è da sapere che la divina bontade in tutte le cose discende... ma avvegna che questa bontade si muova da simplicissimo principio, diversamente si riceve, secondo più e meno, da le cose riceventi» (*Conv.* III, VII 2). Questa idea della gerarchia o gradualità dell'essere, che stringe in unità l'universo del molteplice, idea di origine neoplatonica, diffusa nel Medioevo soprattutto attraverso il *Liber de causis* (testo neoplatonico attribuito ad Aristotele, e citato da Dante nel passo riportato del *Convivio*), è fondamentale nell'universo dantesco. Dall'infimo grado dell'inferno all'alto Empireo, la *Commedia* racconta infatti una salita *dal meno al più* in una scala dove Dio è sempre presente. Si ricordi la scritta sulla porta infernale, e la dichiarazione fatta fin dal primo canto: *In tutte parti impera e quivi regge* (*Inf.* I 127). Nel *Paradiso* poi questa scala si farà scala di luce, sulla via seguita da Dionigi Areopagita, che offrì a Dante la forma visibile di quell'idea. Osserviamo come il terzo verso, con la determinazione razionale di quel *più e meno*, precisi e insieme attenui la gloriosa effusione dei primi due; è l'intervento della ragione accanto all'ispirazione, tipico procedimento della mente di Dante, le due forze congiunte cui dobbiamo il poema.

4. Nel ciel che più...: in quel cielo che più di ogni altro luogo riceve la sua luce, cioè nell'Empireo; questo verso segue logicamente al precedente: io fui là dove quella gloria risplende al massimo grado. Con questo

svolgimento del pensiero e dell'immagine, Dante ottiene di presentare prima allo sguardo l'intero universo penetrato dalla luce divina, per dire poi che egli fu all'ultimo gradino di quella scala, che acquista così massimo rilievo e splendore. Che questo verso indichi l'Empireo, è detto espressamente nell'*Epistola a Cangrande* 66-8 e comunque risulta evidente dal contesto, cioè dal riferimento a san Paolo fatto nei versi seguenti: lassù egli vide cose che, come Paolo, non potrà ridire (cfr. le note ai vv. 5 e 6). E Paolo salì appunto a quel cielo supremo che è la dimora stessa di Dio. Del resto tutto quello che egli vide nell'ascesa lungo i nove cieli è narrato, «ridetto», lungo il poema; soltanto all'ultimo canto la possibilità di *ridire* gli verrà meno, e tale situazione sarà commentata quasi con le stesse parole qui usate (cfr. XXXIII 55-7). Ma sullo stretto legame fra primo ed ultimo canto del *Paradiso* si veda l'Introduzione.

– e vidi cose: così scrive Paolo in *2 Cor.* 12, 2-4, citato da Dante stesso in *Ep.* XIII 79: «Conosco un uomo, non so se nel corpo o fuori del corpo, Dio lo sa, il quale fu rapito fino al terzo cielo, e vide i misteri di Dio, che non è lecito all'uomo di proferire».

6. né sa né può: «non sa perché se n'è dimenticato, non può perché, se ricorda e conserva la memoria del contenuto, la parola però gli manca. Infatti attraverso il nostro intelletto vediamo molte cose per le quali mancano le espressioni verbali» (*Ep.* XIII 83-4). Nella terzina successiva si parla in realtà soltanto della deficienza della memoria, non dell'espressione; ma dell'impotenza del linguaggio più volte si parlerà nel *Paradiso*, e la doppia mancanza, memoria e parola, sarà dichiarata proprio nell'ultimo canto. Le due facoltà sono del resto interdipendenti. Questo verso e i seguenti propongono, qui all'apertura, uno dei temi tipici del narrato della terza cantica: l'ineffabilità – cioè l'impossibilità a esser detto in parole – di ciò che si è veduto, che insorge di fronte alla pura realtà divina, non più mediata da figure storiche.

7-9. perché appressando sé...: avvicinandosi all'oggetto supremo del suo desiderio, che è Dio (*Ep.* XIII 77), l'intelletto umano si immerge tanto oltre in lui, che la memoria non può seguirlo. Si descrive qui quel processo che i mistici chiamavano «excessus mentis» («uscita della mente da se stessa») cioè un innalzarsi della mente oltre le sue capacità naturali per entrare nella pura realtà dello spirito, in Dio stesso. Così l'*Epistola* XIII 78: «Per capire questo bisogna notare che l'umano intelletto in questa vita, a causa dell'affinità naturale che ha con la sostanza intellettuale separata, quando s'eleva, s'eleva a tal punto, che la memoria, do-

---

... *penetra e risplende per l'universo, di più in alcune parti, e meno in altre.* ◆ *Io sono stato in quel cielo che riceve la sua luce più abbondantemente di ogni altro (cioè nell'Empireo), e vidi cose che non sa né può raccontare chi ritorna da lassù; perché avvicinandosi al suo desiderio (che è Dio),* ...

> nostro intelletto si profonda tanto,
>
> 9   che dietro la memoria non può ire.
>
> Veramente quant'io del regno santo
>
> ne la mia mente potei far tesoro,
>
> 12   sarà ora materia del mio canto.
>
> O buono Appollo, a l'ultimo lavoro

po il ritorno, viene meno, per aver trasceso il limite concesso all'uomo». E per assicurare il lettore che una tale possibilità sia concessa all'uomo, Dante prosegue, appellandosi prima alla Scrittura (al testo di Paolo sopra citato, a *Matth.* 17, 6 e *Ez.* 2, 1) e poi ai grandi mistici, citando Agostino, Bernardo e Riccardo di San Vittore. Riportiamo un passo di Riccardo, che appare il più vicino al testo dantesco: «quando per l'uscita della mente da se stessa siamo rapiti al di sopra o dentro noi stessi alla contemplazione delle cose divine, subito dimentichiamo tutte le cose esterne, non solo quelle fuori di noi, ma anche quelle che sono dentro di noi. E così quando... ritorniamo in noi stessi, non possiamo in alcun modo richiamare alla nostra memoria ciò che prima vedemmo al di sopra di noi con quella verità e chiarezza con le quali prima lo percepimmo» (*De gratia contemplationis* VI 23).

– **al suo disire**: il desiderio sta per il suo oggetto (cfr. *Purg.* XXIV 111). Si veda l'ultimo canto: *E io ch'al fine di tutt' i disii / appropinquava...* (XXXIII 46-7).

– **si profonda**: quasi in un abisso marino, secondo l'immagine che più volte Dante riprenderà con variazione del verbo. Cfr. XIX 58-60: *Però ne la giustizia sempiterna / la vista che riceve il vostro mondo, / com'occhio per lo mare, entro* s'interna; o XXI 94-5: *però che sì s'innoltra ne lo abisso / de l'etterno statuto quel che chiedi...*; o VII 94-5: Ficca *mo l'occhio per entro l'abisso / de l'etterno consiglio...* Il verbo *profondarsi* si ritroverà a XXVIII 107, detto degli angeli, sempre per esprimere l'immergersi della vista intellettuale nella realtà divina.

– **che dietro la memoria...**: la memoria non può seguire perché, secondo il pensiero di Aristotele ripreso dagli scolastici, quali Alberto e Tommaso, essa è una facoltà inerente al sensibile, che custodisce cioè tutto ciò che i sensi percepiscono. Quando la mente abbandona il sensibile, sprofondandosi nell'essenza divina, la memoria non può tenerle dietro (cfr. XXIII 43-5).

10-2. Veramente...: nondimeno; se certe *cose*, viste nell'ultimo cielo, non potrà ridire in parole, ce ne sono tuttavia altre, del *regno santo* che ha visitato, che sono rimaste nella memoria, e che saranno la *materia*, l'argomento della nuova cantica. Per *regno santo* si deve intendere l'intero paradiso, che comprende i nove cieli astronomici più l'Empireo, quale è di fatto l'oggetto del racconto nella terza cantica. Questa terzina, concluso l'altissimo proemio nelle prime tre, segna il passaggio, con il suo tono più dimesso, a quella che Dante stesso definisce come la seconda parte del prologo (*Ep.* XIII 88), l'invocazione ad Apollo. I primi

nove versi sono come scritti fuori del tempo, e dichiarano la dimensione divina del poema. Ora parla il poeta, l'uomo che con fatica ha dovuto tradurre in parole, *significar per verba* (I 70), l'esperienza suprema che ha vissuto; è la dimensione storica, l'altra faccia della *Commedia*.

11. mente: qui vale «memoria», come più volte. Ricordiamo, nell'uguale situazione di apertura di cantica, *Inf.* II 8: *o mente che scrivesti ciò ch'io vidi...*

– **tesoro**: detto della memoria, è parola agostiniana (*Conf.* X, VIII 18) e prima ancora ciceroniana (*Orat.* I, V 18: «che dirò del tesoro di tutte le cose, la memoria?»).

13. O buono Appollo: *buono* significa «valente», «eccellente»; detto di principi (*Inf.* I 71; *Purg.* XXI 82) o di scrittori (*Inf.* IV 139). In questo caso vuol sottolineare l'eccellenza del dio come ispiratore di poesia. Dante si rivolge qui ad Apollo stesso, non bastandogli più l'aiuto delle Muse (vv. 16-8). Ciò significa che ci si innalza ora da argomenti umani a argomenti divini. L'invocazione a divinità pagane, quali Apollo e le Muse, era stata mantenuta dagli autori cristiani, che le intendevano come figure dell'ispirazione poetica. Il nome di Apollo non va preso, a differenza di ciò che sostengono alcuni interpreti, come semplicemente sostitutivo di Dio, o di Cristo. Esso significa che si tratta qui di un lavoro poetico, che richiede l'uso dell'arte, e insieme dell'ispirazione, caratteri che Dante più volte sottolineerà nel corso della cantica. Non è dunque questo un testo propriamente mistico. La visione è narrata come vera (*fu' io*: v. 5), ma nella forma di una *finzione* poetica. È questo il nodo inventivo della *Commedia*, che ha affaticato molti critici. Non resta che prenderlo come tale, leggendo il poema come Dante ha voluto che lo leggessimo: un'opera letteraria che trasmette una reale esperienza del divino.

– **ultimo lavoro**: è ancora Virgilio, qui all'inizio del *Paradiso*, che offre le parole a Dante: cfr. *Ecl.* X 1: «L'ultima fatica ("laborem"), o Aretusa, concedimi». E sono due parole di alto significato: *ultimo* del poema, e anche della vita; *lavoro*, cioè fatica che consuma (si cfr. XXV 3, dove del poema Dante dirà: *che m'ha fatto per molti anni macro*).

... il nostro intelletto si immerge tanto oltre in lui, che la memoria non può seguirlo. Nondimeno, ciò che del regno santo potei tesaurizzare nella mia memoria, sarà ora l'argomento del mio canto. ◆ *O grande Apollo, per la mia ultima fatica ...*

6

fammi del tuo valor sì fatto vaso,
come dimandi a dar l'amato alloro.

    Infino a qui l'un giogo di Parnaso
assai mi fu; ma or con amendue
m'è uopo intrar ne l'aringo rimaso.

    Entra nel petto mio, e spira tue
sì come quando Marsïa traesti

21   de la vagina de le membra sue.

    O divina virtù, se mi ti presti
tanto che l'ombra del beato regno

---

14. vaso: recipiente capace di accogliere. Detto dell'uomo che riceve doni divini, è termine biblico, usato anche a *Inf.* II 28. Il poeta chiede di poter avere la virtù (il *valore*) propria del dio della poesia, nella misura che egli richiede per poter concedere l'incoronazione poetica.

15. l'amato alloro: l'alloro, cioè la corona poetica, era la pianta in cui fu tramutata Dafne, amata da Apollo.

16. l'un giogo: quello abitato dalle Muse, invocato all'inizio delle prime due cantiche; ora gli occorre anche l'aiuto dell'altro, abitato da Apollo stesso. Il Parnaso era un monte della Beozia con due cime, o gioghi, sacri l'uno ad Apollo, l'altro a Bacco. L'Elicona, sacro alle Muse, era in realtà un'altra montagna, ma Isidoro (*Etym.* XIV, VIII 11) ritiene che fosse proprio uno dei due gioghi del Parnaso, e Probo (*Georg.* III 43) dice che con Bacco abitavano le Muse. La confusione era favorita dal fatto che ambedue i monti erano luoghi sacri alla poesia, e in ambedue scorrevano fonti ispiratrici dei poeti (*Purg.* XXII 65; XXIX 40).

17. con amendue: il significato allegorico dei due gioghi è stato concordemente inteso dagli antichi; Pietro di Dante, il più preciso, vede qui figurate la scienza e la sapienza, secondo la distinzione classica di Agostino: la prima ci fa conoscere le cose temporali, la seconda quelle eterne. Non va dimenticato però che si tratta qui di divinità che ispirano i poeti, non i filosofi: le prime (le Muse) ispireranno dunque la poesia che tratta delle cose umane; il secondo (Apollo) quella che parla delle realtà divine. Si ritorna alla doppia valenza – cielo e terra – propria del *Paradiso*. Ma Dante sottolinea qui con forza la nuova componente – quella divina – che differenzia la sua ultima cantica dalle altre due. I mezzi fin qui usati non sono più sufficienti;

egli percorre infatti (come dirà a II 7) un cammino finora intentato.

18. aringo: termine germanico che indicava il campo recintato in cui si combatteva il duello. Il poeta deve ora entrare in campo per la sua ultima sfida.

19. spira tue: parla tu al mio posto, ispira le mie parole. Dante usa, in questo solenne momento, certo non a caso, lo stesso verbo con il quale nel *Purgatorio* (XXIV 52-3) definì la sua poesia, rispondendo a Bonagiunta: *I' mi son un che, quando / Amor mi spira, noto...* Il canone poetico da lui seguito è sempre lo stesso, fin dalla giovinezza: la sua parola poetica è ispirata da un *dittatore*, una realtà che lo trascende. Ma il dettatore è pari all'argomento, e cresce di grado con l'innalzarsi dell'esperienza del poeta. Così qui dove si tratta di cose divine, colui che detta non potrà essere che una *divina virtù* (v. 22).

20-1. sì come quando...: con la stessa potenza di quando vincesti in gara Marsia. Il mito è narrato da Ovidio (*Met.* VI 382-400): il satiro Marsia sfidò Apollo a chi meglio avrebbe suonato il proprio strumento, lui il flauto, il dio la cetra. Apollo, vincitore, lo scorticò vivo per punirlo della sua presunzione. La storia è parallela a quella della gara fra le Muse e le Pieridi, citata a *Purg.* I 10-2, che è un'ulteriore conferma del significato da dare a *l'un giogo* del v. 16.

– **traesti**: verbo di origine ovidiana, del luogo citato, dove Marsia esclama: «perché mi sfili ("detrahis") da me stesso?».

– **de la vagina**: la vagina è il fodero della spada. Qui sta per la pelle, dalla quale Apollo estrasse Marsia d'un sol colpo, come si estrae appunto la spada dal fodero; una sola parola crea la potente immagine.

22-4. se mi ti presti...: se ti concedi a me quel tanto che basti a manifestare agli altri ciò che in me è rimasto impresso del regno celeste; il verbo esprime umiltà, e tornerà nell'ultimo canto, nell'uguale appello fatto ora direttamente a Dio (XXXIII 67-9).

23. l'ombra: quest'*ombra segnata* nella mente è ciò di cui la memoria ha fatto tesoro, quanto resta della grande visione. Dante la rappresenta come un'immagine impressa (*ombra* vale appunto «immagine», ma pallida, debole come è l'ombra di un corpo); di quella realtà la sua mente ha serbato l'impronta, sia pure inadeguata. La stessa figura, altro non casuale richia-

---

... fai di me un recipiente capace di accogliere la tua virtù, come si richiede per ottenere il desiderato alloro (cioè la corona poetica). Fino a qui una delle vette del Parnaso mi fu sufficiente; ma ora mi è necessario entrare con l'aiuto di entrambe nell'arena che mi è rimasta. ◆ Entra nel mio petto, e parla tu al mio posto, come quando traesti Marsia fuori dal fodero delle sue membra. O virtù divina, se ti concedi a me quel tanto che basti a manifestare agli altri quella pallida immagine (ombra) del regno dei beati...

24   segnata nel mio capo io manifesti,
         vedra'mi al piè del tuo diletto legno
         venire, e coronarmi de le foglie
27   che la materia e tu mi farai degno.
         Sì rade volte, padre, se ne coglie
         per trïunfare o cesare o poeta,
30   colpa e vergogna de l'umane voglie,
         che parturir letizia in su la lieta
         delfica deïtà dovria la fronda
33   peneia, quando alcun di sé asseta.

mo, a XXXIII 58-60: *Qual è colüi che sognando vede, / che dopo 'l sogno la passione* impressa / *rimane...*

– **del beato regno**: è il *regno santo* del v. 10.

25. **diletto legno**: è *l'amato alloro* del v. 15. Mutata Dafne in alloro, e non potendo Apollo che l'inseguiva se non abbracciare e baciare il legno della pianta, egli dichiarò: «Poiché non puoi essere mia moglie, sarai almeno il mio albero» (Ovidio, *Met.* I 557-8).

26. **e coronarmi**: l'uso di incoronare pubblicamente i poeti con l'alloro, in segno di riconoscimento del loro valore, era proprio dell'antichità greco-romana, ed era stato ripreso nel Medioevo.

27. **che la materia e tu...**: delle quali l'alto argomento e l'aiuto della tua divina ispirazione... C'è in Dante la profonda consapevolezza della grandezza del suo lavoro, che era ben degno di quella incoronazione poetica che fu concessa ad altri, e negata a lui. Nel 1315, poco tempo prima dunque della stesura di questo canto, era stato incoronato a Padova il poeta Albertino Mussato, autore della tragedia latina *Ecerinis*, e questo fatto non poteva non essere dolorosamente presente alla coscienza dell'autore della *Commedia* che, all'altezza del *Paradiso*, per la prima volta esprime questo desiderio. Lo stesso sospiro tornerà verso la fine della cantica, in XXV 1-9 (a cui fa eco il passo dell'*Egloga* II 48-50); ma la sicurezza affermativa di questi versi sarà ormai soltanto un'impossibile ipotesi: *Se mai continga...*

– **farai**: il verbo è accordato con il secondo dei due soggetti (il più vicino) secondo un uso antico già più volte notato.

28. **se ne coglie**: accade che si venga a cogliere di quelle foglie.

29. **per trïunfare**: forma causale: per il fatto che trionfino, siano cioè incoronati, un imperatore o un poeta. L'alloro si usava ugualmente per i trionfi militari e poetici. Questo avvicinamento introduce di colpo la dimensione storica e pubblica nel tessuto finora del tutto personale e mistico del prologo. L'imperatore sta per Dante degnamente vicino al poeta, in quanto incaricato da Dio di guidare l'umanità al bene con il suo governo, come il poeta fa con la parola. Ora sulla terra non s'incoronano più, se non ben raramente, né gli uni né gli altri; è questo un segno della grave decadenza dell'umanità.

30. **colpa e vergogna**: il verso – messo in parentesi appositiva come commento ai primi due – ha l'andamento duro e severo proprio degli ammonimenti profetici danteschi, e rompe con la sua asprezza la trama del linguaggio elevato e nobile in cui si svolge tutta l'invocazione. La forte dittologia – *colpa* degli uomini, e quindi loro *vergogna* – e la rilevanza data a *voglie* (i desideri rivolti a tutt'altro che alla gloria) portano l'amarezza della storia – la corruzione del mondo che tutto il poema denuncia – nel clima ultraterreno e celeste del prologo.

31-3. **che parturir letizia...**: intendi: che (consecutivo) la fronda peneia, cioè l'alloro (così detto in quanto Dafne era figlia di Peneo), dovrebbe generare letizia, arrecare gioia, alla già lieta divinità di Delfo, cioè ad Apollo, quando suscita in qualcuno l'ardente desiderio di sé (come ora accade a Dante). Il costrutto è improprio, quasi un anacoluto, in quanto nello stesso periodo ci si rivolge ad Apollo col vocativo *padre*, e poi se ne parla alla terza persona (*la lieta / delfica deïtà*); ma come tale va accettato, non essendovi altre interpretazioni plausibili.

– **in su la lieta**: alla lieta; *lieta* perché tale è per definizione la divinità (cfr. II 142; *Inf.* VII 95; *Purg.* XVI 89). *In su* vale probabilmente *a*, secondo un uso antico, come a *Inf.* XXIII 4 e *Purg.* XX 144; altri lo intendono come un rafforzativo di *in*, dovuto all'idea del sommarsi di letizia su letizia.

... che è rimasta impressa nella mia mente, mi vedrai venire al tuo amato legno (l'alloro), e coronarmi di quelle foglie delle quali l'alto argomento e il tuo aiuto mi avranno fatto degno. ◆ *Così raramente, o padre, accade che si venga a cogliere di quelle foglie, per il fatto che trionfino un imperatore o un poeta colpa e vergogna dei desideri umani che la fronda peneia (cioè l'alloro) dovrebbe generare letizia alla già lieta divinità di Delfo (Apollo), quando suscita in qualcuno il desiderio di sé.*

Poca favilla gran fiamma seconda:
forse di retro a me con miglior voci
36   si pregherà perché Cirra risponda.
Surge ai mortali per diverse foci
la lucerna del mondo; ma da quella
39   che quattro cerchi giugne con tre croci,
con miglior corso e con migliore stella
esce congiunta, e la mondana cera
42   più a suo modo tempera e suggella.

---

34. Poca favilla...: compl. oggetto: un grande incendio spesso segue una piccola scintilla. Era antica sentenza leggibile in Curzio Rufo, *Hist. Alexandri* VI 3, 11, o in Girolamo, *Epist.* 121, 2 (cfr. anche XXIV 145-6). L'alto sentimento della sua impresa presente nelle terzine che precedono è in questa temperato da Dante con una attenuazione di modestia: Apollo deve rallegrarsi, non solo perché qualcuno ricerca il suo alloro, ma perché a questa prima voce ne seguiranno altre, e forse migliori. Ma quella piccolezza, quella *favilla*, riflette in realtà l'idea, già espressa, che per quanto egli dica, sarà sempre ben poco rispetto a quel che vide: si cfr. l'*ombra* del v. 23, e soprattutto, nell'ultimo canto, i vv. 71-2: *ch'una favilla sol de la tua gloria / possa lasciare a la futura gente*.

35. di retro a me: venendo dietro a me, sulla traccia da me aperta.

– **con miglior voci**: molti interpreti hanno ritenuto impossibile che Dante, consapevole di far cosa mai tentata e altissima (II 1-9), pensasse che altri poeti migliori di lui potessero seguirlo. Hanno inteso dunque: la mia preghiera sarà seguita da migliori preghiere ad Apollo (di Beatrice e degli altri beati). Ma tale senso mal si accorda col verso proverbiale d'inizio, e con le terzine che immediatamente precedono. Dante lamenta la decadenza delle *umane voglie*, e spera che la sua opera apra la strada a un rinnovamento civile, suscitando nuovi desideri di gloria. L'aggettivo *miglior* è forma di modestia (come già a *Purg.* XXVI 98), tuttavia temperato, non dimentichiamolo, da un *forse*.

36. Cirra: nome di una città situata nei pressi del Parnaso, attribuito da molti antichi al giogo del monte sacro ad Apollo (Isidoro, *Etym.* XIV, VIII 11); così evidentemente lo intende Dante, che qui pone il nome del giogo per il dio che lo abita, Apollo stesso.

■

Un grande incendio segue una piccola scintilla: forse dopo di me con voci migliori si pregherà affinché Cirra risponda.
◆ *La luce del mondo (il sole) sorge per i mortali da diversi punti dell'orizzonte; ma da quel punto nel quale quattro cerchi celesti, intersecandosi, sono uniti da tre croci, esce congiunta con un corso e con una costellazione migliori, e plasma più perfettamente la materia del mondo nella maniera da lui voluta, quasi imprimendovi il suo sigillo.*

---

37. Surge ai mortali: concluso il prologo, ha inizio qui il racconto dell'ultimo viaggio, e, come le altre volte, comincia con l'indicazione del tempo, e dell'ora, in cui esso ha inizio. La scansione del tempo è caratteristica del poema, tutto racchiuso in precise coordinate di spazio e di misure temporali, che gli conferiscono quella dimensione storica e credibile che è ancora il segreto del suo fascino. Come sempre, l'ora si misura sul sole (*la lucerna del mondo*: v. 38). Nell'*Inferno* la partenza avviene di sera (II 1-3), l'ora della tristezza, nel *Purgatorio* all'alba (I 19-21), l'ora della speranza, nel *Paradiso* a mezzogiorno, l'ora del compimento.

– **diverse foci**: il sole sorge lungo l'arco dell'anno da diversi punti dell'orizzonte; *foci* vale «luoghi d'entrata», «ingressi» (cfr. *Purg.* XII 112).

38. la lucerna del mondo: immagine classica (il sole è detto «lampada di Febo» da Virgilio in *Aen*. III 637; IV 6) divenuta topica negli autori medievali; si cfr. Restoro, *Composizione* I, XVIII 5: «[il sole è] en questo mondo come la lucerna nella casa».

– **ma da quella...**: ma da quel punto nel quale quattro cerchi celesti, intersecandosi, sono uniti da tre croci: si indicano così i giorni degli equinozi (l'eclittica, il coluro equinoziale, l'equatore e l'orizzonte: si vedano la nota di approfondimento e la relativa figura alla fine del canto). Dei due equinozi, qui s'intende naturalmente quello di primavera, stagione nella quale si svolge il viaggio (cfr. *Inf.* I 38-9). Da quel punto il sole esce con corso *miglior*, cioè più fausto, e unito alla costellazione (*stella*) più propizia (l'Ariete): la primavera è infatti la stagione più favorevole alla vita e in essa si riteneva avvenuta la creazione del mondo (*Inf.* I 38 sgg.). Dante compie il suo viaggio nel momento più felice dell'anno, che è poi quello della settimana di Pasqua, il tempo della resurrezione di Cristo. Che questa sia l'epoca del viaggio nell'aldilà, è stato già detto nel poema (*Inf.* XXI 112-4), ma soltanto ora, al momento di salire al paradiso, quando cioè si compie la resurrezione dell'uomo, risalito anch'egli dagli inferi, il significato fausto di quella data viene sottolineato.

39. quattro cerchi... tre croci: la perifrasi usata a indicare l'equinozio non è una sottile curiosità: la figura astronomica che ne risulta sembra stringere tutto l'universo tra i due segni (il cerchio e la croce) che simboleggiano rispettivamente la divinità e l'umanità, unite nella persona di Cristo. Gli antichi videro anche si-

Fatto avea di là mane e di qua sera

tal foce, e quasi tutto era là bianco

45   quello emisperio, e l'altra parte nera,

quando Beatrice in sul sinistro fianco

vidi rivolta e riguardar nel sole:

48   aquila sì non li s'affisse unquanco.

E sì come secondo raggio suole

uscir del primo e risalire in suso,

51   pur come pelegrin che tornar vuole,

gnificate nei numeri *quattro* e *tre* le quattro virtù cardinali e le tre teologali, già presenti nella scena finale dell'Eden, che sembrano quasi accompagnare l'ascesa dell'uomo al cielo.

41. **la mondana cera**: è la materia del mondo, assimilata alla cera che il sole plasma con il suo calore quasi imprimendovi il suo sigillo (*tempera e suggella*: v. 42); e ciò riesce a fare in primavera meglio che in ogni altro periodo dell'anno. La metafora della cera e del suggello era topica, sia per la creazione del mondo da parte di Dio, sia per l'azione dei cieli (o come qui del sole) sulla natura (cfr. Restoro, *Composizione* II, VI 2). Dante usa più volte questa immagine, particolarmente consona al suo stile concreto; cfr. VIII 127-8 e XIII 67-75.

42. **a suo modo**: secondo il suo intento, nella maniera da lui voluta; perché più docile e plasmabile è la terra in quella stagione.

– **tempera**: vale probabilmente «ammorbidisce», «rende plasmabile», come osserva Benvenuto: la cera può ricevere il suggello se non è troppo dura, né troppo liquida, ma uniformemente morbida. Il valore di «mitigare, attenuare», è proprio del verbo «temperare» nell'uso dantesco, accanto a quello musicale di «accordare suoni diversi», qui al v. 78. Si notino le due coppie verbali quasi una rima a distanza in chiusura di verso e di terzina (*tempera e suggella temperi e discerni*).

43. **Fatto avea di là mane...**: sorgendo dunque da quella *foce* (quella indicata ai vv. 38-9), il sole aveva fatto mattina sull'emisfero del purgatorio (*di là*), sulla cui cima erano Dante e Beatrice, e sera sulla terra (*di qua*).

44-5. **e quasi tutto era là bianco...**: e l'emisfero del purgatorio era ora quasi tutto illuminato dal sole, mentre quello opposto era avvolto nell'oscurità; era dunque l'ora del mezzogiorno. Dante riprende il racconto al momento in cui l'aveva lasciato (*Purg.* XXXIII 103-4) dopo l'immersione nel Letè. Che si tratti dell'ora del mezzogiorno è anche confermato dalle diverse ore in cui iniziano gli altri due viaggi e dal loro valore simbolico (la sera per l'*Inferno* e la mattina per il *Purgatorio*; cfr. la nota al v. 37). Si deve dunque intendere che la prima indicazione (*Fatto avea di là mane*) si riferisce a un momento precedente a questo (come dice il tempo verbale trapassato) e serve solo a specificare la *foce* da cui era sorto il sole, foce che, come si è visto, aveva un così pregnante significato.

– **e quasi tutto**: tutte le precedenti edizioni del poe-

ma leggono diversamente questo passo (*tal foce quasi, e tutto*). Sulla questione si veda la nota al testo alla fine del canto.

46. **in sul sinistro fianco**: Beatrice era rivolta a levante, come tutta la processione dell'Eden (*Purg.* XXXII 16-8); il sole di mezzogiorno era dunque alla sua sinistra, all'inverso di quel che accade nel nostro emisfero, dove chi guarda ad Oriente ha il mezzogiorno alla sua destra.

47. **rivolta e riguardar**: dipendono ambedue da *vidi*, col costrutto già osservato a *Purg.* VI 47-8.

48. **aquila sì...**: mai aquila vi fissò così lo sguardo. Si riteneva che l'aquila potesse fissare il sole, e vi educasse i suoi nati. Questo paragone – Beatrice fatta pari all'aquila che guarda il sole – innalza d'un tratto il racconto dal piano narrativo a quello mistico; l'immagine era infatti propria del linguaggio dei mistici, dove il sole rappresenta Dio e l'aquila l'anima umana. Si osservi lo slancio improvviso del verso, che sembra impennarsi verso l'alto, dovuto all'accento iniziale.

49-50. **come secondo raggio...**: come il raggio riflesso si genera dal raggio d'incidenza e risale verso l'alto... Al paragone con l'aquila segue questo del raggio, anch'esso dell'ambito di immagini proprio dei mistici: dall'atto di Beatrice, che attraverso gli occhi si imprime (è *infuso*: v. 52) nella facoltà immaginativa di Dante, si produce un uguale atto di lui, che come lei fissa lo sguardo nel sole.

51. **pur come pelegrin...**: un terzo paragone si innesta nel secondo: il raggio riflesso risale verso l'alto come un pellegrino che cerca di tornare alla propria patria, immagine che rispecchia perfettamente l'atteggiamento dell'animo di Dante in questo momento. Eppure alcuni autorevoli commenti moderni preferisco-

---

◆ *Sorgendo dunque da quel punto, il sole aveva fatto mattina nel purgatorio (di là), e sera sulla terra (di qua), e l'emisfero del purgatorio era ora quasi tutto illuminato, mentre quello opposto era oscuro (era quindi l'ora del mezzogiorno), quando vidi Beatrice volta verso sinistra, e guardare il sole: mai un'aquila vi fissò così lo sguardo. E come il raggio riflesso (secondo) si genera dal raggio d'incidenza (primo) e risale verso l'alto, come un pellegrino che cerca di tornare (alla propria patria), ...*

> così de l'atto suo, per li occhi infuso
> ne l'imagine mia, il mio si fece,
> 54   e fissi li occhi al sole oltre nostr'uso.
> Molto è licito là, che qui non lece
> a le nostre virtù, mercé del loco
> 57   fatto per proprio de l'umana spece.
> Io nol soffersi molto, né sì poco,
> ch'io nol vedessi sfavillar dintorno,
> 60   com' ferro che bogliente esce del foco;
> e di sùbito parve giorno a giorno
> essere aggiunto, come quei che puote

no interpretare *pelegrin* come il «falco pellegrino», che risale veloce dopo essersi calato sulla preda. Ma tutta la scena qui descritta, e ciò che segue, parlano chiaramente in favore del primo significato, ad essa strettamente coerente: l'idea del pellegrino che torna alla patria è infatti al centro stesso del viaggio dantesco, che in questo solenne momento sta finalmente per giungere alla meta sospirata. Il pellegrino è l'uomo che torna a Dio, secondo l'immagine paolina, e ben presto Beatrice dichiarerà questo significato del volo che qui ha inizio; si vedano più oltre i vv. 92-3.

53. **l'imagine**: è l'«immaginativa» o «fantasia», la facoltà cioè dove si depositano le forme che i sensi percepiscono (cfr. *Purg.* XVII 13 e nota).

54. **oltre nostr'uso**: più a lungo di ciò che noi uomini siamo soliti fare. Di questo fatto Dante dà la spiegazione nella terzina seguente.

55-7. **Molto è licito...**: là (nell'Eden) molte cose sono possibili alle facoltà dell'uomo che non lo sono qui in terra, in virtù del luogo stesso, predisposto da Dio come dimora propria della specie umana. Si deve dunque intendere che i sensi dell'uomo (vista, udito ecc.) sono in questo luogo esaltati e affinati rispetto alle capacità che hanno normalmente sulla terra; come se l'uo-

mo, uscendo dall'Eden, avesse offuscate le sue facoltà primigenie, e tornandovi le ricuperasse. Dante si ritrova dunque come Adamo, nella purezza e perfezione dell'umanità innocente. Come sempre, il poeta dell'aldilà si inventa, crea le condizioni stesse dei luoghi che va costruendo con la fantasia, avendo cura di dare ad ognuna una plausibilità scientifica e teologica.

58-60. **Io nol soffersi...**: io non lo sopportai (il pronome compl. oggetto è riferito a *sole* del v. 54) molto a lungo, ma neppure tanto poco da non vederlo sfavillare Cioè potei fissarlo quanto bastò a vederlo gettar faville tutt'intorno come un ferro incandescente. Questo sfavillio del sole, e il raddoppio di luce che ne segue (vv. 61-3), sono il segno, come più avanti si capirà, dell'avvicinarsi di Dante alla sfera del fuoco, situata tra la terra e il primo cielo, quello della luna. La salita di Dante di cielo in cielo infatti non sarà mai descritta, ma sempre significata da un intensificarsi della luce visibile, o del riso e della bellezza di Beatrice. Questa costante del racconto paradisiaco – evidente e profondo simbolo della spiritualità dell'evento – ci assicura che anche qui l'aumento improvviso della luce significa un innalzarsi verso la regione che per prima si incontra oltre l'atmosfera terrestre, la sfera del fuoco appunto.

– **com' ferro...**: il verso crea una potente immagine, dando figura concreta al verbo *sfavillar* che precede, verbo che Dante riprenderà – insieme a *bollire* – per il ferro nel fuoco a XXVIII 89-90.

61-3. **parve giorno a giorno...**: sembrò che alla luce del giorno se ne aggiungesse un'altra, come se Dio (*quei che puote*) avesse adornato il cielo di un secondo sole. – *giorno*, come il latino «dies», vale «luce diurna» (cfr. *Purg.* II 55).

64. **ne l'etterne rote**: nei cieli, le sfere che eternamente si volgono in giro (cfr. *li etterni giri* di *Purg.* XXX 93 e *le superne rote* di *Purg.* VIII 18). Beatrice è raffigurata come tutta raccolta in quello sguardo verso l'alto, in una profonda e silenziosa concentrazione.

65-6. **e io in lei...**: e Dante, non potendo oltre sopportare di guardare il sole, rivolge a lei lo sguardo, dopo averlo distolto (*rimoto*) da quell'altezza. Questa terzina è come sospesa, i due atti che si compiono nel silenzio sembrano preparare a un evento solenne, qua-

... così dal suo atto, infuso attraverso gli occhi nella mia immaginazione, si originò il mio, e fissai gli occhi nel sole più a lungo di ciò che noi uomini siamo soliti fare. ◆ *Là (nell'Eden) molte cose sono possibili alle facoltà dell'uomo che non lo sono qui in terra, in virtù del luogo stesso, predisposto (da Dio) come dimora propria della specie umana. Io non sopportai il sole molto a lungo, ma neppure tanto poco da non vederlo sfavillare dintorno, come un ferro che esce incandescente dal fuoco; e improvvisamente sembrò che alla luce del giorno se ne aggiungesse un'altra, come se Dio (quei che puote)...*

63   avesse il ciel d'un altro sole addorno.
        Beatrice tutta ne l'etterne rote
        fissa con li occhi stava; e io in lei
66   le luci fissi, di là sù rimote.
        Nel suo aspetto tal dentro mi fei,
        qual si fé Glauco nel gustar de l'erba
69   che 'l fé consorto in mar de li altri dèi.
        Trasumanar significar *per verba*
        non si poria; però l'essemplo basti
72   a cui esperïenza grazia serba.
        S'i' era sol di me quel che creasti

le di fatto sta per accadere. Il significato spirituale della scena è trasparente: Beatrice guarda il cielo, cioè direttamente in Dio, e Dante contempla quella realtà in lei, cioè attraverso la mediazione di ciò che lei qui rappresenta, la rivelazione divina. Non si tratta in questo caso di allegoria, ma propriamente di rappresentazione poetica: tutta la terza cantica raffigura infatti in forme sensibili – luci, armonie, sguardi, canti – l'esperienza interiore di una salita a Dio che volutamente è immaginata corporea, come ora si dirà.

67. Nel suo aspetto: nel guardare lei; *aspetto* ha valore attivo (l'atto del vedere), come più volte (cfr. XI 29; XXV 110; *Purg.* XXIX 58 ecc.); *suo* è genitivo oggettivo. Così anche oggi «alla sua vista» vale «a vederlo».

– **dentro mi fei**: mi feci, divenni, interiormente: è una trasformazione non visibile all'esterno.

68-9. qual si fé Glauco...: quale divenne Glauco al mangiare di quell'erba che lo fece uguale alle divinità marine; *consorto* vale «partecipe della stessa sorte», avendo acquisito la stessa loro natura. Glauco, pescatore della Beozia, vedendo che i pesci da lui pescati saltavano di nuovo in mare vivi e vitali dopo aver mangiato una certa erba, volle assaggiarla e, sentendosi trasformato in altra natura, balzò anch'egli in mare, divenuto una divinità marina (Ovidio, *Met.* XIII 898-968). L'esempio del mito è l'unico modo che Dante possa trovare per *significar* (v. 70) un evento impossibile in natura, quale è il passare dell'uomo a una condizione oltreumana, cioè divina, come ora egli stesso dirà (*consorto* è preciso richiamo biblico; si cfr. *2 Pet.* 1, 4: «perché... diventaste partecipi ["consortes"] della natura divina»).

70. Trasumanar: oltrepassare la condizione umana, «cioè passare dall'umanità a più alto grado, che non può essere se non Iddio» (Buti). Si cfr. Tommaso: «La facoltà di vedere Dio non compete all'intelletto creato secondo la sua natura, ma in virtù del lume di gloria, che stabilisce l'intelletto *in una condizione in qualche modo divina*» (*S.T.* I, q. 12 a. 6). Proprio questa condizione divina si vuole qui significare: il grande verbo, coniato da Dante per dir cosa che appunto nella lingua non esiste, non esistendo in natura, riempie il

verso, ed è come il centro di tutto il canto, che questo evento soprattutto vuole narrare. È cosa che non può esprimersi in parole (*per verba*), ma solo si può darne un'idea, con l'esempio, a chi un giorno potrà sperimentarla.

71-2. però l'essemplo basti...: basti per ora l'esempio a colui al quale la grazia di Dio riserba di farne diretta esperienza (al momento della morte, o forse anche in vita). Dopo l'alto movimento iniziale, questa seconda parte della terzina è detta in tono attenuato, di modestia e di fede: il poeta è incapace a ridire, ma ogni semplice fedele potrà sperimentare un giorno, per grazia, questa suprema realtà. Questo appello all'esperienza futura del lettore, che dà credibilità certa a ciò che si dichiara indicibile, e insieme tempera la straordinarietà di ciò che è concesso all'autore, è tratto di grande invenzione poetica: la semplicità e naturalezza del dettato, proprie dei più alti momenti mistici della cantica, giungono di sorpresa nel tessuto stilistico elevato e raro di tutto il contesto.

73-5. S'i' era sol di me...: se io ero soltanto quella parte di me che tu creasti per ultima (*novellamente*), cioè l'anima (o se ero anche col mio corpo), tu solo lo sai, o Dio, che mi sollevasti con la tua luce.

... avesse adornato il cielo di un secondo sole. ◆ *Beatrice stava tutta fissa con gli occhi nelle sfere eterne dei cieli; e io fissai i miei occhi in lei, dopo averli distolti (rimoti) da quell'altezza. Nel guardare lei mi feci interiormente tale quale divenne Glauco al mangiare di quell'erba che lo rese uguale alle divinità marine. L'oltrepassare la condizione umana non si potrebbe esprimere con parole; basti dunque l'esempio a colui al quale la grazia di Dio riserba di farne diretta esperienza.* ◆ *Se io ero soltanto quella parte di me che tu creasti...*

> novellamente, amor che 'l ciel governi,
> 75 tu 'l sai, che col tuo lume mi levasti.
>   Quando la rota che tu sempiterni
> desiderato, a sé mi fece atteso
> 78 con l'armonia che temperi e discerni,
>   parvemi tanto allor del cielo acceso
> de la fiamma del sol, che pioggia o fiume
> 81 lago non fece alcun tanto disteso.
>   La novità del suono e 'l grande lume

– **novellamente**: l'anima razionale, secondo la concezione teologica seguita da Dante, è infusa da Dio nell'embrione dopo che esso è già completamente formato, e ha già l'anima vegetativa e sensitiva (*Purg.* XXV 67-75). Ma il riferimento potrebbe essere anche al racconto della *Genesi*, secondo il quale Dio insufflò l'anima in Adamo dopo che ne aveva plasmato il corpo. Questi tre versi richeggiano il passo di Paolo (*2 Cor.* 12, 2-4) che narra la sua salita al terzo cielo, passo che è già stato citato nel commento al v. 5 e che è il fondamento di tutta l'invenzione della terza cantica. Salire al cielo con il corpo era fatto assolutamente straordinario – il cielo di Dio è infatti un luogo spirituale – e il passo paolino fu discusso dai grandi teologi cristiani (quali Agostino e Tommaso) che lo lasciano – come lo stesso Apostolo – incerto. Dante qui ripete non l'incertezza, ma il non sapere di Paolo; e di fatto nello spiraglio lasciato dalle parole dell'Apostolo passa tutta la cantica dantesca, nella quale è chiaro – e più volte detto – che l'uomo mortale traversa i cieli con il suo corpo, al quale si devono le molteplici sensazioni, prime fra tutte quelle della luce, che egli ora racconta. Il dubbio qui espresso dipende dal fatto che Dante ha sì il corpo, ma – come Paolo – non è consapevole di averlo (*tu 'l sai*; io non lo so). Mai infatti Dante descriverà il suo volare, di cui non si accorge (cfr. VIII 13 o X 34-6), se non per le nuove sensazioni visive che percepisce. Ma su questo problema e le sue implicazioni si veda l'Introduzione al canto.

74. **che 'l ciel governi**: che reggi, regoli tutto il movimento dei cieli; la perifrasi usata già da Boezio nel celebre inno al Creatore (il IX *Metro*, o testo in versi) della *Consolatio* («Tu che *governi* il mondo con stabile norma»: *Cons.* III, m. IX, v. 1) vuol ricordare quel grande testo poetico al quale certamente Dante si ispirò

nell'immaginare il suo *Paradiso*, e insieme dà al *tu* del v. 75 la determinazione cristiana di *amor*, quella stessa che tornerà a chiudere il poema: *l'amor che move il sole e l'altre stelle*.

75. **tu 'l sai**: si osservi la forma semplice e diretta di questo terzo verso (analogo a quello, già notato, che chiude la terzina 70-2); le prime tre brevi parole sembrano gareggiare col testo paolino sopra citato: «Dio lo sa».

– **col tuo lume**: colla sola forza della tua luce; quella che Dante vedeva riflessa negli occhi di Beatrice. È infatti guardando lei (*Nel suo aspetto*: v. 67) che egli è trasformato e reso così capace di salire al cielo. Questo *lume* che trasfigura e solleva l'uomo fino a Dio è quello che i teologi chiamavano «lumen gloriae» (si veda la citazione di Tommaso nel commento al v. 70), e di cui è detto nella Scrittura: «nella tua luce vedremo la luce» (*Ps.* 35, 10). Solo in grazia della luce divina, donata per amore (v. 74), l'uomo può giungere a vedere Dio. La stessa idea sarà espressa al momento dell'entrata nell'Empireo (cfr. XXX 100-2).

76-7. **la rota...**: il ruotare dei cieli, che tu rendi eterno per il desiderio che essi hanno di te... Il moto delle sfere celesti nasce dal desiderio che esse hanno di congiungersi a Dio, che mai può estinguersi (*Conv.* II, III 9). Si cfr. Aristotele, *Metaph.* XII 7, 1072b, dove del primo motore è detto: «muove come se fosse desiderato». La concentrata forza del verbo *sempiterni* (anche questo di conio dantesco) e del participio *desiderato* (participio congiunto con valore causale: in quanto desiderato), che in due parole comprendono tutto il moto dell'universo, la sua infinità, e la sua causa, è un primo grande esempio di quello che sarà il carattere di tutto il linguaggio del *Paradiso*, teso all'estremo del dicibile per poter esprimere un'esperienza all'estremo delle possibilità umane.

77. **atteso**: attento.

78. **con l'armonia**: il movimento dei cieli attrae l'attenzione di Dante con il suono armonioso che esso produce. Questa armonia, che Dio stesso accorda e insieme distingue (*temperi e discerni*) di cielo in cielo, è quell'«armonia delle sfere» di cui parlano Pitagora e Platone, e a cui Cicerone allude nel *Somnium Scipionis*, e cioè la musica arcana che i cieli producono nel loro concorde e differente ruotare. Riportiamo il passo di Cicerone certamente presente alla mente di

...per ultima (novellamente), cioè l'anima, o amore che regoli il movimento dei cieli, tu solo lo sai, che mi sollevasti con la tua luce. Quando il ruotare delle sfere celesti, che tu rendi eterno per il desiderio che esse hanno di te, attrasse la mia attenzione con l'armonia che tu accordi e insieme distingui (temperi e discerni), una così grande parte del cielo mi parve allora accesa dalla fiamma del sole, che né pioggia né fiumi produssero mai un lago così grande. ◆ La novità del suono e la grande luce...

di lor cagion m'accesero un disio
84   mai non sentito di cotanto acume.
       Ond'ella, che vedea me sì com'io,
a quïetarmi l'animo commosso,
87   pria ch'io a dimandar, la bocca aprio
       e cominciò: «Tu stesso ti fai grosso
col falso imaginar, sì che non vedi
90   ciò che vedresti se l'avessi scosso.
       Tu non se' in terra, sì come tu credi;

Dante (vi si trovano fra l'altro anche i verbi *tempera-re* e *distinguere*) che ne crea questo solo verso, tuttavia capace di grande suggestione: «questo dolce suono è quello che, congiunto da intervalli diseguali, ma tuttavia proporzionalmente "distinti", è prodotto dall'impulso e dal moto delle stesse sfere, e *temperando* le note acute con le gravi produce armoniosamente varie melodie» (*Sogno di Scipione* V 18). L'idea pitagorico-platonica dell'armonia delle sfere, esposta nel *Timeo*, rifiutata come assurda da Aristotele nel *De Coelo*, e così poi dagli aristotelici, quali Alberto Magno e Tommaso, ma tramandata dal libro ciceroniano, da Calcidio nel commento al *Timeo*, da Macrobio nel commento al *Somnium*, e avallata da Boezio nel *De musica* (I 2) – tutti testi di grande notorietà e autorità nel Medioevo –, restò viva fino al XIII secolo, diffusa anche in scritti a carattere enciclopedico. Lo stesso Simplicio la difende nel commento al *De Coelo*, e alcuni autorevoli autori cristiani (fra cui sant'Ambrogio) la accolgono come possibile. Dante, nel creare il suo paradiso, segue questa tradizione, di ispirazione platonica, che gli offre la possibilità di raffigurarne aspetti sensibili, quali, oltre la luce, il suono.

79-81. **tanto... del cielo...**: tanta parte del cielo; costrutto partitivo. Una così vasta estensione di cielo, che né pioggia né fiumi produssero mai un lago così grande. Il paragone dell'immensa distesa di luce con un lago tornerà alla fine della cantica (XXX 100-14), all'ingresso nell'Empireo. Acqua e fuoco sembrano scambiarsi l'immagine, nel significare l'immensità dello spazio divino. Che cosa sia questa luce infuocata che Dante ora vede non è detto: l'ipotesi più probabile è che si tratti della sfera del fuoco, posta subito sotto la luna, dato che nel cielo della luna appunto si giunge nel canto seguente, proseguendo il racconto (si vedano anche i termini *acceso* e *fiamma* e più oltre il v. 99).

82-4. **La novità... 'l grande lume...**: sono i due fenomeni straordinari che Dante percepisce al momento della sua trasformazione: il suono mai udito delle sfere celesti, e la grande plaga di cielo infiammata dal sole; essi accendono in lui un desiderio di conoscerne la causa (*di lor cagion*), di un'acutezza mai provata prima. Altri prendono *di cotanto acume* come complemento di modo dipendente da *sentito*: mai sentito con tanta acutezza. Ma l'*acume* è in Dante proprio del desiderio (cfr. XXII 26: *la punta del disio*; *Purg.*

XXIV 110: *la voglia acuta* e *Inf.* XXVI 121: *aguti* per «ardenti di desiderio») e d'altra parte di tale costrutto del complemento di modo non si hanno altri esempi nel poema.

85. **vedea me...**: vedeva il mio animo, i miei pensieri, come li vedevo io stesso. Beatrice riprende il ruolo di Virgilio, del maestro che legge come in uno specchio nell'animo del discepolo (cfr. *Inf.* XXIII 25-7), ma con tanta maggiore autorità, in quanto ella vede, come sarà degli altri beati, i pensieri di Dante direttamente in Dio (XV 61-3). Questo motivo sarà una costante di tutta la cantica, dove Beatrice, e le anime incontrate nei cieli, si affrettano con amorosa premura a esaudire il sempre rinnovato desiderio di Dante di comprendere le sempre nuove cose che vede.

86. **commosso**: turbato; per lo stupore, e per il desiderio di capire. Ma in quel *commosso* è compreso tutto il tumulto interno dell'uomo che si trova immerso in quelle incomprensibili sensazioni. E Beatrice, con amore, interviene «a quietarlo», a ridargli tranquillità e pace.

88. **grosso**: ottuso di mente; *grosso* in senso traslato vale «grossolano», «rozzo», quindi, detto della mente, «ottuso», «incapace a comprendere» (cfr. XIX 85; *Inf.* XXXIV 92); così *etati grosse* sono le epoche rozze e incivili (*Purg.* XI 93). Dante stesso dunque si rende tanto ottuso col suo *falso imaginar*, cioè col suo credere di essere ancora sulla terra, nell'Eden, che non vede ciò che solo comprenderebbe se avesse rimosso da sé (*scosso*, quasi scuotendosela dalla mente) quella falsa idea.

... accesero in me un desiderio di conoscerne la causa (di lor cagion), di un'acutezza mai provata prima. Per cui lei, che vedeva dentro di me come mi vedevo io stesso, aprì la bocca per calmare il mio animo turbato, prima che io l'aprissi per domandare, e cominciò a dire: «Tu stesso ti rendi ottuso (nell'intelletto) con false immaginazioni, tanto che non vedi ciò che vedresti se le avessi allontanate (dalla tua mente). Tu non sei in terra, come credi; ...

ma folgore, fuggendo il proprio sito,
93   non corse come tu ch'ad esso riedi».
S'io fui del primo dubbio disvestito
per le sorrise parolette brevi,
96   dentro ad un nuovo più fu' inretito,
e dissi: «Già contento *requïevi*
di grande ammirazion; ma ora ammiro
99   com'io trascenda questi corpi levi».
Ond'ella, appresso d'un pïo sospiro,

92-3. ma folgore...: ma un fulmine, allontanandosi, quasi in fuga, dal suo luogo naturale (la sfera del fuoco), non corse mai con tanta velocità come fai tu ora che al tuo luogo ritorni. Cioè un fulmine non scese verso il basso così veloce come tu sali verso l'alto. Si vuol dare l'idea della velocità del salire, e ciò è fatto con l'immagine di una discesa; non tanto perché il fulmine è il moto più veloce che si veda in terra, ma soprattutto perché i due movimenti sono contrapposti rispetto a quel *proprio sito*, il luogo naturale dell'uno e dell'altro. È questa idea che preme a Dante, ed è infatti l'idea che guiderà tutto il grande discorso finale: l'uomo, salendo verso il cielo, torna alla sua patria. Per questo il *proprio sito* non può intendersi altro che come «la sfera del fuoco»; è vero che il fulmine si genera nelle nubi, ma il suo luogo naturale, essendo esso un vapore igneo, è quello del fuoco; tanto è vero che, scendendo, si muove *fuor di sua natura* (XXIII 40-2).
– **ad esso**: al *proprio sito*, cioè al cielo, a Dio, patria dell'anima umana, che da Dio è uscita.
94. del primo dubbio: cioè di quale fosse la *cagion*, la causa della novità del suono e del grande lume (vv. 82-4).
– **disvestito**: spogliato, quindi liberato (perché ora sa che sta salendo verso il cielo). Il verbo concreto – con l'*inretito* che segue al v. 96 – rientra nella continua e coerente serie di metafore usate da Dante per i processi della mente (più spesso assetare e saziare, ma anche avvolgere e sciogliere ecc.).
95. sorrise: participio passivo: pronunciate sorridendo. Con le altre due indicazioni – *brevi*, cioè poche, e *parolette*, cioè rapide, semplici – caratterizza il discorso di Beatrice: breve e affettuoso, come di ma-

dre che spiega ad un fanciullo. È l'atteggiamento che sarà dichiarato al v. 102. La forma *parolette* non è propriamente un diminutivo (cfr. *cerchietti* a *Inf.* XI 17, *soletto* a *Inf.* XII 85 e note), ma è connotazione, come anche oggi, di brevità e familiarità.
96. ad un nuovo: dubbio, s'intende.
– **inretito**: impigliato, avvolto come in una rete; cfr. *'nviluppata* a *Inf.* X 96, e la nota a *disvestito* del v. 94.
97. requïevi: diretto latinismo (perfetto di «requiesco»): mi acquietai (risponde a *quïetarmi* del v. 86).
98. di grande ammirazion: compl. di relazione: fui soddisfatto, appagato quanto alla mia meraviglia.
– **ma ora ammiro**: ma ora mi meraviglio, mi domando con stupore; ad una meraviglia ne segue un'altra anche maggiore, come la ripetizione (*ammirazion-ammiro*) fa intendere.
99. com'io trascenda...: come io possa, col mio corpo terrestre, salire attraverso corpi più leggeri del mio, quali l'aria e il fuoco (ricordiamo che i quattro elementi erano, in ordine di pesantezza, la terra, l'acqua, l'aria e il fuoco). La spiegazione del primo dubbio porta dunque un problema anche più difficile, un fatto anche più stupefacente del primo.
100. pïo: pietoso. Il sospiro compassionevole, rivolto alla cecità della mente umana che non comprende le cose dello spirito – che pur la riguardano da vicino –, è proprio dell'atteggiamento dei beati verso gli abitanti della terra (e già dei salvati del *Purgatorio*: si cfr. *Purg.* XVI 64). Ma qui si fa specifico di Beatrice, unito com'è all'aspetto materno (vv. 101-2) che di lei sola sarà tipico per tutta la cantica. Così la premura dei vv. 86 sgg. e il sorriso del v. 95 vengono a confluire in questa terzina, creando quell'immagine piena di femminile dolcezza che Dante ha voluto dare alla sua seconda guida, come già aveva dato saggia e amorevole autorevolezza alla prima, mantenendo la loro specificità di persone accanto al loro significato simbolico.
101-2. con quel sembiante...: con l'atteggiamento del volto proprio della madre verso il figlio che delira, e dice dunque cose insensate. Come sempre, Dante non descrive l'atto o l'espressione, ma ne dà il senso con un paragone a tutti comprensibile.
103. e cominciò: con questa formula d'attacco, più volte usata nel *Paradiso* (cfr. v. 88) a introdurre i ragionamenti teologici, comincia solennemente il gran-

... ma un fulmine, allontanandosi dal suo luogo naturale (la sfera del fuoco), non corse mai con tanta velocità come fai tu ora che al tuo luogo ritorni». ◆ Se io fui liberato dal primo dubbio per quelle brevi parole pronunciate sorridendo, fui ancor più impigliato in un secondo; e dissi: «Già sono stato soddisfatto quanto alla mia grande meraviglia, ma ora mi domando con stupore come io possa salire attraverso questi corpi più leggeri del mio (quali l'aria e il fuoco)». ◆ Per cui ella, dopo un pietoso sospiro, ...

li occhi drizzò ver' me con quel sembiante

102 che madre fa sovra figlio deliro,

e cominciò: «Le cose tutte quante

hanno ordine tra loro, e questo è forma

105 che l'universo a Dio fa simigliante.

Qui veggion l'alte creature l'orma

de l'etterno valore, il qual è fine

108 al quale è fatta la toccata norma.

Ne l'ordine ch'io dico sono accline

de discorso di Beatrice – non più, questa volta, *sorrise parolette brevi* – che occupa tutta la terza e ultima parte del canto. Per rispondere alla domanda di Dante, che fornisce l'occasione, Beatrice svolge in realtà un più ampio ragionamento, che dà la ragione e il significato dell'argomento stesso della cantica: la salita di un uomo, in anima e corpo, attraverso i cieli fino a Dio. Già il primo verso dice che la risposta implica l'intero ordine dell'universo (*Le cose tutte quante*). E il cosmo intero infatti è lo sfondo del discorso, altamente teologico e insieme concreto di immagini e fatti, primo grande esempio di quella che sarà la narrazione teologica dantesca. La risposta sembra ai più non risolvere direttamente il dubbio avanzato: infatti Beatrice dice che tutte le cose dell'universo sono diversamente ordinate da Dio a diversi fini, secondo la loro vicinanza al creatore; e quindi l'uomo, creatura dotata di intelletto e amore, una volta privo di ogni impedimento di peccato, non può non salire direttamente al suo fine, che è Dio stesso, proprio come il fuoco va verso l'alto alla propria regione. Questo discorso sembra valere per l'anima; ma il corpo? Eppure la risposta comprende anche il corpo: si afferma qui quella realtà che è propria soltanto del cristianesimo, e cioè che l'uomo è tutto intero – anima e corpo – destinato all'eternità divina, e che quindi il suo corpo stesso, dopo la morte e la purificazione, abiterà il cielo di Dio. È questo il dogma della resurrezione della carne, implicito nella resurrezione del corpo di Cristo (*1 Cor.* 15, 13). È quello che Dante ci presenterà alla fine della cantica, nella grande visione dei corpi risorti nella candida rosa. Solo così si può intendere il discorso fatto qui in apertura: il corpo di Dante sale attraverso l'aria e il fuoco (i *corpi levi*) perché è nella condizione stessa del corpo risorto di Cristo – e dei risorti nell'ultimo giorno – e quindi divenuto quasi «corpo spirituale» (*1 Cor.* 15, 44), che per sua natura vola al suo luogo, l'Empireo divino (vv. 121-6). Così questo discorso finale riconferma lo stretto legame del primo con l'ultimo canto del poema da noi più volte sottolineato.

104-5. hanno ordine tra loro...: tutte le cose del mondo sono ordinate una all'altra, e questo ordine armonioso che governa l'universo è la sua *forma*, cioè il principio informatore, che lo fa simile a Dio, suo creatore (si cfr. Tommaso d'Aquino, *S.T.* I, q. 47 a. 3, e q. 15 a. 1: «è necessario che nella mente divina sia la for-

ma, a somiglianza della quale il mondo è stato fatto»). Ma si veda come la terzina dantesca stringa in essenziale brevità e chiarezza quella complessa idea, e faccia perno su quella «somiglianza» che preme al poeta, perché da quella la sua stessa parola si genera.

106-8. Qui veggion: in questo ordine che informa l'universo, *l'alte creature*, cioè le più nobili, quelle dotate d'intelletto (gli angeli e gli uomini), riconoscono l'impronta (*l'orma*) di Dio creatore, che è il fine stesso al quale è fatto quell'ordine o regola (*norma*) di cui si è parlato (*toccata*: brevemente ricordata; cfr. *Inf.* VI 102).

– **orma**: impronta; questa parola, che esprime con potente ed evidente metafora l'idea della «somiglianza» del creato al creatore, traduce il latino «vestigium», termine usato già da Agostino e poi dagli scolastici per significare quella somiglianza, e da Dante stesso ripreso a V 11 e in modo esplicito nella *Monarchia*: «non essendo l'intero universo niente altro che quasi un'orma della divina bontà» (*Mon.* I, VIII 2).

– **etterno valore**: è espressione altre volte usata a indicare Dio (XXIX 143; *Purg.* XV 72); altrove il *valore* (sempre significante Dio) è detto *ineffabile*, *infinito*, o anche usato senza aggettivo.

109. sono accline: sono inclinate (lat. «acclinis»); cioè tutte sono dirette, quasi piegate, verso il loro proprio fine: «ciascuna cosa, da providenza di prima natura impinta, è inclinabile alla sua propia perfezione» (*Conv.* I, I 1). Il verbo «inclinare» era tecnico per questo significato: «poiché tutte le cose procedono dalla volontà divina, tutte le cose a loro modo sono per istinto inclinate al bene, ma in modi diversi» (*S.T.* I, q. 59 a. 1).

... volse gli occhi verso di me con l'atteggiamento del volto proprio della madre verso il figlio che delira, e cominciò a dire: «Tutte le cose del mondo sono ordinate una all'altra, e questo ordine armonioso che governa l'universo è la sua forma, che lo fa simile a Dio. In questo ordine le creature più nobili (cioè quelle dotate di intelletto, gli angeli e gli uomini) riconoscono l'impronta (l'orma) del valore eterno (Dio), che è il fine stesso per il quale è stata fatta quella regola (norma) ora menzionata. ◆ *Nell'ordine di cui parlo sono inclinate...*

　　　　　tutte nature, per diverse sorti,

111　　　più al principio loro e men vicine;

　　　　　onde si muovono a diversi porti

　　　　　per lo gran mar de l'essere, e ciascuna

114　　　con istinto a lei dato che la porti.

　　　　　Questi ne porta il foco inver' la luna;

　　　　　questi ne' cor mortali è permotore;

117　　　questi la terra in sé stringe e aduna;

　　　　　né pur le creature che son fore

　　　　　d'intelligenza quest'arco saetta

110-1. per diverse sorti: secondo la diversa natura che hanno avuto in sorte, più o meno dotate di «somiglianza» al loro principio, cioè a Dio. Ritorna il motivo del *più e meno*, già significato nel terzo verso del canto (cfr. la nota relativa) e così importante nell'economia del poema.

– **vicine**: già l'*accline* indicava un movimento, ora il *vicine* lo suggerisce; di qui si svolge la grande immagine del mare e dei porti che si distende nella terzina seguente.

112. a diversi porti: a diversi fini, che corrispondono alle loro *diverse sorti*. La metafora è portata dall'immagine seguente, del *gran mar de l'essere*, che conclude il primo ragionamento, dandogli finalmente forma visibile: l'universo è un mare, sul quale le creature si muovono come navi a differenti porti. L'immagine marina, che dispiega allo sguardo il molteplice e concorde moto dell'universo, dando insieme il senso dell'infinità e dell'ordinata armonia, è la prima della grande teologia narrata del *Paradiso*. Dante la riprenderà, di poco variata, nelle parole di Piccarda (III 86-7).

114. con istinto: è la «naturale inclinazione» (Buti) che porta ogni essere verso la propria perfezione; si cfr. la citazione dal *Convivio* nella nota al v. 109.

115-7. Questi ne porta...: si danno tre esempi di quel che è detto nelle due terzine che precedono. La stessa più ampia esemplificazione è in *Conv.* III, III 2-5 qui concentrata nella triade imposta dalla terzina: questo istinto porta il fuoco in alto, verso la sua sfera, che è situata «lungo lo cielo della luna» (*ibid.* 2), cioè subito al di sotto di quel cielo; esso presiede ai moti degli esseri viventi destinati a morire (gli animali); stringe in se stessa la terra, con la forza di gravità. In ogni

verso una differente creatura, in ognuno una perfetta e sintetica definizione, affidata ad aggettivi e verbi evidenti e pregnanti (*permotore, aduna*); anche questo modello sarà proprio di molte terzine nel dispiegarsi del grande fraseggiare teologico del *Paradiso*.

116. cor mortali: sono i cuori viventi destinati a morte, cioè quelli dei bruti, che hanno soltanto l'anima sensitiva, la cui sede era immaginata appunto nel cuore.

– **è permotore**: è stimolo al movimento; da *permuovere*, verbo antico, ritrovabile anche in Guittone (*Lettere* XXI 87).

117. stringe e aduna: tiene stretta, e quasi raccoglie in se stessa; la dittologia esprime con potenza la forza centripeta che tiene insieme la massa terrestre. Si veda *Conv.* III, III 2: «le corpora simplici hanno amore naturato in sé allo luogo propio, e però la terra sempre discende al centro».

118-20. né pur le creature...: e non soltanto le creature irrazionali (come il fuoco, la terra, gli animali) sono indirizzate, lanciate come frecce da questo arco (cioè dall'istinto dato loro da Dio) al loro fine, ma anche quelle dotate di intelligenza e amore (cioè le creature che hanno l'anima razionale, che comprende intelletto e volontà), gli angeli e gli uomini (*l'alte creature* del v. 106).

– **quest'arco**: è la seconda metafora del grande discorso; essa trasforma l'immagine del movimento da orizzontale (il mare) a verticale (la freccia), e introduce l'idea di colui che vi presiede: l'arco infatti è l'oggetto che dirige qualcosa a un termine voluto, imprimendogli forza e direzione. Per questo aspetto di volontarietà era necessaria l'immagine di uno strumento fatto dall'uomo, e non dalla natura. A Dio, figurato come arciere, l'uomo presta il suo gesto: la «somiglianza» non potrebbe essere maggiore.

121. La provedenza...: Dio è chiamato qui con l'attributo che meglio conviene all'azione descritta (cfr. il *proveder divino* di VIII 135 e XXXII 37).

– **che cotanto assetta**: che dispone un così grande ordine (*assettare*, assoluto, vale: «fare un assetto», «stabilire un ordine»); *cotanto* (avverbio) vale qui «in modo così grandioso».

122-3. del suo lume...: rende con la sua luce perennemente quieto, cioè immobile perché appagato, quel cielo (l'Empireo) nel quale *si volge*, gira, il cielo più ve-

---

■

... tutte le nature, secondo la loro diversa sorte, più o meno dotate di somiglianza al loro principio (cioè a Dio); per cui si muovono verso fini diversi attraverso il gran mare dell'essere, ciascuna con un impulso al movimento che le è dato perché ne sia trasportata. Questo porta il fuoco verso la luna; questo muove i cuori degli esseri viventi destinati alla morte (gli animali); questo tiene stretta, e quasi raccoglie in se stessa, tutta la terra; e non soltanto le creature prive d'intelligenza sono indirizzate al loro fine come frecce da questo arco (cioè dall'istinto dato loro da Dio),

120   ma quelle c'hanno intelletto e amore.
           La provedenza, che cotanto assetta,
       del suo lume fa 'l ciel sempre quïeto
123   nel qual si volge quel c'ha maggior fretta;
           e ora lì, come a sito decreto,
       cen porta la virtù di quella corda
126   che ciò che scocca drizza in segno lieto.
           Vero è che, come forma non s'accorda
       molte fïate a l'intenzion de l'arte,
129   perch'a risponder la materia è sorda,

loce di tutti gli altri, il Primo Mobile. Come l'Empireo è quieto, perché ha in sé la luce divina, così tutti gli altri cieli si volgono in giro per il desiderio di congiungersi con lui, come è detto ai vv. 76-7; e più velocemente di tutti ruota il primo, ad esso contiguo, che impone agli altri il movimento (cfr. la nota ai vv. 76-7).

– **sempre quïeto**: «fuori di tutti questi, li catolici pongono lo cielo Empireo... e pongono esso essere immobile per avere in sé, secondo ciascuna [sua] parte, ciò che la sua materia vuole... E quieto e pacifico è lo luogo di quella somma Deitate che sola [sé] compiutamente vede» (*Conv.* II, III 8-10).

124. **e ora lì...**: là dunque, all'Empireo, è diretto il volo che qui si compie. Dei cieli fisici che si attraverseranno qui non si fa parola; soltanto quell'ultimo cielo spirituale, che è la vera meta della cantica e di tutto il viaggio, è nella mente e nel verso di Dante in questo primo canto, come i primi sei versi hanno dichiarato.

– **a sito decreto**: a luogo decretato, stabilito; cioè come si va verso una ben precisa meta, seguendo un cammino segnato. È questa l'idea che regge tutto il discorso: c'è un termine prefissato all'uomo, come a tutto il cosmo, che non si muove casualmente, ma verso un porto sicuro. Là dunque ci porta la virtù di quell'arco divino, cioè l'inclinazione dataci dalla natura nell'ordine stabilito dalla provvidenza, che indirizza tutto ciò che fa partire verso una meta di felicità (*segno lieto*: v. 126). Questo è il termine dell'uomo, il cielo stesso di Dio, dove troverà la sua perfetta beatitudine.

126. **scocca**: fa partire dall'arco (come una freccia; si cfr. *saetta* del v. 119); la *cocca* è l'incavo con il quale la freccia si appoggia alla corda. Il verbo *scoccare* è usato sia in senso transitivo, come qui, sia in senso intransitivo (staccarsi dall'arco: *Purg.* VI 130).

– **segno lieto**: segno è il bersaglio, il punto a cui è diretto il tiro (cfr. V 91); si cfr. l'espressione odierna «tiro a segno».

127. **Vero è che...**: è pur vero che... Nel grande ordine, dove tutto è prestabilito, c'è tuttavia un'eccezione; c'è una creatura, l'unica, che ha il potere di non seguire la spinta di quell'infallibile arco: l'uomo, dotato di libertà. Con queste tre terzine s'innesta nella metafora dell'arco il tema sempre presente alla mente di Dante: nell'armonia del mondo c'è tuttavia il ma-

le, che è dovuto al libero arbitrio dell'uomo. Questo arduo problema, non solo della teologia, ma di tutta la filosofia, è qui soltanto brevemente ricordato, quanto è necessario alla spiegazione richiesta. Esso è ampiamente svolto altrove (si vedano i canti XVI, XVII, XVIII del *Purgatorio*). Ma nell'ordine del mondo che qui si presenta, questo elemento essenziale – l'unico tratto discordante nella grande armonia – non poteva non essere presente. A confronto con quel deviare, quel *piegare* e *torcere*, appare nella sua originaria naturalezza il salire di Dante alla sua meta, che è il salire dell'uomo al suo Dio.

– **come forma**: come la forma dell'opera spesso non si accorda all'intenzione dell'artefice, perché la materia è come sorda alla sua voce, restia a lasciarsi plasmare... È il concetto di «buona disposizione» della materia, necessaria alla riuscita dell'opera, applicato al libero volere dell'uomo: «è impossibile... la forma dell'arca venire, se la materia, cioè lo legno, non è prima disposta e aparecchiata» (*Conv.* II, I 10).

∎

... ma anche quelle dotate di intelligenza e amore (gli angeli e gli uomini). ◆ *La providenza, che dispone un così grande ordine, rende con la sua luce perennemente immobile quel cielo (l'Empireo) nel quale gira il più veloce di tutti gli altri (il Primo Mobile); e ora là, come a luogo stabilito, ci porta la virtù di quella corda che indirizza verso un bersaglio felice tutto ciò che fa partire dall'arco.* ◆ *È pur vero che, come la forma dell'opera spesso non si accorda all'intenzione dell'artefice, perché la materia è sorda nel rispondere, ...*

così da questo corso si diparte
talor la creatura, c'ha podere
132 di piegar, così pinta, in altra parte;
e sì come veder si può cadere
foco di nube, sì l'impeto primo
135 l'atterra torto da falso piacere.
Non dei più ammirar, se bene stimo,
lo tuo salir, se non come d'un rivo
138 se d'alto monte scende giuso ad imo.
Maraviglia sarebbe in te se, privo
d'impedimento, giù ti fossi assiso,
com'a terra quïete in foco vivo».
142 Quinci rivolse inver' lo cielo il viso.

130-2. così da questo corso...: così dalla traiettoria segnata dall'istinto si allontana talvolta quella creatura che (sola fra tutte) ha il potere di deviare, pur così sospinta, in altra direzione. Questo *podere*, qui fortemente rilevato, è la libertà dell'uomo: il maggior dono, come si dirà a V 19-20, che Dio facesse nella creazione del mondo.

– la creatura: la parola è determinata dalla relativa che segue: quella creatura che..., cioè l'uomo.

132. così pinta: ha valore concessivo: pur indirizzata al bene, la volontà dell'uomo può scegliere il male. È questa la dottrina professata dal cristianesimo, che si oppone al determinismo morale, lasciando all'uomo la responsabilità del male come del bene compiuti. Dante ne fissa i termini nei tre discorsi, fra loro concatenati, posti al centro del *Purgatorio* (canti XVI, XVII, XVIII) tutti imperniati sul problema del libero arbitrio, risolto in libertà dell'amore: è l'amore che muove tutto il creato, ma solo nell'uomo quell'amore è libero di scegliere il suo oggetto.

133-5. e sì come veder...: l'esempio ci riporta all'immagine del fuoco, presente in tutto il canto: e come può accadere di vedere discendere il fuoco dalle nubi (il fulmine), così l'impulso primario al bene – che

dovrebbe portare in alto – può sospingere verso terra l'uomo (*la creatura* del v. 131), quando è deviato da falsi piaceri, cioè da false apparenze di bene (cfr. *Purg.* XXX 130-1). La caduta del fulmine è esempio tipico di un movimento contro l'ordine naturale (si cfr. XXIII 40-2, dove ne è spiegata la causa); naturalmente il paragone è solo nell'effetto, in ciò che è visibile, non nella causa, che per il fulmine è sempre dovuta a leggi fisiche, per l'uomo alla libertà del volere. Come quell'*impeto primo* possa lasciarsi ingannare e torcersi, deviare verso il *falso piacere*, è spiegato a *Purg.* XVII 91-6, dove si distingue tra l'amore *naturale*, che non può sbagliarsi, e quello di libera scelta (*d'animo*), proprio dell'uomo. Amore è infatti il vero nome di quell'istinto che muove tutte le creature (*Purg.* XVII 94 sgg.; *Conv.* III, III 2). A quel grande discorso centrale del *Purgatorio* bisogna rifarsi per intendere questo, e in genere tutta la struttura morale del poema.

136-8. Non dei più ammirar...: non devi più guardare con stupore ormai il tuo salire verso l'alto, come non ti stupisci di un ruscello che scende da monte a valle (*ad imo*: verso il basso).

139-41. Maraviglia...: cosa stupefacente sarebbe ora in te se, così privo di ogni impedimento, cioè del tutto purificato da ogni cattiva inclinazione, tu ti fossi seduto, come sarebbe sorprendente in un fuoco vivo lo star fermo sulla terra, senza tendere verso l'alto. L'obiezione qui fatta a Dante, che ogni uomo buono dovrebbe allora salire verso il cielo, non ha fondamento: con quel *privo d'impedimento* Dante intende infatti la condizione da lui acquisita dopo il bagno nel Letè e nell'Eunoè, che figurano la perfetta liberazione dall'inclinazione al male, che l'uomo può ottenere – normalmente – solo dopo la morte, e che a lui è stata concessa in vita per specialissima grazia.

142. Quinci rivolse...: quindi, terminato di parlare, rivolse di nuovo in alto lo sguardo che aveva prima diretto verso di me (v. 101). Il verso suggerisce il canto, riepilogandone il significato primario, di direzione verticale, di salita verso quel cielo che ormai – abbandonata la terra – sarà il luogo di tutta la cantica.

... così da questa traiettoria si allontana talvolta quella creatura (l'uomo) che ha il potere di deviare, pur così sospinta, in altra direzione; e come può accadere di vedere discendere il fuoco dalle nubi (il fulmine), così l'impulso primario al bene può rivolgerla verso terra, se è deviato da falsi piaceri. ◆ *Non devi ormai più guardare con stupore (se giudico bene) il tuo salire verso l'alto, come non ti stupisci di un ruscello che scende da un alto monte verso il basso. Cosa stupefacente sarebbe ora in te, così privo di ogni impedimento, tu ti fossi seduto, come sarebbe sorprendente in un fuoco vivo lo star fermo sulla terra».* *Quindi rivolse di nuovo in alto lo sguardo.*

Una complessa figura astronomica.   *verso 39.   che quattro cerchi giugne con tre croci*

La spiegazione generalmente accolta di questo difficile luogo è che i tre cerchi massimi dell'eclittica, dell'equatore celeste e del coluro equinoziale, intersecando l'orizzonte nello stesso punto, formino nel cielo tre grandi croci. Tuttavia tale spiegazione non soddisfa pienamente, perché in realtà una sola delle tre (quella formata dal coluro con l'equatore) può dirsi veramente una croce (la figura cioè formata da due rette perpendicolari), mentre le altre non sono infine che due «incroci» (cfr. Buti-Bertagni, *Commento astronomico*, p. 152); approssimazione che non conviene alla perfetta geometria astronomica propria delle figure dantesche. Riteniamo per questo più convincente – e abbiamo accolto – la diversa soluzione proposta da O. Baldacci (*I quattro cerchi e le tre croci*, in «Cultura Neolatina» 25, 1965, pp. 53-61) e finora non seguita dai commentatori, secondo la quale in quel punto da cui sorge il sole nell'equinozio – detto anche «punto equinoziale» – i quattro cerchi non «formano» tre croci, ma «sono tra loro congiunti» (come in realtà dice il testo) mediante tre croci, e cioè dalle tre croci greche formate dai diametri dell'equatore, del coluro equinoziale e dell'orizzonte (croci che hanno lo stesso centro di intersezione, e ognuna un braccio in comune con le altre due). Nel giorno dell'equinozio infatti – e soltanto in quello – al sistema dei tre cerchi con tre croci sopra descritto si aggiunge un quarto cerchio, quello dell'eclittica, che passa per i due punti equinoziali, i quali soltanto dunque «congiungono quattro cerchi con tre croci» (si veda la figura qui riportata). Con questa interpretazione (che presuppone l'osservazione di una sfera armillare, ossia un globo circondato da diversi anelli metallici che rappresentano i principali cerchi massimi della sfera celeste, uno strumento allora usato nello studio dell'astronomia; si cfr. la *palla* di *Conv.* III, V 9-20) la figura indicata dal testo (di cui si rispetta la lettera) risulta perfetta e conclusa (e la croce viene inoltre a corrispondere alla definizione che ne dà Dante a XIV 101-2: *il venerabil segno / che fan giunture di quadranti in tondo*).

I quattro cerchi: l'orizzonte del punto E (ANBS); *l'equatore* (AE-BO); *il meridiano, in questo caso in funzione di coluro equinoziale* (NESO); *l'eclittica* (ZEZO). *Le tre croci: 1) diametro polare e diametro equatoriale* (NS+AB); *2) diametro polare e diametro congiungente i punti equinoziali* (NS+OE); *3) diametro equatoriale e diametro congiungente i punti equinoziali* (AB+OE).

v. 48. Per *unquanco* (mai, mai fino ad ora) si cfr. *Inf.* XXXIII 140 (*unquanche*) e *Purg.* IV 76; *affiggersi*, di solito «fermarsi», ha valore di «guardar fisso», come qui, anche a XXXIII 133.

v. 87. aprio: aprì. È l'antica forma del perfetto dei verbi in *-ire* (così *uscio, venio* ecc.) poi troncata (NTF, pp. 142-6).

v. 109. accline: per il plurale in *-e* di nomi e aggettivi femminili della 3ª declinazione latina, di uso corrente, si cfr. *concorde* in XV

9 o *prece* in *Purg.* XX 100 (Parodi, *Lingua*, p. 249).

v. 116 permotore: il prefisso *per* ha valore rafforzativo (muovere con forza) come in *pertrattare* (trattare compiutamente) di *Inf.* XI 80 e *Purg.* XXIX 133 (si veda il moderno *perturbare*); oltre che nei verbi, il *per* rafforzativo si trova anche, come qui, in sostantivi.

v. 125. cen porta: l'uso del *ne* pleonastico (che ha perso cioè l'originario senso di moto da luogo) era comune con verbi di moto: cfr. *Inf.* X 23: *vivo ten vai* o *Inf.* XV 1: *cen porta*.

approfondimenti

NOTE AL TESTO

v. 44. e quasi tutto: l'edizione del '21 e tutte le precedenti leggono: *tal foce quasi, e tutto*, lezione portata dalla quasi totalità della tradizione antica. Il *quasi* riferito a *foce* è in realtà astronomicamente più preciso, perché erano già trascorsi diversi giorni da quello dell'equinozio, nel quale il sole sorge esattamente da quel punto; d'altra parte con questa lettura si rende imprecisa la seconda indicazione, perché l'emisfero australe, alla latitudine del purgatorio dantesco, non è mai *tutto* illuminato dal sole, nemmeno nel giorno del solstizio. Bisogna dunque scegliere. Il Petrocchi, confortato dall'autorevole codice Urbinate, preferisce, come già il Porena, lasciare l'imprecisione nel primo caso, per la maggior congruenza della lezione con i versi precedenti (si cfr. la nota posta a questo luogo); di fatto a Dante preme soprattutto indicare *tal* foce, che non avrebbe altrimenti così attentamente determinato. Si potrebbe obiettare che la prima

soluzione, oltre ad avere dalla sua quasi tutta la tradizione, appare anche lezione più difficile, e che il *quasi tutto* toglie la certezza dell'ora, che così non è più esattamente il mezzogiorno. La questione, sulla quale si è molto discusso, resta infine opinabile. Ma in ogni caso il senso della terzina non può fortunatamente cambiare: il sole è sorto da quella foce (o quasi), l'emisfero dove Dante e Beatrice si trovano è tutto (o quasi) illuminato dalla sua luce.

v. 48. aquila: anche per i motivi legati al ritmo del verso (vedi nota) riteniamo senz'altro preferibile la lezione *aquila* dell'edizione del '21 (ampiamente testimoniata nei manoscritti) ad *aguglia* dell'edizione Petrocchi, oltre alla ragione, già da altri avanzata, che a questo contesto stilistico meglio si conviene la forma letteraria *aquila* di quella popolare *aguglia* (si vedano i criteri del Petrocchi in *Introduzione*, p. 418, che tuttavia suggerisce di tener conto della diversità dell'accento; e la stessa alternanza di lezioni a *Purg.* X 80).

v. 135. l'atterra: luogo controverso del testo: altri editori (Casella, Vandelli '37) portano la lezione congetturale *s'atterra* che dà certamente buon senso, forse più preciso (il primitivo impulso al bene si volge verso terra, perché torto ecc.) e si appoggia a *s'atterra* del canto XXIII citato nella nota di commento. Ma tutti i manoscritti antichi hanno la lezione a testo, difesa dal Petrocchi in *Introduzione*, p. 223; e in realtà è l'uomo *la creatura* che è paragonato al fulmine, non l'istinto. Dato il senso accettabile, sembra opportuno non discostarsi da una tradizione concorde. Lo stesso discorso vale per l'altra proposta (Witte, Moore, Vandelli '21) che pone tra parentesi il paragone (*e sì come nube*) togliendo l'interpunzione alla fine del v. 132, e leggendo *se l'impeto primo*. Il passo resta tuttavia ancora incerto.

SUGGERIMENTI PER LA RICERCA

Temi del canto

La gloria di colui che tutto move
La parola *gloria* è usata da Dante e dalla tradizione cristiana per indicare il divino che si rende presenza visibile nel creato ed è un termine con valore relativo perché implica qualcuno (un uomo) che se ne accorga: approfondisci l'argomento leggendo il commento a questi versi nell'*Epistola a Cangrande* (XIII, 53-76, in particolare 62 e 64). Continuando la lettura del proemio fino al verso 9, annota e confronta tutte le espressioni che si riferiscono a Dio e quelle che riguardano l'uomo Dante, osser-

vando che l'apertura della cantica, come del resto tutta la *Commedia,* è centrata sul dialogo tra il divino e l'umano. Sul tema consulta anche la voce *Gloria,* a cura di S. Aglianò, in *Enciclopedia Dantesca* III, pp. 240-241.

L'invocazione ad Apollo

L'invocazione a divinità pagane quali Apollo e le Muse è mantenuta da Dante, come in genere dagli scrittori cristiani, nel rispetto della tradizione classica a significare che l'ispirazione proviene al poeta da una realtà trascendente. Rileggi a confronto l'invocazione alle Muse in *Inf.* II 4-9 e XXXII 10-12; in *Purg.* I 7-12 e XXIX 37-42, mettendo in evidenza le differenze nella forma, le simmetrie, le nuove argomentazioni che sono presenti in questo primo canto e la gradazione nella scelta dei destinatari. Quindi, per chiarire il concetto dantesco di poesia ispirata da Dio, e del poeta come *scriba* (*Par.* X 27), cioè scrivano sotto dettatura, leggi *Monarchia* III, IV 11 dove tratta dei libri sacri, e la Nota di approfondimento *Il fedele scrivano dell'amore* che trovi alla fine del XXIV canto del *Purgatorio.*

Il «trasumanar»

Il viaggio nei primi due regni ha significato per Dante la riconquista dell'umano sul piano della perfezione naturale (vedi *Purg.* XXVII 139-142): l'esperienza della terza tappa sarà il *trasumanar,* cioè l'entrare nella dimensione divina. Per comprendere l'esperienza indicata dal verbo coniato da Dante, rileggi con attenzione i passi citati nella nota di commento al v. 70 e consulta la voce *Glauco* sul *Dizionario della Commedia* di R. Merlante. Individua quindi nel testo i passi in cui si fa riferimento alla difficoltà di comunicare tale condizione.

L'ordine e la finalità dell'universo

Tutte le cose sono da Dio create e a lui ritornano. Il primo discorso teologico pronunciato da Beatrice è sostenuto e illustrato da tre immagini concrete o metafore: individuale e trascrivile con parole tue, indicando accanto a ciascuna i riferimenti alla tradizione cristiana e ad altri luoghi delle opere dantesche che trovi citati nelle note. Spiega inoltre come il ragionamento risponda alla domanda posta da Dante ai vv. 98-99 e per quali aspetti investa tutto l'argomento della cantica.

Lingua e stile

luci – v. 66

Leggi i passi sotto indicati e, servendoti delle note di commento, distingui i casi in cui il sostantivo *luce* abbia il significato generale di «luminosità, splendore», da quelli in cui abbia valore, come qui, di «occhi», e dai casi infine in cui sia impiegato per indicare le anime beate del paradiso: *Inf.* XXIX 2; *Purg.* III 89; XXXII 53; *Par.* III 118; VI 128; XVIII 55.

Il prefisso trans- (tras-) – v. 70

Consulta le *Concordanze* alle voci *trascendere, trascolorare, traslatare, trasmodarsi, trasmutare, trasumanare* e *trasvolare* distinguendone il significato tramite la parafrasi o le note di commento; annota poi quali fra questi verbi sono assai probabili neologismi danteschi, consultando la voce relativa curata da G. Ghinassi in *Enciclopedia Dantesca* IV, p. 37. Completa quindi la ricerca leggendo quanto osservato a proposito del prefisso *tras-* da F. Tollemache in *Enciclopedia Dantesca* VI, p. 456.

sorrise parolette – v. 95

Verifica, usando le *Concordanze,* se nella *Commedia* compaiano altri esempi del verbo *sorridere* usato, come qui, transitivamente. Consulta poi il *Grande Dizionario della Lingua Italiana* e individua altri esempi di tale uso del verbo, ponendo particolare attenzione ai passi di diretta derivazione dantesca.

CANTO II

Introduzione

Il secondo canto adempie – ancora come accade in *Inferno* e *Purgatorio* – alla funzione proemiale di introduzione al nuovo regno. Nel canto corrispondente della prima cantica si presenta la scena celeste che dà ragione dell'improvviso apparire di Virgilio in soccorso di Dante, quella scena grazie alla quale soltanto ha inizio il grande viaggio. Così nella seconda cantica la nave guidata dall'angelo con i salvati che cantano il salmo dell'esodo dall'Egitto, e le parole scambiate nell'indugio sulla spiaggia, dichiarano il senso proprio del sacro monte, cioè il ritorno dall'esilio alla patria attraverso la purificazione. Allo stesso modo in tutte e tre le cantiche l'inizio dell'azione vera e propria, cioè l'ingresso nel nuovo mondo e gli incontri con i suoi primi abitanti (gli ignavi, Manfredi, Piccarda), ha luogo solo nel III canto.

Nel *Paradiso* questo secondo è strutturato in forma simmetrica al primo, in tre distinte parti, e del primo completa, come in un dittico pittorico, il significato. All'apertura incontriamo una vera e propria seconda protasi (vv. 1-18), che in diversa prospettiva ripropone il tema della sublimità del nuovo argomento. Segue poi ugualmente una breve sequenza dedicata all'azione (l'arrivo nel cielo della luna, vv. 19-45), dove la presenza del corpo – già fortemente messa in rilievo nelle prime battute del racconto e nel discorso che lo segue nel canto precedente – viene definita, come si vedrà, nel suo mistero e nella sua realtà di fede. Infine si svolge un grande discorso teologico – quello detto delle «macchie lunari» (vv. 46-148) – che in realtà ha per argomento la discesa di tutti gli esseri, nella loro molteplicità, dall'unico Dio, come il primo canto ne aveva raccontato il movimento ascensionale di ritorno. La difficoltà dell'argomento e il modo scolastico in cui è svolto ha da sempre provocato, nel mondo moderno, una diffidenza e quasi un rifiuto nei lettori verso questo canto. Se tale rifiuto è in parte giustificato dalla scoperta e faticosa rete di nessi logici che costringe l'andamento, almeno nella prima parte, del discorso di Beatrice, una volta compreso il vero significato del grande ragionamento ci si rende conto della forza e della bellezza – tanto preziose quanto difficili da conquistare – che quell'incatenato svolgersi di versi racchiude. A questo invita del resto la solenne apertura del canto, quella nuova protasi di cui si è parlato. Qui infatti l'eccezionalità dell'impresa è vista non dalla parte dell'oggetto narrato – il mondo divino –, ma da quella del soggetto narrante – il poeta –, che tenta ciò che nessuno ha finora tentato: *L'acqua ch'io prendo già mai non si corse* (v. 7), acqua dove pochi potranno seguirlo.

Le figure qui usate – il grande mare, l'ardita nave che vi si avventura, i pochi che sono in grado di seguirla – richiamano con tutta evidenza il grande racconto di Ulisse nel XXVI canto dell'*Inferno* (richiamo ugualmente posto nei versi, come si vide, in apertura della seconda cantica, sempre nel II canto). Ma quella nave, che là fece naufragio, qui varca con sicurezza l'oceano. L'impotenza delle forze umane, e l'unico mezzo possibile per valicare quel mare senza per-

dersi – la grazia divina – apparvero nella figura dell'angelo che guida il vascel-
lo dei salvati alla spiaggia: *Vedi che sdegna li argomenti umani, / sì che remo
non vuol, né altro velo / che l'ali sue, tra liti sì lontani* (*Purg.* II 31-33). Ora,
all'inizio del terzo regno, Dante stesso – nuovo Ulisse – prende il mare sulla
nave, nave che tuttavia non è lui a condurre: *Minerva spira e conducemi Appollo...*
(v. 8). Il mito, che torna, con diverse figure, nelle tre cantiche (ed apre l'ultima), è dunque quello sul quale Dante ha voluto incardinare il poema come storia di un viaggio, del viaggio della sua vita. Non per niente il racconto di Ulisse
ha un così grande fascino, e il suo appello all'umana grandezza e dignità è ancora così forte per ogni lettore: è l'aspirazione profonda della vita dell'autore (e
di ogni uomo) che cerca, perde, e infine trova, la sua realizzazione.

L'altro mito che qui si ricorda a paragone di questo viaggio – quello degli
Argonauti – vuole sottolineare l'unicità dell'impresa e tornerà di fatto nell'ultimo canto (vv. 94-6), dove Dante troverà il suo «vello d'oro» nell'incontro con
la realtà divina.

Tutto questo prologo è percorso da un'alta commozione, nella consapevolezza del grande cammino qui intrapreso. Doppio è infatti il viaggio: quello del-
l'anima dell'uomo che va verso Dio, e quello del poeta che con assiduo lavoro e fatica lo racconta. Le due cose, nella vita di Dante, sono di fatto inseparabili: ciò che egli vive è ciò che egli scrive, e viceversa.

Nel prologo, come si è ricordato, l'autore rivolge un avvertimento ai suoi lettori: quei pochi che possono seguire anche in questa terza cantica la nave del
poeta sono coloro che si sono nutriti del «pane degli angeli», cioè della celeste
sapienza. Tale avvertimento vale anche per noi moderni, tra i quali forse anche
meno numerosi, anche più *pochi*, sono quelli che hanno tale requisito. Ma, come
osservava il grande critico americano Singleton, non abbiamo alternative: se questa sapienza ci manca, dobbiamo in qualche modo procurarcela, o faremo naufragio, cioè non capiremo questo testo. Tuttavia si può ben dire che, se di fati-
care si tratta, questo è il caso in cui ne vale la pena. Perché la posta in gioco è
il poter gustare una delle più alte poesie che il mondo ci abbia mai dato.

Al prologo segue il racconto dell'azione propria del canto, che riparte direttamente dalla situazione in cui era rimasta sospesa nel canto precedente: Dante
e Beatrice sono, come là li abbiamo lasciati, in volo verso l'alto, portati da quella sete *concreata e perpetüa* della creatura verso il cielo divino di cui si è parlato nel discorso che accompagna e insieme dà ragione di quel volo nel canto I
(vv. 109-26). Con la velocità istantanea della freccia diretta al suo bersaglio (che
richiama la metafora dell'arco già usata nel discorso in questione), Dante si vede
improvvisamente giunto in un luogo per lui *mirabile* e sconosciuto. L'arrivo nel
primo dei pianeti – che è l'evento narrato nel canto – si circonda di stupore e
di bellezza: per la prima volta vediamo (o meglio si direbbe per la prima volta
Dante ne tenta la descrizione) l'aspetto di un corpo celeste, quella luna tanto
spesso contemplata dalla terra. Come una luminosa e solida nube, come un diamante su cui batta il sole, il poeta ci presenta la consistenza e lo splendore del-
l'astro nel quale egli entra – e questa è la cosa più straordinaria – come la luce
penetra, senza dividerla, nell'acqua. Su questa violazione della legge naturale
della impenetrabilità dei corpi – la prima delle stupefacenti cose che da qui in
poi avverranno, rompendo ogni legge della fisica e della geometria – Dante fa
un singolare commento: tale fatto – egli dice – non è più misterioso dell'unione della natura umana in Dio avvenuta nella incarnazione; ma su questa affermazione ci soffermeremo nelle note al testo. In questo modo egli comunque
pone e risolve una volta per tutte il problema della sua presenza col corpo nel
paradiso: la prerogativa concessa al suo corpo mortale è infatti, come qui appa-

re, quella stessa propria dei corpi dei risorti, assimilati, secondo Paolo, al corpo glorioso di Cristo che penetrava, come narra il Vangelo, attraverso ogni corpo terreno.

In questa breve sequenza narrativa (solo ventisei versi) sono racchiusi, come si è visto, molti e importanti motivi, che fondano le modalità del successivo procedere del viaggio. Ma a questo punto viene posta da Dante la domanda che provoca il grande discorso teologico, costruito specularmente a quello pronunciato nel I canto.

Come si possono spiegare le macchie scure (i *segni bui*) che si vedono sulla faccia inferiore della luna, cioè una così singolare anomalia in un corpo perfetto come sono quelli celesti? Il problema non è ingenuo, come può apparire oggi, e non era da poco, se lo stesso Galileo apre il suo grande trattato astronomico, il *Sidereus Nuncius*, proprio con questa questione, sulla quale si erano affaticati i grandi filosofi antichi. Si trattava infatti di dare spiegazione alla differenziazione presente nell'universo, che già la diversa luce delle stelle del firmamento mostrava, ma che appariva nel modo più evidente nel diversificarsi dell'aspetto nel corpo stesso della luna. Tale differenziazione poneva sostanzialmente il problema di come poteva derivare il molteplice dall'uno, cioè da quell'entità unica che la filosofia greca con vari nomi riconosceva all'origine dell'universo. Questo problema, già posto dagli antichi, aveva avuto due ben distinte soluzioni che comportavano due diverse concezioni del mondo, e sono quelle di cui in questo canto appunto discute Dante, per il quale l'ordine razionale del mondo è sempre uno dei principali motivi di riflessione, e direi una delle prime esigenze del suo pensiero (tutto il poema infine non è che una grande celebrazione, dandogli visibilità e bellezza, di tale ordine).

Gli aristotelici davano una soluzione di tipo naturalistico, per la quale le differenze erano soltanto di carattere quantitativo (tale è la soluzione data da Averroè nel *De substantia orbis*). Questo significava infine il «raro e denso» che Dante dà qui come risposta a Beatrice (*Ciò che n'appar qua sù diverso / credo che fanno i corpi rari e densi*); quella risposta che egli, seguendo Averroè, aveva già data nel *Convivio* e che ora Beatrice confuterà: maggiore o minore densità nei corpi luminosi è appunto una differenza di ordine quantitativo, che si può produrre in oggetti di una stessa specie, quali erano considerati in tale dottrina tutti i corpi celesti. Ma una diversa soluzione era data dai neoplatonici, soluzione che era stata ripresa da Avicenna; essa era di fatto una spiegazione non di ordine fisico, ma filosofico, e si fondava sul concetto di emanazione o discesa che si attua all'interno della creazione, come il realizzarsi nelle cose del modello divino (si vedano nel I canto i vv. 103-5). In questo canto Dante presenta il problema con solennità, dando forte rilievo alla differenza tra le due soluzioni, e alla confutazione della prima, proprio perché si tratta di una revisione del suo stesso pensiero, da lui giudicata essenziale, in quanto riguarda la natura stessa dell'universo. Egli qui rifiuta infatti con decisione la soluzione naturalistica prima accettata, per accogliere quella metafisica, che dava fondamento alla intelligibilità del mondo da parte dell'uomo (i sensi non bastano infatti a comprendere l'universo, che è retto da un ordine razionale); quella intelligibilità del mondo – specchio, *orma* del divino creatore – che era divenuta il cardine della sua cosmologia, quella appunto che regge la *Commedia*.

Se le differenze tra i corpi celesti sono dovute a *principi formali* – non cioè materiali, come la densità – vale a dire alla diversa idea divina che si imprime su di essi, un'altra essenziale conseguenza ne deriva: dalla differenza qualitativa dei corpi celesti dipende infatti quella degli individui terrestri, così importanti per Dante, differenza di qualità che il «raro e denso» annullava. Il discorso sarà infatti ripreso, anche qui in forma solenne, nel canto VIII, dove Carlo Martello parlerà delle differenze tra individuo e individuo, prodotte appunto non per via di generazione, ma per la differenziata influenza degli astri su ciascuno fin dal suo concepimento nel seno materno (*Par.* VIII).

Ora questa concezione offriva a Dante un prezioso mezzo espressivo: nel cosmo neoplatonico l'emanazione degli esseri dall'Uno avveniva infatti attraverso la luce, intesa non come qualità di un corpo (quale per esempio il sole), ma come irradiazione della stessa essenza divina. Di tale mezzo – teorizzato da Dionigi Aeropagita, il grande teologo cristiano di ispirazione neoplatonica – si impadronisce Dante per descrivere, o meglio per dare forma visibile a quel processo di discesa delle cose da Dio che il secondo canto vuole narrare, e che sulla luce infatti è tutto costruito. Tale discesa risponde alla salita di cui tratta il primo canto; quel salire è in realtà un ritornare là di dove tutte le cose sono discese, a quella patria di origine della quale in ogni creatura è posto il desiderio. Questi due elementi, uno concettuale e uno espressivo, sono quelli che creano la difficile ma profonda bellezza della seconda parte del discorso di Beatrice, quella che, senza più argomentare, «racconta» il grande processo della discesa, fatta di luce, di tutta la scala degli esseri da Dio, dal più eccelso dei corpi (il nono cielo o Primo Mobile), che si volge *dentro dal ciel de la divina pace*, via via fino alle ultime caduche creature della terra, le *brevi contingenze* (cfr. *Par.* XIII 61-3).

Dal punto di vista filosofico, il grande ragionamento è tutto di fondamentale importanza; ma dal punto di vista dell'espressione poetica non si può non distinguervi, come già sopra abbiamo osservato, due ben diverse parti. La struttura scolastica qui seguita (prima la confutazione dell'opinione errata, e poi l'esposizione dell'opinione ritenuta giusta dal maestro) porta infatti nella prima sequenza, quella della confutazione (o «pars destruens» come era detta nelle scuole), il tipico andamento dell'argomentare logico: qui non c'è un oggetto o un evento da narrare o da descrivere, ma un ragionamento da dimostrare errato con un altro ragionamento. Il che è fatto con nessi logici che costringono quasi in una morsa ogni terzina, ogni periodo (*Questo non è... Or dirai tu...* ecc.).

Nella seconda sequenza invece (l'esposizione della giusta dottrina, o «pars costruens»), libera da tali impacci, si leva con potenza il maestoso e immaginoso andamento proprio di quella che abbiamo chiamato la narrazione teologica dantesca. E via via crescendo su se stesso, come spesso accade, il racconto sale, con moto quasi circolare, nelle ultime terzine, accendendosi di quella luce che dalla mente divina scende a illuminare e «avvivare» – attraverso le intelligenze angeliche – tutti i corpi celesti. Finché sulla fine del canto quella luce si vede risplendere nel corpo lunare *come letizia per pupilla viva*. Questo straordinario verso ci rivela come tutto l'universo fisico sia permeato dalla presenza divina, per la quale soltanto vive; quella *gloria* che ovunque vi *penetra e risplende*, come dicono i primi versi della cantica. Gli astri dunque, quasi occhi di Dio aperti sul mondo, mostrano nella loro luce la gioia stessa del loro creatore. Tale conclusione renderà plausibile ciò che sta per accadere nei prossimi canti, che cioè nei corpi celesti dei pianeti si possano incontrare, nel loro farsi incontro al pellegrino della terra, secondo la singolare invenzione del poeta, le ombre luminose, quasi vive fiammelle, degli spiriti beati la cui dimora è nel cielo Empireo, ossia nel cuore stesso della divinità.

CANTO II

Arrivo nel cielo della Luna:
il problema delle macchie lunari

1-18 *All'inizio del canto il poeta si rivolge ai lettori per avvertirli dell'arditezza dell'impresa, mai tentata da altri, che lui compie in questa cantica: solo quei pochi che si sono dedicati alla scienza divina possono continuare a seguirlo nella lettura.*

19-45 *Dopo il solenne esordio riprende la narrazione. Dante e Beatrice, portati dal desiderio, si muovono velocemente verso il cielo: ella guarda in alto e Dante in lei. Giunti nel primo pianeta, la Luna, Beatrice lo esorta a ringraziare Dio che lo ha condotto fin lì. A Dante sembra di essere avvolto da una nube, però luminosa e solida, tanto che si stupisce di esservi potuto penetrare con il corpo.*

46-105 *Dante interroga Beatrice sulla natura delle cosiddette «macchie lunari», cioè delle zone oscure visibili nel corpo del pianeta; ella, di rimando, gli chiede il suo parere. La risposta, che esse siano dovute alla varia densità della materia, viene confutata da Beatrice, prima con un argomento teorico – se la diversità dei corpi celesti dipendesse solo da princìpi materiali, come la densità o la rarefazione, e non fosse qualitativa, tutti gli astri eserciterebbero la stessa influenza sugli individui – poi con un ragionamento fondato sull'osservazione diretta.*

106-148 *Dopo la confutazione dell'errore, Beatrice procede con l'esposizione della vera dottrina. La varia luminosità dei corpi celesti è il modo con cui si manifesta la diversità di letizia delle intelligenze angeliche che muovono il cielo e informano della loro virtù gli astri: la spiegazione dunque è di ordine metafisico, non fisico.*

O voi che siete in piccioletta barca,
        desiderosi d'ascoltar, seguiti
3   dietro al mio legno che cantando varca,
        tornate a riveder li vostri liti:

1-18. L'attacco del canto II è come una seconda protasi alla cantica, svolta in forma di ammonimento ai lettori. Da un altro punto di vista, ritorna il tema della sublimità del *Paradiso*. Nel primo canto si indicava il nuovo alto argomento e s'invocava l'aiuto di Apollo, ma ora quello che viene in primo piano è l'assoluta novità e arditezza della grande impresa del poeta. In questo viaggio non tutti, egli avverte, potranno seguirlo. L'accento è solenne e commosso, proprio dell'uomo che, all'ultimo tempo della vita, si avventura nella sfida estrema di raffigurare in parole poetiche – cioè umane – l'esperienza del mondo divino.

1-3. O voi che siete...: o voi che avete seguito fin qui, con la piccola barca della vostra umana sapienza, la nave della mia poesia... La metafora dell'opera poetica come viaggio per mare è già all'inizio del *Pur-*

gatorio. Dante qui la riprende con diverso accento: non più la *navicella* dell'*ingegno*, ma un *legno che cantando varca*, una gloriosa nave che si avvia a solcare l'aperto e profondo oceano (il *pelago* del v. 5, l'*alto sale* del v. 13). Chi l'ha seguito fin qui con una piccola imbarcazione non potrà ora proseguire. Come subito si dirà, s'intende per *piccioletta barca* l'attitudine naturale dell'intelletto non coltivata dalla sapienza divina. Quella bastava per le prime due cantiche, che si svolgono nei limiti della natura e della ragione umana. Non basta per l'ultima, che riferisce di un'esperienza ultraumana.

– **cantando**: con il mezzo della poesia. Questo ultimo verso propone una grande e ardita immagine. E il lettore non può non ricordare un'altra nave che tentò ugualmente l'oceano, ma che fece naufragio: quella di Ulisse, nel canto XXVI dell'*Inferno*. Per il rimando, che incardina la storia di Dante su quella di Ulisse, o meglio che misura l'una a specchio dell'altra, si veda l'Introduzione al canto.

– **varca**: indica il traversare ampi spazi, il valicare infinite distanze.

4. li vostri liti: le sponde da cui siete partiti.

O voi che, desiderosi di ascoltare, avete seguito fin qui, con la vostra piccola barca, la mia nave che con il mezzo della poesia (cantando) si apre la strada nel mare (varca), tornate a rivedere le sponde da cui siete partiti: ...

non vi mettete in pelago, ché forse,
6   perdendo me, rimarreste smarriti.
     L'acqua ch'io prendo già mai non si corse;
Minerva spira, e conducemi Appollo,
9   e nove Muse mi dimostran l'Orse.
     Voialtri pochi che drizzaste il collo
per tempo al pan de li angeli, del quale
12   vivesi qui ma non sen vien satollo,

5. pelago: indica il mare aperto, l'oceano; quasi finora avessero veleggiato in un mare chiuso, in acque limitate. E anche qui torna il ricordo del viaggio infernale: *ma misi me per l'alto mare aperto* (*Inf.* XXVI 100).

6. perdendo me: perdendo di vista la mia nave, non potendo più tenerle dietro con le vostre piccole barche.

7. L'acqua ch'io prendo: nel grande verso, che dice infine ciò che i primi sei preannunciavano, quasi preparavano, è racchiusa la consapevolezza profonda del poeta e dell'uomo – le due realtà sono qui inseparabili – che affronta un'impresa mai tentata prima. Sulla unicità di questa impresa poetica si veda quanto si è detto nella Introduzione al canto.

8-9. Minerva spira...: a questa navigazione così eccezionale concorrono tutti gli aiuti, e al massimo livello, aiuti di cui Dante qui si fa certo (non più richiesti, come a I 13 sgg., ma dati come ormai acquisiti): Minerva, vale a dire la sapienza; Apollo, l'ispirazione poetica; e tutte e nove le Muse, che rappresentano l'arte, la tecnica dell'uomo. Sapienza poesia e arte sono dunque compresenti in quest'opera; Dante ce lo dice in modo esplicito, e noi dobbiamo tenerne conto: questo è il lavoro insieme di un sapiente, di un poeta ispirato e di un artefice che conosce tutti i segreti del mestiere. Tuttavia se Apollo tiene il timone, e le Muse indicano la strada, è Minerva che gonfia le vele di questa nave: la poesia si fa cioè strumento della sapienza. Di quale sapienza si tratti, sarà detto nei versi che seguono. Tutta questa terzina è dettata, scandita, con un'assoluta sicurezza. In essa è racchiuso il senso della seconda protasi alla cantica: la novità estrema dell'impresa, e l'alta coscienza dell'uomo che la compie di poterla realizzare.

10-1. Voialtri pochi...: non possono essere che pochi coloro che si dedicano fin da giovani (*per tempo*), perché ne sono attratti, a quella sapienza celeste che è il cibo degli angeli. Loro soltanto potranno seguire il poeta. Questa non è affermazione presuntuosa, ma è una realtà che tutti oggi possiamo constatare, dopo quasi sette secoli di circolazione del *Paradiso* di Dante: sempre sono stati *pochi* quelli che l'hanno compreso e amato. E molti quelli che, non ascoltando il suo ammonimento, vi hanno fatto naufragio. Ai moderni lettori, che non vogliano rinunciare a intendere questa grande opera, che siano cioè *desiderosi d'ascoltar*, non si può che chiedere di istruirsi in qualche modo su quella sapienza di cui essa si volle far voce.

11. pan de li angeli: l'espressione è scritturale: «l'uo-

mo mangiò il pane degli angeli» (*Ps.* 77, 25; *Sap.* 16, 20 ecc.) e fu interpretata dalla tradizione cristiana come significante il Cristo, che «come Verbo è pane degli angeli in cielo, e in quanto incarnato è pane degli uomini in terra» (cfr. Quaglio, *Appendice*, pp. 554-5). Dante intende qui evidentemente la divina sapienza, che era appunto identificata con il Verbo, e della quale gli angeli godono eternamente in cielo. All'inizio del *Convivio* Dante usa la stessa espressione per il cibo che egli vuole imbandire nella sua opera, cibo di cui pochi possono nutrirsi (I, I 6-7). Ma nel trattato la scienza è ancora la filosofia, nella quale non si distingue tra le due conoscenze, naturale e soprannaturale, umana e divina (quelli che saranno poi i due diversi ruoli di Virgilio e Beatrice nel poema). Qui nel *Paradiso* il pane degli angeli è appunto la sapienza divina, che solo gli angeli possiedono perfettamente e che all'uomo è concessa, finché vive sulla terra, in forma solo imperfetta. L'espressione *drizzaste il collo* indica il levare alto il capo, verso un oggetto posto al di sopra, quale è la sapienza celeste.

12. vivesi qui: qui, cioè nel mondo, l'uomo se ne nutre, ma non arriva mai a saziarsene. È questo il tema, centrale per Dante, dell'impossibilità per la ragione di raggiungere la perfetta conoscenza delle supreme realtà, conoscenza che pur l'uomo desidera di avere. Già posto nel *Convivio*, e risolto allora in modo insoddisfacente, con l'affermazione cioè che in realtà l'uomo non ha tale desiderio (III, XV 6-10, affermazione peraltro contraddetta a IV, XXII 13-8), il problema è ripreso ben diversamente nel poema, dove solo la sapienza rivelata (Beatrice) può esaudire quella domanda (cfr. *Purg.* XXI 1-3 e nota), ma non in modo completo. Soltanto nell'altra vita infatti, oltre la morte, l'uomo raggiunge quella perfetta visione delle realtà ultime e divine che costituisce la sua beatitudine. Si confronti la stessa metafora, del cibo e della sazietà, a XXIV 1-3.

■

... non vi inoltrate nell'oceano, poiché forse, perdendo di vista la mia nave, rimarreste smarriti. L'acqua che io mi accingo a solcare non è stata mai percorsa: Minerva gonfia le vele (spira), e mi conduce Apollo, e le nove Muse mi indicano le stelle dell'Orsa. ◆ *Voi altri pochi che fin da giovani (per tempo) aspiraste alla sapienza celeste che è il cibo degli angeli, del quale qui (cioè nel mondo) l'uomo si nutre, ma non arriva mai a saziarsi, ...*

metter potete ben per l'alto sale
vostro navigio, servando mio solco
15   dinanzi a l'acqua che ritorna equale.
Que' glorïosi che passaro al Colco
non s'ammiraron come voi farete,
18   quando Iasón vider fatto bifolco.
La concreata e perpetüa sete
del deïforme regno cen portava
21   veloci quasi come 'l ciel vedete.
Beatrice in suso, e io in lei guardava;

13. **l'alto sale**: il mare profondo, il *pelago* del v. 5.

14. **navigio**: non *piccioletta barca*, ma vera nave è quella dei pochi addestrati alla celeste sapienza.

– **servando mio solco**: vale «osservando», cioè sempre seguendo, la scia della mia nave, prima che l'acqua si riunisca livellandosi e tornando piana. Per il significato non consueto del verbo *servare*, si confronti il «servet vestigia ("seguirà le mie orme")» di Virgilio, *Aen.* II 711.

15. **che ritorna equale**: si confronti ancora *Inf.* XXVI 142.

16-8. **Que' glorïosi...**: gli Argonauti, che per primi solcarono il mare verso la Colchide per impadronirsi del vello d'oro, non si stupirono quanto accadrà a voi, nel vedere Giasone, il loro re, arare il campo alla guida dei due mitici buoi. Il mito narrava che Giasone, giunto nella Colchide, dovette sostenere durissime prove per ottenere il vello d'oro, tra le quali domare due buoi spiranti fiamme, dai piedi di bronzo e dalle corna di ferro, e arare con essi un campo dove poi avrebbe seminato denti di serpente (Ovidio, *Met.* VII 104 sgg.). Non è chiaro su cosa precisamente verta la similitudine, e in proposito si sono avanzate ipotesi diverse. Ma se il viaggio che ora la nave di Dante intraprende è simile a quello di Argo (l'una e l'altra infatti solcano un'acqua mai percorsa), sembra che il paragone fra Dante e Giasone, i due naviganti alla conquista del vello d'oro, debba consistere, presentato in questi termini, nella difficoltà delle prove da ambedue superate per ottenerlo: il domare i buoi, l'arare il terreno, sarà per il poeta la lotta con le parole per narrare un così sublime oggetto. Lo stupore dei lettori che lo seguiranno sarà, come e più che per i compagni di Giasone, nel vedere il supremo sforzo compiuto dalla mente e dall'arte per dominare una simile materia.

19. **La concreata...**: l'ardente desiderio creato insieme all'anima, in lei connaturato, e perpetuo, cioè mai saziato, del regno divino, del paradiso.

20. **deïforme**: fatto a somiglianza di Dio: perché vi abitano angeli e beati, in tutto simili a Dio per grazia (cfr. *S.T.* I, q. 12 a. 5, dove è anche il termine usato da Dante: «e secondo questo lume [della grazia] i beati sono fatti deiformi, cioè simili a Dio»). S'intende qui l'Empireo, il luogo dove l'uomo tende per sua natura come a quello suo proprio, come è stato detto nel primo canto (vv. 121-6); da quei versi, qui chiaramente richiamati, torna anche il verbo *portare* (I 114 e 125). Ma nuova e potente è la definizione data nel primo verso di questa terzina, dove i due aggettivi, pregnanti nel significato ed estesi nella durata sillabica, sostanziano fortemente quella *sete* che è il tema conduttore di tutta la salita dantesca.

– **cen portava**: l'imperfetto dice un'azione che sta già accadendo: i due sono già in volo da quando li abbiamo lasciati nel primo canto. Per l'uso pleonastico del *ne*, cfr. I 125 e nota linguistica.

21. **come 'l ciel...**: come voi vedete ruotare il cielo; s'intende del cielo stellato, il cui movimento è il più veloce tra quelli misurati dagli uomini. Il verbo *vedere* non può ovviamente riferirsi alla vista sensibile (l'occhio non percepisce il ruotare dei cieli), ma a ciò che la scienza umana riesce a «vedere» con la mente, cioè a comprendere. Il paragone vuol dare l'idea di una velocità straordinaria, superiore a quella sperimentabile sulla terra; e muovendosi Dante e Beatrice verso il cielo, è ben conveniente, poeticamente, farli quasi simili a corpi celesti.

22. **Beatrice in suso...**: è l'atto già descritto a I 64-6; l'azione riprende, dopo la protasi posta come un intervallo, un «a parte» del narratore, là dove era rimasta interrotta.

23-4. **e forse in tanto...**: e forse nello stesso tempo (*in tanto*) nel quale una freccia si stacca dall'arco, vola, e tocca il bersaglio... L'azione è descritta in senso inverso, a cominciare dalla sua fine: *posa*, cioè si ferma all'arrivo, *vola*, percorre lo spazio intermedio, *si dischiava*, cioè si spicca, si libera, dalla *noce*, «il dischetto posto sul fusto dell'arco che serve a trattenere la corda quando è tesa» (cfr. *balestra*, in EI V, p. 961). È un esempio di «hysteron proteron», la figura

■

... potete ben mettere la vostra nave nel mare profondo, seguendo la mia scia nell'acqua prima che torni compatta. ◆ *Quei gloriosi (gli Argonauti) che per primi solcarono il mare verso la Colchide, non si stupirono quanto accadrà a voi, nel vedere Giasone fattosi contadino. Il desiderio innato e perpetuo del regno divino ci portava veloci quasi come voi vedete ruotare il cielo.* ◆ *Beatrice guardava verso l'alto, e io verso di lei: ...*

e forse in tanto in quanto un quadrel posa

24 e vola e da la noce si dischiava,

giunto mi vidi ove mirabil cosa

mi torse il viso a sé; e però quella

27 cui non potea mia cura essere ascosa,

volta ver' me, sì lieta come bella,

«Drizza la mente in Dio grata», mi disse,

30 «che n'ha congiunti con la prima stella».

Parev'a me che nube ne coprisse

lucida, spessa, solida e pulita,

retorica per cui si presenta un'azione dicendo prima quello che nella realtà avviene dopo. L'effetto ottenuto è di una fulminea rapidità; per cui già si è giunti (*giunto mi vidi*: v. 25) prima ancora di rendersi conto di essere partiti (si veda un uso analogo di questa figura a XXII 109-11).

– **si dischiava**: il verbo, meglio che genericamente «dischiodarsi», varrà in senso specifico, come derivato cioè dalla terminologia tecnica dell'arco, alla quale appartiene anche la *noce*: la «chiave» o «manetta» era infatti nella balestra quel dispositivo (una specie di grilletto) tirando il quale si abbassava la *noce* allentando così d'un tratto la corda che lasciava partire la freccia (cfr. EI, *loc. cit.*). Questo uso dei termini tecnici propri di arti e mestieri è del resto caratteristico dello stile dantesco e della sua attenta raffigurazione di tutto il reale.

25. **mirabil cosa**: questa *mirabil cosa* è il primo oggetto del regno celeste che si incontra: è la sfera della luna, dove Dante è ora giunto. Essa è indicata solo in modo assolutamente generico (*cosa*), una prima impressione di stupore. Come spesso accade nel raccontare dantesco, l'oggetto si determina nei suoi particolari solo in un secondo momento.

26. **torse il viso**: fece volgere lo sguardo, prima fisso in Beatrice.

27. **cui non potea...**: alla quale la mia interna domanda (qui *cura*, preoccupazione, vale «incertezza», «ansia di sapere») non poteva esser celata. Come già Virgilio, Beatrice legge ogni pensiero nella mente di Dante.

28. **sì lieta come bella**: l'equivalenza tra bellezza esteriore, visibile, e letizia, felicità interiore, sarà il cardine di tutta la rappresentazione del *Paradiso*. Anzi, come presto si vedrà, la seconda è la causa stessa della prima.

29. **grata**: il primo moto dell'animo deve essere di riconoscenza verso colui che di fatto conduce questo viaggio. Beatrice così formula la risposta alla domanda inespressa di Dante: ringrazia Dio, che ti ha portato nel primo cielo, quello della luna (la *mirabil cosa* che tu vedi è dunque la sfera lunare).

30. **la prima stella**: la luna è il più vicino dei corpi celesti, il primo quindi che si incontra salendo. I pianeti erano concepiti come sfere solide fissate nello spes-

sore stesso del loro cielo, sfera diafana ruotante intorno alla terra. Dante immagina, nella sua salita di cielo in cielo, di fermarsi ogni volta sul corpo solido del pianeta, mentre i vari spettacoli ai quali assiste – l'arrivo dei beati, le loro danze, le varie figure luminose che si formano davanti a lui – si svolgono nella profondità del cielo che lo circonda.

31. **nube**: si comincia qui a definire la *mirabil cosa* che Dante ha visto intorno a sé, arrivando nel primo luogo del suo viaggio celeste: questa nube luminosa è il corpo stesso della sfera lunare, che sembra avvolgerlo d'ogni lato (*ne coprisse*). La fantasia intraprende qui a rappresentare ciò che mai era stato sperimentato. E l'immagine della *nube*, fatta splendida e consistente dai quattro aggettivi definitori, è il primo tentativo di questa celeste raffigurazione.

32. **lucida, spessa...**: luminosa, compatta, solida e levigata; *pulita* indica superficie liscia, come è quella dello specchio (si cfr. *Purg.* IX 95); questo significato, proprio del termine in antico (oggi in tal senso si usa «polito»), è il solo che si conviene al paragone col diamante del verso seguente. Altri intende «senza macchia», ma sarebbe senso improprio, in quanto solo la superficie superiore della luna, quella cioè nascosta alla terra, è senza macchie per Dante; e qui del resto si vuol solo definire il corpo stellare nella sua qualità solida e splendente, paragonabile appunto al diamante illuminato dal sole.

– **solida**: ricordiamo che gli astri per la fisica aristotelica erano della stessa sostanza eterea dei cieli, ma diversi nella consistenza: i cieli diafani, cioè trasparenti, e le stelle solide e compatte. Di qui sorge lo stupore per Dante di esservi potuto penetrare col proprio corpo (vv. 37-9).

■

... e forse nello stesso tempo (in tanto) nel quale una freccia tocca il bersaglio, vola e si stacca dall'arco, mi vidi giunto dove una cosa meravigliosa mi fece volgere lo sguardo verso di sé; e quindi colei alla quale la mia incertezza (cura) non poteva esser celata, voltatasi verso di me, lieta quanto bella, mi disse: «Volgi la mente con gratitudine a Dio, che ci ha congiunti con il primo pianeta (la luna)». ◆ Mi pareva che ci coprisse una nube luminosa, compatta, solida e levigata, ...

33   quasi adamante che lo sol ferisse.
      Per entro sé l'etterna margarita
      ne ricevette, com'acqua recepe
36   raggio di luce permanendo unita.
      S'io era corpo, e qui non si concepe
      com'una dimensione altra patìo,
39   ch'esser convien se corpo in corpo repe,
      accender ne dovria più il disio
      di veder quella essenza in che si vede
42   come nostra natura e Dio s'unio.
      Lì si vedrà ciò che tenem per fede,
      non dimostrato, ma fia per sé noto

33. adamante: diamante. Il lucente verso è il primo dei continui paragoni fra le cose celesti e quelle terrene di cui Dante riempirà il suo *Paradiso* per rendere comprensibile al lettore – ed esprimibile a se stesso – il regno mai visitato da alcuno. E le pietre preziose – col loro fulgore e bellezza – saranno tra i termini di confronto privilegiati per tutta la cantica (si cfr. IX 69; XV 22 e 85; XXII 29 ecc.). Questo diamante, come è proprio delle cose prime, ha una freschezza irripetuta.

34. margarita: vale «gemma», «pietra preziosa»; *etterna* (nel senso di «perpetua» come a *Inf.* III 8) perché tali erano ritenuti i corpi celesti, non soggetti cioè a corruzione come quelli terrestri.

35-6. com'acqua recepe...: come l'acqua riceve (*recepe* è latinismo, da «recipere», e farà rima con altri due verbi latini, *concepe* e *repe*) dentro di sé un raggio di luce, senza doversi dividere. Il paragone dice la penetrazione di un corpo nell'altro, la sola possibile a vedersi sulla terra. Si rompe qui infatti la legge della impenetrabilità dei corpi. Comincia con questa similitudine quella continua gara e quasi sfida della fantasia poetica a raffigurare fenomeni non racchiudibili nelle normali leggi della fisica terrena.

37-42. S'io era corpo...: se io ero, come ero, un corpo, e qui sulla terra non si può concepire come una dimensione abbia potuto comportarne un'altra dentro di sé, cosa che accade necessariamente se un corpo penetra

in un altro senza dividerlo, ciò dovrebbe far più acuto il nostro desiderio di vedere (cosa anche più miracolosa) quell'essenza, cioè la persona di Cristo, in cui si unirono la natura umana e quella divina. E ciò è possibile all'uomo di vedere solo in paradiso.

– **repe**: dal latino «repere», strisciare, quasi d'un corpo che «si insinua» in un altro, come ben tradusse il Biagioli.

– **patìo**: patì, sopportò.

41. quella essenza: si allude qui al mistero dell'incarnazione, cardine della religione cristiana, definito secondo la formula del concilio di Calcedonia: il Cristo, la seconda persona della Trinità fatta carne, assume la natura umana unendola alla propria natura divina, rimanendo però un'unica persona (cfr. VII 30-3). Il ragionamento di Dante è questo: se tanto meraviglioso ci appare il fatto – che lassù mi accadde – che un corpo penetri nell'altro, infrangendo le leggi della natura, ciò dovrebbe infiammarci del desiderio di vedere un giorno con evidenza quella misteriosa unione delle due nature umana e divina che è mistero molto più grande di questo. Il nesso profondo e sotteso del ragionamento sta nel fatto che da questo secondo mistero dipende il primo. Il corpo umano infatti, assunto da Cristo, divenne dopo la sua resurrezione diverso dal corpo terrestre, un corpo spirituale, che poté passare oltre le porte chiuse del cenacolo, e ascendere al cielo. Queste qualità del corpo risorto del Cristo erano attribuite dalla teologia ai corpi di tutti i risorti alla fine dei tempi sulla base di *1 Cor.* 15. E qui appare che il corpo che Dante immagina di portare nella sua ascesa al cielo è pensato simile, come si è osservato nella nota a I 103, a quello glorioso di Cristo e dei beati.

43-5. Lì si vedrà...: lassù potremo vedere ciò che ora riteniamo vero per fede, senza cioè poterlo comprendere, e lo vedremo senza bisogno di dimostrazione, con immediata evidenza, come qui sulla terra è del *ver primo*, cioè dell'assioma, il principio *per sé noto*, cioè evidente di per sé alla mente. Tali erano i princìpi non dimostrabili della logica, su cui gli altri si fondano (cfr. *le prime notizie* di *Purg.* XVIII 56 e nota). Tutta la terzina ha la semplice e fiduciosa sicurezza di chi crede

---

... come un diamante colpito dal sole. La gemma perpetua ci accolse dentro di sé, come l'acqua riceve dentro di sé un raggio di luce, senza doversi dividere. Se io ero, come ero, un corpo, e qui sulla terra non si può concepire come una dimensione abbia potuto comportarne un'altra dentro di sé, cosa che accade necessariamente se un corpo penetra – repe – in un altro, ciò dovrebbe far più acuto il nostro desiderio di vedere quell'essenza (cioè la persona di Cristo) in cui si vede come si unirono la natura umana e quella divina. ◆ *Lassù potremo vedere ciò che ora riteniamo vero per fede, e lo vedremo senza bisogno di dimostrazione, con immediata evidenza (per sé noto), ...*

45   a guisa del ver primo che l'uom crede.

        Io rispuosi: «Madonna, sì devoto

        com'esser posso più, ringrazio lui

48   lo qual dal mortal mondo m'ha remoto.

        Ma ditemi: che son li segni bui

        di questo corpo, che là giuso in terra

51   fan di Cain favoleggiare altrui?».

        Ella sorrise alquanto, e poi «S'elli erra

        l'oppinïon», mi disse, «d'i mortali

54   dove chiave di senso non diserra,

        certo non ti dovrien punger li strali

        d'ammirazione omai, poi dietro ai sensi

senza alcun dubbio che un giorno arriverà là dove tutto gli sarà svelato; è l'atteggiamento del semplice fedele, che Dante più volte assume rivolgendosi ai suoi lettori, facendo appello a quel giorno in cui tutti faranno esperienza di ciò che lui ha visto; modo che ottiene un immediato effetto di credibilità (cfr. I 71-2).

47. **ringrazio lui**: Dante subito umilmente obbedisce all'esortazione di Beatrice (vv. 29-30).

48. **remoto**: allontanato, distaccato (cfr. I 66).

49. **Ma ditemi**: la congiunzione *ma* introduce come sempre un nuovo argomento, questa volta con un preciso significato: io ringrazio volentieri Dio, dice Dante, ma dentro di me c'è un problema che aspetta di essere risolto. È il caratteristico procedere della mente dantesca, mai paga finché tutto non è chiaro, finché l'ordine intellettuale dell'universo non è illuminato fino in fondo. Questo verso divide in due il canto: fin qui svolto in forma narrativa – l'arrivo nel cielo della luna –, da qui alla fine in forma dottrinale, in modo simile al canto precedente. E anche il grande discorso teorico che ora comincia è connesso, come si è detto nella *Introduzione*, a quello del primo canto, presentando l'uno la salita, e questo la discesa, delle *cose tutte quante* (I 103) verso Dio e da Dio.

– **li segni bui**: le macchie visibili dalla terra a occhio nudo sulla faccia lunare, zone buie sulla sua superficie luminosa. Tali macchie erano da sempre un grave problema per astronomi e filosofi: da esso dipendeva la perfezione e la differenziazione dell'universo. E non era un discorso ingenuo, se lo stesso Galileo, in apertura del suo *Sidereus Nuncius*, si pone proprio la stessa domanda avanzata qui da Dante. Ma si veda su questo l'Introduzione al canto.

51. **fan di Cain...**: che fanno favoleggiare la gente (*altrui*, pronome generico, cfr. *Inf.* I 18) del mito di Caino? Secondo una diffusa leggenda, Caino, maledetto da Dio, era stato relegato sulla luna e condannato a portare in eterno un fascio di spine (cfr. *Inf.* XX 126). La leggenda – pur dichiarata tale – serve a ricordare come da sempre quelle macchie avessero colpito la fantasia degli uomini, che, incapaci di spiegarle razionalmente, avevano risolto il problema con un mito.

52. **sorrise**: è il sorriso dell'adulto verso il fanciullo, del beato verso l'uomo, sorriso di indulgente compassione per la sua ignoranza (cfr. I 95 e 100). Esso coinvolge non solo la credenza popolare sopra ricordata, ma anche le false opinioni di molti sapienti, come presto si vedrà.

52-7. **S'elli erra...**: se l'opinione degli uomini mortali sbaglia nel giudicare di oggetti che non sono offerti all'intelletto dai sensi (che non sono cioè alla portata di questi, quali le realtà intelligibili), non dovresti ormai più stupirti, poiché (*poi*) anche seguendo i sensi – cioè anche quando i sensi fanno strada, offrono un appoggio, nel giudicare delle cose sensibili – vedi bene che la ragione non va molto lontano. Come osserva il Nardi, Dante stabilisce qui un importante principio, e cioè il limite della conoscenza fondata sull'esperienza sensibile che può offrire solo dati parziali e anche erronei e la necessità quindi di far riferimento a un criterio generale di ordine filosofico.

54. **chiave di senso**: la metafora della chiave che apre la porta (*diserra*) illustra in maniera perfetta la funzione dei sensi rispetto all'intelletto nella filosofia aristotelica e scolastica per la quale «niente è nell'intelletto che prima non sia stato nel senso» (cfr. IV 41-2 e *Conv.* II, IV 17).

55. **li strali**: come la *chiave* del senso e le *ali* della ragione, anche questa metafora rende concreto e animato un astratto (l'*ammirazione*); tuttavia nel breve discorso di Beatrice il triplice uso di questa figura retorica risulta eccessivo. Gli *strali* sono usati da Dante altrove anche per la pietà (*Inf.* XXIX 44).

... come qui sulla terra si crede agli assiomi (ver primo). Io risposi: «Mia signora, con tutta la mia devozione ringrazio colui il quale mi ha allontanato dal mondo mortale. Ma dimmi: che cosa sono le macchie oscure su questa superficie, che laggiù sulla terra fanno favoleggiare la gente del mito di Caino?». ◆ Ella sorrise un poco, e poi mi disse: «Se l'opinione degli uomini mortali sbaglia nelle cose che non sono spiegabili con i sensi, non dovresti ormai più essere colpito dalla meraviglia, poiché (poi) anche seguendo i sensi ...

57   vedi che la ragione ha corte l'ali.

      Ma dimmi quel che tu da te ne pensi».

      E io: «Ciò che n'appar qua sù diverso

60   credo che fanno i corpi rari e densi».

      Ed ella: «Certo assai vedrai sommerso

      nel falso il creder tuo, se bene ascolti

63   l'argomentar ch'io li farò avverso.

      La spera ottava vi dimostra molti

      lumi, li quali e nel quale e nel quanto

66   notar si posson di diversi volti.

      Se raro e denso ciò facesser tanto,

---

58. Ma dimmi...: ma prima dimmi l'opinione che te ne sei formato per tuo conto (*da te*). L'enunciazione della tesi da confutare era di regola nella struttura della «quaestio», o disputazione scolastica, che qui Dante segue fedelmente, come farà più volte nella cantica. Prima si espone la tesi erronea, poi si portano gli argomenti contrari (confutazione), infine si presenta la tesi ritenuta vera (definizione). Questo schema apertamente scolastico contrasta col senso che noi moderni abbiamo del racconto poetico; e di fatto la sua rigidità e i suoi necessari nessi logici imbrigliano qui lo svolgersi del discorso, come non accade invece nel primo canto. Ma sul problema critico posto da questa «poesia filosofica» si veda l'Introduzione al canto.

59-60. Ciò che n'appar...: la diversità di luce che noi vediamo nei corpi celesti (sia dentro la stessa stella – come nella luna – sia da stella a stella) credo che dipenda dalla loro diversa densità. La teoria del «raro e denso» per spiegare le macchie lunari e in genere le differenze dell'universo era molto antica (Aristotele la cita al principio della *Fisica* come propria «degli antichi»). In sostanza tale teoria, di carattere naturalistico, ampiamente diffusa e ritrovabile in testi letterari (come il celebre *Roman de la Rose*) anche al tempo di Dante, faceva dipendere ogni differenza da una diversità quantitativa. Ed è quella che Dante stesso aveva sostenuto nel *Convivio* (II, XIII 9). Ora egli la espone a Beatrice, ma col preciso scopo di farla confutare. La diversa opinione che qui si sostiene, che la differenza sia cioè qualitativa, dipendente da diversi

princìpi formali o sostanziali, era quella di origine neoplatonica, formulata da Giamblico, che Simplicio e poi Tommaso riportano nel commento al *De coelo* di Aristotele. Il divario radicale tra le due spiegazioni sta nel fatto che la prima è di ordine fisico, e la seconda di ordine metafisico, come lo svolgersi del discorso di Beatrice chiaramente dimostrerà. Dante passa dunque decisamente, qui nel *Paradiso*, dal primo tipo di spiegazione al secondo. Si vedano su tutto il problema l'Introduzione al canto e gli studi citati nelle *Letture consigliate*.

61-2. sommerso / nel falso: sepolto nella falsità.

63. l'argomentar: il verbo vale «portare argomenti»; la confutazione si svolgerà appunto elencando una serie di argomenti contrari, come ora farà Beatrice.

64. La spera ottava...: comincia qui la prima parte del ragionamento, quella confutatoria. Il primo argomento è di natura filosofica. Beatrice prende come esempio-campione il cielo ottavo, che con le sue molte e diverse stelle meglio si prestava allo scopo. Si dovrà poi sempre tener presente durante il ragionamento che la spiegazione offerta per le differenze presenti in questo cielo vale per tutte le altre differenze di luce osservabili nel firmamento, e quindi anche per quelle che si vedono sulla faccia della luna. Il cielo ottavo dunque, cioè lo stellato o cielo delle stelle fisse, vi mostra molti corpi luminosi, i quali appaiono con diversi aspetti (*volti*) sia per quantità, sia per qualità. S'intende qui per quantità l'ordine di grandezza di una stella e per qualità il suo grado di luminosità, distinzioni proprie del linguaggio tecnico dell'astronomia.

66. diversi volti: questa espressione per indicare gli aspetti celesti risale al *Centiloquium* (apocrifa riduzione di uno scritto di Tolomeo), opera diffusissima e fonte di tutti i trattati di astronomia medievale (e citata da Dante stesso nella *Questio de aqua et terra* 21, 72).

67-9. Se raro e denso...: se tale diversità dipendesse soltanto (*tanto*) da maggiore o minore densità e rarità, in tutte quelle stelle vi sarebbe una sola virtù, distribuita in quantità maggiore, minore, o uguale. Si sottintende qui il principio che la luce delle stelle sia correlativa alla loro virtù specifica; e per *virtù* s'intende la capacità d'influenza che i corpi celesti hanno sulla

---

... vedi bene che la ragione non va molto lontano (ha corte l'ali). Ma dimmi quello che ne pensi per tuo conto (da te)». E io dissi: «Quello che noi vediamo diverso guardando quassù in cielo credo che dipenda dalla inuguale densità dei corpi celesti». ◆ *Ed ella rispose: «Certo vedrai la tua opinione (il creder tuo) quasi sepolta nella falsità, se ascolterai bene gli argomenti che io porterò contro di essa. Il cielo ottavo vi mostra molti corpi luminosi, i quali appaiono con diversi aspetti (volti) sia per quantità, sia per qualità (e nel quale e nel quanto). Se tale diversità dipendesse soltanto (tanto) da maggiore o minore densità e rarità, ...*

una sola virtù sarebbe in tutti,

69 più e men distributa e altrettanto.

Virtù diverse esser convegnon frutti

di princìpi formali, e quei, for ch'uno,

72 seguiterieno a tua ragion distrutti.

Ancor, se raro fosse di quel bruno

cagion che tu dimandi, o d'oltre in parte

75 fora di sua materia sì digiuno

esto pianeto, o, sì come comparte

lo grasso e 'l magro un corpo, così questo

78 nel suo volume cangerebbe carte.

generazione di quelli terrestri, secondo la concorde opinione di tutta la filosofia antica, e come Dante esplicitamente afferma più volte sia nel *Convivio* (II, XIII 5), sia nel poema (VII 130-41). Per il cristiano tale virtù è determinata dalla provvidenza divina.

70-2. Virtù diverse...: il ragionamento è per assurdo, e presuppone il principio aristotelico, allora da tutti accolto, che la molteplicità delle specie e degli individui terrestri richieda una molteplicità di virtù celestiali influenti (si cfr. Tommaso, commento al *De coelo* di Aristotele, II, lect. 19, 4: «conviene che la sfera delle stelle fisse abbondi nella moltitudine delle stelle, nelle quali hanno la loro radice le diverse virtù attive»). Quindi: dato che la molteplicità e differenziazione del mondo sublunare esige molteplici e diverse virtù nelle stelle, queste *virtù diverse* non possono esser frutto che di diversi princìpi formali, cioè sostanziali (dato che producono forme diverse), mentre, a stare all'opinione avanzata da Dante (*a tua ragion*), i princìpi formali si ridurrebbero a uno solo (sarebbero tutti distrutti fuorché uno), cioè alla densità. La teoria del «raro e denso» ridurrebbe cioè l'universo a un'unica natura specifica, differenziando tutti gli esseri solo nella quantità, e non nella qualità. Come si vede, l'argomentazione è svolta sul piano filosofico: la spiegazione data da Dante, che potrebbe essere sufficiente dal punto di vista della scienza fisica, si dimostra insufficiente a chi si ponga il problema della molteplicità di forme esistente nell'universo.

71. princìpi formali: gli scolastici distinguevano in ogni essere corporeo il «principio materiale», la materia prima o potenzialità indifferenziata, e il «principio formale», ciò che dava forma, specificità all'individuo. Le virtù celesti che producono la generazione e la natura stessa degli individui sublunari non possono che dipendere da diverse forme (che si identificano infine con le idee platoniche). Ma dove hanno origine queste forme? È ciò che si dirà nel secondo ragionamento, quello definitorio.

73. Ancor: è il latino «adhuc», formula di passaggio scolastica per introdurre un altro argomento. Ma è importante osservare che in questo caso il passaggio è anche qualitativo; da un argomento strettamen-

te filosofico si passa infatti ad uno di carattere puramente fisico: si combattono cioè i sostenitori del «raro e denso» sul loro stesso terreno. Questo sovrapporsi non dichiarato dei due diversi ordini di ragionamento genera un certo disorientamento nel lettore moderno. Ma sulla loro convergenza nel mondo intellettuale dantesco si veda l'Introduzione al canto.

– se raro fosse...: se la rarità fosse la causa, che tu ricerchi, delle zone oscure della luna (*quel bruno*), i casi sarebbero due: o questo pianeta sarebbe in quelle zone così scarso di materia (cioè tanto da riuscir *raro*) da una parte all'altra (cioè per tutto il suo spessore), o alternerebbe nel suo spessore, quasi carte in un libro, strati di diverse densità, come un corpo animale alterna dentro di sé parti grasse e parti magre.

74. d'oltre in parte: forma avverbiale che vale «da parte a parte».

76. comparte: vale «distribuisce», s'intende dentro di sé.

77. un corpo: il paragone fortemente realistico, tolto dall'esperienza comune (quasi una sezione di carne visibile in una macelleria), è tipico di questo ragionare, che non rifugge da nessun oggetto sensibile (stella, libro o corpo macellato) purché serva a rappresentare ciò che si intende.

78. nel suo volume: il corpo lunare è assomigliato a un libro, nel quale s'alternerebbero carte più sottili e più spesse.

------------------------------------ ■ --------------------------

... in tutte quelle stelle vi sarebbe una sola virtù (cioè capacità di influenza), distribuita in quantità maggiore, minore, o uguale ◆ *Le molteplici e diverse virtù nelle stelle sono necessariamente frutto di diversi princìpi formali, i quali, a stare alla tua opinione (a tua ragion), sarebbero tutti distrutti fuorché uno (cioè il principio di densità). Ancora, se la rarità fosse la causa, che tu ricerchi, delle zone oscure della luna (quel bruno), i casi sarebbero due: o questo pianeta sarebbe in quelle zone così scarso di materia da una parte all'altra (cioè per tutto il suo spessore), o, come un corpo animale alterna dentro di sé parti grasse e parti magre, così questo pianeta alternerebbe nel suo spessore, quasi carte in un libro, strati di diverse densità.*

Se 'l primo fosse, fora manifesto
ne l'eclissi del sol, per trasparere
81   lo lume come in altro raro ingesto.

Questo non è: però è da vedere
de l'altro; e s'elli avvien ch'io l'altro cassi,
84   falsificato fia lo tuo parere.

S'elli è che questo raro non trapassi,
esser conviene un termine da onde
87   lo suo contrario più passar non lassi;

e indi l'altrui raggio si rifonde
così come color torna per vetro
90   lo qual di retro a sé piombo nasconde.

Or dirai tu ch'el si dimostra tetro
ivi lo raggio più che in altre parti,

---

79. Se 'l primo fosse: se fosse vero il primo caso... Il ragionamento prosegue con nessi strettamente scolastici (si veda oltre: *Questo non è... – S'elli è... – Or dirai tu...*). Si passa ora a dimostrare che entrambe le ipotesi non reggono all'esperienza. Primo caso: se la rarità traversasse il corpo del pianeta da una parte all'altra, ciò apparirebbe manifestamente nell'eclissi di sole, perché la luce solare trasparirebbe attraverso le zone rarefatte come quando è immessa (*ingesto*: v. 81) in ogni altro corpo *raro*, cioè diafano.

82-4. Questo non è...: ma questo fatto non si verifica; resta da considerare l'altra possibilità (cioè che raro e denso siano disposti a strati): e se accadrà ch'io cancelli (*cassi*), cioè dimostri erronea, anche quest'altra, la tua opinione sarà dimostrata falsa (*falsificare* vale qui «rendere falso qualcosa – un'idea, un'opinione – per via di dimostrazione»).

♦ *Se fosse vero il primo caso, ciò sarebbe evidente nell'eclissi di sole, perché la luce trasparirebbe come quando è immessa (ingesta) attraverso un altro corpo così sottile (raro). Ma questo fatto non si verifica; perciò resta da considerare l'altra possibilità (cioè che raro e denso siano disposti a strati); e se accadrà ch'io cancelli (cassi) anche quest'altra, la tua opinione sarà dimostrata falsa.* ♦ *Se è vero che questa rarità non passa da parte a parte (non trapassi) il corpo lunare, deve esserci un punto terminale oltre il quale il suo contrario (cioè la parte densa del pianeta) non lasci più passare la luce; e di qui (da questa superficie densa dove termina la zona rara) il raggio del sole (altrui) si rifletta, proprio come il colore di una immagine torna indietro attraverso il vetro di uno specchio, che cela dietro di sé uno strato di piombo.* ♦ *Tu dirai che il raggio appare oscuro (tetro) in quelle zone (ivi) più che nelle altre parti, ...*

85-7. S'elli è...: secondo caso: se è vero che questa rarità non passa da parte a parte (*non trapassi*) il corpo lunare, deve esserci un *termine* (cioè una superficie dove la parte rara finisce) oltre il quale il suo contrario (cioè la parte densa del pianeta) non la lasci passare.

88-90. e indi...: e di qui (da questa superficie densa dove termina la zona rara) il raggio del sole (*altrui* è qui pronome determinato, riferito a cosa o persona che si deduce dal contesto) ritorni indietro, si rifletta, proprio come il colore di una immagine torna indietro attraverso il vetro di uno specchio (che cela dietro di sé uno strato di piombo). Si osservi la grande proprietà del paragone: lo specchio è infatti anch'esso composto di due strati, uno trasparente (il vetro), cioè raro, e uno opaco (il piombo), cioè denso. Il raggio del sole, se la luna fosse a strati rari e densi, tornerebbe indietro, dopo aver trapassato il raro, fermato e respinto dal denso, proprio come accade nello specchio. La luce solare sarebbe dunque riflessa in ogni punto dalla superficie della luna, e non vi si scorgerebbero macchie o *segni bui* (v. 49).

– **si rifonde**: il verbo, usato propriamente per i liquidi (lat. «refundere», riversare, effondere), passa per traslato alla luce, con uno scambio d'immagine tra i due elementi che è frequente nel *Paradiso* (cfr. I 79-81; V 100-2).

91-3. Or dirai tu...: ma ecco la possibile obiezione di Dante: il raggio tornerebbe sì indietro da ogni punto, ma non con la stessa luminosità, venendo in alcune zone da più lontano. Tu dirai, osserva Beatrice, che il raggio appare oscuro (*tetro*) in quelle zone (*ivi*), cioè dove la superficie densa è nell'interno, più che nelle altre parti (dove, s'intende, lo strato denso riflettente si trova in superficie), per essere riflesso da più lontano. Così potrebbero spiegarsi le parti buie del volto lunare.

94-5. Da questa instanza...: da questa obiezione potrà liberarti un esperimento, se vorrai farlo (*instanza* è termine del linguaggio scolastico per «replica», «obiezione»).

93   per esser lì refratto più a retro.
     Da questa instanza può deliberarti
     esperïenza, se già mai la provi,
96   ch'esser suol fonte ai rivi di vostr'arti.
     Tre specchi prenderai; e i due rimovi
     da te d'un modo, e l'altro, più rimosso,
99   tr'ambo li primi li occhi tuoi ritrovi.
     Rivolto ad essi, fa che dopo il dosso
     ti stea un lume che i tre specchi accenda
102   e torni a te da tutti ripercosso.
     Ben che nel quanto tanto non si stenda
     la vista più lontana, lì vedrai
105   come convien ch'igualmente risplenda.
     Or, come ai colpi de li caldi rai

96. fonte: l'esperienza come fondamento comune delle arti umane (quasi unica fonte che alimenta i diversi rivi, o fiumi) è concetto aristotelico.

97. Tre specchi: esperimenti fatti con gli specchi sono ritrovabili in più testi, filosofici e letterari, del tempo di Dante. Tra questi si veda per la sua vicinanza all'esempio dantesco il seguente passo di Tommaso citato dal Proto: «Si prendano tre specchi, posti a una distanza tale l'uno dall'altro, e rispetto all'oggetto da riflettere, che sia proporzionata sia alla distanza tra le due iridi e la zona ad esse intermedia, sia a quella da esse al sole e alla nostra vista Se ci sarà riflessione dell'oggetto dai due specchi laterali alla vista, ci sarà anche dallo specchio intermedio, come è evidente ai sensi» (*In Arist. Meteor.* III, lect. VI 11). L'esperimento qui presentato è questo: posti degli specchi a disuguale distanza da un'unica fonte di luce (come gli strati densi della luna sarebbero di fronte al sole), la luce riflessa appare identica nella qualità (cioè non più scura, più buia), anche se diversa nella quantità (cioè nella forza, intensità).

– **i due rimovi...**: allontana due di essi a eguale distanza (*d'un modo*) da te, e il terzo, più lontano, incontri il tuo sguardo tra l'uno e l'altro, cioè in mezzo ai primi due.

100-1. fa che dopo il dosso...: fa' in modo che alle tue spalle sia posta una fonte di luce che illumini i tre specchi.

102. ripercosso: riflesso, respinto indietro; il verbo in questo senso era dell'uso latino (Virgilio, Ovidio) ed equivale al *rifondere* del v. 88.

103-5. Ben che nel quanto...: benché *la vista più lontana*, cioè l'immagine di luce veduta nello specchio più lontano, non sia ugualmente forte in quantità (*nel quanto tanto non si stenda*), tuttavia vedrai che essa risplenderà in modo uguale (cioè sarà uguale in splendore, in qualità di luce; non più buia o scura dell'altra). Quindi si conclude che la diversa distanza dal punto di riflessione (che sarebbe prodotta nella luna da strati rari e densi situati a diversa profondità) non

basterebbe a causare quelle macchie, che appaiono «qualitativamente diverse dal resto della luce lunare» (Vandelli). «La luce dal più lontano è men viva, macchia non c'è» (Tommaseo).

106-8. Or, come ai colpi...: finita la confutazione, l'intelletto liberato dall'errore rimane sgombro e nudo, come una superficie liberata dalla neve: come per l'azione dei caldi raggi solari ciò che stava sotto la neve (*il suggetto* per «ciò che sta sotto» anche a XXIX 51), monte o sasso o terreno, resta spoglio del colore bianco e del freddo che prima lo avvolgeva... La maggior parte dei commentatori intendono oggi *il suggetto* come la materia di cui si fa la neve, cioè l'acqua, secondo il senso scolastico del termine, di materia prima, o potenzialità rispetto alla forma. Questa interpretazione parrebbe meglio accordarsi al modo con cui è presentato il secondo termine di paragone (v. 110). Tuttavia l'insieme dell'immagine così come è presentata (l'aggettivo *nudo*, il *colore*, il *freddo*) sembra molto più propriamente riferirsi a un terreno (che resta spoglio del suo gelido manto bianco) che all'acqua. Inoltre la stessa immagine della superficie spoglia (la *tabula rasa* ben nota alla filosofia) meglio dell'acqua si conviene all'intelletto. Senza dire che propriamen-

---
■

... perché viene riflesso da più lontano. Da questa obiezione potrà liberarti un esperimento, se mai vorrai farlo, che è in genere la fonte da cui discendono le arti umane. Prenderai tre specchi, e allontana due di essi a eguale distanza (d'un modo) da te, e il terzo, più lontano, incontri il tuo sguardo tra l'uno e l'altro (cioè in mezzo ai primi due). Rivolto verso di essi, fa' in modo che alle tue spalle sia posta una fonte di luce che illumini i tre specchi, e ti torni riflessa da tutti e tre. Benché l'immagine di luce veduta nello specchio più lontano (la vista più lontana) non sia ugualmente forte in quantità (nel quanto tanto non si stenda), tuttavia vedrai che essa risplenderà in modo uguale (cioè non sarà più buia o scura dell'altra). ◆ *Ora, come sotto l'azione dei caldi raggi solari ...*

de la neve riman nudo il suggetto
108 e dal colore e dal freddo primai,
così rimaso te ne l'intelletto
voglio informar di luce sì vivace,
111 che ti tremolerà nel suo aspetto.
Dentro dal ciel de la divina pace
si gira un corpo ne la cui virtute
114 l'esser di tutto suo contento giace.
Lo ciel seguente, c'ha tante vedute,
quell'esser parte per diverse essenze,
117 da lui distratte e da lui contenute.

te acqua e neve non sono materia e forma l'una dell'altra, ma sono due sostanze diverse, come notò lo Scartazzini. Preferiamo quindi la prima spiegazione, che fu già del Buti e del Landino («il subietto della neve, cioè il luogo, sopra del quale è la neve»).

109. **così rimaso...**: «così essendo tu rimaso nudo della tua opinione» (Landino).

110. **informar**: la nuova opinione *informa* con la sua luce l'intelletto, quasi dando la sua impronta al terreno rimasto vergine.

111. **ti tremolerà**: scintillerà come una stella alla tua vista intellettuale; il verbo richiama il tremolio che è proprio delle stelle (cfr. *Purg.* XII 90), paragonando così, come più volte, la verità a una stella rilucente (cfr. XXIV 147 e XXVIII 87).

– **nel suo aspetto**: nel suo manifestarsi.

112 sgg. Comincia qui la seconda parte del ragionamento di Beatrice, cioè l'esposizione della tesi ritenuta vera, parte che fin dal principio appare di diversa qualità rispetto alla prima, con l'andamento stilistico solenne e immaginoso proprio della grande teologia poetica dantesca. Il fatto è che ora non si tratta più di confutare, ma di descrivere; e nel narrare gli eventi, cosmologici o teologici, libero dagli impacci dell'«argomentare», Dante dispiega tutta la forza del suo stile insieme inventivo e rigoroso, appassionato e attento.

112. **Dentro dal ciel...**: all'interno del cielo divino (l'Empireo) sempre «quieto e pacifico» (cfr. *Conv.* II, III 10) perché ha in sé il suo fine, Dio stesso. L'espo-

sizione comincia dall'alto, dalla «causa prima», come è proprio in genere di tutti i grandi discorsi teologici del *Paradiso*, e del modo di ragionare dantesco in ogni sua opera. Si osservi la solenne scansione del verso d'attacco, che subito si allontana dalle secche della discussione prendendo il largo del grande ragionare proprio di chi vede in Dio le cose tutte del mondo.

113-4. **si gira un corpo...**: si volge un corpo celeste (il Primo Mobile o Cristallino) nella virtù o potenzialità del quale *giace*, è in potenza, l'essere di tutto ciò che esso contiene (*tutto suo contento*; per *contento*, cosa contenuta, si cfr. *Inf.* II 77). Si veda *Conv.* II, XIV 15: «lo detto cielo ordina col suo movimento la cotidiana revoluzione di tutti li altri, per la quale ogni die tutti quelli ricevono [e piovono] qua giù la vertù di tutte le loro parti».

115-7. **Lo ciel seguente...**: il cielo successivo, cioè l'ottavo, che ha in sé tante stelle (è questo il cielo delle stelle fisse), riparte, distribuisce quell'essere, cioè quella potenzialità indifferenziata, in tutte le diverse essenze (le stelle appunto) che sono in esso contenute, ma da esso distinte (*distratte*); ognuna di esse infatti ha una sua essenza, e riceve una specifica virtù.

– **vedute**: il participio sostantivato del verbo «vedere» per «stelle», si trova anche a XXIII 30 (*viste*) e XXX 9 (*vista*); probabilmente nel senso di apertura, finestra (cfr. *Inf.* X 52 e *Purg.* X 67). In questo cielo si compie dunque la prima differenziazione dell'universo che, via via ulteriormente specificata nei cieli inferiori, viene a riflettersi nella differenziazione che noi vediamo nelle specie e negli individui del mondo sublunare.

118-20. **Li altri giron...**: gli altri cieli (quelli dei sette pianeti) dispongono in differenti modi le distinte virtù (*le distinzion*) che hanno in se stessi (ricevute dall'alto e diversificate in ogni cielo secondo la sua diversa natura) in modo da produrre (sulla terra) gli effetti e le generazioni da loro voluti.

– **a lor fini e lor semenze**: l'espressione, molto discussa, è quasi certamente una endiadi, dove è detto prima ciò che, almeno nell'ordine logico, viene dopo: prima infatti è disposto il seme, e il seme produce un dato effetto, o fine (si cfr. *Purg.* XXX 109-11, passo che ci sembra decisivo per l'interpretazione di questo ver-

... ciò che stava sotto la neve (il suggetto) resta spoglio del colore (bianco) e del freddo che prima lo avvolgeva; così essendo tu rimasto nudo della tua opinione (ne l'intelletto) voglio investirti di una luce così vivace che a vederla (nel suo aspetto) scintillerà per te come una stella. ◆ All'interno del cielo della pace divina (l'Empireo) si volge un corpo celeste (il Primo Mobile o Cristallino) nella virtù o potenzialità attiva del quale ha il suo fondamento (giace) l'essere di tutto ciò che esso contiene. Il cielo successivo (cioè l'ottavo), che ha in sé tante stelle, distribuisce quell'essere in tutte le diverse essenze (le stelle appunto) che sono in esso contenute, ma da esso distinte.

> Li altri giron per varie differenze
> le distinzion che dentro da sé hanno
> 120   dispongono a lor fini e lor semenze.
> Questi organi del mondo così vanno,
> come tu vedi omai, di grado in grado,
> 123   che di sù prendono e di sotto fanno.
> Riguarda bene omai sì com'io vado
> per questo loco al vero che disiri,
> 126   sì che poi sappi sol tener lo guado.
> Lo moto e la virtù d'i santi giri,
> come dal fabbro l'arte del martello,

so). In realtà nel seme è già contenuto il suo fine. Per *semenza* poi noi crediamo si debba intendere «seminagione», quindi l'atto della generazione (come già a *Inf.* III 105; si veda la nota relativa), senso che meglio si conviene a questo contesto. Che i vari pianeti influiscano direttamente sulla generazione degli individui terreni, dottrina allora comunemente accolta, è detto apertamente più volte nelle opere di Dante (si veda almeno *Conv.* IV, XXI 4-5; *Purg.* XXX 109-11 e nota).

121. **organi del mondo**: così sono chiamati i cieli, quasi strumenti dell'azione divina sul mondo. La metafora è spiegata in *Mon.* II, II 2 dove si dice che come nell'arte umana, così nella natura, arte di Dio, vi è un artefice (Dio stesso), un organo o strumento (il cielo), e una materia plasmata. La parola *organi* già dunque anticipa l'idea che sarà espressa ai vv. 127-9.

– **così vanno**: sono disposti in tal modo, *di grado in grado*, come in scala, via via l'uno dopo l'altro come ormai puoi ben comprendere da tutto il mio ragionamento.

123. **che di sù prendono...**: che ricevono la virtù influente dall'alto, e con essa agiscono su ciò che sta sotto di loro. Si cfr. *Ep.* XIII 60: «Perciò appare chiaramente che ogni essenza e virtù procede dalla prima, e che le intelligenze inferiori le ricevono da essa come da una fonte irradiante, e riflettono i raggi di quella a loro superiore verso quella a loro sottostante, al modo degli specchi».

124. **omai**: riprende l'*omai* di due versi prima, intendendo che l'argomentazione sta volgendo al suo termine. Si introduce qui l'ultimo e decisivo passaggio, con la risposta alla domanda essenziale: il moto dei cieli, e le diverse influenze fin qui descritte, da dove hanno origine?

124-5. **com'io vado...**: come io mi avvicino, con questo ultimo ragionamento (*per questo loco*) a quella verità che tu cerchi; il ragionare è figurato come il percorrere un cammino per giungere a una meta.

126. **sì che poi sappi...**: così che tu possa poi da solo compiere l'ultimo passaggio (*guado* indicava, come oggi, il passaggio di un corso d'acqua): cioè dedurre dal principio generale da me esposto il caso particolare che ti interessa (la differenza di luce osservabile

tra i corpi celesti infatti avrà la stessa causa delle differenze presentate dalla superficie lunare).

127-9. **Lo moto e la virtù...**: questa è la parte più importante di tutto il discorso di Beatrice (e il linguaggio pieno di forza, di evidenza e di ritmo già ce ne avverte). Il perenne moto circolare, e la virtù che è propria di ognuno dei *santi giri*, cioè dei cieli, i cieli non se li danno da soli. Ma *convien*, cioè è necessario, che *moto* e *virtù* dipendano da esseri intelligenti, i *beati motor*, ovvero le intelligenze angeliche. È questo il nocciolo del problema: il mondo sensibile è mosso, cioè governato, da una realtà intelligibile. Appare dunque in questa terzina quella cerniera tra i due ordini che era all'origine stessa della metafisica. La dottrina, che così formulata risale ad Aristotele, fu fatta propria dalla teologia cristiana che vi vedeva filosoficamente fondato il concetto di creazione. Si veda su questo l'Introduzione al canto.

– **come dal fabbro**: il paragone, di origine aristotelica – di cui abbiamo precisato i termini in nota al v. 121 –, è già in *Conv.* IV, IV 12: «La forza dunque [con cui i Romani sottomisero il mondo] non fu cagione movente... ma fu cagione instrumentale, sì come sono li colpi del martello cagione [instrumentale] del coltello, e l'anima del fabro è cagione efficiente e movente». I *santi giri* sono dunque assomigliati al *mar-*

───── ■ ─────

◆ *Gli altri cieli (quelli dei sette pianeti) dispongono in differenti modi le distinte virtù (le distinzion) che hanno in se stessi, in modo da produrre (sulla terra) gli effetti e le generazioni da loro voluti (lor fini e lor semenze). Questi organi del mondo (i cieli) sono disposti in tal modo, di grado in grado (come in scala), come ormai puoi ben comprendere, che ricevono la virtù influente dall'alto, e con essa agiscono su ciò che sta sotto di loro (di sotto fanno).*

◆ *Osserva adesso attentamente, come io mi avvicino con questo ultimo ragionamento (per questo loco) a quella verità che tu cerchi, così che tu possa poi da solo compiere l'ultimo passaggio (guado). È necessario (conven) che il movimento e la virtù dei cieli santi dipendano da beati enti motori (cioè dalle intelligenze angeliche), come l'arte del martello dipende dal fabbro; ...*

129 da' beati motor convien che spiri;
e 'l ciel cui tanti lumi fanno bello,
de la mente profonda che lui volve
132 prende l'image e fassene suggello.
E come l'alma dentro a vostra polve
per differenti membra e conformate
135 a diverse potenze si risolve,
così l'intelligenza sua bontate
multiplicata per le stelle spiega,
138 girando sé sovra sua unitate.

tello, o strumento (l'*organo*), la cui *arte*, o attività plasmatrice (la *virtù*, l'influenza che i cieli esercitano nel loro movimento), dipende dal fabbro che lo muove.

129. da' beati motor: nel *Convivio* Dante, dopo aver parlato del movimento dei cieli, pone la questione di chi siano quelli che li muovono. E risponde in questo modo: «È adunque da sapere primamente che li movitori di quelli [cieli] sono sustanze separate da materia, cioè Intelligenze, le quali la volgare gente chiamano Angeli» (II, IV 2). L'identificazione delle intelligenze motrici aristoteliche con gli angeli biblici era propria della scolastica.

– **spiri**: il verbo *spirare* è, come tutti i verbi di Dante, di grande proprietà ed evidenza insieme: questa *virtù* o *arte* non è trasmessa materialmente, ma *spirata*, quasi come un soffio animatore, che sottolinea la qualità incorporea del rapporto. È la stessa immagine (che sembra la sola possibile) usata dalla Bibbia per l'infusione da parte di Dio dell'anima nel corpo umano: «Allora il Signore Dio plasmò l'uomo col fango della terra, e gli spirò sul volto il soffio della vita» (*Gen.* 2, 7).

130-2. e 'l ciel...: è il cielo che si adorna di tante stelle (l'ottavo, o cielo delle stelle fisse, che è quello preso fin da principio ad esempio nel ragionamento qui svolto: cfr. vv. 64-6) prende dalla *mente*, o intelligenza angelica, che lo muove (*profonda* indica la sua qualità divina, quasi un abisso dove lo sguardo umano non arriva a penetrare; cfr. XV 39 o XXIV 70 e 142) l'*image*, cioè l'idea o forma esemplare, di cui si fa *suggello*, cioè sigillo, per improntarne la materia terrestre.

– **cui tanti lumi**: «fugace, ma lieto spettacolo, che tempera la severità del ragionamento» (Torraca).

131. mente profonda: l'espressione deriva da Boe-

zio, da un passo di cui questa e le due terzine seguenti sono evidente eco, anche se esprimono un concetto diverso (Boezio parla infatti della neoplatonica anima del mondo): «Tu [Dio] inserendo al centro del mondo un'anima dalla triplice natura, che tutto muove, la dispieghi per le armoniose membra dell'universo e dopo che, divisa, ha concluso il ciclo dei suoi due moti circolari, essa ritorna su se stessa, percorre in giro la sua mente profonda, e fa volgere il cielo secondo la propria immagine» (*Cons.* III, m. IX, vv. 15-7).

132. image: la parola, anch'essa in Boezio, indica la copia o modello che il cielo riceve come un riflesso dell'idea originale, o archetipo, esistente nella mente divina e da questa trasmessa alla mente angelica (si cfr. il passo di Boezio citato nella nota al v. 131). Il cielo agisce cioè da intermediario tra l'idea immateriale (che sta appunto nella *mente*) e la materia, sulla quale esso imprime la forma che di quell'idea è come il riflesso, l'*image*.

133-5. E come l'alma...: e come l'anima nel vostro corpo umano (*vostra polve*, espressione biblica: cfr. *Gen.* 3, 19) si esplica attraverso diverse membra, preordinate ognuna a *diverse potenze*, o facoltà (il vedere, l'udire ecc.; eppure, s'intende, rimane una) Il verbo *risolversi* (evidente derivazione boeziana) vale qui, come notò il Tommaseo, «quasi snodarsi, aprire la potenza negli atti».

136-8. così l'intelligenza...: allo stesso modo l'intelligenza angelica che muove il cielo stellato dispiega, moltiplicandola, la sua virtù o potenza nelle varie stelle, pur rimanendo una in se stessa.

– **girando sé...**: bene spiegò il Parodi: «come un rotante centro di luce, i cui raggi accendono tutte le direzioni» (cfr. *Purg.* XXV 74-5). Il suo *girare* è il suo intendersi, come si legge in *Conv.* IV, II 18: «... l'anima filosofante non solamente contempla essa veritade, ma ancora contempla lo suo contemplare medesimo... rivolgendosi sovra se stessa e di se stessa innamorando...». Questa similitudine ha fatto pensare che Dante intendesse, come i neoplatonici, il rapporto delle intelligenze con i cieli come quello dell'anima con il corpo, ritenendo cioè i cieli quasi esseri animati. Ma si tratta appunto soltanto di una similitudine. Il rapporto tra i motori e i cieli è chiaramente definito nel passo del *Convivio* citato in nota al v. 129,

---

... e il cielo che si adorna di tante stelle (l'ottavo) riceve dalla mente profonda, o intelligenza angelica, che lo muove la forma esemplare (l'image) di cui si fa sigillo (per improntarne la materia terrestre). ◆ *E come l'anima nel vostro corpo umano di polvere (vostra polve) si esplica attraverso diverse membra, preordinate ognuna a diverse facoltà (potenze), allo stesso modo l'intelligenza angelica dispiega, moltiplicandola, la sua virtù o potenza nelle varie stelle, pur rimanendo una in se stessa nel suo girare.*

Virtù diversa fa diversa lega
col prezïoso corpo ch'ella avviva,
141   nel qual, sì come vita in voi, si lega.
Per la natura lieta onde deriva,
la virtù mista per lo corpo luce
144   come letizia per pupilla viva.
Da essa vien ciò che da luce a luce
par differente, non da denso e raro;
essa è formal principio che produce,
148   conforme a sua bontà, lo turbo e 'l chiaro».

e dagli stessi vv. 127-9, dove il fabbro non è certamente l'*anima* del martello. I *beati motor* sono del resto più volte dichiarati «sustanze separate da materia» (*Conv.* II, IV 2), cioè puri spiriti, come sono intesi gli angeli nella tradizione cristiana (cfr. XXIX 22-3).

139-41. Virtù diversa...: quella virtù diversificata da stella a stella (*multiplicata*: v. 137) *fa diversa lega*, cioè costituisce una diversa unità, col prezioso corpo dell'astro a cui dà vita, al quale si unisce come lo spirito vitale in voi uomini.

– **prezïoso**: perché la materia di cui sono fatti i corpi celesti (la «quinta essenza») è di qualità diversa e superiore a quella dei quattro elementi; questo aggettivo ricorda la *margarita* o gemma del v. 34, e dà un lampo di bellezza e fulgore a tutto il ragionamento. Si osservi che ciò che si unisce al corpo celeste e gli dà vita non è l'intelligenza angelica, ma la *virtù* informatrice che da essa discende e in forza della quale soltanto il cielo può operare sul mondo sottostante.

142-4. Per la natura lieta...: poiché deriva da una *natura lieta*, cioè dai *beati motor*, in sé lieti in quanto uniti a Dio (*lieto* è detto sempre delle creature divine: cfr. I 31 e nota), la virtù *mista*, cioè compenetrata nel corpo stellare (con il quale fa *lega*), risplende attraverso di esso come la letizia dell'animo umano attraverso il brillare della pupilla. Questa terzina – nella quale si osservi il riecheggiarsi della letizia e della luce (*lieta... luce... letizia... viva*) – dà la vera risposta alla domanda centrale del canto: lo scintillio delle stelle, la loro luce più o meno intensa, deriva dalla letizia che è nella mente angelica che muove il loro cielo e gli trasmette la sua virtù. La sua origine è dunque spirituale. E la sua diversificazione dipende dalla diversità di letizia, e quindi di virtù, che si congiunge al corpo stellare.

– **pupilla viva**: *viva* vale qui «vivace», cioè brillante; l'aggettivo è usato correntemente da Dante a indicare luminosità: si cfr. XV 85; XXIV 27; XXV 79, oltre ai molti casi di *luce viva, fiamma viva* ecc. Il verso, che fa delle luci del firmamento un moltiplicato splendore dello spirito divino, è dei più belli e significativi di tutta la cosmologia dantesca.

145-6. Da essa vien...: da essa quindi deriva la diversità (di luminosità) che noi vediamo da stella a stella, non da maggiore o minore densità corporea (e così, s'intende, la diversità che noi notiamo nella stessa stella, cioè nella luna).

147-8. essa è formal principio...: essa – tale *virtù diversa* infusa nei diversi corpi, o nelle diverse parti di uno stesso corpo – è il principio formale che produce l'oscurità e il chiarore secondo la sua maggiore o minore bontà o potenza (la conclusione richiama l'inizio del ragionamento: cfr. vv. 70-1 e relativa nota). Le diverse virtù dunque, origine della molteplicità degli individui terreni, portano in sé una diversa carica di luce, che deriva dalla letizia propria dell'intelligenza motrice. Le ombre e le luci sono quindi dovute a una differenza sostanziale, fondata nelle idee stesse, che abitano nella *mente profonda* che volge i cieli. Che tali diversità appaiano in modo particolare nella faccia inferiore della luna è spiegato da Giamblico (riportato da Tommaso nel commento al *De Coelo*) a cui si rifà qui Dante, come già abbiamo detto (cfr. la nota ai vv. 59-60). Essendo la luna il più basso dei pianeti, in essa si raccolgono tutte le diverse virtù dei cieli superiori, «e quindi nella luna, nella sua superficie inferiore, è contenuta quasi esemplarmente la diversità dei corpi generabili. E questa fu l'opinione di Giamblico» (commento al *De coelo* II, lect. 12, 9). La conclusione è perentoria, e chiude il canto senza altro commento; *lo turbo e 'l chiaro*, e ogni differenza dell'universo, sono ormai ricondotti a un principio formale, che abita nella profondità delle menti angeliche, scartando per sempre ogni spiegazione di ordine fisico (il *denso* e il *raro*).

———— ■ ————

Quella virtù diversificata (da stella a stella) costituisce una diversa unità (fa diversa lega) col prezioso corpo dell'astro a cui dà vita, al quale si unisce come lo spirito vitale in voi uomini. ◆ Per il fatto che deriva da una fonte di natura lieta (cioè dai beati motor), la virtù compenetrata nel corpo stellare (mista) risplende attraverso di esso come la letizia dell'animo umano attraverso il brillare della pupilla. Da essa deriva la differenza (di luminosità) che appare da stella a stella, non da maggiore o minore densità corporea; essa (cioè tale virtù) è il principio formale che produce l'oscurità e il chiarore, secondo la sua maggiore o minore bontà».

approfondimenti

NOTE LINGUISTICHE

v. 1-2. **siete... seguiti**: l'uso dell'ausiliare *essere* è del latino: «secuti estis».

v. 38. **patio**: patì, perfetto arcaico: tollerò, sopportò dentro di sé.

v. 42. **s'unio**: è perfetto arcaico, come *patio*; i due soggetti reggono, come di regola, il verbo al singolare.

v. 80. **per trasparere**: proposizione infinitiva causale, più volte incontrata: perché trasparirebbe. L'infinito è latinismo, come al verso seguente l'inconsueto *ingesto* (latino «ingestus», introdotto, infuso), usato soltanto qui da Dante, mentre *raro* è aggettivo neutro sostantivato, secondo l'uso antico più volte incontrato.

v. 83. La forma *elli* è il consueto soggetto del verbo impersonale, come al v. 85: *S'elli è*.

v. 88. **si rifonde**: per la desinenza in -*e* del congiuntivo presente si cfr. *Inf.* II 49 e nota linguistica.

NOTE AL TESTO

v. 117. **distratte**: è lezione «più difficile», preferita dal Petrocchi alla lezione *distinte* dei precedenti editori della quale ha lo stesso significato, attestato da diversi autori antichi (cfr. Petrocchi nella nota a questo luogo e nella *Introduzione*, pp. 22-4).

SUGGERIMENTI PER LA RICERCA

Temi del canto

Il *«legno che cantando varca»*
Doppio è il viaggio di Dante, personaggio e autore della *Commedia*: come un viaggio per mare è descritto il faticoso lavoro del poeta, e storia di un viaggio eccezionale ne è l'argomento. Per capire la novità di questa terza «tappa» e quanto maggior impegno richieda nell'affrontarla, rileggi i versi di apertura del *Purgatorio* (*Purg.*

I 1-3) dove è usata la stessa metafora, e rileva le differenze significative tra i due passi. Quindi riprendi il racconto dell'impresa tentata da Ulisse nel XXVI dell'*Inferno*, riflettendo sulla ragione per cui quella nave fece naufragio, mentre questo *legno* varca con sicurezza il mare. Infine esponi in un testo scritto i risultati della tua ricerca.

Il pane degli angeli

Per meglio comprendere il significato dell'espressione, prendi in esame le fonti bibliche citate in nota al v. 11 e il passo del *Convivio* I, I 6-7; quindi consulta la voce *Pane. Pane degli angeli*, a cura di A. Mellone, in *Enciclopedia Dantesca* IV, p. 266. Rifletti infine sul valore dell'ammonimento di Dante ai lettori (vv. 10-15), aiutandoti con le note e l'*Introduzione*, senza dimenticare che tu stesso sei tra quelli che *in piccioletta barca* hanno seguito il viaggio finora del poeta e si apprestano a mettersi nell'*alto sale*.

I «segni bui» della luna

Il discorso di Beatrice ha una struttura esplicitamente scolastica: riassumi sinteticamente la discussione, le argomentazioni portate a confutarla e la spiegazione finale. Puoi trovare chiarimenti e approfondimenti circa il complesso problema delle macchie lunari consultando la voce *Luna, Il problema delle macchie lunari*, a cura di E. Poulle, in *Enciclopedia Dantesca* III, pp. 732-733.

Lingua e stile

La barca e il pelago – vv. 1-18

Rileggi la prolungata metafora iniziale del viaggio per mare e identifica, con l'aiuto della parafrasi, i sinonimi sia dei due sostantivi *barca* e *pelago* sia del verbo *varcare* («traversare»). Consulta poi il *Grande Dizionario della Lingua Italiana* e annota esempi dell'uso di tali termini in autori antichi e moderni.

Aggettivi coordinati – v. 32

Ripercorri i canti I, VI e XXXIII dell'*Inferno* e trova altri versi costituiti quasi interamente da una serie di tre o quattro aggettivi coordinati (ai passi individuati puoi anche aggiungere la lettura di *Par.* XV 67 e di *Vita Nuova* IX 4 e XXXVIII 1). Con l'aiuto delle note di commento chiarisci poi, ove sia più marcata, la funzione retorica di questa disposizione.

suggetto – vv. 106-8

Nella nota di commento ai versi indicati trovi due distinte interpretazioni del passo basate su due differenti valori del termine *suggetto*: il significato cioè generale e propriamente etimologico («ciò che sta sotto») e l'accezione filosofica di «materia prima» o «potenzialità rispetto alla forma». Leggi i passi del *Convivio* che ora si indicheranno e riscontra altri diversi valori del termine *suggetto* (= «fondamento di una scienza, ciò di cui essa parla» oppure altrimenti «suddito»): I, V 7 e 11; II, XIII 3; II, XIII 16 e 17. Esprimi poi la tua opinione sul significato da preferirsi nel passo di questo canto.

tutto suo contento – v. 114

Leggendo i passi sotto indicati e aiutandoti con le relative note di commento, distingui i casi in cui *contento* sia, come qui, sostantivo (= «ciò che è contenuto»), da quelli in cui sia aggettivo ed abbia il più consueto valore di «soddisfatto», o «felice»: *Inf.* I 118; II 77; *Purg.* II 116; *Par.* I 97.

CANTO III

FIRENÇA

Introduzione

C omincia con questo terzo canto il racconto della esperienza del nuovo regno, del quale finora
eravamo rimasti come sulla soglia: esso ci appare ora negli aspetti che lo caratterizzano, sia
per quanto riguarda l'ambiente, sia per quanto riguarda i suoi abitanti. Come nell'*Inferno* ci accolse l'aria eternamente oscura, percorsa da sospiri, pianti e alte grida,
e nel *Purgatorio* il paziente e mite andare, accompagnato dal canto del *Miserere*, della prima schiera dei salva-
ti sulla costa del monte, così qui nel *Paradiso*, in questo canto di irripetibile fascino, la dolcezza e l'amore danno fin dai primi versi l'impronta a tutto il regno celeste come Dante lo ha immaginato. L'amore, nominato nel primo verso, domina infatti l'intero canto, come si vedrà. E tale amore appare qui connotato di dolcezza, in quanto affidato alla voce e all'immagine di una donna,
e di una donna caratterizzata da una particolare delicatezza di sentire, come
delicato è il volto che di lei si intravede sullo sfondo perlaceo del cielo lunare.
Quelle prime immagini che qui vagamente si distinguono, di volti umani che
sembrano specchiati in un vetro terso, o in un'acqua limpida, creano l'atmosfera nella quale si svolge tutta l'azione del canto, ancora come sospesa tra i ricordi della terra e la beatitudine del paradiso. Quelle sembianze, che non saranno più percepibili nei cieli superiori, sono infatti come la traccia, il ricordo
del mondo terreno, che mantiene un suo tenue segno qui nel primo cielo, quasi per accogliere il pellegrino della terra, e prepararlo gradualmente all'esperienza che lo attende, di una realtà in tutto separata da ciò che è corporeo, puramente spirituale e divina.

Lo sfondo del cielo è raffigurato da Dante con tratti perlacei e acquatici, che
corrispondono all'idea che la fisica del tempo aveva dell'ambiente lunare, e insieme al carattere proprio delle anime di questo cielo (qui poste per la debolezza e incertezza della loro buona volontà). E su questo fondale trasparente parla
la prima anima del *Paradiso*, che fin dalle prime parole ci riporta alla storia.

Secondo l'invenzione propria di tutto il poema, qui non ci accoglie una santa,
una creatura quasi estranea alla terra. Colei che parla – personaggio ignoto al
mondo, se non a Dante – è legata strettamente alla vita del poeta, in particolare al tempo della sua giovinezza. Essa è infatti la sorella di Forese Donati,
Piccarda, quella di cui Dante chiese notizie nell'incontro del *Purgatorio* (canto
XXIV vv. 10-12). Fattasi suora ancora giovanissima, essa fu dal fratello Corso
tratta con la forza dal convento e data in moglie, per convenienza politica, a
Rossellino della Tosa. Per non aver saputo resistere e aver mancato, sia pure
involontariamente, al suo voto, essa si trova ora beata in questa prima, più bassa
sfera, dove, come nelle due successive, abitano spiriti che in qualche modo indul-
sero, cedettero, a seduzioni terrene.

Dopo i solenni discorsi teologici dei primi due canti sull'ordine del creato,
questa giovane donna fiorentina ci riconduce dunque con inavvertito trapasso al carattere primario del poema, la sua storicità, e storicità che si fonda sulla

vita stessa del protagonista. Come Ciacco, Belacqua, Forese, anche la celeste Piccarda prosegue la serie di quei personaggi oscuri – ma noti al poeta ben più degli illustri, e per questo ben più vivi – che sembrano come appena lasciati nelle strade fiorentine, e pure appartengono ora alla dimensione dell'aldilà. Ma tale realtà storica non le toglie in nulla la sua sublime diversità paradisiaca. Dante infatti non la riconosce, per quella indefinibile aura divina (*non so che divino*) che trasforma la sua sembianza umana (vv. 58-60). Ma «aiutato» da lei, che gli dice il suo nome, egli ritrova infine in quel volto i tratti ben noti dell'amica della sua giovinezza.

Nel breve scambio di queste così naturali e familiari battute tra i due amici di un tempo, si definisce di fatto una fondamentale realtà teologica, cioè lo stato proprio dei beati in paradiso, quale sarà per tutta l'eternità: essi sono ancora quegli uomini – e quelle donne – che vissero sulla terra, nella storia, con la loro individualità e il segno della loro personale vicenda (espresso nel riconoscimento del volto), ma trasfigurati, «trasmutati», secondo il termine coniato da Dante (v. 60), nella realtà della vita divina di cui essi sono fatti partecipi.

Dante pone a Piccarda due domande (*del nome tuo e de la vostra sorte*) che offrono a lei l'occasione di fare due ben distinti discorsi, uno di carattere storico, e l'altro teologico, ma tra loro strettamente connessi: uno infatti riguarda la sua vita terrena, l'altro la condizione propria di tutti i beati del paradiso, che è pur sempre la sua. Anche Farinata e Pier delle Vigne nell'*Inferno* fanno due simili differenti discorsi, ma con ordine ed estensione inversa: la loro vicenda personale è in primo piano, con forte risalto drammatico, mentre la condizione propria dei dannati è esposta dopo, con tono dimesso, quasi distaccato, e come coda o aggiunta alla prima. Nel paradiso invece la storia terrena è meno importante, anche se ancora pesa il suo ricordo, e la debolezza di allora – l'aver mancato ai voti – vena di malinconia le parole dell'anima beata. Mentre il rilievo maggiore – che ne fa il cuore stesso del canto – è dato all'altro discorso, che fonda tutta la condizione paradisiaca quale appare nella cantica dantesca. È questa condizione – di puro amore, e di perfetta pace, pace che nasce dal totale rimettersi della volontà a quella divina – che più appassiona Piccarda, che infiamma il suo cuore ed esalta il suo linguaggio.

Provocata dalla richiesta di Dante, se lei e i suoi compagni del primo cielo desiderino trovarsi più in alto, *per più vedere* Dio, la sua risposta, fatta col volto ardente di amore, dispiega al nostro sguardo il mistero della beatitudine fondata sulla carità: *E 'n la sua volontade è nostra pace: / ell'è quel mare al qual tutto si move / ciò ch'ella crïa o che natura face* (vv. 85-87).

Affidato ad una donna, e centrato sull'amore (la donna è per Dante il veicolo, o meglio la figura stessa dell'amore, come Beatrice è stata per lui, e il primo verso del canto lo ricorda), questo discorso di apertura sullo stato delle anime beate ci appare come la risposta al quinto canto dell'*Inferno*, dove il primo dei dannati – e la prima persona in assoluto con cui Dante parla nell'aldilà – è ugualmente una donna, Francesca da Rimini, la cui vita è ugualmente contrassegnata dall'amore, e che solo di amore sa parlare. Ma di un amore che la condusse alla morte, del corpo e dell'anima.

Due diversi amori contrassegnano dunque all'entrata i due diversi regni, i due diversi destini dell'uomo. Solo l'amore infatti muove il cuore dell'uomo, e decide della sua sorte.

Le due storie – costruite in parallelo – sono entrambe di grande intensità poetica, in quanto l'autore ha conosciuto nella sua persona l'uno e l'altro amore, la tragicità del primo e la sublimità del secondo, che lo ha salvato (*Par.* XXVI 55-62). Come appassionata e drammatica è la prima, così divinamente quieta nella pace che descrive, e insieme umile nella dichiarata debolezza della protagonista, è questa seconda, dove l'umana fragilità si riscatta nel riconoscersi tale e nell'affidarsi totalmente all'amore di Dio. È stato profondamente osservato che proprio a una creatura debole è stato affidato da Dante il compito di dichiarare la realtà d'amore del paradiso. Nei deboli infatti più che nei forti risplende e si manifesta il mistero dell'amore di Dio.

Rimandiamo alle singole note del commento l'indicazione delle specifiche convergenze fra i due testi (di immagine, di lessico, o altro) che Dante ha posto, quasi cifra di riconoscimento per il suo lettore, come è solito fare in tali richiami dall'uno all'altro luogo del suo poema. Qui vogliamo ricordarne una soltanto, la più significativa: è la grande immagine dei fiumi che trovano pace nel mare, immagine con cui Francesca apre il suo racconto (*Siede la terra dove nata fui / su la marina dove 'l Po discende / per aver pace co' seguaci sui: Inf.* V 97-9), quasi significando quel destino che in lei non si è compiuto, e di cui ha un così profondo rimpianto: *se fosse amico il re de l'universo / noi pregheremmo lui de la tua pace...* À lei risponde ora Piccarda, così simile per doti naturali (nella bellezza, nel delicato riserbo, nella gentilezza dell'animo, nella capacità di amore), che quella pace ha raggiunto, e della quale rivela il segreto nella terzina sopra citata, dove la marina di Ravenna diventa il mare della volontà divina, e i fiumi terreni il corso delle vite umane che in essa trovano il loro perfetto compiacimento: *E 'n la sua volontade è nostra pace...*

Questo canto che dà inizio agli incontri del *Paradiso* ci offre dunque, nel concreto parlare di chi racconta una sua determinata esperienza – e quindi con il dolce e ardente modularsi del discorso che alla sua personalità corrisponde –, i principali caratteri dello stato delle anime nella terza cantica: la condizione di amore perfetto e concorde, nella sua totale adesione alla volontà divina; i diversi gradi in cui la beatitudine si differenzia, *di soglia in soglia* secondo la diversità di merito di ciascuno; e la trasfigurazione divina dell'umanità dei beati, che pure permane con tutti i suoi caratteri storici, nella sua incancellabile individualità. Questo permanere, più accentuato qui nel primo cielo che ancora ritiene, come si è detto, qualcosa della terrestrità, quasi servendo da ponte tra l'uno e l'altro mondo, segna il carattere di tutto il canto, e gli conferisce quel particolare tono di sospeso incanto che così fortemente attrae il lettore.

È questa una situazione simile a quella creata da Dante nel II canto del *Purgatorio*: là siamo su una spiaggia che è insieme luogo di arrivo e di partenza, e l'anima che vi si incontra è ugualmente un amico dei tempi fiorentini – Casella – anch'egli non subito riconosciuto, e là si ripetono i versi di una canzone del giovane Dante (*Purg.* II, vv. 112-114), come in questo canto sono evidenti, e da molti critici sottolineati, modi e forme proprie dello Stil Nuovo. Questi ultimi riscontri stilistici non sono tuttavia solo un dolce ricordo, ma hanno valore funzionale: essi significano, sulla bocca di colei che così altamente canta la suprema pace della carità celeste, quel superamento e sublimazione dell'amore puramente umano nell'amore divino che tutto il poema celebra, e di cui il rapporto tra Dante e Beatrice è la figura per eccellenza.

Niente di ciò che accadde su questa terra è lassù perduto, anche la stessa amarezza di quegli anni vissuti per l'altrui violenza fuori dal chiostro (*Iddio si sa qual poi mia vita fusi*: v. 108). Ma ogni evento, ogni ricordo è in questa nuova realtà, allo stesso modo dei volti, come sublimato. Così in questo terzo canto, tanto profondamente umano quanto altamente divino, viene a rivelarsi tutto il senso del nuovo regno del quale è come l'ingresso, e ciò per mezzo della dolce modulazione propria di una voce femminile, come femminile sarà l'ultima presenza umana che apparirà nel poema.

CANTO III

Nel cielo della Luna: Piccarda

1-33 Mentre Dante solleva la testa per dichiararsi persuaso della spiegazione ricevuta, la sua attenzione è attirata da deboli parvenze di volti che egli crede immagini riflesse: si volta indietro, ma non vede nessuno, perciò interroga con lo sguardo Beatrice, la quale gli spiega che proprio quelle pallide immagini sono le anime beate, qui relegate per aver mancato in parte ai voti fatti; quindi lo invita a rivolgere loro la parola.

34-57 Dante allora interpella quella che si mostra più desiderosa di parlare e la prega di rivelargli il suo nome e la loro condizione. L'anima si presenta come Piccarda Donati, la sorella di Forese, posta nel primo cielo con gli altri beati per non aver interamente adempiuto al voto monacale.

58-90 La nuova bellezza aveva impedito a Dante di riconoscere immediatamente i tratti di Piccarda, a lui familiari in terra; ora le parole appena ascoltate gli hanno suscitato una nuova domanda: le anime che sono collocate così in basso non sentono il desiderio di salire più su per essere più vicine a Dio? Piccarda, lieta e sorridente, risponde che la carità propria dello stato di beatitudine rende la loro volontà conforme a quella di Dio e in essa le anime trovano la pace.

91-108 Dopo aver ringraziato, Dante chiede di conoscere il voto a cui ella ha mancato. Entrata nell'ordine delle clarisse – racconta Piccarda –, ne era stata tratta con la forza da uomini a mal più ch'a ben usi *(indica così, senza nominarlo, il fratello Corso) e costretta a una vita che solo Dio sa quale sia stata.*

109-120 Piccarda addita un altro spirito luminoso che ebbe una sorte uguale alla sua: è l'anima di Costanza d'Altavilla, madre di Federico II di Svevia, anch'ella strappata al chiostro contro la sua volontà.

121-130 Finito di parlare, l'anima svanisce cantando Ave Maria: *Dante la segue con lo sguardo finché può, quindi torna a guardare Beatrice, ma resta sopraffatto dal suo fulgore, tanto da non riuscire a proferire la domanda che gli urge.*

Quel sol che pria d'amor mi scaldò 'l petto,
di bella verità m'avea scoverto,
3   provando e riprovando, il dolce aspetto;

1-3. Quel sol...: quello stesso sole che primamente, in terra, aveva scaldato il mio cuore con l'amore, ora mi aveva svelato il dolce aspetto della verità, illuminando la mia mente: come il sole per la terra, così Beatrice per Dante adempie alle due funzioni di riscaldare e illuminare. L'attacco del canto, col ricordo dell'ardente amore giovanile e il dolce splendore del vero paradisiaco, che sembrano fare tutt'uno (la verità è *dolce* e *bella* allo sguardo), già stabilisce il tono dominante dell'episodio che si svolgerà in questo cielo. L'amore terreno è trasfigurato, ma è pur sempre quello (*Quel sol che pria*); e con l'amore la dolcezza e la bellezza sono gli aspetti della beatitudine, quale qui per la prima volta sarà descritta. Da una donna – Beatrice – la parola passa a un'altra donna – Piccarda – che sembra riprendere da lei il tema da svolgere, tema che questa prima terzina propone.

3. provando e riprovando: col dimostrare il vero e col confutare il falso; l'ordine dei due procedimenti è invertito rispetto all'argomentazione del canto II, in cui Beatrice ha infatti prima confutato l'errore e poi dimostrato la verità, secondo il sistema proprio delle «quaestiones» scolastiche (cfr. II 61-3 e 106-11).

dolce: «e dice dolce, perché nessuna cosa è più soave che la cognizione» (Landino); ma solo qui lo dice della verità, perché la dolcezza sarà ciò di cui vivono le anime che si incontreranno (cfr. v. 38).

■

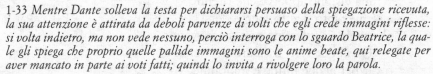

Quello stesso sole che primamente, in terra, aveva scaldato il mio cuore con l'amore, ora mi aveva svelato il dolce aspetto della verità, col dimostrare il vero e col confutare il falso (provando e riprovando); ...

       e io, per confessar corretto e certo
       me stesso, tanto quanto si convenne
6   leva' il capo a proferer più erto;
       ma visïone apparve che ritenne
       a sé me tanto stretto, per vedersi,
9   che di mia confession non mi sovvenne.
       Quali per vetri trasparenti e tersi,
       o ver per acque nitide e tranquille,
12   non sì profonde che i fondi sien persi,
       tornan d'i nostri visi le postille
       debili sì, che perla in bianca fronte
15   non vien men tosto a le nostre pupille;
       tali vid'io più facce a parlar pronte;
       per ch'io dentro a l'error contrario corsi

4. per confessar...: per dichiarare me stesso *corretto* dall'errore, e *certo*, convinto, delle verità svelatemi. Il primo termine risponde a *riprovando*, il secondo a *provando*.

5. quanto si convenne: è riferito a *più erto*: sollevai in alto la testa più eretta, come fa chi sta per parlare, ma solo quanto era necessario, senza cioè presunzione, o mancanza di riverenza a Beatrice.

6. proferer: proferire, pronunciare parole (dal latino «proferre»); cfr. *offerere* a V 50 e XIII 140.

7. ma visïone...: il *ma* interrompe l'atto di Dante: un'improvvisa visione lo ferma, ed egli si scorda di parlare. L'assoluta naturalezza, anche in paradiso, della psicologia dantesca, è uno dei non minori motivi di fascino della cantica.

8. per vedersi: perch'io la vedessi (il costrutto col riflessivo invece che col pronome personale è dell'uso latino; cfr. *Inf.* VI 39 e nota linguistica); il valore finale è preferibile a quello causale, dato che il soggetto è la visione.

10-6. Quali per vetri...: l'incanto della visione che ora apparirà è già tutto in questa prima terzina, forse già soltanto nel primo verso, che preannuncia qualcosa di delicato e puro, appena visibile ma che tuttavia incanta lo sguardo: come per vetri o acque limpide affiorano debolmente specchiati i tratti dei nostri

volti, così Dante vede *più facce* apparirgli nella luminosità del cielo lunare.

trasparenti e tersi: l'uso del doppio aggettivo, riecheggiato al verso seguente (*nitide e tranquille*), ha un forte valore musicale (si osservi anche l'allitterazione, segno stilistico proprio di tutto il canto) e insieme sottolinea l'assoluto e delicato nitore di quello sfondo celeste.

12. non sì profonde...: non tanto profonde che il loro fondo sia irraggiungibile dallo sguardo. Il fondo dell'acqua serve infatti, come il piombo nello specchio, a rimandare l'immagine. La calma assonanza, al centro del verso (*profonde – fondi*), ripete l'effetto osservato nel secondo emistichio del v. 10 (*trasparenti – tersi*). Ne deriva un senso di incanto, il primo vero incanto del terzo regno, che si ripeterà più volte in tutti i momenti alti della cantica.

13. le postille: i tratti, i lineamenti. Così intendevano in genere gli antichi commentatori questo vocabolo di cui peraltro non abbiamo altri esempi in questo senso; solo in Leonardo troviamo *poste* per linee, tratti del disegno (vedi il GDLI a questa voce). Altri intendono «orma», «impronta» (cfr. l'uso dantesco di *poste* a *Inf.* XXIII 148); quindi, «lieve traccia». Il senso comunque è affine: si intravedono solo dei deboli tratti del volto, come appunto riflessi in acque o vetri trasparenti.

14-5. debili sì...: quest'ultima immagine accentua la vaghezza di quei tratti: così deboli che una perla su una bianca fronte di donna non giunge meno velocemente (cioè più lentamente) alla vista. Si allude all'uso femminile di allora di portare una perla in fronte fissata su un nastro di seta o sulla rete che raccoglieva i capelli, come si può vedere nelle raffigurazioni pittoriche del tempo. Il biancore della similitudine suggerisce l'aspetto perlaceo di quei volti sullo sfondo del corpo lunare, quasi indistinguibili gli uni dall'altro.

17-8. dentro a l'error...: incorsi nell'errore opposto commesso da Narciso, che s'innamorò della propria immagine riflessa nell'acqua, credendola figura reale

... e io, per dichiarare me stesso corretto dall'errore e convinto, sollevai in alto la testa più eretta per parlare, solo quanto era necessario; ma apparve una visione che mi avvinse a sé tanto stretto, perch'io la vedessi, che non mi ricordai più della mia dichiarazione. ◆ *Come per vetri trasparenti e tersi o per acque limpide e tranquille, non tanto profonde che il loro fondo sia irraggiungibile dallo sguardo, affiorano specchiati i tratti (le postille) dei nostri volti, così deboli che una perla su una bianca fronte di donna non giunge meno velocemente alla nostra vista; tali vidi diversi volti pronti a parlare; per cui incorsi nell'errore opposto ...*

18   a quel ch'accese amor tra l'omo e 'l fonte.
      Sùbito sì com'io di lor m'accorsi,
      quelle stimando specchiati sembianti,
21   per veder di cui fosser, li occhi torsi;
      e nulla vidi, e ritorsili avanti
      dritti nel lume de la dolce guida,
24   che, sorridendo, ardea ne li occhi santi.
      «Non ti maravigliar perch'io sorrida»,
      mi disse, «appresso il tuo püeril coto,
27   poi sopra 'l vero ancor lo piè non fida,
      ma te rivolve, come suole, a vòto:
      vere sustanze son ciò che tu vedi,
30   qui rilegate per manco di voto.
      Però parla con esse e odi e credi;

(mentre Dante crede che dei volti reali siano volti riflessi). Il mito è in Ovidio (*Met.* III 407-510).

21. per veder di cui fosser...: l'assoluta naturalezza del gesto – Dante si volge indietro cercando le persone reali di cui vedeva la pallida immagine nel corpo lunare – sottolinea, come sempre, la veridicità dell'oltremondo che il poema ci figura.

22. e ritorsili avanti: ancora un rimandarsi di suoni (*torsi – ritorsili*) come sopra *profonde – fondi*. Qui il verbo ripete il gioco di avanti-indietro proprio dell'immagine dello specchio.

24. che, sorridendo...: il dolce verso, pieno di sorriso e di ardore, dà come il suggerimento tonale, il tema figurativo, alla creatura che ora occuperà tutta la scena del canto.

25. perch'io sorrida: del fatto che io sorrida. È lo stesso atto di materna indulgenza apparso al primo errore di Dante (cfr. I 95 e 100-2).

26. appresso: in seguito, a causa di.

– **püeril coto**: pensiero puerile; Dante ha la figura del fanciullo, come Beatrice quella della madre. Per *coto* (deverbale da *cotare*, lat. «cogitare»), cfr. *Inf.* XXXI 77 e nota.

27-8. poi sopra: poiché questo tuo pensiero non si fonda (*non fida*, non appoggia il piede) sulla verità, ma ti fa girare (*rivolve*) vanamente, seguendo le impressioni dei sensi. Il ragionare è immaginato come un cammino, che va sicuro, come su saldo terreno, quando è fondato sulla verità, mentre fuori di essa erra inutilmente qua e là. Si vedano i versi analoghi nella stessa situazione sopra ricordata di I 88-90.

– **come suole**: come soleva fino ad ora (per questo uso di *suole* cfr. *Inf.* XVI 68 e nota). Il senso dell'inciso è chiarito dall'*ancor* che precede: Dante non è ancora saldamente fondato nella verità, e cade in errore come soleva prima, seguendo vane apparenze. È un velato accenno al traviamento di cui Beatrice rimprovera Dante nella scena del paradiso terrestre.

29. vere sustanze: anime reali, cioè non immagini riflesse. Il termine «sostanza» indica nel linguaggio scolastico ogni essere che ha un'esistenza autonoma, e tale è l'anima umana. In paradiso, prima del giudizio universale, l'anima vive eccezionalmente separata dal corpo; per cui le anime dei beati erano dette anche «sostanze separate», come gli angeli. Come può dunque Dante «vedere» delle anime? La ragione per cui le anime assumono qui sembianza corporea sia pure vaghissima ed indistinta sarà spiegata a IV 37-48: è per venire incontro alla capacità di intendere di Dante, ancora legata ai sensi. Si veda sul problema l'Introduzione al canto.

30. qui rilegate...: poste in questo cielo più basso per avere mancato al loro voto; *manco* per «mancanza», «difetto», anche in *Conv.* III, VI 6. Il termine *rilegate* indica qui il luogo più lontano da Dio; così Virgilio dice di sé nel Limbo (*Purg.* XXI 18). Come più avanti si spiegherà, le anime beate abitano in realtà tutte nell'Empireo, ma con gradi diversi di beatitudine; il loro apparire nelle diverse sfere significa sensibilmente quella gradazione (cfr. IV 28-39).

31-3. e credi...: a quello che udirai da loro; perché Dio, vera luce, appagando perfettamente ogni loro desiderio, fa sì che esse non si distolgano mai (*non lascia lor torcer li piedi*) da lui. E quindi esse sono sempre nel vero.

■

... *a quello che fece innamorare l'uomo (Narciso) della propria immagine riflessa nell'acqua (fonte).* ◆ *Non appena io m'accorsi di loro, giudicandole immagini specchiate, volsi indietro gli occhi, per vedere di chi fossero; e non vidi nulla, e li rivoltai in avanti, fissi nello sguardo luminoso della mia dolce guida, che sorridendo ardeva come il fuoco nei suoi santi occhi.* ◆ *«Non ti meravigliare del fatto che io sorrida», mi disse, «a causa del tuo pensiero puerile, poiché questo tuo pensiero non si fonda sulla verità, ma ti fa girare vanamente, come soleva fino ad ora: ciò che vedi sono anime reali, poste qui (in questo cielo più basso) per avere mancato al loro voto. Perciò parla con loro, e ascolta e credi (a quello che udirai da loro); ...*

ché la verace luce che le appaga

33 da sé non lascia lor torcer li piedi».

E io a l'ombra che parea più vaga

di ragionar, drizza'mi, e cominciai,

36 quasi com'uom cui troppa voglia smaga:

«O ben creato spirito, che a' rai

di vita etterna la dolcezza senti

39 che, non gustata, non s'intende mai,

grazïoso mi fia se mi contenti

del nome tuo e de la vostra sorte».

42 Ond'ella, pronta e con occhi ridenti:

– **appaga**: questo verbo esprime con forza il significato profondo della beatitudine nel *Paradiso* di Dante. Posto qui all'inizio, al primo incontro con gli spiriti beati nel cielo più basso, tornerà alla fine, quando essi compariranno nella gloria dell'Empireo (XXXI 28-9). In quel verbo si dice che ogni desiderio è saziato, ogni ansia dell'uomo trova il suo compimento. Con ugual senso, ma forse minore intensità, è usato più volte *saziare* (cfr. X 50 e XX 75).

34. vaga: desiderosa. Tutte le anime erano apparse a Dante come *a parlar pronte* (v. 16), ma questa più delle altre mostra il suo desiderio. Già si avverte un elemento personale (cfr. *Purg.* XXIV 40-1) che lega quest'anima beata al pellegrino della terra.

36. cui... smaga: che il troppo intenso desiderio rende confuso e smarrito. Per *smagare*, toglier le forze, e quindi indebolire, confondere, cfr. *Inf.* XXV 146 e nota linguistica; *Purg.* X 106 e nota. Al desiderio dell'anima beata risponde con ardore il desiderio di Dante, che per la prima volta parla a un abitante del paradiso.

37. ben creato: creato a buon fine; così *bene nato* a V 115. È formula opposta a *mal nati*, detto dei dannati dell'*Inferno* (*Inf.* XVIII 76 e XXX 48).

37-8. a' rai / di vita etterna: esposto ai raggi (quasi una pianta sotto una luce solare) propri della vita paradisiaca; Dante sembra riprendere l'immagine usata da Beatrice (vv. 32-3).

38-9. la dolcezza senti...: provi quella dolcezza che solo può intendersi da chi l'ha gustata. La frase, già usata nel linguaggio stilnovistico (*Vita Nuova* XXVI, *Tanto gentile* 10-1; Cavalcanti, *Rime* XXVII 53), ri

torna qui alla sua vera origine, che è biblica e mistica. Dalla Scrittura (*Ps.* 33, 9; *Apoc.* 2, 17), l'idea passò infatti nei testi dei mistici, tra i quali Bernardo, Riccardo di San Vittore e Bonaventura, tutti autori noti a Dante. Ricordiamo l'*Epistola ad Severinum de charitate* (già citata nella nota di approfondimento a *Purg.* XXIV 52) dove l'anima nell'estasi si immerge in Dio «gustando ciò che nessuno conosce se non chi lo riceve». In questi versi – che già collocano Piccarda in un'aura di dolcezza e di amore – c'è dunque il passaggio di significato dall'uso che del linguaggio amoroso faceva la lirica stilnovistica a quello che ne farà il *Paradiso*, riportandolo al suo valore mistico. Si veda in proposito l'Introduzione al canto.

40. grazïoso mi fia: mi sarà gradito (cfr. *Purg.* VIII 45 e XIII 91). Questo cortese aggettivo non può non ricordare l'inizio di un altro colloquio, ugualmente il primo, e ugualmente con uno spirito femminile, in un altro regno, l'inferno. È l'attacco di Francesca (*Inf.* V 88). Sul rapporto che lega le due storie abbiamo detto nell'*Introduzione*. Questa parola è la prima – altre ne seguiranno – che stabilisca un richiamo interno a quel precedente testo dantesco secondo un procedimento più volte usato nel poema.

41. sorte: indica la condizione, lo stato che è assegnato ai beati (si cfr. più oltre il v. 55 e IV 37, dove *sortita* vale «assegnata», «data in sorte»).

42. pronta: la «prontezza» a parlare, dovuta alla carità (cfr. vv. 16 e 43), si esprime negli *occhi ridenti*, e le due indicazioni del verso si illuminano l'una con l'altra. Il riso degli occhi, quasi un interno «ardere», riecheggia quello di Beatrice al v. 24. Così l'una donna sembra passare all'altra quella figura – il riso – che più di tutte esprime la beatitudine del paradiso nel poema dantesco.

43. nostra: di tutti noi beati. Piccarda comincia parlando per tutti, e definendo, già nelle prime parole, la condizione essenziale del paradiso, la carità.

– **non serra porte**: non si chiude, non si rifiuta.

44-5. se non come quella...: se non nel modo in cui le serra (cioè non le serra affatto; cfr. X 89-90; XVII 41-2) quella divina che, s'intende, non dice mai di no al desiderio buono dell'uomo e vuole che tutta l'as-

---

... perché Dio (la verace luce) che appaga ogni loro desiderio fa sì che esse non si distolgano mai (non lascia lor torcer li piedi) da lui». ◆ E io mi rivolsi all'ombra che pareva più desiderosa di parlare, e cominciai, come uno che il troppo intenso desiderio rende confuso e smarrito: «O spirito creato a buon fine, che ai raggi della vita eterna provi quella dolcezza che non può intendersi da chi non l'ha gustata, mi sarà gradito se mi farai sapere il tuo nome, e qual è la vostra sorte». ◆ Al che ella pronta e con gli occhi ridenti rispose: ...

«La nostra carità non serra porte
a giusta voglia, se non come quella
45   che vuol simile a sé tutta sua corte.
I' fui nel mondo vergine sorella;
e se la mente tua ben sé riguarda,
48   non mi ti celerà l'esser più bella,
ma riconoscerai ch'i' son Piccarda,
che, posta qui con questi altri beati,
51   beata sono in la spera più tarda.
Li nostri affetti, che solo infiammati
son nel piacer de lo Spirito Santo,

semblea del cielo si conformi a lei. In questo ultimo verso è già detto quello che sarà il tema centrale di Piccarda: l'uniformarsi della volontà umana a quella divina.

46. **I' fui nel mondo...**: lo spirito beato risponde brevemente e semplicemente, in questa prima parlata, alle due domande di Dante (v. 41). Ma le successive richieste di lui, come sempre ansioso di tutto sapere, faranno svolgere ampiamente il primo e il secondo argomento. Abbiamo così in questi primi versi come un anticipo, un preludio, ai due temi, l'uno privato e personale, l'altro riguardante tutta la condizione paradisiaca, che costituiscono la struttura del canto.

– **vergine sorella**: suora; Piccarda Donati fu suora francescana, nel monastero delle clarisse a Firenze (cfr. la nota al v. 49).

47. **e se la mente tua...**: e se la tua memoria guarda attentamente in se stessa, cerca cioè dentro di sé le immagini del passato.

48. **non mi ti celerà**: l'essere io ora più bella di allora (perché trasfigurata nella realtà divina) non mi nasconderà a te, non ti impedirà di riconoscermi. La nuova bellezza di Piccarda è quella che Beatrice riconosce a se stessa in *Purg.* XXX 127-8. In questo verso affiora il ricordo della bellezza di un tempo, di cui Piccarda è consapevole (come già in *Inf.* V 101 Francesca ricorda la sua *bella persona*; ecco il secondo richiamo), ma che è vinta ora da un'altra qualità di bellezza, che pur non cancella la prima. Dante infatti la riconoscerà, come nel *viso abbrusciato* (*Inf.* XV 27-8) riconobbe la cara immagine di Brunetto: creature umane pur sempre, l'uno e l'altra; e si confrontino i due verbi: *non mi ti celerà – non difese*.

49. **Piccarda**: il nome esce con semplicità e dolcezza in fine di verso, quasi facendo eco all'altra chiusa del verso pronunciato da Dante nel *Purgatorio* (XXIV 10), quando chiede di lei all'amico Forese (*Ma dimmi, se tu sai, dov'è Piccarda*). Nome ben noto dunque, che porta con sé il ricordo degli anni della giovinezza fiorentina, e da solo crea un ponte, uno stretto legame fra questo mondo e l'oltremondo, quell'elemento proprio della *Commedia* che ancora mancava nella cantica del terzo regno. Quest'anima dunque è sorella di

Forese Donati, da lui affettuosamente ricordata nell'episodio citato del *Purgatorio*, che l'altro fratello, Corso, capo della Parte nera, trasse con la forza dal monastero di S. Chiara presso Firenze per darla in moglie a Rossellino della Tosa, uno dei maggiori della sua parte. L'episodio, avvenuto probabilmente negli anni tra il 1283 e il 1293 – anni fissi nella memoria dell'esule, nei quali si situano molti dei più importanti episodi ricordati nel poema –, è ricordato dai cronisti e ben noto agli antichi commentatori. Essi vi aggiungevano una chiusa leggendaria – comune ad altre vite di sante – secondo la quale Piccarda, giunta in casa dello sposo, sarebbe stata colpita da una deturpante malattia che la condusse a morte senza così mancare al suo voto di verginità. Ma Dante ignora, o rifiuta, tale leggenda. La sua storia – come tutte le sue storie – è fatta della realtà umana, con le sue debolezze e le sue sofferenze, sulle quali l'intervento divino non è mai di carattere magico, ma sempre spirituale e interiore.

51. **beata sono**: ancora un ripetersi (*beati – beata*) della parola che più conta: beata, pienamente beata, pur trovandomi (l'indicazione ha valore concessivo) nella sfera di moto più lento, cioè nell'ultima. Volgendosi infatti i nove cieli intorno alla terra nello stesso tempo, il più vicino ad essa sarà il più lento, perché percorre un'orbita minore, come il più lontano, il Primo Mobile, è il più veloce (cfr. I 123; XXVII 99).

52-4. **Li nostri affetti...**: i nostri affetti, che ardono, s'infiammano d'amore, soltanto per ciò che piace allo Spirito Santo, provano gioia, si rallegrano, nell'essere conformati all'ordine da lui voluto. Amando so-

∎

... «La nostra carità non si rifiuta a un giusto desiderio, se non nel modo in cui lo fa quella (divina) che vuole che tutta l'assemblea del cielo (sua corte) si conformi a lei. Io fui nel mondo una suora vergine; e se la tua memoria guarda attentamente in se stessa, l'essere io ora più bella di allora non mi nasconderà a te, ma riconoscerai che io sono Piccarda, che, posta qui insieme a questi altri beati, sono beata, pur trovandomi nella sfera di moto più lento. ◆ *I nostri affetti, che s'infiammano d'amore soltanto per ciò che piace allo Spirito Santo, ...*

54   letizian del suo ordine formati.
     E questa sorte che par giù cotanto,
     però n'è data, perché fuor negletti
57   li nostri voti, e vòti in alcun canto».
     Ond'io a lei: «Ne' mirabili aspetti
     vostri risplende non so che divino
60   che vi trasmuta da' primi concetti:
     però non fui a rimembrar festino;
     ma or m'aiuta ciò che tu mi dici,
63   sì che raffigurar m'è più latino.
     Ma dimmi: voi che siete qui felici,
     disiderate voi più alto loco

lo ciò che a lui piace, ciò che lui vuole, i beati non possono non essere felici di essere posti nel grado di beatitudine da Dio stabilito. Questo è il senso teologico della terzina, che propone il grande tema svolto poi nel successivo discorso di Piccarda: l'uniformità del volere delle anime beate con quello divino, frutto della carità. Ma si veda la forza ardente che brucia in questi versi e illumina il loro significato razionale, trasfigurandolo in puro atto d'amore: *affetti... infiammati – piacer – letizian*. Colei che parla è una persona innamorata, di quell'amore che è il tratto distintivo di Piccarda (cfr. v. 69) e si imprime fin dall'inizio su tutto il *Paradiso*.

– **nel piacer de lo Spirito Santo**: in ciò che allo Spirito Santo piace, cioè nella sua volontà. Per questo significato di *piacer*, si cfr. il v. 102.

– **letizian**: *letiziare* per «provare letizia» è usato anche a IX 70.

55. questa sorte: questo grado di beatitudine che ci è destinato; è quella *sorte* di cui Dante aveva chiesto a Piccarda, che qui risponde alla sua seconda domanda.

– **che par giù cotanto**: che sembra essere così basso.

56-7. però n'è data...: ci è data perché i nostri voti furono trascurati, e in parte andati a vuoto, inadempiuti; il *però* (perciò) è prolettico rispetto al *perché* seguente. Il gioco verbale *voti – vòti* rientra nel modello stilistico proprio del canto, fatto di echi interni, di cui si son visti più esempi.

– **in alcun canto**: in parte; forse perché nel segreto del cuore il voto fu serbato, come apparirà alla fine, al v. 117.

58-60. Ne' mirabili aspetti...: nei vostri mirabili volti risplende un'indefinibile qualità divina, che vi fa diversi «dall'idea che di voi era rimasta nella mente» (Torraca); *concetti* sono appunto le immagini «concepite», e rimaste nella memoria, di chi aveva prima, cioè in terra, conosciuto quelle persone. La terzina definisce in modo altissimo e insieme profondamente umano (*vi trasmuta*, non siete più quelli di prima) la qualità propria dei beati: quel *non so che divino*, indescrivibile appunto, è la nuova realtà ultraumana (cfr. I 70-1) che cambia la persona dall'interno, senza tuttavia cancellarne l'identità: Dante infatti, in quel divino splendore, riconoscerà Piccarda.

61. festino: rapido, pronto (lat. «festinus», veloce); è uno dei latinismi propri del linguaggio del *Paradiso* (tornerà a VIII 23), di cui altri esempi si troveranno nel canto.

63. più latino: più facile; significato del termine comune in antico (cfr. *latinamente*, «chiaramente», in *Conv.* II, III 1).

64. Ma dimmi: è il consueto passaggio ad altro, e più impegnativo argomento. Dante non indugia sul ricordo terreno, di cui chiederà solo più avanti. A lui preme soprattutto di capire la condizione di chi può essere beato, felice, *in la spera più tarda* (v. 51). Ma i due temi – stato paradisiaco e stato terreno –, annunciati fin dall'inizio, sono, come si vedrà, strettamente connessi l'uno con l'altro, e il loro rapporto costituisce tutta la forza e la bellezza del canto.

65. più alto loco: una sfera superiore, un grado più alto nel cielo.

66. per più vedere...: per meglio godere della visione di Dio e per avere maggiore parte al suo amore; sono i due aspetti teologici della beatitudine (il primo riguarda l'intelletto, il secondo la volontà), qui trasformati, nel parlare di Dante a Piccarda, in sentimenti familiari, quali possono aversi tra amici sulla terra.

67. sorrise: è il consueto, affettuoso sorriso materno di fronte all'infantile ingenuità delle richieste di

---

... si rallegrano nell'essere conformati all'ordine da lui voluto. E questo grado di beatitudine (sorte) che sembra essere così basso, ci è dato perché i nostri voti furono trascurati, e in parte andati a vuoto». ◆ *E io le risposi: «Nei vostri mirabili volti risplende un non so che di divino, che vi fa diversi da come prima vi avevamo conosciuto: per questo non sono stato rapido (festino) nel ricordare; ma ora mi aiuta ciò che mi dici, così che mi è più facile riconoscerti. Ma dimmi: voi che siete qui felici, desiderate una sfera superiore, ...*

66   per più vedere e per più farvi amici?».

        Con quelle altr'ombre pria sorrise un poco;

        da indi mi rispuose tanto lieta,

69   ch'arder parea d'amor nel primo foco:

        «Frate, la nostra volontà quïeta

        virtù di carità, che fa volerne

72   sol quel ch'avemo, e d'altro non ci asseta.

        Se disïassimo esser più superne,

        foran discordi li nostri disiri

75   dal voler di colui che qui ne cerne;

        che vedrai non capere in questi giri,

        s'essere in carità è qui *necesse*,

Dante, che rappresentano in realtà il modo di ragionare terreno: sulla terra infatti non si può concepire che in ogni cosa non si desideri il grado più alto. Anche questo verso riprende, come un'eco, l'atto di Beatrice all'inizio del canto (vv. 25-6).

68. tanto lieta: il *lieta*, come già il *bella* del v. 48, ritorna dalle brevi parole che di Piccarda disse Forese nel *Purgatorio* (XXIV 13-4), quasi compiendo il discorso là cominciato. Si cfr. anche il verbo *letizian* del v. 54, che qui si fa concreto e visibile in un volto.

69. ch'arder parea...: che visibilmente appariva ardere nel primo fuoco d'amore, cioè nella fiamma dello Spirito Santo, amore primigenio (lo Spirito Santo è detto *primo amore* a VI 11 e *Inf.* III 6). Altri intendono: sembrava ardere nel primo fuoco d'amore, cioè come chi sulla terra per la prima volta s'innamora. Difficile decidere. Il verbo *parere* può avere indifferentemente i due sensi proposti, «apparire» e «sembrare». E certo l'amore umano può ben essere per Dante, anzi lo è nella sua vita, prefigurazione dell'amore divino (si veda anche l'aspetto di Matelda a *Purg.* XXIX 1). Tuttavia Piccarda ha appena detto di essere *infiammata* dall'amore per lo Spirito Santo («ignis», «caritas», nella liturgia cristiana), ed è questo, della divina carità, il suo tema dominante; è quell'amore che, ricordiamo, la distingue da Francesca. Per questo preferiamo la prima spiegazione, che confortiamo con un preciso riscontro a XXVII 104-5, dove di Beatrice è detto: *incominciò, ridendo tanto lieta, / che Dio parea nel suo volto gioire.*

70-2. la nostra volontà...: la carità rende paga (*quïeta*, acquieta perfettamente) *la nostra volontà* (compl. oggetto), in quanto ci fa volere solo ciò che abbiamo, e non ci ispira desiderio (*asseta*, dà sete) di nessun'altra cosa. In quel verbo *quïeta* sta il senso profondo della terzina; esso anticipa infatti il motivo della pace, che ispira e chiude tutto il grande discorso che segue.

73. più superne: ossia poste in un grado superiore. *Superno* è dell'uso antico, già più volte incontrato nel poema.

74-5. foran discordi: i nostri desideri sarebbero discordanti dal volere di colui, Dio, che qui nel paradiso ci distribuisce nei vari gradi di beatitudine. – *cernere* è latinismo per «dividere assegnando ad ognuno un proprio luogo», da cui «cernita». Altri intendono: ci assegna qui, in questa bassa sfera. Ma che Piccarda parli per tutti i beati in genere, che accettano ognuno il grado (o *soglia*: v. 82) loro attribuito da Dio, appare chiaro dai versi seguenti. Si veda *in questi giri* al v. 76, il *qui* ripetuto al v. 77, e soprattutto la terzina dei vv. 82-4.

76-8. che vedrai: cosa che (tale discordanza) tu chiaramente vedrai non poter aver luogo (*capere*, essere contenuto) in queste sfere celesti, se qui nel paradiso è necessario essere nella carità, e se tu ben ne consideri la natura, l'essenza (che è uniformità di volere). – *capere* e *necesse*, come *esse* e *etsi* che seguono, sono puri latinismi scolastici immessi con tutta naturalezza nel discorso di Piccarda che, pur teologicamente altissimo, li assorbe senza alcuno sforzo. È un esempio del parlare teologico del *Paradiso*, che innalza il linguaggio a dir cose fino allora del tutto ignote al volgare. Quei termini erano ben noti ai lettori (come oggi molti termini inglesi del linguaggio scientifico) e non c'era altro modo di esprimere quei concetti con precisione. Ma la nuova lingua creata da Dante è tale (si ricordino le immissioni di latino liturgico e virgiliano in *Purg.* XXX 19-21) che la sua saldezza lessicale e ritmica accoglie senza fratture gli inserti latini, tanto che sembra non

---

... per meglio godere della visione di Dio o per avere maggior parte al suo amore?». ◆ In un primo momento sorrise un poco insieme alle altre ombre; poi mi rispose tanto lieta, che appariva ardere nel primo fuoco d'amore: «Fratello, la carità rende paga (quïeta, acquieta perfettamente) la nostra volontà, in quanto ci fa volere solo ciò che abbiamo, e non ci ispira desiderio (asseta, dà sete) di nessun'altra cosa. Se desiderassimo di essere poste in un grado superiore, i nostri desideri sarebbero discordanti dal volere di colui (Dio) che qui ci distribuisce; cosa che tu vedrai non poter aver luogo (capere) in queste sfere celesti, se qui è necessario essere nella carità, ...

78   e se la sua natura ben rimiri.

 Anzi è formale ad esto beato *esse*

 tenersi dentro a la divina voglia,

81   per ch'una fansi nostre voglie stesse;

 sì che, come noi sem di soglia in soglia

 per questo regno, a tutto il regno piace

84   com'a lo re che 'n suo voler ne 'nvoglia.

 E 'n la sua volontade è nostra pace:

 ell'è quel mare al qual tutto si move

87   ciò ch'ella crïa o che natura face».

 Chiaro mi fu allor come ogne dove

 in cielo è paradiso, *etsi* la grazia

90   del sommo ben d'un modo non vi piove.

si potesse dire altrimenti. Per *capere* si cfr. XVII 15 e XXIII 41; *necesse* indica la necessità logica.

79. **è formale ad esto beato esse**: è sostanziale, essenziale a questa esistenza beata (*esse* è l'infinito latino sostantivato).

80. **tenersi dentro**: star sempre come racchiusi dentro la volontà divina, cioè non uscire mai da quella con la propria.

81. **per ch'una...**: così che anche tutte le nostre volontà diventano (*fansi*, si fanno) una sola. La distinzione del volere dei beati dal volere divino è quindi impossibile per via di sillogismo, come osserva Pietro di Dante: se in paradiso si vive solo nella carità, e la carità, l'amore, è uniformità di volere, sarà nell'essenza stessa della beatitudine il perfetto accordarsi con la volontà di Dio. Ma ecco che le due terzine seguenti trasfigurano il sillogismo in una concreta realtà d'amore.

82. **di soglia in soglia**: di gradino in gradino, posti cioè su diversi gradi di beatitudine. – *soglia* è già il termine che nell'Empireo designerà i diversi gradi sui quali appariranno disposti i beati nella visione finale della candida rosa, quasi un immenso anfiteatro (cfr. XXX 113 e XXXII 13).

84. **com'a lo re**: come piace al re che ci *invoglia*, ci induce a volere, per amore, ciò che lui vuole.

85. **E 'n la sua volontade**: il grande verso suggella il discorso di Piccarda dichiarando infine la realtà umana che vi era racchiusa: in quella volontà divina, a cui si conforma, l'uomo trova finalmente «la sua pace»,

il perfetto appagamento di ogni suo sospiro. In queste parole di Dante, come spesso nei momenti più alti, riconosciamo Agostino: «Ci hai fatti perché giungiamo a te, e il nostro cuore è inquieto finché non riposa in te» (*Conf.* I, I 1).

86. **quel mare**: il discorso, fin qui condotto con un serrato svolgimento di concetti, si allarga nell'improvvisa metafora, quel grande mare che così spesso torna nei versi di Dante a figurare il divino, e nel quale si placano, come i fiumi terreni, tutti i moti dell'universo e degli animi umani. L'immagine è un'eco dal primo canto (vv. 112-3), ma qui, al termine delle parole di Piccarda, racchiude un più intenso, personale significato: quel mare (la divina volontà) è il luogo dove trova pace l'ansioso animo dell'uomo.

tutto si move: come muovono i fiumi sulla terra; si ricordino ancora le parole di *Inf.* V 98-9: *su la marina dove 'l Po discende / per aver pace co' seguaci sui*.

87. **ciò ch'ella crïa**: ciò che direttamente è creato da Dio (dalla volontà di Dio) – come è l'uomo – e ciò che è generato dalla natura; quindi ogni creatura. La distinzione fra creazione diretta e mediata attraverso la natura, propria della filosofia scolastica, sarà illustrata a VII 130-44. Si vedano le note ivi.

88. **ogne dove**: ogni luogo; *dove* è avverbio sostantivato secondo l'uso dell'«ubi» latino; uso filosofico, non a caso ritrovabile solo nella terza cantica (cfr. XII 30; XXII 147; XXVII 109).

89. **etsi**: anche se; altra parola latina per cui si veda la nota ai vv. 76-8.

90. **d'un modo**: nella stessa misura. Anche se la grazia di Dio non scende con uguale intensità nei diversi gradi del regno celeste, in ognuno di essi c'è perfetta beatitudine.

91. **Ma sì com'elli avvien...**: la similitudine del cibo e del saziarsi è tipica in Dante per esprimere l'ansia del sapere e il suo appagamento. Così ora, quasi un ospite a una mensa imbandita, saziata la propria domanda sulla condizione dei beati in quell'ultima sfera, egli chiede ancora qualcosa sul primo argomento, cioè quale fu il voto a cui Piccarda venne meno. Co-

---

■

... e se tu ben ne consideri la natura. ◆ Anzi è essenziale a questa esistenza beata star sempre dentro la volontà divina, così che anche tutte le nostre volontà diventano una sola; sicché, come noi siamo disposti di gradino in gradino in questo regno, a tutto il regno piace come piace al re che ci induce a volere ciò che lui vuole. E nella sua volontà sta la nostra pace: ella è quel mare verso il quale si muove tutto ciò che ella crea o che la natura genera». ◆ Allora mi fu chiaro come ogni luogo in cielo è paradiso, anche se la grazia del sommo bene non vi scende nella stessa misura.

Ma sì com'elli avvien, s'un cibo sazia

e d'un altro rimane ancor la gola,

93 che quel si chere e di quel si ringrazia,

così fec'io con atto e con parola,

per apprender da lei qual fu la tela

96 onde non trasse infino a co la spuola.

«Perfetta vita e alto merto inciela

donna più sù», mi disse, «a la cui norma

99 nel vostro mondo giù si veste e vela,

perché fino al morir si vegghi e dorma

con quello sposo ch'ogne voto accetta

102 che caritate a suo piacer conforma.

Dal mondo, per seguirla, giovinetta

sì i due temi, toccati prima in modo brevissimo, sono poi svolti pienamente, sulla sollecitazione, come sempre accade, dell'ardente curiosità di Dante.

– **elli**: è il consueto soggetto del verbo impersonale.

93. **quel... di quel**: disposizione a chiasmo, cioè in ordine inverso al precedente: si chiede infatti il cibo di cui si ha gola, si ringrazia di quello di cui si è sazi.

Per *chere* vedi nota linguistica alla fine del canto.

94. **con atto e con parola**: con l'atteggiamento proprio di chi ringrazia e poi cortesemente chiede. Per *atto* e *parola* cfr. XXX 37: *con atto e voce di spedito duce*.

95-6. **qual fu la tela...**: la tela non tessuta fino in fondo (per cui la *spuola* della tessitrice non giunse al capo dell'ordito) è immagine del voto non compiuto, cioè interrotto ad un certo punto della vita. La *spuola*, come dice il Landino, «è quella che conduce il filo della trama di qua in là tanto che la tela s'empie»; *co* per «capo» anche a *Inf.* XX 76 e *Purg.* III 128. Tela, ordito e trama offrono la metafora anche a XVII 102, come oggetti di un'arte domestica ben nota allora ad ognuno e ai fiorentini in particolare.

97. **Perfetta vita...**: per rispondere, Piccarda comincia da colei che fondò l'ordine religioso che l'attirò giovinetta. C'è un'altra donna – ella vuol dire – che compì perfettamente quell'ideale di amore ch'io non riuscii a seguire fino alla fine.

– **inciela / ...più sù**: colloca più alto nel cielo.

98. **donna**: è santa Chiara d'Assisi (1194-1253), la seguace di Francesco, che fuggita giovinetta di casa (come Piccarda dirà di sé) per imitare l'esempio di lui fondò l'ordine femminile parallelo a quello dei frati minori, dal suo nome detto delle Clarisse. Il primo convento fu fondato ad Assisi nel 1212, nella chiesetta di S. Damiano, e l'ordine ebbe subito straordinaria diffusione in tutta l'Italia.

98-9. **a la cui norma...**: secondo la cui regola, giù in terra, si prende l'abito e il velo proprio delle suore.

100. **si vegghi e dorma**: si passi giorno e notte, cioè tutto il tempo della vita (*vegghiare* per «vegliare» è dell'antico toscano). L'espressione indica la continuità fedele dell'amore.

101. **con quello sposo...**: Cristo. La figura dello sposo per esprimere il rapporto di Dio con l'uomo è nei Vangeli (*Matth.* 9, 15 e 25, 1-13; *Io.* 3, 29). È figura propria del linguaggio mistico in genere e in particolare usata nella tradizione cristiana per l'anima consacrata a Dio con i voti religiosi.

102. **che caritate...**: che la carità, l'amore, rende conforme alla sua volontà (per *piacer* si cfr. il v. 53). La frase significa che Dio accoglie solo i voti, le promesse, che siano dettati dall'amore, e quindi uniformati al suo volere (si cfr. *S.T.* II^a II^ae, q. 88 a. 2). Si noti in questo verso il ritornare del tema primario di Piccarda col ripetersi delle tre parole dominanti *caritate – piacere – conforma*; cfr. vv. 43-5, 52-4, 73-81. La storia della sua vita è dunque fondata sullo stesso vincolo di carità che lei ha descritto come proprio del paradiso.

103. **Dal mondo...**: due sole terzine Piccarda riserva alla sua personale storia terrena; questa prima delinea brevemente il primo tempo della sua vita: la scelta, fatta ancora fanciulla, la fuga dal mondo, la promessa, il *chiudersi*, quasi a difesa, nella vita del chiostro. Quelle tre veloci parole – *giovinetta, fuggi' mi, mi chiusi* – sembrano esprimere una fragilità che cerca riparo, e che tanto più amaramente la violenza del mondo forzò e da quel riparo trasse.

───────────── ■ ─────────────

Ma come avviene quando un cibo sazia e di un altro rimane ancora fame, che dell'uno si chiede ancora mentre dell'altro si ringrazia, così mi comportai con il mio atteggiamento e con le mie parole, per apprender da lei quale fosse stata la tela di cui non aveva concluso la tessitura. ◆ *«La vita perfetta e i suoi alti meriti collocano più alto in cielo una donna» mi disse «secondo la cui regola giù in terra si prende l'abito e il velo (proprio delle suore), affinché fino alla morte si passi giorno e notte con quello sposo (Cristo) che accetta ogni voto, che la carità (l'amore) rende conforme alla sua volontà. Per seguirla fuggii, giovinetta, dal mondo ...*

fuggi'mi, e nel suo abito mi chiusi

105 e promisi la via de la sua setta.

Uomini poi, a mal più ch'a bene usi,

fuor mi rapiron de la dolce chiostra:

108 Iddio si sa qual poi mia vita fusi.

E quest'altro splendor che ti si mostra

da la mia destra parte e che s'accende

111 di tutto il lume de la spera nostra,

ciò ch'io dico di me, di sé intende;

sorella fu, e così le fu tolta

---

105. la via de la sua setta: la via tracciata, cioè la regola, del suo ordine religioso (*setta* in antico aveva senso generico – «di compagnia», «scuola filosofica», «ordine religioso» – sia buono che cattivo; cfr. *Conv.* IV, XXII 15; *Rime* XCI 89; *Purg.* XXII 87).

106. Uomini poi...: la seconda terzina è il secondo, doloroso tempo della sua vita. *Uomini* indica il fratello e i suoi ribaldi, con un velo sui nomi che è insieme carità e pudore, come la litote che li designa *a mal più ch'a bene usi*, propria di uno spirito delicato e insieme divinamente pietoso.

107. de la dolce chiostra: «e veramente il chiostro è dolce e quasi l'ombra del Paradiso nel mondo, mentre la vita secolare è amara ed è l'inferno dei viventi» (Benvenuto). Ma c'è qui, oltre a quello generico, un significato più personale: il chiostro era *dolce* per lei, come luogo di amore e di pace, in tutto simile al suo animo. Il verso segna lo strappo quasi di lei da se stessa.

108. Iddio si sa...: il terzo verso, che porta la stessa forma velata del primo, esprime un dolore di cui ancora è forte il ricordo, pur nella beatitudine del cielo. Ma quel *Iddio si sa* rivela anche la segreta, fedele comunione con Dio – solo partecipe dell'interna pena – durata per tutta la vita. La somiglianza con la chiusa del breve discorso della Pia nel canto V del *Purgatorio* (*salsi colui...*), o con la simile reticenza finale di Francesca (*Quel giorno più...*), accomuna nello stesso riserbo le tre giovani donne dantesche, ma l'ultima ha un contrassegno che la distingue: il suo segreto è affidato infatti a Dio solo.

– si sa... fusi (si fu): il riflessivo sottolinea il segreto di quel sapere, e di quella vita (cfr. *salsi* a *Purg.* V 135 e la relativa nota).

... e mi racchiusi nel suo abito, e feci la promessa (promisi) di seguire la via (cioè la regola) del suo ordine religioso. Poi degli uomini, più avvezzi al male che al bene, mi rapirono fuori dal dolce chiostro: Dio solo sa quale fu la mia vita in seguito. ◆ E quest'altra anima fulgente che ti appare alla mia destra e che si accende di tutta la luce di questo nostro cielo, quel che io dico di me, lo intende anche come riferito a se stessa; fu suora, e nello stesso modo le fu tolta ...

109. quest'altro splendor: conclusa la duplice risposta, Piccarda, secondo un procedimento consueto ai primi due regni e che resterà anche nel terzo, addita un'altra anima del suo cielo, a cui è dedicato un più breve spazio. Si tratta, come spesso accade, di una persona illustre nel mondo, l'imperatrice Costanza (così Farinata in *Inf.* X 119 additò fra gli eretici Federico II, suo figlio). – *splendor* indica che anche gli spiriti del cielo lunare, come sarà poi di tutti gli altri, appaiono avvolti di luce. È questa la prima volta che si dice che i beati del cielo sono risplendenti.

110-1. s'accende...: sembra ardere – riverberandola – di tutta la luce di questo nostro cielo. Lo splendore eccezionale dato a Costanza non può essere che un riconoscimento della sua virtù; che la luminosità dei beati sia proporzionata al merito e alla grazia, è del resto detto a XIV 40-2. Ma tale virtù è vista in rapporto all'altezza del ruolo da lei svolto sulla terra, la cui sacralità provvidenziale – secondo la concezione dell'Impero propria di Dante – ancora la circonda e distingue tra gli altri spiriti. Che la persona imperiale mantenga nel *Paradiso* dantesco la sua sacralità storica, apparirà del resto anche dalla presentazione di Giustiniano (VI 4-6) e di Arrigo VII (XXX 133-8).

112. di sé intende: lo intende anche come riferito a se stessa. La storia dell'imperatrice infatti, pur nella differenza di stato sociale, è uguale a quella dell'ignota fanciulla fiorentina.

113-4. sorella fu...: come me, anche lei fu suora, e come a me, così le fu tolto con la forza il sacro velo dal capo.

115. rivolta: riportata, quasi rivolgendola indietro verso le cose della terra che ella aveva abbandonato.

116. contra suo grado: contro il suo gradimento, a forza.

– buona usanza: contro «ogni buona norma, morale e giuridica» (Sapegno).

117. dal vel del cor: il «velo del cuore» è la fedeltà interiore dello spirito, che non si può togliere con la forza come quello che lo copre il capo. Questa volta, quello che Piccarda dice dell'altra, *di sé intende*: il verso rivela l'intimità della sua vita, di cui quella di Costanza è come la copia illustre. La violenza degli uomini sopraffece il corpo delle due donne, ma non la loro anima.

114   di capo l'ombra de le sacre bende.

       Ma poi che pur al mondo fu rivolta

       contra suo grado e contra buona usanza,

117   non fu dal vel del cor già mai disciolta.

       Quest'è la luce de la gran Costanza

       che del secondo vento di Soave

120   generò 'l terzo e l'ultima possanza».

       Così parlommi, e poi cominciò '*Ave,*

       Maria' cantando, e cantando vanio

123   come per acqua cupa cosa grave.

118. **Quest'è la luce...**: il verso ha un andamento glorioso, come tutta la terzina a cui dà inizio. L'innalzarsi del tono è l'omaggio di Dante a quella dinastia che rappresentava al suo tempo l'Impero romano (Federico II è detto appunto da lui l'«ultimo imperadore de li romani»: *Conv.* IV, III 6); omaggio che, secondo il suo pensiero, non disconviene al paradiso, in quanto per lui l'Impero è sulla terra la figura stabilita da Dio del regno celeste, per governare in pace gli uomini nel tempo storico.

– **Costanza**: figlia di Ruggero II d'Altavilla e quindi ultima erede normanna del regno di Sicilia, andò sposa nel 1186 all'imperatore Enrico VI di Svevia, figlio di Federico Barbarossa. Con questo matrimonio la casa sveva otteneva il dominio sull'Italia meridionale, rendendo possibile il sogno – che sarà perseguito dal figlio nato da quest'unione, Federico II – di una riunificazione dell'Italia sotto l'insegna dell'Impero romano. Rimasta vedova nel 1197, quando Federico era ancora bambino, Costanza resse con saggezza il regno per circa un anno, fino alla sua morte. Quando più tardi Federico II divenne il nemico e persecutore della Chiesa, la propaganda guelfa diffuse una leggenda secondo la quale Costanza sarebbe stata monaca in Palermo, e più che cinquantenne, quando per volontà di papa Clemente III sarebbe stata tratta con la forza dal convento e data in moglie ad Enrico VI, per sottrarre così il regno di Sicilia a Tancredi di Taranto, che si dimostrava ribelle alla Chiesa. Federico II, considerato l'Anticristo, sarebbe quindi nato da una donna consacrata a Dio e in età avanzata, contro le leggi di Dio e della natura (Villani VI, XVI). Nella realtà, Costanza non era stata suora, e sposò Enrico in età di 31 anni. Dante accoglie come vera – e certamente la credette tale – la voce che Costanza fosse una suora, ma tace ogni altra circostanza di carattere negativo e polemico. Anzi circonda la sua figura di nobile luce, quasi compensandola delle voci di discredito gettate su di lei e riconoscendole, come si è visto, un'alta virtù e una lunga sofferenza sopportata con interna fedeltà.

119. **del secondo vento di Soave**: dal secondo imperatore della casa di Svevia. Si cfr. Villani VI, I: «fue eletto imperatore Federico Barbarossa... della casa di Soave». – *vento* indica potenza, ma che rapidamente trascorre, come dice un antico testo citato da Pietro

di Dante, che lo attribuisce a san Girolamo: «il vento è il debole potere temporale. Dove sono i re, gli imperatori, i potenti del secolo? passarono come ombre».

120. **'l terzo**: Federico II, che di quella casa fu anche l'ultimo imperatore. Alla sua morte, nel 1250, il trono imperiale restò vacante fino all'elezione di Arrigo VII nel 1312 (si veda la citazione dal *Convivio* nella nota al v. 118). Nell'anno dell'immaginata visione, il 1300, egli era quindi l'ultimo anche in senso assoluto, e il verso sembra sottolineare questa realtà.

121-3. **Così parlommi, e poi cominciò 'Ave...**: l'allontanarsi di Piccarda è improvviso, ma avviene lentamente come un affondare, uno svanire nell'acqua, proprio come è stato il suo apparire, affiorante nelle *acque nitide e tranquille* (v. 11) del corpo lunare. Ma il suo dileguarsi è accompagnato dal canto (l'*Ave Maria*, di cui si percepisce solo l'inizio), quasi a suggellare la musicale armonia propria di tutto il suo parlare, e di tutto il canto in genere; armonia sensibile che è segno di quell'armonizzarsi dei cuori che a Piccarda è stato affidato insieme di insegnare e di impersonare.

– **Ave, / Maria**: l'enjambement prolunga quel canto sparente, come il riecheggiarsi del *cantando* (ultimo ritorno del tratto stilistico guida di questo canto) e l'accento sul dolce verbo *vanio*.

– **vanio**: svanì; vedi nota linguistica alla fine del canto.

123. **come per acqua**: l'ultimo verso – con il ripetersi dei bisillabi e delle consonanti gutturali iniziali che figurano il cadere di un grave – è anche l'ultimo richiamo al canto V dell'*Inferno*, che si chiude con un verso di uguale fattura e di uguale significato.

... dal capo l'ombra del sacro velo. Ma anche quando fu riportata nel mondo, contro il suo gradimento e contro i buoni costumi, non fu mai disciolta dal velo del cuore. Questa è la luce della grande Costanza, che dal secondo imperatore della casa di Svevia (vento di Soave) generò il terzo e l'ultimo signore (possanza)». ◆ *Così mi parlò, e poi cominciò a cantare Ave, Maria, e cantando svanì come una cosa pesante nell'acqua profonda.*

> La vista mia, che tanto lei seguio
> quanto possibil fu, poi che la perse,
> 126   volsesi al segno di maggior disio,
> e a Beatrice tutta si converse;
> ma quella folgorò nel mïo sguardo
> sì che da prima il viso non sofferse;
> 130   e ciò mi fece a dimandar più tardo.

124-6. **La vista mia...**: Dante segue Piccarda quanto può, nel suo sparire, quasi seguendo il ricordo della sua giovinezza terrena. Ma, *poi che la perse*, una volta sparita la sua immagine, egli si volge con decisione al *segno*, al termine, del suo più alto desiderio, Beatrice: il suo sguardo ormai fisso sul divino non rimpiange più le cose anche care di questo mondo.

127. **tutta si converse**: si rivolse interamente, con totale attenzione.

128. **folgorò**: lampeggiò, risplendette come la luce della folgore, che abbaglia la vista. – *folgorare* è usato transitivamente a XXIII 83.

129. **sì che da prima...**: in modo tale che in un primo momento la mia vista non poté sopportarla.

130. **più tardo**: più lento: così abbagliato tardai a porre la domanda che mi urgeva di fare. È la domanda che, suscitata dalle parole di Piccarda, determinerà tutto il canto seguente, al quale questo verso finale, come spesso accade nel poema, serve quasi da apertura. Le domande incalzano, non si può indugiare: tutto il cammino è proteso, come già nei primi due regni, sempre in avanti, sempre verso l'ultima meta, ed ogni tappa, ogni incontro, assolto il suo compito, resta alle spalle del viandante.

Il mio sguardo, che la seguì quanto fu possibile, quando la perse di vista si rivolse all'oggetto del maggior desiderio, e si concentrò tutto su Beatrice; ma quella risplendette come la folgore nei miei occhi in modo tale che in un primo momento la mia vista non poté sopportarla; e ciò mi rese più lento nel domandare.

NOTE LINGUISTICHE

v. 93. chere: chiede; da *cherere*, forma arcaica latineggiante di «chiedere», usata in poesia fino all'Ariosto, Tasso e oltre. In Dante si ritrova in *Vita Nuova* XIII, *Tutti li miei penser* 7; due occorrenze si hanno nel *Fiore*. Qui il termine rientra nel linguaggio elevato e ricco di latinismi proprio del canto e in genere del *Paradiso*.

v. 99. si veste: è neutro impersonale, proprio dell'uso antico per «ci si veste» (cfr. *s'affanna* a XII 82; *si scalappia* a *Purg*. XXI 77 e relativa nota; si veda *Enciclopedia Dantesca* VI, p. 322).

v. 122. vanio: svanì; come più oltre *seguio*, è la forma più antica del perfetto dei verbi in *-ire* (così *uscio, morio* ecc.), poi troncata, e non forma epitetica come spesso si annota (NTF, pp. 142-6; cfr. la nota linguistica a *Inf*. IV 144).

NOTE AL TESTO

v. 15. men tosto: accogliendo gli argomenti offerti già dal Moore (*Contributions*, pp. 447-8), preferiamo questa lezione (già dell'edizione del '21 e dei precedenti editori) al *men forte* prescelto dal Petrocchi sulla base della tradizione più autorevole che lo conserva; *men forte* ripete infatti l'idea già espressa da *debili* (è come dire: più debole), mentre *men tosto* offre una nuova immagine, quella del lento arrivare dell'oggetto allo sguardo, immagine che corrisponde all'attenzione consueta di Dante per la fenomenologia della vista. La lezione Petrocchi inoltre, per la sua corrispondenza con *debili*, ha tutta l'aria di una lezione più facile. Si veda la bella nota del Biagioli: «Dante confronta il venir debole delle postille col tornar poco tosto della perla, perocché il tornar debole procede dalla poca forza, siccome il tornar poco tosto. Però si confrontano della ragione medesima due effetti così simiglianti, che sono proprio una stessa cosa. Meraviglioso artificio, costruzione degna d'annotarsi, con altre cose senza novero le quali sfuggono al più dei leggitori».

SUGGERIMENTI PER LA RICERCA

Temi e personaggi del canto

Piccarda Donati: la carità

È l'anima di una donna, Piccarda, che per prima si rivolge a Dante nel terzo regno con un discorso centrato sull'amore, così come tra i dannati la prima anima a parlargli era stata una donna, Francesca, la cui vita era stata ugualmente segnata dall'amore. Rileggi l'incontro con Francesca nel V canto dell'*Inferno* (vv. 88-142) e confronta i due personaggi e le diverse esperienze d'amore di cui parlano. Rifletti inoltre, aiutandoti con le note e l'Introduzione al canto, sulla ragione per cui Dante all'ingresso dei due regni tratti il tema dell'amore. La voce *Donati Piccarda*, a cura di M. Fubini, in *Enciclopedia Dantesca* II, pp. 565-568, può fornirti suggerimenti e informazioni utili ad approfondire l'argomento proposto. Infine esponi per iscritto le tue osservazioni in proposito.

«E 'n la sua volontade è nostra pace»

Analizza il discorso di Piccarda, annotando i versi in cui ella descrive lo stato delle anime nella terza cantica: la carità dei beati in cui si riflette l'amore divino, la pace e la letizia che scaturiscono dalla totale adesione al volere di Dio, i diversi gradi in cui la beatitudine si differenzia. La lettura delle note e dell'Introduzione al canto potrà esserti di aiuto a comprendere la condizione delle anime del Paradiso espressa nei versi che avrai individuato.

approfondimenti

approfondimenti

Costanza d'Altavilla

Documentati sulla figura di Costanza d'Altavilla e sulla dinastia sveva consultando le voci relative nell'*Enciclopedia Dantesca* (*Costanza d'Altavilla*, a cura di O. Capitani, II, pp. 239-240; *Federico I*, a cura di R. Manselli, II, pp. 824-825; *Enrico VI*, a cura di O. Capitani, II, p. 682; *Federico II*, a cura di R. Manselli, II, pp. 825-828), o nel *Dizionario Enciclopedico del Medioevo*. Elabora quindi un breve testo esponendo i risultati della tua ricerca e spiegando perché Federico II sia detto «'l terzo e l'ultima possanza» al v. 120.

Lingua e stile

latinismi

In questo canto sono presenti molti latinismi (per es. *festino* al v. 61) e altri termini propriamente latini (per es. *esse* al v. 79). Riconosci gli uni e gli altri, definendone il significato.

grazïoso – v. 40

Consulta la *Grammatica Italiana* del Serianni al cap. XV 49, in cui si spiega la funzione e il significato del suffisso *-oso*. Cerca quindi di stabilire il significato generale dell'aggettivo *grazïoso* e chiarisci, leggendo i passi sotto indicati e le relative note di commento, quando l'aggettivo dipenda da «grazia» intesa come «gradimento», quando da «grazia» come «complesso di qualità e doti umane» (che puoi trovare elencate in *Conv.* IV xxv 1), e quando infine si riferisca alla grazia divina: *Conv.* III VI 12; *Vita Nuova* VIII 1; XXVI 14; *Inf.* V 88; *Purg.* VIII, 45; XIII, 91.

gola – v. 92

Aiutandoti con le *Concordanze* della *Commedia*, fornisci alcuni esempi dei vari significati traslati del termine *gola* (come per es. «ingordigia» o «brama») distinguendoli da quello proprio.

setta – v. 105

Cerca, utilizzando ancora le *Concordanze*, i passi della *Commedia* in cui compaia il termine *setta*, distinguendo i casi in cui esso abbia il significato, vivo già nella tarda latinità, di «eresia», da quello di «ordine religioso» e da quello più generico di «compagnia», parimenti attestati. Del termine ricerca poi anche l'etimologia sul *Grande Dizionario della Lingua Italiana*.

CANTO IV

Introduzione

All'inizio del canto, la scena del cielo lunare è rimasta come vuota, priva della presenza di Piccarda che raccoglieva tutta l'attenzione, e creava come un incantesimo intorno alla sua persona, terrestre e celeste insieme. Si rendono ora percepibili due contraddizioni che erano racchiuse nelle sue parole, e che finché ella era presente erano rimaste come ignorate: il personaggio-Dante (dietro al quale è immaginato il lettore) è come smarrito di fronte all'eguale urgenza dei due problemi che gli si pongono, e chiede aiuto a Beatrice.

Tutto il canto sarà dedicato a sciogliere tali apparenti contraddizioni, così che ad un canto come il precedente tutto occupato dalla visione e dall'azione, segue uno dei pochi della cantica che siano tutti occupati dal ragionamento. Tale struttura è comunque eccezionale, in quanto per lo più lo svolgimento dei canti è diviso tra parte narrativa e parte ragionativa (come per esempio nel II e nel V) in modo da rendere quest'ultima più leggera per il lettore, pur rimanendo l'elemento dottrinale, come abbiamo osservato nella *Introduzione* alla cantica, parte essenziale dello svolgimento poetico del *Paradiso* dantesco.

Tra i pochi canti dunque dedicati soltanto a questioni dottrinali, questo quarto è dei più difficili; in esso infatti non si tratta di descrivere, o narrare eventi – come la creazione e la redenzione nel canto VII, o la salita e discesa delle creature verso Dio e da Dio nei canti I e II – ma si discutono due problemi, e il suo svolgimento non può essere dunque che strutturato scolasticamente, con articolazione logica. Il ruolo ad esso affidato è tuttavia di grande rilievo nella compagine inventiva del *Paradiso*. La soluzione del primo dubbio dà infatti fondamento razionale alla struttura, cioè alla organizzazione artistica secondo la quale è costruito l'aspetto sensibile del terzo regno, con il suo cammino ascensionale attraverso i cieli tolemaici; mentre la soluzione del secondo, con il suo inno alla umana volontà, stabilisce il criterio stesso che regge tutto l'ordine morale dell'universo dantesco, e cioè la libertà e la responsabilità individuale dell'uomo.

I due grandi argomenti sono in realtà – anche se ciò non è immediatamente evidente – connessi fra loro. È quella responsabile libertà che decide infatti la differenziazione della beatitudine in diversi gradi (o «mansiones», dimore, come si legge nella Scrittura), che è poeticamente raffigurata nella presentazione dei beati nei diversi pianeti.

Questa distribuzione in scala – che l'ordine concentrico dei pianeti del cosmo tolemaico offriva quasi naturalmente alla fantasia – risponde infatti, oltre che all'esigenza di simmetria con lo svolgimento del racconto nelle prime due cantiche, a quella essenziale diversità delle persone – fondata sulle doti naturali e sulla diversa libera risposta dell'uomo alle sollecitazioni della storia e della grazia – che per tutto il poema è insistentemente dichiarata. Nell'Empireo stesso si troveranno infatti dei gradi (nella grande rosa disposta come ad anfiteatro), come qui chiaramente dirà Beatrice (vv. 34-6).

Il primo dubbio sorge in Dante nello scorgere degli spiriti beati che sembrano abitare nel cielo della Luna: era dunque vera la dottrina di Platone, condannata dalla Chiesa, secondo la quale le anime tornavano dopo la morte alle stelle da cui erano discese?

La risposta di Beatrice è organizzata in modo da dichiarare prima, con solennità, la verità propria della fede cristiana, per cui tutti i beati – dal più umile al più alto – abitano lo stesso luogo, il cielo divino o Empireo, differendo tra loro solo per il diverso grado di amore. Quell'unico cielo si apre così davanti ai nostri occhi, nella sua realtà di bellezza e di dolcezza: *ma tutti fanno bello il primo giro, / e differentemente han dolce vita / per sentir più e men l'etterno spiro* (vv. 34-36).

Si spiega poi che quell'apparire dei beati nei pianeti ha solo funzione pedagogica, per render percepibile a Dante, uomo della terra, ancora nel corpo, la scala in cui essi sono disposti solo spiritualmente nel cielo divino. La dottrina di Platone è dunque rifiutata sul piano teorico, ma di fatto usata da Dante come mezzo poetico: quella disposizione a scala nei diversi pianeti è infatti una grande metafora che rende visibile, e quindi descrivibile, la scala invisibile della beatitudine degli animi.

Per questo Dante prosegue, dicendo che forse Platone stesso non voleva esser preso alla lettera, ma parlava anch'egli per metafora, intendendo dire che alle stelle, cioè ai pianeti, tornava solo il merito (o il biasimo) dell'influenza da esse esercitata sulle anime. Non le anime dunque, ma le loro diverse indoli, sarebbero discese dalle stelle, e in questo Dante, come tutti i suoi contemporanei, non vedeva niente di errato. Tale interpretazione metaforica di Platone non era – come si preciserà nel commento – una invenzione di Dante, ma il poeta ben volentieri l'accoglieva e la difendeva, riconoscendo nel grande filosofo antico quella stessa necessità di usare la metafora per esprimere le realtà ultraterrene in cui egli quotidianamente si trovava nel costruire il suo mondo celeste.

Il suggerimento stesso che egli qui offre per interpretare Platone – che cioè ai diversi pianeti risalgano in realtà le diverse indoli delle anime umane, non le anime stesse – ci dà poi di fatto il criterio di cui lui stesso si è servito per ordinare in scala gli abitanti del suo paradiso. Non era possibile infatti dare una valutazione gerarchica della beatitudine, come era stato possibile per inferno e purgatorio, servendosi della diversa gravità dei peccati e dei vizi. L'unico metro che misura la gloria celeste è infatti l'ardore della carità – dovuta al concorrere di merito e grazia (merito da parte dell'uomo, grazia da parte di Dio) come sarà detto più avanti (XIV 40-2) –, realtà misteriosa che Dio solo conosce.

Dante usa così, per ottenere una diversificazione e graduazione in gruppi, come era necessario alla sua figurazione poetica, delle differenze di caratterizzazione – sul piano storico – che la scala dei pianeti felicemente gli offriva. Le anime appaiono infatti nei diversi cieli secondo la diversa specie, o qualità, nella quale si manifestò storicamente la loro santità (come la sapienza, il combattimento per la fede, l'esercizio della giustizia, l'attività contemplativa). Questo simboleggiano i cieli, che di fatto appartengono ancora alla dimensione spazio-tempo, cioè alla storia, come si è detto nella *Introduzione* alla cantica. Il carattere proprio di ogni pianeta designa quindi la specie di santità vissuta dai beati che vi appaiono, e la sua gerarchia nell'ordine storico. Sul piano individuale, ognuno ha nell'Empireo il posto che gli spetta, misurato soltanto dal suo amore (vv. 34-6). (Si vedano del resto i ben chiari versi sopra citati, dove è altamente espressa l'idea del corrispondersi della gloria al merito personale). Ma al pel-

legrino della storia che traversa, per giungere all'Empireo, i cieli tolemaici, era
necessario che anche la scala della beatitudine si manifestasse in forme sensibili (e quindi storicamente comprensibili), come Beatrice espressamente dice:
*Così parlar conviensi al vostro ingegno / però che solo da sensato apprende / ciò
che fa poscia d'intelletto degno* (vv. 40-42).

Lo stesso vago apparire dei volti dei beati – che non si vedranno poi più nei
cieli superiori – fa parte di questa iniziazione pedagogica. Le anime dei beati
non hanno infatti il corpo (che riassumeranno solo il giorno del giudizio universale), ma, come è stato spiegato da Stazio nel *Purgatorio* (XXV 79-84), ne
mantengono la potenzialità, o capacità virtuale. Per questo è possibile al pellegrino intravederne i lineamenti (III 10-8) o solo vagamente la forma corporea (V 106-8) – almeno nei gradi più bassi della scala celeste – che poi la luce
soverchiante della gloria «nasconderà», come apparirà dalle parole dette più
avanti da Carlo Martello nel cielo di Venere (VIII 52-4).

Risolto così il primo dubbio, il più pericoloso per la fede (la dottrina platonica veniva infatti a negare la creazione diretta da parte di Dio dell'anima individuale), resta l'altra domanda, che anch'essa nasce spontanea nel lettore dal
discorso di Piccarda: se quelle anime sono state costrette con la violenza a mancare ai voti, dove è la loro responsabilità?

La risposta a questa domanda si fonda sul terzo libro dell'*Etica* aristotelica
(si vedano i riscontri nel commento), ed è quindi di carattere filosofico, ma ha
tuttavia una singolare tensione emotiva, che si risolve poeticamente in quelle
centrali terzine che abbiamo chiamato l'inno alla volontà (vv. 73-87): la volontà
umana è tale che nessuna violenza può piegarla, se essa non vuole. L'uomo infatti può essere ucciso, ma non può essere forzato a volere, se non vi consente,
ciò che egli non vuole; come è il caso dei martiri cristiani, e degli stessi grandi
pagani (Muzio Scevola, Attilio Regolo) celebrati da Livio e rimasti a esempio
di virtù morale in tutta la tradizione classica. Come dunque il primo ragionamento ha il suo centro fantastico nella presentazione dell'Empireo, dove tutti
i beati vivono nell'unico amore e godimento di Dio, così questo secondo si innalza nella commossa affermazione dell'invincibile forza della volontà umana: *ché
volontà, se non vuol, non s'ammorza...*

Segue quindi un'altra precisazione, dovuta alla nuova domanda che Dante,
non mai contento finché tutto non è chiarito, come sempre sarà nel *Paradiso*,
pone a Beatrice: come dunque può dirsi che Costanza non perse «il velo del
cuore»? La risposta resta su un piano strettamente scolastico, con la distinzione
tra volontà assoluta (che non consente) e volontà relativa (che consente per evitare altro male), propria di Tommaso e già di Aristotele, come si indicherà nel
commento.

A questo punto si leva il commosso ringraziamento di Dante, che rompe l'andamento ragionativo, didascalico, fin qui tenuto dal canto. L'*ondeggiar* del fiume
della divina sapienza, che acquieta, «pone in pace» ogni desiderio del cuore,
sembra allargarsi per tutto lo spazio visibile e ristorare, come il personaggio,
anche il lettore: *Cotal fu l'ondeggiar del santo rio / ch'uscì del fonte ond'ogne
ver deriva; / tal puose in pace uno e altro disio.*

A tali parole fa seguito, con improvvisa ripresa, un terzo ragionamento, che
vuole giustificare una nuova domanda, quella a cui risponderà il canto successivo.
Non si tratta tuttavia questa volta di una questione o di un dubbio da risolvere; ma è quasi un canto, una celebrazione di quel continuo nascere e porsi di
domande e problemi propri dell'intelletto, che segnerà poi tutto lo svolgersi
della cantica. Questo crescere del conoscere su se stesso, di dubbio in dubbio,
di vero in vero – come chi scala una cima di sommità in sommità – è chiara

figura di quella che sarà la salita di Dante attraverso le verità della fede via via illustrate di cielo in cielo, parallela a quella attraverso gli aspetti sensibili dei pianeti.

Si svolgono dunque nel canto, in tre sequenze, tre importanti temi: il primo è la collocazione dei beati nel cielo – diversa gradazione di beatitudine ma unico luogo –, il secondo è quello della libera volontà dell'uomo, il terzo quello dell'articolazione ascensionale dell'umana conoscenza. In essi ci è così offerta la ragione stessa della struttura di tutta la cantica: la sua visibile, graduale suddivisione; la libertà da cui dipende quella invisibile; il susseguirsi dei discorsi teologici via via lungo la salita.

Questo quarto può dirsi certamente un canto dottrinale. Ma in esso il «ragionare in poesia» proprio del Dante del *Paradiso*, con la sua ricchezza di immagini e la sua serrata potenza ritmica, da una parte offre al lettore quel fondamento teorico richiesto nel prologo per poter seguire la nave del poeta nel suo ardito avanzare, dall'altra stabilisce quella solida base di credibilità per cui il poema ha traversato i secoli, e penetrato le barriere delle più diverse culture.

CANTO IV

Ancora nel cielo della Luna:
la sede dei beati e la questione dei voti inadempiuti

1-27 *Due dubbi assillano Dante, che, incerto su quale porre per primo, non si risolve a manifestarli: è Beatrice a formularli per lui. Il primo riguarda la responsabilità delle anime che sono state costrette con la violenza a mancare ai voti, mentre la loro volontà è restata fedele; il secondo la possibilità che sia vera la dottrina platonica secondo cui le anime tornano alle stelle da cui sono discese. Beatrice parte da quest'ultima questione, perché più pericolosa per la fede.*

28-63 *I beati abitano tutti lo stesso cielo, l'Empireo, ma appaiono a Dante dislocati nei cieli sottostanti perché solo attraverso una diversa collocazione spaziale delle anime egli può comprendere il loro diverso grado di beatitudine. È questo l'unico modo possibile di parlare all'intelligenza umana che conosce solo a partire dalla percezione dei sensi, tanto che è il linguaggio cui ricorrono la Scrittura e la Chiesa. Dunque la dottrina del Timeo è errata, a meno che Platone intenda dire che discendono dalle stelle non le anime, ma gli influssi che esse esercitano sulle anime.*

64-117 *Circa l'altro dubbio, Beatrice esordisce affermando che non contraddice la fede il fatto che la giustizia divina sembri ingiusta ai mortali; entrando nel merito, ella sostiene che la mancanza di quelle anime consiste nel non aver opposto alla violenza tutta la forza della volontà, che è indomabile, come invece hanno fatto il martire Lorenzo e Muzio Scevola. Le parole di Piccarda, sulla fedeltà di Costanza al velo del cuore, non sono in contraddizione con quanto appena detto, perché riferite alla volontà assoluta: è la volontà relativa, invece, che ha ceduto per evitare un male peggiore.*

118-142 *Dante è pieno di gratitudine, ma poiché l'intelletto umano non si accontenta mai delle verità scoperte ma prosegue insaziabile nella sua ricerca del vero, in lui subito insorge una nuova questione: se si possa soddisfare ai voti non adempiuti con altri beni. Lo sguardo di Beatrice, ardente d'amore, vince Dante che, smarrito, abbassa gli occhi.*

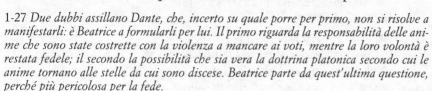

Intra due cibi, distanti e moventi
d'un modo, prima si morria di fame,
3 che liber'omo l'un recasse ai denti;
sì si starebbe un agno intra due brame
di fieri lupi, igualmente temendo;

1-3. Intra due cibi...: alle parole di Piccarda e poi di Beatrice, Dante è preso da due dubbi di così uguale intensità, che non sa risolversi a parlare, e finisce col tacere: egli presenta la situazione con un esempio di carattere scolastico, variato in tre diverse situazioni, esempio usato in filosofia per la definizione del libero arbitrio: fra due cibi posti a uguale distanza e di uguale attrazione (*distanti e moventi d'un modo*) l'uomo libero è impossibilitato a scegliere, e morrebbe di fame prima di decidersi per l'uno o per l'altro. Questo esempio, usato dai sofisti per spiegare come la terra potesse star ferma al centro dell'universo in quanto attratta da forze uguali, e citato da Aristotele nel *De coelo* (II, XIII 495b), è quasi con queste stesse parole riportato anche da Tommaso (*S.T.* Iᵃ IIᵃᵉ, q. 13 a. 6), il quale tuttavia lo presenta per confutarlo: per lui

infatti l'uomo libero troverà il modo di attribuire a uno dei due oggetti una qualche attrattiva. Dietro questa semplice immagine c'è in realtà un'importante disputa, che riguarda l'essenza stessa della libertà, su cui si veda la nota di approfondimento alla fine del canto.

4-6. sì si starebbe...: così immobile, irresoluto (Vandelli), starebbe un agnello tra due lupi bramosi di divorarlo, perché avrebbe uguale timore (*igualmente temendo*), e quindi non saprebbe da quale dei due fuggire. Questa seconda figura rovesciata (dal soggetto

■

Fra due cibi posti a uguale distanza e di uguale attrazione l'uomo libero morrebbe di fame prima di decidersi a mangiare l'uno o l'altro; così starebbe immobile un agnello tra due lupi bramosi, perché avrebbe uguale timore; ...

6   sì si starebbe un cane intra due dame:
       per che, s'i' mi tacea, me non riprendo,
       da li miei dubbi d'un modo sospinto,
9   poi ch'era necessario, né commendo.
       Io mi tacea, ma 'l mio disir dipinto
       m'era nel viso, e 'l dimandar con ello,
12   più caldo assai che per parlar distinto.
       Fé sì Beatrice qual fé Danïello,
       Nabuccodonosor levando d'ira,
15   che l'avea fatto ingiustamente fello;
       e disse: «Io veggio ben come ti tira
       uno e altro disio, sì che tua cura

all'oggetto delle *brame*) è invenzione dantesca, e di Dante porta l'impronta di vivace e forte realismo. La terza – il cane fra due daini (*dame*, dal lat. «dama») – ricorda la tigre ovidiana tra due armenti, anch'essa portata ad esempio dell'irresolutezza del personaggio (*Met.* V 164-6). Una immagine simile si trova anche in Seneca (*Thyestes* 707-11).

7-9. per che: per cui io non posso rimproverarmi né lodarmi se tacevo, ugualmente incalzato dai miei dubbi, *poi ch'era necessario*, e quindi atto non moralmente valutabile; solo l'atto libero merita infatti lode o biasimo. Da questa dichiarazione si dedurrebbe che quell'*omo* del primo esempio non era veramente libero, ma in qualche modo costretto (si veda l'obiezione di Tommaso citata nella nota ai vv. 1-3 e la nota di approfondimento).

10. dipinto: ben visibilmente impresso (detto di sentimenti nel volto, anche a *Inf.* IV 20 e *Purg.* II 82). Questo ansioso volto in cui il desiderio e la domanda appaiono senza bisogno di parlare è quasi un vivo ritratto che Dante fa di se stesso: l'uomo del desiderio, continuo e mai soddisfatto, che lo «sospinge» di meta in meta fino all'ultimo termine dove egli possa giungere, Dio stesso.

11. con ello: insieme ad esso.

12. più caldo assai...: il *disir* e il *dimandar* sono dipinti in quel viso con più calore, con maggiore intensità che non avrebbero nella parola esplicita (*distinto* vale «espresso», «distintamente pronunciato»).

... *e così starebbe fermo un cane tra due daini: per cui io non posso rimproverarmi né lodarmi (commendo) se tacevo, ugualmente incalzato dai miei dubbi, poiché era un fatto di necessità (necessario).* ◆ *Io tacevo, ma il mio desiderio mi era ben visibilmente impresso nel viso, e insieme ad esso la mia domanda, con maggiore intensità (più caldo assai) che se fossero stati espressi chiaramente in parole. Beatrice si comportò come Daniele nel placare l'ira di Nabuccodonosor, che lo aveva reso ingiustamente malvagio; e disse: «Vedo bene come ti tirano due diversi desideri, così che la tua preoccupazione (di sapere)* ...

13-5. qual fé Danïello...: il profeta Daniele indovinò e interpretò il sogno del quale il re Nabucodonosor si era dimenticato; e così placò la sua ira, che lo aveva reso ingiustamente malvagio (tanto da voler condannare a morte tutti i sapienti che erano stati incapaci di soddisfarlo: *Dan.* 2, 1-46). Ugualmente Beatrice calma l'inquietudine di Dante, interpretando i suoi inespressi desideri che ella, come il profeta del sogno, vedeva nella mente stessa di Dio.

– **fello**: vale «inasprito», e quindi «malvagio», detto di bestia e di uomo (cfr. *Inf.* XVII 132 e XXVIII 81; *Purg.* VI 94 ecc.).

16. ti tira: quasi una corda che tiri con ugual forza da due opposte parti.

17-8. sì che tua cura...: così che il tuo ansioso desiderio, come impigliato in se stesso, non può esprimersi (*fuor non spira*) in parole.

– **cura**: «cioè la sollecitudine o la preoccupazione che brucia il tuo cuore» (Benvenuto); lo stesso senso a II 27; XXVIII 40 ecc. Si noti ancora una volta l'attento discernere dantesco di ogni più interno moto dell'animo umano.

19-21. Tu argomenti...: tu così ragioni. Beatrice espone qui i due dubbi di Dante, che ella legge nel suo pensiero. Primo: se la buona volontà permane, resta integra (come in III 117 è stato detto di Costanza: *non fu dal vel del cor già mai disciolta*), come può essere che la violenza di un altro diminuisca la mia quantità (*misura*) di merito (e quindi la misura della beatitudine, che al merito corrisponde)? Il *mi* dice l'immedesimarsi di Dante nella situazione: «mi: a me suppostomi in tal caso» (Biagioli). Si sente qui la sempre vivissima reazione di fronte a problemi di giustizia che caratterizza lo spirito dantesco, e che costituisce un particolare, inconfondibile aspetto del suo stile (la vivace domanda, l'implicita ribellione, la protesta della ragione: *per qual ragione?*; cfr. *Mon.* II, VII 4-5).

22-4. Ancor...: secondo dubbio: e inoltre ti dà motivo di dubitare il fatto che (da quel che hai visto e udito in questo cielo) sembra che le anime (dopo la morte) ritornino nelle stelle da cui sarebbero disce-

18   sé stessa lega sì che fuor non spira.
      Tu argomenti: "Se 'l buon voler dura,
      la vïolenza altrui per qual ragione
21   di meritar mi scema la misurà?".
      Ancor di dubitar ti dà cagione
      parer tornarsi l'anime a le stelle,
24   secondo la sentenza di Platone.
      Queste son le question che nel tuo *velle*
      pontano igualmente; e però pria
27   tratterò quella che più ha di felle.
      D'i Serafin colui che più s'india,
      Moïsè, Samuel, e quel Giovanni

se, secondo il pensiero di Platone. La teoria, esposta nel *Timeo* (41-2), unico testo platonico noto nel Medioevo nella versione e nel commento di Calcidio, sosteneva che le anime degli uomini preesistono alla loro vita terrena e dimorano nelle stelle, da cui scendono ad incarnarsi e a cui dopo la morte del corpo ritornano; teoria che ebbe molta fortuna, ma che era decisamente in contrasto con la fede cristiana (per la quale l'anima è creata di volta in volta da Dio quando l'embrione si forma nel seno materno) e che fu condannata infatti come eretica nel concilio di Costantinopoli del 540. Dante poteva conoscerla sia direttamente, sia indirettamente tramite Alberto Magno, Tommaso, il *Somnium Scipionis* di Cicerone (ultimo libro del *De re publica*, nel quale la dottrina platonica dell'immortalità dell'anima è esposta sotto la finzione di un sogno), o altri testi a lui ben noti. Egli la dichiara qui erronea nel suo significato letterale, ma contemporaneamente ne riconosce la possibile veridicità se essa venga intesa metaforicamente (non le anime, cioè, scendono e risalgono alle stelle, ma gli influssi sulle loro attitudini e operazioni). Del rapporto tra le anime e le stelle stabilito dalle influenze celesti egli si servirà, come vedremo, per costruire il suo paradiso poetico. Ma sul problema del rapporto Dante-*Timeo* si veda l'Introduzione al canto e la voce *Timeo*, in *Enciclopedia Dantesca* V, pp. 604-5, a cura di M. Cristiani.

25. nel tuo velle: nella tua volontà. – *velle* è infinito sostantivato, proprio del linguaggio scolastico (così *esse* a III 79).

26. pontano igualmente: pesano, premono con ugual forza (per *pontare* si cfr. *Inf.* XXXII 3), sì che essa non si decide a chiedere. L'ugual peso è l'uguale *muovere* dei primi versi, l'uguale *tirare* del v. 16: un corpo tra due forze uguali resta fermo.

27. che più ha di felle: che ha più veleno (*felle*, fiele), cioè maggior pericolo (per la fede). Beatrice dunque trova un motivo di priorità tra le due questioni. Il veleno stava appunto nel rischio d'eresia implicito nella dottrina platonica di cui si è detto sopra. Rischio che potrebbe sembrare ormai lontano, dato che la con-

danna risaliva al 540; il veleno era invece ben presente ai tempi di Dante, non più nella teoria di Platone, ma nelle filosofie che negavano la creazione dell'anima individuale insufflata da Dio ad ogni concepimento umano. Su questo grave problema Dante ha già preso posizione ampiamente e appassionatamente a *Purg.* XXV 61-75 (si vedano le note a quel luogo).

28-32. D'i Serafin...: si elencano qui le più eccelse fra le creature, sia degli angeli che degli uomini: nessuna di loro è in un luogo diverso da questi spiriti del cielo della luna. Quello tra i Serafini che più si immedesima, si immerge in Dio (*indiarsi* è uno dei forti verbi coniati da Dante con il prefisso *in-*, numerosi nel *Paradiso*: *intrea, immilla, indova, insempra* ecc.). I Serafini erano la più alta delle gerarchie angeliche.

29. Moïsè, Samuel...: Mosè, colui che dette agli Ebrei la legge, detto nella Bibbia il più grande dei profeti (*Deut.* 34, 10), e Samuele, altro grande profeta, citato con Mosè in *Ier.* 15, 1. Sono due tra i massimi nomi dell'Antico Testamento.

29-30. quel Giovanni...: quello che vuoi dei due Giovanni (il Battista e l'Evangelista); cioè sia l'uno che l'altro. Ecco i due nomi del Nuovo Testamento: il primo, detto da Gesù il più grande dei nati di donna (*Matth.* 11, 11); il secondo, l'apostolo «che Gesù amava», l'unico rimasto sotto la Croce con Maria (*Io.* 13, 23; 19, 26).

■

... si impiglia in se stessa e non può esprimersi in parole (fuor non spira). ◆ Tu così ragioni: "Se la buona volontà resta integra (dura), per quale ragione la violenza di un altro diminuisce la mia quantità (misura) di merito?". E inoltre ti dà motivo di dubitare il fatto che sembra che le anime (dopo la morte) ritornino nelle stelle (da cui sarebbero discese), secondo il pensiero di Platone. Queste sono le domande che nella tua volontà premono con ugual forza; e perciò tratterò prima quella che ha più veleno. ◆ Quello tra i Serafini che si immedesima maggiormente in Dio (s'india), Mosè, Samuele, e quello che vuoi dei due Giovanni (il Battista e l'Evangelista), ...

30   che prender vuoli, io dico, non Maria,
       non hanno in altro cielo i loro scanni
    che questi spirti che mo t'appariro,

33   né hanno a l'esser lor più o meno anni;
       ma tutti fanno bello il primo giro,
    e differentemente han dolce vita

36   per sentir più e men l'etterno spiro.
       Qui si mostraro, non perché sortita
    sia questa spera lor, ma per far segno

39   de la spiritüal c'ha men salita.
       Così parlar conviensi al vostro ingegno,
    però che solo da sensato apprende

42   ciò che fa poscia d'intelletto degno.
       Per questo la Scrittura condescende

---

30. non Maria: e neppure Maria, la più alta tra le creature (XXXIII 2); *non* sottolinea che se non è eccettuata lei, nessuno può esserlo.

31. in altro cielo: cioè in un luogo di beatitudine diverso, più alto; *i loro scanni*: i loro seggi. I beati si immaginano seduti sui troni, come poi appariranno nell'Empireo, e come erano raffigurati nelle pale dei pittori del tempo.

32. che mo t'appariro: che poco fa ti si mostrarono nella sfera lunare, cioè nella più bassa. Gli spiriti più alti in merito, e più bassi, abitano quindi tutti lo stesso cielo.

33. né hanno...: e non hanno un maggiore o minore numero di anni stabilito al loro stato di beati (*l'esser lor*). Resteranno cioè tali in eterno. Questa seconda precisazione si riferisce all'altro errore contenuto nella dottrina platonica, per la quale le anime restavano nella loro stella più o meno a lungo secondo i loro meriti.

34-6. ma tutti...: la terzina ha andamento glorioso e disteso, dispiegando allo sguardo l'unica e dolce beatitudine che rende eternamente, se pur disegualmente, felici gli eletti (cfr. VI 118-26); le tre clausole dei versi (*il primo giro*, la *dolce vita*, *l'etterno spiro*) qualificano

---

... dico, e neppure Maria, non hanno i loro seggi in un cielo diverso da questi spiriti che poco fa ti apparvero, come non hanno un maggiore o minore numero di anni stabilito per il loro stato di beati (l'esser lor); ma tutti rendono bello il primo cielo, e hanno la vita beata in modo diverso secondo la loro diversa capacità di sentire in sé lo spirito divino.
◆ *Ti si mostrarono qui, non perché questa sfera (lunare) sia data loro in sorte (come sede della loro vita beata), ma per darti un segno sensibile di quella sfera (o grado) che essi occupano nel cielo spirituale (cioè nell'Empireo), che è meno elevata delle altre. In questo modo è necessario (conviensi) parlare al vostro ingegno umano, perché esso apprende solo da quello che percepiscono i sensi (sensato) ciò che poi è oggetto di conoscenza.* ◆ *Per questo (anche) la Scrittura accondiscende ...*

---

in crescendo quella condizione: il luogo supremo (il *primo giro* è l'Empireo, primo dei cieli, che tutti li contiene), la dolcezza della vita (*dolcezza* già dichiarata nel canto di Piccarda: III 37-9), la divina presenza dello spirito d'amore (*l'etterno spiro*) che tutti li pervade.

– **differentemente**: la differenza di beatitudine (*dolce vita*) dipende dal *sentir*, cioè dallo sperimentare in sé, più o meno, la presenza dello Spirito Santo, che è amore. Tale capacità è commisurata al merito, qui presentato, con profonda concezione insieme teologica e poetica, come capacità di amore. La gradazione nella beatitudine, per la quale ognuno è perfettamente appagato ma con diverse «quantità» secondo la sua attitudine a riceverla, cioè secondo il merito, è dottrina presente in Agostino come in Tommaso.

37. non perché sortita: non perché questa sfera lunare sia data loro in sorte come sede della loro vita beata.

38-9. ma per far segno...: ma per significare in modo sensibile, corporeo, la sfera o grado che essi occupano nel vero paradiso, quello spirituale (cioè nell'Empireo), che è meno elevata delle altre (*ha men salita*, ha minore altezza; cfr. *Purg.* X 30).

40-2. Così...: cioè con segni e figure sensibili, è necessario (*conviensi*) parlare al vostro ingegno umano, perché esso apprende solo da quello che percepiscono i sensi (*sensato*) ciò che poi è oggetto di conoscenza. È questa la teoria aristotelica e poi scolastica della conoscenza, teoria che anche Dante segue (cfr. *Conv.* II, IV 17). Su questa dottrina si fonda infine tutta la visione della *Commedia*, che attraverso figure sensibili vuole offrire il significato spirituale del destino dell'uomo.

43-5. Per questo la Scrittura...: per questo anche il libro divino segue questa strada, accondiscendendo alle esigenze dell'umano intelletto. L'esempio della Scrittura è qui decisivo per capire l'intenzione di Dante. Come nella Bibbia si presentano con immagini corporee esseri spirituali (Dio o gli angeli), e quelle immagini hanno valore metaforico (*altro intende*), così qui nel libro di Dante le apparizioni dei beati nei cieli fisici – e le stesse sembianze corporee che all'inizio

a vostra facultate, e piedi e mano
45 attribuisce a Dio, e altro intende;
e Santa Chiesa con aspetto umano
Gabrïel e Michel vi rappresenta,
48 e l'altro che Tobia rifece sano.
¯Quel che Timeo de l'anime argomenta
non è simile a ciò che qui si vede,
51 però che, come dice, par che senta.
Dice che l'alma a la sua stella riede,
credendo quella quindi esser decisa
54 quando natura per forma la diede;
e forse sua sentenza è d'altra guisa
che la voce non suona, ed esser puote
57 con intenzion da non esser derisa.

si scorgono – sono soltanto figure, metafore, della realtà spirituale che si vuol rivelare al pellegrino della terra, ancora avvolto nei sensi.

– **altro intende**: significa altra cosa, cioè una realtà non corporea, ma spirituale. Si cfr. il passo di san Tommaso che corrisponde, quasi alla lettera, al testo dantesco: «È conveniente che la Sacra Scrittura presenti le cose divine e spirituali con metafore corporali. È infatti naturale per l'uomo di pervenire alle cose intelligibili attraverso quelle sensibili, poiché ogni nostra conoscenza ha inizio dai sensi» (*S.T.* I, q. 1 a. 9).

47-8. Gabrïel e Michel...: dopo Dio, puro spirito, l'esempio degli angeli, anch'essi spiriti incorporei. Sono qui ricordati i tre arcangeli che appaiono nella Bibbia: Gabriele, che portò a Maria l'annuncio della nascita di Gesù (*Luc.* 1, 26-38; *Purg.* X 34 sgg.); Michele è il capo della milizia angelica, che vinse Lucifero e gli angeli ribelli (*Inf.* VII 11-2); *l'altro* è Raffaele, che accompagnò nel viaggio il giovane figlio di Tobia e ridette la vista al padre cieco (*Tob.* 3, 25; 5-12).

49-51. Timeo: dialogo platonico che prende il nome dal filosofo di Locri che ne è il protagonista. Ciò che il *Timeo* sostiene a proposito delle anime umane (cfr. sopra, vv. 22-4 e nota) non è la stessa cosa di ciò che hai visto nel cielo della luna (dove le anime si mostrano, ma non risiedono), perché l'autore pare credere come vero quello che dice (mentre qui ciò che si vede non è realtà, ma figura). La differenza dunque non è nella situazione, ma nel modo di intenderla, come vera o come metaforica; per cui si deduce che se anche Platone l'avesse intesa metaforicamente, anche lui potrebbe aver detto il vero. Ed è proprio quello che Dante suggerirà come possibile nei versi seguenti.

52-4. Dice che l'alma...: egli dice infatti (spiega il *come dice* del v. 51) che l'anima ritorna, dopo la morte, alla sua stella, perché crede che essa sia di lì discesa, quando la natura la diede ad un corpo come sua forma.

– **decisa**: i più spiegano «distaccata» (dal lat. «decïdere», tagliare; cfr. *deciso* a *Purg.* XVII 111). Ma ci sembra più proprio in questo contesto intendere «caduta» (dal lat. «decïdere», cadere dall'alto), come suggerì il Torraca. Nel passo di Macrobio infatti, che nel commento al *Somnium Scipionis* riporta questa dottrina di Platone (I 11-2), sono sempre usati per le anime che scendono dal cielo i verbi «labor» e «delabor», che significano appunto «cadere», «precipitare in basso».

55. forse: questo *forse*, ripetuto al v. 59, esprime l'esitazione di Dante nell'avanzare una giustificazione alla dottrina già condannata come eretica dalla Chiesa; ma la stessa ripetizione rivela anche l'intimo convincimento del poeta: che in realtà quello platonico sia un mito, e come tale vada inteso (come un mito, sia pur fondato su una certa realtà, sarà tutto il suo racconto paradisiaco). Si veda su questo l'Introduzione al canto.

55-7. sua sentenza...: il suo vero pensiero (*sentenza* corrisponde al *senta* del v. 51, dove infatti è detto: *par*, sembra, *che senta*, dunque non è sicuro) è diverso da ciò che le parole suonano, cioè significano letteralmente; *ed esser puote...*: e può avere in sé una *intenzion*, cioè un modo di intendere, tale da non essere schernita (ma, s'intende, che abbia un fondo di verità). Si veda anche in questa terzina lo stesso esitante linguaggio: *esser puote* (potrebbe, non è detto che sia) – *non esser derisa*, litote per «essere apprezzata».

... alle vostre esigenze, e attribuisce piedi e mani a Dio, e significa altra cosa (cioè una realtà non corporea, ma spirituale); e la Santa Chiesa vi rappresenta con un aspetto umano Gabriele e Michele e l'altro angelo che risanò Tobia. Ciò che il Timeo afferma (sul destino) delle anime non è simile a ciò che qui si vede, perché l'autore pare veramente credere a ciò che dice. ◆ Egli dice infatti che l'anima ritorna (dopo la morte) alla sua stella, perché crede che essa sia di lì discesa, quando la natura la diede ad un corpo come sua forma (o principio vitale); e forse il suo vero pensiero è diverso da ciò che le parole significano letteralmente, e può avere in sé un'interpretazione tale da non dover essere schernita.

S'elli intende tornare a queste ruote
l'onor de la influenza e 'l biasmo, forse
60   in alcun vero suo arco percuote.
     Questo principio, male inteso, torse
già tutto il mondo quasi, sì che Giove,
63   Mercurio e Marte a nominar trascorse.
     L'altra dubitazion che ti commove
ha men velen, però che sua malizia
66   non ti poria menar da me altrove.
     Parere ingiusta la nostra giustizia
ne li occhi d'i mortali, è argomento
69   di fede e non d'eretica nequizia.
     Ma perché puote vostro accorgimento
·ben penetrare a questa veritate,

58-60. S'elli intende...: ecco infine la spiegazione proposta da Dante: se Platone intende dire (è l'*intenzion* da non deridersi del v. 57) che ritornino a questi cieli non le anime in quanto tali, ma l'onore o il biasmo dell'influenza da loro esercitata sugli atti da esse compiuti, forse il suo dire riesce a centrare qualche aspetto della verità (la metafora dell'arco si usa anche oggi per il parlare nelle frasi «mettere a segno», «far centro» ‿ simili).

– **in alcun vero**: ultima attenuazione di questa «difesa» di Platone già avanzata in ben quattro terzine da Dante. Questa limitazione – «una qualche verità» – è diretta alla teoria degli influssi astrali, che Dante riconosce come operanti sulla natura e sugli uomini stessi, ma – per questi ultimi – non al punto di impedire la libertà: il libero arbitrio, cardine del mondo dantesco come apparirà in questo stesso canto, è infatti più forte degli influssi stellari, che può sempre vincere e dominare, come è detto nella lunga sequenza di Marco Lombardo a *Purg.* XVI 73-8. Su questo *alcun vero* – il legame delle anime con le loro stelle – Dante costruirà tutto il suo paradiso sensibile, mito e figura della realtà invisibile, proprio come egli intende qui il *Timeo* di Platone, non a caso dunque citato e «difeso» nel primo cielo o prima tappa del viaggio. Questa spiegazione di Platone in chiave metaforica non è una singolarità di Dan-

te, ma era già propria della filosofia scolastica; essa compare ad esempio nelle glosse al *Timeo* di Guglielmo di Conches, formulata con parole molto simili a quelle usate in questa terzina (si veda tra le *Letture consigliate* il saggio di S. Vanni Rovighi).

61-3. Questo principio...: il principio – in sé vero – per cui gli astri esercitano una influenza sulla natura umana, *male inteso* cioè preso nel senso deterministico – *torse*, traviò in antico quasi tutti i popoli (*quasi*, perché ci fu un'eccezione, il popolo eletto di Dio, Israele), così che si lasciarono trascinare a dare agli astri nomi di dèi, come Giove, Mercurio e Marte, e quindi come tali ad adorarli.

– **nominar**: dar nome, cioè dare i nomi di Giove, Mercurio, Marte (s'intende, ai pianeti).

64. L'altra dubitazion...: si affronta ora l'altro dubbio che turba (*commove*) Dante: come il subire violenza, mantenendo il *buon voler*, possa essere considerato un demerito senza venir meno alla giustizia (vv. 19-21).

65-6. ha men velen...: è meno pericolosa (cfr. il *felle* del v. 27), perché non potrebbe – come l'altra – allontanare Dante dalla fede rivelata che Beatrice impersona. La ragione di ciò è spiegata nella terzina seguente.

67-9. Parere ingiusta...: che la giustizia divina possa nei suoi atti e decisioni sembrare ingiusta agli occhi degli uomini è un fatto che induce, persuade alla fede (*argomento di fede*) e non all'eresia: che i giudizi di Dio siano inaccessibili agli uomini, per la sua infinitamente superiore sapienza, è infatti coerente alla fede nel trascendente, e dichiarato in tutta la Scrittura (si cfr. *Is.* 55, 9; *Sap.* 9, 13; *Rom.* 11, 33. Che ciò accada, conforta dunque piuttosto a credere, che a cadere nell'eresia a cui portava l'opinione platonica se letteralmente intesa; si cfr. sopra la nota ai vv. 22-4).

70-1. Ma perché...: ma poiché in questo caso la vostra capacità di intendere (*accorgimento*) può penetrare con le sue forze in questa verità Cioè non c'è bisogno di rimettersi al giudizio divino come incomprensibile, ma la stessa ragione umana è in grado di intenderne le motivazioni.

─── ■ ───

Se egli intende che ritornino a questi cieli l'onore o il biasimo dell'influenza (sugli atti compiuti dalle anime), forse l'arco del suo ragionamento riesce a centrare qualche aspetto della verità. Questo principio, male inteso, traviò quasi tutti i popoli, che si lasciarono trascinare a dare (agli astri) nomi di dèi, come Giove, Mercurio e Marte. ◆ L'altro dubbio che ti turba è meno pericoloso, perché la sua malizia non potrebbe allontanarti da me. Che la nostra giustizia (quella divina) possa sembrare ingiusta agli occhi degli uomini, è un fatto che induce alla fede (argomento di fede) e non all'eresia. Ma poiché la vostra capacità di intendere può penetrare in questa verità, ...

72 come disiri, ti farò contento.
 Se vïolenza è quando quel che pate
 nïente conferisce a quel che sforza,
75 non fuor quest'alme per essa scusate:
 ché volontà, se non vuol, non s'ammorza,
 ma fa come natura face in foco,
78 se mille volte vïolenza il torza.
 Per che, s'ella si piega assai o poco,
 segue la forza; e così queste fero
81 possendo rifuggir nel santo loco.
 Se fosse stato lor volere intero,
 come tenne Lorenzo in su la grada,
84 e fece Muzio a la sua man severo,

73-5. Se vïolenza...: se si ha violenza quando colui che la subisce (*pate*: cfr. XX 94) non accondiscende in nulla a colui che esercita la costrizione (*sforza*, costringe con la forza), allora queste anime non sono da considerare scusate per la violenza subita. Infatti esse hanno, sia pur nolenti, accondisceso ad essa. Come si vedrà dagli esempi subito portati, vera vittima della violenza è colui che si lascia uccidere pur di non cedere ad essa. Nella soluzione di questo dubbio Dante si rifà ai concetti definiti nell'*Etica Nicomachea*, al cap. III, da cui i vv. 73-4 sono tradotti alla lettera: l'atto violento, dice infatti Aristotele, è quello «nel quale colui che agisce e colui che subisce ("patiens") non sono in nessun modo concordi ("confert")». Cfr. le note ai vv. 100-2 e 106-8.

76-8. ché volontà...: prorompe qui il grande inno alla libera volontà dell'uomo, centro portante di tutto il mondo morale dantesco e ispiratore di tante tra le sue più alte e commosse pagine di poesia. Come una fiamma accesa, la volontà non può spegnersi per forza altrui, se essa stessa non lo vuole, ma fa come il fuoco che costretto e conculcato sempre si risolleva verso l'alto (*torza*: «torca», «pieghi», si riferisce alla forza del vento che investa una fiamma). Sul concetto aristotelico si innesta il vivo senso cristiano della suprema dignità dell'uomo. Si cfr. Anselmo, *De libertate arbitrii* 5: «Un uomo può essere legato contro la sua volontà, perché può essere legato anche se non vuole, può essere ucciso contro la sua volontà, perché può essere ucciso anche se non vuole, ma non può volere contro la sua volontà, perché non può volere ciò che non vuole». Parole scritte prima che Aristotele fosse noto in occidente.

79-80. s'ella si piega...: se dunque cede anche di poco, acconsente (*segue*, cioè *conferisce*: v. 74) in qualche modo alla violenza.

80-1. e così queste fero...: e questo è appunto il caso di queste anime, che potevano sia pure a costo di subire nuove violenze ritornare nel chiostro.

82. intero: cioè perfetto, non incrinato in nulla.

83-4. come tenne Lorenzo...: come (un tale *volere intero*) tenne fermo il martire Lorenzo sulla graticola in-

fuocata, e rese severo Muzio Scevola con la sua mano, che lasciò ardere sul fuoco davanti a Porsenna. I due esempi, notissimi, uno cristiano e l'altro pagano, vogliono significare come l'uomo possa, se vuole, resistere a qualsiasi violenza senza piegarsi. Si osservi come Dante condensa le due storie ognuna in un verso, sottolineando in ciascuna la strenua forza dell'animo (*tenne*, *severo*).

– **Lorenzo**: santo martire venerato in tutta la cristianità, al cui nome si intitola una delle maggiori basiliche romane; di origine spagnola, diacono in Roma, fu arso vivo su una graticola durante la persecuzione di Valeriano nel 258.

– **Muzio**: Caio Muzio Scevola, eroe della guerra contro Porsenna re degli Etruschi, che appartiene ai primi tempi leggendari della storia di Roma. Avendo tentato nella notte di uccidere il re nemico, scoperto e tratto davanti a lui, lasciò bruciare la sua mano destra sopra un braciere, per punirla di aver fallito il colpo. Porsenna ammirato lo lasciò libero e abbandonò l'assedio di una città che aveva tali eroici difensori. La storia è in Livio (II 12) e in numerosi altri autori, e Dante ricorda Muzio (con Cincinnato e i Deci citati nel canto VI, Fabrizio, Regolo e altri) come esempio dei «divini cittadini» dell'antica Roma in *Conv.* IV, V 13 e *Mon.* II, V 14.

... ti accontenterò in ciò che desideri. ◆ *Se si ha violenza quando colui che la subisce non accondiscende in nulla a colui che esercita la costrizione (sforza), allora queste anime non sono da considerare scusate per la violenza subita; poiché la volontà non può spegnersi, se essa stessa non lo vuole, ma fa come fa il fuoco per sua natura anche se mille volte una forza violenta lo torza. Per cui, se cede molto o poco che sia, acconsente (segue) in qualche modo alla violenza; e così fecero appunto queste anime, che potevano (sia pure a costo di subire nuove violenze) ritornare nel luogo santo del chiostro.* ◆ *Se la loro volontà fosse stata perfetta, come tenne fermo il martire Lorenzo sulla graticola, e rese severo Muzio Scevola con la sua mano, ...*

così l'avria ripinte per la strada
ond'eran tratte, come fuoro sciolte;
87   ma così salda voglia è troppo rada.

E per queste parole, se ricolte
l'hai come dei, è l'argomento casso
90   che t'avria fatto noia ancor più volte.

Ma or ti s'attraversa un altro passo
dinanzi a li occhi, tal che per te stesso
93   non usciresti: pria saresti lasso.

Io t'ho per certo ne la mente messo
ch'alma beata non poria mentire,
96   però ch'è sempre al primo vero appresso;

e poi potesti da Piccarda udire
che l'affezion del vel Costanza tenne;
99   sì ch'ella par qui meco contradire.

Molte fiate già, frate, addivenne

---

85. **ripinte**: risospinte; il soggetto è quel *volere in-tero* che *tenne* Lorenzo e avrebbe con la stessa forza «spinto indietro» le due suore verso il loro chiostro per quella stessa strada per la quale (*onde*) erano state trascinate.

86. **come fuoro sciolte**: non appena furono fisicamente libere dalla violenza. Molti qui si domandano: ma quando e come lo furono? se erano sposate, come potevano lasciare i mariti? e Costanza, una volta vedova, come avrebbe lasciato il figlioletto di tre anni? Tali domande sembrano in realtà oziose. Dante ha chiaramente detto, con gli esempi sopra portati, che cosa egli intenda. Dovunque e non appena condotte, esse avrebbero dovuto fuggire, anche se di nuovo prese e costrette. Addentrarsi nei particolari non ha senso; è l'idea della volontà assoluta, intera, che qui conta e che è perfettamente espressa; si compatisce all'umana debolezza, anzi si riconosce che solo pochi sono capaci di tale interezza di volere (così il verso seguente). Ma ciò non toglie che il principio morale resti affermato con ardente sicurezza.

87. **così salda**: cioè resistente, non piegabile.

– **è troppo rada**: si trova ben raramente negli uomini. Accento di rammarico, ma anche di comprensione, per la debole natura umana. È proprio di Dante l'affermare sempre i grandi ideali, ma compatire all'uomo, beninteso là dove non sia malizia.

88-9. **ricolte / ... come dei**: accolte come devi, cioè con attenzione.

– **l'argomento casso**: il ragionamento che tu facevi (vv. 19-21) è *casso*, cioè cancellato, reso vano una volta per tutte.

90. **che t'avria...**: che avrebbe potuto esserti di impaccio (*fatto noia*), cioè far sorgere dubbi, anche in altre occasioni.

91. **ti s'attraversa...**: si mette di traverso sul tuo cammino *un altro passo*, un altro punto difficile. Dante rappresenta con la figura di un arduo percorso il processo della conoscenza, secondo il suo tipico stile che fa concreti gli eventi dell'animo e della mente (cfr. II 52-7).

93. **non usciresti**: non ne verresti fuori: cioè non potresti oltrepassarlo da solo, perché ti stancheresti prima (*pria saresti lasso*).

94-9. **Io t'ho per certo...**: Beatrice presenta qui il secondo dubbio che Dante non ha espresso: io ho posto nella tua mente come cosa certa, con le mie parole, che i beati non potrebbero mentire in nessun caso, perché son sempre vicini, strettamente uniti, alla verità stessa, che è Dio (cfr. III 31-3). Piccarda ha poi detto che Costanza ha sempre mantenuto nel suo cuore la fedeltà al voto (cfr. III 117). Essa sembra dunque contraddire a quanto ora ho affermato, cioè che quelle anime non ebbero un *volere intero*, una volontà perfetta, nelle fedeltà al loro voto. Se questa contraddizione ci fosse, una di noi due mentirebbe. Ma, come ora si spiegherà, le due affermazioni non si contraddicono, e sono ambedue vere.

■

... così le avrebbe risospinte per la strada per la quale erano state trascinate via, non appena furono fisicamente libere dalla violenza (sciolte), ma una volontà così salda è assai rara. E con queste parole, se le hai accolte come devi, è cancellato il ragionamento che tu facevi, che avrebbe potuto esserti di impaccio (fatto noia) anche in altre occasioni. ◆ *Ma ora ti si pone davanti agli occhi (della mente) un altro punto difficile, tale che con le tue sole forze non ne verresti fuori, perché ti stancheresti prima (pria saresti lasso). Io ho posto nella tua mente come cosa certa che i beati non potrebbero mentire in nessun caso, perché son sempre vicini alla verità stessa (che è Dio); e poi hai potuto udire da Piccarda che Costanza ha sempre mantenuto (nel suo cuore) la fedeltà al voto del velo; così che ella pare qui contraddirmi.* ◆ *Molte volte, fratello, è già accaduto ...*

che, per fuggir periglio, contra grato

102   si fé di quel che far non si convenne;

come Almeone, che, di ciò pregato

dal padre suo, la propria madre spense,

105   per non perder pietà si fé spietato.

A questo punto voglio che tu pense

che la forza al voler si mischia, e fanno

108   sì che scusar non si posson l'offense.

Voglia assoluta non consente al danno;

ma consentevi in tanto in quanto teme,

111   se si ritrae, cadere in più affanno.

Però, quando Piccarda quello spreme,

de la voglia assoluta intende, e io

114   de l'altra; sì che ver diciamo insieme».

Cotal fu l'ondeggiar del santo rio

ch'uscì del fonte ond'ogne ver deriva;

100-2. **Molte f'iate...**: Beatrice, prima di dare la risposta teorica, offre l'esempio pratico: molte volte è accaduto che, per evitare un pericolo maggiore, si sia fatto, contro il gradimento proprio (*contra grato*), ciò che non si sarebbe dovuto fare. È questa la teoria del «male minore», per cui l'uomo sceglie tra due mali, non volendo in realtà né l'uno né l'altro. Il pensiero scolastico, seguendo Aristotele, distingue in questo caso due volontà: una assoluta, che non vuole il male che compie; una relativa, che lo vuole in quanto così facendo pensa di evitarne uno peggiore (cfr. *S.T.* Iᵃ IIᵃᵉ, q. 6 a. 6).

– **periglio** vale, in senso lato, «pericolo per la propria incolumità» (come è il caso di Piccarda e Costanza), o pericolo di commettere più grave ingiustizia (come è il caso di Almeone). Il termine equivale a *danno*, usato al v. 109.

103. **Almeone**: per vendicare il padre Anfiarao, che in punto di morte gliel'aveva chiesto, e non mancare quindi alla «pietas» verso di lui (*per non perder pietà*), uccise la madre Erifile compiendo così un atto di più grave empietà (il mito è ricordato anche in *Purg.* XII 49-51; cfr. la nota relativa).

105. **pietà... spietato**: il contrasto fra i due termini è già nella narrazione ovidiana: «e un figlio con atto pio e insieme scellerato, punirà la genitrice per vendicare il genitore» (*Met.* IX 407-8).

106-8. **A questo punto...**: cioè nel momento in cui uno accetta di fare ciò che non vorrebbe – e non dovrebbe – *per fuggir periglio*, alla forza di chi commette la violenza si unisce la volontà di chi la subisce, e questa «mescolanza» (per dirla con Aristotele) di volere e non volere fa sì che le colpe (*l'offense*) così commesse non possano essere del tutto scusate (in quanto c'è stato in esse un sia pur minimo consenso del volere). Si cfr. Aristotele, *Eth. Nic.* III, I 241-4: «Tali operazioni sono di carattere misto; tuttavia in esse prevale l'aspetto volontario»; e Tommaso, al luogo sopra ci-

tato (vv. 100-2): «a ciò che si fa per timore la volontà di colui che teme è in qualche modo consenziente».

109-11. **Voglia assoluta...**: si formula ora la distinzione teorica da noi sopra riportata: la volontà in senso assoluto non consente al male, ma vi consente in modo relativo, in quanto teme, se si rifiuta (*si ritrae*), di cadere in un male peggiore.

112. **spreme**: esprime; cioè quando parla del *vel del cor* da cui Costanza non fu *già mai disciolta* (III 117). Per la forma *spremere* si cfr. XXIV 122 e nota.

114. **de l'altra**: cioè di quella relativa o condizionata; quando dissi che il volere di quelle anime si era «piegato» cedendo alla forza (vv. 79-81).

115. **l'ondeggiar**: il fluire ondoso, cioè abbondante e scorrevole; il verbo, che ha qui la sua unica occorrenza nell'opera dantesca, esprime con immagine liberatoria quella ricca onda di pensieri che placa i tormentosi dubbi di Dante. Il ragionare è paragonato a un fiume (*rio*) e la *fonte* o sorgente da cui sgorga ogni verità è la sa-

---

... che, per evitare un pericolo maggiore, si sia fatto, contro il proprio gradimento (contra grato), ciò che non si sarebbe dovuto fare; come Almeone che uccise la propria madre, avendolo pregato di fare ciò il padre suo; per non venir meno alla pietà (cioè alla devozione filiale) verso il padre, divenne spietato (verso la madre). ◆ In tale situazione voglio che tu comprenda che la violenza si mescola alla volontà (di chi la subisce), in modo che le colpe (l'offense) così commesse non possano essere del tutto scusate. La volontà in senso assoluto non consente al male; ma vi consente in modo relativo, in quanto teme, se si rifiuta (si ritrae), di cadere in un male peggiore. Per ciò, quando Piccarda esprime quel concetto, parla della volontà assoluta, mentre io parlo di quell'altra (relativa o condizionata); così che entrambe diciamo la verità». Tale fu il fluire ondoso del santo fiume che uscì dalla fonte da cui deriva ogni verità;...

117　tal puose in pace uno e altro disio.

«O amanza del primo amante, o diva»,
diss'io appresso, «il cui parlar m'inonda

120　e scalda sì, che più e più m'avviva,

non è l'affezion mia tanto profonda,
che basti a render voi grazia per grazia;

123　ma quei che vede e puote a ciò risponda.

Io veggio ben che già mai non si sazia
nostro intelletto, se 'l ver non lo illustra

126　di fuor dal qual nessun vero si spazia.

Posasi in esso, come fera in lustra,
tosto che giunto l'ha; e giugner puollo:

129　se non, ciascun disio sarebbe *frustra*.

---

pienza divina, qui impersonata da Beatrice. La metafora del «fiume dell'eloquenza» è antica e comunissima, ma quel verbo, e il verso finale, la fanno nuova e grande. Si veda come la stessa immagine appaia al confronto quasi convenzionale a *Inf.* I 79-80.

117. **tal**: ed essendo tale.

– **puose in pace**: quietò, placò. L'inquieta ansia della mente che cerca la verità, adombrata in questo verso, sarà il nuovo tema che occuperà l'ultima parte del canto.

118. **O amanza...**: o amata dal primo amore (cioè Dio, da cui ogni amore procede; cfr. *Inf.* III 6). – *amanza* (amore) è un provenzalismo di uso corrente nei nostri poeti del '200. L'attacco commosso di questa terzina prosegue il modo immaginoso e l'ampio andamento ritmico di quella precedente, che segna il passaggio dal nudo ragionamento al parlare ardente, affettuoso e ricco di immagini proprio di tutto questo finale di canto.

diva: donna divina; tali sono in realtà le anime dei beati.

119. **m'inonda**: il verbo riprende l'*ondeggiar* del v. 115: quasi «irriga la mia mente» con la verità, come intese Benvenuto; e al verso seguente *scalda*, cioè mi riscalda il cuore d'amore (cfr. III 1).

120. **m'avviva**: mi vivifica; come l'acqua e il calore

del sole danno vita alle piante sulla terra, così Dante è tutto ravvivato dal caldo fluire del discorso di Beatrice.

121-3. **non è l'affezion mia...**: il mio umano sentimento non può essere così profondo da bastare a render grazie pari alla grazia ricevuta da voi. Il divario può essere colmato solo da Dio (che tutto vede e tutto può). L'idea qui espressa è di perfetta teologia cristiana (la grazia offerta è divina, l'affetto che ringrazia è umano, non può essere quindi pari), ma si trova anche – caso non raro – in Virgilio, nelle parole dette da Enea a Didone: «a noi non è dato di ricambiare degnamente il tuo merito... Gli dèi... ti ricompensino degnamente» (*Aen.* I 600-5).

124. **non si sazia**: appena placato, l'insaziabile desiderio di Dante risorge a porre un'altra domanda. Per arrivarci egli descrive in queste tre terzine, per vivissime immagini, il processo sempre rinnovantesi dell'umana conoscenza, che si quieta solo quando giunge al vero ultimo e supremo. E descrive così la storia stessa della sua vita e del suo poema.

125-6. **se 'l ver non lo illustra...**: se non lo illumina quella verità al di fuori della quale nessuna verità può aver luogo, cioè Dio stesso. Che solo Dio possa placare la sete dell'intelletto umano, è punto centrale nella storia del pensiero di Dante; cfr. i versi iniziali di *Purg.* XXI e la nota relativa.

127. **Posasi in esso...**: il nostro intelletto si riposa in quel vero, non appena lo raggiunge, come la fiera nella sua tana (*lustra*, dal lat. «lustrum», tana, covile). L'immagine della fiera (che evoca la ricerca bramosa del cibo) esprime l'ardente passione della ricerca del vero connaturata all'intelletto umano.

128. **e giugner puollo**: ed è certamente possibile all'uomo il raggiungere la verità. Questa breve ma forte affermazione racchiude una lunga storia, di cui le prime battute sono nel *Convivio*, là dove ci si domanda come possa l'uomo essere felice, se non può arrivare a comprendere con la ragione ciò che pur desidera, cioè le supreme realtà spirituali (*Conv.* III, xv 6-7). La risposta a cui Dante giunge, che è quella stessa di Tom-

---

... così placò entrambi i miei desideri. ◆ *«O amata dal primo amore (cioè Dio), o donna divina» dissi io allora «il cui parlare mi inonda e scalda tanto che sempre più mi vivifica, il mio sentimento non può essere così profondo da bastare a rendere grazie pari alla grazia ricevuta da voi; ma colui che vede e può supplisca a questa mia insufficienza (a ciò risponda). Io comprendo bene che l'intelletto umano non è mai appagato, se non lo illumina quella verità al di fuori della quale nessuna verità può aver luogo (cioè Dio stesso). Il nostro intelletto si riposa nel vero, non appena lo raggiunge, come la fiera nella sua tana; ed è certamente possibile il raggiungere la verità (e giugner puollo); altrimenti ogni desiderio sarebbe inutile.*

> Nasce per quello, a guisa di rampollo,
> a piè del vero il dubbio; ed è natura
> 132 ch'al sommo pinge noi di collo in collo.
> Questo m'invita, questo m'assicura
> con reverenza, donna, a dimandarvi
> 135 d'un'altra verità che m'è oscura.
> Io vo' saper se l'uom può sodisfarvi
> ai voti manchi sì con altri beni,
> 138 ch'a la vostra statera non sien parvi».
> Beatrice mi guardò con li occhi pieni
> di faville d'amor così divini,
> che, vinta, mia virtute diè le reni,
> 142 e quasi mi perdei con li occhi chini.

maso, si trova in quei tre soli, rapidi versi già sopra citati di *Purg.* XXI 1-3: l'uomo può arrivare a saziare la sua sete naturale, ma per grazia divina, non con le sole sue forze, come è detto qui ai vv. 124-6.

129. sarebbe frustra: sarebbe inutile: se l'uomo non potesse saziarsi, il desiderio posto in lui dalla natura resterebbe vano (l'espressione «frustra esse» è del linguaggio scolastico); il che non è ammissibile.

130-1. Nasce per quello...: per quel naturale desiderio – insito in ogni uomo – il dubbio spunta quasi alla radice del vero appena acquisito, come un nuovo germoglio alla base della pianta (*rampollo*: getto, pollone). Si veda come in questo serrato finale l'una immagine faccia subito seguito all'altra (il fiume, la fiera, il germoglio).

131-2. ed è natura...: e questo nascere di un nuovo dubbio da ogni vero è opera della natura, che così ci spinge, di altura in altura, fino alla cima suprema (*collo* per «sommità» anche a *Inf.* XXIII 43). Questo salire per gradi, di tappa in tappa, da minore a maggiore (già descritto in *Conv.* IV, XII 17 per i desideri umani), è proprio il percorso che il pellegrino fa nell'immaginato viaggio, fino *al sommo*, alla meta finale, l'Empireo, raggiunto nell'ultimo canto del poema.

133-5. Questo m'invita...: questa certezza – che attraverso i sempre nuovi dubbi l'uomo è sospinto a raggiungere la suprema verità – mi dà coraggio a fare un'altra domanda, sempre con la dovuta reverenza (quasi temendo di infastidire). La ripetizione nel verso d'apertura mantiene l'andamento di intensità affettiva proprio di questo passo.

136-8. se l'uom può sodisfarvi...: se l'uomo possa dare soddisfazione alla vostra giustizia celeste per i voti mancati, inadempiuti, con altri beni, in modo tale che non siano troppo scarsi di peso (*parvi*: piccoli) sulla vostra bilancia; cioè che possano pareggiare il peso di quei voti. – *vi*, a voi; come il *vostra* che segue, il pronome si riferisce a tutta la «corte del cielo», che è tutt'uno col volere divino, come più volte fa intendere Beatrice: si veda *nostra giustizia* del v. 67 o *nostra corte* di *Purg.* XXXI 41. Per la rilevanza e il vero si-

gnificato del problema qui posto – in sostanza se si possa sostituire con oggetti di eguale valore ciò che nel voto si è offerto e poi non si è dato – si veda l'Introduzione al canto seguente, che a tale questione è dedicato.

139. Beatrice mi guardò...: lo splendore amoroso dello sguardo di Beatrice vince lo sguardo di Dante, che tace, chiudendo il canto come già chiuse quello precedente (III 128-30). Là un *folgorare*, qui *faville*, le parole dominanti sono sempre immagini di infuocato ardore (cfr. anche III 69), che sollevano il testo in quella temperie di alto sentimento di amore che regge e conduce tutta la trama del *Paradiso*.

140. così divini: l'aggettivo prende grande rilievo in chiusa di un tal verso: esso esprime la realtà divina che vive nei beati, e che vince le facoltà mortali; si cfr. il *non so che divino* che *risplende* nel volto di Piccarda (III 59).

141. mia virtute...: la mia virtù, o facoltà, visiva, *diè le reni*, volse le spalle, cioè si volse in fuga: «compie con un'immagine l'idea di *vinta*» (Torraca).

142. mi perdei: mi confusi, mi smarrii; si cfr. *e fui quasi smarrito* di *Inf.* V 72. Lo smarrimento, che è come il perdere il controllo e la coscienza di sé, proprio dell'uomo sopraffatto da una violenta impressione, situazione che più volte Dante registra nel poema, ha in questo verso una delle sue più intense espressioni.

◆ *Per quel naturale desiderio il dubbio nasce, come un germoglio, alla radice del vero; ed è la natura che così ci spinge, di altura in altura, fino alla cima suprema. Questa certezza mi invita e mi dà il coraggio, donna, sempre con la dovuta reverenza, di chiedervi di un'altra verità che mi è oscura.* ◆ *Voglio sapere se l'uomo possa dare soddisfazione (alla vostra giustizia celeste) per i voti inadempiuti con altre opere meritorie (altri beni), in modo tale che non siano troppo scarsi di peso (parvi) sulla vostra bilancia». Beatrice mi guardò con gli occhi pieni di scintille d'amore, così divini che la mia facoltà visiva, sconfitta, volse le spalle (in fuga), e quasi mi smarrii con gli occhi bassi.*

approfondimenti

PROBLEMI DOTTRINALI

L'essenza della libertà   *versi 1-3   Intra due cibi...*

L'esempio aristotelico proponeva, come si è detto, il problema dell'essenza della libertà, riposta per gli scolastici nella volontà (che sceglie liberamente in base ai dati offerti dalla ragione), per gli aristotelici o averroisti latini nell'intelletto (libero di giudicare senza essere determinato dall'appetito). L'inerzia obbligata qui indicata nell'esempio sembrerebbe portare Dante piuttosto tra i secondi. Tuttavia niente è più lontano dal suo pensiero del determinismo intellettualistico che da quella posizione deriverebbe (il giudizio della ragione costringe infatti la scelta della volontà). Che egli attribuisca alla volontà un ruolo primario risulta del resto da questo stesso canto (vv. 73-81), come da V 26-7 e *Purg.* XVI 73-8. Questo esempio – come sembrano suggerire anche le due variazioni che seguono, di cui una è di ascendenza ovidiana, quindi letteraria – ha qui probabilmente una funzione più narrativa che teorica: è questa la classica similitudine dantesca che mira a ritrarre un atteggiamento psicologico dell'uomo (cfr. *Inf.* I 55-60 e nota), usata in questo caso per introdurre le due diverse questioni trattate nel canto. Che essa denunci l'opzione di Dante per la teoria averroista sembra arrischiato pensare, anche se in altri luoghi egli sottolinea l'importanza della ragione nell'esercizio della libertà. Dante si avvicina su questo problema piuttosto a Tommaso che, col solito equilibrio, riconosce nell'atto libero i due ruoli compresenti delle due facoltà proprie dell'uomo: *S.T.* Iᵃ IIᵃᵉ, q. 17 a. 1). A questa affermazione corrisponde infatti la definizione che Dante dà del libero arbitrio in *Mon.* I, XII 3. Su tutta la questione si veda la voce *arbitrio*, in *Enciclopedia Dantesca* I, pp. 345-8, a cura di S. Vanni Rovighi.

NOTE AL TESTO

v. 39. **spiritüal**: il Petrocchi legge *celestïal*, lezione meglio documentata dalla tradizione manoscritta. Tuttavia *spiritüal* (portato da codici autorevoli) è sicuramente più proprio, in quanto «celestiale» sembra potersi dire di tutto il paradiso dei nove cieli astronomici piuttosto che dell'Empireo (cielo che è di pura luce intellettuale) come intendono i commentatori; e qui si tratta di porre la differenza tra ciò che è sensibile, quindi percepibile da Dante (si veda la terzina seguente), e ciò che invece è appunto «spirituale». Per questo motivo *celestïal* appare piuttosto una lezione facile. Si legga del resto il passo di Tommaso addotto dal Parodi a sostegno della lezione a testo: «il luogo nel quale i santi saranno nella beatitudine non è corporale ma spirituale, e cioè Dio, che è uno... Sebbene il luogo spirituale sia uno solo, tuttavia sono diversi i gradi di approssimazione ad esso» (*S.T.* III, Suppl., q. 93 a. 2; Parodi, *Poesia e storia*, p. 593).

v. 63. **nominar**: altri editori leggono *numinar* (termine peraltro senza altri riscontri nell'uso), cioè «considerare come numi». Ma i tre nomi degli dèi in fila indicano chiaramente l'atto di dare il nome, uno ad uno, ai diversi pianeti.

NOTE LINGUISTICHE

v. 83. **grada**: grata; forma legittima (come *strada*), di cui non si conoscono però altri esempi (Parodi, *Lingua*, p. 232).

v. 86. Per *onde* con valore di moto per luogo si cfr. Boccaccio, *Dec.* II, V 84; VI, III 8; e Petrarca, *RVF* CCCXXXV 13.

vv. 136-8. **sodisfarvi**: per la costruzione di *soddisfare* con il doppio dativo, si cfr. *Inf.* X 6 e nota linguistica.

approfondimenti

SUGGERIMENTI PER LA RICERCA

Temi del canto

La «sentenza di Platone»

Leggi in *Timeo*, 41-42 l'esposizione della dottrina secondo cui le anime dopo la morte tornano alla stella dalla quale sono discese e rifletti, ripercorrendo le note al testo, sul motivo per cui Beatrice la giudichi pericolosa per la fede. Per approfondire la questione del rapporto tra Dante e il *Timeo* platonico puoi consultare la voce *Timeo*, a cura di M. Cristiani, in *Enciclopedia Dantesca* V, pp. 604-605.

La sede dei beati

Con l'aiuto dell'Introduzione al canto e delle note spiega qual è la sede propria delle anime dei beati, il luogo dove esse invece si mostreranno a Dante e per quale ragione. Ti potrà essere utile lo schema illustrativo del paradiso dantesco riprodotto nelle pagine iniziali del libro. Consulta anche la voce *Paradiso, Il Paradiso nella Commedia*, in *Enciclopedia Dantesca* IV, 286-287, a cura di M. Aurigemma.

La conoscenza attraverso i sensi

La teoria secondo la quale il conoscere umano ha inizio da ciò che percepiscono i sensi è di origine aristotelica e poi scolastica e fonda tutta la rappresentazione della *Commedia*, che attraverso figure sensibili cerca di rappresentare il destino delle anime. Ricerca su un buon manuale di filosofia l'esposizione della dottrina aristotelica, quindi leggi a confronto il passo del *Convivio* II, IV, 17, e i versi 52-54 del II canto del *Paradiso*, dove Dante chiarisce i limiti della conoscenza che parte dei sensi. Approfondisci poi l'argomento consultando la voce *sensato*, a cura di L. Onder, in *Enciclopedia Dantesca* V, 163-164 e il saggio di B. Nardi, *La conoscenza umana*, in *Dante e la cultura medievale*, in particolare le pp. 138-141.

La volontà è libera e indomita

Per spiegare la responsabilità delle anime che hanno mancato ai voti, Dante attinge sia alla sapienza pagana (vedi *Etica Nicomachea*, cap. III) sia alla dottrina cristiana e, analogamente, sceglie come esempi di volontà indomita un pagano e un cristiano. Leggi e confronta i passi citati nelle note e ricerca notizie su san Lorenzo e Muzio Scevola nel *Dizionario della Commedia* o in un altro dizionario enciclopedico a tua disposizione. Riassumi quindi in un breve testo il risultato delle tue personali riflessioni sulla fondamentale questione morale sollevata da Dante.

Lingua e stile

d'un modo – vv. 2 e 8

Nella lingua delle origini l'articolo *uno / una* può in alcuni casi definire come «uno solo» o «uno stesso» il sostantivo cui si riferisce. Leggi i passi sotto riportati e distingui i due diversi tipi di significato dell'articolo: *Vita Nuova* III 1 («passando per una via...»); *Conv.* I XI 9 («se una pecora si gittasse da una ripa..., tutte l'altre l'andrebbero dietro»); *Inf.* VII 130; *Purg.* III 108; *Par.* XV 75.

l'anima e la forma – vv. 52-54

Rileggi la spiegazione del termine *forma* nella nota a *Par.* I 104-5 e chiarisci come in altri luoghi della *Commedia* (che individuerai nei canti XXVII dell'*Inferno*, e IX e XVIII del *Purgatorio*), esso possa assumere il più specifico significato di «anima».

sforza – v. 74

Consulta la *Grammatica Italiana* del Serianni al cap. XV 107 e 119, dove si tratta dei diversi valori del prefisso *s-*. Individua poi, tramite le *Concordanze*, i pochi altri passi della *Commedia* in cui sia utilizzato il verbo *sforzare* e chiariscine il significato, stabilendone la differenza rispetto al verso di Petrarca «...Amor mi sforza» (*Canzoniere, Se 'l pensier che mi strugge* 14).

Paradiso

CANTO V

Introduzione

*I*l canto quinto, diversamente dai precedenti, è strutturato in due distinti tempi narrativi, dedicati ai due diversi cieli – della Luna e di Mercurio – nei quali esso si svolge; tale struttura bipartita, che si ripeterà altre volte nella cantica, ha qui un particolare carattere, che potrebbe definirsi di struttura aperta: nel primo tempo si risponde alla domanda posta alla fine del canto precedente, mentre nel secondo, che descrive l'arrivo nel nuovo cielo, viene introdotta la domanda a cui si risponderà in quello seguente.

Si costituisce così una unità narrativa, estesa dal terzo canto al sesto, nella quale sembra svolgersi – nell'intenzione dell'autore – un solo grande discorso.

Di fatto il problema aperto dal racconto di Piccarda (che riguardava formalmente il voto mancato, ma che in realtà pone la grande questione della umana libertà), dopo essere stato ampiamente trattato nel canto quarto, trova in questo la sua solenne conclusione, nella risposta data appunto all'ultimo dubbio di Dante là formulato. E d'altra parte l'apertura finale verso il canto seguente – nel quale si celebrerà il valore provvidenziale dell'Impero romano – sta ad indicare che quest'ultimo argomento è da porsi in relazione al primo. Ma del rapporto fra i due grandi temi così cari a Dante – libertà e impero universale – parleremo più avanti.

Il nostro canto, oltre alla singolare struttura di cui si è detto, contiene al centro un'altra novità importante: qui infatti si svolge il primo appassionato discorso ammonitore agli uomini del suo tempo – ai *Cristiani* in particolare – nel quale Dante assume, con solennità, quel ruolo di profeta che egli si farà riconoscere più avanti nella cantica, prima dall'avo Cacciaguida e poi dallo stesso san Pietro.

Il discorso profetico trova la sua motivazione, come accadrà altre volte, in quello teorico che precede, discorso che ha in questo canto una singolare forza drammatica. Introdotta da un'apertura ardente di luce e di amore dove si dichiara l'indissolubile nodo che stringe insieme conoscenza e amore (*l'etterna luce, / che, vista, sola e sempre amore accende*), la risposta alla domanda rimasta in sospeso (se si possa compensare in qualche modo il voto mancato) porta nella sua parte centrale la grande e commossa celebrazione dell'umana libertà, il massimo dono dato all'uomo da Dio. Tale celebrazione sembra corrispondere, nel suo tono solenne, alla terzina che nel canto precedente (vv. 76-8) celebrava la volontà: *Lo maggior don che Dio per sua larghezza / fese creando, e a la sua bontate / più conformato, e quel ch'e' più apprezza, / fu de la volontà la libertate*. La questione, che sembra all'inizio posta sul piano giuridico, si risolve così su quello spirituale: niente potrà darsi infatti in cambio di quel *tesoro*, del quale l'uomo non possiede niente di più prezioso.

La posizione di Dante viene in questo modo a presentarsi come fortemente innovativa rispetto alla trattazione scolastica del problema: ponendo l'essenza del voto nell'offerta a Dio della propria libera volontà, che diventa così il vero oggetto su cui si stabilisce il *patto* (e non il gesto, l'azione storica promessa, pellegrinaggio, elemosina o altro), si rendeva impossibile ogni *dispensa* da esso, neppure se concessa dal papa, e ben difficile anche uno scambio, o permuta, dell'oggetto del voto. La differenza fra la risposta data qui da Dante e quella propria anche dei massimi teologi – come san Tommaso – che ammettevano, oltre la permutabilità del voto, anche la dispensa papale, sta dunque nella diversa prospettiva, da giuridica – quindi fondata sull'autorità, sulla legge – a spirituale, fondata cioè sulla coscienza del singolo. È questa la linea da Dante sempre tenuta, in tutte le grandi questioni poste nel poema. E come sempre, tale prospettiva ha l'effetto di svelare immediatamente tutte le speculazioni interessate che sono sempre possibili nell'ambito puramente giuridico, ma che appaiono insostenibili a livello della interiorità della coscienza. Nasce così l'intensa, appassionata sequenza polemica diretta contro coloro che, speculando sulla credulità popolare, offrivano dispense e facili permute dei voti in cambio il più delle volte di denaro. Era questo un costume diffuso, del quale erano responsabili soprattutto i decretalisti, cioè gli interpreti delle *Decretali* (i decreti pontifici, riguardanti le norme del Diritto canonico), contro i quali più volte Dante entra in aperta polemica (cfr. IX 133-5 e XII 82-4), in quanto consideravano le leggi canoniche appunto come equivalenti o superiori alla stessa parola di Dio. Quella parola – l'*Evangelio* – che fu l'arma degli apostoli per diffondere la fede e che ora è trascurata per predicare vane e risibili chiacchiere (cfr. XXIX 109-17).

In questo passo accorato si leva per la prima volta, come si è detto, quella voce profetica che sarà parte rilevante del tessuto stilistico del *Paradiso*: quell'eloquenza insieme severa e appassionata, propria dell'uomo che parla con lo zelo di chi rimprovera per salvare, per indicare la giusta via a chi va fuori strada, che è il compito proprio del profeta già nell'Antico Testamento. Nell'autorevole rivolgersi ai *Cristiani* (*Siate, Cristiani...*), nella stessa forte esclamazione (*sì che 'l Giudeo di voi tra voi non rida!*), appaiono i tratti sintomatici del parlare profetico che accompagnerà la cantica, e che ha qui una bellezza e intensità non sempre poi raggiunte. La terzina centrale, solennemente intonata, porta poi il tema essenziale che tanto sta a cuore a Dante: la Scrittura, con l'illuminata guida del pontefice, è data a tutti, e basta a tutti per salvarsi (*Avete il novo e 'l vecchio Testamento...*). Non c'è bisogno d'altro, vale a dire che nessun atto formale di carattere giuridico è necessario, per quanto altri lo predichi per proprio interesse (*Se mala cupidigia altro vi grida...*).

Finito il grande ragionamento, e l'ugualmente solenne ammonimento profetico, improvvisamente Beatrice cambia aspetto. Non c'è nessuna formula di passaggio, se non il «trasmutare» appunto del suo volto, con il quale ha inizio la nuova e ultima sequenza del canto: l'entrata nel cielo di Mercurio. Questa singolare invenzione narrativa, che sarà poi una costante del racconto paradisiaco, per cui il passaggio da un cielo all'altro non è descritto, ma soltanto segnato dall'aumentare di splendore del volto di Beatrice, a cui risponde un più intenso brillio del nuovo pianeta, ha qui – dove compare per la prima volta – una particolare forza e vivezza di linguaggio, come accade anche nelle altre due cantiche per le varie situazioni che via via si ripetono, quali gli ingressi nei diversi cerchi o balze, gli incontri con le anime che li abitano, o il mutare degli aspetti del paesaggio. All'entrata nel nuovo cielo il pianeta s'illumina, quasi rallegrandosi, mentre Beatrice cambia volto, aumentando di splendore. Il ridere della stella (*si cambiò e rise*), al quale risponderà il ridere degli occhi del beato chiuso nella sua luce, è una delle novità più belle di questa entrata. L'arrivo delle anime intorno a Dante è ritratto in modo singolarmente simile a quello avvenuto nel cielo della Luna, quasi una delicata variazione sul tema della prima raffigurazione; anche qui uno sfondo acquatico (gli spiriti appaiono come pesci in una peschiera), definito con le stesse qualità di calma e limpidezza di quello lunare (là le *acque nitide e tranquille*, qui la *peschiera tranquilla e pura*). Tuttavia c'è un mutamento dal primo al secondo cielo: qui i volti dei beati non sono più riconoscibili come fu quello di Piccarda; secondo la progressione pedagogica di cui si è parlato, appaiono ancora, allo sguardo di Dante, delle vaghe ombre corporee, ma tutte racchiuse nella luce di gloria che esse stesse emanano.

Questa invenzione, che lo spirito beato sia avvolto e nascosto dallo splendore che la sua stessa beatitudine produce, è quella che poi, in mille modi variata, sarà alla base di tutta la rappresentazione del terzo regno fino a che resteremo nei cieli dei pianeti, dove appunto si mostrano a Dante gli spiriti di coloro che vissero nella storia. Idea nuova questa, teologicamente fondata e poeticamente feconda, che in questo cielo si instaura in forme di singolare fascino; lo spirito «si annida» nel suo *proprio lume*, e quel lume brilla e risplende di luce tremula quando egli ride, divenendo così quasi il suo stesso volto. La luce è di fatto nel *Paradiso* il volto, l'apparenza sensibile del beato, che non ha più, o meglio non ha ancora, il suo corpo, per poter esprimere all'uomo della terra i propri sentimenti. Questa immagine, del riso degli occhi che si rivela nel tremolio della luce, splende alla conclusione del canto, e lo sigilla, lasciando al prossimo tutto l'impegno della risposta alla consueta domanda di Dante, su chi sia lo spirito che parla, e quali i suoi compagni. Del cielo di Mercurio, quando il canto si chiude, nulla ancora sappiamo. Qui ci è data solo l'impressione dell'arrivo, e la vista di quel brillare dell'anima che ci seduce.

Sono dunque presenti in questo quinto canto le tre principali forme di discorso, e di linguaggio, proprie della cantica: il ragionamento teologico, l'ammonimento profetico, la visione sensibile del cielo e dei suoi abitanti. Esso porta anche a conclusione l'argomento che Dante ha riservato al cielo della Luna, cioè la solenne affermazione della libera volontà dell'uomo, introdotta nella questione della permutabilità dei voti. Al pianeta che in astrologia era segno di instabilità e debolezza è affidata la proclamazione del supremo valore della volontà, di cui i martiri sono la massima prova; così nel pianeta di Mercurio, segno che presiede all'attività pratica, si celebrerà la funzione provvidenziale dell'Impero romano come guida preposta da Dio alla vita nella storia.

Come è stato acutamente notato, i due discorsi sono fra loro connessi nell'ambito della concezione dantesca della storia che è posta a fondamento del poema. Nel capitolo della *Monarchia* dove si trovano le stesse parole pronunciate in questo canto sul valore superiore a ogni altro del dono della libertà (I, XII 6) è detto infatti che tale dono, l'unico in grado di rendere felici gli uomini sulla terra, può essere goduto dal genere umano soltanto sotto la pacifica guida di un unico governatore, o monarca; ed è quel monarca – nella figura storica dell'Imperatore di Roma – del quale si canterà nel prossimo canto la «divina elezione» al governo del mondo, come già Dante scriveva nel IV libro del *Convivio*.

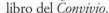

CANTO V

Dal cielo della Luna al cielo di Mercurio

1-33 Beatrice spiega a Dante come mai sia rimasto abbagliato dal suo fulgore, quindi inizia a rispondere alla domanda circa la possibilità di compensare il voto non adempiuto: il maggior dono di Dio all'uomo è la libertà della volontà, ed è questa che l'uomo liberamente sacrifica col voto: dunque con quale altro bene potrà essere commutata?

34-84 È pur vero che la Chiesa concede dispense, perciò il discorso necessita di una ulteriore precisazione. Due cose occorrono al voto, la materia (ciò che si sacrifica) e la convenenza (il patto stabilito con Dio): mentre la seconda non si può cancellare, la prima può essere mutata a condizione che sia l'autorità della Chiesa a concederlo e che si sostituisca con qualcosa di maggior valore. Ci sono però materie – cioè cose offerte nel voto – di valore ineguagliabile, le quali non è possibile permutare. Gli uomini non considerino dunque con leggerezza i voti e siano i Cristiani più seri nell'impegnarsi, seguendo la parola della Sacra Scrittura e l'autorità della Chiesa, non la mala cupidigia degli uomini.

85-99 Beatrice tace e il suo aspetto mutato impone il silenzio anche a Dante: veloci come lo scoccar della saetta, salgono nel secondo cielo, quello di Mercurio. L'aumentata letizia della donna accresce lo splendore del pianeta e la gioia di Dante.

100-139 Più di mille anime lucenti si avvicinano al poeta come pesci in una limpida peschiera ed egli, incoraggiato da una di queste a parlare, le domanda chi sia e perché si trovi in quel cielo. Lo spirito si fa ancora più luminoso, per la maggior letizia dovuta al poter soddisfare il desiderio di Dante, e si accinge a rispondere.

> «S'io ti fiammeggio nel caldo d'amore
> di là dal modo che 'n terra si vede,
> 3   sì che del viso tuo vinco il valore,
> non ti maravigliar, ché ciò procede
> da perfetto veder, che, come apprende,
> 6   così nel bene appreso move il piede.

1-3. S'io ti fiammeggio...: se io ti appaio qui fiammeggiante per l'ardore di amore (sono le *faville d'amor* che brillano negli occhi... di Beatrice alla fine del canto che precede) in un modo che oltrepassa quello che può vedersi in terra, sì che supero la capacità, la forza dei tuoi occhi... Il canto inizia con uno sfolgorare che è amore, e che ricorda, qui nell'alto dei cieli, lo splendore e l'amore che già un tempo furono da Dante sperimentati in terra (si veda lo stesso rapporto luce – calore – amore – verità e lo stesso ricordo a III 1-3).

4-6. non ti maravigliar...: ciò non deve stupirti, perché questo ben diverso splendore dipende da un diverso vedere: il *veder* di Dante è ora perfetto, mentre in terra era debole e manchevole. E il perfetto vedere, via via che apprende il bene, così si addentra sempre più in esso, e vede quindi sempre maggior luce. Il *perfetto veder* viene dalla maggior parte dei critici riferito a Beatrice, ricordando che i beati hanno tanto maggiore luminosità quanto maggiore è la loro visione di Dio (XIV 40-2). Ma questo suo splendore – così superiore a quello che si vede in terra – non è dovuto al fatto che Beatrice avanzi nella conoscenza di Dio, che già possiede intera, ma al fatto che Dante avanza in quella, aumentando la propria capacità visiva, e quindi la vede ben più luminosa di quanto potesse nella vita terrena. Non è certo Beatrice che deve *muovere il piede* nel bene che via via apprende. Si vedano del resto i vv. 7-9, che sembrano chiosare questi. Questa interpretazione, rifiutata dai commentatori moderni, è esposta con precisione dal Buti e ripresa da Benvenuto e dal Landino.

– move il piede: l'immagine deriva dall'agostiniano «piede dell'anima», cioè l'affetto («per piede dell'anima si deve intendere l'amore»: *Enarr. in Ps.* 9, 15) che segue, come dicono i versi seguenti, l'atto dell'intelletto.

■

♦ *«Se io ti appaio qui fiammeggiante per l'ardore di amore in un modo che oltrepassa quello che può vedersi in terra, così da vincere la forza della tua vista, non ti meravigliare; perché questo dipende dal (tuo) perfetto vedere che, via via che apprende il bene, così si addentra sempre più in esso.*

Io veggio ben sì come già resplende
ne l'intelletto tuo l'etterna luce,
9 che, vista, sola e sempre amore accende;

e s'altra cosa vostro amor seduce,
non è se non di quella alcun vestigio,
12 mal conosciuto, che quivi traluce.

Tu vuo' saper se con altro servigio,
per manco voto, si può render tanto
15 che l'anima sicuri di letigio».

Sì cominciò Beatrice questo canto;
e sì com'uom che suo parlar non spezza,
18 continüò così 'l processo santo:

«Lo maggior don che Dio per sua larghezza

7-8. già resplende...: già nell'intelletto di Dante ri-splende, cioè riluce di splendore riflesso, la luce eter-na di Dio. È questo il *perfetto veder*, che egli ha or-mai acquisito.

9. che, vista...: quella luce che, una volta vista, ac-cende l'amore di sé in modo esclusivo (*sola*) e per sem-pre. Chi arriva a contemplarla direttamente non può più distogliersi da lei, né altro lo attrae (cfr. XXXIII 100-2). Questo grande verso unisce ancora, indisso-lubilmente, la *vista* e l'*amore* della realtà eterna.

10-2. e s'altra cosa...: e se sulla terra altri oggetti (che non siano *quella*) attraggono il vostro amore, essi non sono altro che orme, impronte, di quella eterna luce che vi traspare, da voi male intese (scambiate cioè per la luce stessa, o bene supremo).

– **vestigio**: è il termine agostiniano dell'orma impressa da Dio nel creato, parola e idea cara a Dante che vi fonda tutto il suo mondo, fisico e morale (si cfr. I 106-7 e *Mon.* I, VIII 2: «tutto l'universo non è altro che una specie di orma ["vestigium"] della divina bontà»).

– **mal conosciuto**: l'uomo ama in realtà, senza sa-perlo, sempre il bene supremo, di cui in ogni cosa crea-ta è l'impronta; ma scambia i beni particolari per il ve-ro, unico bene. È questa la teoria già esposta a *Purg.* XVI 85-93 (si vedano le note relative); si cfr. anche *Conv.* IV, XII 15: «d'anima nostra, incontanente che nel nuovo e mai non fatto cammino di questa vita entra,

dirizza li occhi al termine del suo sommo bene, e però, qualunque cosa vede che paia in sé avere alcuno be-ne, crede che sia esso».

13-5. Tu vuo' saper...: si riprende qui, per chiarez-za, la formulazione del dubbio espresso da Dante al-la fine del canto precedente (vv. 136-8): se con un'al-tra opera buona (*servigio*), offerta in cambio di un vo-to mancato, si possa restituire un valore sufficiente (*tan-to*) che garantisca, assicuri l'anima da ogni possibile contestazione (cioè che non le venga contestata la man-cata adempienza).

– **letigio**: lite; il termine va preso in senso giuridi-co, di controversia che nasce per un patto non rispet-tato. Altri hanno pensato a un conflitto con la propria coscienza, o al possibile contrasto tra angelo e diavo-lo alla fine della vita (come a *Inf.* XXVII 112 sgg. e *Purg.* V 104 sgg.). Ma tutto il contesto, che considera appunto il voto come un *patto* (v. 28), regolato del resto dal di-ritto canonico, fa preferire senz'altro la prima spiega-zione, anche per il valore specificamente giuridico del termine usato.

16. questo canto...: espressione ellittica: il discorso che sarà argomento di questo canto. Non c'è ragione di intendere altrimenti (il discorso di Beatrice come un inno ispirato, o un canto melodioso, come si è propo-sto), anche per i modi simili che si troveranno più ol-tre, nella parte centrale e nella chiusa del canto (vv. 85 e 138-9).

17. non spezza: non interrompe.

18. continüò così: la terzina è sembrata inutile. In realtà essa offre la didascalia, senza turbare lo splen-dore dell'apertura, e pone un'importante pausa fra il preludio e il solenne attacco del ragionamento, movi-mento che, come si vedrà, aveva bisogno di ampio spazio per partire.

19. Lo maggior don...: la grande terzina che ora si dispiega, larga nel ritmo e nel significato, fortemente conclusa dal quarto verso – il primo della seguente – è una delle più alte dichiarazioni teologiche proprie del-la maggiore poesia del *Paradiso*. Qui confluisce la lun-ga e appassionata storia dell'amore di Dante per la li-

---

◆ *Io vedo bene come già nel tuo intelletto risplende la luce eterna di Dio, la quale, una volta contemplata, accende l'a-more di sé in modo esclusivo (sola) e per sempre; e se altri oggetti attraggono il vostro amore, essi non sono altro che pallide impronte di quella eterna luce che in essi traspare, da voi fraintese. Tu vuoi sapere se con un'altra opera buona (servigio), offerta in cambio di un voto mancato, si possa re-stituire un valore sufficiente (tanto) che assicuri l'anima da ogni contestazione (letigio)».* ◆ *Così cominciò Beatrice que-sto canto; e come uno che non interrompe il suo parlare, continuò così lo svolgersi del suo santo ragionamento: «Il do-no maggiore che Dio, per la sua generosità, ...*

fesse creando, e a la sua bontate
21   più conformato, e quel ch'e' più apprezza,
fu de la volontà la libertate;
di che le creature intelligenti,
24   e tutte e sole, fuoro e son dotate.
Or ti parrà, se tu quinci argomenti,
l'alto valor del voto, s'è sì fatto
27   che Dio consenta quando tu consenti;
ché, nel fermar tra Dio e l'uomo il patto,
vittima fassi di questo tesoro,
30   tal quale io dico; e fassi col suo atto.
Dunque che render puossi per ristoro?
Se credi bene usar quel c'hai offerto,

bertà, massimo segno per lui della dignità dell'uomo, in quanto lo fa simile a Dio. I versi traducono, alzandone il livello nel loro splendido ritmo, ciò che è detto anche in *Mon.* I, XII 6: « questa libertà è il più gran dono conferito da Dio alla natura umana, perché per esso raggiungiamo qui la nostra felicità come uomini, per esso la raggiungiamo di là come dèi». Beatrice dunque prende le mosse da lontano, per spiegare la grandezza e irrevocabilità del voto: il più grande dono fatto da Dio nella creazione è la libertà del volere, e questa è appunto ciò che viene offerto nell'atto del voto.

– **larghezza**: liberalità, generosità; l'idea è ripresa da *bontate*: il dono è gratuito, e più d'ogni altro conforme alla bontà di Dio. *Larghezza* e *bontate* dunque presiedono al dono, e ne sottolineano l'inestimabile ricchezza.

21. **più apprezza**: Dio apprezza di più (come si dirà a VII 73) ciò che più gli somiglia; la libertà è infatti la qualità divina per eccellenza, che nemmeno Dio stesso può più ritogliere all'uomo.

22. **fu... la libertate**: si osservi la potente scansione ritmica del verso, che pone in clausola la parola su cui s'appoggia tutto il periodo.

23-4. **le creature intelligenti**: gli uomini e gli angeli; *e tutte e sole*, cioè ognuna di loro, e loro sole, nella creazione; *fuoro e son*, lo furono e lo sono ancora, cioè anche dopo la loro colpa (degli angeli ribelli, e di Adamo ed Eva); il presente *son* intende anche probabilmente riferirsi alla creazione che sempre avviene nel tempo per ogni nuova creatura umana che nasce (*Purg.* XXV 70-5).

25-6. **Or ti parrà...**: dopo quel che si è detto (se tu trai le conclusioni, *argomenti*, da queste mie parole, *quinci*), ti apparirà chiaro quanto sia inestimabile il valore del voto.

26-7. **s'è sì fatto...**: purché sia fatto in modo tale da piacere a Dio («cioè che Dio consenta a accettare quando tu consenti ad obbligare la tua volontà»: Buti; e si veda già III 101-2). Il voto era infatti considerato valido solo se fatto di cosa a Dio gradita (cioè non peccaminosa, e neppure sciocca e vana).

28-9. **nel fermar...**: nel momento stesso in cui si fissa il patto tra Dio e l'uomo (il voto era considerato, quasi giuridicamente, un patto stipulato tra due contraenti) si offre come vittima, si sacrifica, il grande tesoro della libertà (in quanto l'uomo rinunzia ad usarla per quel che riguarda la materia del voto).

30. **e fassi col suo atto**: e tale offerta si fa con un atto di quello stesso tesoro che si offre, cioè della libera volontà. Questo importante punto è la parte più nuova e originale della posizione assunta da Dante, che cioè l'essenza del voto stia nell'atto della volontà che offre se stessa, quasi rendendo a Dio ciò che egli donò all'uomo. I teologi e i compilatori e interpreti del diritto canonico trattavano il voto giuridicamente, come «promessa» o «convenzione». Dante ne fa un atto spirituale, che tocca l'essenza intima dell'uomo. Di qui l'importanza che egli vi annette. Si veda su questo punto quanto si è detto nell'Introduzione.

31. **per ristoro**: per compenso (per il senso di *ristoro*, si cfr. *Purg.* XIV 34 e nota). La risposta alla domanda è naturalmente: niente. Ciò che è offerto è infatti il massimo bene che l'uomo abbia.

32-3. **Se credi...**: se pensi di poter usare ancora bene, in modo buono, ciò che hai offerto a Dio (cioè la libertà del volere, riprendendotela), è come se tu

---

... fece nella creazione, e quello più conforme alla sua bontà, e che egli apprezza di più, fu la libertà della volontà; dono del quale furono e sono dotate, tutte e soltanto loro, le creature intelligenti (gli uomini e gli angeli). ◆ Se tu trai le conclusioni (argomenti) da queste mie parole (quinci), ti apparirà chiaro l'inestimabile valore del voto, purché sia fatto in modo tale che Dio consenta (ad accettare) quando tu consenti (a impegnarti); poiché nel momento stesso in cui si stipula il patto tra Dio e l'uomo, si offre come vittima questo tesoro (cioè la libertà del volere), così grande (tal) come ti sto dicendo; e tale offerta si fa con un atto di quella stessa libera volontà. Dunque che cosa si può rendere per compenso? Se pensi di poter usare bene ciò che hai offerto a Dio (cioè la libertà del volere, riprendendotela), ...

33　　di maltolletto vuo' far buon lavoro.
　　　　Tu se' omai del maggior punto certo;
　　　ma perché Santa Chiesa in ciò dispensa,
36　　che par contra lo ver ch'i' t'ho scoverto,
　　　　convienti ancor sedere un poco a mensa,
　　　però che 'l cibo rigido c'hai preso,
39　　richiede ancora aiuto a tua dispensa.
　　　　Apri la mente a quel ch'io ti paleso
　　　e fermalvi entro; ché non fa scïenza,
42　　sanza lo ritenere, avere inteso.
　　　　Due cose si convegnono a l'essenza
　　　di questo sacrificio: l'una è quella
45　　di che si fa; l'altr'è la convenenza.

volessi fare un'opera buona, meritoria, con denaro rubato (*maltolletto*, mal tolto, significò anticamente tanto la cosa estorta, quanto l'estorsione: cfr. *tollette* a *Inf.* XI 36).

34. **Tu se' omai...**: ormai ti è stato ben illustrato il punto più importante, cioè l'essenza del voto e la sua inderogabilità. – *certo* ha valore passivo di «reso certo», come a III 4.

35. **ma perché...**: ecco il nuovo dubbio che sorge appena risolto il primo: se il voto non può trovare compenso adeguato, come mai la Chiesa concede dispense? La domanda è in realtà già compresa nella questione posta da Dante a IV 136-8, anzi è proprio questo il punto che a lui preme. Sulla polemica implicita in questi versi, contro le facili dispense e permutazioni concesse dai canonisti, si veda l'Introduzione al canto.

36. **che par contra...**: cosa che pare contraddire alla verità che ti ho ora illustrato.

37. **sedere a mensa**: stare ancora un po' ad ascoltare le mie parole. La metafora dell'insegnamento come mensa imbandita (il desiderio di conoscere come fame, la sapienza come cibo ecc.) è costantemente usata da Dante, con infinite variazioni. Si veda lo stesso titolo del *Convivio*, dove in apertura è detto: «Oh beati quelli pochi che *seggiono a quella mensa* dove lo pane de li angeli si manuca!» (I, 1 7).

38. **rigido**: duro a digerire (Lombardi); continua la metafora della verità come cibo della mente; così anche a III 91, e più volte.

39. **a tua dispensa**: a che tu lo possa ben digerire; *dispensa* vale «digestione», nel senso di distribuzione del nutrimento alle varie membra (si cfr. *dispensare* nel senso di «distribuire», «assegnare», a XII 91 e XVII 54). Si noti la rima equivoca con *dispensa*, proscioglimento, del v. 35.

40. **Apri la mente...**: l'attacco del nuovo ragionamento è di quelli usati di solito da Dante per argomenti importanti, che egli ritiene tali da dover richiamare l'attenzione dei lettori, quasi sempre per chiarire problemi di cui allora si discuteva, risolvendoli in modo non conforme all'opinione corrente, come è il nostro caso (cfr. *Purg.* XXV 67).

– **ti paleso**: ti rivelo, ti manifesto.

41. **e fermalvi entro**: e fissavelo dentro (cioè nella mente, che deve aprirsi a ricevere il vero, e poi accoglierlo e quasi imprimerlo dentro di sé).

41-2. **non fa scïenza**: l'avere compreso qualcosa, se poi non lo si ritiene nella mente, non basta a costituire vera scienza. È questa una massima di Seneca (*De beneficiis* VII 1, 3), qui citato da Pietro di Dante, diffusa nelle raccolte medievali di sentenze morali, e che Dante, come è suo solito, stringe in un verso o due.

43-5. **Due cose...**: due elementi sono necessari (*si convegnono*) perché sussista il voto, ne costituiscono cioè l'*essenza*: uno è la materia (*di che si fa*), cioè riguardo a che cosa si promette: «come sono viaggi, limosine, digiuni ecc.» (Vellutello). L'altro è la convenzione, o patto (*convenenza*), cioè l'atto stesso della promessa, che del voto costituisce la parte formale (cfr. *convegno* a *Inf.* XXXII 135).

46-7. **Quest'ultima...**: cioè la *convenenza*, il patto che

---

... è come se tu volessi fare un'opera buona con denaro rubato (maltolletto). ◆ *Ormai sei istruito sul punto più importante; ma per sapere come mai la Santa Chiesa concede dispense, cosa che pare contraddire alla verità che ti ho ora illustrato, bisogna che tu sieda ancora un po' a tavola (cioè ad ascoltare le mie parole), poiché il cibo indigesto che hai preso richiede ancora un aiuto affinché tu lo possa ben digerire (a tua dispensa). Apri la tua mente a ciò che ti rivelo, e fissavelo dentro; poiché l'avere compreso qualcosa, senza ritenerlo nella mente, non basta a costituire vera scienza.* ◆ *Due elementi sono necessari (si convegnono) per costituire l'essenza di questo sacrificio: uno è la materia (di che si fa: cioè la cosa che si promette); l'altro è la convenzione, o patto (convenenza).*

Quest'ultima già mai non si cancella

se non servata; e intorno di lei

48   sì preciso di sopra si favella:

però necessitato fu a li Ebrei

pur l'offerere, ancor ch'alcuna offerta

51   si permutasse, come saver dei.

L'altra, che per materia t'è aperta,

puote ben esser tal, che non si falla

54   se con altra materia si converta.

Ma non trasmuti carco a la sua spalla

per suo arbitrio alcun, sanza la volta

57   e de la chiave bianca e de la gialla;

e ogne permutanza credi stolta,

impegna liberamente la libertà del volere, non può mai essere annullata, se non con l'essere osservata, rispettata. Si veda la forte sottolineatura di quel *già mai*. Altri infatti – tra cui Tommaso – ammettevano in certi casi la dispensa assoluta da parte del papa.

– **non si cancella**: quasi «non si toglie dalla partita di debito», come osservò il Lombardi.

47-8. e intorno di lei...: e riguardo a quest'ultima, cioè alla forma del voto, si è parlato prima con tanto rigore (*sì preciso*). Beatrice intende riferirsi alla dichiarazione fatta sopra (vv. 31-3), che niente può sostituire un voto fatto a Dio: ciò si dice, posta la distinzione tra materia e forma, della forma appunto, che è l'offerta del libero volere, e che del voto è l'essenza. Come dire: dell'altra, cioè della materia, potrà esserci sostituzione.

49-51. necessitato fu...: Beatrice porta un esempio a chiarire la distinzione posta: perciò agli ebrei fu fatto obbligo (dalla legge mosaica) di fare sempre offerte sacrificali a Dio, anche se la cosa offerta poteva in alcuni casi – non sempre – essere sostituita. L'obbligo, e le possibili permute, sono indicati in *Lev.* 27, 1-33.

– **offerere**: usato in forma assoluta era termine comune, quasi tecnico, per indicare l'atto di fare offerta o elemosina alla Chiesa (cfr. XIII 140). L'avverbio *pur* indica la continuità dell'obbligo: essi dovevano sempre e in ogni caso offrire qualcosa, anche se erano ammesse permutazioni.

52-4. L'altra...: l'altra cosa, la prima indicata, cioè la materia di cui il voto *si fa*, può invece essere tale (non sempre dunque lo sarà) che non si commetta peccato (*non si falla* da *fallire*; cfr. VI 102) se si sostituisca con una materia diversa: «come accade per l'elemosina», porta ad esempio Benvenuto.

55. Ma non trasmuti...: il *ma* è il primo moto dell'ammonimento morale, che interviene nell'esposizione dottrinale. Il verbo esortativo – *non trasmuti* – ci avverte di questo mutamento, e sarà ripreso con più forza al v. 64 (*Non prendan*). La sostituzione della materia è possibile, è stato detto. Ma che nessuno pensi di farlo con facilità e leggerezza! Nessuno cambi il cari-

co che si è posto sulle spalle senza il permesso dell'autorità ecclesiastica, e senza che la nuova materia sia più gravosa – non meno! – della prima.

56-7. sanza la volta...: senza che girino nella serratura, aprendo così la porta, le due chiavi d'argento e d'oro; cioè senza il consenso dell'autorità della Chiesa. La metafora delle due chiavi è anche a *Purg.* IX 117-20: la bianca o d'argento significa il giudizio del sacerdote, la gialla o d'oro l'autorità che a lui viene da Dio. Così anche Tommaso: «Nel cambiamento o nella dispensa dai voti si richiede l'autorità di un prete, che per conto di Dio determina ciò che è ben accetto a Dio» (*S.T.* II^a II^{ae}, q. 88 a. 12). Ma mentre per lui è possibile anche la «dispensatio», o annullamento del voto, Dante ammette, come si è visto, solo la «commutatio», la sostituzione della materia.

58. permutanza: traduce la parola tecnica del diritto canonico «permutatio», sostituzione.

– **credi stolta**: ritieni insensata, non valida, e quindi nemmeno da sottoporre al giudizio della Chiesa.

Quest'ultima non può mai essere annullata, se non con l'essere rispettata; e riguardo ad essa, si è parlato prima (da me) con tanto rigore (sì preciso): perciò agli ebrei fu fatto obbligo (dalla legge mosaica) di fare sempre offerte a Dio, anche se la cosa offerta poteva in alcuni casi essere sostituita, come devi sapere. L'altro elemento, che ti ho indicato come la materia (di cui il voto si fa), può invece essere tale che non si commetta peccato (non si falla) se si sostituisca con una materia diversa (un'altra specie di offerta). ◆ *Ma nessuno, a suo arbitrio, deve cambiare il carico che si è posto sulle spalle, senza che girino nella serratura (aprendo così la porta) le due chiavi d'argento e d'oro (cioè senza il consenso dell'autorità della Chiesa); e ogni sostituzione devi crederla folle, ...*

se la cosa dimessa in la sorpresa
60 come 'l quattro nel sei non è raccolta.
Però qualunque cosa tanto pesa
per suo valor che tragga ogne bilancia,
63 sodisfar non si può con altra spesa.
Non prendan li mortali il voto a ciancia;
siate fedeli, e a ciò far non bieci,
66 come Ieptè a la sua prima mancia;
cui più si convenia dicer 'Mal feci',
che, servando, far peggio; e così stolto

59-60. se la cosa dimessa...: se la cosa che viene abbandonata, lasciata (*dimettere* ha anche oggi il senso di «lasciare andare»), non è contenuta (*raccolta*) in quella presa al suo posto (*sorpresa*), come il quattro è contenuto nel sei. La proporzione matematica (che il nuovo impegno valga una volta e mezzo il primo, cioè una metà in più) è certo suggerita dalla norma affine del *Levitico*, che chiedeva per la nuova offerta «un quinto in più» (*Lev.* 27, 15). Anche se la proposta di Dante non va intesa letteralmente (la maggior parte dei critici intendono genericamente come «molto di più»), quel richiamo scritturale certo significa che ben più alta deve essere la proporzione nella nuova economia cristiana dell'amore rispetto all'Antico Testamento, regolato dalla legge.

– **sorpresa**: presa sopra l'altra, cioè in luogo dell'altra lasciata.

61-3. Però...: perciò, qualunque cosa sia di tanto peso, per il suo valore intrinseco, che «posta in bilancia, tragga in alto ogni contrappeso» (Lombardi) – cioè che non vi sia niente che possa uguagliarla in valore –, non si può rendere soddisfazione, al suo posto, con nessun'altra offerta: non si potrà quindi «permutare». Tale caso di materia inestimabile sarà quello del voto di castità, o d'obbedienza. Anche per Tommaso i voti religiosi non erano commutabili; ma non per la preziosità della cosa offerta, bensì per l'inalienabilità della consacrazione (*S.T.* II^a II^ae, q. 88 a. 11). Come si vede, la differenza è sempre nella diversa ottica: per Tommaso più giuridica, per Dante più personale.

64. Non prendan...: che gli uomini non prendano i voti come fossero chiacchiere, cose da poco. La forma esortativa riprende, con maggior forza, dal v. 55, passando poi dalla terza persona singolare alla seconda persona plurale: *siate fedeli...* Da qui al v. 84 il discorso non è più teorico, ma diventa solenne ammonimento etico, con diretti appelli via via intensificati: *siate, non siate, non crediate, vi basti, uomini siate, non fate*. Tutto il passo lascia intendere che Dante vuole qui condannare un mal costume dilagante ai suoi tempi, e prendere posizione contro idee e procedimenti correnti e da tutti accettati.

65. siate fedeli...: fedeli nell'osservanza dei voti, ma non poi ingiusti nel compiere tale osservanza; *bieci*, storti, obliqui, è preso in senso morale (non diritto, quindi ingiusto, malvagio) anche a VI 136 e *Inf.* XXV 31. Dante vuol dire che il voto non va fatto in modo inconsiderato, alla leggera, così da trovarsi poi nella situazione assurda di dover compiere, per mantenerlo, un atto ingiusto, come negli esempi che ora riporterà. Altri intendono *a ciò far* come «nel fare il voto», ma *bieci* non sembra poter indicare leggerezza, stoltezza, concetto che è espresso invece nel primo verso della terzina. Si veda del resto la citazione da san Girolamo al verso seguente, che sembra la migliore chiosa a questo verso.

66. come Ieptè: Iefte, giudice di Israele, fece voto a Dio, se avesse vinto gli Ammoniti, di sacrificargli la prima cosa che gli venisse incontro dalla porta di casa al suo ritorno, e per prima gli uscì incontro festante la sua unica figlia, che egli empiamente sacrificò. L'esempio era canonico nella problematica del voto; così già san Girolamo: «nel fare il voto fu stolto, poiché non ebbe alcuna discrezione, e nell'adempiere a quel voto fu empio», passo citato da Pietro di Dante nel commento, e da Tommaso nell'art. 2 della *quaestio* sopra citata in nota ai vv. 61-3.

– **a la sua prima mancia**: espressione difficile a spiegarsi; *mancia* valeva «dono», «regalia» (cfr. *Inf.* XXXI 6), per cui probabilmente si dovrà intendere, come ha fatto la maggior parte dei critici, «riguardo al dono della prima cosa incontrata»; forte ellissi, tuttavia non impossibile a Dante. Altri, da un diverso senso di *mancia*, «scontro», «assalto», proprio dell'antico francese, traduce: al primo incontro fatto al suo ritorno.

... se la cosa che viene lasciata non è contenuta (raccolta) in quella presa al suo posto (sorpresa), come il quattro è contenuto nel sei. ◆ *Perciò qualunque cosa sia di tanto peso, per il suo valore intrinseco, che su una bilancia tragga in alto ogni contrappeso (cioè che non vi sia niente che possa uguagliarla in valore), non può essere compensata da nessun'altra offerta. Gli uomini non prendano i voti come fossero chiacchiere: siate fedeli, e non ingiusti nel compiere tale osservanza, come fu Iefte riguardo al dono promesso (mancia) della prima cosa che avesse incontrato; al quale sarebbe meglio convenuto dire 'Mi sono sbagliato (Mal feci)' piuttosto che, osservando il voto, commettere peggior peccato; e altrettanto stolto ...*

69   ritrovar puoi il gran duca de' Greci,
onde pianse Efigènia il suo bel volto,
e fé pianger di sé i folli e i savi
72   ch'udir parlar di così fatto cólto.
Siate, Cristiani, a muovervi più gravi:
non siate come penna ad ogne vento,
75   e non crediate ch'ogne acqua vi lavi.
Avete il novo e 'l vecchio Testamento,
e 'l pastor de la Chiesa che vi guida;
78   questo vi basti a vostro salvamento.

67-8. cui più si convenia...: al quale sarebbe meglio convenuto ammettere la stoltezza del voto fatto (*dicer 'Mal feci'*) piuttosto che, osservandolo, commettere peggior peccato. Così Isidoro, sempre citato da Pietro di Dante: «Nelle promesse malvage rompi il tuo impegno, e nei voti turpi cambia la decisione; non compiere ciò di cui hai fatto voto incautamente; è empia la promessa che si adempie compiendo un misfatto» (*Synonima* II 58).

69. il gran duca: all'esempio biblico segue, come è canonico in Dante, l'esempio classico: Agamennone, condottiero dei Greci, avendo promesso agli dèi ciò che aveva di più bello per ottenere il vento propizio alla flotta che doveva salpare verso Troia, sacrificò la giovane figlia Ifigenia. Il fatto è ricordato da Ovidio (*Met.* XII 27 sgg.) e Virgilio (*Aen.* II 116 sgg.), ma probabilmente Dante ha qui presente un passo di Cicerone (*De Off.* III 95) dove l'atto di Agamennone è condannato con parole analoghe a quelle di Isidoro. Il convergere, sia nel racconto che nel giudizio etico, della Scrittura e del mito classico – caso tutt'altro che raro – è tema privilegiato da Dante nel poema, in quanto i due mondi culturali offrono le coordinate a quello cristiano, rivelando l'armonia provvidenziale presente nella storia.

70. onde pianse...: per cui Ifigenia pianse la sua bellezza, causa della sua morte. Che Ifigenia piangesse non è in alcun testo, ma per ben due mesi pianse la figlia di Iefte (*Iud.* 11, 38). Dante, con tratto proprio del suo genio poetico, accomuna le due giovinette, quasi sovrapponendo le lacrime dell'una alla uguale situazione dell'altra.

71. i folli e i savi: stolti e sapienti; modo proverbiale che vale a dire «ogni uomo». Ma c'è di più, annota il Torraca: «anche i folli ne piansero!».

72. così fatto cólto: tale atto di culto, di osservanza religiosa.

73. Siate, Cristiani...: l'ultima ripresa dell'ammonimento è la più solenne: da *non trasmuti alcun* (vv. 55-6), a *Non prendan li mortali* (v. 64), si arriva qui a rivolgersi ai veri destinatari di tutto il discorso, i *Cristiani*, che dovrebbero essere i più santi di tutti, e si comportano invece con più leggerezza degli altri (v. 81).

– **a muovervi**: a correre ad impegnarvi nei voti; *più gravi*: più pesanti, cioè più difficili a smuovere, più se-

ri (non leggeri come le penne al vento!). – *gravi* indica la ponderatezza, la riflessione che resiste all'impulso; si cfr. XIII 112: *E questo ti sia sempre piombo a' piedi*.

74. come penna...: si cfr. *Eph.* 4, 14: «affinché non siamo come fanciulli sballottati dalle onde e portati qua e là da qualsiasi vento di dottrina».

75. ch'ogne acqua vi lavi: che basti qualsiasi offerta votiva, anche inconsiderata, a lavarvi dalle vostre colpe. Altri intende: che qualunque autorità religiosa – o che facili commutazioni – valgano a sciogliervi dai voti incautamente fatti o mancati. La prima spiegazione sembra più coerente al contesto, specie se si guarda ai versi che seguono, e se si ricorda che esistevano i voti detti espiatori, cioè fatti per espiazione di determinate colpe, ai quali si ricorreva con grande facilità e leggerezza.

76-8. Avete il novo...: a portarvi alla salvezza eterna voi avete la Scrittura e il papa come guida, cioè i mezzi dati a tutti i cristiani da Dio: non vi servono quindi tanti voti. È evidente un intento polemico contro la facile illusione, alimentata da chi poteva guadagnarci, di «salvarsi l'anima» (il *salvamento*) attraverso pratiche di pietà che spesso si risolvevano in offerte di denaro. Dante richiama, come sempre, ai veri valori, contestando ciò che è solo formale. E in questa prospettiva, che è sempre la sua, si discosta da Tommaso, che ritiene – per altri motivi – una cosa fatta per voto sempre migliore e più apprezzabile che se fatta al di fuori di esso (*S.T.* IIª IIᵃᵉ, q. 88 a. 6).

– **'l pastor de la Chiesa**: non si allude certo qui al papa allora regnante, da Dante condannato all'inferno tra i simoniaci (*Inf.* XIX 52-7); ma s'intende dell'autorità papale stabilita da Cristo a guida del genere umano (*Mon.* III, xv 10).

... puoi trovare il grande condottiero dei Greci (Agamennone), per cui Ifigenia pianse la sua bellezza, e fece piangere per lei gli stolti e i sapienti che udirono parlare di tale atto di culto. ◆ O cristiani, siate più seri nell'intraprendere le vostre azioni: non siate come piume che si muovono ad ogni vento, e non crediate che basti qualsiasi acqua a lavarvi dalle vostre colpe. Avete il Nuovo e il Vecchio Testamento, e il pastore della Chiesa (il papa) che vi guida: questo vi basti per la vostra salvezza.

Se mala cupidigia altro vi grida,
uomini siate, e non pecore matte,
81   sì che 'l Giudeo di voi tra voi non rida!
Non fate com'agnel che lascia il latte
de la sua madre, e semplice e lascivo
84   seco medesmo a suo piacer combatte!».
Così Beatrice a me com''ïo scrivo;
poi si rivolse tutta disïante
87   a quella parte ove 'l mondo è più vivo.
Lo suo tacere e 'l trasmutar sembiante
puoser silenzio al mio cupido ingegno,
90   che già nuove questioni avea davante;

79. **Se mala cupidigia**: alcuni intendono che la *mala cupidigia* siano le passioni che portano inconsideratamente i cristiani a far voti (come la brama di vendetta in Agamennone, o la brama di vittoria in Iefte). Ma l'espressione usata sembra meglio adattarsi, nel linguaggio dantesco, all'altra interpretazione del passo, già di Pietro di Dante, che intende dell'avidità del clero o degli ordini corrotti, che inducevano il popolo a far voti per ottenere poi guadagni sia dalle offerte, sia dalle commutazioni facilmente concesse. C'è chi ha pensato in particolare agli Antoniani (cfr. XXIX 124), che a poco prezzo scioglievano da ogni voto, ma il discorso è più ampio e coinvolge tutto l'ordine ecclesiastico.

– **altro vi grida**: vi dice, con insistenza, cosa diversa: cioè che per salvarsi occorrono i voti, e non bastano i mezzi dati a tutti, che sono la Scrittura e la guida della Chiesa.

80. **e non pecore matte**: il confronto uomini-pecore è topico (si cfr. *2 Pet.* 2, 12: «come pecore irragionevoli») e particolarmente caro a Dante, che sempre sottolinea la dignità dell'uomo, creatura razionale, di fronte alla bestia: «Questi [gli uomini senza discrezione] sono da chiamare pecore, e non uomini» (*Conv.* I, XI 9).

81. **'l Giudeo...**: l'ebreo, che ha solo l'Antico Testamento, ma lo segue scrupolosamente alla lettera, non debba farsi beffe di voi, che così facilmente fate e disfate i vostri voti. Il *Giudeo* è contrapposto ai *Cri-*

stiani del v. 73. Si cfr. *Ep.* XI 3: «Rattrista, ahimè, ... il fatto che i fautori di empie eresie, i Giudei, i Saraceni e i gentili, scherniscono i nostri Sabati e, come si va dicendo, in coro domandano: "Dov'è il loro Dio?"», parole dette in un contesto dove si rimprovera ai cardinali di trascurare per interesse il bene dei fedeli e di dedicarsi più allo studio delle Decretali che dei padri della Chiesa. La terzina, violenta e appassionata, porta l'impronta dell'ardore che sempre anima Dante – come nell'*Epistola* citata – a riformare la Chiesa che egli ama sul modello voluto da Cristo e da lei tradito.

82. **com'agnel...**: l'agnello che lascia il latte della madre è il cristiano che si allontana dagli insegnamenti della Chiesa. L'immagine riprende quella del v. 80 e ha anch'essa una tradizione scritturale (si cfr. *Prov.* 7, 22: «come un agnello che scherza ("lasciviens") e non sa, stolto, di essere condotto alla catena»). Il *semplice e lascivo* (v. 83) è quindi connotazione negativa, di stoltezza, sconsideratezza, e non compiaciuto quadretto di grazia innocente, come alcuni lo intendono. Ciò non toglie il vivo realismo con cui questo agnello è ritratto dal vero, come tutti gli animali della *Commedia* (si vedano in particolare le pecore e le capre di *Purg.* III 79-84 e XXVII 76-9).

83. **semplice**: più che «ingenuo», varrà «sciocco» (si veda lo stolto della Scrittura e sopra i vv. 58 e 68; cfr. anche *Purg.* VII 130 e nota).

– **lascivo**: petulante, scherzoso, è proprio dell'agnello anche in Ovidio (*Met.* XIII 791: «più scherzosa ["lascivior"] di un giovane capretto»; cfr. anche VII 320).

84. **seco medesmo...**: «saltando e corneggiando», come dice il Buti, sembra combattere con se stesso. Atti propri di tutti i cuccioli, che Dante osserva e ritrae con attenta finezza. Ma gli uomini, dotati di ragione, non debbono abbandonarsi così ai propri inquieti istinti.

85. **com'ïo scrivo**: Dante sottolinea che il suo testo non è una trascrizione del discorso celeste di Beatrice (cfr. sopra, v. 16); egli non inventa, ma si fa *scriba* di ciò che udì e vide (cfr. X 27).

86. **tutta disïante**: ardente di desiderio; come sem-

Se la malvagia avidità (del clero o degli ordini corrotti) vi dice cose diverse, siate uomini, e non stupide pecore, così che l'ebreo (vivendo) tra voi non debba farsi beffe di voi. Non fate come l'agnello che lascia il latte della madre, e sciocco e petulante si diverte a combattere con se stesso!». ◆ *Beatrice parlava con me così come io scrivo; poi si rivolse tutta ardente di desiderio verso quella parte dove l'universo ha maggiore intensità vitale (cioè verso il sole). Il suo tacere e il suo trasfigurarsi nel volto imposero silenzio al mio ingegno bramoso di sapere, che aveva già davanti a sé nuove domande; ...*

e sì come saetta che nel segno

percuote pria che sia la corda queta,

93　così corremmo nel secondo regno.

Quivi la donna mia vid'io sì lieta,

come nel lume di quel ciel si mise,

96　che più lucente se ne fé 'l pianeta.

E se la stella si cambiò e rise,

qual mi fec'io che pur da mia natura

99　trasmutabile son per tutte guise!

Come 'n peschiera ch'è tranquilla e pura

traggonsi i pesci a ciò che vien di fori

102　per modo che lo stimin lor pastura,

pre, è il desiderio che porta in alto l'uomo. Concluso il ragionamento, si passa qui all'azione, la salita nel nuovo cielo. Il tono cambia, dal dimostrativo e ammonitore a quello ardente e immaginoso della visione celeste. Sono i due elementi costitutivi del tessuto stilistico del *Paradiso*, quasi esemplificati in questo canto, come si è detto nell'Introduzione.

87. ove 'l mondo è più vivo: dove l'universo ha maggiore intensità vitale; espressione variamente spiegata, fin dagli antichi, che intesero chi l'Oriente, chi il cielo di Mercurio, chi la parte equinoziale del cielo. La cosa più probabile è che Dante voglia dire che Beatrice guarda al sole, al quale già si è rivolta per la prima salita (I 47); *la parte* qui indicata sarà dunque la zona dell'equatore celeste, dove appunto si trova il sole nell'equinozio (si veda quanto è detto in *Conv.* II, III 15).

88. trasmutar sembiante: Beatrice si trasfigura, acquistando maggiore bellezza e splendore, come accadrà ad ogni passaggio da un cielo al successivo. L'improvviso silenzio e il volto mutato fanno tacere le domande che ancora Dante aveva pronte, quasi significando la minore importanza del ragionare di fronte al vedere.

89. cupido: sempre bramoso di sapere.

91-2. come saetta...: come una freccia che tocca il bersaglio prima che la corda dell'arco abbia finito di vibrare; ancora la freccia, a dire la velocità di questo volo (cfr. II 23-4). Delle due variazioni, non sai quale sia la più bella.

93. secondo regno: il secondo cielo, quello di Mercurio.

95. nel lume di quel ciel: nella stella (o pianeta) propria di quel cielo. Come già si è visto, Dante e Beatrice sostano, in ogni cielo, nel pianeta che lo abita, e che offre loro un punto d'appoggio (cfr. II 29-36).

96. più lucente: il pianeta stesso si accende di maggiore luce, quasi godendo di riflesso della letizia di Beatrice. Questo riflettersi delle luci – come segno di vicendevole gioia e amore – sarà motivo ricorrente lungo tutta la cantica.

97-9. E se la stella...: se si cambiò la stella (che è

di sua natura immutabile) come dovetti trasformarmi io, che anche soltanto per la mia natura d'uomo sono soggetto a tutti i possibili cambiamenti! Quel *pur* significa certamente che, oltre alla mutabilità propria della natura umana in genere, l'individuo Dante ha una sua tutta particolare capacità di mutare sotto le varie e molteplici impressioni, come il poema ampiamente dimostra.

– **la stella**: nella lingua antica *stella* sta per ogni «corpo celeste», quindi anche per i pianeti.

– **si cambiò e rise**: viva e potente dittologia: il divenire *più lucente* è infatti nel linguaggio dantesco la stessa cosa che il *ridere*. Si vedano più oltre, in questo canto, i vv. 125-6 e la relativa nota.

100-2. Come 'n peschiera...: l'apparire dei beati nel nuovo cielo, come già in quello della Luna (III 10-6), è figurato da una similitudine: come nell'acqua quieta e pura di una peschiera i pesci accorrono (*traggonsi*) ad ogni cosa che provenga dall'esterno in modo tale che essi lo credano un possibile cibo... Anche questa volta l'acqua pura offre il paragone alla sostanza diafana del cielo, con delicata variazione degli aggettivi (*nitide e tranquille* a III 11; qui *tranquilla e pura*); e l'accorrere dei pesci guizzanti ben ritrae la veloce leggerezza degli spiriti, come osservò Benvenuto. Dagli aspetti più delicati e puri di questo mondo Dante tolse via via le immagini per «figurare» il suo spirituale paradiso.

... e come una freccia che tocca il bersaglio prima che la corda dell'arco abbia smesso di vibrare, così corremmo nel secondo cielo (quello di Mercurio). ◆ *Qui vidi la mia donna così lieta, non appena entrò nella luce di quel cielo, che il pianeta per questo diventò più luminoso. E se cambiò aspetto e sembrò ridere di luce la stella, come dovetti trasformarmi io, che anche soltanto per la mia natura d'uomo sono soggetto a tutti i possibili cambiamenti!* ◆ *Come nell'acqua quieta e pura di una peschiera i pesci accorrono (traggonsi) verso ogni cosa che provenga dall'esterno in modo tale che essi lo credano un possibile cibo; ...*

sì vid'io ben più di mille splendori
trarsi ver' noi, e in ciascun s'udìa:

105   «Ecco chi crescerà li nostri amori».

E sì come ciascuno a noi venìa,
vedeasi l'ombra piena di letizia

108   nel folgór chiaro che di lei uscia.

Pensa, lettor, se quel che qui s'inizia
non procedesse, come tu avresti

111   di più savere angosciosa carizia;

e per te vederai come da questi
m'era in disio d'udir lor condizioni,

114   sì come a li occhi mi fur manifesti.

«O bene nato a cui veder li troni
del trïunfo etternal concede grazia

---

104. in ciascun s'udia: la voce proviene dall'interno di quelle luci, senza dunque che nulla ancora appaia dell'aspetto corporeo dei beati.

105. Ecco chi...: ecco chi accrescerà il nostro fervore di carità; i più intendono per poter essi rispondere alle sue domande, e contentarlo; altri perché ogni nuova presenza arricchisce l'amore in cielo (come è detto a *Purg.* XV 73-5). Ma la presenza di Dante è qui passeggera, e del resto la prima spiegazione si accorda in modo perfetto con tutte le manifestazioni di gioia che in ogni cielo i beati dimostrano nel poter contentare Dante, palesando il loro amore (qui oltre, vv. 130-7; III 68-9; VIII 46-8 ecc.).

106-8. E sì come ciascuno...: e via via che ciascuno di quegli splendori si avvicinava a noi, si poteva vedere, all'interno del fulgore luminoso che ne emanava, *l'ombra*, cioè la forma corporea del beato, che appariva piena di gioia. Anche in questo cielo dunque si possono ancora intravedere, sia pure in modo velato, i corpi dei beati; non se ne distinguono più tuttavia i volti (vv. 124-6), come era stato possibile per Piccarda. Su questo graduale sparire della forma corporea agli occhi di Dante, via via che sale nei cieli, si veda l'*Introduzione* alla cantica.

– **chiaro**: vale «luminoso», come il latino «clarus».

■

... così io vidi ben più di mille luci splendenti dirigersi verso di noi, e in ciascuna di esse si sentiva dire: «Ecco chi accrescerà il nostro amore». E via via che ciascuna si avvicinava a noi, si poteva vedere l'ombra (del beato) piena di gioia dentro al fulgore luminoso che da lei usciva. ◆ *Pensa, o lettore, se il racconto ora iniziato (quel che qui s'inizia) non proseguisse, come tu sentiresti l'angosciosa mancanza (carizia) di saperne di più; e allora capirai da solo come io fossi desideroso di sapere da questi spiriti la loro condizione, non appena mi apparvero davanti agli occhi. «O nato per la felicità eterna (bene nato), al quale la grazia divina concede di vedere i troni nei quali trionfano in eterno i beati ...*

109-11. Pensa, lettor: tra gli «appelli al lettore», mezzo retorico classico da Dante spesso usato lungo il poema per coinvolgere il lettore nel racconto – chiedendo attenzione, o partecipazione –, questo è forse il più singolare: pensa, dice il poeta, se io interrompessi il racconto ora iniziato (*quel che qui s'inizia*), a come tu sentiresti l'angosciosa mancanza (*carizia*) di conoscerne la continuazione. E da questo puoi dedurre quanto io desiderassi di sapere le condizioni degli spiriti che lì mi apparvero. Il lettore che ascolta è fatto uguale al pellegrino protagonista: prova gli stessi sentimenti, ha le stesse reazioni. Scopre anche lui, come Dante personaggio, il mondo incredibile dell'aldilà. In questa coincidenza è racchiuso il segreto del modo di raccontare del poema, dove ogni uomo-lettore va con Dante nell'oltremondo.

– **carizia**: dal lat. «careo», come «carenza», vale «mancanza», «privazione».

– **angosciosa**: indica la sofferenza di tale mancanza, e quindi il desiderio di colmarla. Desiderio che, per il *savere*, è sempre fortissimo in Dante, che tale lo suppone anche negli altri.

112. da questi: da questi spiriti.

113. condizioni: la condizione del loro essere beati, cioè la ragione per cui si trovavano in quel cielo (cfr. vv. 127-9). Per *condizioni* nel senso di «modo di essere», «situazione», si cfr. *Purg.* XIII 130.

115. bene nato: nato per la felicità eterna; cfr. *ben creato* a III 37.

115-7. a cui: al quale la grazia divina concede di vedere prima della morte i seggi, i troni nei quali trionfano in eterno i beati.

– **prima che la milizia...**: prima di lasciare (prima che da te s'abbandoni) la condizione mortale, che è stato di guerra per l'uomo secondo la Scrittura («la vita dell'uomo sulla terra è una milizia»: *Iob* 7, 1). La *milizia* è immagine che corrisponde al *trïunfo*, e le due figure sono usate nelle denominazioni tradizionali di «chiesa militante» e «chiesa trionfante», da Dante qui

117   prima che la milizia s'abbandoni,
   del lume che per tutto il ciel si spazia
   noi semo accesi; e però, se disii
120   di noi chiarirti, a tuo piacer ti sazia».
   Così da un di quelli spirti pii
   detto mi fu; e da Beatrice: «Dì, dì
123   sicuramente, e credi come a dii».
   «Io veggio ben sì come tu t'annidi
   nel proprio lume, e che de li occhi il traggi,
126   perch'e' corusca sì come tu ridi;
   ma non so chi tu se', né perché aggi,
   anima degna, il grado de la spera
129   che si vela a' mortai con altrui raggi».
   Questo diss'io diritto a la lumera

rinnovate a sua misura. La stessa idea espressa in questa terzina tornerà, con parole simili, a XXV 55-7.

118. **del lume...**: di quella luce, o fiamma di amore, che è diffusa (*si spazia*) per tutto il paradiso; *si spazia* dilata quel *lume* per tutti gli infiniti spazi celesti.

119. **e però, se disii**: e perciò, accesi così d'amore, siamo pronti ad ogni tuo desiderio. È il tema ricorrente della prontezza e della gioia dei beati nel soddisfare Dante (cfr. III 16 e 69; VIII 32-3).

120. **di noi chiarirti**: aver notizie su di noi; *di noi* è compl. di argomento.

– **ti sazia**: sazia il tuo desiderio, chiedendo quello che vuoi.

122. **Dì, dì**: è un caso di rima composta, come a *Inf.* VII 28; XXX 87; *Purg.* XIX 34 e poche altre volte nel poema.

123. **come a dii**: come fossero dèi, in quanto essi possiedono la verità come Dio stesso. La divinizzazione dell'uomo è idea fondante del cristianesimo («Dio si è fatto uomo affinché l'uomo si facesse Dio»: Agostino, *Sermo in Natali Domini* CXXVIII, XII, PL 39, col. 1997), idea da Dante profondamente acquisita, come tutto ciò che tocca la dignità umana (si cfr. la citazione dalla *Monarchia* riportata al v. 19).

124-5. **Io veggio ben...**: io vedo bene, dice Dante, come tu sei annidato, tutto racchiuso come in un nido, nella tua propria luce; vedo cioè la tua figura ravvolta dalla luce che tu stesso emani, come l'uccello sta nel nido che egli stesso si è fatto.

125-6. **e che de li occhi il traggi...**: e vedo che tu derivi questo lume dai tuoi occhi, perché esso lampeggia (*corusca*: cfr. *Purg.* XXI 50) quando tu ridi. La luce brilla al ridere degli occhi dell'anima che vi è racchiusa. È questa forse la più bella, tra le tante variazioni create da Dante a esprimere il rapporto fra la spirituale gioia delle anime e il fervore della luce che le avvolge. La luce è nel paradiso il loro corpo, il loro solo mezzo di espressione. Ma qui nel secondo cielo ancora si coglie, in un lampo, quel doppio riso, interno ed esterno, che poi si potrà solo intuire. Si cfr. *Conv.*

III, VIII 11: «E che è ridere se non una *corruscazione* de la dilettazione de l'anima, cioè uno lume apparente di fuori secondo sta dentro?».

– **corusca**: il verbo, con lo stesso valore, si troverà anche a XX 84; e *corusca*, aggettivo, si dirà della luce di Cacciaguida a XVII 122, ripetendo la straordinaria immagine creata dal sostantivo in quella domanda sopra riportata.

127. **chi tu se'...**: Dante fa due domande, come già a Piccarda, rispondendo alla cortese offerta dell'altro (*se disii di noi chiarirti*): chi egli sia, e perché sia posto in quella sfera. L'interesse è insieme etico e storico, personale e pubblico.

128-9. **de la spera / che si vela...**: del pianeta (Mercurio) offuscato agli occhi degli uomini dai raggi del sole (*altrui*). Lo stesso verbo in *Conv.* II, XIII 11: «più va velata de li raggi del Sole che null'altra stella». Di fatto, per essere, con Venere, vicinissimo al sole (cfr. XXII 144), e quindi sopra l'orizzonte solo di giorno, Mercurio è, come Venere, visibile soltanto subito prima dell'alba o subito dopo il tramonto.

130. **diritto**: indirizzato, rivolto.

... *prima di lasciare la condizione mortale (la milizia), noi risplendiamo di quella luce (d'amore) che è diffusa (si spazia) per tutto il paradiso; e perciò, se desideri avere notizie su di noi, sazia ogni tuo desiderio». Così mi parlò uno di quegli spiriti pii, e Beatrice mi disse: «Di' pure tranquillamente, e credi a loro come fossero dèi».* ◆ *«Io vedo bene che tu sei racchiuso come in un nido nella tua propria luce, e che tu derivi questo lume dai tuoi occhi, perché esso lampeggia quando tu ridi; ma non so chi tu sia, né perché tu abbia in sorte, o anima degna, il grado di beatitudine proprio di questo pianeta (Mercurio) che è offuscato agli occhi degli uomini dai raggi del sole (altrui)».* ◆ *Io dissi queste parole rivolto alla luce ...*

che pria m'avea parlato; ond'ella fessi

132   lucente più assai di quel ch'ell'era.

Sì come il sol che si cela elli stessi

per troppa luce, come 'l caldo ha róse

135   le temperanze d'i vapori spessi,

per più letizia sì mi si nascose

dentro al suo raggio la figura santa;

e così chiusa chiusa mi rispuose

139   nel modo che 'l seguente canto canta.

131-2. fessi...: si fece, divenne, molto più lucente di prima; la maggior luce indica la maggiore gioia (v. 136) dovuta al poter effondere la propria carità (si cfr. il v. 105 e la nota corrispondente).

133-5. Sì come il sol...: come il sole nasconde se stesso (agli occhi degli uomini) per la sua troppa luce, quando con l'avanzare del giorno il calore ha corroso, disperso, i fitti vapori che prima temperavano il suo splendore... Prima l'uccello racchiuso nel nido da lui stesso fatto, ora, più propriamente e distesamente, il sole celato dalla sua stessa luce. Il raddoppiarsi delle immagini gira intorno a un solo centro di immaginazione poetica, che attrae e impegna il genio artistico di Dante quasi in gara con l'ardua realtà da lui immaginata: il beato che sta avvolto e celato nella luce da lui stesso prodotta. Grande idea teologica e poetica sulla quale è costruito tutto il terzo regno, prima dell'Empireo.

– temperanze d'i vapori: questo aspetto del cielo è caro alla fantasia di Dante, che altre volte vi ritorna nel poema, come a cosa spesso contemplata nei mattini della sua vita (cfr. *Purg.* II 13-5 e XXX 26).

137. la figura: è *l'ombra*, cioè la forma corporea prima intravista (v. 107).

138. chiusa chiusa: la ripetizione ha valore di superlativo (cfr. *quatto quatto* a *Inf.* XXI 89; *bruna bruna* a *Purg.* XXVIII 31); vi corrisponde nel verso seguente la figura etimologica: *canto canta*. Così i due versi insieme assumono un tono alto e solenne, che genera attesa e induce reverenza per ciò che il *seguente canto* ci narrerà.

... che prima mi aveva parlato; e allora ella si fece molto più lucente di quello che era prima. Come il sole, che nasconde se stesso (agli occhi degli uomini) per la sua troppa luce, quando il calore ha disperso i fitti vapori che temperano il suo splendore, così per la sua accresciuta letizia la figura santa mi si nascose dentro ai suoi raggi luminosi, e così tutta chiusa mi rispose nel modo che è riferito nel canto seguente.

NOTE LINGUISTICHE

v. 72. **cólto** (anche a XXII 45) è l'esito normale toscano dal lat. «cultus» (come *molto* da «multum»), mentre *culto* è voce dotta, che si è imposta nella lingua; probabilmente termine coniato da Dante stesso, in funzione della rima (Parodi, *Lingua*, p. 223), dato che non se ne sono trovati altri esempi.

v. 127. Per **aggi**, abbia, cfr. *aia* a *Inf.* XXI 60 e nota linguistica.

SUGGERIMENTI PER LA RICERCA

Temi del canto

Il «maggior dono»: la libertà
Nei vv. 19-24 confluisce l'appassionato amore di Dante per la libertà, gratuito e misterioso dono di Dio all'uomo, che lo distingue da tutte le creature. Per comprendere pienamente il valore che il poeta attribuisce a questa parola leggi il passo della *Monarchia* citato nelle note (I, XII 6), quindi riprendi i vv. 71-72 del I canto del *Purgatorio*, dove il tema è posto per la prima volta, e il passo di *Purg.* XVI 73-81 (con le note ai vv. 76 e 79-80). Infine, confronta la definizione teologica del termine *libertà* che trovi nel *Dizionarietto teologico* del volume *Strumenti* con quella data da un buon vocabolario della lingua italiana, osservando i diversi significati che esso ha assunto nella lingua e nella cultura moderna. Esponi per iscritto i risultati della tua ricerca, concludendo con una tua personale riflessione sul tema.

La questione del voto
Servendoti delle note e dell'Introduzione al canto, ricostruisci la differenza tra la posizione di Dante in merito alla possibilità di permutare la materia del voto e quella dei massimi teologi, tra i quali anche San Tommaso, riflettendo sulle ragioni su cui si fondano l'una e l'altra. Puoi approfondire l'argomento consultando la voce *Voto*, a cura di S. Aglianò, in *Enciclopedia Dantesca* V, pp. 1150-1152 e il saggio di A. Tartaro, indicato nelle *Letture consigliate*.

«... uomini siate, e non pecore matte»
Rileggi il discorso profetico di Dante ai vv. 64-81 e annota tutte le forme esortative, quindi gli ammonimenti che il poeta rivolge agli uomini e ai Cristiani; con l'aiuto dell'Introduzione al canto e delle note, spiega verso quali atteggiamenti è rivolta la polemica, distinguendo quelli legati a circostanze particolari dell'epoca e quelli riscontrabili in ogni tempo.

La visione sensibile dei beati
Nel cielo di Mercurio, come già in quello della Luna, si intravedono ancora forme corporee. Dopo aver riletto nell'Introduzione alla cantica le osservazioni sul graduale venir meno dell'aspetto visibile dei beati, riprendi e analizza i vv. 7-18 del canto III e i vv. 100-139 del canto V: confronta le due similitudini e rileva analogie e differenze nella descrizione degli spiriti beati.

Lingua e stile

fesse – v. 20
Leggi la *Grammatica Italiana* del Serianni al cap. XI 136 e 236, dove si enumerano le forme arcaiche dei verbi *fare* e *fendere*. Individua poi la forma verbale *fesse* nei canti XII, XX, XXV dell'*Inferno* e XVI e XXII del *Paradiso*, riconoscendone in ciascun passo il modo e il tempo, e attribuendo quindi ad essa il corretto significato.

come saetta – v. 91
Ripercorri i precedenti quattro canti del *Paradiso*, e individua i luoghi in cui ricorra l'immagine dell'arco o della freccia, notando quali diversi concetti o situazioni essa serva di volta in volta ad illustrare.

CANTO VI

Introduzione

I cinque canti iniziali ci hanno offerto prima la visione dell'ordine universale del mondo presentata in forma di discorso, o lezione teologica, poi la visione diretta dei primi due cieli e delle anime che vi abitano, infine la riflessione sul grande tema dell'umana libertà, fondamento di tutto il poema. Ora questo canto sesto introduce nella cantica il tema politico, e lo fa dandogli singolare importanza: esso occupa infatti l'intero spazio del canto, con un solo ininterrotto discorso, del quale l'introduzione è lasciata alla chiusa del canto precedente, e la conclusione al coro che apre quello seguente. Tale carattere, unico nel poema, è segno della rilevanza dell'argomento trattato, tale da prendere un così ampio spazio nel regno celeste. Si tratta infatti di quella funzione provvidenziale dell'Impero romano, a cui Dio ha affidato la guida degli uomini nella storia secondo giustizia, che è l'idea centrale del pensiero politico dantesco, da lui considerata essenziale per l'interpretazione degli eventi storici alla luce della fede cristiana.

Come è sempre stato osservato, ai sesti canti Dante affida in tutte e tre le cantiche un tema politico, svolto in chiave profetica, che li connota in modo tutto particolare. E vi è nei tre una progressione, in crescendo, dell'estensione del tema, che sempre porta al suo doloroso centro la discordia che mette gli uomini gli uni contro gli altri: nel canto di Ciacco si deplora la divisione interna della città (la *città partita*); nel canto di Sordello si denuncia la *guerra* tra fazioni che porta a rovina l'Italia; in questo, dove parla l'imperatore Giustiniano, lo sguardo del profeta è rivolto all'intera estensione dell'Impero, dove le due parti – guelfi e ghibellini – si scontrano in nome di quel *segno* (l'aquila imperiale) che dovrebbe essere portatore di pace nel mondo.

Bisogna tuttavia subito dire che il testo del canto politico del *Paradiso* ha una solennità e un'autorevolezza che gli altri due non hanno. Oltre alla sua singolare ampiezza e collocazione, di cui si è detto, questo discorso è pronunciato in cielo, e da uno spirito beato, che parla dunque con la voce stessa di Dio. E di fatto esso è volto a presentare il disegno di Dio nella storia degli uomini, e ad ammonire – come è proprio del profeta – coloro che a quel progetto si oppongono e si ribellano. In questo grande quadro storico viene dunque a concludersi tutta la concezione storiografica di Dante, come è teorizzata nel libro II della *Monarchia*, e già formulata nelle sue linee principali nel IV del *Convivio*: quel compito dato da Dio all'Impero romano per costituire prima le condizioni di pace in cui doveva nascere il Cristo e quella istituzione universale che desse legittimità alla sua condanna a morte come redentrice di tutto il genere umano, e custodire poi quell'unità politica del mondo nella quale doveva crescere e avere spazio e diffusione la Chiesa. Si capisce quindi il senso di questo importante canto, situato nella prima parte del *Paradiso* dove si pongono le fondamenta – teologiche e storiche – di quell'ordine armonioso dell'universo che tutta la cantica celebrerà.

Ma prima di indicarne brevemente il contenuto, vogliamo osservare che nel *Paradiso* ogni racconto, o quadro storico, ogni sguardo cioè rivolto alla terra –

e non alla visione che offrono i cieli – è sempre di carattere pubblico, cioè politico in largo senso. Qui non hanno posto, come nelle prime due cantiche, le storie private, con la sola eccezione di quella, pur breve, di Piccarda (che comunque è finalizzata al problema teologico della libertà, come si vide), posta nel cielo dove ancora è pallidamente visibile il volto terreno. La terra dal *Paradiso* è sempre vista, profeticamente, nella sua condizione di corruzione rispetto a un ideale situato nel passato, e nella certa speranza di una restaurazione futura. E saranno via via toccati i principali organismi pubblici della condizione storica del tempo di Dante. Come in questo canto la storia dell'Impero finisce col denunciare la tragica situazione politica contemporanea dei popoli europei, così nelle storie di Francesco e Domenico si deplorerà la triste decadenza dei due grandi ordini, francescano e domenicano, voluti da Dio a sostenere la Chiesa, così nel quadro dell'antica, sobria Firenze fatto da Cacciaguida si specchierà, a confronto, la corruzione delle città, e infine nell'invettiva di Pietro nel cielo Stellato sarà denunciata la perversione del papato, consacrato ai suoi inizi dal sangue del martirio.

Il canto – un unico discorso, come si è detto – è strutturato in due parti di diseguale durata, ma di eguale importanza. La prima svolge il tema dell'Impero, non a caso affidato a un imperatore, Giustiniano, che, come dice il suo stesso nome, può ben dirsi l'imperatore della giustizia, in quanto a lui si deve la grande opera di organizzazione del diritto (il *Corpus iuris civilis*) rimasta a fondamento dello stato in Occidente fino all'età moderna. La seconda parte, molto più breve, è dedicata alla storia di un singolo, oscuro cittadino, giusto e perseguitato. All'ideale ordine di giustizia offerto da Dio corrisponde così la realtà di ingiustizia propria degli uomini.

Giustiniano è scelto da Dante a questo alto compito per due principali ragioni: perché è l'imperatore che riunificò territorialmente l'Impero diviso da Costantino e perché, con la sua opera di legislatore, ne fondò l'unità istituzionale; egli rappresenta così, quasi figura esemplare, quella giustizia che del potere politico è costitutiva, simboleggiata nell'aquila imperiale, il *segno* prescelto da Dio a guida della storia (e l'aquila sarà appunto la figura che dominerà il cielo dedicato ai giusti, quello di Giove, nei canti XIX e XX).

Per dimostrare il valore sacrale dell'Impero romano, Dante non usa qui ragionamenti, ma sceglie la via del racconto: i fatti stessi, col fulmineo progressivo espandersi del potere di Roma sul mondo, e la virtù dei suoi cittadini, servono da dimostrazione. Il racconto si svolge in tono epico, e in forma rapida e sintetica. Dalla vittoria di Enea sui Latini (cioè – non a caso – da dove l'*Eneide* finisce), al periodo monarchico, a quello repubblicano, alle imprese di Cesare, fino ad Augusto, il testo sembra volare – come l'aquila protagonista – attraverso i tempi e i luoghi, con scorcio veloce ma sempre singolarmente esatto nella valutazione degli eventi. Con Augusto e Tiberio – sotto i quali avvennero rispettivamente la nascita e la morte di Cristo – la storia sembra arrestarsi. E di fatto in quegli eventi è posta la spartizione dei tempi (divisi appunto in *prima e dopo Cristo*) secondo la storiografia cristiana (e secondo il calendario ancora oggi vigente).

Da Tito – brevemente ricordato per la distruzione di Gerusalemme, che disperse il popolo ebreo, segnando così l'inizio della nuova era cristiana – Giustiniano passa direttamente a Carlo Magno, di fatto il restauratore dell'antico Impero romano, che con lui prese il nome di «sacro», in quanto benedetto dall'autorità della Chiesa. L'Impero fondato da Carlo Magno è per Dante quello che, in quanto continuatore dell'Impero di Augusto, è ancora al suo tempo il potere a cui è affidato il governo politico del mondo per volere divino, e che deve collaborare con la Chiesa nella guida dell'umanità.

È questa la ragione per cui Giustiniano conclude con Carlo Magno il suo racconto del passato: con lui infatti comincia il tempo presente, cioè la condizione storica in cui Dante vive. E per questo al racconto segue ora l'ammonimento solenne del profeta agli uomini del suo tempo, ammonimento in funzione del quale era stato delineato tutto il grande quadro storico che Giustiniano introduce come «aggiunta» alla sua presentazione (si vedano i vv. 28-33): non usino gli uomini il *sacrosanto segno* per interesse di parte (i ghibellini), né tentino di opporgli un'altra bandiera (i guelfi). Condannando gli uni e gli altri, Dante si pone, come sempre farà nel *Paradiso*, nel campo politico come in quello dottrinale, al di sopra delle parti, nell'ottica che egli ritiene propria di Dio, in nome del quale parla. E come sempre accadrà in simili testi, il rimprovero termina con un avvertimento per il futuro, quello di un intervento divino che punirà i colpevoli e ristabilirà l'ordine.

Tale modello segue lo schema retorico proprio delle profezie bibliche, ma il suo svolgimento non ha carattere anonimo: in esso parla tutta la passione della vita di Dante, l'angoscia insieme politica e personale con la quale egli vedeva la crudele divisione e discordia degli animi che affliggeva il suo tempo – e rovinò la sua vita –, afflizione che si ripete ad ogni epoca storica, ma che solo pochi alti spiriti soffrono con consapevole e universale sofferenza.

All'appassionato passo profetico succede – senza giuntura – una sequenza calma e discorsiva, nella quale Giustiniano risponde alla seconda domanda di Dante, quella sugli abitanti del secondo cielo. (Tutto il grande discorso che precede rispondeva infatti alla prima, posta alla fine del V canto, su chi fosse lo spirito che aveva parlato). Qui dunque stanno coloro che agirono bene per amore di gloria, che si prodigarono cioè nella vita civile, non tuttavia per puro amore di Dio, ma *perché onore e fama li succeda*. Essi desiderarono e compirono cose nobili e giuste, che procurano *onore e fama* tra gli uomini, ma ciò non basta a essere grandi di fronte a Dio, come già insegna il canto IV dell'*Inferno*. Tale loro passione fece infatti sì che il loro amore di Dio fosse *men vivo* (vv. 115-7). C'è dunque negli abitanti del secondo cielo, come nel cielo precedente e come nel seguente, cioè nei tre dove ancora arriva l'ombra della terra, un punto di debolezza: quell'amor di gloria che, buono in sé, non deve essere tuttavia dominante nel cuore dell'uomo, perché può distoglierlo dal suo vero fine, che è Dio, e indurlo a superbia. È questo un problema che fu proprio dell'alto spirito di Dante, e che qui appare soltanto in controluce, mentre è svolto ampiamente nel canto XI del *Purgatorio*. Non è una pura coincidenza che anche quel canto si chiuda, come questo, con una breve e drammatica storia a sfondo autobiografico, quella di Provenzan Salvani, la cui vicenda ha con quella del personaggio che qui ora si presenta una particolare consonanza tematica.

La definizione degli abitanti del cielo serve dunque da calmo intervallo, nella struttura del canto, fra le due storie, la grande e la piccola, fra i due personaggi, il grande imperatore e l'oscuro ministro del conte di Provenza. Prima tuttavia di concludere questo passo, Giustiniano ripete – come rispondendo ancora una volta a un taciuto dubbio di Dante – lo stesso discorso di Piccarda sulla perfetta beatitudine che gli spiriti di Mercurio godono, pur essendo in una sfera tra le più basse; ma mentre la donna, nella sua risposta, si appella alla carità – per la quale tutte le anime concordano col volere divino –, l'imperatore padre del diritto si richiama alla giustizia, per la quale i beati riconoscono la loro condizione come dovuta, e questo è anzi parte della loro stessa felicità.

Terminata la non richiesta spiegazione – che ha lo scopo di completare, confermandola, quella data da Piccarda –, Giustiniano indica a Dante in fine di canto un'altra anima che abita nel suo cielo, dedicandole poche ma intense terzine, come già Piccarda fece con Costanza d'Altavilla, e come farà Folchetto nel cielo di Venere con la meretrice Raab. Che un canto si chiuda con una storia breve ma di forte rilievo è fatto non nuovo, anzi è una delle strutture ricorrenti del poema. E tali storie hanno sempre una funzione importante nel canto che concludono, illuminandone, dalla fine, il suo più profondo significato. Ricordiamo nell'*Inferno* l'apparizione di Bertran de Born con in mano la propria testa, nel *Purgatorio* il brevissimo e dolce intervento della Pia, il già ricordato Provenzan Salvani, le accorate parole provenzali di Arnaldo Daniello. Così qui nel *Paradiso* accadrà con Raab nel cielo di Venere, e con Sigieri nel cielo del Sole. Il rapporto quindi fra i due personaggi del nostro canto è da ricercare nel significato stesso che in questo cielo di Mercurio viene espresso: l'ideale di giustizia che con l'Impero voluto da Dio dovrebbe nel progetto divino governare la storia – ideale che Giustiniano impersona, nel nome e nell'opera – e la crudele realtà di ingiustizia che presiede all'agire degli uomini, per cui il giusto è sempre perseguitato (come fu del giusto per eccellenza, il Cristo), realtà di cui è qui figura esemplare Romeo di Villanova, il ministro del conte di Provenza che beneficò largamente il suo signore e fu da lui ricompensato con l'ignominia, per cui egli andò esule e ramingo per il mondo, sopportando l'umiliante condizione di povertà. È la storia già nota di Pier delle Vigne nell'*Inferno* e di Pier della Broccia nel *Purgatorio* – i fedeli servitori accusati e rovinati nell'onore e nella vita stessa dall'invidia dei cortigiani – ed è, come si sa, la dolorosa vicenda di Dante.

La storia del *Paradiso*, che potremmo chiamare la terza e ultima fase di questo unico discorso, dà anche la risposta alla drammatica vicenda raccontata per prima. L'ultimo dei tre ingiustamente accusati e vilipesi accetta infatti pazientemente e umilmente di sopportare l'ignominia che il primo – Pier delle Vigne – non poté tollerare, al punto di togliersi la vita per soddisfare il suo orgoglio offeso (*per disdegnoso gusto*). Questo personaggio ben più modesto – *persona umile e pellegrina* – affronta fino alla fine una vita mendicata per ogni boccone, e ciò gli guadagna il paradiso, dove la sua luce risplende fulgidamente (*luce la luce di Romeo*), come brillerà nel cielo di Venere quella della meretrice Raab. La ricompensa divina ristabilisce così la giustizia che il mondo ha violato.

Dante rivela in quei pochi, dolenti versi, giustamente rimasti famosi – che così chiaramente saranno riecheggiati dalle parole di Cacciaguida nel canto XVII (*tu proverai sì come sa di sale / lo pane altrui*) – ciò che non sempre viene riconosciuto nell'immagine fiera e indomita che di lui è stata costruita: quell'umile accettazione è infatti la scelta che egli ha fatto per sé; non l'orgoglio e il *disdegno* che portarono Piero alla disperazione (e che certamente tentarono anche il suo animo, per l'alto sentire di sé che gli era proprio), ma la sopportazione paziente della sventura e, cosa anche più dura, dell'ingiustizia. Sopportazione che fu la condizione di tutta la sua vita dopo l'esilio, e che neppure il grande, sacro poema valse a far sì che gli fosse tolta prima della morte, vincendo la *crudeltà* che gli chiudeva le porte della città natale, come è detto nell'accorata sequenza che apre il canto XXV (vv. 1-5).

Nelle sue due componenti, il canto si svolge – è stato osservato – su due diversi registri: quello epico nella prima, e quello che può dirsi elegiaco nella seconda. Ciò non deve significare però che il secondo testo sia, nella sua «elegiacità», meno poeticamente alto del primo. La vicenda di Romeo – pur così mitemente narrata – è anch'essa infine una storia eroica. Il suo dramma non è pubblico, ma privato, non di popoli, ma di un individuo; il che non diminuisce, ma in forma diversa eguaglia la tragicità dell'altra più grandiosa storia. E quel giusto perseguitato che ne è il vero e taciuto protagonista sarà il profeta del progetto divino di giustizia che in quella è celebrato.

CANTO VI

Nel cielo di Mercurio: Giustiniano e l'aquila imperiale

1-27 Lo spirito del nuovo cielo, che ha parlato a Dante, si presenta come l'imperatore Giustiniano nelle cui mani l'insegna imperiale, l'aquila, giunse più di duecento anni dopo Costantino: della sua vita terrena egli ricorda l'opera legislativa, la conversione alla fede e le conquiste del suo generale Belisario.

28-96 Esaurita così la risposta alla prima delle due domande di Dante (non so chi tu sei), Giustiniano apre una digressione sull'Impero, perché si comprenda come sia irragionevole la condotta di quanti ora si appropriano indebitamente del sacrosanto segno *(l'aquila, sacro simbolo dell'Impero) o gli si oppongono. Per più di tre secoli il segno* restò *nella città di Albalonga (con i discendenti di Enea), fino a che se ne impadronirono i Romani: sotto di esso, prima nell'età monarchica, poi nel periodo repubblicano, celebrarono i loro trionfi sui popoli italici e stranieri. Quando il cielo si preparava a riportare la pace in terra (in occasione della nascita di Cristo), per volere di Roma l'aquila imperiale passò nelle mani di Cesare, indomabile conquistatore, quindi di Augusto, da cui il mondo fu pacificato. Ma la gloria massima fu raggiunta sotto il terzo imperatore, Tiberio, quando l'umanità fu redenta dalla morte di Cristo; anche la punizione di tale uccisione fu opera dell'aquila, allora tenuta dall'imperatore Tito. Infine, al tempo in cui la Chiesa venne attaccata dai Longobardi, Carlo Magno la soccorse sotto la protezione di quel segno.*

97-111 Avendo ormai mostrato la sacralità dell'aquila, Giustiniano torna ad accusare Guelfi e Ghibellini, i primi perché oppongono all'insegna universale i gigli d'oro di Francia, i secondi perché cercano di appropriarsene per interessi di parte.

112-126 L'imperatore risponde ora alla seconda domanda di Dante (non so perché ti trovi in questo cielo) e spiega che nel cielo di Mercurio si mostrano le anime di coloro che furono attivi per ottenere onore e fama: la loro vita terrena perciò è stata segnata da una qualche debolezza, ma sono lieti del grado di beatitudine di cui godono perché giustamente commisurato al loro merito.

127-142 Infine Giustiniano presenta un altro spirito beato del suo cielo, Romeo di Villanova, umile pellegrino diventato fedele ministro del conte di Provenza. Caduto in disgrazia per le calunnie dei cortigiani invidiosi, dovette lasciare la corte, povero e ormai avanti con gli anni: se il mondo potesse conoscere il suo animo nel dover mendicare la vita, lo loderebbe più di quanto già non faccia.

«Poscia che Costantin l'aquila volse
contr'al corso del ciel, ch'ella seguio

1-2. Poscia che Costantin: dopo che Costantino rivolse l'aquila romana (l'insegna dell'Impero) in direzione contraria al corso del cielo (cioè da Occidente verso Oriente, in senso opposto al moto apparente del cielo stellato: *Conv.* II, III 5). Si indica qui, con grandiosa immagine, il trasferimento della sede dell'Impero da Roma a Bisanzio, compiuto da Costantino nel 330. Con questo potente attacco, che già porta nel primo verso del canto – alta nel cielo – la figura che ne sarà la protagonista, e segna col forte verbo finale – *volse* – il vio-

lento rovesciamento storico operato dall'imperatore che dette al papa il primo dominio temporale, ha inizio il grande discorso dello spirito di Giustiniano, discorso che occuperà tutto il canto. Nelle prime nove terzine Giustiniano risponde alla prima domanda di Dante, che riguarda la sua persona e la sua vita. Poi il discorso si allargherà al racconto epico della storia provvidenziale di Roma. Ma questo inizio già pone la vita dell'imperatore sullo sfondo dell'altra, universale vicenda che sarà il tema centrale del suo parlare.

2-3. ch'ella seguio: quel corso che essa invece seguì quando accompagnò Enea (l'antico eroe che sposò – *tolse* – Lavinia, figlia del re Latino) nel suo viaggio fatale dai lidi della Troade a quelli del Lazio. Che il corso provvidenziale della storia umana – nel quale è iscrit-

---

«Dopo che Costantino rivolse l'aquila romana (l'insegna dell'Impero) in direzione contraria al corso del cielo (cioè da Occidente verso Oriente), quel corso che essa invece seguì ...

3   dietro a l'antico che Lavina tolse,
         cento e cent'anni e più l'uccel di Dio
     ne lo stremo d'Europa si ritenne,

6   vicino a' monti de' quai prima uscìo;
         e sotto l'ombra de le sacre penne
     governò 'l mondo lì di mano in mano,

9   e, sì cangiando, in su la mia pervenne.
         Cesare fui e son Iustiniano,
     che, per voler del primo amor ch'i' sento,

12   d'entro le leggi trassi il troppo e 'l vano.

to secondo Dante il viaggio di Enea – sia rivolto da Oriente verso Occidente (seguendo il moto che il Primo Mobile imprime a tutto l'universo) è idea significata anche nell'allegoria del Veglio di Creta nel canto XIV dell'*Inferno* (cfr. vv. 103-5). Il rivolgimento compiuto da Costantino («contro» il corso naturale del cielo, e anche «contro» il corso voluto da Dio) è dunque certamente indicato con rimprovero da Dante; tanto più che tale spostamento della sede imperiale era legato, nell'opinione storiografica medievale, alla «donazione» del territorio di Roma fatta al papa dall'imperatore (come è apertamente detto a XX 55-7), quella donazione da Dante sempre indicata come l'origine della rovina storica del mondo (cfr. ancora XX 60 e *Inf.* XIX 115-7).

– **corso del ciel**: s'intende qui il movimento del cielo a tutti noto, cioè quello del cielo stellato, che ruota visibilmente, per chi guarda dalla terra, da Oriente verso Occidente (cfr. *Conv.* II, XIV 1).

4-6. cento e cent'anni: per più di duecento anni l'aquila imperiale (*uccel di Dio*, perché da Dio mosso e guidato) rimase nel margine estremo d'Europa, cioè a Bisanzio (dove passa il confine tra l'Europa e l'Asia), vicino ai monti della Troade, dai quali primamente mosse il suo volo a seguito di Enea. Si veda come quest'aquila, simbolo e insegna, diventi nei versi di Dante un vero uccello regale, abitatore delle cime e percorritore di grandi spazi nel volo, come lo è nella realtà. La cronologia seguita da Dante in questo canto sembra quella fornita da Brunetto Latini nel *Tresor*, per cui fra il trasferimento della sede a Bisanzio, avvenuto poco dopo la conversione (datata al 323), e l'avvento di Giustiniano al trono, datato al 539, passarono poco meno di 216 anni (cfr. *Tresor* I 87, 3). Nella realtà le due date furono invece rispettivamente il 330 e il 527, e l'intervallo quindi inferiore ai duecento anni.

– **uccel di Dio**: anche a *Purg.* XXXII 112 l'aquila è detta *uccel di Giove*, che traduce letteralmente il virgiliano «le ali di Giove» (*Aen.* I 394). Queste parole sono il primo segno del valore sacrale dell'Impero, idea che presiede a tutta la grande rievocazione storica, e non casualmente si richiamano all'epopea del poeta latino, da cui quell'idea venne a Dante.

7-8. e sotto l'ombra: il soggetto è sempre l'aquila; è lei, e non gli uomini, che «governa» il mondo per volere divino. Gli uomini, gli imperatori, sono soltanto

i suoi «portatori» (cfr. v. 73), cioè strumenti della provvidenza celeste. L'immagine biblica dell'ombra delle ali divine («all'ombra delle tue ali»: *Ps.* 16, 8) che protegge l'azione dell'uomo rafforza questa idea, proposta da Dante fin dall'inizio con tono solenne.

– **di mano in mano**: l'aquila è portata sulla mano come era portato il falco dal cacciatore.

9. e, sì cangiando: e così passando dall'uno all'altro, cambiando mano. I nomi sono volutamente tutti taciuti.

10. Cesare fui: come già Buonconte (*Purg.* V 88) lo spirito indica al tempo passato il proprio titolo onorifico, e al presente il suo solo nome di battesimo, quello per cui ogni uomo è noto a Dio. Il chiasmo tuttavia rileva sia la maestà della carica terrena, sia il significato provvidenziale del nome di colui che era destinato a promulgare nei secoli il diritto romano.

11-2. che, per voler: che per volontà di Dio, o meglio dello Spirito Santo (il *primo amor*: cfr. *Inf.* III 6), tolsi dalle leggi accumulate fino a me ciò che era *troppo* (il contraddittorio o ripetitivo) e ciò che era *vano* o inutile (cioè superfluo, perché ormai superato dai tempi): costituii cioè il «corpus» delle leggi in forma ordinata e completa. Si indica qui la capitale opera di Giustiniano, da lui voluta e affidata al grande giurista Triboniano, il *Corpus iuris civilis* rimasto per secoli, fino a Napoleone, la base di ogni diritto in Europa. La frase qui adoperata sembra riecheggiare alcune parole del primo decreto del *Corpus* giustinianeo, riferite appunto alle leggi: «liberate da ogni superflua ripetizione e da ogni perniciosa contraddizione». Importante è notare che quest'opera è attribuita in tutto al volere divino, piuttosto che a una iniziativa umana.

■

... quando accompagnò l'antico eroe che sposò (tolse) Lavinia (cioè Enea), per più di duecento anni l'uccello di Dio (cioè l'aquila imperiale) rimase nel margine estremo d'Europa (cioè a Bisanzio), vicino ai monti della Troade, dai quali primamente era partita; e sotto l'ombra delle sue ali sante governò il mondo passando dall'uno all'altro (imperatore), e così cambiando mano giunse nella mia. ◆ *Fui imperatore (Cesare) e sono Giustiniano, che per volontà dell'amore divino, che ora sperimento dentro di me, tolsi dalle leggi ciò che era eccessivo e ciò che era inutile.*

E prima ch'io a l'ovra fossi attento, *ovid*

una natura in Cristo esser, non piùe,

15 credea, e di tal fede era contento;

ma 'l benedetto Agapito, che fue

sommo pastore, a la fede sincera

18 mi dirizzò con le parole sue.

Io li credetti; e ciò che 'n sua fede era,

vegg'io or chiaro sì, come tu vedi

21 ogni contradizione e falsa e vera.

Tosto che con la Chiesa mossi i piedi,

a Dio per grazia piacque di spirarmi

24 l'alto lavoro, e tutto 'n lui mi diedi;

13-5. E prima ch'io: e prima ch'io mi dedicassi a quest'opera (*attento* vale «intento», «dedito») io credevo – seguendo l'eresia monofisita – che in Cristo fosse una sola natura (quella divina) e non più di una (secondo la fede cristiana, in Cristo vi sono due nature, l'umana e la divina; cfr. *Purg.* XXIX 112-4 e nota). Questa eresia, detta anche eutichiana dal suo iniziatore Eutiche, era diffusa in Oriente nei primi secoli e si sa che vi aderì la moglie di Giustiniano, Teodora, mentre non è storicamente vero che la professasse l'imperatore. Ma anche in questo caso Dante segue le più diffuse e autorevoli fonti medievali, e a noi interessa qui non la realtà storica di Giustiniano, ma il modo in cui Dante la vide e la interpretò.

16-8. ma 'l benedetto Agapito: Agapito, papa dal 533 al 536, si recò a Costantinopoli per trattare la pace fra Giustiniano e il re degli Ostrogoti Teodato; in quella occasione egli avrebbe convinto l'imperatore – sempre secondo le fonti qui seguite da Dante – ad abbandonare l'eresia monofisita per la vera fede (*la fede sincera*). Così scrive anche Brunetto Latini nel *Tresor* I 87: «all'inizio [Giustiniano] fu nell'errore degli eretici, alla fine riconobbe il suo errore per esortazione di Agapito». In ogni caso è certo che Agapito depose il patriarca eretico Antimo, eletto con il favore di Teodora, mettendo al suo posto l'ortodosso Mena. Il suo viaggio cambiò dunque di fatto la situazione religiosa a Bisanzio.

19-21. e ciò che 'n sua fede era: e ciò che egli credeva – cioè la verità che egli professava, la duplice natura di Cristo – io lo vedo ora con la stessa evidenza con la quale tu (cioè tutti gli uomini) vedi che in ogni caso di due affermazioni contraddittorie l'una è necessariamente vera e l'altra falsa. È questo il primo e più noto principio della logica aristotelica – detto appunto «di non contraddizione» – citato per dire la cosa di massima evidenza alla mente umana. Ma tale richiamo è poi strettamente funzionale alla verità di fede qui dichiarata, che sostiene appunto la compresenza in Cristo di due nature apparentemente inconciliabili, quali la divina e l'umana. Come in terra è evidente l'impossibile coesistere di due realtà fra loro contraddittorie, così in cielo appare, con la stessa evidenza, la coesistenza in Cristo delle due diverse nature. Lo stesso confronto – sempre a proposito dello stesso mistero della fede – fatto a II 37-42 ci rivela quanto profondamente Dante meditasse su queste realtà, e con quale convinzione le credesse.

22. Tosto che con la Chiesa: non appena fui entrato nella fede professata dalla Chiesa... Dante fa cominciare *l'alto lavoro* della raccolta delle leggi dopo che Giustiniano è convertito all'ortodossia, cioè si «muove» in perfetto accordo con la Chiesa di Roma. Nella realtà storica, anche questo dato non risulta vero: infatti quando Agapito salì al pontificato, nel 533, la stesura del *Corpus iuris* era già compiuta. Come per gli altri dati, Dante non inventa, ma si tiene alle fonti a lui note, in questo caso probabilmente al cronista medievale Martino Polono che registra i due fatti nell'ordine qui indicato (Martinus Polonus, *Chronicon*, p. 455). Tuttavia è importante notare come egli sottolinei la coincidenza dei tempi: solo nel perfetto accordo dell'Impero con la Chiesa può nascere la grande opera ispirata da Dio, su cui doveva fondarsi la stabilità storica dell'istituzione imperiale nel corso dei secoli.

25-7. e al mio Belisar: tutto dedito al lavoro giuridico, io affidai l'attività militare (*l'armi*) al mio generale Belisario, che fu così apertamente sostenuto dal cielo nelle sue imprese ch'io ne trassi un chiaro segno di dovermi astenere dalla guerra (*posarmi*) per dedicarmi al mio impegno pacifico. Belisario, grande e famoso condottiero, cacciò dall'Africa i Vandali e riconquistò, con

---

E prima ch'io mi dedicassi a quest'opera credevo che in Cristo fosse una sola natura (quella divina) e non più di una, e mi accontentavo di questa fede; ma il benedetto Agapito, che fu supremo pastore (papa), mi indirizzò con le sue parole alla vera fede. Io gli credetti; e ciò che egli credeva io lo vedo ora con la stessa evidenza con la quale tu vedi che tra due affermazioni contraddittorie l'una è vera e l'altra falsa. ◆ Non appena fui entrato nella fede professata dalla Chiesa, a Dio piacque per sua grazia di ispirarmi quel grande lavoro, e mi dedicai tutto ad esso; ...

e al mio Belisar commendai l'armi,
cui la destra del ciel fu sì congiunta,
27　　che segno fu ch'i' dovessi posarmi.
　　　Or qui a la question prima s'appunta
la mia risposta; ma sua condizione
30　　mi stringe a seguitare alcuna giunta,
　　　perché tu veggi con quanta ragione
si move contr'al sacrosanto segno
33　　e chi 'l s'appropria e chi a lui s'oppone.
　　　Vedi quanta virtù l'ha fatto degno
di reverenza; e cominciò da l'ora
36　　che Pallante morì per darli regno.

una celebre impresa, l'Italia occupata dai Goti, ricostituendo così l'unità geografica dell'Impero dall'Oriente all'Occidente. Giustiniano fu nella realtà ingrato verso di lui, facendolo incarcerare in base alle accuse suscitate dagli invidiosi. O Dante ignorò la cosa, come la ignora il Villani (III, VI), o questo affettuoso possessivo (*mio*) vuol essere una ritrattazione dell'imperatore verso il suo suddito misconosciuto.

28-9. **Or qui**: qui ha termine (*s'appunta*: cfr. IX 118) la mia risposta alla tua prima domanda, che riguardava la mia persona (cfr. V 127-9).

29-33. **ma sua condizione**: ma il carattere di tale risposta (nella quale si è parlato dell'aquila come *uccel di Dio* e del suo governo del mondo *sotto l'ombra de le sacre penne*) mi costringe a farle seguire una *giunta*, cioè un'appendice, un prolungamento (che illustri, s'intende, la santità di quel segno), perché si capisca come sia grave ingiustizia l'agire contro di esso, sia appropriandoselo per interesse di parte, sia opponendovisi apertamente. Lo scopo quindi a cui mira tutto il discorso storico che seguirà è dichiaratamente ammonitore e profetico, contro ghibellini e guelfi indistintamente, e l'ammonimento sarà svolto esplicitamente alla fine del canto, ai vv. 97-111. Queste due terzine offrono dunque la chiave di lettura per intendere la grande e veloce rassegna della storia romana che ora ha inizio.

31. **con quanta ragione**: è una forma ironica: quanto a torto.

33. **e chi 'l s'appropria**: «nessuno signore e nessuno comune dovrebbe appropriarsi lo segno dell'Aquila per reverenza de lo Imperio contra ragione fa chi se 'l piglia di sua autorità e chi lo disobbedisce» (Buti). Si allude qui a comuni e signorie ghibelline che si fregiavano del segno dell'aquila non per l'interesse dell'Impero, ma solo per il proprio interesse di parte.

– **e chi a lui s'oppone**: queste sono le città guelfe, e la casa di Francia che rappresentava l'opposizione all'Impero (cfr. vv. 106-8).

34-5. **Vedi quanta virtù**: guarda, considera, quanta virtù, civile e militare, che risplende fin dagli inizi nella storia di Roma, ha fatto questo segno degno di riverenza. È questa la tesi delle eroiche virtù proprie dei

cittadini romani dei primi tempi (i «divini cittadini» di *Conv.* IV, V 12-7) quali Cincinnato, i Deci, Lucrezia e gli altri qui nominati, viste come segno della nobiltà da Dio concessa a quel popolo, predestinato all'impero del mondo. Dietro a tali virtù, si dice nel *Convivio*, è manifesto l'intervento divino: «e manifesto esser dee, rimembrando la vita di costoro non sanza alcuna luce de la divina bontade, aggiunta sopra la loro buona natura, essere tante mirabili operazioni state» (*Conv.* IV, V 17). Gli stessi esempi di virtù sono citati anche nella *Monarchia* (II, V) a riprova del buon diritto con cui i romani ottennero il dominio del mondo (si vedano più avanti i vv. 46-8 e la nota relativa).

35-6. **e cominciò da l'ora**: e questa virtù cominciò dal momento in cui Pallante (il figlio del re Evandro alleatosi con Enea contro i Latini) morì perché l'aquila, portata da Enea, potesse stabilire il suo regno nel Lazio. Pallante, il giovane e generoso eroe virgiliano che muore combattendo per Enea, è visto così come una vittima del nuovo stato che doveva sorgere, e primo esempio, quasi capostipite, delle nobili virtù dei futuri romani. Con questo nome Dante riconnette dichiaratamente il suo discorso su Roma all'epopea virgiliana, facendo «cominciare» la sua storia là dove l'*Eneide* appunto finisce.

36. **che Pallante morì**: si notino la semplicità e insieme la forza evocativa di questo verso, che ad ogni lettore dell'*Eneide* – quali erano allora tutti i lettori di

---

... *e affidai l'attività militare (l'armi) al mio generale Belisario, a cui il cielo dette il suo aiuto in modo così evidente che fu per me un chiaro segno di dovermi astenere dalla guerra (posarmi). Qui ha termine (s'appunta) la mia risposta alla tua prima domanda; ma il carattere di tale risposta mi costringe a farle seguire un prolungamento, perché tu capisca quanto a torto (con quanta ragione, ironico) agisca contro il segno santo sia chi se ne appropria per interesse di parte, sia chi vi si oppone apertamente.* ◆ *Guarda quanta virtù ha fatto questo segno degno di riverenza; ed essa cominciò dal momento in cui Pallante morì perché esso potesse stabilire il suo regno (nel Lazio).*

> Tu sai ch'el fece in Alba sua dimora
> per trecento anni e oltre, infino al fine
> 39   che i tre a' tre pugnar per lui ancora.
> E sai ch'el fé dal mal de le Sabine
> al dolor di Lucrezia in sette regi,
> 42   vincendo intorno le genti vicine.
> Sai quel ch'el fé portato da li egregi
> Romani incontro a Brenno, incontro a Pirro,
> 45   incontro a li altri principi e collegi;
> onde Torquato e Quinzio, che dal cirro

Dante che fossero stati a scuola – richiama la tragica e sublime pagina dove Virgilio piange, come tante altre volte, la morte del giovane (*Aen.* XI 24-8). E si ricordi che già nel canto I dell'*Inferno* gli altri giovani morti dell'*Eneide* sono ricordati, proprio come qui Pallante, come caduti per la futura fortuna della regione italica (vv. 106-8).

37-9. in Alba: Albalonga, la città fondata da Ascanio, figlio di Enea, dove l'aquila stabilì la sua sede per più di tre secoli (è il tempo indicato in *Aen.* I 272; quattro secoli in Livio I 29), fino al duello fra Orazi e Curiazi (*i tre a' tre*, tre fratelli romani e tre albani). Quel duello decise infatti il predominio di Roma su Alba, le due città del Lazio discendenti dai Troiani e tra loro rivali, e segnò dunque la fine del soggiorno dell'aquila in Albalonga. La storia è narrata da Livio (I 24-7) e da Orosio (*Hist.* II, IV), ambedue citati da Dante quando la racconta nella *Monarchia*, dove è ugualmente presente la figura dell'aquila, per la quale disputano i due popoli (*Mon.* II, IX 15).

– **che i tre a' tre**: quando i tre Orazi combatterono, per il suo possesso, contro i tre Curiazi. Anche questa volta, è un'eroica morte che segna l'avanzare dell'aquila. Come l'ultimo verso della terzina che precede, anche questo racchiude in una brevissima sintesi una lunga vicenda.

40. E sai ch'el fé: la ripetizione dei moduli e nessi narrativi (*Tu sai*: v. 37, *E sai*: v. 40, *Sai*: v. 43; *el fece*: v. 37, *el fé*: vv. 40 e 43, e più oltre *fé*: vv. 58, 61 e 73), tipica dello stile oratorio, ha qui la funzione di sottolineare la continuità e l'omogeneità del vittorioso avanzare dell'aquila nella storia.

40-1. dal mal de le Sabine: dal ratto delle Sabine al suicidio di Lucrezia. Si indica con questi due eventi

il periodo monarchico: il primo fu compiuto infatti sotto il regno di Romolo, il secondo provocò la cacciata dell'ultimo re, Tarquinio il Superbo (per Lucrezia, si cfr. *Inf.* IV 128 e nota). Anche questa volta Dante sceglie, non certo a caso, eventi dolorosi (il *mal*, cioè la sofferenza subita dalle Sabine, il *dolor* che spinse Lucrezia ad uccidersi), come già la morte di Pallante, quasi che il sacrificio degli innocenti abbia contrassegnato, dandogli valore, il difficile cammino della giustizia nella storia.

42. vincendo intorno: la progressiva vittoria sui popoli confinanti, e la conseguente supremazia di Roma nell'Italia centrale, sono anche nella realtà storica, acutamente interpretata da Dante in questo sintetico verso, ciò che contrassegnò il periodo monarchico.

43-5. Sai quel ch'el fé: questa terzina e la seguente presentano, con il solito breve scorcio, le imprese dell'aquila nel primo periodo della repubblica, prima delle guerre puniche. Gli *egregi Romani* sono gli illustri cittadini di quell'eroico tempo, rimasti nella leggenda per l'integerrima onestà e l'amor patrio spinto fino al sacrificio di sé, di cui appunto si parla nel passo del *Convivio* sopra citato (cfr. la nota ai vv. 34-5), alcuni dei quali sono ricordati nella terzina seguente.

– **Brenno Pirro**: si ricordano qui le varie guerre repubblicane: contro i Galli, guidati da Brenno ed eroicamente respinti; contro Pirro re dell'Epiro, venuto in aiuto dei Tarentini; contro gli altri re e repubbliche (*principi e collegi*), cioè gli altri popoli italici che resistettero a Roma. Il termine *collegi* indica il governo collegiale, cioè non monarchico (cfr. *Mon.* II, V 6-7; Parodi, *Lingua*, p. 279).

46-8. onde: per le quali imprese tanti suoi cittadini – e si citano qui alcuni dei più noti eroi repubblicani, celebrati da Livio e da tutta la tradizione – si conquistarono quella fama che volentieri io onoro.

– **Torquato**: Tito Manlio Torquato, che sconfisse i Latini e i Galli, e condannò a morte il proprio figlio perché aveva infranto la disciplina militare (Livio VIII 7); si cfr. *Conv.* IV, V 14: «Chi dirà di Torquato, giudicatore del suo figliuolo a morte per amore del publico bene, sanza divino aiutorio ciò avere sofferto?». Il suo gesto era considerato sommo esempio del prevalere del bene pubblico sui sentimenti privati. (si veda Agostino, *La città di Dio*, I, XXIII)

Tu sai che esso pose la sua sede in Albalonga per più di trecento anni, fino a quando i tre (Orazi) combatterono, per il suo possesso, contro i tre (Curiazi); e sai che cosa fece dal ratto delle Sabine al suicidio di Lucrezia nel tempo dei sette re, vincendo intorno tutti i popoli vicini. ◆ Sai ciò che fece, portato dai valorosi Romani contro Brenno, contro Pirro, contro gli altri regni e repubbliche; per le quali imprese Torquato e Quinzio, che derivò il suo soprannome («Cincinnato») dal ciuffo ...

negletto fu nomato, i Deci e ' Fabi

48   ebber la fama che volontier mirro.

Esso atterrò l'orgoglio de li Aràbi

che di retro ad Annibale passaro

51   l'alpestre rocce, Po, di che tu labi.

Sott'esso giovanetti trïunfaro

Scipïone e Pompeo; e a quel colle

54   sotto 'l qual tu nascesti parve amaro.

Poi, presso al tempo che tutto 'l ciel volle

redur lo mondo a suo modo sereno,

– **Quinzio**: Tito Quinzio Cincinnato, così chiamato per il ciuffo (*cirro*) trascurato, arruffato (*negletto*). L'etimologia erronea del soprannome (che significa in realtà «ricciuto»), ripetuta anche nel Petrarca (*Triumphus Fame* Ia 70), deriva probabilmente dal lessico di Uguccione, dove «cincinnus» vale appunto «ciuffo di capelli». Di Cincinnato narra Livio (III 26) che, eletto dittatore nella guerra contro gli Equi, lasciò l'aratro, guidò l'esercito alla vittoria e poi, rifiutando ogni onore e deposta la dittatura, tornò al suo campicello: «Chi dirà di Quinzio Cincinnato, fatto dittatore e tolto dallo aratro, e dopo lo tempo dell'officio, spontaneamente quello rifiutando, allo arare essere ritornato?» (*Conv.* IV, v 15; si veda anche *Mon.* II, v 9).

47. i Deci e ' Fabi: i Deci, padre figlio e nipote, tutti dello stesso nome (Publio Decio Mure) e tutti e tre morti in battaglia, il primo contro i Latini, il secondo contro i Sanniti, il terzo contro Pirro (Livio VII 9-11 e X 27-8), e considerati da Cicerone nel *De Finibus* come vittime offertesi per la salvezza della repubblica (si veda *Mon.* II, v 15). Con i Fabi si indicano i trecento di quella famiglia morti nella guerra contro Veio, e probabilmente anche altri famosi condottieri con quel nome, quali il vincitore dei Sanniti e Quinto Fabio Massimo il Temporeggiatore. Si osservi come in questa terzina sono dati soltanto i nomi degli eroi senza alcuna aggiunta, come se essi da soli bastassero, a chiunque li udiva, a ricordare la propria gloria.

48. mirro: *mirrare* vale «unger di mirra», usanza orientale per la conservazione dei cadaveri; e può intendersi dunque, con il Lana: «ungo di tale mirra, che la conserverà per il tempo futuro», o più genericamente: «venero, le offro onore e reverenza». Il verbo è coniato da Dante sul modello di «incensare» in funzione della rima e rientra nel lessico raro e alto usato in tutta la parlata di Giustiniano, come abbiamo notato nell'Introduzione al canto.

49-51. Esso atterrò: il segno dell'aquila vinse la superbia di Cartagine. Questa terzina ricorda la seconda guerra punica, citando l'evento più clamoroso della storia militare antica, il passaggio delle Alpi compiuto dall'esercito di Annibale. Chiamare *Aràbi* i Cartaginesi – che abitavano l'Africa settentrionale – è anacronismo normale in antico (cfr. *Inf.* I 68 e nota).

– **l'alpestre rocce**: le Alpi occidentali, quelle dalle

quali discende il Po (*labi*, scorri verso il basso, è latinismo puro, da «labor», come i più alti vocaboli di questo passo). Il verso descrive con evidenza l'asprezza del luogo che l'esercito di Annibale con giusto orgoglio riuscì a superare. Ogni parola di questo testo trascegle e sottolinea, di una così lunga storia, gli elementi essenziali allo scopo per cui essa è narrata, dimostrando quell'acuta comprensione degli eventi nel loro vero significato che è tipica della mente dantesca.

52. giovanetti: vale «ancor giovani»; il valore del termine era allora diverso da quello moderno (cfr. *Purg.* XV 107 e nota). Publio Cornelio Scipione l'Africano combatté le prime battaglie, al Ticino e a Canne, sotto i vent'anni, ma «trionfò» su Annibale, a Zama, quando ne aveva trentatré. Gneo Pompeo Magno ancora giovanissimo ebbe il consolato, vinse i pirati, domò la Spagna, e ottenne il trionfo a venticinque anni.

53. a quel colle: Fiesole, collina sopra Firenze. L'aquila fu «amara» ai fiesolani quando la città fu distrutta dai Romani per avere dato asilo a Catilina, secondo una leggenda riportata anche dal Villani (I, XXXI-XXX-VII) e citata altre volte da Dante (XV 125-6; *Inf.* XV 61-3). Nel racconto del Villani anche Pompeo sarebbe stato presente alla guerra di Fiesole.

55-7. Poi, presso al tempo: conclusa con i trionfi di Pompeo – come fu nella realtà – la storia repubblicana, il discorso si innalza, il tono si fa solenne; si avvicina il grande momento della «pax augusta», voluta da Dio per la nascita di Cristo nel mondo, e della quale Cesare fu preparatore predestinato.

– **che tutto 'l ciel volle**: che la Trinità divina stabilì di ridurre il mondo in perfetta pace (*sereno*), a somiglianza di sé. È questa l'idea centrale, già espressa in

---

... trascurato, e i Deci e i Fabi si conquistarono quella fama che ben volentieri io onoro. Esso umiliò l'orgoglio dei Cartaginesi che avevano passato dietro ad Annibale quelle rocciose montagne (le Alpi occidentali) dalle quali tu, Po, discendi. Sotto quel segno trionfarono ancor giovani Scipione e Pompeo; ed esso si rivelò fonte di amarezza per quel colle sotto il quale tu nascesti (cioè per Fiesole). ◆ Poi, avvicinandosi il tempo in cui la Trinità divina (tutto 'l ciel) stabilì di ridurre il mondo in perfetta pace (sereno), a somiglianza di sé (a suo modo), ...

57 Cesare per voler di Roma il tolle.
E quel che fé da Varo infino a Reno,
Isara vide ed Era e vide Senna

60 e ogne valle onde Rodano è pieno.
Quel che fé poi ch'elli uscì di Ravenna
e saltò Rubicon, fu di tal volo,

63 che nol seguiteria lingua né penna.
Inver' la Spagna rivolse lo stuolo,
poi ver' Durazzo, e Farsalia percosse

66 sì ch'al Nil caldo si sentì del duolo.

Convivio e *Monarchia*, su cui si fonda la legittimità stessa dell'Impero romano, voluto da Dio per offrire le migliori condizioni alla nascita di Cristo e alla diffusione del cristianesimo. Questa funzione provvidenziale era attribuita alla pace augustea già dalla più antica tradizione cristiana, e si trova in autori come Girolamo, Leone Magno e Beda, oltre che in Orosio, lo storico del IV secolo la cui opera costituisce il testo base di tutta la storiografia dantesca (su di lui si veda la nota a X 119-20).

57. Cesare il tolle: il terzo verso, dopo l'ampio e solenne giro sintattico dei primi due, dà forte rilievo alla figura e al nome di colui che prese in mano (*tolle*, prende in mano, è altro latinismo) l'aquila per compiere una simile impresa.

– **per voler di Roma**: in realtà Cesare varcò il Rubicone contro il volere del senato repubblicano, ma Dante si riferisce qui quasi certamente al fatto, narrato da Lucano nella *Farsaglia* (V 389 sgg.), che fu il popolo di Roma a conferire a Cesare il nome di imperatore, riunendo così tutto il potere nelle sue mani. Dante del resto considera sempre Cesare come l'instauratore dell'Impero (cfr. *Conv.* IV, V 12; *Ep.* VII 5).

58-60. E quel che fé: si riassumono qui in veloci versi le imprese della campagna di Gallia. Questa e le quattro terzine che seguono, dedicate alle imprese di Cesare, hanno l'andamento rapido e fulmineo che fu proprio del loro protagonista. Di questi versi si ricordò Manzoni quando nel *5 maggio* narrò il lampeggiante trascorrere di Napoleone per l'Europa.

– **da Varo infino a Reno**: la Gallia è designata dai due fiumi che ne segnano i confini (il primo a est, il secondo a nord), e poi dagli altri suoi fiumi: l'Isère, l'Arar, la Senna e gli affluenti del Rodano. Il modello

sembra tolto da Floro, *Epit.* III 2: «testimoni della vittoria [furono] i fiumi Varo, Isère e Vindelico, e il più impetuoso fra tutti, il Rodano», ma anche in Lucano sono presenti tutti i fiumi qui citati (*Phars.* I 396-465). Così poi il Manzoni: «Dall'Alpi alle Piramidi / dal Manzanarre al Reno».

– **Era**: per molti la Loira (lat. «Liger»), ma più probabilmente l'Arar (oggi Saône), il cui passaggio compiuto in un sol giorno è descritto in un passo famoso del *De Bello Gallico* (I, XIII) e che Lucano cita insieme al Rodano (*Phars.* I 433-4); a favore dell'Arar è anche il Buti, e certo molto maggiore è la vicinanza fonetica dei nomi.

61-3. Quel che fé poi: dopo che l'aquila ebbe lasciato Ravenna e varcato il Rubicone, ciò che fece fu così rapido che non si può tenergli dietro col parlare o con lo scrivere. Il varco del Rubicone, che segnò l'inizio della guerra civile, deplorato nell'*Inferno* (XXVIII 91-102) appunto come causa prima della sanguinosa rivalità tra concittadini, è visto qui sotto un'altra luce, come gesto necessario al compiersi del destino affidato da Dio all'aquila nelle mani di Cesare.

64-6. Inver' la Spagna: ecco, in serrata sequenza, le campagne di Cesare contro Pompeo, che i versi sembrano seguire nel loro rapido volgersi: prima la fulminea guerra di Spagna, dove Cesare portò con improvvisa mossa l'esercito (*lo stuolo*: cfr. *Inf.* XIV 32) contro i tre legati di Pompeo, e si assicurò così le spalle (la velocità di quest'azione è ricordata anche a *Purg.* XVIII 101-2); poi il viaggio per mare a Durazzo, sulle coste dell'Epiro, per raggiungere Pompeo stesso, che là aveva concentrato le sue forze; infine la schiacciante vittoria di Farsalo, per cui il vinto riparò in Egitto (*al Nil caldo*) presso l'alleato Tolomeo, che lo fece uccidere. Anche qui i protagonisti sono i luoghi (Spagna, Durazzo, Farsalo, Nilo), che disegnano lo spazio geografico via via occupato dall'esercito vincitore, dall'Occidente all'Oriente.

66. al Nil caldo: fin nell'Egitto, indicato anch'esso dal suo fiume (il «caldo Nilo» di *Phars.* X 275).

– **si sentì del duolo**: si avvertì il dolore (*del duolo* è partitivo) del colpo inferto a Farsalo (quasi quella «percossa» propagasse il suo effetto a distanza, da Farsalo al Nilo).

67-8. Antandro e Simeonta: l'aquila rivide con Ce-

... Cesare lo prese in mano per volere di Roma. E quello che fece dal Varo fino al Reno, lo videro l'Isère, l'Arar e la Senna, e ogni valle da cui si alimenta il Rodano. Ciò che fece dopo aver lasciato Ravenna e varcato il Rubicone, fu così rapido che non si potrebbe tenergli dietro col parlare o con lo scrivere. Mosse l'esercito verso la Spagna, poi verso Durazzo, e colpì Farsalo, tanto che se ne avvertì il dolore fino sul caldo Nilo.

Antandro e Simeonta, onde si mosse,
rivide e là dov'Ettore si cuba;
69   e mal per Tolomeo poscia si scosse.
Da indi scese folgorando a Iuba;
onde si volse nel vostro occidente,
72   ove sentia la pompeana tuba.
Di quel che fé col baiulo seguente,
Bruto con Cassio ne l'inferno latra,
75   e Modena e Perugia fu dolente.
Piangene ancor la trista Cleopatra,

sare i luoghi della Troade, da dove (*onde*) si era mossa per il suo volo, seguendo Enea (vv. 2-3): Antandro, città marittima della Frigia, il porto da cui salparono le navi di Enea; Simeonta, il fiume che traversa la pianura di Troia, dove si svolgono tante battaglie dell'*Iliade*; infine il luogo in cui giace Ettore, cioè la sua tomba: «la tomba dove il grande Ettore giace ("occubat")» (*Aen.* V 371).

– **si cuba**: per «giace» è latinismo evidentemente portato dal verso virgiliano. Secondo Lucano Cesare, inseguendo Pompeo per mare, volle fermarsi sulle coste della Troade, dove vide «le acque del Simoenta» e calpestò il terreno dove era la tomba di Ettore (*Phars.* IX 961 sgg.).

69. **e mal per Tolomeo**: e quindi si levò ancora in volo (*si scosse*), con danno per Tolomeo, re d'Egitto: Cesare infatti gli tolse il regno, per darlo alla sorella Cleopatra e il re, sconfitto in battaglia, annegò nella fuga.

70. **Da indi scese**: di là, dall'Egitto, discese come un fulmine su Giuba (il re della Mauritania alleato di Pompeo che Cesare batté nella battaglia di Tapso). L'idea della folgore – topica per Cesare – deriva forse da Floro («come un fulmine, che in uno stesso momento arriva, colpisce e se ne va»: *Epit.* II 13), ma qui s'innesta in un tessuto precipitoso di immagini e verbi di movimento (*uscì – saltò – rivolse – percosse – si mosse – si scosse*) di cui segna il punto culminante, con un verbo che riempie il verso e crea un effetto di grande potenza. Si cfr. il *folgoreggiando* di *Purg.* XII 27, ugualmente unito al verbo *scender*.

71-2. **onde si volse**: continua, ed è l'ultimo balzo di questo volo dell'aquila di Cesare, il susseguirsi incessante dei rapidi rivolgimenti. Cesare dal Marocco passò in Spagna (il *vostro occidente*, cioè di voi abitatori della terra), dove sentiva ancora risuonare la tromba di Pompeo (perché là figli e seguaci di Pompeo si erano raccolti per l'ultima difesa), e là vinse definitivamente nella battaglia di Munda.

73. **col baiulo seguente**: con il successore di Cesare, il nuovo «portatore» dell'aquila, cioè Ottaviano Augusto. – *baiulo* (lat. «baiulus») vale «portatore», e va inteso come colui che portava l'aquila sulla mano (cfr. vv. 8-9 e 57). Il termine significò anche, per traslato, «reggitore, governatore di uno stato»; i due sensi possono essere concorrenti, ma qui prevale quello lette-

rale, data la figura dell'aquila come uccello, sulla quale è costruito tutto il racconto.

74. **Bruto con Cassio**: i due uccisori di Cesare, vinti da Augusto a Filippi, e puniti nell'*Inferno* come traditori, stritolati nella bocca stessa di Lucifero (cfr. *Inf.* XXXIV 64-7). Per la sconfitta subita i due gridano ancora, di dolore e rabbia, giù nel profondo inferno.

– **latra**: tutti qui osservano che nell'*Inferno*, quando Dante vede Bruto, egli tace (*si storce e non fa motto*: v. 66), per orgoglioso spregio della pena. Per cui molti intendono *latra* in senso figurato: testimoniano con la loro sofferenza. Ma il verbo *latrare* è troppo concreto per avere questo valore, e d'altra parte qui è detto che i due gridano furiosamente non per la pena, ma per il bruciante e umiliante ricordo della sconfitta. Sono due aspetti diversi sotto cui è vista la figura di Bruto, che tuttavia non si contraddicono fra loro.

75. **e Modena e Perugia**: a Modena Augusto sconfisse Marco Antonio, e Perugia, dove si trovavano il fratello di lui Lucio e sua moglie Fulvia, fu assediata e presa e poi abbandonata al feroce saccheggio delle truppe.

– **fu dolente**: dovettero soffrire, per la guerra e l'assedio. Anche in questo caso i luoghi sono presi a protagonisti invece delle persone.

76. **Piangene ancor**: come Bruto e Cassio, come le due dolenti città Modena e Perugia, Cleopatra piange ancora, nell'*Inferno*, per ciò che l'aquila compì con Ottaviano: sconfitto e morto Antonio ad Azio, ella infatti si uccise facendosi mordere da un serpente (*colubro*, lat. «coluber») per non cadere nelle mani del vincitore.

◆ *Il segno dell'aquila rivide Antandro e Simeonta, da dove era partito, e il luogo dove giace Ettore; e quindi si levò ancora in volo (si scosse), con danno per Tolomeo. Di là (dall'Egitto) discese come un fulmine su Giuba; e poi si diresse verso il vostro occidente (la Spagna), dove sentiva ancora risuonare la tromba di Pompeo. Per ciò che esso fece col successivo portatore (cioè Ottaviano Augusto), Bruto e Cassio latrano giù nell'inferno, e Modena e Perugia dovettero soffrire. Ne piange ancora (nell'inferno) l'infelice Cleopatra, ...*

che, fuggendoli innanzi, dal colubro
78   la morte prese subitana e atra.

Con costui corse infino al lito rubro;
con costui puose il mondo in tanta pace,
81   che fu serrato a Giano il suo delubro.

Ma ciò che 'l segno che parlar mi face
fatto avea prima e poi era fatturo
84   per lo regno mortal ch'a lui soggiace,

diventa in apparenza poco e scuro,
se in mano al terzo Cesare si mira
87   con occhio chiaro e con affetto puro;

ché la viva giustizia che mi spira,
li concedette, in mano a quel ch'i' dico,

---

77. fuggendoli innanzi: fuggendo davanti all'aquila: Cleopatra, visto che ormai la sconfitta era certa, fuggì infatti da Azio sulla sua nave e, giunta in Egitto, si uccise.

78. subitana e atra: repentina e terribile: i due aggettivi ritraggono la morte dovuta al morso del serpente, e chiudono con un tratto fosco la tragica terzina dedicata a Cleopatra (sulla fuga e il terrore della regina vinta si vedano i versi virgiliani di *Aen.* VIII 704-13). Come già all'inizio (il *mal de le Sabine*, il *dolor di Lucrezia*), ancora il dolore accompagna l'avanzare dell'aquila (Modena e Perugia dolenti, il pianto di Cleopatra).

79. Con costui: con Ottaviano corse fino al Mar Rosso (il *lito rubro*, doppio latinismo virgiliano: cfr. *Aen.* VIII 686): Ottaviano, dopo la morte di Cleopatra, s'impadronì dell'Egitto che diventò territorio di Roma.

80-1. in tanta pace: in una pace così duratura che il tempio (*delubro*) di Giano, le cui porte stavano sempre aperte in tempo di guerra, fu chiuso, come non avveniva da secoli. È questo l'evento principale del regno di Augusto – e della storia romana nell'ottica dantesca – che in questi versi tuttavia non prende quel rilievo che ci si aspetterebbe, a confronto con le commosse parole ad esso dedicate nel *Convivio* (IV, v) e nella *Monarchia* (I, XVI); in quella pace infatti nacque il Cristo (cfr. la nota ai vv. 55-7). Ma questa brevità è giustificata dalle terzine seguenti: qui Dante vuol dare il massimo risalto al secondo e più importante momento della storia dell'incarnazione, cioè alla morte redentrice. Come sempre, egli sceglie un solo elemento intorno al quale coagulare tutto il suo testo.

82-7. Ma ciò che 'l segno: ma tutto ciò che l'aquila romana (il *segno* che è la ragione del mio parlare) aveva fatto prima e avrebbe fatto dopo (*fatturo* è participio futuro alla latina, come *passuri* a XX 105) diventa piccola e oscura cosa se si guarda a ciò che essa fece in mano al terzo imperatore (Tiberio) con mente scevra di pregiudizi e cuore puro dalle passioni (questo ultimo verso intende dire che solo gli spiriti liberi e puri possono accogliere la verità della fede; la redenzione infatti è evento di fede, e la condanna di Cristo in Palestina non fu che un ben piccolo fatto da un punto di vista puramente umano).

88-90. ché la viva giustizia: poiché la giustizia divina, che ispira le mie parole, concesse all'aquila, in mano di Tiberio, la gloria suprema di dare soddisfazione alla sua ira contro l'umanità peccatrice: «se la morte di Cristo non avesse dato soddisfazione del peccato di Adamo, saremmo ancora figli dell'ira» (*Mon.* II, XI 2). Il termine *vendetta* ha qui il valore biblico, come altrove, di «giusta punizione». L'*ira*, cioè il santo sdegno di Dio per la colpa dell'uomo ribelle, è anch'esso termine biblico, più volte usato nel poema (si cfr. la stessa coppia, *vendetta – ira*, a *Inf.* XXVI 57).

– **gloria**: all'Impero romano spetta, secondo Dante, il merito di aver dato legittimità giuridica alla condanna di Cristo, in quanto inflitta dall'intero genere umano da esso rappresentato, come già (col censimento di Augusto) l'aveva data alla sua nascita. È questa l'idea ampiamente svolta in *Mon.* II, XI 5: «Se la passione di Cristo non fosse avvenuta per opera di un giudice legittimo, quella pena non sarebbe stata una

---

■

... che fuggendo davanti a lei si uccise di morte immediata e terribile facendosi mordere da un serpente (colubro). ♦ Con costui (Ottaviano) corse fino al Mar Rosso (lito rubro); con costui pose il mondo in una pace così duratura che il tempio (delubro) di Giano fu chiuso. Ma tutto ciò che il segno, che è la ragione del mio parlare (cioè l'aquila romana), aveva fatto prima e avrebbe fatto dopo nel regno mortale che ad esso soggiace, diventa piccola e oscura cosa se si guarda a ciò che essa fece in mano al terzo imperatore (Tiberio) con mente scevra di pregiudizi e cuore puro dalle passioni; poiché la giustizia divina, che ispira le mie parole, gli concesse, in mano a quello di cui parlo (Tiberio), ...

90 gloria di far vendetta a la sua ira.

Or qui t'ammira in ciò ch'io ti replìco:
poscia con Tito a far vendetta corse

93 de la vendetta del peccato antico.

E quando il dente longobardo morse
la Santa Chiesa, sotto le sue ali

96 Carlo Magno, vincendo, la soccorse.

Omai puoi giudicar di quei cotali
ch'io accusai di sopra e di lor falli,

99 che son cagion di tutti vostri mali.

L'uno al pubblico segno i gigli gialli ── ➤ *Francia*
oppone, e l'altro appropria quello a parte,

102 sì ch'è forte a veder chi più si falli.

---

punizione [ma una violazione del diritto]. E giudice legittimo non poteva essere se non chi aveva giurisdizione su tutto il genere umano, perché tutto il genere umano fu punito allora nella carne di Cristo».

91. Or qui t'ammira: ma ora dovrai meravigliarti per quello che io dirò in contraddizione con ciò che ho detto prima (è questo il senso di *replìco*). La frase che segue sembra infatti contenere una contraddizione: come si può *far vendetta*, cioè giustamente punire, una precedente *vendetta*, cioè una punizione giusta? La spiegazione sarà data nel canto seguente.

92-3. poscia con Tito: con Tito, figlio di Vespasiano, che assediò e distrusse Gerusalemme nel 70 d.C. (evento che segnò la fine dello stato ebraico e l'inizio della diaspora per il popolo ebreo), l'aquila corse a punire la punizione del peccato originale (*antico*) che era stata consumata con la condanna di Cristo. Che la distruzione di Gerusalemme fosse stata una punizione divina per la crocifissione di Cristo voluta dagli Ebrei era idea corrente in tutta la tradizione cristiana (cfr. Girolamo, *In Esaiam* II 86; Orosio, *Hist.* VII 9 ecc.).

94-6. E quando il dente: e quando i Longobardi attaccarono la Chiesa (*dente* è termine biblico: cfr. *Ps.* 3, 8; 123, 6) Carlo Magno venne in suo soccorso vincendoli sotto il segno dell'aquila. Carlo, re dei Franchi, fu incoronato imperatore nell'800, mentre la sua vittoria su Desiderio, ultimo re longobardo, è del 774, ma Dante vede in lui l'erede già predestinato dell'aquila romana, in quanto adempie al compito suo proprio di sostenere la Chiesa nella storia. Il salto cronologico da Tito a Carlo Magno sottolinea la continuità dei due Imperi, e insieme la nuova epoca (il Sacro Romano Impero) che con Carlo ha inizio e che è quella in cui ancora vive il mondo. Con questa terzina si chiude, infatti, la grande storia dell'aquila narrata da Giustiniano; ciò che segue è storia presente.

97. Omai: ora che hai conosciuto la dignità divina dell'aquila. Il discorso trapassa nell'ammonimento profetico, a cui fin dall'inizio tendeva, riprendendone l'argomento e le parole stesse (cfr. vv. 31-3).

– di quei cotali: guelfi e ghibellini; *cotali* ha valore dispregiativo, come a *Inf.* XXVI 4 e probabilmente anche a *Inf.* XV 22.

99. che son cagion: le prevaricazioni di guelfi e ghibellini sono nel mondo politico dantesco l'origine di tutte le sventure, in quanto non rispettano quel *segno* che solo è stato posto da Dio a custodire l'ordine in terra.

– vostri: come il *vostro occidente*, segna la distanza tra il mondo terreno e quello celeste.

100. L'uno: gli uni, i guelfi, oppongono all'insegna universale (*pubblico* vale «di tutti», opposto a ciò che è privato, cioè di parte) i gigli d'oro, cioè l'emblema della casa di Francia. In Italia i guelfi facevano capo agli Angioini di Napoli (cfr. vv. 106-7).

101. e l'altro: gli altri, i ghibellini, se ne appropriano facendone l'insegna di un partito. *opporre* e *appropriarsi* sono gli stessi verbi usati al v. 33.

102. sì ch'è forte: così che è difficile discernere chi commetta fallo più grave.

– si falli: da *fallarsi*, sbagliarsi, come a V 53.

■

... la gloria di dare soddisfazione alla sua ira (contro l'umanità peccatrice). ◆ *Ma ora dovrai meravigliarti per quello che io dirò in contraddizione con ciò che ho detto prima (replìco): in seguito con Tito l'aquila corse a punire la punizione del peccato originale (antico); e quando i Longobardi attaccarono la Santa Chiesa, Carlo Magno venne in suo soccorso vincendoli sotto le sue ali (cioè sotto la sua insegna).* ◆ *Ora puoi giudicare quei tali (guelfi e ghibellini) che io accusai prima, e i loro peccati, che sono l'origine di tutte le vostre sventure. Gli uni (i guelfi) oppongono all'insegna universale (pubblico) i gigli d'oro (cioè l'emblema della casa di Francia), e gli altri (i ghibellini) se ne appropriano facendone l'insegna di un partito (parte), così che è difficile discernere chi commetta fallo più grave.*

Faccian li Ghibellin, faccian lor arte

sott'altro segno, ché mal segue quello

105 sempre chi la giustizia e lui diparte;

e non l'abbatta esto Carlo novello

coi Guelfi suoi, ma tema de li artigli

108 ch'a più alto leon trasser lo vello.

Molte fiate già pianser li figli

per la colpa del padre, e non si creda

111 che Dio trasmuti l'armi per suoi gigli!

Questa picciola stella si correda

d'i buoni spirti che son stati attivi

114 perché onore e fama li succeda:

e quando li disiri poggian quivi,

103-4. Faccian li Ghibellin: il congiuntivo esortativo in attacco di verso, tipico dell'ammonimento dantesco (cfr. V 73: *Siate, Cristiani*), interviene a innalzare con forte commozione e sdegno il tono del grande discorso storico, che raggiunge la sua massima intensità in queste ultime tre terzine.

– **faccian lor arte**: facciano le loro imprese (*arte* è detto con disprezzo, come oggi diremmo: i loro traffici) sotto una diversa insegna.

104-5. ché mal segue: perché male, cioè «non rettamente» (Landino), segue l'aquila chi la disgiunge (*diparte*, separa) dalla giustizia.

106. e non l'abbatta: e non creda di abbatterla questo secondo Carlo (Carlo II d'Angiò, detto *novello*, nuovo, per distinguerlo dal padre Carlo I, secondo un uso corrente in Toscana) con tutti i suoi guelfi (i guelfi d'Italia facevano capo a lui, come si è detto sopra). Carlo II fu re di Napoli dal 1285 al 1309 (si cfr. XIX 127-9; *Purg.* VII 124-9 e XX 79-81, dove l'angioino è sempre ricordato con biasimo).

107. de li artigli: continua la metafora dell'aquila.

108. ch'a più alto leon: che già umiliarono principi anche più potenti di lui (*trarre il vello* vale «togliere il pelo», espressione scelta in accordo alla figura dell'aquila e del leone).

109-10. Molte fïate: spesso i figli pagano le colpe dei padri; è sentenza biblica (cfr. *Ex.* 20, 5; *Lam.* 5, 7)

◆ *I ghibellini facciano i loro traffici sotto una diversa insegna, perché è cattivo seguace dell'aquila chi la disgiunge (diparte) dalla giustizia; e non creda di abbatterla questo nuovo Carlo (Carlo II d'Angiò) con tutti i suoi guelfi; anzi tema gli artigli che in passato tolsero il pelo a leoni più grandi di lui. Molte volte è capitato che i figli abbiano pianto per la colpa del padre, e non si creda che Dio intenda cambiare la sua insegna (l'aquila romana) con i gigli di Francia!* ◆ *Questa piccola stella (Mercurio) si abbellisce delle anime buone di coloro che si adoperarono in terra per ottenere onore e fama: e quando i desideri dell'uomo puntano in questa direzione (cioè verso onore e fama), ...*

---

che Dante richiama anche in *Ep.* VI 16. Il riferimento, oscuro come sempre accade in simili testi profetici, può essere alle sventure di Filippo di Taranto, o di Carlo Martello, figli di Carlo II, o anche al futuro destino dello stesso re, che dovrà pagare un giorno l'ingiusta occupazione del regno di Napoli fatta dal padre a danno di Manfredi.

111. che Dio trasmuti: che Dio intenda cambiare la sua insegna (l'aquila romana) con i gigli di Francia; far passare cioè l'autorità universale, che egli ha conferito all'Impero di Roma, alla casa degli Angioini. Nell'espressione *suoi gigli* (come già nei *Guelfi suoi* del v. 107) è segnata la distanza tra il piccolo principe e la grandezza sovrana dell'aquila imperiale. Con questo ultimo grido, di avvertimento e di sprezzo, ha termine l'ardente e insieme dolente sequenza, che racchiude rimprovero e minaccia, amarezza e speranza, sotto il colore retorico dell'ironia.

112-4. Questa picciola stella: Giustiniano risponde ora alla seconda domanda posta da Dante. Il tono cambia d'un tratto, da oratorio e appassionato a calmo e disteso. Mercurio, «la più picciola stella del cielo» (*Conv.* II, XIII 11), *si correda*, cioè si abbellisce, delle anime di coloro che si adoperarono in terra per ottenere onore e fama. Si tratta dunque di uomini che, pur virtuosi (*buoni spirti*), hanno riposto il loro primo scopo nella gloria terrena, e non in Dio. C'è quindi in loro, come già nelle anime della Luna, un punto di umana debolezza, comune agli spiriti dei primi tre cieli, come si è detto nell'Introduzione al canto (cfr. *S.T.* IIª IIae, q. 132 a. 1: «alcuni sono spinti a compiere opere virtuose dal desiderio di umana gloria ma non è veramente virtuoso chi agisce virtuosamente per ottenere la gloria umana, come dice Agostino nel V del De Civ. Dei»; cfr. *Civ. Dei* V, XII 115-9).

– **onore e fama**: «fama può esser senza onore, e onore senza fama» (Tommaseo). – *li succeda* vale «gliene consegua».

115-7. e quando li disiri: e quando i desideri dell'uomo – la vera molla di ogni sua azione – puntano

sì disvïando, pur convien che i raggi

117 del vero amore in sù poggin men vivi.

Ma nel commensurar d'i nostri gaggi

col merto è parte di nostra letizia,

120 perché non li vedem minor né maggi.

Quindi addolcisce la viva giustizia

in noi l'affetto sì, che non si puote

123 torcer già mai ad alcuna nequizia.

Diverse voci fanno dolci note;

così diversi scanni in nostra vita

126 rendon dolce armonia tra queste rote.

E dentro a la presente margarita

luce la luce di Romeo, di cui

in questa direzione (cioè verso onore e fama), deviando così dal vero fine, che è Dio, è inevitabile (*convien*) che l'ardore del vero amore si diriga con meno vigore verso l'alto, cioè verso il cielo. Vana è la gloria, dice Tommaso (nello stesso luogo sopra citato), «se qualcuno non riferisce il desiderio di gloria al giusto fine, cioè all'onore di Dio o alla salvezza del prossimo». Il verbo *poggiare* (denominale da *poggio*, come *montare* da *monte*; prov. «poiar») vale «salire verso l'alto», «innalzarsi», in senso letterale e figurato (si cfr. Petrarca, *RVF* XXV 14: «onde al vero valor conven ch'uom poggi»).

118-20. **Ma nel commensurar**: ma nella proporzione del premio al merito (commisurare è appunto il far corrispondere uguali misure) consiste parte della nostra stessa beatitudine, in quanto vediamo che l'uno è uguale all'altro (né minore né maggiore), e quindi assolutamente giusto. Giustiniano previene la domanda già fatta da Dante a Piccarda: pur essendo in uno dei cieli più bassi, non per questo siamo meno felici, perché in Dio vediamo la perfetta giustizia di quella corrispondenza, e di quella giustizia godiamo.

121-3. **Quindi addolcisce**: con questo mezzo (col farci vedere cioè la corrispondenza del premio al merito; per *quindi* compl. di mezzo si cfr. *Purg.* XXV 100-4) la giustizia divina (*la viva giustizia*: v. 88) modera il nostro desiderio (*l'affetto*) in modo che non può mai rivolgersi a una cosa che sia ingiusta (come sarebbe il nostro esser posti più in alto).

– **nequizia**: vale, diversamente dall'uso moderno, semplicemente «non giustizia», come già in latino; qui l'astratto per il concreto, «cosa ingiusta». Come osservò il Torraca, Giustiniano riprende l'argomento di Piccarda sotto un diverso aspetto: la donna parla in nome della carità, l'imperatore in nome della giustizia.

124-6. **Diverse voci**: la diversità delle voci (nel canto polifonico) produce *dolci note*. Allo stesso modo la diversità delle sedi, cioè dei gradi di beatitudine, produce in cielo una *dolce armonia*. Come già altre volte, Dante ricorda il canto a più voci come esempio per

l'armonizzarsi di cose diverse, e sempre lo definisce con l'aggettivo *dolce*. La dolcezza per lui è lo specifico carattere di quell'armonia. Niente di più appropriato a figurare la spirituale concordia degli animi che egli vede come nota dominante della patria celeste, concordia supremamente *dolce* per coloro che ne partecipano (si cfr. Bonaventura, *Coll. in Hex.* V, p. 330: «come dalla molteplicità di voci unite secondo una certa proporzione e armonia si crea la dolcezza del canto; così dall'amore di molti si crea l'armonia spirituale, cara all'Altissimo».

– **scanni**: vale propriamente «seggi» (cfr. IV 31); qui detto della sede, o grado, dove stanno i beati. Corrisponde al termine *soglia* usato nel discorso di Piccarda (III 82).

127-8. **E dentro**: e in questa stella (detta *margarita*, pietra preziosa, come a II 34) risplende l'anima beata di Romeo di Villanova. Si trapassa così, dalla condizione generale degli spiriti di Mercurio, alla singola storia di uno di loro, ultima sezione del canto. Passaggio consueto nella struttura del racconto della *Commedia*, ma che in questo caso ha un particolare rilievo: e per la brevità e l'intensità della storia, e per il suo profondo rapporto con la vita di Dante da una parte e con il racconto imperiale dall'altra, come si dirà.

... deviando così dal vero fine (che è Dio), è inevitabile (convien) che l'ardore del vero amore si diriga con minore intensità verso l'alto (in sù). Ma nella proporzione dei nostri premi (gaggi) al nostro merito consiste parte della nostra stessa beatitudine, in quanto vediamo che gli uni non sono né maggiori né minori dell'altro (e quindi assolutamente giusti). ◆ Con questo mezzo la giustizia divina modera il nostro desiderio (l'affetto), in modo che non può mai rivolgersi a una cosa che sia ingiusta. La diversità delle voci (nel canto polifonico) produce dolci note; allo stesso modo diverse sedi di beatitudine (scanni) nella nostra vita producono tra questi cerchi celesti una dolce armonia. E dentro questa pietra preziosa (margarita; cioè in questa stella) risplende la luce di Romeo di Villanova, la cui ...

129   fu l'ovra grande e bella mal gradita.
     Ma i Provenzai che fecer contra lui
  non hanno riso; e però mal cammina
132   qual si fa danno del ben fare altrui.
     Quattro figlie ebbe, e ciascuna reina,
  Ramondo Beringhiere, e ciò li fece
135   Romeo, persona umìle e peregrina.

129. **mal gradita**: mal ricompensata, ripagata con l'ingratitudine. L'imperatore della giustizia sceglie la storia di una terrena ingiustizia, compiuta ai danni di un giusto indifeso – uomo del tutto oscuro al suo confronto –, per riscattarne la memoria. Romeo di Villanova (1170-1250), primo ministro del conte di Provenza Raimondo Beringhieri, è personaggio storico sul quale si era costruita una leggenda: pellegrino (*romeo*) capitato a corte tornando dalla Galizia e divenuto ministro, dopo aver servito fedelmente il suo signore e fatto delle sue quattro figlie quattro regine (esse davvero furono tutte spose di re), egli sarebbe stato cacciato per l'invidia dei cortigiani e avrebbe finito i suoi giorni ramingo e in povertà (tale leggenda, riferita concordemente dagli antichi commentatori, si ritrova anche nella cronaca del Villani, VII, XC). Si ripete la storia di Pier delle Vigne nell'*Inferno* (XIII 58-75), di Pier da la Broccia nel *Purgatorio* (VI 19-24), che è poi sempre la storia di Dante. Su questo triplice accordo – una nota ad ogni cantica – si veda l'Introduzione al canto. Intanto si osservi come la grande arte di Dante stringa in cinque terzine – con potenza di riserbo e di dolore – questa storia di una vita che adombra quello che fu il suo stesso destino terreno.

130. **i Provenzai**: i provenzali, cioè gli invidiosi cortigiani di Provenza; che *fecer*, cioè agirono, contro di lui, con le loro parole subdole e calunniose (*biece*: v. 136).

131. **non hanno riso**: non hanno avuto vantaggio dalla loro malvagità. Gli antichi intendono che essi si trovarono ben peggio sotto gli Angioini che sotto il conte Raimondo e il suo vicario Romeo. Dopo la morte del conte la figlia Beatrice andò infatti sposa a Carlo I d'Angiò, portandogli in dote la Provenza (*Purg.* XX 61-3).

– **mal cammina**: procede, si comporta male, non solo moralmente, ma perché gliene viene infine anche danno, cioè una punizione portata dagli stessi eventi.

132. **qual si fa danno**: chi considera suo danno il bene operare degli altri; è la classica definizione dell'invidioso come si trova in Tommaso: «invidia... è quando il bene altrui è considerato un male per sé» (*S.T.* II^a II^{ae}, q. 36 a. 1; cfr. anche *Purg.* XVII 118-20). È questo il peccato delle corti denunciato già da Pier delle Vigne (*Inf.* XIII 64-6) e ricordato anche a proposito di Pier da la Broccia (*Purg.* VI 20).

133. **Quattro figlie**: con tono di favola, o leggenda – quale quella storia era diventata – si ricordano i meriti di Romeo presso il conte di Provenza. Delle quattro figlie di Raimondo, Margherita andò sposa a Luigi IX re di Francia, Eleonora a Enrico III d'Inghilterra, Sancia a Riccardo di Cornovaglia e Beatrice, erede della contea, a Carlo I d'Angiò, come già si è detto.

134-5. **e ciò li fece**: e questo glielo ottenne col suo fedele operare Romeo, che era uomo di modesta condizione e giunto alla corte da un pellegrinaggio (*persona umìle e peregrina*). Con i due aggettivi Dante presenta Romeo come lo voleva la leggenda, povero e di ignota origine (mentre si trattava in realtà di un nobile feudatario di Provenza); si crea così un forte contrasto tra le quattro regine del primo verso e l'umile personaggio pellegrinante dell'ultimo (cioè tra la fortuna toccata a Raimondo e la modestia di colui che gliela procurò).

135. **peregrina**: nel nome di Romeo di Villanova sta probabilmente l'origine della leggenda. I pellegrini infatti, diretti a quel tempo soprattutto in tre luoghi, Roma, la Terra Santa e San Giacomo in Galizia, erano detti rispettivamente «romei», «palmieri» e «pellegrini», ma il primo e l'ultimo nome valevano anche in senso generico (cfr. *Vita Nuova* XL 7). Così il ministro del conte di Provenza divenne un «romeo» che passava da quella terra tornando appunto da San Giacomo.

136-7. **E poi il mosser**: e dopo aver ricevuto tanti

... grande e bella opera fu mal ricompensata. Ma i provenzali che agirono contro di lui non hanno poi avuto di che rallegrarsi (cioè non hanno avuto vantaggio dalla loro malvagità); e perciò si comporta male chi considera danno per sé il bene operare degli altri. ◆ Raimondo Berlinghieri ebbe quattro figlie, e ciascuna fu regina, e questo glielo ottenne Romeo, che era uomo di modesta condizione e giunto alla corte da un pellegrinaggio.

E poi il mosser le parole biece
a dimandar ragione a questo giusto,
138   che li assegnò sette e cinque per diece,
indi partissi povero e vetusto;
e se 'l mondo sapesse il cor ch'elli ebbe
mendicando sua vita a frusto a frusto,
142   assai lo loda, e più lo loderebbe».

benefici, Raimondo si lasciò convincere dalle parole false, calunniose dei cortigiani, a chieder conto della sua amministrazione a quest'uomo giusto. Sulla parola *giusto*, in fine di verso, fa centro la terzina. Il giusto è isolato, povero e senza difesa, di fronte alla malvagità altrui.

– **biece**: «torte, falsamente dette» (Landino); per il valore morale dell'aggettivo si cfr. V 65 e nota.

138. **che li assegnò**: *assegnare* era termine tecnico, per «rendere (consegnare) un rendiconto commerciale». Alla domanda di Raimondo, Romeo risponde quindi rendendo dodici (sette più cinque) avendo ricevuto dieci, dimostrando cioè di aver ben amministrato i beni a lui affidati.

139. **indi partissi**: secondo la leggenda, Raimondo, resosi conto del suo errore, insistette perché Romeo restasse. Ma Romeo volle partire, povero com'era venuto, e ormai in età avanzata (*vetusto*). In quest'ultima terzina la persona dell'autore viene a sovrapporsi, quasi cancellandola, a quella del personaggio. Anche Dante, quando scriveva il *Paradiso*, era ormai più che cinquantenne (vecchio ormai, per quell'epoca) e si sentiva vicino alla fine della vita.

140-1. **e se 'l mondo sapesse**: e se gli uomini potessero conoscere l'intimo del suo cuore, cioè l'amarezza sopportata nella vita di mendicante che dovette condurre...

– **a frusto a frusto**: pezzo per pezzo, quasi una richiesta per ogni boccone (*frusto* vale «piccolo pezzo di cibo», detto specialmente del pane, dal lat. «frustum»).

142. **assai lo loda**: il mondo lo loda per le virtù manifeste (l'onestà e l'abilità spese nel suo ufficio, la dignità e la fierezza dimostrate nel lasciarlo), ma molto più avrebbe di che lodarlo se potesse misurare – dal dolore sopportato – la forza e la pazienza del suo animo. Da questi versi brevi e schivi – quasi celati sulla fine della pagina – possiamo anche noi misurare quel dolore e quella forza d'animo – s'intende, di colui che li scrisse – che qui traspaiono dietro lo schermo del personaggio e che nel canto XVII saranno infine apertamente dichiarati. Non si può qui non ricordare il celebre passo del *Convivio* dove Dante rivela questa sua dolorosa condizione: «per le parti quasi tutte alle quali questa lingua si stende, peregrino, quasi mendicando, sono andato, mostrando contra mia voglia la piaga della fortuna» (*Conv.* I, III 4). E si vedano anche *Ep.* II 8 e XIII 88. Ma all'altezza del *Paradiso*, dopo lunghi anni di tale continua sofferenza, si instaura una ulteriore consapevolezza: il resistere e l'accettare, non il violento e *disdegnoso* ribellarsi che fu di Pier delle Vigne (*Inf.* XIII 70), sono la vera virtù – fondata su fede e speranza – che è degna di «lode» dagli uomini, ma che gli uomini ignorano.

E dopo che parole false lo spinsero a chieder conto della sua amministrazione a quest'uomo giusto, il quale gli presentò un rendiconto di dodici per dieci, egli volle andarsene, povero com'era venuto, e ormai anziano (vetusto); e se gli uomini potessero conoscere l'intimo del suo cuore (l'amarezza sopportata), nel mendicare il pane a tozzo a tozzo lo loderebbero molto di più di quanto già non lo lodino».

approfondimenti

NOTE LINGUISTICHE

v. 75. **Fu**: l'uso del predicato al singolare con due soggetti (*Modena e Perugia*) è normale in antico (si vedano XIV 118-9; XX 100-1 ecc.; cfr. *Enciclopedia Dantesca* VI, p. 333).

v. 118. **gaggi**: la voce *gaggio* (ant. franc. «gage», prov. «gadge») vale in origine «pegno» (e in questo senso è usata nel *Detto* e nel *Fiore*), poi anche «stipendio militare» (da cui «ingaggiare»); di qui il valore generico di «ricompensa», «mercede» che ha in questo verso (cfr. M. Villani VIII, XLVII).

SUGGERIMENTI PER LA RICERCA

Temi del canto

L'aquila

Approfondisci il significato dell'aquila, insegna dell'Impero romano che Dante assume come simbolo della giustizia, rileggendo i vv. 19-21 del IX canto del *Purgatorio* con le relative note e i passi delle *Epistole* V 11 e VI 12 (riferiti alla discesa di Arrigo VII in Italia); consulta quindi la voce *Aquila* in *Enciclopedia Dantesca* I pp. 338-339, a cura di F. Salsano. Considerando che l'aquila diventa vero e proprio personaggio della *Commedia* nei canti XIX e XX del *Paradiso*, nei quali si completa e si compie il discorso politico affrontato nel canto VI, ti invitiamo anche a una lettura dei suddetti canti.

La storia di Roma

I vv. 35-91 sono dedicati al racconto della storia di Roma e dell'Impero che culmina nell'avvenimento della nascita e della morte redentrice di Cristo. Per meglio comprendere il valore provvidenziale che Dante attribuisce all'Impero romano ricerca e confronta i passi del *Convivio* (IV, V) e della *Monarchia* citati nel commento (I, XVI), oltre a *Purg.* XVI 106 sgg. con la nota relativa. A conclusione di questo lavoro di approfondimento, leggi il saggio di E. Paratore indicato nelle *Letture consigliate*.

approfondimenti

Guelfi e Ghibellini

Come si è osservato nell'Introduzione, trattando il tema politico nei sesti canti delle tre cantiche, Dante deplora sempre la discordia che regna tra gli uomini. Rileggi nel canto VI dell'*Inferno* i versi dedicati alla *città partita* (58-75), in *Purg.* VI (vv. 76-90) la denuncia della *guerra* tra fazioni in Italia e mettili a confronto con i vv. 97-111 di questo canto; osserva come si è allargata la prospettiva e spiega le accuse mosse dal poeta alle due parti che si scontrano in nome del *pubblico segno*. Completa il lavoro con una breve ricerca su Guelfi e Ghibellini e su Carlo II d'Angiò, di cui puoi trovare notizie in un buon manuale di storia medievale o nel *Dizionario della Commedia* di R. Merlante.

Personaggi

Giustiniano

Alle parole dell'imperatore Giustiniano Dante affida un tema che gli sta molto a cuore: il rapporto fra l'impero e la giustizia. Ricerca notizie sulla realtà storica del personaggio in un buon manuale di storia antica, quindi rifletti sul motivo per cui la scelta di Dante è caduta proprio su di lui rileggendo l'Introduzione al canto. Per approfondire l'argomento consulta la voce *Giustiniano*, a cura di L. Vanossi, in *Enciclopedia Dantesca* III, pp. 231-233. Rielabora in forma scritta i risultati della tua ricerca.

Romeo di Villanova

La storia del ministro del conte di Provenza, caduto in disgrazia per l'invidia dei cortigiani, richiama quella di Pier delle Vigne (*Inf.* XIII 55-78) e di Pier da la Broccia (citata in *Purg.* VI 22). Rileggi i due episodi e raccogli informazioni sui personaggi consultando il *Dizionario della Commedia* di R. Merlante (su Pier delle Vigne riprendi anche la nota di approfondimento alla fine del canto XIII dell'*Inferno*); quindi con l'aiuto dell'Introduzione e delle note, spiega qual è il valore di questa ultima vicenda rispetto alle precedenti, cosa riflette dell'esperienza vissuta dal poeta e che nesso ha con il resto del canto. Il saggio di O. Bacci, indicato nelle *Letture consigliate*, può fornire un ulteriore contributo alla riflessione.

Lingua e stile

tolse – v. 3

Verifica il significato qui attribuito al verbo *togliere* dalla parafrasi, ritrovandone un uso analogo nel canto XIX dell'*Inferno* e nel passo di *Convivio* IV, XXVIII 16. Cerca poi nelle *Concordanze* altri esempi nel poema del verbo *togliere* nel significato generico di «prendere». Annota infine i significati letterari del verbo indicati in un buon dizionario moderno della lingua italiana.

sincera – v. 17

Chiarisci e distingui, con l'aiuto delle note di commento, il valore dell'aggettivo *sincero* in questo passo e nelle altre occorrenze del termine che potrai individuare nella terza cantica tramite le *Concordanze*, confrontandolo con quello dell'uso moderno. Leggi poi sul *Grande Dizionario della Lingua Italiana* l'etimologia ed i significati principali dell'aggettivo, ricercando anche il significato delle espressioni «acqua sincera» e «vino sincero».

Latinismi

Identifica, servendoti delle note di commento, i molti latinismi puri che vengono utilizzati in questo canto; individua poi i passi in cui essi sono accompagnati da serie di rime rare (che puoi verificare sul *Rimario*), le quali rendono più elevato il tono delle parole di Giustiniano.

CANTO VII

Introduzione

È questo uno dei pochi canti del *Paradiso* che possono dirsi interamente teologici. Esso ospita infatti, dal principio alla fine, un grande discorso che in forma di alta poesia presenta il mistero centrale della fede cristiana, l'incarnazione di Dio, e segue al canto che è ugualmente costituito da un solo discorso, quello di Giustiniano sulla funzione dell'Impero. Questa struttura singolare, unica nel poema, non è senza significato. Vuole infatti sottolineare – oltre alla loro importanza – lo stretto rapporto tematico tra i due argomenti: la gloriosa storia dell'Impero romano che il precedente canto celebra è infatti predisposta da Dio, nella concezione dantesca, proprio in funzione dell'evento che in questo canto si narra, l'incarnazione e morte di Cristo, preparando prima il mondo ad accoglierlo, e poi rendendo possibile la sua azione nella storia. I due fatti sono quindi interconnessi, per quella misteriosa e singolare realtà – propria del cristianesimo – per cui l'evento divino è incardinato nella storia dell'uomo. La domanda che Beatrice legge nella mente di Dante, e a cui il canto risponde (come possa una *giusta vendetta*, cioè la morte di Cristo, essere poi *giustamente punita*, come risulta dai vv. 88-93 del canto VI), è dunque tutt'altro che un pretesto per introdurre il racconto della redenzione: la domanda è in realtà posta dalla storia stessa che Giustiniano narra, in quanto solo quel racconto dà un senso a quella storia. Che la storia umana si spieghi soltanto con la storia divina è del resto l'idea che sostiene tutta la *Divina Commedia*, quella teologia della storia che fu il pensiero dominante di tutta l'opera dantesca degli anni posteriori all'esilio, e della quale egli si fece annunciatore tra gli uomini del suo tempo, credendo fermamente che essa sola potesse offrire le ragioni per una vita di pace sulla terra.

Questi due canti rientrano dunque nel progetto che guida la prima parte del *Paradiso* dove, come altri critici hanno visto, Dante vuol presentare l'ordine dato da Dio creatore all'universo. Nei primi due canti si descrive l'ordine cosmico, nei suoi due movimenti: di salita verso Dio nel primo e di discesa gerarchica delle creature da lui nel secondo. Nei tre canti del cielo della Luna si introduce, attraverso il problema dei voti inadempiuti, il tema della libera volontà dell'uomo, unico elemento inserito in quell'ordine che abbia il potere di turbarlo, ribellandosi al volere divino. Nei due seguenti si considera quindi l'ordine storico, cioè lo svolgersi della vita dell'umanità nel tempo: nel sesto il suo aspetto politico, con la guida provvidenziale ad esso posta da Dio; nel settimo, questo nostro canto, il suo aspetto teologico: la storia cioè dell'uomo vista nel suo rapporto con Dio, dalla creazione alla caduta alla redenzione, quella che narra la Bibbia e che la tradizione cristiana chiama «la storia della salvezza».

Il canto VII narra dunque il più grande, in un certo senso l'unico, evento della storia cristiana. E la sua profonda bellezza sta nella capacità del poeta di raccontare, come in un *epos*, l'evento teologico, con i suoi attori soprannaturali (Dio stesso, il Verbo di Dio) e umani (Adamo, i Giudei, l'imperatore Tito), non diversamente da come ha raccontato, nel canto precedente, la storia dell'Impero romano.

La teologia del *Paradiso* dantesco è infatti grande poesia quando si fa – come in questo caso – visione e narrazione di eventi (mentre necessariamente perde in qualità poetica quando si addentra in pure dimostrazioni logiche). Ma di questo problema abbiamo parlato nella *Introduzione* alla cantica.

Tra i canti «teologici» del *Paradiso* questo settimo appare senza dubbio il più compatto e il più bello, e non casualmente, in quanto vi si narrano e contemplano i misteri più alti della fede, che coinvolgono l'uomo nella sua essenza e dignità e che – proprio per questo – profondamente toccavano l'animo di Dante.

Anche qui, come nel sesto canto, il discorso occupa, come si è detto, tutto lo spazio, ma c'è tuttavia una differenza: Dante ha posto una sequenza iniziale, di intervallo e di apertura insieme, che collega e distanzia i due grandi racconti: un inno di lode a Dio – che, formulato eccezionalmente in latino, vuol sottolineare la magnificenza dell'azione da lui compiuta a vantaggio dell'uomo – e uno smarrimento dello spirito di Dante, mentre le anime apparse nel pianeta si allontanano come veloci faville; smarrimento, raffigurato come un mistico *assonnare*, che precede lo svelarsi dei grandi misteri della fede e che gli impedisce di formulare la sua domanda a Beatrice. Quell'inno, quello svanire, quello smarrirsi – svolti in cinque terzine di alta tensione lirica – sono l'introduzione, diremmo il preludio musicale, al grande *epos* teologico che ora si narrerà.

Il discorso è svolto in tre parti: nella prima si risponde alla domanda non espressa (sulla apparente contraddizione della duplice *giusta vendetta*) che il racconto di Giustiniano aveva suscitato, e si racconta quindi l'incarnazione e la morte di Cristo, che redense il genere umano, pagando per lui; la sua condanna fu *giusta* in quanto – avendo Cristo la natura umana – quella punizione soddisfaceva pienamente alla giustizia, riscattando con l'infinito valore del sacrificio del Figlio di Dio l'infinita gravità dell'offesa fatta dall'uomo al suo creatore; ma fu anche supremamente ingiusta, rispetto alla persona cui fu inflitta, che era una persona divina, e che gli ebrei, colpevolmente, non vollero riconoscere in Gesù.

Tutto il ragionamento – di cui si spiegheranno i particolari nel commento – si fonda sul mistero di fede per il quale nel Cristo, unica persona, erano presenti due nature, la divina e l'umana, quest'ultima da lui assunta nascendo da Maria. La doppia natura provoca infatti la doppia conseguenza: il terremoto scuote la terra per l'orrore, e il cielo si spalanca all'uomo salvato. Il testo dantesco svolge con alta drammaticità e insieme stretta sintesi il tragico e sublime racconto della fede: dal lungo giacere del genere umano nell'infermità e nell'errore dopo la colpa di superbia del primo uomo, alla discesa del Verbo nel seno di Maria per prendere su di sé, *con l'atto sol del suo etterno amore*, quella natura che aveva offeso il suo creatore, fino a quella morte, drammaticamente gradita insieme *a Dio e a' Giudei*, per cui *tremò la terra e 'l ciel s'aperse*.

La stessa intensa commozione e assoluta sobrietà si ritrovano poi nella seconda sequenza, che risponde ad un'altra domanda, posta in ogni tempo dai semplici fedeli cristiani come dai più grandi teologi: perché proprio *questo modo*, così tragico e per lui così doloroso, fu voluto da Dio a redimere l'uomo? Non bastava forse alla sua onnipotenza un semplice atto di remissione, o perdono?

È, questa risposta, il cuore stesso del canto, il vero *nodo* dal quale, come dice Beatrice, Dante (e con lui i fedeli) *con gran disio solver s'aspetta*.

Nello sciogliere il nodo Dante segue il grande teologo che impostò la soluzione del problema nel modo poi da tutti sostanzialmente seguito, e cioè Anselmo d'Aosta nel suo celebre trattato *Cur Deus homo* («Perché Dio si è fatto uomo»). Come si chiarirà nel commento, l'infinità dell'offesa fatta dalla creatura al creatore non poteva riscattarsi che con una riparazione egualmente infinita; ma ciò non era nelle possibilità dell'uomo. O Dio dunque perdonava senza soddisfazione

– ma ciò non conveniva alla sua giustizia anche se poteva bastare alla sua misericordia – o lui stesso interveniva a *soddisfare* al posto dell'uomo. E Dio scelse la seconda possibilità, che rispondeva a tutte e due le sue *vie*, cioè alle due qualità proprie della sua essenza divina secondo la Scrittura, giustizia e misericordia.

La storia, che comincia col definire l'eccellenza della creatura umana, fatta da Dio simile a lui e dotata di immensi doni (come la libertà e l'immortalità), e si addentra poi nel cuore stesso di Dio (dove si fa una scelta, si prende una decisione, tragica ma di cui egli stesso è *contento*), si fonda tutta sul mistero della grande *bontà* divina: con variazioni di termini – *bontà, cortesia, larghezza* – il testo insiste su questo tema che dà poi l'unica vera ragione del *modo* prescelto. E di fatto Beatrice apre il suo ragionamento con una dichiarazione che rivela il fondo del pensiero di Dante: nessuno potrà capire questa scelta, questo *decreto*, se non chi è maturato, cresciuto nel fuoco dell'amore.

L'idea che l'amore solo presiedette alla incarnazione e redenzione è presente in tutta la grande teologia, da Agostino a Tommaso (si vedano le citazioni nel commento), ma questo testo dantesco la esprime con la potenza e l'evidenza che è propria solo della poesia: tale idea costituisce infatti, di tutto il passo, come il lievito da cui si formano immagini, ritmi e costrutti, e che domina l'intera storia del mondo. In tutta la vita del creato infatti (*tra l'ultima notte e 'l primo die*), dice la grande terzina conclusiva della risposta, non vi fu né vi sarà un più sublime evento, perché la larghezza di Dio nel donare se stesso superò di gran lunga quella di un semplice atto di gratuita remissione.

In questo alto e commosso svolgimento, Dante mostra come sempre una grande sicurezza nell'uso delle sue fonti – Anselmo in primo luogo, ma anche Agostino e Tommaso –, delle quali offre una rielaborazione fortemente personale, facendole cioè parte viva e coerente di tutto il suo mondo poetico, senza peraltro mai discostarsi da un'assoluta e ortodossa precisione teologica.

C'è tuttavia nella terza e ultima parte del canto quasi un *corollario* dato *per grazia* (come dice Matelda a *Purg.* XXVIII 136), e infatti non necessariamente richiesto dalla domanda a cui si risponde, nel quale Dante avanza un'idea che non si ritrova nei testi teologici, almeno in quelli a tutti noti. L'ultima domanda è in realtà un'obiezione che Beatrice prevede in Dante: se ciò che Dio crea *non ha poi fine*, come è stato detto (vv. 67-69), perché allora i quattro elementi primi (acqua, aria, fuoco, terra) e i loro composti sono invece corruttibili? E Beatrice risponde che l'immortalità è propria solo di quelle creature che Dio crea *senza mezzo*, cioè senza intermediari (tali sono soltanto gli angeli, i cieli, la materia prima, l'anima umana). Ma allora – ecco l'originale argomento dantesco – se ciò che Dio ha creato direttamente non può essere destinato a morire, allora anche il corpo dell'uomo, plasmato dalle mani stesse di Dio, come narra la Scrittura, è per sua natura immortale e quindi, redento il peccato per cui gli era stata data in pena la morte, è destinato alla resurrezione. Di questo singolare argomento, che sembra usato soltanto da Dante come prova della resurrezione della carne, si dirà nel commento. Qui vogliamo osservare come il breve corollario non sia un'aggiunta, per così dire, fuori tema, ma sia strettamente connesso al tema centrale del canto; la resurrezione dei corpi infatti, dogma essenziale del credo cristiano, è resa possibile solo grazie all'Incarnazione del Figlio di Dio che, come dice la parola, prese su di sé *l'umana carne*, risanando la ferita che il peccato le aveva inferto, e dandole qualità divina. Tale dogma è di primaria importanza nel poema di Dante, in quanto esso fonda quella suprema dignità dell'uomo – in anima e corpo, quale è l'uomo della storia – che tutta la *Commedia* celebra, come appare alla sua conclusione, nella candida rosa dell'Empireo, formata dalle *bianche stole* dei corpi risorti.

CANTO VII

Nel cielo di Mercurio

1-9 *Giustiniano, giunto alla fine del suo lungo discorso, intona un inno di lode a Dio e si dilegua velocemente insieme agli altri beati.*

10-24 *Dante esita a interrogare di nuovo Beatrice intimorito dalla reverenza che gli ispira anche solo il sentirne pronunciare il nome, ma la donna conosce già il dubbio che in lui è nato – come è possibile che una giusta vendetta sia stata giustamente punita – e, sorridendo, si accinge a scioglierlo.*

25-51 *L'umanità visse per molti secoli gravata dal peccato del primo uomo, finché il Verbo di Dio si incarnò nel seno di Maria, assumendo nella sua persona divina la natura umana. Perciò l'uccisione di Cristo fu giusta punizione del peccato originale in quanto egli aveva assunto la natura dell'uomo, ma fu offesa sacrilega in quanto come persona era Dio. Altrettanto giusta fu dunque la punizione che colpì gli Ebrei (autori di quella crocifissione) con la distruzione di Gerusalemme per mano di Tito.*

52-129 *Beatrice legge nell'animo di Dante una nuova questione: come mai Dio ha scelto di redimere l'uomo proprio in questo modo? La divina bontà ha creato l'uomo, senza intermediari, immortale, libero e simile a sé: solo il peccato sottrae alla creatura umana la sua dignità. Ciò è accaduto con il peccato originale, perciò occorreva che l'uomo per recuperarla riuscisse a riparare da sé o che Dio stesso perdonasse: ma l'uomo non avrebbe potuto mai soddisfare con le sue forze una colpa tanto grave, pertanto Dio ha preso l'iniziativa usando insieme giustizia e misericordia: misericordia fu il dono di sé nella persona del Figlio, che con la sua morte in croce come uomo soddisfece anche la giustizia divina.*

130-148 *L'ultima parte del discorso previene una possibile obiezione: come mai i quattro elementi primi e i loro composti sono corruttibili pur essendo creati anch'essi da Dio? La ragione è che essi non furono creati da Dio direttamente, ma attraverso la materia prima e la virtù celeste che le dà forma: l'anima dell'uomo invece viene direttamente da Dio che le ha infuso il desiderio di sé; e poiché anche il corpo umano è stato plasmato dalle mani di Dio, quando creò Adamo ed Eva, è dunque destinato alla resurrezione.*

> «Osanna, sanctus Deus sabaòth,
> superillustrans claritate tua
> 3 felices ignes horum malacòth!».

1-3. Osanna...: il canto si apre con un inno di lode a Dio, cantato da Giustiniano al termine del suo discorso: «Osanna, o santo Dio degli eserciti, che aggiungi così grande splendore, con la tua luce, ai beati fuochi di questi regni!». L'idea centrale dell'inno, espressa dal verbo coniato da Dante, *superillustrans*, è che Dio aumenta a dismisura la luce propria di ogni anima infondendole la sovrabbondanza della sua luce divina. La solennità di questa apertura in lingua latina liturgica – unica nella cantica – prelude al grande tema teologico che il canto tratterà.

– sabaòth: parola ebraica, che vale «degli eserciti»; tutto il primo verso rieccheggia il *Sanctus* della messa («sanctus Dominus Deus sabaoth») dove è anche l'*Osanna* («osanna in excelsis»), acclamazione ebraica di lode che si trova più volte nel Vangelo (come saluto delle folle a Cristo: *Matth.* 21, 9; *Marc.* 11, 9 ecc.). I due termini erano dunque notissimi, attraverso la liturgia, a tutto il popolo cristiano. Più raro invece il terzo termine ebraico, *malacòth* (correttamente *malmacòth*) che Dante certamente deriva, con la forma errata, dal *Prologo* di san Girolamo alla Vulgata (la versione latina della Bibbia), dove ne è specificato il senso: «malacoth, cioè dei regni». Parola portata quasi obbligatoriamente dalla rima.

– superillustrans: ha senso superlativo (che illumini in abbondanza), come *superinfusa* detto della grazia a XV 28; verbi formati probabilmente a somiglianza del paolino «superabundare», più volte usato dall'Apostolo a significare il riversarsi della grazia oltre le stesse capacità dell'uomo di accoglierla (*Rom.* 5, 20; *Eph.* 1, 8; *1 Tim.* 1, 14).

– felices ignes: le anime dei beati, in quanto splendenti di propria luce, sono anche altrove dette *fuochi*

«Osanna, o santo Dio degli eserciti, che dài così abbondante splendore, con la tua luce, ai beati fuochi di questi regni!».

Così, volgendosi a la nota sua,
fu viso a me cantare essa sustanza,
6   sopra la qual doppio lume s'addua;
ed essa e l'altre mossero a sua danza,
e quasi velocissime faville
9   mi si velar di sùbita distanza.
Io dubitava e dicea 'Dille, dille!'
fra me, 'dille', dicea, 'a la mia donna
12   che mi diseta con le dolci stille'.
Ma quella reverenza che s'indonna
di tutto me, pur per *Be* e per *ice*,

(IX 77; XVIII 108; XX 34 ecc.). Su quella luce, irraggiata dall'anima (cfr. V 124-6), si innesta la ricchezza della luce di Dio. Tutta la terzina esprime esultanza e insieme abbondanza di luce, l'una causata dall'altra.

4. **volgendosi a la nota sua**: muovendosi in moto circolare, al ritmo del suo canto (cfr. XXV 107); la danza in circolo è propria, come si vedrà, delle anime del *Paradiso*, significando il cerchio la perfezione e l'infinità divina.

5. **fu viso**: parve (lat. «visum est»). Dice *parve*, perché si ode il canto e si vede la danza, ma non può scorgersi chi è che canta.

– **sustanza**: vale «anima», che nell'aldilà è sostanza separata dal corpo, secondo la teologia scolastica. Cfr. anche III 29: *vere sustanze*.

6. **sopra la qual...**: sulla quale si unisce, si accoppia, una duplice luce: quella della maestà imperiale e quella della beatitudine celeste. – *s'addua* è di conio dantesco (come *s'intrea* a XIII 57, o *s'incinqua* a IX 40, pur con senso diverso) e indica l'unirsi di due cose in modo da farne una sola. Su quale sia il *doppio lume* non c'è accordo fra gli interpreti. Alcuni intendono quello proprio dell'anima, e quello divino, come è detto ai vv. 2-3; ma questo non è specifico di *essa sustanza*, cioè di Giustiniano, in quanto è di tutti i beati. Altri intendono, e sono i più, quello della doppia gloria di imperatore e di legislatore; ma in questo contesto sembra poco coerente che si parli solo di luce terrena. Per questa ragione preferiamo l'altra spiegazione sopra proposta. Che la maestà imperiale conferisca parti-

colare gloria e luce anche in cielo appare del resto sia nel caso di Costanza (III 109-11), sia di Arrigo (XXX 133-8).

7. **mossero a sua danza**: si mossero (allontanandosi da me) al ritmo di quella loro danza.

8-9. **e quasi velocissime faville...**: come scintille di fuoco che volano lontano per l'aria, così le anime svaniscono, agli occhi di Dante, per l'improvvisa distanza posta fra loro e lui dal loro rapido allontanarsi. La rara bellezza di questa terzina vuole esprimere un profondo incanto e quasi rapimento dell'animo, che i versi seguenti ripeteranno con la loro insistente dolcezza. È questo uno dei momenti in cui, nella salita del paradiso, tra le visioni e le parole, si pone una sosta di segno mistico, quasi a punteggiare il percorso con un richiamo costante alla misteriosa ultima realtà a cui esso è diretto.

– **faville**: l'immagine dantesca è uno dei grandi prestiti scritturali propri della terza cantica: «[i giusti] risplenderanno e correranno qua e là come scintille nella stoppia» (*Sap*. 3, 7).

10. **dubitava**: avevo l'animo sospeso in un dubbio; anche l'incertezza intellettuale diventa qui elemento dell'instabilità emotiva, come di incanto, che tutta la situazione esprime.

10-3. **e dicea...**: e dicevo fra me, ripetendomelo internamente: *dille*, di' a lei il tuo dubbio, alla mia donna, che sempre placa la mia sete con le dolci acque del vero. La terzina, chiara nel significato, è ardua nel costrutto: le parole *a la mia donna* e le seguenti sembrano non convenire infatti al discorso diretto interno, dopo il *dille* di seconda persona (ci si aspetterebbe «alla *tua* donna»). È in effetti un anacoluto ben possibile in un parlare interno e concitato, anche perché tutta la frase, e specie le *dolci stille* finali, si accorda strettamente nel tono con il *Dille, dille*, cioè con la situazione di rapimento già indicata, e che appartiene al personaggio più che allo scrittore.

13-4. **quella reverenza...**: quel profondo senso di riverenza che sempre s'impadronisce (*s'indonna*) di me all'udire anche soltanto la prima e l'ultima sillaba del suo nome. Questa situazione di Dante di fronte a Beatrice risale ai tempi della *Vita Nuova*, quando egli si

■

Così, muovendosi in moto circolare, al ritmo del suo canto, mi parve che cantasse quell'anima, sulla quale si accoppia una duplice luce: ed essa e le altre si mossero al ritmo di quella loro danza, e come velocissime scintille furono nascoste ai miei occhi da una improvvisa distanza (cioè scomparvero allontanandosi all'improviso). ◆ *Io ero sospeso in un dubbio, e dicevo fra me: «Dillo a lei, alla mia donna, che sempre appaga la mia sete (di conoscenza) con le dolci acque (del vero)»; ma quella riverenza che sempre s'impadronisce (s'indonna) di me all'udire anche soltanto Be e ice, ...*

15   mi richinava come l'uom ch'assonna.
          Poco sofferse me cotal Beatrice
          e cominciò, raggiandomi d'un riso
18   tal, che nel foco faria l'uom felice:
          «Secondo mio infallibile avviso,
          come giusta vendetta giustamente
21   punita fosse, t'ha in pensier miso;
          ma io ti solverò tosto la mente;
          e tu ascolta, ché le mie parole
24   di gran sentenza ti faran presente.
          Per non soffrire a la virtù che vole

smarrisce e tramortisce solo per la sua presenza (*Vita Nuova* XIV e XV), e tale resta per tutta la sua vita. Per questo è usato il tempo presente.

– **pur per Be e per ice**: la forza del nome è sempre riconosciuta e presente nella storia di Dante, e in particolare quella del nome di colei che fin dall'inizio della *Vita Nuova* è da lui definita come la sua stessa «beatitudine» (*Vita Nuova* II, 5). Si confronti soprattutto *Purg.* XXVII 37-42, dove all'udire quel nome Dante si riscuote come un uomo in punto di morte.

15. ch'assonna: che è colto dal sonno, e quindi inclina il capo verso terra. Questo *assonnare* è sicuramente, come vide il Momigliano, un'indicazione di segno mistico. Tutto il contesto infatti – dal canto iniziale, alle faville sparenti, al *Dille, dille!* interiore – esprime una situazione estatica. Si vedano del resto l'*assonna* di XXXII 139 e il *dormendo* di *Purg.* XXIX 144, ambedue significativi una condizione visionaria.

16. Poco sofferse...: per poco tempo Beatrice tollerò (*sofferse*) ch'io restassi in tale stato (*me cotal*): di dubbio e di impotenza ad esprimerlo.

17. riso: questo *riso* «irraggiato» da Beatrice – un *riso* quindi che è luce – sarà per tutto il *Paradiso* il segno visibile della gioia e dell'amore divino che attraverso di lei si riflettono su Dante, sempre più intensi via via che si sale verso l'Empireo. Nel *riso*, già apparso al ritorno di Beatrice in *Purg.* XXXII 5, Dante ha significato, con luminosa immagine, il valore spirituale dell'interno gaudio che si effonde sugli altri, come già è detto nella grande definizione di *Conv.* III, VIII 11: «E che è ridere se non una corruscazione de la dilettazione de l'anima, cioè uno lume apparente di fuori secondo sta dentro?».

18. tal, che nel foco...: tale che anche nella più acuta sofferenza – in mezzo alle fiamme – renderebbe felici: che cioè è più potente di ogni pensabile dolore. L'immagine usata richiama la situazione di *Purg.* XXVII 34-6, quando Dante trova la forza di traversare il muro di fuoco solo perché al di là di esso troverà Beatrice ridente di felicità. Il richiamo è assicurato dall'altro preciso rapporto stabilito dalla forza del nome (cfr. v. 14 e nota).

19. avviso: giudizio, opinione; *infallibile*, cioè non soggetto ad errore come quello degli uomini. Beatrice dichiara di conoscere il dubbio di Dante senza che egli parli, perché ella lo vede in Dio, come è di tutti i beati (cfr. XV 61-3). Il verso serve a intonare con solennità il discorso che ora comincia.

20-1. come giusta vendetta...: come possa una vendetta giusta (l'atto per cui Cristo fu condannato da Pilato, nel quale Dio fece *vendetta a la sua ira*: VI 90) essere poi punita con un atto ugualmente giusto (si allude alla *vendetta de la vendetta* compiuta da Tito, sempre per volere divino, come è detto a VI 92-3). Le due dichiarazioni sembrano infatti contraddittorie; spiegarle è l'occasione, il pretesto avanzato da Dante per esporre la dottrina della incarnazione e redenzione, fondate appunto su una contraddizione in termini, il «Deus homo» (Dio [fatto] uomo).

– **miso**: messo, più volte incontrato.

22. ti solverò: ti scioglierò, come liberandola dai lacci del dubbio; il verbo *solvere* è più volte usato in questo senso, anche assolutamente (cfr. *Inf.* XI 92).

24. di gran sentenza...: ti faranno dono (*presente*) di una grande verità. La terzina vale come introduzione, e vuol sottolineare la rilevanza (*gran sentenza*) della dottrina che si esporrà, che è di fatto quella su cui si fonda tutto il cristianesimo.

25-7. Per non soffrire...: per non voler tollerare (*soffrire*, come al v. 16) un limite alla sua volontà (*la virtù che vole*, come a *Purg.* XXI 105), limite che era a suo vantaggio (*a suo prode*), il primo uomo, formato direttamente da Dio, e non generato da una donna (*che*

... *mi faceva inclinare il capo, come a chi è colto dal sonno. Per poco tempo Beatrice tollerò (sofferse) ch'io restassi in tale stato (me cotal), e cominciò a dire, illuminandomi con un sorriso tale che anche nel fuoco renderebbe felici:* ◆ *«Secondo il mio infallibile giudizio, ti ha messo in dubbio come potesse una vendetta giusta essere punita con un atto ugualmente giusto; ma io ti scioglierò subito la mente dai lacci del dubbio: e tu ascoltami, perché le mie parole ti faranno dono (presente) di una grande verità.* ◆ *Per non voler tollerare (soffrire) un limite alla sua volontà (la virtù che vole), ...*

> freno a suo prode, quell'uom che non nacque,
>
> 27   dannando sé, dannò tutta sua prole;
>
> onde l'umana specie inferma giacque
>
> giù per secoli molti in grande errore,
>
> 30   fin ch'al Verbo di Dio discender piacque
>
> u' la natura, che dal suo fattore
>
> s'era allungata, unì a sé in persona
>
> 33   con l'atto sol del suo etterno amore.
>
> Or drizza il viso a quel ch'or si ragiona:
>
> questa natura al suo fattore unita,
>
> 36   qual fu creata, fu sincera e buona;
>
> ma per sé stessa pur fu ella sbandita

non nacque), condannò se stesso e insieme tutta la sua discendenza (*prole*). Per raccontare la storia dell'incarnazione, Dante comincia dalla creazione e dal peccato di Adamo; è il modello da lui sempre seguito, di partire in ogni discorso dal primo inizio, storico e teologico, dell'evento narrato, così da non lasciare spazio a incertezze. L'attacco è solenne, e il dettato ha la forza di sintesi propria dei grandi racconti danteschi: la superbia dell'uomo che non tollera limiti, il valore morale del limite stesso (*a suo prode*), l'estendersi della colpa all'intero genere umano, tutto è stretto in un unico periodo, con due sole proposizioni: una subordinata (*per non soffrire*) che dice la vera causa, e la principale (*dannò*) che dice il tragico effetto prolungato nei secoli.

– **quell'uom che non nacque**: è la peculiarità dalla quale sempre Dante definisce Adamo, come uomo plasmato da Dio direttamente nella sua perfezione naturale: cfr. XXVI 91-2: *O pomo che maturo / solo prodotto fosti*; e *Vulg. El.* I, VI 1: «uomo senza madre, uomo senza latte».

– **dannò tutta sua prole**: questa è la dottrina cattolica del peccato originale, secondo la quale la colpa di Adamo si trasmise, nelle sue conseguenze (malattia, morte, inclinazione al peccato) a tutto il genere umano, che perse con lui la perfezione e la felicità fi-

gurate nell'Eden (cfr. *Rom.* 5, 12; *1 Cor.* 15, 22).

28-9. **onde l'umana specie...**: per cui tutto il genere umano *giacque* «infermo», cioè menomato, infirmato nella sua primitiva natura, per un lungo scorrere di secoli, immerso nell'*errore*, cioè offuscato nell'intelletto e nella volontà, non più libero e perfetto come Dio lo aveva creato (per *inferma* si cfr. *Purg.* X 122: *de la vista de la mente infermi*). La terzina ha grande evidenza drammatica, facendo apparire insieme la profonda prostrazione dell'uomo, la lunghezza plurisecolare del tempo così trascorso, l'oscurità senza scampo in cui l'umanità si muoveva.

– **inferma**: è l'*infermità del peccato* di cui si parla in *Mon.* III, IV 14, termine tecnico per designare la menomazione inflitta dal peccato originale alla natura umana, che i teologi dicono appunto indebolita, ferita nelle sue stesse qualità e prerogative primarie dirette al vero e al bene. La metafora di malattia, o ferita, sottintende che si possa guarire, recuperando l'integrità perduta.

– **giù**: da riferire probabilmente a *per secoli molti*: per lungo trascorrere di secoli. Altri intende «giù sulla terra», e lo unisce a *giacque*: giacque prostrata.

30. **fin ch'al Verbo di Dio**: dopo tanta sofferenza e attesa giunge la salvezza: finché il Verbo, cioè la seconda persona della Trinità, il Figlio, liberamente scelse di scendere in terra nel grembo di Maria. Si noti quel *piacque*, che con una sola parola definisce il gratuito dono di amore: «Volendo la 'nmensurabile bontà divina l'umana creatura a sé riconformare, che per lo peccato della prevaricazione del primo uomo da Dio era partita e disformata, eletto fu in quello altissimo e congiuntissimo consistorio della Trinitate che 'l Figliuolo di Dio in terra discendesse a fare questa concordia» (*Conv.* IV, V 3).

31-2. **u' la natura...**: *u'* vale «ove», con valore relativo: là dove (cioè nel grembo di Maria) unì a sé in una sola persona quella natura umana che si era allontanata, distolta volontariamente dal suo creatore. Per l'espressione *unì a sé in persona* si cfr. *S.T.* III, q. 2 a. 2: «se dunque la natura umana non è unita al Verbo di Dio nella persona, non gli è unita in alcun modo».

... *limite che era a suo vantaggio (a suo prode), l'uomo che non fu generato da una donna (che non nacque), cioè il primo uomo, condannando se stesso, condannò tutta la sua discendenza (prole); per cui il genere umano giacque infermo per molti secoli, immerso in un grande errore, finché il Verbo di Dio decise di scendere là dove (cioè nel grembo di Maria) unì a sé in una sola persona, soltanto con un atto del suo amore eterno, quella natura che si era allontanata dal suo creatore.* ◆ *Ora rivolgi la vista (della mente; cioè fai bene attenzione) a ciò che sto per dire. Questa natura umana unita al suo creatore, come fu creata da Dio (in Adamo) fu integra e buona; ma in quanto natura umana (per sé stessa) essa era tuttavia ormai bandita ...*

di paradiso, però che si torse
39 da via di verità e da sua vita.
    La pena dunque che la croce porse
    s'a la natura assunta si misura,
42 nulla già mai sì giustamente morse;
    e così nulla fu di tanta ingiura,
    guardando a la persona che sofferse,
45 in che era contratta tal natura.
    Però d'un atto uscir cose diverse:
    ch'a Dio e a' Giudei piacque una morte;
48 per lei tremò la terra e 'l ciel s'aperse.
    Non ti dee oramai parer più forte,

33. **con l'atto sol...**: il grande verso, dispiegandosi con potenza, dichiara il vero senso, la causa prima e sola, del misterioso evento. Sarà questo il motivo dominante, come si è accennato, di tutto il canto, ciò che l'animo di Dante ha soprattutto colto nella dottrina cristiana della incarnazione del Verbo e trasmesso a sua volta con la forza della sua poesia (si cfr. ancora *S.T.* III, q. 32 a. 1: «Ciò deriva dal grandissimo amore di Dio, che il Figlio di Dio abbia preso carne nel grembo di una vergine»).

34. **drizza il viso...**: rivolgi la vista (s'intende, della mente); cioè fai bene attenzione. Il modo didascalico vuole avvertire, come altrove, che ciò che segue ha speciale rilevanza; infatti nei versi seguenti è detta la vera ragione della doppia *giusta vendetta*, cioè la duplice realtà presente nel Cristo: la natura umana «bandita» dal paradiso e la innocente persona divina.

35-6. **questa natura...**: questa natura umana unita al suo creatore (cfr. vv. 31-2) come fu creata da Dio in Adamo fu integra e innocente (Gesù infatti fu esente dal peccato originale, trovandosi così nella condizione di innocenza del primo uomo).

37-9. **ma per sé stessa...**: ma in quanto natura umana (*per sé stessa*) essa era tuttavia ormai bandita dal paradiso, perché si era deliberatamente allontanata (*allungata*: v. 32) dalla via della verità e dalla sua stessa vita, che è Dio. Si chiarisce qui che, pur essendo Gesù innocente come persona, tuttavia in quanto «nato da donna» (*Gal.* 4, 4) egli condivideva, nella natura da lui assunta, la condizione di bando e condanna ad essa propria dopo Adamo, che poté appunto riscattare con la sua morte.

40-2. **La pena dunque...**: il ragionamento giunge a conclusione: se dunque la pena inflitta a Gesù con la croce è commisurata alla natura umana da lui assunta, nessuna pena colpì (*morse*) mai così giustamente come quella.

43-5. **e così nulla...**: e allo stesso modo nessuna pena fu tanto ingiusta se si guarda alla persona che dovette subirla, nella quale quella natura era stata assunta. La persona di Gesù, infatti, secondo la distinzione stabilita dalla teologia cristiana, era unica e divina, mentre duplice era la natura, divina e umana (cfr. XIII 25-7).

– **ingiura**: vale «ingiustizia» (lat. «iniuria»), nella forma, già osservata, propria dell'antico toscano (come *Lavina*: cfr. *Inf.* IV 126 e nota linguistica).

– **contratta**: quasi «stretta insieme», «compaginata»; il forte verbo esprime l'indivisibile unica realtà che persona divina e natura umana vengono a formare.

46-8. **Però d'un atto...**: per questa ragione da uno stesso atto (la crocifissione di Cristo) derivarono due diverse conseguenze: che una stessa morte fu gradita a Dio – in quanto soddisfece la sua giustizia, punendo la natura umana – e agli Ebrei – in quanto essi ritennero bestemmia che Cristo si proclamasse Figlio di Dio e Messia d'Israele, non riconoscendolo come tale, e per questo lo considerarono reo di morte (cfr. *Matth.* 26, 63-6; *Io.* 19, 7). Così per l'atto sacrilego – la morte inflitta al Figlio di Dio – la terra tremò di orrore (è il terremoto narrato in *Matth.* 27, 51 sgg.), e per il gradimento divino il cielo si aperse agli uomini redenti (cfr. *S.T.* III, q. 49 a. 5: «dalla passione di Cristo ci è stata aperta la porta del regno celeste»). Con la disposizione a chiasmo (*tremò la terra – 'l ciel s'aperse*) il verso finale sintetizza con potenza il doppio effetto di quel tragico evento.

49. **forte**: ossia difficile da comprendere (cfr. IX 36; XVI 77).

∎

... dal paradiso, perché si era allontanata (si torse) dalla via della verità e dalla sua stessa vita (che è Dio). ◆ Se dunque la pena inflitta (a Gesù) con la croce è commisurata alla natura da lui assunta (quella umana), nessuna pena colpì (morse) mai così giustamente come quella; e allo stesso modo nessuna pena fu tanto ingiusta se si guarda alla persona che dovette subirla, nella quale quella natura era stata assunta. Per questa ragione da uno stesso atto (la crocifissione di Cristo) derivarono due diverse conseguenze: che una stessa morte fu gradita a Dio e agli Ebrei; per essa quindi la terra tremò e il cielo si aprì. ◆ Ormai non ti deve più sembrare difficile da comprendere (che cosa si intende), ...

> quando si dice che giusta vendetta
> 51   poscia vengiata fu da giusta corte.
> Ma io veggi' or la tua mente ristretta
> di pensiero in pensier dentro ad un nodo,
> 54   del qual con gran disio solver s'aspetta.
> Tu dici: "Ben discerno ciò ch'i' odo;
> ma perché Dio volesse, m'è occulto,
> 57   a nostra redenzion pur questo modo".
> Questo decreto, frate, sta sepulto
> a li occhi di ciascuno il cui ingegno
> 60   ne la fiamma d'amor non è adulto.
> Veramente, però ch'a questo segno

50. **quando si dice...**: è quanto si è detto a VI 92-3, e ripreso all'inizio di questo discorso ai vv. 20-1, qui ribadito quasi a suggello del ragionamento.

51. **giusta corte**: è la corte celeste, il tribunale divino, raffigurato con metafora tolta dall'umana giustizia anche a *Purg.* XXI 17 e XXXI 41.

52. **ristretta**: racchiusa, come irretita (cfr. I 96) in un altro dubbio (*nodo*).

53. **di pensiero in pensier**: passando da un pensiero a un altro, per concatenazione; questa idea del continuo sopravvenire di un dubbio, o pensiero, sull'altro, tipico della mente umana (come della volontà per i desideri), è essenziale in Dante, che vi fonda tutta la sua salita (di desiderio in desiderio, di verità in verità); cfr. IV 124-32.

54. **solver s'aspetta**: aspetta di essere sciolta, liberata (cfr. v. 22).

55. **Tu dici**: Beatrice formula il dubbio di Dante, ponendosi così lei stessa la domanda, come ha fatto per la prima questione (vv. 19-21). In questo modo il discorso si svolge ininterrotto, occupando l'intero arco del canto.

– **discerno**: capisco, intendo. *Ben* è correlativo al *ma* che segue: questo primo punto è sì chiarito, ma resta tuttavia un'altra questione.

57. **pur questo modo**: questo è il grande problema, il vero centro del canto, che Dante fa nascere dal primo, più semplice e razionalmente risolvibile: perché Dio, onnipotenza assoluta, abbia scelto «proprio questo modo», così tragico e doloroso, per redimere l'uomo. Su questo interrogativo, che da sempre si sono posti i pensatori cristiani, si veda l'Introduzione al canto. La terzina seguente già dice come Dante imposta la soluzione del problema: solo l'amore può comprendere questo gesto di Dio.

58. **sepulto**: inabissato, inaccessibile allo sguardo (l'immagine richiama l'idea di una profondità insondabile, come l'*abisso* del divino consiglio a *Purg.* VI 121-2, qui ai vv. 94-5, e a XXI 94-5).

59-60. **a li occhi di ciascuno...**: questa profondità è accessibile solo alla mente che sia «adulta», cioè cresciuta e maturata, nell'amore. Non si può cioè comprendere, se non con l'amore, una decisione (*decreto*) che è motivata solo dall'amore. Questa alta terzina, posta all'inizio del ragionamento, ne rivela il senso ultimo e di fatto l'insufficienza (nessuna spiegazione razionale infatti potrà bastare a spiegare «questo modo»). La rara bellezza di questo linguaggio sta nella forza di quelle parole metaforiche (*sepulto – fiamma d'amor*) che di un concetto fanno potenti immagini.

61. **Veramente**: tuttavia (anche se la ragione non può esaurire il motivo di tale scelta).

– **segno**: bersaglio (cfr. V 91); è metafora tolta dall'arco: molti guardano a questo problema, ma non riescono a risolverlo, come un arciere che non coglie nel segno. Come si è detto, la questione aveva a lungo affaticato i più grandi dottori della Chiesa. Dante segue la linea maestra, di Agostino, Anselmo e Tommaso, ma la spiegazione, unica per forza di sintesi e bellezza del linguaggio, che egli dà della difficile dottrina, è ancora il testo più chiaro e convincente – in sole venti terzine – che si abbia sull'argomento.

63. **più degno**: più degno di Dio, più a lui conveniente. Dante accoglie la tesi della «convenienza» propria di Agostino e Tommaso, dato che per Dio non può parlarsi di necessità (cfr. *S.T.* III, q. 1 a. 2).

64-6. **La divina bontà...**: l'attacco del ragionamento è grandioso e solenne, come in tutti i più grandi discorsi teologici danteschi. Il *processo*, come lo chiamerà più avanti Dante (v. 113), di questa misteriosa opera divina ha il suo inizio con l'atto stesso della creazio-

---

... quando si dice che una giusta vendetta fu poi vendicata da un giusto tribunale (giusta corte: cioè la corte celeste). Ma ora vedo che la tua mente, passando da un pensiero a un altro, è racchiusa (ristretta) in un altro dubbio (nodo), dal quale aspetta con gran desiderio di essere sciolta. Tu dici: "Capisco bene ciò che ascolto; ma mi risulta oscuro perché Dio abbia scelto proprio questa via (questo modo) per la nostra redenzione". ◆ Questa decisione, fratello, è inaccessibile (sepulto) allo sguardo di tutti coloro il cui intelletto non è maturato (adulto) nella fiamma d'amore. Tuttavia, poiché a questo bersaglio ...

                    molto si mira e poco si discerne,
        63   dirò perché tal modo fu più degno.
                         La divina bontà, che da sé sperne
                    ogne livore, ardendo in sé, sfavilla
        66   sì che dispiega le bellezze etterne.
                         Ciò che da lei sanza mezzo distilla
                    non ha poi fine, perché non si move
        69   la sua imprenta quand'ella sigilla.
                         Ciò che da essa sanza mezzo piove
                    libero è tutto, perché non soggiace
        72   a la virtute de le cose nove.
                         Più l'è conforme, e però più le piace;

ne. Le immagini, e le parole stesse, discendono da una grande e celebre fonte: il *Timeo* platonico filtrato da Boezio. La divina bontà (si osservi che fin dal principio Dio è definito come *bontà*), che respinge da sé (*sperne*, disprezza, è puro latinismo) ogni forma di odio o invidia (*livore*), ardendo in se stessa (il fuoco ardente indica l'amore) irradia la luce, come il fuoco le faville, così che *dispiega*, fa sorgere (quasi svolgersi, svilupparsi intorno a sé) le creature eternamente belle.

– **che da sé sperne**: a Dio, puro amore, è estranea ogni invidia; di qui l'effusione di sé nelle creature. Dante rieccheggia – si direbbe che lo cita – il famoso *Metro* IX di Boezio (*Cons.* III, m. IX, vv. 1-6) che tanta parte ha avuto nell'ispirazione poetica della terza cantica (si veda la nota a II 131), dove è detto che nessuna causa esterna mosse Dio a creare, ma soltanto la sua intima essenza di supremo bene privo di ogni livore («livore carens»), dove «livor» vale «invidia» (cfr. *Purg.* XIV 84). A sua volta il testo di Boezio risale, come si è detto, al *Timeo* platonico, che nella versione di Calcidio così suona: «Era sommamente buono, e da chi è tale l'invidia non può che essere respinta lontano da sé» (29E). Non si può escludere che Dante conoscesse direttamente il *Timeo* di Calcidio, ma il tramite boeziano è comunque assicurato dal preciso rimando linguistico.

67. **Ciò che da lei...**: ciò che deriva da Dio (*distilla*, come acqua dalla fonte) senza cause intermedie. Si distinguevano allora due ordini di creature: quelle create direttamente da Dio (gli angeli, gli uomini, la materia prima, i cieli) e quelle create attraverso la mediazione (il *mezzo*) dell'influsso dei cieli, cioè tutte le creature del mondo sublunare, eccetto l'uomo. Le prime non sono soggette a fine, sono immortali; le seconde si corrompono e muoiono.

68-9. **perché non si move...**: perché l'impronta della somiglianza divina, impressa in esse come un sigillo sulla cera, non può mai cancellarsi.

70. **piove**: è variazione del *distilla* del v. 67, che questo verso ripete quasi alla lettera (come tutta la terzina ricalca la struttura della precedente), creando un effetto ritmico singolare, di duplicazione variata, che

significa il sommarsi dei doni in quelle privilegiate creature.

71. **libero**: è la seconda dote delle creature direttamente create, la libertà, come la prima è l'immortalità; ambedue proprie dell'essenza stessa di Dio.

– **non soggiace**: non sottostà all'influenza dei cieli (*cose nove*, recenti, sono dette le cause seconde, rispetto a Dio creatore, causa prima). L'uomo infatti, come è già stato detto a *Purg.* XVI 67 sgg., non può essere condizionato dagli astri, discendendo direttamente da Dio: è la grande dottrina del libero arbitrio, su cui Dante fonda tutto il suo mondo etico.

73. **conforme**: simile (più, s'intende, di ciò che è creato indirettamente, attraverso le cause seconde). Da questa «conformità» discende la grande dignità dell'uomo, da lui perduta (vv. 79-81) e da Dio restaurata; si cfr. *Conv.* IV, V 3: «Volendo la 'nmensurabile *bontà divina* l'umana creatura a sé *riconformare*, che per lo peccato della prevaricazione del primo uomo da Dio era partita e *disformata*...».

– **più le piace**: il verbo esprime il gradimento quasi estetico di Dio verso la creatura a lui simile, che risplende di bellezza: *più le piace* perché, come dicono i versi seguenti, l'ardore della luce divina, che irradia ogni essere, è più brillante e vivo in quella che più le somiglia. Il corrispondersi fra loro di somiglianza, bellezza, amore, espresso per mezzo della luce, è la profonda idea che ispira questi versi, e dà triste rilievo al rompersi di un così mirabile cerchio.

... molti tendono lo sguardo, ma poco viene compreso, ti dirò perché questa via fu la più degna (di Dio). La divina bontà, che respinge da sé (sperne) ogni forma di invidia (livore), ardendo in se stessa, irradia faville, così che fa sorgere (dispiega) le creature eternamente belle. ◆ *Ciò che deriva da lei senza cause intermedie non ha poi fine, perché la sua impronta, quando è impressa in esse come un sigillo sulla cera, non può mai cancellarsi. Ciò che proviene da lei senza cause intermedie è del tutto libero, perché non sottostà all'influenza dei cieli (le cose nove). È più simile a lei, e per questo le piace di più; ...*

>   ché l'ardor santo ch'ogne cosa raggia,
> 75 ne la più somigliante è più vivace.
>   Di tutte queste dote s'avvantaggia
>   l'umana creatura, e s'una manca,
> 78 di sua nobilità convien che caggia.
>   Solo il peccato è quel che la disfranca
>   e falla dissimìle al sommo bene,
> 81 per che del lume suo poco s'imbianca;
>   e in sua dignità mai non rivene,
>   se non rïempie, dove colpa vòta,
> 84 contra mal dilettar con giuste pene.
>   Vostra natura, quando peccò *tota*
>   nel seme suo, da queste dignitadi,
> 87 come di paradiso, fu remota;
>   né ricovrar potiensi, se tu badi
>   ben sottilmente, per alcuna via,
> 90 sanza passar per un di questi guadi:

75. ne la più somigliante: «l'anima umana con la nobilitade de la potenza ultima, cioè ragione, participa de la divina natura a guisa di sempiterna intelligenzia; però che l'anima è tanto in quella sovrana potenza nobilitata e dinudata da materia, che la divina luce, come in angelo, raggia in quella» (*Conv.* III, II 14; si noti l'uso dello stesso verbo *raggiare*).

76. tutte queste dote: immortalità, libertà, somiglianza a Dio (da cui deriva una speciale compiacenza divina), prerogative delle quali l'uomo fu «dotato» dal suo creatore.

77-8. s'una manca...: se una sola di queste viene a mancare, di necessità decade (*convien che caggia*) dalla sua nobiltà. Ma l'unica dote che l'uomo può perdere per sua scelta, perché è stata messa in suo potere, è appunto la libertà, come si dirà nella terzina seguente.

79-81. Solo il peccato...: la sola cosa che può toglierle la libertà (*disfrancare*, togliere lo stato franco, cioè rendere da liberi schiavi) è il peccato, che la fa quindi dissimile da Dio, per cui meno risplende (*s'imbianca*) della sua luce. Le tre doti sono perdute l'una in conseguenza dell'altra: perduta la libertà, si perde la somiglianza, e quindi lo splendore *vivace* che a tale somiglianza corrisponde.

82-3. e in sua dignità...: e mai più potrà ritornare alla sua primitiva dignità se non riempie il vuoto (cioè soddisfa alla mancanza, quasi un vuoto di bene) che la colpa ha causato.

84. contra mal dilettar...: con espiazione adeguata, che sia contraria, contrapposta, al piacere malvagio provato nel peccare.

85-7. Vostra natura...: la vostra natura umana, quando peccò tutta intera, cioè nella sua totalità, nel suo progenitore (in quanto tutti gli uomini ereditano da lui la natura corrotta), fu allontanata, quasi respinta (*remota*, rimossa) da queste dignità, allo stesso modo con cui fu allontanata dal paradiso terrestre (il secondo evento è infatti figura del primo, come Dante fa intendere nel suo sintetico verso).

88-90. né ricovrar potiensi...: e queste dignità non si potevano recuperare senza passare per una di queste due vie..

– **guadi**: *guado*, luogo dove è possibile passare un fiume (a piedi o a cavallo), indica passaggio obbligato, senza scelta.

91-3. o che Dio solo...: entra qui nel ragionamento l'argomento di Anselmo d'Aosta nel *Cur Deus homo*, testo fondamentale della teologia della redenzione. Le possibilità erano due: o Dio perdonava per pura *cortesia*, cioè con atto gratuito, o l'uomo rendeva soddisfazione per la grave offesa arrecata con le sue sole forze (*per sé isso*, per se stesso). Ma questa seconda

---

... e l'ardore santo che illumina ogni cosa è più vivace in quella che le è più simile. ◆ *Di tutti questi beni ricevuti in dote si avvantaggia la creatura umana, e se uno solo di questi viene a mancare, di necessità decade (convien che caggia) dalla sua condizione di eccellenza (nobiltà). La sola cosa che può toglierle la libertà (disfranca) è il peccato, che la fa quindi dissimile dal sommo bene (cioè Dio), per cui meno risplende (s'imbianca) della sua luce; e mai più ritornerà alla sua dignità se non riempie il vuoto che la colpa ha causato con un'espiazione adeguata che sia contrapposta al cattivo piacere goduto (col peccato).* ◆ *La vostra natura umana, quando peccò nella sua totalità, nella persona del suo progenitore (seme), fu allontanata (remota) da questi privilegi, allo stesso modo con cui fu allontanata dal paradiso (terrestre); e questi privilegi non si potevano recuperare, se rifletti con attenzione, in nessun modo, senza passare per una di queste due vie: ...*

o che Dio solo per sua cortesia
dimesso avesse, o che l'uom per sé isso
93   avesse sodisfatto a sua follia.

Ficca mo l'occhio per entro l'abisso
de l'etterno consiglio, quanto puoi
96   al mio parlar distrettamente fisso.

Non potea l'uomo ne' termini suoi
mai sodisfar, per non potere ir giuso
99   con umiltate obedïendo poi,

quanto disobediendo intese ir suso;
e questa è la cagion per che l'uom fue
102   da poter sodisfar per sé dischiuso.

Dunque a Dio convenia con le vie sue
riparar l'omo a sua intera vita,
105   dico con l'una, o ver con amendue.

Ma perché l'ovra tanto è più gradita
da l'operante, quanto più appresenta

---

via era impraticabile, non avendo l'uomo, creatura finita, la possibilità di riparare un'offesa infinita. Dunque non restava che l'intervento divino. La scelta di Dio non fu tuttavia – imprevedibilmente – quella del gesto gratuito, come si vedrà.

– **follia**: il termine – lo stesso usato per Ulisse (cfr. XXVII 82-3 e *Inf.* XXVI 125) – dice la temerarietà del gesto dell'uomo, che presume farsi simile a Dio.

94. Ficca mo l'occhio...: a questa svolta decisiva dell'argomento ritorna l'appello alla profondità insondabile (*l'abisso*) del consiglio divino, già ricordata all'inizio (*Questo decreto, frate, sta sepulto*) come aperta soltanto a chi è *adulto* nell'amore.

96. distrettamente: strettamente, il più vicino possibile (*distretti* anche a *Purg.* VI 104).

97. ne' termini suoi: nei suoi limiti (di creatura finita).

98-100. per non potere ir giuso...: perché non poteva scendere tanto in basso – umiliandosi nell'obbedienza – quanto aveva presunto di innalzarsi disobbedendo, nella sua folle superbia. «L'altezza di Dio è infinita» – chiosa il Landino – «ma nessuna bassezza si trova che non sia finita». E i versi di Dante misurano proprio – verso l'alto e verso il basso – l'infinita distanza.

102. dischiuso: escluso (cfr. XIV 138); l'uomo fu escluso dal poter rendere soddisfazione da se stesso (*per sé*) alla giustizia divina.

103-4. Dunque a Dio...: ecco la conclusione: se l'uomo non poteva, era necessario dunque (*convenia*) che Dio stesso reintegrasse l'uomo nella sua condizione di vita piena e perfetta, cioè con tutte le dignità perdute; *riparar* vale «restituire nella forma primitiva», ed era termine usato in teologia per la redenzione dell'uomo dal peccato.

– **con le vie sue**: le due *vie* di Dio sono la misericordia e la giustizia (l'espressione è biblica; si cfr. *Ps.* 24, 10: «Tutte le vie del Signore sono misericordia e verità»). Si veda il passo di Tommaso, che qui Dante sembra seguire da vicino: «che l'uomo fosse liberato per mezzo della passione di Cristo fu conveniente sia alla misericordia che alla giustizia di Dio. Alla giustizia, perché con la sua passione Cristo rese soddisfazione per il peccato del genere umano Alla misericordia, perché non potendo l'uomo riparare da solo alla sua colpa Dio gli donò come riparatore il proprio Figlio» (*S.T.* III, q. 46 a. 1).

106-8. l'ovra tanto è più gradita...: l'opera è tanto più grata, cioè cara, a chi la compie, quanto più in lei si manifesta la bontà del cuore dal quale è uscita. Si vedano in proposito *Mon.* I, XIII 1: «da parte dell'agente... si tende principalmente, in ogni sua azione, a produrre la propria somiglianza» e *Conv.* III, VI 10: «sì come ciascuno maestro ama più la sua opera ottima che l'altre, così Dio ama più la persona umana ottima che tutte l'altre».

... o che Dio da solo perdonasse per la sua cortesia (cioè con atto gratuito), o che l'uomo soddisfacesse con le sue sole forze (per sé isso) alla follia che aveva commesso. ◆ *Punta ora lo sguardo dentro l'abisso della decisione divina, tenendolo fisso il più vicino possibile alle mie parole. L'uomo nei suoi limiti non poteva mai riuscire a soddisfare, perché non poteva scendere tanto in basso, umiliandosi nell'obbedienza, quanto aveva presunto di innalzarsi disobbedendo; e questa è la ragione per cui l'uomo fu escluso dal poter rendere soddisfazione da se stesso.* ◆ *Era necessario dunque (convenia) che Dio stesso reintegrasse l'uomo nella sua condizione di vita piena usando le sue vie, cioè una di esse o ambedue. Ma poiché l'opera è tanto più cara a chi la compie, quanto più in lei si manifesta ...*

108 de la bontà del core ond'ell'è uscita,
     la divina bontà che 'l mondo imprenta,
     di proceder per tutte le sue vie,
111 a rilevarvi suso, fu contenta.
     Né tra l'ultima notte e 'l primo die
     sì alto o sì magnifico processo,
114 o per l'una o per l'altra, fu o fie:
     ché più largo fu Dio a dar sé stesso
     per far l'uom sufficiente a rilevarsi,
117 che s'elli avesse sol da sé dimesso;
     e tutti li altri modi erano scarsi
     a la giustizia, se 'l Figliuol di Dio
120 non fosse umilïato ad incarnarsi.
     Or per empierti bene ogne disio,
     ritorno a dichiararti in alcun loco,
123 perché tu veggi lì così com'io.
     Tu dici: "Io veggio l'acqua, io veggio il foco,

109. la divina bontà...: si ripete la denominazione di Dio con cui si è aperto il grande ragionamento (v. 64); i due attacchi uguali, rari nella *Commedia* a così breve distanza, sottolineano il tema che regge tutto lo svolgimento del canto: l'amore divino, causa unica ed insondabile dei «processi» qui narrati: di creazione e redenzione.

– **imprenta**: impronta di sé; ritorna l'immagine del sigillo, anch'essa dal passo che narra la creazione (v. 69), quasi questo verso ricapitolasse quelli.

110. per tutte le sue vie: cioè «con ambedue», come è detto al v. 105. Dio scelse dunque per la propria maggiore gioia (*fu contenta*), perché la sua *ovra* dimostrasse nel modo più perfetto possibile la sua essenza d'amore, di usare insieme giustizia e misericordia per redimere l'uomo.

111. a rilevarvi suso: per risollevarvi nel vostro primo stato. L'espressione indica il premuroso amore di chi rialza un caduto, e il *fu contenta* compie l'imma-

gine del misericordioso soccorritore.

112-4. Né tra l'ultima notte...: dichiarata quella grande realtà, l'autore non può fare a meno di interrompere il filo del ragionamento con un commento commosso: nell'intero corso del tempo, dal primo giorno all'ultima notte della creazione (si noti l'inversione dei due termini, quasi un guardar a ritroso la storia del mondo, e la designazione di giorno data all'inizio e di notte alla fine del tempo, che sembra precipitare nell'oscurità), non vi fu, né vi sarà, un evento ugualmente alto e mirabile compiuto per l'una o per l'altra delle due vie divine, giustizia e misericordia. La terzina si svolge con grande ampiezza, misurando i tempi del mondo, quasi a cercarvi un evento paragonabile all'opera unica di cui si parla.

115-7. ché più largo...: perché più grande fu la misericordia di Dio nel donare se stesso nella persona del Figlio affinché l'uomo fosse reso sufficiente a rialzarsi, pagando il suo debito, e soddisfacendo così alla giustizia, che se egli avesse perdonato soltanto in forza della sua onnipotenza (*sol da sé*). Questo gesto fu dunque il massimo che si potesse compiere per la *via* della misericordia, come per quella della giustizia. Anche questa terzina riprende le parole di Tommaso che concludono il passo citato in nota al v. 103: «E ciò fu un atto di misericordia *più abbondante* che se Dio *avesse dimesso* i peccati senza soddisfazione». Si veda come Dante traduce il termine latino «abundans» con quello straordinario aggettivo, *largo*, che dice quasi un dilatarsi dell'essere divino per l'eccessivo amore.

118-20. e tutti li altri...: e d'altra parte ogni altro modo di soddisfazione sarebbe stato insufficiente (*scarso*) per la giustizia, se il Figlio di Dio non si fosse umiliato a prendere la carne dell'uomo (riunendo così in sé la colpevole natura umana e l'infinita dignità divina). E quindi fu seguita – nell'unico ma straordinario modo possi-

... la bontà del cuore dal quale è uscita, la divina bontà che imprenta il mondo di sé, si compiacque di procedere con tutte e due le sue vie, per risollevarvi nel vostro primo stato. ◆ E dal primo giorno all'ultima notte della creazione non vi fu, né vi sarà, un evento ugualmente alto e mirabile compiuto per l'una o per l'altra (delle due vie): perché più generoso fu Dio nel donare se stesso affinché l'uomo fosse reso capace di risollevarsi, che se egli avesse perdonato soltanto in forza della sua onnipotenza (sol da sé); e d'altra parte ogni altro modo sarebbe stato insufficiente (scarso) per la giustizia, se il Figlio di Dio non si fosse umiliato a incarnarsi. ◆ Ora per saziare ogni tuo desiderio, torno indietro a darti spiegazioni (dichiarare) su di un punto, affinché tu sia in grado di vedere (quella verità) così come la vedo io. Tu dici: "Io vedo l'acqua, io vedo il fuoco, ...

l'aere e la terra e tutte lor misture

126   venire a corruzione, e durar poco;

e queste cose pur furon creature;

per che, se ciò ch'è detto è stato vero,

129   esser dovrien da corruzion sicure".

Li angeli, frate, e 'l paese sincero

nel qual tu se', dir si posson creati,

132   sì come sono, in loro essere intero;

ma li alimenti che tu hai nomati

e quelle cose che di lor si fanno

135   da creata virtù sono informati.

Creata fu la materia ch'elli hanno;

creata fu la virtù informante

138   in queste stelle che 'ntorno a lor vanno.

L'anima d'ogne bruto e de le piante

di complession potenzïata tira

141   lo raggio e 'l moto de le luci sante;

---

bile – anche la via della giustizia. Si chiude così, con un verso che rende visibile l'abbassamento misericordioso di Dio (*non fosse umilïato*), la risposta alla perenne domanda: *perché... pur questo modo* (vv. 56-7).

– **umilïato**: è verbo usato da san Paolo: «umiliò se stesso, reso obbediente fino alla morte» (*Phil.* 2, 8).

121. Or per empierti...: e ora per saziare ogni tuo desiderio, perché non resti alcun dubbio Il verbo *empiere* indica appunto il colmare senza lasciare spazi vuoti. Beatrice aggiunge un corollario, a prima vista non necessario, al ragionamento centrale, spiegando perché i quattro elementi primi e i loro composti siano corruttibili, pur essendo creati anch'essi da Dio. Per come questo problema sia in realtà connesso al tema dell'incarnazione, si veda l'Introduzione al canto.

122. ritorno a dichiararti...: torno indietro a illuminarti, a darti spiegazioni (*dichiarare* vale «spiegare», «illustrare», come a *Purg.* XIX 115 e XXIV 90) su di un punto (*alcun* ha valore determinato, si riferisce cioè a un luogo preciso – i vv. 67-9 – come a *Inf.* XX 113 e più altre volte).

124-9. Tu dici...: Dante può obiettare che acqua, fuoco, aria e terra (i quattro elementi di Empedocle, rimasti alla base della fisica per tutto il Medioevo) e tutti i loro composti – *lor misture* – (cioè tutti gli esseri del mondo sublunare) sono caduchi e corruttibili; ma sono anch'essi creature di Dio, per cui, se quel che ha detto prima Beatrice (vv. 67-9) è vero, dovrebbero essere immuni (*sicure*) da corruzione, cioè immortali.

130-2. Li angeli, frate...: la risposta è intonata con la consueta ampiezza e sicurezza di tono (quel *frate* interposto dice, come anche altrove, l'indulgenza affettuosa per chi viene dalla terra e non comprende): gli angeli, fratello, e i cieli (il *paese sincero*, cioè «semplice», non composto, come si credevano essere i corpi celesti costituiti da un quinto elemento, o «quinta

essenza») si possono dire creati direttamente così come sono, nella loro interezza.

133-5. ma li alimenti...: ma i quattro elementi e i loro composti sono invece *informati*, cioè è stata data loro la «forma» che li fa essere, da una *virtù* o forza creata, intermedia quindi tra Dio e loro (l'influenza dei cieli).

136-8. Creata fu...: creata direttamente fu la materia prima, della quale essi sono fatti; creata direttamente la virtù che in quella materia imprime la forma, virtù riposta negli astri (*queste stelle*, dove ora ti trovi) che si volgono con perenne moto intorno ad essi.

139-41. L'anima d'ogne bruto...: e non solo gli esseri inanimati, ma anche animali e piante ricevono la loro vita dagli astri: il raggio e il moto circolare delle stelle (*sante*, perché per mezzo di esse opera la virtù

... l'aria e la terra e tutti i loro composti (misture) essere sottoposti alla corruzione, e durare poco; eppure anche queste cose furono creature di Dio; perciò, se quello che è stato detto è vero, dovrebbero essere immuni dalla corruzione". ◆ Gli angeli, fratello, e la regione semplice nella quale ora tu sei (il paese sincero, cioè i cieli), si possono dire creati direttamente così come sono, nella loro interezza; ma gli elementi che tu hai nominato e i loro composti (quelle cose che di lor si fanno) sono stati invece dotati di forma da una virtù creata (cioè dall'influenza dei cieli). Creata direttamente fu la materia prima di cui sono fatti; creata direttamente la virtù che imprime la forma (informante), virtù riposta in queste stelle che girano intorno ad essi. ◆ La luce irraggiata e il moto circolare delle sante stelle estrae (tira) l'anima (sensitiva) di ogni animale non dotato di ragione (ogne bruto) e quella (vegetativa) delle piante da una data mistura di elementi (complession) che la racchiude in potenza (potenzïata); ...

> ma vostra vita sanza mezzo spira
> la somma beninanza, e la innamora
> 144   di sé sì che poi sempre la disira.
> E quinci puoi argomentare ancora
> vostra resurrezion, se tu ripensi
> come l'umana carne fessi allora
> 148   che li primi parenti intrambo fensi».

divina) quasi estrae (*tira*), cioè porta in atto, l'anima sensitiva e vegetativa (di animali e piante) da una data «mistura» di elementi (*complession*) che la racchiude in potenza (*potenzïata*). L'anima, cioè l'energia vitale, di animali e piante non è dunque creata direttamente da Dio, ma portata all'essere, in una materia che la contiene in potenza, dall'influsso celeste. E per questo è corruttibile. (Su questa dottrina della generazione si cfr. *Conv.* IV, XXI.)

– **bruto**: il termine distingue l'animale privo di ragione dall'uomo, animale razionale. Si ricordi l'esortazione di Ulisse a *Inf.* XXVI 119: *fatti non foste a viver come bruti*, o anche *Conv.* IV, VII 11: «manifesto è che vivere nelli animali è sentire – animali, dico, bruti –, vivere nell'uomo è ragione usare».

– **complession**: termine tecnico che indica la struttura fisica composta di ogni essere terreno: «quando l'umano seme cade nel suo recettaculo, cioè ne la matrice, esso porta seco la vertù de l'anima generativa e la vertù del cielo e la vertù de li elementi legati, cioè la complessione» (*Conv.* IV, XXI 4).

– **lo raggio e 'l moto**: nel *raggio* si trasmette fisicamente la virtù dei cieli: «sapere si vuole che li raggi di ciascuno cielo sono la via per la quale discende la loro vertude in queste cose di qua giù» (*Conv.* II, VI 9). Il *moto* circolare pone in atto la loro influenza sulla terra: «Iddio cominciò lo mondo e spezialmente lo movimento del cielo, lo quale tutte le cose genera» (*Conv.* III, XV 15).

142-3. ma vostra vita...: il tono cambia all'improvviso, la terzina sembra svincolarsi dal lungo ragionamento e sollevarsi ad un'altra dimensione: essa celebra infatti ciò che sempre commuove l'animo di Dante, la suprema ed unica dignità dell'uomo nel creato. Ma la vita (cioè l'anima, il principio vitale) di voi uomini (*vita* è compl. oggetto), diversamente da quella dei bruti, *spira*, cioè infonde col suo soffio, direttamente, senza alcun intermediario, la suprema bontà (soggetto). La costruzione inversa (l'oggetto anteposto e il soggetto posposto al verbo) sottolinea l'eccellenza di quella *vostra vita*; e si osservi come Dio, in tutto questo contesto, sia sempre denominato dalla sua *bontà* (vv. 64, 109 e 143). In ragione di questa creazione diretta l'uomo è dunque immortale. Ma non è questa la conseguenza che ora trae Dante, come ci aspetteremmo; questa è data per scontata. Quello che gli preme è un'altra conseguenza, che riguarda l'intima vita dell'uomo, e che ora dirà.

– **spira**: è il verbo usato nella *Genesi* per la creazione dell'uomo: «e soffiò ("inspiravit") sul suo volto un alito ("spiraculum") di vita» (*Gen.* 2, 7). Cfr. *Purg.* XXV 71-2.

143-4. e la innamora...: e le infonde un tale amore di sé, suo creatore, che poi essa per sempre sospira di desiderio verso di lui. Il verbo rilevato in fine di verso esprime l'essenza del rapporto creatore-creatura, quale il primo ha voluto che fosse. Dante traduce qui nel suo verso innovatore, come gli accade per i testi più grandi e più amati, la celebre frase di Agostino: «ci hai fatto per te, e il nostro cuore è inquieto finché non riposa in te» (*Conf.* I, 1 1). I verbi *innamora* e *disira* trasformano quelle antiche parole dando loro un'impronta tipicamente dantesca.

145-8. E quinci: e di qui, dal principio sopra posto (che ciò che è oggetto di creazione immediata non può morire), puoi dedurre (*argomentare*) un'altra conseguenza, e cioè la resurrezione dei vostri corpi, se ricordi che la carne dell'uomo fu fatta quando Dio plasmò con le sue mani (come narra la *Genesi*), quindi direttamente, i nostri progenitori (*intrambo*: Adamo dal fango, Eva da una costola di Adamo; così anche Tommaso in *S.T.* I, q. 91 a. 2 e q. 92 a. 4). Su questo argomento, non del tutto stringente (perché allora tale carattere poté perdersi con il peccato?) e di fatto non usato nella teologia della resurrezione, si veda la nota di approfondimento alla fine del canto. Dante lo introduce qui, crediamo, sia pure brevemente, per completare il quadro teologico del canto che celebra incarnazione e redenzione: solo in forza dell'incarnazione di Cristo infatti e della redenzione operata dalla sua morte, il corpo umano che aveva perso con il peccato di Adamo il privilegio dell'immortalità datogli al momento della creazione (*Gen.* 3, 17-9) acquistò, pur restando soggetto alla morte, la possibilità di risorgere alla fine dei tempi e di vivere eternamente. Al dogma della resurrezione, che è centrale nel poema e nel pensiero di Dante, sarà dedicata una delle più grandi pagine del *Paradiso* nel canto XIV.

■

... ma invece la vostra vita (cioè l'anima, il principio vitale), la infonde col suo soffio (spira) senza alcun intermediario la suprema bontà, e le infonde un tale amore di sé, che poi essa per sempre la desidera. ◆ *E da ciò puoi dedurre (argomentare) anche la resurrezione dei vostri corpi, se ricordi che la carne dell'uomo fu fatta quando furono creati i nostri primi progenitori».*

PROBLEMI TEOLOGICI

L'immortalità del corpo *vv. 145-8.   E quinci puoi argomentare*

C'è in questo «argomento» una apparente incongruenza; se Adamo poté perdere con il peccato sia pure temporaneamente l'immortalità del corpo (i corpi degli uomini risorgeranno tutti infatti all'ultimo giorno, ma sono soggetti a morte e corruzione), tale dote era un privilegio, non una condizione naturale di esso, come apparirebbe da questi versi (Adamo non perse infatti l'immortalità dell'anima, qualità ad essa essenziale, come agli angeli). Non è questo infatti l'argomento su cui è fondato il dogma della resurrezione dei corpi nella tradizione teologica cristiana. L'argomento tradizionale è che quella immortalità era un privilegio preternaturale, conferito al corpo in virtù dell'anima, e perduto quindi quando l'anima aveva perduto con il peccato la figliolanza di Dio (*S.T.* I, q. 97, a. 1); privilegio riacquistato con la redenzione, in forza della resurrezione di Cristo, ma che apparirà soltanto alla fine dei tempi, quando il dolore e la morte saranno definitivamente sconfitti. L'argomento di Dante, che attribuisce al corpo stesso, indipendentemente dall'anima, il carattere di immortalità in quanto uscito dalle mani stesse di Dio – carattere perduto temporaneamente, a causa del peccato, ma inerente per natura al corpo, e quindi non cancellabile –, non si ritrova nei testi comunemente noti della tradizione teologica su questo problema, tanto più che anche per l'anima l'immortalità era considerata generalmente un dono di grazia in quanto non dimostrabile in modo assolutamente certo per via di ragione (cfr. Agostino, *De Trinitate* XIII, IX; Bonaventura, *In Eccl.* III, II; e *Conv.* II, VIII 15). Anselmo d'Aosta tuttavia, nel *Cur Deus homo* (PL 158, coll. 401-10), dichiara che l'immortalità appartiene per natura all'uomo considerato nella sua interezza di anima e corpo; persa con il peccato, essa deve essere dunque riacquisita interamente con la redenzione: «per cui è chiaramente provata la futura resurrezione dei morti» (parole che suonano simili ai vv. 145-6 di Dante, come osservò il critico Edward Moore). Non è dunque da escludere che Dante, forse ispirandosi a questo testo, abbia ideato lui stesso il suo argomento come qui è formulato, dato che il principio della dignità suprema del corpo dell'uomo in quanto tale è tipico del suo pensiero e lo porta anche altrove (cfr. XIV 52-7 e nota) ad affermazioni che vanno al di là della teologia corrente al suo tempo. Il suo ragionamento appare in ogni caso fondato sulla Scrittura, dove è detto che «l'immagine e somiglianza» di Dio furono date all'uomo creato in corpo e anima (*Gen.* 1, 26-7). Esso supera quella tradizione teologica, di origine neoplatonica, che tendeva a svalutare il corpo a vantaggio dell'anima, e recupera infine il cuore stesso della rivelazione cristiana, che pone al suo centro il Verbo fatto carne.

NOTE LINGUISTICHE

v. 54. **solver s'aspetta**: aspetta di essere sciolta; il valore passivo è espresso nella forma pronominale del verbo reggente, come accade normalmente con i verbi servili. Un simile costrutto a *Inf.* XVIII 46: *celar si credette*.

v. 69. **imprenta** per «impronta» (come il verbo «imprentare» al v. 109) è gallicismo (prov. «emprenta*», ant. franc. *«emprainte»*).

v. 82. La forma *rivene* si alterna con la dittongata *riviene*, come accade per *vene* e *convene*, già incontrati: cfr. *Inf.* XII 19 e XI 107.

v. 88. **ricovrar**: ricoverare (qui con sincope come in *adovrare* di *Rime* XLVII 11) è forma toscana popolare per «recuperare».

NOTE AL TESTO

v. 107. Il concetto espresso nella terzina (cfr. nota ai vv. 106-8) è profondamente dantesco, e funzionale al contesto (cfr. i vv. 111, 118-9, e anche il v. 73), per cui è stata giustamente preferita, nell'edizione del '21 e dal Petrocchi, la lezione *da* alla più facile *de* delle precedenti edizioni.

v. 133. **alimenti** per «elementi» è forma largamente attestata nella lingua del '200, e quindi accolta dal Petrocchi sulla base dei manoscritti più autorevoli (cfr. XXIX 51).

approfondimenti

SUGGERIMENTI PER LA RICERCA

Temi del canto

Il riso di Beatrice

Il *riso* di Beatrice è il segno attraverso cui visibilmente si riflette e si manifesta l'amore divino per Dante. Dopo aver letto la definizione che il poeta dà di *ridere* in *Conv.* III, VIII, 11 (citata in nota al v. 17), riprendi i passi del *Purgatorio* in cui si parla della *seconda bellezza* di Beatrice (XXXI, 138 e nota) e del *santo riso* (XXXII, 5); del *Paradiso*, oltre ai vv. 16-18 di questo canto, analizza i passi III 22-24; V 124-126 (riferiti a Giustiniano); XV 34-36 e nota. Al termine della ricerca esponi in un breve testo le tue osservazioni in proposito.

Incarnazione e redenzione

Solo l'amore divino gratuito e insondabile spiega adeguatamente il mistero della incarnazione. Ricerca nel canto tutte le espressioni che si riferiscono all'amore di Dio per l'uomo (in particolare rileggi i vv. 64-120 e le note relative); quindi approfondisci il tema della redenzione consultando nell'*Enciclopedia Dantesca* la voce *Anselmo d'Aosta*, a cura di F. S. Schmitt (I, pp. 293-94), dove troverai una chiara esposizione della dottrina della soddisfazione di Anselmo, a cui Dante attinge. Infine riassumi con parole tue come viene argomentato nel canto il dogma della resurrezione dei corpi.

L'immortalità dell'anima

Perché tu possa comprendere adeguatamente la trattazione dei vv. 130-144 sull'immortalità e l'amore di Dio, ti suggeriamo di riprendere con attenzione il canto XXV del *Purgatorio* (vv. 67-108) e di leggere il passo del *Conv.* IV, XXI (preferibilmente col commento di C. Vasoli in Dante Alighieri, *Opere minori*, I/II, Milano - Napoli, 1988). Inoltre una chiara sintesi del dibattito svoltosi sul tema ai tempi di Dante è fornita dalla voce *Immortalità* (a cura di M. Deneken) del *Dizionario Enciclopedico del Medioevo,* II, 933-934, altra lettura che ti aiuterà ad approfondire e meglio capire l'argomento di questo passo.

Lingua e stile

essa – vv. 5 e 7

Il termine *essa* ha nei due versi un diverso valore grammaticale. Consulta la *Grammatica Italiana* del Serianni al cap. VII 140c, dove si tratta dell'uso aggettivale di *esso/a* e della sua funzione. Distingui poi tale utilizzo dai casi in cui invece *esso/a* compaia col più comune valore di pronome nei seguenti passi della *Commedia*: *Inf.* XVII 94; *Purg.* XVII 113, XX 31; *Par.* VI 49, XI 52, VIII 19, XIV 93, XIX 103.

allungata – v. 32

Confronta il senso del verbo *allungare* in questo passo; il confronto è più fattibile se limitato ad altri luoghi del poema e in *Purg.* VII 64, con il v. 114 di *Inf.* XXV, e 140 di *Purg.* XV 140, precisando i due significati principali del verbo e confrontandoli con il suo uso in lingua moderna.

Termini giuridici

corte – v. 51

Cerca di individuare, consultando le *Concordanze* per esempio alle voci *corte, giudicare, giudice, giustizia* e *sentenza*, altri passi della *Commedia* in cui si rappresenti Dio nella sua suprema funzione di giudice. Sul *Grande Dizionario della Lingua Italiana* leggi poi lo specifico significato giuridico del termine *ragione*, facendo particolare attenzione alle espressioni *domandare* e *rendere ragione*.

CANTO VIII

Introduzione

ntriamo con questo canto nel cielo di Venere, l'ultimo sul quale giunge con la sua punta, come Dante ci dice (IX 118-119), il cono
d'ombra proiettato dalla terra secondo l'antica astronomia. È questo dunque ancora un cielo dove, nella invenzione dantesca, si trovano – o meglio si
mostrano al poeta – degli spiriti che nella loro vita hanno ceduto in qualche modo a richiami o debolezze terrene. C'è stato in loro un aspetto di umana imperfezione,
che li colloca, pur nello stato di beatitudine ottenuto col pentimento, nei gradi più bassi della gloria celeste.

A questo cielo, che chiude la prima zona in cui sono ripartiti i beati, sono
dedicati il canto VIII e IX, con disposizione simmetrica rispetto alle prime due
cantiche. Anche là i canti con lo stesso numero segnano infatti lo stesso momento nella graduale progressione del viaggio: nell'*Inferno* essi ospitano l'ultimo
cerchio degli incontinenti e il passaggio della porta di Dite; nel *Purgatorio* presentano l'ultimo gruppo di anime dell'Antipurgatorio (i principi della valletta)
e il passaggio della porta custodita dall'angelo. In tutte e tre le cantiche il canto
decimo segna un nuovo inizio, l'entrata in una dimensione ulteriore (più bassa
e dolorosa nell'*Inferno*, più alta e felice negli altri due regni).

Qui nel cielo di Venere, il cielo dell'amore, che è, come si vedrà, anche il
suo cielo, Dante si sofferma in modo tutto particolare. Non uno soltanto, come
nella Luna o in Mercurio, ma ben tre, diversi per storia e carattere, sono gli
spiriti con cui dialogherà. E diversi sono i temi dominanti che si propongono
e si sovrappongono nello svolgersi dei due canti. Il primo – che apre e conclude il canto – è il problema delle influenze astrali (già introdotto e discusso
nel canto IV ai vv. 49-63), che Dante sembra aver destinato a questo cielo, forse
come a quello che tanta parte ebbe nella sua storia umana e poetica. Su questo tema s'innestano le due diverse caratteristiche – apparentemente senza con-
nessione tra loro – dei personaggi che sono protagonisti dei due canti: nell'ottavo il giovane principe angioino, prematuramente morto, che sembra incar-
nare l'ideale del principe cortese e giusto, e che spira gentilezza, amore e amicizia temperati da malinconia – oltre che per la sua fine precoce – per la triste
sorte delle terre che a lui e alla sua casa furono affidate. Nel nono i due grandi amanti – una donna e un uomo – sfrenatamente dediti in gioventù all'amore dei sensi, poi pentiti e rivoltisi all'amore divino, che muovono anch'essi (e
in questo i due canti vengono a coincidere) un doloroso rimprovero al mondo
corrotto: l'una, di nobile casata, contro la perversione di chi governa la sua terra
d'origine; l'altro, un vescovo, contro la degenerazione della Chiesa.

Si intrecciano quindi in questo cielo amore e politica, le due passioni terrene che dominarono la vita di Dante. E dolce e insieme drammatica è l'atmosfera poetica che pervade il canto VIII. L'affetto reciproco tra il giovane Carlo
e il giovane Dante (*Assai m'amasti, e avesti ben onde...*), i ricordi della poesia
di un tempo lontano nella canzone qui citata che cantava i due amori della gio-

vinezza di colui che ascolta (*Voi che 'ntendendo il terzo ciel movete*), lo stesso rimpianto per la propria morte prematura, danno al discorso politico del principe angioino, di per sé tragico, una cornice di gentilezza inconsueta nelle pagine profetiche del poema.

Prima tuttavia di presentare lo svolgersi dei vari argomenti del canto, e il loro significato, crediamo opportuno un chiarimento su un punto che sempre desta perplessità nei lettori. Il cielo di Venere sembra infatti avere una duplice caratteristica, di cui non si comprende facilmente il senso: non solo l'amore dei sensi infatti è il suo tema dominante – come tutti sanno e come apparirà nei personaggi del canto IX – ma evidentemente gli appartiene anche la sfera dell'azione politica, in quanto solo quella caratterizza la vita del personaggio del canto ottavo, che egli stesso narra. Ora è bene ricordare che la tradizione astrologica attribuiva al pianeta Venere un duplice influsso di amore, in corrispondenza al suo duplice aspetto – vespertino e mattutino – che Dante stesso ricorda quasi come sua definizione ai vv. 11-2 (*la stella / che 'l sol vagheggia or da coppa or da ciglio*): un influsso buono, che riguardava l'armonia della civile convivenza tra gli uomini governata dall'amore (cfr. *Mon.* I, XI 13 sgg.), quindi la sfera politica; e uno cattivo, che agiva sui sensi travolgendoli nell'amore carnale (il *folle amore*), quello per cui la ragione veniva soverchiata dalla passione, come è detto nel canto V dell'*Inferno* (v. 39); e il nome di Didone, *Dido*, che ritorna da quel canto (v. 85) all'apertura di questo cielo (v. 9), ci suggerisce il rapporto tra quel cerchio e questa sfera celeste, come del resto altri segnali che indicheremo. A questa tradizione si ricollega evidentemente Dante nello strutturare la sosta in Venere nei due ben diversi canti: quello dedicato al principe giusto, Carlo Martello, e quello dedicato agli amanti pentiti, Cunizza e Folchetto.

Nel primo canto dunque, come si è detto, l'apertura pone il problema dell'infuenza degli astri – influenza che gli antichi pagani attribuivano ai falsi dèi, ignorando l'azione della universale provvidenza di Dio sul mondo – e prosegue poi con l'apparire degli spiriti del nuovo cielo e il presentarsi di uno di loro, come di consueto. Tutta questa prima parte è improntata a un vivo senso di gioioso amore. I beati, che per la prima volta appaiono come pure luci o fiamme – non più i volti che sembrano riflessi in uno specchio o le ombre intraviste dentro il loro fulgore – e per la prima volta si muovono in forma di danza (luce e danza che, segno visibile di gioia, saranno d'ora in poi le manifestazioni di tutti gli spiriti celesti del paradiso) vengono con festa incontro a Dante, e il loro venire veloci come fulmini o venti di uragano, il loro sostare con un *poco di quiete* per far piacere a lui, e parlargli, ricordano, con allusione fugace ma precisa, la venuta e la sosta delle anime dei due infelici amanti nella bufera infernale, con la stessa affettuosa disponibilità.

Lo spirito che parla – Carlo Martello, primogenito di Carlo II d'Angiò re di Napoli – nomina poi, come prima presentazione, la canzone sopra ricordata che Dante rivolse ai «movitori» di quel cielo, rivelandosi amico e partecipe di quel mondo di poesia: poesia d'amore, che tuttavia, non casualmente, narra il drammatico passaggio dall'amore per una donna all'amore per la divina Sapienza.

Questa ampia introduzione imprime sul canto un carattere che non può non segnare anche tutta la scena che seguirà. Il principe che parla infatti farà un discorso politico, ricordando le terre che la sua morte prematura ha dovuto lasciare al mal governo altrui, ma non si può togliere da lui quell'aura di giovinezza, cortesia, amicizia e amore con cui Dante lo ha contrassegnato; atmosfera a cui si aggiunge la suggestione, da tutti riconosciuta, dell'evidente ricordo del Marcello virgiliano (cfr. *Eneide*, VI 860-86), anch'esso morto nella giovinezza, che avrebbe, se fosse vissuto, retto quello stesso Impero che il giovane Carlo avrebbe forse potuto ricostituire – per eredità di sangue e nobiltà d'animo – dalle sparse terre d'Europa secondo il sogno di Dante. L'attenzione politica è quindi in questo canto intonata sul tema dell'amore – come nel canto VI su quello della giustizia – secondo il principio, affermato nella *Monarchia*, per cui solo con la «recta dilectio» (il «giusto amore») si possono governare i popoli.

Lo sguardo che Carlo rivolge dal cielo ai paesi d'Europa che potevano essere suoi – e che si dispiegano alla vista, segnati dai loro mari e fiumi, come in una carta geografica vivente – è uno sguardo di amorosa sollecitudine, e la preoccupazione che domina il suo discorso, col rimprovero aperto e triste al modo di governare della sua casata, è quella che riguarda appunto i sudditi: la *mala segnoria, che sempre accora / li popoli suggetti.*

Dante proietta così in Carlo il suo ideale di principe di animo nobile, generoso e cortese, ideale che soltanto una figura di giovane destinato alla morte – come già Marcello in Virgilio – sembra poter impersonare.

Ma i discorsi che Carlo Martello fa in questo canto sono due. Al primo, di argomento politico, ne segue un secondo, di argomento decisamente teologico, che risponde all'interrogativo già implicitamente posto all'apertura del canto circa gli influssi del cielo sui destini degli uomini. I due temi, come dicemmo, sono in realtà connessi, in quanto la diversità delle doti naturali prodotta dalle influenze celesti è predisposta – come Carlo dirà – in funzione dell'armonia della convivenza civile (quell'armonia alla quale appunto presiede Venere).

La domanda di Dante – come da una buona stirpe possa nascere un rampollo di tutt'altra indole (in questo caso l'avaro re Roberto, fratello di Carlo, dalla liberale casa angioina) – ripresenta sotto diversa forma il problema della molteplicità e diversità degli individui già posto nel canto II, vale a dire di quella specifica, unica qualificazione della singola persona che è concetto primario del pensiero cristiano, e di tutto il mondo dantesco.

La provvidenza, risponde Carlo, dispone attraverso gli influssi stellari le varie indoli degli uomini, ma esse sono date alla persona, non alla stirpe; le qualità non si trasmettono cioè per via di sangue – il che comporterebbe una eguaglianza ininterrotta, di generante in generato – ma discendono dal cielo nelle «singulari persone» (come è detto in *Convivio* IV, XX 5) quando esse sono concepite. L'esempio di Esaù e Giacobbe – i gemelli che già contendevano nel seno materno –, argomento classico della Teologia derivato da san Paolo, dimostra chiaramente l'intervento della provvidenza divina sulla specificità delle singole persone umane, del tutto indipendente dall'azione della natura.

Tale diversità, ordinata alla convivenza degli uomini richiesta dalla loro stessa natura di «animali civili» (secondo la definizione aristotelica che Dante qui ricorda come dato universalmente accettato), sembrerebbe tuttavia, in quanto disposta da Dio, dover sempre portare a buoni esiti. Come accade dunque che si insinui in questo ordine il disordine e il male, come è il caso appunto di cui qui si parla, e da cui nasce la domanda di Dante?

La risposta a questa domanda sta nel mistero della libertà umana, per la quale l'uomo può contrastare lo stesso corso provvidenziale della storia (si vedano, alla fine del canto I, i vv. 127-35). Carlo infatti dice a Dante che è l'azione deviante dell'uomo a cambiare la benefica disposizione della natura (vv. 145-7). Il canto che all'inizio presenta il nuovo cielo come luogo pieno di gioioso fervore, dove i beati appaiono danzanti nella concorde armonia delle loro diverse luci, si conclude così con una nota di profonda tristezza: come spesso nel *Paradiso*, dove contempla coi suoi occhi la felicità e la pace del cielo, il poeta vede tanto più amaramente l'ostinato opporsi dell'uomo alla volontà divina, che impedisce il realizzarsi in terra di quella pace che egli così ardentemente sospira.

CANTO VIII

Nel cielo di Venere: Carlo Martello

1-12 *All'ingresso del terzo cielo Dante spiega le credenze degli antichi pagani per i quali la dea Venere irraggiava sulla terra l'amore sensuale. Perciò non onoravano solo lei, ma anche la madre Dione e il figlio Cupido, il quale aveva ispirato a Didone la sua tragica passione per Enea. Dalla dea ha preso nome il pianeta.*

13-30 *Dante si accorge di esser salito al cielo di Venere non sensibilmente, ma solo dal vedere Beatrice più bella. Nella luce del pianeta si distinguono altre luci che corrono loro incontro velocissime, cantando «Osanna» in modo così sublime da lasciare per sempre nel poeta il desiderio di riascoltarli.*

31-84 *Una delle luci si fa avanti presentando le anime del cielo mosso dai Principati: sono gli spiriti amanti, che si offrono desiderosi alle sue domande. Ottenuto il consenso di Beatrice, Dante chiede allo spirito chi sia. L'allusione al reciproco affetto che li legava in terra e alla morte prematura che gli ha impedito di dar prova della sua nobile natura, permette al poeta di riconoscere in colui che risponde Carlo Martello, figlio di Carlo II d'Angiò, da lui incontrato a Firenze. Il principe nomina le sue terre: la Provenza e il regno di Napoli che lo attendevano come re, l'Ungheria, di cui aveva già cinto la corona, per ultima la Sicilia, perduta dagli Angioini a causa del malgoverno; biasima poi il fratello Roberto per l'avarizia che lo rende così diverso dalla stirpe da cui è disceso.*

85-135 *Grato e soddisfatto della risposta, Dante chiede al principe di spiegare le sue ultime parole: come può nascere un frutto cattivo da una buona stirpe? Le influenze astrali, risponde Carlo, sono predisposte dalla provvidenza divina: dato che al vivere civile sono necessari vari compiti, occorre che gli uomini si differenzino nelle attitudini; perciò i cieli imprimono le diverse qualità nella singola persona, senza tenere conto della stirpe. Pertanto, è la provvidenza divina a vincere la disposizione naturale che farebbe i figli sempre uguali ai padri.*

136-148 *Se l'uomo però non si trova nel ruolo adatto alle sue inclinazioni naturali, non farà buona riuscita: ma nella società umana può accadere che chi ha attitudine alla guerra sia costretto a diventare uomo di Chiesa, e sia fatto re chi è nato per fare prediche, con inevitabili cattive conseguenze.*

Solea creder lo mondo in suo periclo

1-12. All'entrata nel cielo di Venere, Dante premette un'ampia introduzione sull'influsso d'amore di quel cielo quale era creduto dagli antichi, che lo attribuivano, paganamente, alla dea che porta quel nome. Sappiamo che anche Dante credeva in quella proprietà del terzo cielo ma, come tutte le altre influenze celesti, egli la riferisce a ben altra causa, le intelligenze angeliche da Dio ispirate che di quel cielo sono i «movitori», cioè la gerarchia dei Troni (cfr. *Conv.* II, v 13). Questo richiamo agli antichi errori, che prende tanta parte in questo attacco e sembra dare la sua impronta a tutta la scena del terzo cielo, ci appare in qualche modo un omaggio a quelle poetiche favole, che pur contenevano una parte di vero (cfr. IV 58-63); su quella verità, *male intesa* ma intravista dagli antichi, si fonda di fatto la caratteristica che Dante ha attribuito al cielo di Venere e ai suoi abitanti, come apparirà chiaramente nel canto IX. Su questo aspetto singolare che distingue il terzo cielo tra tutti gli altri, si veda l'Introduzione al canto.

1. Solea creder...: si noti l'attacco di favola, come a dir cose lontane e ormai superate. – *lo mondo* sono tutti gli uomini del tempo di allora; come noi diciamo: il mondo antico, il mondo moderno ecc. (cfr. IV 62, dove si tratta dello stesso errore). – *in suo periclo*, cioè con proprio danno; pericolo, s'intende, di eterna dannazione.

Il mondo intero credeva, con proprio danno, ...

che la bella Ciprigna il folle amore

3   raggiasse, volta nel terzo epiciclo;
     per che non pur a lei faceano onore
     di sacrificio e di votivo grido

6   le genti antiche ne l'antico errore;
     ma Dïone onoravano e Cupido,
     quella per madre sua, questo per figlio,

9   e dicean ch'el sedette in grembo a Dido;
     e da costei ond'io principio piglio
     pigliavano il vocabol de la stella

12   che 'l sol vagheggia or da coppa or da ciglio.

2-3. che la bella Ciprigna...: che la dea Venere (così chiamata dall'isola di Cipro, dove era nata e dove era oggetto di particolare culto) irraggiasse sulla terra l'amore sensuale, volgendosi nell'epiciclo del terzo cielo.

– folle amore: è l'espressione tecnica della poesia francese e provenzale («fol amor») per indicare l'amore dei sensi, contrapposto a quello dell'animo (detto «fin' amor»). Ricordiamo la *passada folor* deplorata da Arnaut Daniel a *Purg.* XXVI 143.

3. epiciclo: poiché il moto diurno da Oriente a Occidente proprio dei cieli o sfere in cui si trovano i pianeti non era sufficiente a render ragione delle varie posizioni nelle quali essi ci appaiono, Tolomeo aveva attribuito ai pianeti stessi un secondo movimento rotatorio, immaginandoli come situati sul cerchio equatoriale di una piccola sfera che avesse il suo centro sull'equatore del loro cielo. Il pianeta così, volgendosi intorno su questo cerchio – detto *epiciclo*, quasi cerchio su cerchio – come qui è detto di Venere, compiva insieme i due movimenti, quello della sfera piccola e quello della maggiore (il moto diurno del suo cielo). Il *terzo epiciclo* è dunque l'epiciclo del terzo cielo, quello appunto di Venere, il terzo pianeta a partire da quello della Luna (cfr. *Conv.* II, III 16).

4. non pur a lei...: non rendevano soltanto a lei onori divini, quali i sacrifici e la preghiera (*votivo grido*), ma li estendevano anche a Dione, come sua madre, e a Cupido, come suo figlio.

6. le genti antiche...: questo verso – con il suo andamento di leggenda – sembra riecheggiare il primo (*lo mondo in suo periclo*), come a voler sottolineare che si tratta di un *errore* del tempo ormai «antico». L'*antico errore* sono le erronee credenze idolatriche (si cfr. il *tempo de li dèi falsi e bugiardi* di *Inf.* I 72) nelle quali vivevano come immersi tutti gli uomini.

7. Dïone Cupido: la prima era figlia dell'Oceano e di Teti, e madre di Venere; il secondo è il fanciullo alato figlio di Venere, armato di arco e frecce con cui feriva i cuori degli uomini.

9. in grembo a Dido: in *Aen.* I 657 sgg. si narra che Cupido, assunte le sembianze del fanciullo Ascanio, sedette in grembo a Didone, ferendola a tradimento e inoculando in lei la passione per Enea. Il preciso richiamo a Virgilio (si cfr. il v. 718 del luogo citato, dove si ritrovano le due parole dantesche: «e intanto lo stringe nel *grembo* l'inconsapevole *Didone*») annovera anche il grande poeta nell'*antico errore*, come già in *Conv.* II, V 14: «li antichi dissero Amore essere figlio di Venere, sì come testimonia Virgilio nel primo dello Eneida».

10. da costei ond'io principio piglio: dalla dea Venere, dalla quale io comincio questo mio canto.

11. pigliavano il vocabol...: deducevano il nome, davano il nome al pianeta (*la stella*); si cfr. IV 61-3, luogo a cui questi versi servono di chiosa.

12. che 'l sol vagheggia...: che il sole amorosamente contempla ora dalla parte posteriore (*coppa* vale «nuca») ora da quella anteriore (dove stanno gli occhi, il *ciglio*). La dolce immagine del sole che sembra corteggiare Venere (*vagheggiare* è verbo proprio della lirica d'amore cortese) avvolgendola con i suoi raggi si riferisce alle due diverse situazioni nelle quali il pianeta appare nel cielo, ora all'alba, ora al tramonto: Venere mostra al sole le spalle quando lo precede al mattino, prima che sorga, e il volto quando lo segue alla sera, dopo che è appena sceso sotto l'orizzonte. Come nell'antica mitologia, gli astri del cielo di Dante sono sempre visti come creature vive (cfr. XXXI 32-3; *Inf.* XI 113 e nota).

– or da coppa or da ciglio: gli antichi davano a Venere due diversi nomi (Vespero e Lucifero) secondo che appariva la sera o il mattino, ben sapendo che si trattava della stessa stella (così Dante stesso in *Conv.* II, II 1).

■

... che la bella Venere (Ciprigna) irraggiasse sulla terra l'amore sensuale (folle), volgendosi nell'epiciclo del terzo cielo; per cui i popoli antichi immersi nell'antico èrrore del paganesimo non rendevano soltanto a lei onori divini, quali i sacrifici e la preghiera (votivo grido); ma onoravano anche Dione, come sua madre, e Cupido, come suo figlio, e dicevano che egli aveva seduto in grembo a Didone; e da lei (cioè dalla dea Venere), dalla quale io comincio (questo mio canto), davano il nome al pianeta che il sole amorosamente contempla ora dalla parte posteriore (coppa) ora da quella anteriore (ciglio).

Io non m'accorsi del salire in ella;
ma d'esservi entro mi fé assai fede
15   la donna mia ch'i' vidi far più bella.

E come in fiamma favilla si vede,
e come in voce voce si discerne,
18   quand'una è ferma e altra va e riede,

vid'io in essa luce altre lucerne
muoversi in giro più e men correnti,
21   al modo, credo, di lor viste interne.

Di fredda nube non disceser venti,
o visibili o no, tanto festini,

---

13. Io non m'accorsi...: il «non accorgersi» del passare da un cielo all'altro fa parte della generale invenzione del *Paradiso* dantesco, dove quel salire è un fatto spirituale, anche se corporeo. Mai si descrive infatti materialmente il volo, la salita: solo il diverso aspetto del nuovo cielo che Dante vede intorno a sé, e un maggiore splendore o bellezza di Beatrice, segnano questi passaggi che non hanno misura né di spazio, né di tempo (cfr. X 34-9).

14. mi fé assai fede: mi dette sufficiente certezza; *far fede* per «dare assicurazione, garanzia» è ancora oggi nell'uso.

15. far più bella: il divenire (*far* vale «farsi») più bella di Beatrice è il segno della salita. Come sempre, Beatrice è lo specchio dell'animo di Dante: non è lei in realtà che cresce, ma lui. La trasposizione dell'evento interiore nella luce di un volto – e del volto amato – è invenzione cardine del *Paradiso* dantesco.

16. come in fiamma...: il geniale doppio paragone, creato per distinguere luce su luce, suono su suono (la favilla nella fiamma, la melodia sul canto fermo), è un primo grande esempio della strenua fantasia che d'ora in avanti figurerà le scene del *Paradiso*. Nei cieli precedenti, i volti specchiati nell'acqua, i pesci nella pe-

schiera, attingevano ancora a immagini consuete, pur nella loro delicatezza. Qui c'è uno scarto singolare di qualità, nel tentare di esprimere una realtà di una finezza quasi inafferrabile ai sensi.

– **favilla**: la favilla è percepibile (*si vede*) nella fiamma, perché ha luce più viva.

17-8. e come in voce...: come si distingue, con l'udito, una voce dall'altra, quando – nel canto a più voci – l'una tiene una sola nota, e l'altra svolge la melodia, salendo e scendendo (*va e riede*). Più volte Dante ricorda nel poema questo tipo di canto, sempre definito dalla sua «dolcezza», che egli doveva particolarmente gustare quando l'udiva risuonare nelle chiese del suo tempo (si cfr. la nota a VI 124-6).

19. in essa luce: nella luce stessa della stella, corpo di per sé luminoso (si ricordi il corpo lunare, splendente come diamante al sole, di II 31-3); Dante immagina di fermarsi, ad ogni cielo, nel corpo del pianeta che lo abita.

20. più e men correnti: le *lucerne*, cioè luci come di lampade ardenti, che racchiudono gli spiriti beati corrono, come le note del canto che «vanno e tornano», con diversa velocità. Tale andamento rispecchia l'interno fervore, secondo l'invenzione che caratterizzerà poi tutte le apparizioni dei beati nei cieli.

21. al modo...: secondo la misura, maggiore o minore, della loro interiore visione di Dio. Che il grado di beatitudine sia diverso per ogni singolo individuo – in corrispondenza dei meriti e della grazia propri di ognuno – è dottrina esplicita della Chiesa che Dante, così attento a riconoscere sempre il valore individuale, più volte ricorda e sottolinea nel corso della cantica (si veda XIV 40-2, o XXVIII 112-4), dandosi cura di precisare, come in questo caso, che tale diversità permane all'interno dei vari raggruppamenti o «ordini» da lui stesso immaginati nel regno celeste (cfr. anche XXIV 16-8).

22-5. Di fredda nube...: un'immagine ha appena lasciato il verso, che un'altra la segue, in questa incontentabile ricerca di raffigurare visibilmente realtà invisibili, quali gli spiriti beati e il loro fervore di amore: non scesero lampi o uragani dalle nubi tanto veloci (*festini*) che non paressero impacciati e lenti a con-

---

◆ *Io non mi accorsi del fatto che salivamo in quel pianeta; ma di esservi dentro mi dette sufficiente certezza la donna mia, che io vidi divenire più bella. E come la favilla è percepibile (si vede) nella fiamma, e come si distingue una voce dall'altra, quando l'una è ferma (su una sola nota) e l'altra sale e scende (va e riede), così vidi nella luce di quella stella altre luci muoversi in tondo correndo con maggiore o minore velocità, secondo la misura, credo, della loro interiore visione (di Dio).* ◆ *Dalle fredde nubi non scesero lampi (venti visibili) o uragani (venti invisibili) tanto veloci (festini) ...*

24   che non paressero impediti e lenti
      a chi avesse quei lumi divini
      veduti a noi venir, lasciando il giro
27   pria cominciato in li alti Serafini;
      e dentro a quei che più innanzi appariro
      sonava *Osanna* sì, che unque poi
30   di rïudir non fui sanza disiro.
        Indi si fece l'un più presso a noi
      e solo incominciò: «Tutti sem presti
33   al tuo piacer, perché di noi ti gioi.
        Noi ci volgiam coi principi celesti

fronto di quei *lumi divini* che scendevano verso di noi.

– **venti**: i venti *visibili* che precipitano dalle fredde nubi sono certamente lampi (cfr. i *Vapori accesi* di *Purg.* V 37, dove gli spiriti scendono ugualmente dall'alto incontro a Dante); quelli *non visibili* saranno invece, a norma della fisica aristotelica, gli uragani (di cui si percepisce la velocità, anche se non si vedono, dai loro effetti, come spostamento di nuvole o fronde), non i venti in genere, come si ripete, perché i venti non precipitano dall'alto. Sia i fulmini sia gli uragani invece si producono, secondo Aristotele, quando i vapori caldi e secchi, saliti al margine estremo della regione dell'aria e rimasti racchiusi dentro le nubi dopo la condensazione, sono espulsi violentemente nel momento in cui le nubi si scontrano fra loro, e scagliati verso il basso. L'origine nelle nubi e la direzione dall'alto in basso, chiaramente indicate da Aristotele (*Meteora* II 369a-370b) come comuni ai due fenomeni – diversi nell'effetto a causa della maggiore o minore compattezza e densità del vapore –, ci convincono che a questi appunto si riferisce qui Dante.

26-7. **lasciando il giro...**: lasciando la danza circolare, segno del loro interno fervore, che avevano cominciato su nell'Empireo, loro reale dimora (denominato qui dai Serafini, i più alti in dignità tra gli angeli, che contemplano Dio faccia a faccia), danza che continuavano qui nel cielo dove erano discesi per rendersi visibili a Dante (vv. 19-20).

28. **dentro**: perché il canto risuona all'interno delle fiamme di luce che avvolgono, «fasciano» le anime (vv. 52-4).

– **che più innanzi appariro**: che mi si mostrarono per primi, davanti agli altri (e dei quali quindi potevo distinguere le parole).

29. **Osanna**: è l'acclamazione di lode ebraica, passata attraverso i Vangeli nella liturgia cristiana, già udita all'apertura del canto VII (cfr. nota ivi), e propria degli spiriti beati (cfr. XXXII 135).

29-30. **sì, che unque...**: in modo tale, così sublime e dolce, che mai in seguito non fui senza desiderio di riudirli; cioè che sempre poi desiderai, per tutta la vita, di poterli riascoltare. È motivo che, variato, tornerà altre volte nella cantica: quella dolcezza, sperimenta-

ta una volta, resta per sempre nell'animo, fonte di gioia e insieme di rimpianto (cfr. X 145-8; XXIII 127-9).

31. **l'un**: uno tra tutti; è il consueto avanzare dell'individuo che si distacca dagli altri, con la sua storia e il suo destino, fin dai primi cerchi infernali, lungo tutto il poema (cfr. *solo* in *Purg.* V 67).

32-3. **sem presti...**: siamo pronti ad assecondare il tuo desiderio (a fare il *tuo piacer*), perché tu abbia gioia di noi, dell'incontro con noi (*gioi* da *gioiare*, verbo dell'uso antico, in verso e in prosa). La «prontezza» dei beati nel secondare Dante fa parte della loro stessa condizione (cfr. III 42-5) e si ritroverà per tutta la cantica, ma questo spirito dimostrerà una disposizione affettuosa tutta singolare, illuminata dal ricordo terreno e personale che affiorerà nei versi seguenti.

34. **Noi ci volgiam**: noi giriamo, volgendoci col loro cielo, insieme al terzo coro, quello dei Principati. Dante nel *Paradiso* segue l'ordine delle gerarchie angeliche fissato da Dionigi pseudo-Areopagita nel *De Coelesti Hierarchia* mentre nel *Convivio* (II, V 13) aveva assegnato questo cielo ai Troni secondo l'ordine stabilito da Gregorio Magno (si veda su questo cambiamento XXVIII 98-139 e note).

■

... ché non paressero impacciati e lenti a chi avesse visto quei lumi divini scendere verso di noi, lasciando la danza circolare che avevano cominciato tra gli alti Serafini (cioè su nell'Empireo); e dentro a quelli che mi apparvero davanti agli altri risuonava «Osanna» in modo tale che in seguito mai sono stato senza il desiderio di riudirli. ◆ Allora uno di essi si avvicinò a noi, e da solo cominciò a dire: «Tutti siamo pronti ad assecondare il tuo desiderio (tuo piacer), perché tu possa trarre gioia da noi. Noi giriamo (volgendoci col loro cielo) insieme al coro angelico dei Principati, ...

d'un giro e d'un girare e d'una sete,

36 ai quali tu del mondo già dicesti:

'*Voi che 'ntendendo il terzo ciel movete*';

e sem sì pien d'amor, che, per piacerti,

39 non fia men dolce un poco di quïete».

Poscia che li occhi miei si fuoro offerti

a la mia donna reverenti, ed essa

42 fatti li avea di sé contenti e certi,

rivolsersi a la luce che promessa

tanto s'avea, e «Deh, chi siete?» fue

45 la voce mia di grande affetto impressa.

---

35. d'un giro...: con uno stesso movimento circolare (*giro*), uno stesso ritmo o velocità (*girare*), e uno stesso desiderio (*sete*) di Dio. La *sete* è espressa appunto, in modo sensibile, da quel movimento (cfr. II 19). I due versi, col riecheggiarsi dei vocaboli (*volgiam, giro, girare*) e l'andamento ritmico ripetitivo del secondo, esprimono l'incessante circolarità che contrassegna la figurazione di questi spiriti (cfr. v. 20: *muoversi in giro* e v. 26: *lasciando il giro*).

36. tu del mondo: alcuni intendono: tu che sei ancora abitante del mondo, della terra (come a *Purg.* V 105: *tu del ciel*). Ma sembra migliore lettura prendere *del* nel senso di moto da luogo, normale in Dante, riferendolo a *dicesti*: ai quali tu dal mondo dicesti, rivolgendoti a loro; spiegazione che dà un senso a quelle due parole, quasi figurando il sollevarsi di quei versi dalla terra verso il cielo (per *di* con valore di *da*, cfr. *Inf.* II 71; V 1; XVIII 79 ecc.).

– dicesti: il verbo è comunemente usato per il parlare poetico; si veda il racconto di *Conv.* II, II 5: «[E] quasi esclamando dirizzai la voce mia in quella parte onde procedeva la vittoria del nuovo pensiero e cominciai a dire: "Voi che 'ntendendo il terzo ciel movete"».

37. Voi che 'ntendendo...: è questo il primo verso della canzone che apre il libro II del *Convivio*, nella quale Dante si rivolge ai «movitori» del cielo di Venere, cioè alle intelligenze («o vero per più usato modo volemo dire Angeli»: II, II 7) che '*ntendendo*, «cioè collo intelletto solo» – come Dante stesso spiega (II, VI 2), vale a dire non mediante un impulso fisico, danno il movimento a quel cielo. Nella canzone – la prima del trattato – Dante canta il nuovo amore che sostituisce nel suo cuore quello per Beatrice, e che è l'amore per la Filosofia – come egli ci dice – identificata con la Sapienza biblica (*Conv.* III, XIV-XV). Come nel *Purgatorio* (XXIV 49-51) egli è riconosciuto dalla canzone per Beatrice che inaugura le *nove rime* (*Donne ch'avete intelletto d'amore*), qui nel *Paradiso* è identificato come l'autore della canzone per la Sapienza. Due canzoni d'amore, due amori dei quali prima l'uno vinse l'altro, ma che poi nella storia spirituale di Dante vengono a identificarsi, a divenire uno solo, perché il primo si sublima nell'altro. Beatrice è infatti nel poema insieme la donna della *Vita Nuova* e quella del *Convivio*, la fanciulla amata in terra e la sapienza celeste. Con questo richiamo Dante sembra dire che in questo cielo egli è di casa: a quei *principi celesti* che lo «muovono» egli *già* parlava familiarmente nella sua giovinezza, come alle donne «gentili» (*Vita Nuova* XIX 1) aveva parlato dell'altro amore (gli uni e le altre presi come i soli convenienti interlocutori). È questo, per un certo aspetto, il suo proprio cielo, in quanto l'amore ha dominato tutta la sua vita interiore, come per un altro aspetto, quello pubblico, potrà dirsi suo il cielo di Marte, abitato dai combattenti per la fede, come si vedrà.

38-9. e sem sì pien d'amor...: il motivo dell'amore domina in questa apertura di canto del cielo di Venere. L'ardore di carità in noi è tale – dice lo spirito beato – che per contentarti non ci sarà meno dolce (della danza eterna che abbiamo lasciato) il fermarsi un poco con te. L'amore si misura quindi dalla gioia con cui si accetta il sacrificio di lasciare quel «volgersi» con gli angeli, che è la figura sensibile del contemplare amorosamente Dio.

40. si fuoro offerti: si furono rivolti, come offrendo obbedienza e chiedendo l'assenso a parlare.

42. fatti... di sé contenti e certi: contentati e assicurati con il suo assenso (*di sé*): *contenti* riguarda il cuore, *certi* l'intelletto.

43-4. che promessa...: che si era così largamente offerta (di accontentarmi).

44. Deh, chi siete?: Dante chiede allo spirito chi siano lui e le altre anime di questo cielo.

... con uno stesso giro, uno stesso ritmo (girare), e uno stesso desiderio (sete) di Dio, con quelli spiriti cioè ai quali tu dal mondo dicesti: "Voi che 'ntendendo il terzo ciel movete"; e siamo così pieni d'amore che, per farti piacere, non ci sarà meno dolce un momento di sosta». ◆ Dopo che i miei occhi si furono rivolti alla mia donna con reverenza, ed ella li aveva contentati e assicurati con il suo assenso (di sé), si rivolsero alla luce che si era così generosamente offerta, e «Deh, chi siete?» furono le mie parole, improntate da grande affetto.

E quanta e quale vid'io lei far piùe
per allegrezza nova che s'accrebbe,
48　quando parlai, a l'allegrezze sue!
　　Così fatta, mi disse: «Il mondo m'ebbe
giù poco tempo; e se più fosse stato,
51　molto sarà di mal, che non sarebbe.
　　La mia letizia mi ti tien celato
che mi raggia dintorno e mi nasconde
54　quasi animal di sua seta fasciato.
　　Assai m'amasti, e avesti ben onde;
che s'io fossi giù stato, io ti mostrava

---

45. impressa: improntata. L'*affetto* con cui Dante risponde è attratto dall'*amore* dimostrato dall'altro e dalla conoscenza personale rivelata dalle sue parole, anche se ancora egli non sa di chi si tratti. Così accade con Casella sulla spiaggia del Purgatorio (II 76-81).

46. E quanta e quale...: e come vidi diventare maggiore (*piùe*) quella luce (*lei*) in quantità e qualità, cioè in grandezza e luminosità! (cfr. II 65). Il *quanta* e il *quale* sono volutamente indeterminati. Per le due specificazioni – *quanto* e *quale* – si veda anche XXX 120.

47-8. per allegrezza nova...: a causa dell'ulteriore letizia che si aggiunse, in virtù delle mie parole, a quella che già possedeva. La sola richiesta, brevissima, di Dante basta ad accrescere gioia e luce nell'anima beata, perché può soddisfare un desiderio e quindi aumentare il suo amore.

49. Così fatta: così divenuta, cioè *più lucente e maggiore* (cfr. *Purg.* II 21).

49-51. Il mondo m'ebbe...: la mia vita terrena fu breve e, se fossi vissuto più a lungo, molti mali avverranno che non ci sarebbero stati. Questa breve terzina preannuncia in forma velata il senso della storia di questo personaggio: la sua natura nobile e cortese, la sua morte prematura, il malgoverno di coloro che regnarono al suo posto. Chi parla è Carlo Martello, figlio primogenito di Carlo II di Angiò e di Maria d'Ungheria: a lui sarebbero toccate le corone di Ungheria – per parte di madre – e di Provenza e di Napoli per parte di padre. Ma il principe, presentato come d'animo eletto, liberale e colto, visse poco più di vent'anni (1271-95). In lui Dante raffigura il suo ideale di principe cortese – non per niente morto giovane – contrapposto alla *mala segnoria* (v. 73) degli altri Angioini, qui gravemente deplorata. La sua presenza tra i beati e l'incontro con Dante sono dovuti al rapporto personale, quasi di amicizia, che si stabilì fra i due giovani in terra – di cui ci resta questa sola testimonianza – probabilmente in occasione della venuta di Carlo a Firenze nel 1294 per incontrare i genitori che tornavano dalla Francia.

52-4. La mia letizia...: la mia stessa gioia, irraggiandosi intorno a me, ti nasconde il mio volto, così che non puoi riconoscermi. Si ripete il motivo di V 124-6 per cui la luce stessa della beatitudine, irradia-

ta dal beato, lo tiene celato agli occhi di Dante. Così Giustiniano «si annida» dentro il suo stesso lume e Carlo «si fascia» della sua letizia, come il baco da seta nel bozzolo da lui stesso prodotto. Solo di Piccarda, nel primo cielo, si intravedono, vaghe come in acque o specchi, le umane sembianze. Il permanere dell'aspetto corporeo – che questi tre passi rivelano – sembra limitato tuttavia ai primi tre cieli, in quanto poi non se ne fa più cenno.

55-7. Assai m'amasti...: di questo affettuoso rapporto (*m'amasti – mio amor*) nulla sappiamo, e possiamo solo fare delle ipotesi desunte da questo contesto: il ricordo della canzone dantesca fa pensare a un'intesa dovuta ai comuni interessi letterari (Dante era in quegli anni fra i maggiori poeti e intellettuali di Firenze e in tale veste avrà incontrato il principe), ai quali si sommavano uguali ideali civili.

– **e avesti ben onde...**: e ne avesti ben ragione; perché, se fossi vissuto, ti avrei dato, oltre alla manifestazione a parole, segni concreti della mia benevolenza (*più oltre che le fronde*, cioè anche i frutti). Queste parole ricordano quelle di Brunetto Latini nell'*Inferno* (XV 58-60) e ci rivelano come Dante dovette rimpiangere, nel suo solitario esilio, sia l'appoggio morale del vecchio maestro, sia quello pubblico del principe illuminato, mancati ambedue alla sua vita e al suo lavoro di poeta. Con questi versi finisce il motivo del rapporto personale tra i due, che intona l'incontro. Con la terzina che segue, lo spirito rivela la sua identità pubblica, e si apre il discorso politico sulla casa di Angiò, le sue colpe, il triste destino dei popoli d'Italia ad essa soggetti.

E come vidi farsi maggiore (far piùe) in grandezza e luminosità (quanta e quale) quella luce (lei) a causa dell'ulteriore letizia che si aggiunse, quando parlai, a quelle che già possedeva! ◆ Così divenuta, mi disse: «Il mondo mi ebbe giù in terra per poco tempo; e se fosse stato più lungo, molti mali avverranno che non ci sarebbero stati. La mia gioia, che si irraggia intorno a me e mi nasconde, come un animale fasciato della sua stessa seta, mi tiene celato ai tuoi occhi. Mi amasti molto, e ne avesti ben ragione; perché, se fossi vissuto, ti avrei dato ...

57   di mio amor più oltre che le fronde.
            Quella sinistra riva che si lava
         di Rodano poi ch'è misto con Sorga,
60   per suo segnore a tempo m'aspettava,
            e quel corno d'Ausonia che s'imborga
         di Bari e di Gaeta e di Catona,
63   da ove Tronto e Verde in mare sgorga.
            Fulgeami già in fronte la corona
         di quella terra che 'l Danubio riga
66   poi che le ripe tedesche abbandona.
            E la bella Trinacria, che caliga

58-9. Quella sinistra riva...: la terra bagnata dal Rodano sulla sua sinistra, cioè ad Oriente, dopo che ha ricevuto il fiume Sorga. Così è indicata la Provenza (che si estende di fatto tra il corso inferiore del Rodano e le Alpi), il primo territorio che spettava a Carlo come erede della casa angioina. Con simili perifrasi sono designati gli altri due regni – di Napoli e d'Ungheria – che a lui venivano per parte di padre e di madre. Così Carlo sembra guardare dall'alto le terre – tutte denominate dai fiumi o dai mari – che il suo buon governo avrebbe custodito, e che la sua morte prematura aveva condannato a un triste destino.

60. a tempo: a tempo debito, cioè alla morte di Carlo II. Ma Carlo Martello morì prima del padre.

61. quel corno d'Ausonia: la parte meridionale dell'Italia – che corrispondeva al territorio del regno di Napoli – assume nelle antiche carte l'aspetto di falce, o corno, con le due penisole di Puglia e Calabria incurvantisi ai due lati dell'odierno golfo di Taranto. Un'immagine analoga (che vede però nella figura due corni e non uno) si trova nel *Tresor* IV 4, 124 dove Otranto è situata «sur le senestre corne d'Itaille».

61-2. che s'imborga...: che si incastella, si orna cioè dei castelli di Bari, Gaeta e Catona. Il verbo è coniato e costruito come *s'inzaffira* di XXIII 102, da *borgo* con valore di «fortezza». Sono infatti indicate qui tre città fortificate, poste come ai tre estremi di un triangolo: Bari sull'Adriatico, Gaeta sul Tirreno (all'incirca sulla stessa linea) e Catona all'estremità meridionale della Calabria, proprio di fronte a Messina. Ognuna di esse era una importante piazzaforte; Catona in particolare era il porto di partenza per la Si-

... del mio amore ben di più che non le sole fronde (cioè anche i frutti). ◆ *Quella terra bagnata dal Rodano sulla sua sinistra, dopo che ha ricevuto il fiume Sorga, mi attendeva a tempo debito come suo signore, e così anche quel corno dell'Ausonia (la parte meridionale dell'Italia) che si orna dei castelli di Bari, Gaeta e Catona, a partire da dove i due fiumi Tronto e Verde sfociano nel mare. Mi risplendeva già sulla testa la corona di quella terra che il Danubio solca dopo aver lasciato le rive tedesche (l'Ungheria).* ◆ *E la bella Sicilia (Trinacria), che si copre di fumo (caliga) ...*

cilia, dove Carlo I aveva adunato le sue navi nel 1282 durante la guerra del Vespro.

63. da ove...: dipende da *m'aspettava*: il *corno d'Ausonia* mi aspettava per suo signore a partire da quella linea (cioè da lì in giù) che unisce i due fiumi Tronto e Verde (oggi Garigliano). Quei fiumi segnavano infatti i confini del regno di Napoli (cfr. *Purg.* III 131). L'ampia perifrasi disegna allo sguardo il grande *corno*, limitato dai due fiumi a nord e come racchiuso in un ideale triangolo dai tre vertici fortificati.

64-6. Fulgiemi già...: se gli altri due stati «lo aspettavano», la corona d'Ungheria era già sua, perché la madre, alla morte del fratello Ladislao nel 1290, aveva trasferito a lui il diritto al trono. L'incoronazione avvenne tuttavia nel 1292, in sua assenza, ed egli non prese di fatto possesso del regno, che nel 1310 passò a suo figlio Carlo Roberto.

– che 'l Danubio riga: un altro grande fiume, dopo il Rodano, si disegna su questa carta d'Europa che appare dall'alto del cielo di Venere. L'Ungheria è di fatto traversata dal Danubio, dopo che esso ha lasciato la terra tedesca.

67-9. la bella Trinacria...: la terzina descrive la Sicilia (*Trinacria* – dalle tre punte – era il nome latino usato da Ovidio e Virgilio, ma anche il nome giuridico del regno assegnato a Federico d'Aragona con la pace di Caltabellotta nel 1302). La bella Sicilia dunque, che si copre di fumo (*caliga*) tra i due capi di Pachino e Peloro (oggi Capo Passero e Capo Faro) su quel golfo di mare che riceve maggior violenza dal vento di Scirocco (Euro, vento di sud-est) che da ogni altro. Tutta la descrizione, usando i nomi classici (*Trinacria, Pachino, Peloro*) e ricordando, sia pure per rifiutarlo, il mito del gigante Tifeo (v. 70), circonda la regione – detta non per niente *bella* – in un'aura favolosa: il fumo che la avvolge, il golfo ventoso compiono il quadro dell'isola che sorge piena d'incanto alla fantasia e che così amaramente è colpita nella realtà dalla *mala segnoria* (v. 73) degli uomini.

68. golfo: secondo l'antica geografia e cartografia, l'Italia si protendeva da nord-ovest a sud-est, bagnata ai due lati dal Tirreno e dall'Adriatico, mare che giungeva (comprendendo il nostro Ionio) fino alla costa qui indicata della Sicilia. Per *golfo* Dante intenderà quindi quel tratto di mare che bagna la Sicilia tra Pachino e Pe-

            tra Pachino e Peloro, sopra 'l golfo

69   che riceve da Euro maggior briga,

            non per Tifeo ma per nascente solfo,

            attesi avrebbe li suoi regi ancora,

72   nati per me di Carlo e di Ridolfo,

            se mala segnoria, che sempre accora

            li popoli suggetti, non avesse

75   mosso Palermo a gridar: "Mora, mora!".

            E se mio frate questo antivedesse,

            l'avara povertà di Catalogna

78   già fuggeria, perché non li offendesse;

loro (se non, come altri pensano, il vero golfo che vi si trova, cioè quello di Catania, dominato dall'Etna) e che è battuto con particolare violenza dal vento di sud-est.

69. **briga**: il termine vale propriamente «lotta», «combattimento» (cfr. XII 108 e *Purg.* XVI 117), qui quasi battaglia fatta dal vento alla costa (cfr. *Inf.* V 49).

70. **non per Tifeo...**: il verso dipende da *caliga* e conclude la perifrasi: la Sicilia è avvolta dalla caligine, nella sua costa orientale (*tra Pachino e Peloro*), non per l'ansimare del gigante Tifeo incatenato sotto l'Etna (come voleva il mito), ma per le emanazioni dello zolfo che si trova in quel sottosuolo. Dante corregge qui la spiegazione mitologica del fenomeno vulcanico, quale si leggeva in Ovidio (*Met.* V 352 sgg.) e Virgilio (*Aen.* III 570-82), con quella data dalla scienza del suo tempo, secondo la quale i giacimenti sulfurei presenti sotto la crosta terrestre, prendendo fuoco per il calore penetrante del sole, sprigionano fumo e fiamme attraverso le aperture che si trovano in superficie.

– **nascente**: delle pietre e dei minerali si diceva *nascono* per «si trovano» in un luogo: «in quest'isola nasce li nobili e li buoni rubini» (Marco Polo, *Il Milione*, p. 169, 9).

71-2. **attesi avrebbe...**: avrebbe avuto per sovrani i miei eredi, discendenti attraverso di me dalle due case di Angiò (da Carlo, padre di Carlo Martello) e di Asburgo (da Rodolfo, padre di sua moglie Clemenza). Carlo Martello vuol dire che la Sicilia sarebbe ancora degli Angioini (e la frase sembra sottintendere che essi l'hanno per sempre perduta).

73-5. **se mala segnoria...**: se il malgoverno (quello di Carlo I, che reggeva il regno al tempo dei Vespri) che sempre angustia, affligge nel profondo (*accora*) i popoli ad esso soggetti, non avesse portato i siciliani all'insurrezione. Si osservi l'acuta analisi contenuta in questi versi: *sempre*, in ogni caso e dovunque, il cattivo governo (di oppressione e ingiustizia) provoca una ferita profonda nei popoli, e li porta inevitabilmente alla ribellione.

75. **Palermo**: l'insurrezione scoppiò di fatto a Palermo, il 30 marzo del 1282, all'ora del Vespro: «Incontanente tutta la gente si ritrassono fuggendo alla città, e gli uomini ad armarsi, gridando: "Muoiano i Franceschi!"» (Villani VIII, LXI). Dante coglie il gri-

do drammatico, proprio delle folle di tutti i tempi (anche oggi *Viva* e *Muoia* si gridano nelle piazze), come segno dell'odio e del furore che si scatenano nei popoli oppressi. Le due parole sono rilevate in fine di verso, come il *Martira, martira!* dei lapidatori di Stefano a *Purg.* XV 108.

76-8. **E se mio frate...**: e se mio fratello Roberto (il terzogenito di Carlo II, divenuto re di Napoli alla morte del padre nel 1309) comprendesse con lungimiranza (*antivedesse*) questa verità (cioè come sempre i popoli soffrano e si ribellino alla *mala segnoria*), terrebbe lontana da sé fin d'ora (*già fuggeria*) l'avarizia catalana, perché in futuro non gli tornasse in danno (sollevandogli contro i sudditi).

– **l'avara povertà di Catalogna**: l'avarizia (e l'avidità) dei Catalani era proverbiale, per cui molti hanno inteso questa espressione come riferita alla personale taccagneria di Roberto (la sua avarizia degna di un catalano). Ma è ben più probabile che si alluda qui a ufficiali e soldati catalani presenti nel Regno, prima al servizio di Carlo II e poi di Roberto, ben noti in Firenze (cfr. Villani IX, LXXXII; X, XVIII e XXXIX), ufficiali di cui i cronisti parlano come di avidi taglieggiatori del popolo. A favore di questa seconda interpretazione stanno i vv. 82-4 (cfr. nota ivi) e le testimonianze degli antichi commentatori come l'Ottimo, il Buti, Benvenuto. Inoltre il senso generale della frase (pensi Roberto a quello che accadde ai Vespri, per l'oppressione esercitata sul popolo) e la stessa terzina che segue vogliono che si parli piuttosto di soprusi commessi sui sudditi, che di un vizio morale del sovrano.

∎

... tra i due capi di Pachino e Peloro, su quel golfo che subisce l'assalto (briga) più forte dal vento di Scirocco (Euro), non a causa di Tifeo ma per lo zolfo che vi si trova, avrebbe ancora atteso i suoi sovrani, discendenti attraverso di me dalle due case di Angiò (di Carlo) e di Asburgo (di Rodolfo), se il malgoverno, che sempre affligge nel profondo (accora) i popoli ad esso soggetti, non avesse portato Palermo a gridare "Muoia, muoia!"». ◆ E se mio fratello (Roberto) prevedesse questa realtà, terrebbe lontana da sé fin d'ora (già fuggeria) l'avarizia dei Catalani, perché in futuro non lo danneggiasse; ...

ché veramente proveder bisogna

per lui, o per altrui, sì ch'a sua barca

81   carcata più d'incarco non si pogna.

La sua natura, che di larga parca

discese, avria mestier di tal milizia

84   che non curasse di mettere in arca».

«Però ch'i' credo che l'alta letizia

che 'l tuo parlar m'infonde, segnor mio,

87   là 've ogne ben si termina e s'inizia,

per te si veggia come la vegg'io,

grata m'è più; e anco quest'ho caro

90   perché 'l discerni rimirando in Dio.

Fatto m'hai lieto, e così mi fa chiaro,

79-80. proveder bisogna...: è necessario che si provveda, da lui (quando sarà re) o da altri; con *altrui* si intende forse il padre di Roberto, Carlo II, che era sul trono nell'anno del viaggio dantesco.

80-1. sì ch'a sua barca...: così che alla sua nave (la nave per lo stato è metafora classica anche altrove usata da Dante; cfr. *Purg.* VI 77), già gravemente carica, non s'impongano altri pesi. In conseguenza logica dai versi precedenti, queste parole sembrano alludere all'avido contegno dei funzionari catalani che circondavano i re angioini.

82-3. che di larga parca / discese: che discese avara da una stirpe generosa. Sembra difficile che qui si alluda al padre di Roberto, Carlo II, duramente condannato proprio per la sua avarizia nel *Purgatorio* (XX 79-84) come venditore della propria figlia. Si tratterà della casata in genere, o dell'avo Carlo I, ritenuto concordemente principe liberale, celebrato dai guelfi (si vedano le grandi lodi che ne fa il Villani a VIII, I e XCV) e salvato nel poema dove appare nella valletta dei principi (cfr. *Purg.* VII 113 e 124-9), nonostante i severi giudizi su di lui dati altrove (si veda *Purg.* XX 64-9).

83-4. avria mestier di tal milizia...: avrebbe bisogno di ufficiali e ministri tali che non avessero il solo pensiero di riempire le loro casse (a spese, s'intende, dei sudditi). Essendo cioè già avaro per sua natura, a Roberto occorrerebbe ben altra specie di coadiutori. L'avarizia di re Roberto è stata oggi ridimensionata dalla critica storica, ma ciò non toglie che ai tempi in cui Dante scriveva essa fosse quasi proverbiale, ricordata da cronisti, scrittori e poeti.

85-9. Però ch'i' credo...: poiché io credo che tu veda (*per te si veggia*: sia vista da te) in Dio (là dove ogni bene ha principio e fine), così come io stesso la vedo in me, la profonda gioia che le tue parole mi infondono, tale gioia mi è anche più cara.

89-90. e anco quest'ho caro: e questo stesso aumento di gioia mi è caro perché lo vedi guardando direttamente in Dio. Le due terzine, di forma concettosa e preziosa, vogliono significare la gioia di Dante nel vedere l'amico tra i beati; concetto espresso due volte, ma in due modi diversi. Prima dice che la gioia datagli dalle sue parole (certamente dalle prime, di affetto e apprezzamento personale – vv. 55-7 , non dalle amare riflessioni politiche) è accresciuta dal fatto che egli sa che l'amico la vede in Dio, poi aggiunge che anche questo secondo sentimento (la gioia per la beatitudine dell'altro) gli è caro per la stessa ragione. L'una e l'altra gioia dunque – per le affettuose parole di Carlo e per il suo essere beato – è più cara a Dante perché l'altro la conosce in Dio, cioè perché egli lo vede in paradiso. L'eccessiva sottigliezza della formulazione – che vuole forse adeguarsi all'alta dignità dell'interlocutore – toglie efficacia alla dichiarazione d'affetto che qui si vuol fare.

91-2. Fatto m'hai lieto...: con le tue parole mi hai dato gioia, e ora dammi chiarezza, cioè toglimi un dubbio che il tuo discorso ha fatto nascere in me.

93. com'esser può...: come da un seme dolce può nascerne uno amaro: cioè come da una stirpe *larga* possa nascere un rampollo *parco*, come tu hai detto di Roberto. Il problema qui posto si richiama – nella metafora del seme – alle note espressioni evangeliche, per cui un albero buono non può dare che buoni frutti (*Matth.* 7, 17-8; *Luc.* 6, 43), ed è un problema essenziale per Dante. Si tratta infatti di stabilire

---

... poiché veramente è necessario che si provveda, da parte sua (quando sarà re) o da parte di altri, per far sì che alla sua nave, già gravemente carica, non s'impongano altri carichi. La sua natura, che discese avara da una stirpe generosa (larga), avrebbe bisogno di ministri (milizia) tali che non avessero il solo pensiero di riempire le loro casse (mettere in arca)». ♦ «Poiché io credo, o mio signore, che tu veda (per te si veggia) là dove ogni bene ha principio e fine (cioè in Dio), così come io stesso la vedo (in me), la profonda gioia che le tue parole mi infondono, tale gioia mi è anche più cara; e anche questo stesso aumento di gioia mi è caro perché tu lo vedi guardando in Dio. Mi hai reso felice, ora fammi chiarezza, ... -

poi che, parlando, a dubitar m'hai mosso
93   com'esser può, di dolce seme, amaro».
Questo io a lui; ed elli a me: «S'io posso
mostrarti un vero, a quel che tu dimandi
96   terrai lo viso come tien lo dosso.
Lo ben che tutto il regno che tu scandi
volge e contenta, fa esser virtute
99   sua provedenza in questi corpi grandi.
E non pur le nature provedute
sono in la mente ch'è da sé perfetta,
102   ma esse insieme con la lor salute:
per che quantunque quest'arco saetta
disposto cade a proveduto fine,

che le diverse qualità degli uomini non si trasmetto-no attraverso il sangue (la stirpe), ma sono patrimo-nio specifico del singolo individuo, affermando così il valore primario della persona. La risposta chiarirà appunto che la diversità delle indoli e delle attitudi-ni discende direttamente dall'influsso celeste gover-nato dalla provvidenza (a questo conduceva infine il grande discorso sulle influenze fatto nel canto II, per il quale si veda l'Introduzione). È la questione già po-sta nel canto VII del *Purgatorio* a proposito dei figli degeneri dei nobili principi europei (si vedano i vv. 122-3 e la nota relativa). E si ricordi *Conv.* IV, xx 5: «'l divino seme non cade in ischiatta, cioè in istirpe, ma cade nelle singulari persone». Con la questione posta ora da Dante si apre nel canto una terza se-quenza, di carattere teorico, dopo quella mistica ini-ziale, e quella politica centrale. Anche il linguaggio di Carlo cambia registro, intonandosi agli stessi mo-di che in genere sono propri di Beatrice in quanto maestra di sapienza celeste.

94-6. **S'io posso...**: se io riuscirò a mostrarti una da-ta verità, la soluzione di ciò che ora mi chiedi ti sarà tanto evidente quanto ora ti è nascosta (alla lettera: tu terrai gli occhi rivolti ad essa, cioè la vedrai, come ora le volgi le spalle, sei cioè incapace di vederla).

97-9. **Lo ben...**: quel bene supremo (Dio), che fa vol-gere e appaga di sé tutto il regno celeste (l'insieme dei cieli) che tu stai salendo di grado in grado (*scandi*), fa sì che la sua provvidenza (che ordina e custodisce tut-to il creato) si faccia *virtute* (cioè influenza astrale) in questi corpi che sono i più grandi dell'universo, cioè nei cieli. L'attacco solenne e grandioso, che spiega al-lo sguardo l'intero mondo celeste ruotante intorno al-la terra, e riversante su di lei la propria *virtù* derivata direttamente da Dio, ha l'andamento tipico, già ormai più volte osservato, degli inizi dei grandi discorsi teo-logici danteschi (cfr. I 103 sgg.; II 112 sgg.; VII 64 sgg.). Come sempre Dante parte nei suoi ragionamenti dal punto più alto possibile, per non lasciare spazio a dub-bi o obiezioni.

100-2. **E non pur le nature...**: e nella mente divina,

che ha in se stessa la propria perfezione, non si prov-vede soltanto alle diverse nature umane solo quanto al loro essere, ma si provvede anche alla loro *salute*, cioè alla loro salvezza, che equivale al perfetto rag-giungimento del loro fine. Gli uomini dunque, nel mo-mento del loro concepimento, sono dotati di tutto ciò che può servire al pieno compimento della loro indi-vidualità naturale. E tali qualità naturali sono infuse da Dio in ognuno per mezzo delle influenze celesti. È questa la teoria da Dante seguita e più volte pro-fessata: ognuno riceve alla nascita, per natura, un cor-redo di doti dovute agli astri (si veda anche, per Dan-te stesso, XXII 112-4 e *Purg.* XXX 109-17). Ma ri-cordiamo che tali inclinazioni sono a loro volta sog-gette, come altre volte si dirà, al libero arbitrio (cfr. I 127-35).

103-5. **per che quantunque...**: per cui tutto ciò che (*quantunque*) i cieli fanno scendere quaggiù (quasi un immenso arco che scagli delle frecce) cade nelle di-verse persone preordinato (*disposto*) a un fine voluto dalla provvidenza. La metafora dell'arco è già a I 118-20, dove ugualmente si parla della disposizione del-l'universo a muoversi verso il suo fine, che è Dio. Si noti come in tutte le prime tre terzine del ragionamento

────────── ■ ──────────

... poiché con le tue parole mi hai indotto a dubitare, co-me da un seme dolce può nascerne uno amaro». ◆ Que-sto dissi io a lui; ed egli mi rispose: «Se io riuscirò a mo-strarti una data verità, tu terrai gli occhi rivolti a ciò che domandi (cioè lo vedrai), come ora gli volgi le spalle (sei cioè incapace di vederlo). Il bene (Dio) che fa volgere e appaga di sé tutto il regno celeste che tu stai salendo di grado in grado (scandi), fa sì che la sua provvidenza si fac-cia virtù (cioè influenza astrale) in questi corpi grandi (cioè nei cieli). ◆ E nella mente che è per se stessa perfetta (cioè quella divina) non si provvede soltanto alle diverse nature (umane), ma si provvede anche alla loro salvezza: per cui ogni cosa che (quantunque) questo arco (cioè i cieli) fa scendere quaggiù, cade preordinato (disposto) a un fine voluto dalla provvidenza, ...

105   sì come cosa in suo segno diretta.
             Se ciò non fosse, il ciel che tu cammine
        producerebbe sì li suoi effetti,
108   che non sarebbero arti, ma ruine;
             e ciò esser non può, se li 'ntelletti
        che muovon queste stelle non son manchi,
111   e manco il primo, che non li ha perfetti.
             Vuo' tu che questo ver più ti s'imbianchi?».
        E io: «Non già; ché impossibil veggio
114   che la natura, in quel ch'è uopo, stanchi».
             Ond'elli ancora: «Or di': sarebbe il peggio
        per l'omo in terra, se non fosse cive?».
117   «Sì», rispuos'io; «e qui ragion non cheggio».

ritorni il tema del *provvedere* (*provedenza, provedute, proveduto*), che è quello che qui preme a Dante: ogni cosa nell'universo creato è guidata dalla provvidenza divina e nulla è affidato al caso.

105. in suo segno diretta: si cfr. *S.T.* I, q. 103 a. 1: «come la freccia che si muove verso il bersaglio indirizzata dall'arciere, ed è lui, non la freccia, che sa qual è l'obiettivo». Così Tommaso dice delle creature irrazionali che pur perseguono il loro fine, dimostrando che il mondo è governato da una ragione provvidenziale.

106-8. Se ciò non fosse...: se così non fosse, cioè se nell'azione dei cieli non fosse presente la provvidenza divina, questi cieli che tu percorri produrrebbero sulla terra effetti non sapientemente predisposti e quindi rovinosi, dannosi (*non... arti, ma ruine*: arte è tutto ciò che si fa con l'uso dell'intelligenza, contrapposto qui a un'azione puramente casuale e quindi inevitabilmente dannosa).
– **cammine**: cammini, con valore transitivo: percorri.

109-11. e ciò esser non può...: il ragionamento è condotto per assurdo: la premessa (che i cieli agiscano senza una disposizione provvidenziale e producano quindi effetti dannosi) porta a una conseguenza inaccettabile, assurda: che le intelligenze che li muovono siano difettose (*manchi*, manchevoli) e quindi difettosa

---
■

... come una freccia diretta verso il suo bersaglio. Se così fosse, questi cieli che tu percorri produrrebbero sulla terra effetti non sapientemente predisposti, bensì rovinosi (non... arti, ma ruine); e ciò non può essere, se le intelligenze che muovono queste stelle non sono difettose (manchi), e quindi difettosa la prima intelligenza (quella divina), che non le avrebbe fatte perfette. Vuoi che questa verità ti si chiarisca ancora?». ◆ E io risposi: «No; poiché vedo bene che è impossibile che la natura venga meno al suo compito (stanchi) in ciò che è necessario». Allora egli disse ancora: «Dimmi: sarebbe peggior condizione per l'uomo sulla terra, se egli non fosse membro di una comunità?». «Sì», risposi; «e per questo non richiedo dimostrazioni».

la prima intelligenza, quella divina, che non le avrebbe fatte perfette. Cosa impossibile. È dimostrato quindi che così non è, ed è vero invece il contrario, che l'influenza astrale è predisposta da Dio stesso attraverso le intelligenze angeliche (cfr. *S.T.* I, q. 22 a. 3).

112. più ti s'imbianchi: ti si chiarisca ancora, con altri argomenti. *Imbiancare* vale «illuminare», come a *Inf.* II 128.

113-4. impossibil veggio...: vedo bene che è impossibile che la natura *stanchi*, cioè venga meno al suo compito, in ciò che deve essere necessariamente. Questo concetto che risale ad Aristotele (si cfr. *De anima* III 9, 432b: «la natura non fa nulla invano né viene meno nelle cose necessarie») è ripreso dalla filosofia scolastica (*C.G.* III 129) e più volte espresso da Dante stesso (si veda soprattutto *Mon.* I, X 1 e *Questio* 44). La natura, cioè «la natura universale di tutto» che «tanto ha giurisdizione quanto tutto lo mondo, dico lo cielo e la terra, si stende» (*Conv.* IV, IX 2), non può mai mancare al suo compito, cioè alla conservazione e al compimento di tutti gli esseri creati.

115. Ond'elli ancora: dopo la pausa, creata dalla domanda e risposta della terzina precedente, comincia la seconda parte del ragionamento. Stabilito che le influenze dei cieli sulle diverse creature sono predisposte dalla provvidenza divina, si pone ora un'altra premessa alla soluzione del problema: alla vita sociale degli uomini, voluta dalla loro stessa natura, è necessaria una differenziazione delle attitudini, o doti naturali, quelle appunto che provengono dagli influssi celesti.

115-6. sarebbe il peggio...: sarebbe peggior condizione per l'uomo sulla terra, se egli non fosse *cive*, cittadino, cioè se non vivesse in una società costituita?
– *cive* è forma volutamente latina, per indicare l'abitante della «civitas», cioè l'ordinata convivenza umana alla quale l'uomo è disposto per sua natura, secondo l'insegnamento aristotelico: «l'uomo per sua natura è un animale civile» (*Pol.* I, I 2).

117. e qui ragion non cheggio: e per questo non ho bisogno di dimostrazioni. Il concetto era infatti ben

«E puot'elli esser, se giù non si vive
diversamente per diversi offici?
120   Non, se 'l maestro vostro ben vi scrive».
Sì venne deducendo infino a quici;
poscia conchiuse: «Dunque esser diverse
123   convien di vostri effetti le radici:
per ch'un nasce Solone e altro Serse,
altro Melchisedèch e altro quello
126   che, volando per l'aere, il figlio perse.
La circular natura, ch'è suggello
a la cera mortal, fa ben sua arte,
129   ma non distingue l'un da l'altro ostello.
Quinci addivien ch'Esaù si diparte

---

noto, e comunemente accolto, e Dante stesso lo cita più volte in appoggio ai suoi ragionamenti, come in *Conv.* IV, IV 1 e XXVII 3, o *Mon.* II, VII 2.

118-20. E puot'elli esser...: e potrebbe essere ciò (cioè che l'uomo sia *cive*), se giù sulla terra non si vivesse ognuno in modo diverso, adempiendo a compiti (*offici*) diversi? Aristotele (il *maestro vostro*) espone più volte l'idea della necessaria differenziazione dei compiti nella comunità civile (*Pol.* I, II; *Eth. Nic.* I, V e IX, IX) e Dante la ripete in *Conv.* IV, IV 1-2, dove afferma «la necessità della umana civilitade, che a uno fine è ordinata, cioè a vita felice; alla quale nullo per sé è sufficiente a venire sanza l'aiutorio d'alcuno, con ciò sia cosa che l'uomo abisogna di molte cose, alle quali uno solo satisfare non può. E però dice lo Filosofo che l'uomo naturalmente è compagnevole animale».

121. déducendo: argomentando, deducendo un'idea dall'altra.

– a quici: a qui, a questo punto. Per la forma epitetica, si veda *lici* a *Inf.* XIV 84 e relativa nota linguistica.

122. conchiuse: si giunge ora alla conclusione del lungo ragionamento, che risponde alla domanda di Dante.

122-3. Dunque esser diverse...: se gli uomini devono avere diversi compiti nella società civile è necessario (*convien*) che a tali diversi *effetti*, cioè diverse funzioni, corrispondano diverse *radici*, cioè attitudini. Per questo gli uomini sono diversi l'uno dall'altro, e poiché tali attitudini sono predisposte in loro dalle stelle e non dalla famiglia in cui nascono, così accade che un figlio possa essere del tutto diverso per indole dal padre o dagli avi.

124-6. Solone... Serse... Melchisedèch...: Solone, il famoso legislatore di Atene, e Serse, il re dei Persiani che sottomise l'Asia Minore e fece guerra alla Grecia, sono esempi classici, il primo dello statista, il secondo del condottiero; Melchisedech fu il primo e il più celebre dei sacerdoti d'Israele (*Gen.* 14, 18-20).

– quello / che, volando... il figlio perse: è Dedalo,

il grande artefice che costruì le ali per sé e per il figlio Icaro, il quale poi, in volo, precipitò dal cielo per essersi accostato troppo al sole (cfr. *Inf.* XVII 109-11). Un uomo dunque nasce per fare il politico, un altro per fare il guerriero; uno nasce sacerdote, un altro artefice. Sono ricordate qui le quattro attività principali nella comunità civile: governo, guerra, religione, arti.

127-9. La circular natura...: i corpi celesti, sempre ruotanti in cerchio intorno alla terra, che imprimono i caratteri individuali negli uomini mortali, come il sigillo sulla cera, fanno bene il loro ufficio (*sua arte*: cfr. v. 108), ma senza far distinzione tra dimora e dimora (*ostello*), cioè tra una famiglia e l'altra. Tutte le famiglie, nobili o vili, di re o di povera gente, sono quindi uguali per l'azione dei cieli su chi in esse nasce. Questo importante principio riconduce all'idea essenziale, sempre professata con forza da Dante, che le qualità sono della singola persona e non dipendono dalla stirpe.

130-1. Quinci addivien...: da qui, da questo agire dei cieli senza riguardo alla famiglia dove l'uomo nasce, avviene che anche due gemelli possano essere completamente diversi, per l'indole influita in loro dai cieli già nel seme in cui sono concepiti (*per seme*): Esaù e Giacobbe erano i due figli gemelli di Isacco, diver-

---

«E potrebbe essere ciò, se giù sulla terra non si vivesse ognuno in modo diverso, adempiendo a compiti (offici) diversi? No, se il vostro maestro (Aristotele) scrive bene». ◆ Così venne argomentando fino a questo punto (quici); poi concluse: «Dunque è necessario (convien) che tali diverse funzioni (effetti) corrispondano a diverse attitudini della natura (radici): per cui uno nasce Solone e un altro Serse, un altro Melchisedec e un altro colui (Dedalo) che volando per l'aria perse suo figlio. ◆ La natura circolare (cioè i corpi celesti), che imprimono i caratteri nelle creature mortali, come il sigillo sulla cera, fa bene il suo ufficio (sua arte), ma non fa distinzione tra dimora e dimora (ostello: cioè tra una famiglia e l'altra). Da qui avviene che Esaù si allontana ...

per seme da Iacòb; e vien Quirino
132 da sì vil padre, che si rende a Marte.
Natura generata il suo cammino
simil farebbe sempre a' generanti,
135 se non vincesse il proveder divino.
Or quel che t'era dietro t'è davanti:
ma perché sappi che di te mi giova,
138 un corollario voglio che t'ammanti.
Sempre natura, se fortuna trova

si per natura e destino, dei quali la Bibbia dice che si scontravano già nel seno materno (*Gen.* 25, 22).

– **per seme**: si riteneva che l'influsso astrale si esercitasse sull'uomo al momento del concepimento, determinandone l'indole: «quando l'umano seme cade nel suo recettaculo, cioè nella matrice, esso porta seco la virtù dell'anima generativa e la virtù del cielo» (*Conv.* IV, XXI 4).

131-2. e vien Quirino...: è il fondatore di Roma (Quirino è l'antico nome di Romolo per cui i Romani si dissero Quiriti) nasce da un padre di così umile condizione (*sì vil*) che, per non scandalizzare il popolo, fu dichiarato figlio di Marte. Secondo la tradizione Romolo era il figlio illegittimo di una vestale e i Romani ne celarono l'oscura origine attribuendo la sua nascita al dio Marte (Livio, *Praefatio* 6-7; I 4, 1-2; Orosio, *Hist.* VI, I 14). Sono dati così due diversi esempi dell'indipendenza dell'indole dalla famiglia di nascita: due gemelli di carattere opposto, un eroe da un padre umile e oscuro.

133-5. Natura generata...: la natura degli esseri generati, cioè dei figli, rifarebbe sempre il cammino dei padri (cioè ne ripeterebbe il carattere) se la provvi-

denza divina non vincesse, con la sua suprema disposizione, questa inevitabile inclinazione che renderebbe tutti uguali, di padre in figlio. Sembra che Dante citi qui, introducendo una correzione, un passo di Tommaso dove viene affermata tale identità: «nella natura la forma dell'essere generato ripete in qualche modo la forma del generante»: *S.T.* IIª IIªᵉ, q. 171 a. 6.

136. quel che t'era dietro...: ciò che prima non potevi vedere, ora ti è divenuto chiaramente visibile; si riprende l'immagine del v. 96.

137. che di te mi giova: che provo gioia, piacere a stare con te, a darti spiegazioni. – *giovarsi di* vale «aver piacere, diletto» di qualcosa (cfr. *Inf.* XVI 84).

138. un corollario: un'aggiunta non necessaria ma utile, come un mantello quando si è già vestiti. Per il valore di *corollario*, si veda *Purg.* XXVIII 136, dove è ugualmente dato *per grazia*, cioè in sovrappiù, del tutto gratuitamente. Questo *corollario* si rivelerà tuttavia di grande importanza, contenendo la risposta non alla questione formulata da Dante, ma al grave problema che la soluzione offerta comporta: se tutto è predisposto dalla mente divina, come possono aversi così tristi conseguenze, come ad esempio il malgoverno di Roberto?

139-41. Sempre natura...: la natura dell'uomo, così predisposta dal cielo, se trova la condizione in cui è posta a vivere dalla sorte (*fortuna*) da sé *discorde*, cioè non in accordo con la sua inclinazione, fa sempre cattiva riuscita, come ogni altro seme fuori dal terreno adatto (*region*). C'è dunque qualcosa che può impedire la buona riuscita a cui l'uomo è disposto dal *proveder divino*, qualcosa che ha il potere di turbare il perfetto ordine naturale del mondo. E questo qualcosa non può avere che un'origine: la libera volontà dell'uomo, sola creatura libera nel creato, come già è stato detto a I 127-32. Nel caso qui considerato gli uomini contrastano le disposizioni celesti ponendo uno di loro in condizioni avverse, contrarie alla sua inclinazione naturale.

142-4. E se 'l mondo là giù...: e se gli uomini facessero attenzione al fondamento, cioè all'inclinazione nativa posta nell'animo dalla natura, assecondandola (*seguendo lui*), avrebbero sempre le persone all'altezza del loro compito (*buone*, cioè «valenti»).

145-7. Ma voi torcete...: ma voi uomini forzate, de-

■

... già nel seme dal gemello Giacobbe; e Quirino nasce da un padre di così umile condizione (sì vil) che lo si dichiara figlio di Marte. ◆ La natura degli esseri generati (cioè dei figli) rifarebbe sempre il cammino dei genitori, se la provvidenza divina non vincesse (questa inclinazione). Ora ciò che prima ti stava dietro (e quindi non potevi vedere) ti è davanti (e quindi chiaramente visibile): ma perché tu sappia che provo gioia a stare con te, voglio rivestirti anche del manto di un corollario. ◆ La natura (dell'uomo), se trova la condizione datale in sorte (fortuna) ...

discorde a sé, com'ogne altra semente
141 fuor di sua regïon, fa mala prova.
E se 'l mondo là giù ponesse mente
al fondamento che natura pone,
144 seguendo lui, avria buona la gente.
Ma voi torcete a la religïone
tal che fia nato a cignersi la spada,
e fate re di tal ch'è da sermone;
148 onde la traccia vostra è fuor di strada».

viandolo dalla sua strada (*torcete*), alla vita religiosa, cioè a farsi frate, uno che sarebbe nato per fare il guerriero, o il re, mentre fate re uno che è nato per predicare (*da sermone*). C'è qui una sicura allusione – già riconosciuta dagli antichi – ai due fratelli di Carlo: Lodovico si fece infatti frate francescano, divenne vescovo di Tolosa, e fu canonizzato nel 1317; Roberto, uomo di lettere e studioso di teologia, compose numerosi sermoni (ce ne sono rimasti quasi trecento) che recitava egli stesso alla sua corte, e fu largamente stimato dagli uomini colti del tempo, tra i quali il Petrarca. Calzante dunque il riferimento a Roberto, più forzato quello al santo fratello. Ma che Lodovico avesse una autentica vocazione religiosa, come dimostra anche la sua canonizzazione, non conta qui per Dante, che come molti altri riteneva una sciagura il governo di Roberto e pensava che se Lodovico avesse preso in mano il regno che gli spettava come legittimo erede al trono avrebbe potuto governare meglio del fratello, buono solo a scrivere prediche.

146. **fia nato**: potrebbe essere nato. Per questo uso del futuro anteriore cfr. *Inf.* XXV 43.

– **a cignersi la spada**: è possibile che si voglia qui intendere, dato il contesto, l'attitudine a regnare – significando la spada il potere del sovrano – piuttosto che la capacità guerriera vera e propria.

147. **da sermone**: espressione volutamente ironica. Anche il poeta guelfo contemporaneo Pietro dei Faitinelli così sprezzantemente scrive di Roberto: «or sermoneggi, e dica prima e tersa» (*Rime* VIII 14). Il duro atteggiamento di Dante verso il re angioino rientra nella più generale condanna della casa di Francia, come si è detto, ma è certamente dovuto anche al ruolo da lui rivestito al tempo della discesa di Arrigo VII: Roberto, considerato il naturale baluardo dei guelfi italiani, fu infatti il capitano della lega guelfa antimperiale, nella quale Firenze aveva il primo posto, e dopo la morte di Arrigo fu nominato da Clemente V vicario dell'Impero in Italia.

148. **la traccia vostra...**: i più intendono: il vostro cammino, cioè di voi uomini, esce dalla giusta strada. Ma *traccia* potrebbe anche avere il senso di «schiera», come le altre volte nel poema (*Inf.* XII 55; XV 33; XVIII 79), e quindi indicare l'umanità, come una schiera di persone in marcia, che esce di strada: lettura che, per l'immagine che crea, ci sembra preferibile.

... discorde dalla sua inclinazione, fa sempre cattiva riuscita, come ogni altro seme fuori dal terreno adatto a lei (sua regïon*). E se gli uomini in terra (il mondo là giù) facessero attenzione al fondamento posto nell'animo dalla natura, assecondandolo (*seguendo lui*), avrebbero sempre le persone all'altezza del loro compito (*buone*).* ◆ *Ma voi uomini forzate (*torcete*) alla vita religiosa uno che sarebbe nato per cingere la spada, mentre fate re uno che è nato per predicare (*da sermone*): per cui l'umanità (la traccia vostra) esce di strada».*

approfondimenti

NOTE LINGUISTICHE

v.v. 43-4. promessa... s'avea: l'uso dell'ausiliare *avere* è frequente in antico nei verbi riflessivi, fino al Boccaccio e oltre. Si cfr. *Vita Nuova* XXXVIII 3: «la donna che tanto pietosa ci s'hae mostrata».

v. 60. m'aspettava: il verbo, retto da due soggetti (*Quella sinistra riva* del v. 58 e *quel corno d'Ausonia* del v. 61), è accordato soltanto con il primo dei due secondo un uso normalmente seguito (cfr. VI 75 e nota).

v. 114. stanchi: il verbo, altrove riflessivo (*Inf.* XIX 127), è usato qui in forma assoluta, secondo l'ambivalenza propria dell'uso antico, già incontrata (così *imbiancarsi* – qui al v. 112 – e *imbiancare* a XII 87).

SUGGERIMENTI PER LA RICERCA

Temi del canto

Il terzo cielo: Venere

Metti a confronto le credenze pagane relative al pianeta di Venere e le caratteristiche che invece Dante attribuisce al terzo cielo raccogliendo informazioni sui personaggi nominati (Venere, Dione, Cupido) da un Dizionario mitologico o dal *Dizionario della Commedia* di R. Merlante e leggendo con attenzione i passi citati nelle note di commento ai vv. 1-12. Per approfondire la ricerca consulta la voce *Venere. Il cielo di Venere*, a cura di M. Aurigemma, in *Enciclopedia Dantesca* V, pp. 921-923.

«Voi che 'ntendendo il terzo ciel movete»

Nel canto XXIV del *Purgatorio* Dante è riconosciuto da Bonagiunta Orbicciani come

il poeta delle *nove rime*, inaugurate dalla canzone *Donne ch'avete intelletto d'amore*, con le quali la poesia d'amore diventa «poesia della loda»; qui nel *Paradiso* è citata la canzone di apertura del II libro del *Convivio*, in cui l'amore celebrato, che vinse il primo, è quello per la Sapienza. Riprendi il passo *Purg.* XXIV 49-63, quindi leggi a confronto le due canzoni, cercando di comprendere, con l'aiuto dei commenti, il valore dei due amori nell'esperienza del poeta e il loro nesso con la Beatrice della *Commedia*. Esponi quindi in un breve scritto le tue osservazioni in proposito.

«com'esser può di dolce seme amaro»

In questo verso Dante ripropone una questione fondamentale nel suo pensiero: se le qualità di un uomo provengano dalla stirpe da cui discende o siano patrimonio della singola persona. Leggi *Conv.* IV, xx 5 e *Purg.* VII, 121-123 con la nota relativa, così da chiarire e approfondire la risposta di Carlo e riguarda il passo *Purg.* XVI 67-84 che affronta il problema del rapporto tra disposizione naturale e libero arbitrio. Rielabora poi in modo organico le riflessioni sulle tue letture, stendendo una breve relazione da esporre in classe.

Personaggi del canto

Carlo Martello

Carlo Martello incarna per Dante l'ideale del principe nobile e cortese: ricostruisci la realtà storica del personaggio consultando la voce relativa, a cura di R. Manselli, in *Enciclopedia Dantesca* I, pp. 841-843, oppure quella a cura di I. Walter nel *Dizionario biografico degli italiani* (XX, 379-382), senza tralasciare di ricercare in un atlante storico i luoghi citati nei versi 58-75; quindi confronta il ritratto dantesco col malinconico passo virgiliano che celebra il giovane Marcello (*Eneide*, VI 854-887), mettendo in luce le analogie tra i due giovani.

Roberto d'Angiò

Roberto d'Angiò, cui Dante allude alla fine del canto, segnò profondamente il panorama politico e culturale del suo tempo: fai una ricerca sui rapporti tra il sovrano e gli uomini di cultura con cui ebbe contatti, da Petrarca a Boccaccio, consultando la voce *Roberto il Saggio*, a cura di G. Peyronnet, nel *Dizionario Enciclopedico del Medioevo* (vol. III, p. 1637), il saggio di E. G. Léonard, *Gli Angioini di Napoli* (Dall'Oglio, Varese 1967), oppure altri testi a tua disposizione.

Lingua e stile

avesti ben onde – v. 55

Individua nel VI canto del *Purgatorio* la stessa espressione «aver ben onde», e stabiliscine l'esatto significato consultando il *Grande Dizionario della Lingua Italiana*, che ne fornirà anche altri più moderni utilizzi in letteratura.

Il verbo «accorare» – v. 73

Cerca sul *Grande Dizionario della Lingua Italiana* l'etimologia e il significato sia del verbo *accorare* che dell'aggetivo *accorato*. Individua poi, con l'aiuto delle *Concordanze*, gli altri passi della *Commedia* in cui tale verbo compare, stabilendo di volta in volta se sia usato in senso proprio oppure in senso figurato.

dosso – v. 96

Attribuisci, aiutandoti con la parafrasi, il corretto significato al sostantivo «dosso» nei seguenti passi della *Commedia*: *Inf.* XVIII 110, XXII 23, XXIV 67, XXXI 7; *Purg.* XIX 94; *Par.* II 100 e confrontalo con l'uso moderno. Cerca poi sul *Grande Dizionario della Lingua Italiana* l'etimologia del termine e annota le espressioni in cui più frequentemente è usato («mettersi, levarsi di dosso» ecc.).

CANTO IX

Introduzione

S olo nel secondo canto dedicato al cielo di Venere il lettore trova trattato quello che è comunemente considerato il principale aspetto di questo pianeta, e cioè il suo potente influsso sulla sfera dell'amore sensuale (il *folle amore*, come è detto a VIII 2); come se Dante avesse voluto togliere a questo cielo quell'esclusiva connotazione, ampliandone il raggio d'influenza anche in altri campi, secondo la tradizione astrologica che abbiamo ricordato nella precedente Introduzione. Qui incontreremo infatti spiriti dominati nella loro vita dall'istinto amoroso, ma tale naturale impulso, dovuto al pianeta, può tuttavia, nella concezione cristiana di Dante, per la quale l'uomo è libero di governare le sue azioni anche contro l'influenza degli astri (si veda *Purg.* XVI), essere rivolto non alla soddisfazione dei sensi, ma allo spirituale amore di Dio. Ed è quello che è appunto accaduto, in età avanzata, ai due personaggi che qui parleranno, per cui essi ora godono di ciò che per loro fu prima motivo di peccato, ma poi di salvezza.

Tuttavia nelle storie che essi narrano, come in quella del terzo spirito che sarà qui presentato, troveremo, accanto a questo tema proprio del canto, anche l'altro tema, quello politico, svolto nel canto precedente. Tutto lo svolgimento appare quindi condotto come su un duplice registro, quello dell'amore e quello della passione civile (il cui rapporto ha il suo fondamento culturale nella tradizione di cui si è detto). L'intersecarsi dei due temi genera una complessa struttura, nella quale è inoltre presente – tenuto sullo sfondo, ma determinante – un terzo motivo, come i primi due fortemente autobiografico: quello della poesia, che dell'una e dell'altra passione è come la voce, o almeno tale fu per colui che qui scrive.

Già introdotto nel canto VIII dalla citazione della canzone di Dante fatta da Carlo Martello – e dai riferimenti allusivi al canto infernale di Francesca – tale tema prende forte rilievo in questo canto IX, dove la figura centrale – Folchetto di Marsiglia – è uno dei più celebri fra i trovatori, che dichiarerà l'ardente passione d'amore della sua gioventù a confronto con quelle più famose dell'epopea e del mito. Così del resto nella cornice dei lussuriosi del *Purgatorio* le anime che s'incontrano sono quelle di due poeti (Guido Guinizzelli e Arnaut Daniel), e la stessa colpa d'amore di Francesca dalla poesia è provocata (*Noi leggiavamo un giorno per diletto*) e sempre dalla poesia giustificata (*Amor, ch'a nullo amato amar perdona*).

Poesia e amore, poesia e politica. È la storia stessa della vita di Dante, dalla poesia d'amore della giovinezza alla poesia morale o «di rettitudine» della maturità, a quella profetica che è all'origine stessa del poema. Per cui veramente può dirsi che il cielo di Venere gli appartiene in modo tutto particolare.

Il sovrapporsi dei diversi temi caratterizza dunque il canto, dove i due protagonisti prima parlano dei loro amori e poi si appassionano alle sorti della comunità terrena (civile e religiosa), e mentre il secondo – il principale attore sulla scena – è come si è detto uno dei più grandi fra i trovatori, la prima a parlare, Cunizza da Romano, è a sua volta famosa per il suo rapporto d'amore con un altro trovatore ben noto, Sordello da Goito.

Ad essi si aggiunge, brevemente presentata sulla fine del canto (come già l'imperatrice Costanza nel III), la figura biblica della meretrice Raab, anch'essa grande amante pentita e anch'essa coinvolta in una impresa politica – in quanto *favorì* la conquista di Gerico da parte degli Ebrei guidati da Giosuè verso la Terra Santa – come Folchetto, che nella seconda parte della sua vita, divenuto vescovo, condusse in Provenza la crociata contro gli albigesi.

I due protagonisti del canto concludono il loro parlare con un severo ammonimento, di tono profetico, l'uno rivolto al popolo trevigiano, l'altro alla curia romana. Tali passi appaiono collegati al discorso fatto da Carlo Martello nel canto precedente da un'uguale motivazione: si tratta infatti in tutti e tre i casi di una condanna delle forze politiche che si opponevano in Italia al progetto di restaurazione imperiale di Cangrande della Scala, presso il quale Dante allora si trovava, e che come è noto rappresentava per lui – dopo la morte di Arrigo VII – la figura provvidenziale che poteva riportare l'Italia nell'ordine da Dio voluto per il mondo. Nel discorso del canto VIII il rimprovero è rivolto alla casa di Angiò, baluardo dei guelfi in Italia (cfr. VI 100-108), mentre nei due ammonimenti profetici di questo canto gli oggetti della condanna sono quel centro di guelfismo antiscaligero che era allora la città di Padova, e la Curia papale. A pronunciare i tre discorsi sono scelti tre personaggi legati personalmente al potere politico condannato: il principe angioino nel primo caso, Cunizza da Romano nel secondo (cioè un membro del casato che aveva dominato in Padova nella prima metà del secolo) e un vescovo, quindi un rappresentante della Chiesa, nel terzo.

Questa scelta comporta una particolare passione nelle loro parole, che dà viva tensione drammatica alla pagina profetica. Il nome di Padova in bocca a Cunizza e la citazione sprezzante di *papa e cardinali* in bocca a Folchetto (come già il ricordo della *mala signoria* dei suoi, e l'errore del fratello – *mio frate* – nelle parole di Carlo) hanno una dolorosa violenza, in quanto la punizione che colpirà quei re, quella città, quei «pastori fatti lupi», colpisce di riflesso anche coloro che l'annunciano.

Al tema politico dell'Impero se ne unisce tuttavia in questo canto, nelle parole di Folchetto, un altro di non minore importanza, e che lo riguarda in modo specifico, quello delle crociate: papa e cardinali sono da lui rimproverati infatti per non curarsi più – tutti presi dai loro interessi temporali – della liberazione dei luoghi santi dalle mani degli infedeli. Per il poeta che scrisse le due grandi «canzoni di crociata» – quale fu Folco da Marsiglia – quella era una colpa ben grave; e la presenza di Raab, la meretrice che concorse a far entrare gli Ebrei nella Terra promessa da Dio, dà singolare rilievo a quel rimprovero e a quel ricordo.

L'accostamento tra Folchetto e Raab – tra colui che guidò la crociata contro gli albigesi e la donna che favorì l'espugnazione di Gerico – pone sullo stesso piano gli eretici e gli infedeli mussulmani che, come mostra il canto XXVIII dell'*Inferno*, erano anch'essi per Dante degli eretici (e si vedano nelle note le somiglianze specifiche tra i due eventi che i cronisti contemporanei osservarono e gli storici confermarono). Con la stessa passione Dante guardava di fatto alle due diverse crociate, come apparirà nel canto XII nella celebrazione di Domenico, il grande campione della fede contro l'eresia con le sole armi della *dottrina* e dello zelo (si vedano i vv. 97-102), e nel XV nelle parole di Cacciaguida, che partecipò come cavaliere, e vi trovò la morte, alla seconda crociata in Terrasanta (vv. 139-48); di quei due passi il finale di questo IX appare come un'anticipazione.

L'altro tema del canto, quello che è propriamente suo, cioè l'amore, è apparentemente quasi in secondo piano, se si guarda alla quantità di versi che gli sono dedicati. Ma in realtà tra i due è quello che ha maggiore intensità sul piano poetico: qui sta infatti la vera novità del canto, che esalta nel paradiso un uomo e due donne (tra cui addirittura una meretrice) dediti in gioventù al più smodato amore dei sensi. Mentre l'ammonimento profetico è tema ricorrente nel poema, la presentazione di questi tre salvati ci appare come una delle grandi pagine anticonformiste proprie di Dante (come la salvezza di Manfredi nel *Purgatorio*, o quella di Rifeo più avanti nel cielo di Giove). Qui non solo si afferma che l'amore appassionato dei sensi può trasformarsi nel più acceso amore divino (con evidente ricordo dell'episodio evangelico della Maddalena), ma anche che di tale loro passato quei beati provano gioia, in quanto fu quella disposizione naturale a portarli, una volta pentiti, a un così forte amore per Dio. Le parole di Cunizza (*lietamente a me medesma indulgo / la cagion di mia sorte*), e quelle di Folchetto (*non però qui si pente, ma si ride*), riferite al loro passato (come lo splendore di Raab, che supera tutti gli altri del suo cielo), sono le punte emergenti della novità contenuta in tutto il canto, novità di cui Dante ha chiara coscienza; Cunizza dice infatti che la sua letizia nel guardare al passato *parria forse forte al vostro vulgo*; come si dirà poi (XX 67) della salvezza di Rifeo: *Chi crederebbe giù nel mondo errante...*

L'ardimento dell'invenzione propria di questo canto sta nel fatto che i tre personaggi presentati si sono lasciati «vincere», come dice di sé Cunizza, dall'influsso di Venere non in misura limitata, e in qualche modo comune a tutti gli uomini; ma tutti e tre sono dei rappresentanti – e di indiscussa fama – di una passione sensuale vissuta in modo sfrenato. Di Cunizza ci riferisce l'antico commentatore Lana che «era de tanta larghezza in lo so amore che avrebbe tenuto grande villania a porsi a negarlo a chi cortesemente gliel'avesse domandato». Folchetto dice apertamente di se stesso che nessun famoso amatore del mito e della letteratura (Didone, Fillide, Ercole) arse più di lui per amore finché l'età glielo permise. Raab infine, che conclude la terna, è una pubblica peccatrice e la sua presenza in cielo – indiscutibile in quanto la sua santità, fondata sulla Bibbia, era riconosciuta da tutta la tradizione cristiana – serve da sigillo e come di avallo a tutta la serie. La forza e intensità della capacità di amare avuta in sorte dalla natura si trasforma infatti, in un cuore pentito, nel più alto e ardente amore di Dio.

Tale vicenda è del resto propria delle vite di molti santi, tra le quali è particolarmente importante, per quel che riguarda Dante, quella di Agostino, che la racconta nel suo celebre libro, le *Confessioni*, ben noto a Dante come ai più dei suoi lettori. Ma anche se queste realtà (come il fatto che una sola *lagrimetta* basti alla misericordia divina per salvare Buonconte) sono ben note ai cristiani, esse non cessano tuttavia di scandalizzare la maggior parte degli uomini (il *vostro vulgo*, come li chiama Cunizza), che non sanno uscire dal limite dei loro valori etici, i quali sono sempre quelli, propri della morale naturale, già definiti dalla filosofia aristotelica. Di fronte a un simile atteggiamento, proprio in ogni tempo dei cosiddetti «benpensanti», si misura la qualità innovatrice di questi testi, tipici della *Commedia*, che fanno centro su poche forti parole, poste quasi sempre in rima (come *indulgo, si ride, si tranquilla*), che s'innalzano come luminosi vertici nella trama delle terzine.

Come si è osservato, i tre temi che si intrecciano in questo canto – amore, politica, poesia – sono i temi dominanti della vita dell'autore, tanto da farne uno dei più scopertamente autobiografici della cantica. Le passioni che vivono i suoi personaggi – l'amore terreno sublimato in quello divino e l'ardore civile che si fa parola profetica – sono le stesse dell'animo di Dante, espresse, secondo il suo specifico genio, nella forma letteraria (come fu in parte anche per la figura dominante del canto, quella di Folchetto). Da tali passioni infine nacque il grande poema, e in grazie di esse quel poema è ancora singolarmente vivo, dopo tanti secoli.

CANTO IX

Nel cielo di Venere: gli spiriti amanti

1-12 Dante, rivolgendosi direttamente alla moglie di Carlo Martello, Clemenza, rivela di aver avuto da lui la profezia della frode che sarebbe stata compiuta ai danni della sua discendenza, insieme al divieto di riferirla: egli perciò può solo annunciare che non mancherà il giusto castigo dei torti subiti.

13-36 Un'altra luce si fa incontro a Dante e, assecondando il suo desiderio, si presenta come Cunizza da Romano, originaria della Marca Trevigiana e sorella di quell'Ezzelino che della Marca era stato un famigerato tiranno. Anche lei in vita è stata vinta dall'influsso di Venere, ma della sua debolezza non si rammarica, anzi si rallegra, cosa che sarà ben difficile a intendere alla gente comune.

37-63 Cunizza indica uno spirito vicino a lei, noto per la buona fama che ha lasciato in terra. La turba che abita la Marca Trevigiana, invece, non si preoccupa di fare lo stesso né si ravvede nonostante le sventure con cui Dio l'ha colpita; perciò ben presto dovrà scontarne la pena: la attende infatti la sconfitta in battaglia dei Padovani, la morte violenta del signore di Treviso e lo spietato tradimento del vescovo di Feltre ai danni dei fuoriusciti ferraresi. La profezia è degna di fede perché le anime possono leggere i giudizi divini riflessi dal coro angelico dei Troni verso i cieli inferiori.

64-108 Cunizza ha appena finito di parlare che l'altra luce diventa ancora più splendente: la luminosità, infatti, in paradiso è segno della letizia, come sulla terra il sorriso. Pregata da Dante, l'anima si presenta come Folco, originario di Marsiglia: la sua vita terrena è stata così profondamente segnata dall'influsso di Venere, finché ne ha avuto l'età, che neppure i più famosi amanti celebrati dagli antichi poeti hanno bruciato d'amore più di lui. Eppure ora non se ne pente, ma ne è lieto perché la potenza divina ha redento tale inclinazione.

109-126 Anche Folco presenta un'altra anima, quella della biblica meretrice Raab, degna della salvezza perché favorì la vittoria di Giosuè su Gerico nella conquista della Terra Promessa.

127-142 La menzione della Terra Santa offre l'occasione a Folco per una fiera rampogna contro l'alto clero che, attratto dai beni terreni, trascura lo studio dei testi sacri e i propri doveri presso i luoghi santi. Ma Roma sarà presto liberata da coloro che la occupano indebitamente.

Da poi che Carlo tuo, bella Clemenza,

1. Da poi che Carlo tuo...: l'attacco segue e conclude la scena del canto precedente, con stretta continuità, e insieme indica un cambiamento di argomento, dal piano dottrinale al piano profetico, che è quello che dominerà nel nuovo canto.

– **bella Clemenza**: con apostrofe inaspettata, Dante si rivolge qui a Clemenza, la bella e giovane moglie di Carlo Martello, morta poco dopo di lui. Alcuni hanno pensato che si tratti invece della figlia, anch'essa di nome Clemenza, regina di Francia, ancora viva al momento della stesura del canto. Ma oltre alle forti ragioni già da altri addotte – il possessivo *tuo* è proprio dello sposo, non del padre, e il *vostri* del v. 6 conviene ai genitori di colui che subisce l'offesa ben più

che al padre e alla sorella –, l'improvviso rivolgersi del poeta alla donna non si spiega se non con il forte e commosso incalzare dei ricordi giovanili legati alla figura del principe, nell'atmosfera amorosa del cielo di Venere. Clemenza d'Asburgo era passata per Firenze ancora fanciulla, recandosi con grande corteggio dalla casa paterna a quella del promesso sposo; quel passaggio, e la sua morte in giovanissima età quasi insieme allo sposo, non potevano non avere suscitato una forte impressione nell'animo sensibile di Dante.

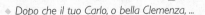

◆ *Dopo che il tuo Carlo, o bella Clemenza, ...*

m'ebbe chiarito, mi narrò li 'nganni
3   che ricever dovea la sua semenza;
  ma disse: «Taci e lascia muover li anni»;
sì ch'io non posso dir se non che pianto
6   giusto verrà di retro ai vostri danni.
  E già la vita di quel lume santo
rivolta s'era al Sol che la rïempie
9   come quel ben ch'a ogne cosa è tanto.
  Ahi anime ingannate e fatture empie,
che da sì fatto ben torcete i cuori,
12   drizzando in vanità le vostre tempie!
  Ed ecco un altro di quelli splendori

2. **m'ebbe chiarito, mi narrò**: i due verbi esprimono i due diversi livelli del discorso di Carlo, da un canto all'altro, prima dottrinale (*m'ebbe chiarito*, cioè «ebbe risolto il mio dubbio»), poi profetico (*narrare* è verbo usato anche altrove nel poema per dire eventi visti nel futuro: cfr. *Inf.* XV 88 e *Purg.* XXXIII 40).

– **li 'nganni**: l'usurpazione fraudolenta del regno. Il figlio di Carlo Martello (*la sua semenza*), Carlo Roberto, fu escluso nel 1296 dal re Carlo II, suo nonno, dal diritto di primogenitura a favore dello zio Roberto, con l'approvazione di Bonifacio VIII, e alla morte di Carlo II nel 1309 tale delibera fu confermata da Clemente V, nonostante le proteste del principe. La successione era giuridicamente valida, ma l'azione di Carlo e di Roberto per togliere il trono al legittimo erede poteva nella sostanza essere considerata una frode. E lo era per Dante, che sempre guarda all'interno delle coscienze, più che all'esteriorità delle forme.

4. **ma disse: «Taci...**: come dire: non parlare adesso di ciò che ti ho rivelato, ma lascia che il volgere stesso del tempo lo faccia conoscere agli uomini, quando ciò si realizzerà. Il verso, brusco e potente, lascia intravedere in quel *muover* degli anni prima *li 'nganni* e poi il *pianto* che ne seguirà.

5-6. **sì ch'io non posso dir...**: così che io, vincolato da quell'ordine di tacere, non posso se non preannunciare vagamente che una giusta punizione seguirà il torto che voi due (Clemenza e Carlo) avete subìto nella persona del vostro figliolo.

■

... ebbe chiarito il mio dubbio, mi narrò le frodi che doveva subire (nella successione al regno) la sua discendenza; ma disse: «Taci (per ora) e lascia passare gli anni»; così che io non posso dire altro che una giusta punizione seguirà i torti che voi avete subìto (vostri danni). ♦ E già l'anima che dava vita a quella santa luce si era rivolta al sole che la riempie (Dio), come a quel bene che basta in abbondanza (è tanto) ad appagare ogni cosa. Ahi anime ingannate e creature empie, che da tale bene distogliete i cuori, dirigendo i vostri volti verso le cose vane (in vanità)! ♦ Ed ecco un'altra di quelle luci splendenti ...

– **pianto/giusto**: molti riconoscono in questo «giusto dolore» che colpirà Roberto la morte di due suoi congiunti, un fratello ed un nipote, avvenuta nella battaglia di Montecatini (1315), nella quale le forze angioine furono sconfitte da Uguccione della Faggiola. Si tratterebbe dunque di una profezia «post eventum» (relativa a un evento già accaduto), come molte altre nel poema, che servirebbe anche a datare la stesura di questo canto. Ma sembra più probabile si tratti qui di un annuncio indeterminato, di più grave sventura, quale la rovina definitiva del re angioino, senso che meglio si accorda alla gravità del contesto; una profezia cioè dello stesso genere di quella che chiuderà il canto (cfr. vv. 139-42 e note).

7. **E già la vita...**: e già l'anima che abitava e dava vita a quella santa luce... Le anime, celate e rivestite dal loro stesso splendore, ne sono come la vita interna.

8. **rivolta s'era...**: con atto improvviso, Carlo si rivolge a Dio, suo supremo bene, distogliendosi dal colloquio con Dante. Finito il suo compito, e chiusi in esso i ricordi cari e tristi della terra, egli sembra allontanarsene, per reimmergersi nella contemplazione di colui che lo appaga (*rïempie*) in modo totale e perfetto.

9. **come quel ben...**: come a quel bene che basta in abbondanza (*è tanto*) a contentare, ad appagare ogni cosa. Il verso, con moto di rapimento e di pace, lascia intendere come tutte le altre cose, anche le più care, non sono mai sufficienti a saziare la sete dell'uomo, né possono, al confronto di *quel ben*, essere anche per poco rimpiante.

10-2. **Ahi anime ingannate...**: all'atto di Carlo Martello che si volge al solo bene che può bastare all'uomo e «riempire» il suo desiderio, Dante guarda con dolore agli uomini sulla terra, «ingannati» dai falsi beni mondani, che «torcono» i loro cuori, con movimento opposto, verso le cose vane (*in vanità*) che possono soltanto deluderli. L'esclamazione dolente, che nasce dal forte contrasto, è propria di più luoghi del *Paradiso*. Qui si ritrova il tema, tante volte riproposto, dei beni vani e ingannevoli che l'uomo ciecamente

ver' me si fece, e 'l suo voler piacermi
15   significava nel chiarir di fori.
        Li occhi di Bëatrice, ch'eran fermi
sovra me, come pria, di caro assenso
18   al mio disio certificato fermi.
        «Deh, metti al mio voler tosto compenso,
beato spirto», dissi, «e fammi prova
21   ch'i' possa in te refletter quel ch'io penso!».
        Onde la luce che m'era ancor nova,
del suo profondo, ond'ella pria cantava,
24   seguette come a cui di ben far giova:
        «In quella parte de la terra prava

ricerca, non guardando in alto, a quel cielo che Dio sempre gli offre (cfr. *Purg.* XIV 148-50 e XIX 61-3). – *fatture* vale «creature»; *empie*, perché si distolgono da colui che le ha create.

– **tempie**: è parte per il tutto e indica il volto, in particolare gli occhi, rivolti in basso: cfr. *Purg.* XIV 150.

13. Ed ecco un altro: concluso l'incontro con Carlo Martello, si fa avanti un altro spirito. Comincia qui la nuova scena del cielo di Venere, quella a cui è dedicato il canto IX.

14. ver' me si fece: si avanzò verso di me; come sempre accade, anche nelle prime due cantiche, l'uomo dell'aldilà che incontra il pellegrino terreno si distacca dagli altri e occupa da solo la scena, dando così quel rilievo all'individuo che è tipico del poema di Dante.

14-5. 'l suo voler...: manifestava (*significava*), con il suo esterno fulgore, l'interno desiderio di compiacermi. – *chiarire* vale «risplendere», da *chiaro*, «luminoso». La luce è il solo mezzo sensibile che nei beati esprime i sentimenti dell'animo, come negli uomini il volto (si cfr. il riso di Giustiniano a V 124-6). Tale espressione, che sempre si ripete ad ogni incontro, è occasione di sempre nuove invenzioni e variazioni, che formano come un tessuto continuo di luce nel racconto paradisiaco.

17. come pria: si riferisce a ciò che segue: mi dettero il suo assenso, come avevano fatto prima (VIII 41-2).

17-8. di caro assenso...: mi fecero (*fermi*) certo del suo consenso al mio desiderio, s'intende di parlare al nuovo spirito.

19-21. Deh, metti...: poni un rimedio, una giusta compensazione al mio desiderio (di sapere chi tu sia) e dammi così la prova (*fammi prova*) che ciò ch'io penso possa riflettersi in te, in modo che tu lo intenda anche se io non lo esprimo in parole.

– **compenso**: etimologicamente «peso uguale», «contrappeso» (da «cum» e «pensum», peso); quindi una risposta che sia pari al mio desiderio, e possa soddisfarlo.

22. nova: ignota, sconosciuta.

23. del suo profondo...: dalla profondità della luce

in cui era racchiusa, dalla quale prima di farmisi incontro essa levava il suo canto di lode a Dio (cfr. VIII 28-30); il verso espone con rara intensità e bellezza – con le due sole parole *profondo* e *cantava* – quel canto che sale dalle profondità della luce, rapito e assorto in Dio.

24. seguette...: continuò, passando dal canto alla parola, «col tono lieto di chi si compiace di far cosa buona» (Vandelli).

25. In quella parte...: l'anima comincia descrivendo la sua terra d'origine, come già Francesca, e molti altri nel poema. Ma l'indicazione geografica ha questa volta una specifica funzione politica: quella regione della *terra prava* d'Italia, una volta felice, è ora luogo di corruzione e di empietà, e ad essa sarà rivolta la denuncia e la profezia dello spirito beato che l'abitò in terra.

– **terra prava**: cioè malvagia, corrotta; è la stessa denominazione usata per Firenze a *Inf.* XVI 9, dove si rimpianse (vv. 67 sgg.) la fine di *valore e cortesia* da parte di suoi nobili cittadini del passato. E Firenze sarà più avanti condannata anche in questo canto. Il richiamo è dunque non casuale, ma illumina il senso di tutta la descrizione che segue.

■

... si avanzò verso di me, e manifestava (significava), con il suo esterno fulgore, il suo desiderio di compiacermi. Gli occhi di Beatrice, che erano fermi sopra di me, come prima mi fecero (fermi) certo del suo caro consenso al mio desiderio. «Deh, dài presto soddisfazione al mio desiderio (di sapere chi tu sia), spirito beato, e dammi così la prova (fammi prova) che ciò ch'io penso possa riflettersi in te». ◆ Allora la luce che mi era ancora ignota, dalla sua profondità, dalla quale prima essa cantava, continuò a parlare, come uno che è felice di fare del bene: «In quella regione della terra corrotta ...

> italica che siede tra Rïalto
>
> 27   e le fontane di Brenta e di Piava,
>
> si leva un colle, e non surge molt'alto,
>
> là onde scese già una facella
>
> 30   che fece a la contrada un grande assalto.
>
> D'una radice nacqui e io ed ella:
>
> Cunizza fui chiamata, e qui refulgo
>
> 33   perché mi vinse il lume d'esta stella;

26-7. che siede tra Rïalto: che si estende tra il territorio veneziano (Rialto è l'isola principale tra quelle su cui sorge Venezia e sta per la città, a cui dette il nome fino all'XI secolo) e i monti da cui hanno origine (*fontane* sono le sorgenti) i fiumi Brenta e Piave, cioè il Trentino e il Cadore. Si indica così, con un triangolo come già il regno di Napoli a VIII 61-3, e servendosi dei fiumi, come nelle altre designazioni di luoghi fatte in quel passo da Carlo Martello, il territorio della Marca Trevigiana, che comprendeva all'incirca l'attuale Veneto, esclusa Venezia.

28. un colle: è il colle di Romano, su cui sorgeva il castello degli Ezzelini, signori della Marca, alla cui famiglia appartenne lo spirito che qui parla.

– e non surge molt'alto: di fatto, solo ottanta metri sulla pianura; ma la precisazione sembra dover contenere un significato: probabilmente, come suggerì il Torraca, si vuol rilevare il contrasto «fra la poca altezza del colle e il grande *assalto* che fece la *facella* da esso discesa».

29. una facella: una fiaccola portatrice d'incendio. La metafora indica Ezzelino III da Romano, il feroce tiranno che sta immerso nel fiume di sangue del settimo cerchio infernale (*Inf.* XII 109-10). Di lui una leggenda narrava che la madre, prossima al parto, aveva sognato di dare alla luce una fiaccola che incendiava tutta la regione: segno della violenza da lui fatta al paese con la sua tirannide. Un simile sogno, topico delle vite popolari di figure eroiche, è riferito nella poesia classica ad Ecuba, madre di Paride (che doveva scatenare la guerra di Troia), e nelle vite dei santi alla madre di san Domenico, che doveva incendiare il mondo con la sua parola (sogno ricordato a XII 58-60). Qui Dante si serve della metafora, a tutti nota, per affiancare due ben diverse luci, di due ben diversi fratelli: alla *facella* devastatrice di Ezzelino risponde infatti il *rifulgere* della sorella Cunizza (v. 32) che brilla nel cielo di Venere, in paradiso.

30. grande assalto: grande violenza e danno. Si ricordi come nell'*Inferno* sono definiti i tiranni: *che dier nel sangue e ne l'aver di piglio* (*Inf.* XII 105).

31. D'una radice: da una stessa radice, cioè dagli stessi genitori (*radice* in questo senso anche a XV 89 e *Purg.* XX 43). Il diverso destino dei due fratelli, sottolineato da quell'*una*, richiama il tema svolto da Carlo Martello nel canto precedente dove si portano ad esempio Esaù e Giacobbe, nati appunto dallo stesso padre.

32. Cunizza: figlia di Ezzelino II da Romano e di Adelaide di Mangona, nata sulla fine del XII secolo e morta a Firenze dopo il 1279, anno nel quale redasse il suo testamento. Di lei erano noti i molti amori e i facili costumi. Sposata nel 1222 al signore di Verona, Rizzardo di San Bonifacio, fu da quella corte rapita dal trovatore Sordello e ricondotta presso i fratelli. Dopo una relazione – non certa – con il trovatore, fuggì dalla casa dei suoi con il cavaliere trevisano Enrico da Bovio, con il quale errò per molte città, conducendo una vita di piaceri. Tornata a Treviso, dove il Bovio fu ucciso, Cunizza si sposò in seguito altre due volte. Tutte queste notizie, non altrimenti documentate, ci sono date dal cronista padovano Rolandino, che scrive nel 1260 (cfr. RIS VIII, col. 173). Nella vecchiaia, tramontata la fortuna della sua famiglia, Cunizza si stabilì a Firenze presso i parenti materni dove Dante poté conoscerla – o almeno sentirne parlare – come donna ormai pentita e con il cuore rivolto a Dio, come ce la presenta Benvenuto. Di lei ci resta, oltre il testamento, un atto redatto nella casa dei Cavalcanti nel 1265, nel quale rende la libertà agli uomini di masnada del padre e dei fratelli. Di lei gli antichi commenti ricordano concordemente la libertà dei costumi, ma anche il pentimento. E Benvenuto osserva come la sua indole incline all'amore la rendesse anche misericordiosa, pia, benevola verso tutti. Sul significato della scelta di Dante di porre Cunizza in paradiso, si è detto nella Introduzione al canto.

33. perché mi vinse...: perché subii, mi lasciai dominare dall'influsso di questo pianeta, che induce all'amore (*che d'amar conforta* è detto in *Purg.* I 19; si veda anche *Conv.* II, v 14). Questo verso stabilisce un rapporto fra la presenza dei beati nei vari cieli e l'influenza esercitata dai pianeti sulla loro indole, cioè un criterio «astrologico» nell'ordinamento dei beati nelle sfere: criterio che sembra non conciliarsi con la concezione cristiana, che commisura il grado di beatitudine al merito acquisito dal singolo nella sua libera risposta all'amore divino (come Dante stesso afferma a II 118-20 e

---

... d'Italia, che si estende tra l'isola di Rialto (cioè il territorio veneziano) e i monti dove si trovano le sorgenti dei fiumi Brenta e Piave (cioè il Trentino e il Cadore), si leva un colle (il colle di Romano), e non si erge molto in alto, da dove un tempo provenne una fiaccola, che fece alla regione grande violenza (assalto). ◆ *Da una stessa radice (cioè dagli stessi genitori) nascemmo io e quella fiaccola: mi chiamai Cunizza, e splendo qui perché mi lasciai vincere dall'influsso di questo pianeta (cioè Venere); ...*

> ma lietamente a me medesma indulgo
> la cagion di mia sorte, e non mi noia;
> 36   che parria forse forte al vostro vulgo.
> Di questa luculenta e cara gioia
> del nostro cielo che più m'è propinqua,
> 39   grande fama rimase; e pria che moia,
> questo centesimo anno ancor s'incinqua:
> vedi se far si dee l'omo eccellente,

XIV 40-2). Ma si ricordi che in *Purg.* XVI 67-78 è detto che l'uomo può «vincere» l'influenza del cielo, se essa conduce al male, grazie al libero arbitrio. E Cunizza dice appunto che in quella battaglia Venere la *vinse*. Si veda quanto si è detto sul problema nella Introduzione al canto IV.

34-5. ma lietamente...: il primo verso, pregnante e bellissimo, esprime in modo difficilmente traducibile il sentimento profondo di questa donna che dopo una vita di peccato, in forza dello stesso amore che prima la indusse al male, si trova ora a godere della felicità celeste: con gioia io perdono a me stessa, cioè considero con indulgenza, quell'inclinazione ad amare che mi fece peccare ma anche redimere, volgendomi all'amore divino e portandomi in questo cielo (*la cagion di mia sorte*).

– **e non mi noia**: e non me ne rammarico in alcun modo (per il senso antico di *noiare*, recare danno, dolore o offesa, si cfr. *Inf.* XXIII 15 e nota).

36. che parria forse forte: cosa che forse sembrerebbe difficile a intendere al volgo, giù sulla terra (*vostro*). Ed era *forte*, come ben sapeva Dante, a molti suoi lettori, di allora e di ora. Il verso rivela come il poeta sia consapevole dell'ardimento che è racchiuso nella dichiarazione di Cunizza (in quel *lietamente indulgo* e in quel *non mi noia*, che escludono rammarico per il suo passato). Parole *forti*, ardue, che sconcertano i benpensanti, come lo furono quelle di Gesù per il suo ospite Simone e per tutti i presenti, quando accolse la peccatrice che gli lavava i piedi col suo pianto: «le sono perdonati i suoi molti peccati, perché ha molto amato» (*Luc.* 7, 47). Solo alla luce di questo passo evangelico, infatti, crediamo che si possa veramente intendere questa singolare terzina dantesca, dove lo stesso amore che portò a peccare è causa della beatitudine eterna in cielo.

37 sgg. Di questa...: la terzina precedente chiude, con quelle profonde e definitive parole, la prima parte del discorso di Cunizza, quella che riguarda la sua vita. La presentazione che ora ella fa di un nuovo spirito, a lei vicino, serve di passaggio alla seconda parte, dove si affronta il tema politico. Lo stesso schema seguirà la parlata dell'altro abitante del cielo di Venere, che occupa la seconda metà del canto.

– **luculenta e cara gioia**: luminosa e preziosa gemma (cfr. X 71); le tre parole in fila vogliono dare il massimo splendore all'anima che ora si presenta, personaggio in realtà di grande rilievo, prima trovatore e poi vescovo, eccellente in ambedue i ruoli, come si dirà; Cunizza ne parla con una raffinatezza di linguaggio, ric-

co di latinismi (*luculenta, propinqua, relinqua*), che sembra preludere al modo con cui più avanti Dante stesso lo interpellerà (vv. 73-81) e che si intona alla sua realtà storica di poeta.

38. propinqua: vicina.

39. grande fama: si è discusso se si alluda qui alla fama di poeta, o a quella di uomo di chiesa, l'una e l'altra acquistate in larga misura dallo spirito ora presentato. Ma proprio perché non è specificato di quale si tratti, si deve intendere di ambedue, che insieme lo caratterizzano, come vedremo.

40. s'incinqua: si moltiplica per cinque; verbo di conio dantesco, come *s'immilla, s'addua, s'intrea* ecc. Il *centesimo anno* è il 1300, ultimo di un secolo, nel quale si compie la visione. Il verso può dunque voler dire: si compirà altre cinque volte un secolo, cioè passeranno altri cinque secoli, oppure (come fa preferire l'uso di *questo*): si ripeteranno altre cinque volte 1300 anni, ne passeranno cioè altri 6500. Nel primo caso l'indicazione è indeterminata e vuol significare soltanto che la fama durerà molti e molti anni, come preferiscono intendere i critici moderni. Nel secondo caso potrebbe invece trattarsi di un'allusione precisa al compiersi del «grande anno», o «anno cosmico», che dovrebbe avvenire a 13.000 anni dalla creazione (esattamente 12.954) secondo l'opinione accolta da Servio nel commento all'*Eneide* (*In Aen.* III 954); 6500 anni sono infatti già passati, per la cronologia antica seguita da Dante (si veda XXVI 118-23 e nota), e altri 6500 ne devono dunque passare. L'uso del numero cinque (e non cento o mille come altrove) e il preciso riscontro del numero degli anni fanno inclinare verso questa seconda interpretazione, per la quale si veda la nota di approfondimento alla fine del canto. Anche il senso del verso viene in questo caso ad acquistare valore: la fama di costui durerà quanto il moto in corso degli astri (si cfr. *quanto 'l mondo lontana* detto di Virgilio a *Inf.* II 60).

... *ma con gioia io perdono a me stessa la ragione della mia sorte (cioè l'inclinazione ad amare), e non me ne rammarico (non mi noia); cosa che forse sembrerebbe difficile a intendere alla gente del vostro mondo (vostro vulgo).*
◆ *Di questa luminosa e preziosa gemma del nostro cielo, che mi è più vicina, rimase una grande fama; e prima che (questa fama) muoia, questo anno centesimo (il 1300) si moltiplicherà ancora per cinque: vedi dunque se l'uomo deve rendersi illustre, ...*

42   sì ch'altra vita la prima relinqua.
        E ciò non pensa la turba presente
        che Tagliamento e Adice richiude,
45   né per esser battuta ancor si pente;
        ma tosto fia che Padova al palude
        cangerà l'acqua che Vincenza bagna,
48   per essere al dover le genti crude;
        e dove Sile e Cagnan s'accompagna,
        tal signoreggia e va con la testa alta,

42. sì ch'altra vita...: così che la prima vita (quella terrena) lasci (*relinqua*) dietro di sé una seconda vita, quella della fama. L'esortazione rivolta all'uomo da parte di un beato, a *farsi eccellente* per lasciar fama di sé nel mondo dopo la morte, sembra contraddire a ciò che è detto altrove, sulla vanità della gloria terrena di fronte all'eterno. Ma in questo cielo, dove si guarda soprattutto ad eventi terreni e si denunciano situazioni di corruzione civile, ci si rivolge agli uomini in quanto operanti nella storia. Di qui l'importanza di un agire storico che lasci anche *onorato nome* in terra, quella fama cioè dovuta a virtù umane – non divine – da Dante sempre riconosciuta e onorata nel poema (cfr. *Inf.* XVI 58-60).

43-4. E ciò non pensa...: a *farsi eccellente*, a lasciar fama onorata di sé, non pensa oggi il popolo che abita la Marca Trevigiana (*turba* ha valore spregiativo, come di gente bruta che non segue più il giudizio e il freno della ragione). Cunizza passa così – attraverso la presentazione dello spirito *eccellente* sulla terra – alla seconda parte del suo discorso, ammonitrice e profetica, quella per la quale è stata scelta da Dante ad apparire in questo cielo.

44. che Tagliamento e Adice: due fiumi, come già nel discorso precedente (Brenta e Piave), delimitano e definiscono la regione: essi segnano, a est e a ovest, i confini della Marca Trevigiana.

45. per esser battuta...: ha valore concessivo: e pur essendo colpita da sventura (*battuta*, s'intende, dal giudizio divino; cfr. *Purg.* XIV 151), non per questo ancora si ravvede.

... così che la prima vita (quella terrena) lasci (relinqua) dietro di sé un'altra vita (quella della fama)! ♦ *E a ciò non pensa il popolo che oggi abita la regione racchiusa tra i fiumi Tagliamento e Adige (cioè la Marca Trevigiana), e pur essendo colpito da sventura (battuta), non per questo ancora si pente; ma presto accadrà che presso la palude Padova cambierà (col sangue degli uccisi) il colore dell'acqua del fiume (il Bacchiglione) che bagna Vicenza, per il fatto che le popolazioni sono restie a compiere (crude) il loro dovere; e là dove si congiungono i fiumi Sile e Cagnano (cioè a Treviso), un tale (Rizzardo da Camino) signoreggia e va con la testa alta ...*

46. ma tosto fia: ma presto accadrà; con brusco scarto di tono e di linguaggio, comincia ora l'ultima sequenza del discorso. Cunizza profetizza sventure anche più gravi agli impenitenti abitanti della Marca, annunciando tre eventi, posti in crescendo: la sconfitta in battaglia dei padovani, l'assassinio di un signore, il tradimento compiuto da un vescovo. Tutta la profezia è condotta con immagini crude ed evidenti, con linguaggio fortemente realistico, e tono insieme amaro e sarcastico. La dolcezza e la luce che improntano il cielo di Venere sono come sopraffatte, con voluto contrasto, dalla triste realtà terrena.

– al palude: è la palude formata dal Bacchiglione presso Vicenza, dove i guelfi padovani furono sanguinosamente sconfitti da Cangrande venuto in aiuto dei ghibellini di Vicenza nel 1314 (Villani X, LXIII). Appare qui sullo sfondo la figura del signore scaligero, che è in realtà il principale ispiratore di questo passo; si veda quanto a questo proposito è detto nella Introduzione al canto.

47. cangerà l'acqua...: cambierà (col sangue degli uccisi) il colore dell'acqua del fiume che bagna Vicenza. È variazione del celebre verso dell'*Inferno* (X 86), dove si ricorda la battaglia di Montaperti. Anche questa volta una vittoria ghibellina, ma vista con ben diverso animo da Dante, che in Cangrande riponeva ora la speranza di un possibile avverarsi del suo sogno imperiale.

48. per essere al dover...: per la resistenza opposta dalle popolazioni (*crude* vale «restie», «ribelli»; cfr. *Inf.* XXII 120) al loro dovere di accettare Cangrande come signore, in quanto vicario imperiale. L'atteggiamento antimperiale di Padova, covo del guelfismo veneto, è all'origine di questa pagina di condanna, come si è detto.

49. e dove Sile...: seconda sventura annunciata: là dove si congiungono i due fiumi Sile e Cagnano, cioè a Treviso (si noti il persistente uso dei fiumi a designare i luoghi, proprio di questo canto come del precedente), sarà ucciso a tradimento il signore della città.

50. tal: Rizzardo da Camino, figlio del *buon Gherardo* (*Purg.* XVI 124) e marito di Giovanna Visconti (cfr. *Purg.* VIII 71), signore e vicario imperiale di Treviso, fu assassinato nel 1312 da un sicario mentre giocava a scacchi, sembra per una congiura ordita dai nobili insofferenti del suo dominio tirannico.

51   che già per lui carpir si fa la ragna.
    Piangerà Feltro ancora la difalta
    de l'empio suo pastor, che sarà sconcia
54   sì, che per simil non s'entrò in malta.
    Troppo sarebbe larga la bigoncia
    che ricevesse il sangue ferrarese,
57   e stanco chi 'l pesasse a oncia a oncia,
    che donerà questo prete cortese
    per mostrarsi di parte; e cotai doni

51. per lui carpir: per prenderlo, catturarlo (come un uccellino), già si fa la *ragna*, la rete (cioè già si trama la congiura per ucciderlo). La rete pronta a prenderlo è in forte contrasto con quell'andare a *testa alta*, proprio del superbo nel poema di Dante (cfr. *Inf.* I 47 e *Purg.* XII 70).
– **ragna**: «la ragna è rete sottilissima, con cui si prendono gli uccelletti» (Torraca); cfr. *Rime* C 23. L'acqua che cambia colore, la rete che prende l'uccello, e più avanti la *bigoncia* che non potrebbe raccogliere il sangue ferrarese: ognuna delle tre profezie è data con una immagine, sempre di singolare evidenza, così che tutto il discorso profetico si struttura, come già nella Bibbia, su una serie di metafore che lo fanno insieme coperto, velato e fortemente concreto.
52. Piangerà Feltro: dopo Padova e Treviso, un'altra città della Marca, Feltre, dovrà «piangere», colpita dal castigo divino.
– **la difalta**: la grave colpa; la parola (dall'ant. franc. «defaut») è usata – non in rima – per il peccato di Adamo a *Purg.* XXVIII 94-5, e vuole avere probabilmente valore più forte del semplice «colpa».
53. de l'empio suo pastor: presso il vescovo di Feltre, Alessandro Novello di Treviso, si erano rifugiati nel 1312 quattro fuorusciti ferraresi, che fuggivano da Pino della Tosa, vicario di Roberto d'Angiò e della Chiesa in Ferrara. Il vescovo, cedendo alla pressioni di Pino e dei trevisani, li consegnò al vicario angioino, che li fece decapitare. Lo spietato tradimento è per Dante tanto più grave in quanto compiuto da un vescovo, che egli appunto chiama *empio*, cioè contrario a Dio stesso, come chiama *sconcia* la colpa, cioè vergognosa, turpe.
54. sì, che per simil...: talmente *sconcia* che nessuno è mai entrato in prigione per una colpa grave come quella.
– **malta**: prigione. Per il discusso significato del termine vedi la nota al testo in fine di canto.
55-7. Troppo sarebbe larga...: amara e triste ironia: troppo grande recipiente ci vorrebbe per raccogliere il sangue dei ferraresi uccisi, e chi volesse pesarlo a once – come si fa con il vino, o altro – ne uscirebbe ben stanco. La *bigoncia* era un largo recipiente fatto a doghe di legno – che poteva contenere circa cinquanta litri – usato in campagna nella vendemmia, o anche dai macellai, come ci dice il Torraca, per il sangue de-

gli animali macellati; senso quest'ultimo che darebbe atroce risalto a quel povero sangue umano.
– **oncia**: era una misura di peso minima, di circa 300 grammi; dire *a oncia a oncia* sembra quasi raffigurare il lento cadere del sangue dei decapitati (con lo stesso senso di valore minimo *oncia* è usata nel suo altro significato di misura di lunghezza – tre centimetri – a *Inf.* XXX 83).
58-60. che donerà...: il pronome *che* è riferito a *sangue*; questo è il «dono» fatto dal *prete cortese*, cioè generoso, liberale, *per mostrarsi di parte*, cioè per apparire fedele ad una parte (quella guelfa che reggeva Ferrara); è chiaro il contrasto tra questo comportamento e l'ufficio sacro del prete, che deve essere al di sopra delle parti.
– **e cotai doni...**: e tale specie di doni fatti dal vescovo ben si converranno ai costumi di tutta quella regione, di quella *turba* cioè che abita la Marca, impenitente e proterva (vv. 43-5); i fedeli son degni del loro pastore.

■

... e già si fa la rete (ragna) per catturarlo ◆ *Anche Feltre piangerà per la grave colpa del suo empio vescovo, che sarà tanto vergognosa, che nessuno è mai entrato in prigione (malta) per una colpa grave come quella. Troppo grosso dovrebbe essere il recipiente in grado di raccogliere il sangue dei ferraresi uccisi, e ne uscirebbe stanco chi volesse pesarlo oncia per oncia; quel sangue che questo prete generoso donerà per apparire fedele ad una parte; e tale specie di doni ...*

60   conformi fieno al viver del paese.
       Sù sono specchi, voi dicete Troni,
     onde refulge a noi Dio giudicante;
63   sì che questi parlar ne paion buoni».
       Qui si tacette; e fecemi sembiante
     che fosse ad altro volta, per la rota
66   in che si mise com'era davante.
       L'altra letizia, che m'era già nota
     per cara cosa, mi si fece in vista
69   qual fin balasso in che lo sol percuota.
       Per letiziar là sù fulgor s'acquista,
     sì come riso qui; ma giù s'abbuia
72   l'ombra di fuor, come la mente è trista.

61. **Sù sono specchi**: su, cioè più in alto rispetto a questo cielo, c'è un ordine angelico dal quale discende a noi, come riflesso da uno specchio, il giudizio divino sulla storia.

– **specchi**: le intelligenze angeliche ricevono dall'alto e trasmettono in basso la luce, riflettendola come fanno gli specchi (cfr. *Ep*. XIII 60). È la teoria gerarchica degli influssi celesti seguita da Dante, ed esposta nel canto II 121-3.

– **voi dicete Troni**: che voi chiamate Troni: è il terzo ordine della prima e più alta gerarchia angelica (Serafini, Cherubini, Troni) per mezzo del quale si riteneva che Dio esercitasse la giustizia: si veda Gregorio Magno, *Homil. in Evang.* II 34, 10: «sono chiamate Troni quelle schiere angeliche, alle quali presiede Dio onnipotente nella funzione di esercitare il giudizio» (cfr. XIX 28-9). I giudizi divini dunque (*Dio giudicante*) sono riflessi dai Troni verso i cieli inferiori, per cui gli spiriti li leggono in essi come in uno specchio. Per questo, dice Cunizza, le parole da me dette ci appaiono con certezza «buone», cioè secondo giustizia.

62. **Dio giudicante**: più volte nel poema è ricordata l'azione di Dio come giustizia: si cfr. la *viva giustizia* di VI 88, la *giustizia sempiterna* di XIX 58, l'*infallibil giustizia* di *Inf.* XXIX 56 ecc.

64-5. **e fecemi sembiante...**: e mi dimostrò, col suo atto ed aspetto, che ormai era rivolta ad altro, cioè era tornata a ciò da cui per me si era distolta, alla contemplazione divina. È lo stesso gesto di Carlo Martello alla chiusa del suo discorso che, suscitato dall'uomo che viene dalla terra, è tutto costituito di argomenti terreni. Tali argomenti non sono estranei ai beati, ma sono sempre oltrepassati da ciò che per loro è primario, come questi atti vogliono dimostrare.

65-6. **per la rota/in che si mise...**: per la danza circolare nella quale rientrò, nell'atto che aveva prima di parlarmi (cfr. VIII 19-21).

67. **L'altra letizia**: l'altro spirito beato (*letizia* sta per la luce che esprime l'interna letizia; si veda il v. 70).

68. **per cara cosa**: come cosa preziosa (si cfr. *cara gioia* del v. 37), cioè come anima di grande eccellenza.

69. **qual fin balasso...**: come un rubino purissimo investito dalla luce del sole. – *fino*, detto di pietre, vale «puro» (anche oggi «oro fino»: cfr. *Inf.*, XIV 106); *balasso* è voce araba per una specie di rubino proveniente dalla regione persiana di Balascam («quivi nascono le pietre preziose che si chiamano balasci»: Marco Polo, *Il Milione*, p. 46, 5). Tutto il verso ha la forza luminosa propria di molti altri simili del *Paradiso*, che vengono a costituire come una serie continua di aspetti di luce, quasi variazioni musicali su un solo tema, tocchi diversi di un unico colore. Si veda qui avanti il v. 114.

70-1. **Per letiziar là sù**: in paradiso per l'interna gioia si acquista esternamente maggior fulgore, come qui sulla terra il segno esterno della gioia è il riso. L'improvviso apparire del *riso* terreno, che è la stessa cosa della luce celeste, è uno dei grandi tocchi inventivi propri della terza cantica. Il riso è sempre per Dante espressione dello spirito, quasi del suo interno trasalire, e nel *Paradiso* luce e riso vengono continuamente a scambiarsi i ruoli; si cfr. V 126, del lume di Giustiniano: *perch' e' corusca sì come tu ridi*.

71-2. **ma giù s'abbuia...**: mentre *giù* (nell'inferno) le ombre si abbuiano, si fanno oscure all'esterno, quanto la loro anima è attristata dentro. *Tristo* è aggettivo tipico dell'*Inferno*: in particolare si cfr. XIX 47; XXIX 6; XXXII 38. Intendere *giù* «sulla terra», come alcuni

... *saranno conformi ai costumi di tutta quella regione. Su in alto ci sono degli specchi, che voi chiamate Troni, dai quali risplende riflesso verso di noi il giudizio divino (Dio giudicante); così che queste mie parole ci sembrano sicuramente giuste».* ◆ *Qui tacque; e mi dimostrò col suo atteggiamento (fecemi sembiante) che ormai era rivolta ad altro, per la danza circolare nella quale rientrò, come stava prima (di parlarmi). L'altro spirito beato (letizia) che mi era già noto come cosa preziosa, mi apparve alla vista come un rubino purissimo investito dalla luce del sole. Per la gioia (letiziar) lassù si acquista maggior fulgore, come qui sulla terra si ride; mentre giù (nell'inferno) le ombre si abbuiano all'esterno, quanto la loro anima è attristata dentro.*

«Dio vede tutto, e tuo veder s'inluia»,

diss'io, «beato spirto, sì che nulla

75   voglia di sé a te puot'esser fuia.

Dunque la voce tua, che 'l ciel trastulla

sempre col canto di quei fuochi pii

78   che di sei ali facen la coculla,

perché non satisface a' miei disii?

Già non attendere' io tua dimanda,

81   s'io m'intuassi, come tu t'inmii».

«La maggior valle in che l'acqua si spanda»,

incominciaro allor le sue parole,

84   «fuor di quel mar che la terra inghirlanda,

tra ' discordanti liti contra 'l sole

---

fanno (Porena, Mattalia, Sapegno), è contro lo stesso testo, che vuole indicare tre luoghi: *là sù*, *qui*, *giù*. Nel momento in cui il poeta scrive egli è sulla terra, che per lui non è *giù*, e la indica infatti con *qui*. Sulla terra (*qui*) c'è la possibilità del *riso*, che esprime gioia come in cielo; all'inferno c'è solo eterno dolore e buio. Del resto *ombra* è detto dei corpi dei morti, non dei vivi.

73. **s'inluia**: si immerge in lui; il verbo è coniato da Dante, come più avanti *intuarsi* e *inmiarsi* (v. 81), con la forza inventiva che più volte piega e crea la lingua al suo bisogno. Qui dice come la vista del beato s'interna in Dio stesso, che tutto vede, con profonda e totale compenetrazione.

74-5. **sì che nulla...**: così che nessun desiderio può sottrarsi a te: *esser fuia di sé* vale «rubare se stessa», «nascondersi allo sguardo»; per *fuia* cfr. *Inf.* XII 90.

76. **la voce tua**: quella voce, che poi sapremo di un poeta, rallegra ora il cielo come già rallegrò col suo canto la terra.

76-8. **che 'l ciel trastulla...**: che allieta il paradiso (*trastullare* vale «dare diletto, piacere»: cfr. *Purg.* XVI 90) unita al canto dei Serafini (quei *fuochi*, cioè quegli spiriti celesti che sono rivestiti di sei ali, come erano raffigurati i Serafini sulla base della Scrittura). Che gli spiriti discendano dall'alto Empireo, dove danzano con i Serafini, è detto nel canto precedente (VIII 25-7).

– **facen la coculla**: la cocolla è il saio, o veste monacale (cfr. XXII 77); le sei ali richiuse creano una sorta di veste che avvolge gli angeli, come appaiono nelle pitture del tempo.

79. **non satisface...**: non soddisfa. Se tu vedi il mio desiderio, dice Dante, perché non lo esaudisci? Si veda anche la nota linguistica alla fine del canto.

81. **s'io m'intuassi...**: se io potessi entrare in te, cioè nella tua mente, come tu fai nella mia, io non aspetterei la tua domanda per rispondere. La viva impazienza che traspare in questi versi, di una familiarità quasi irriverente nei confronti di un beato, è tratto tipico dell'atteggiamento di Dante verso ogni forma di conoscenza, sempre ardentemente desiderata. I neologismi *intuarsi* e *inmiarsi* (entrare in te e in me) completano,

con *inluiarsi* del v. 73, la serie delle tre persone grammaticali, tentando così di esprimere, per quanto è possibile all'umano linguaggio, la compenetrazione – il farsi uno (III 81) – degli spiriti, pur mantenendo ognuno la sua identità, propria della vita paradisiaca.

82. **La maggior valle...**: l'ampia perifrasi dei vv. 82 e 84, che apre con largo respiro la parlata del nuovo spirito in modo parallelo, ma più solenne, a quello di Cunizza, indica il mare Mediterraneo, la maggiore cavità (*valle*) in cui si espanda l'acqua al di fuori dell'oceano (il mare che circonda tutta la terra come una ghirlanda). «La terra è circondata dal mare, il grande mare chiamato Oceano, e da questo derivano tutti gli altri che sono tra le terre; de' quali quello che viene dalla Spagna in Italia e in Grecia è maggiore degli altri» (Brunetto, *Tresor* I, CXXI 1).

84. **inghirlanda**: la stessa immagine a *Inf.* XIV 10, dove la selva dei suicidi «è ghirlanda» al sabbione infuocato dei peccatori contro natura.

85. **discordanti liti**: l'espressione è virgiliana («litora litoribus contraria ["liti contrapposti ad altri liti"]»: *Aen.* IV 628) e significa il fronteggiarsi delle due opposte sponde del mare, ma forse vuole esprimere anche, come molti hanno inteso, la «discordanza» di razze e religioni (africani e musulmani da una parte, europei e cristiani dall'altra) che caratterizza quei due *liti*; idea che converrebbe al poeta cantore delle crociate, quale fu lo spirito che qui parla.

◆ «Dio vede tutto, e la tua vista si immerge in lui», dissi io, «spirito beato, così che nessun desiderio può sottrarsi a te. Dunque la tua voce, che allieta sempre il cielo unita al canto di quelle pie luci che si fanno la loro veste con sei ali (cioè i Serafini), perché non soddisfa i miei desideri? Io non aspetterei la tua domanda (per rispondere), se io potessi entrare in te, come tu entri in me». ◆ Allora le sue parole cominciarono a dire: «La maggiore cavità (valle) in cui si espanda l'acqua al di fuori di quel mar che circonda la terra (cioè il mare Mediterraneo), si estende tanto nella direzione contraria al corso del sole (cioè verso est) ...

tanto sen va, che fa merïdïano
87   là dove l'orizzonte pria far suole.
Di quella valle fu' io litorano
tra Ebro e Macra, che per cammin corto
90   parte lo Genovese dal Toscano.
Ad un occaso quasi e ad un orto
Buggea siede e la terra ond'io fui,
93   che fé del sangue suo già caldo il porto.
Folco mi disse quella gente a cui
fu noto il nome mio; e questo cielo

85-6. contra 'l sole...: si estende tanto (*tanto sen va*) nella direzione contraria al corso del sole, cioè verso est; il mare è immaginato come muoventesi dallo stretto di Cadice, di dove l'oceano s'immette («si spande» appunto) nella maggiore *valle* d'acqua che si trovi tra le terre emerse.

86-7. che fa merïdïano...: che arriva, nella sua estensione, là dove quel cerchio celeste, che nel luogo dove comincia il suo cammino fa da orizzonte, diventa meridiano, segna cioè il mezzogiorno; si estende dunque per 90 gradi, un quarto di circonferenza, che equivale a 6 ore di sole. Si credeva allora che il Mediterraneo avesse appunto una ampiezza di 90 gradi (sono in realtà soltanto 42) da Cadice a Gerusalemme – così che l'un luogo era orizzonte all'altro – e altri 90 ne intercorressero da Gerusalemme al Gange, estremo confine orientale della terra, in modo che la città santa si trovava al centro delle terre emerse, come è scritto nella Bibbia. La stessa situazione celeste è descritta a *Purg.* II 1-3, dove il sole tramonta a Cadice, sull'orizzonte di Gerusalemme.

88. litorano: abitante dei suoi liti, delle sue sponde.

89-90. tra Ebro e Macra...: tra il fiume Ebro in Spagna e la Magra, il fiume che con il suo breve percorso separa (*parte*) la Liguria dalla Toscana. Con questi confini si designa un ampio arco costiero, dalla Spagna alla Francia all'Italia, che vuol probabilmente indicare non il luogo di nascita – detto nella terzina seguente – ma i vari soggiorni fatti dal trovatore nella sua vita di poeta di corte nelle città che si trovano in quelle regioni, tutte affacciate sul Mediterraneo: Marsiglia, Nîmes, Montpellier, Barcellona (cfr. la nota al v. 94).

– per cammin corto: la Magra è infatti fiume di bre-

ve corso (circa 65 chilometri) dall'Appennino ligure al mare, e nella sua parte inferiore segna il confine storico tra Liguria e Toscana, sboccando nel Tirreno a sud del golfo della Spezia.

91-3. Ad un occaso quasi...: situate quasi sullo stesso meridiano (con uno stesso tramonto – *occaso* – e uno stesso sorgere del sole – *orto*) sono *Buggea* (Bougie in Algeria) e la mia città natale (cioè Marsiglia; fra le due città corrono infatti solo due gradi e mezzo di longitudine), quella città che un giorno inondò del suo sangue il porto (quando Bruto, luogotenente di Cesare, fece strage dei suoi difensori, durante la guerra civile, nel 43 a.C.). La doppia perifrasi, geografica e storica, dà singolare rilievo a Marsiglia, dove nacque secondo l'antica biografia il trovatore Folchetto, che da essa si denomina.

– del sangue suo: del cruento scontro navale nel porto di Marsiglia così parla Lucano: «Il sangue schiuma alto sulle onde, i flutti si coprono di grumi cruenti» (*Phars.* III 572-3). L'evento era rimasto impresso nella memoria poetica di Dante, che lo ricorda anche a *Purg.* XVIII 101-2.

94. Folco: Folchetto da Marsiglia fu uno dei più famosi trovatori di Provenza. Nato da famiglia genovese nella seconda metà del XII secolo, morì nel 1231. Visse in più corti di Spagna e di Provenza: presso Barral du Baux, visconte di Marsiglia, del quale amò e cantò appassionatamente la moglie Azaleis; presso Raimondo Berengario di Tolosa, Alfonso II d'Aquitania, Guglielmo di Montpellier. Dopo la morte di Azaleis, secondo le antiche biografie, si fece monaco cistercense, e nel 1205 fu eletto vescovo di Tolosa. In questa sua seconda vita egli profuse lo stesso ardore ed energia che nella prima, impegnandosi con grande zelo nella crociata contro gli Albigesi, appoggiando san Domenico nella sua predicazione, e conducendo infine egli stesso la guerra contro quegli eretici. La sua singolare vicenda, da poeta d'amore a campione della fede, e il rilievo che la sua figura ebbe in ambedue i ruoli, colpirono profondamente Dante, che in lui riconosceva non pochi tratti della sua stessa storia terrena e che per questo lo sceglie come figura centrale in questo cielo di Venere, che è un po' anche il suo. Come poeta egli lo aveva citato con ammirazione in *Vulg. El.* II, VI 6, e da lui è tolto non solo l'attacco di Arnaut Daniel in *Purg.* XX-

---

... tra le due rive opposte, che arriva là dove quel cerchio celeste, che prima fa da orizzonte, diventa meridiano. Di quella valle io abitai le sponde (fui litorano) tra il fiume Ebro e la Magra, il fiume che con il suo breve percorso separa (parte) la Liguria dalla Toscana. Situate in modo da avere quasi uno stesso tramonto (occaso) e uno stesso sorgere del sole (orto), cioè sullo stesso meridiano, sono Bougie (in Algeria) e la mia città natale (cioè Marsiglia), che un giorno rese calda col sangue l'acqua del suo porto. ◆ La gente a cui fu noto il mio nome mi chiamò Folco; e questo cielo ...

96 di me s'imprenta, com'io fe' di lui;
     ché più non arse la figlia di Belo,
   noiando e a Sicheo e a Creusa,
99 di me, infin che si convenne al pelo;
     né quella Rodopëa che delusa
   fu da Demofoonte, né Alcide
102 quando Iole nel core ebbe rinchiusa.
     Non però qui si pente, ma si ride,
   non de la colpa, ch'a mente non torna,
105 ma del valor ch'ordinò e provide.

VI 140 (*Tan m'abellis*), ma anche buona parte delle espressioni usate in quel breve testo provenzale. Il ruolo profetico che qui gli è affidato (si vedano i vv. 127-42) corrisponde al suo atteggiamento storico nella seconda parte della sua vita, e insieme si fa voce dello stesso atteggiamento che fu proprio di Dante. Ma sul complesso significato della presenza di Folchetto nel cielo di Venere si veda l'Introduzione al canto.

94-5. a cui/fu noto il nome mio: questa frase sembra voler attenuare la grande lode a lui tributata da Cunizza (vv. 39-40), quasi guardando ormai Folco da una ben altra condizione quella sua notorietà in terra.

96. di me s'imprenta...: prende da me l'impronta della mia luce, cioè si abbellisce dello splendore che da me s'irradia, come io in terra ricevetti l'impronta del suo influsso. Il verbo *imprentare*, gallicismo per «improntare» (imprimere come si fa del sigillo sulla cera), è termine tecnico usato anche altrove da Dante per le influenze astrali, paragonate al sigillo come in genere ogni azione divina sulla materia, che le dà forma o carattere (cfr. X 29; XVII 76; e si vedano anche I 41-2; VIII 127-8).

97. ché più non arse...: per dire l'intensità del proprio ardore amoroso, il poeta ricorda tre delle più famose passioni celebrate dall'antica poesia. Quella di Didone per Enea, cantata nell'*Eneide*, di Fillide per Demofoonte e di Ercole per Iole, delle quali narra Ovidio nelle *Eroidi*. Nessuno di quei tre celebri amanti *arse*, bruciò di amore, più di lui. La *figlia di Belo* è Didone (*Aen.* I 621).

98. noiando...: recando offesa a Sicheo, il proprio marito morto (si ricordi *Inf.* V 62: *e ruppe fede al cener di Sicheo*; cfr. *Aen.* IV 552), e a Creusa, la morta sposa di Enea.

99. infin che si convenne al pelo: finché si convenne alla mia età, cioè finché non mi si imbiancarono i capelli. Che solo alla giovinezza convenisse l'amore, è regola ovidiana (*Am.* I, IX 3-4).

100. Rodopëa: Fillide, figlia del re di Tracia, dove è il monte Rodope, per cui è detta Rodopea già da Ovidio («Rhodopeia Phyllis»: *Her.* II 1); innamorata di Demofoonte, figlio di Teseo, che le promise di sposarla, si uccise credendosi da lui abbandonata, non vedendolo far ritorno da Atene nel tempo convenuto. Sia Didone che Fillide dunque arsero tanto d'amore che per esso

si dettero la morte.

– **delusa**: traduce il «decepta» del testo ovidiano.

101-2. né Alcide: né Ercole (s'intende sempre *arse* più di me) – detto Alcide dal nome del nonno Alceo – quando amava Iole. La passione di Ercole per Iole, figlia del re della Tessaglia, provocò la gelosia della moglie Deianira, che gli fece indossare la camicia avvelenata di Nesso, portandolo così alla morte (cfr. *Inf.* XII 67-9); il mito è narrato da Ovidio in *Her.* IX e *Met.* IX 101 sgg. Anche Ercole fu dunque condotto a morte dal suo amore.

103-5. Non però qui si pente...: quell'amore che lo *arse* in giovinezza, s'intende, era un amore dei sensi, peccaminoso dal punto di vista cristiano. Ma qui nel cielo – egli dice – non ci si pente di quella tendenza amorosa, anzi ci si allieta (*si ride*), non certo della colpa – dimenticata ormai dopo il bagno nel Letè – ma di quella virtù divina che dispose e ordinò al bene l'inclinazione della natura. Si ripete il tema di Cunizza, con il forte attacco avversativo (cfr. v. 34: *ma lietamente a me medesma indulgo*) e la sottolineatura della gioia che ora provocano quei ricordi (*si ride, lietamente*). Si veda sul problema teologico qui affrontato quanto si è detto nelle note ai vv. 34-5 e 36. L'appassionata duplicazione – e la precisazione della terzina seguente – ci rivela quanto questo discorso prema a Dante che, nella passione d'amore, vede la possibilità, come di gravi peccati, così di alto trasporto mistico. Grandi amanti furono del resto tutti i più alti mistici, tra cui Bernardo, autore di testi inneggianti all'amore (come il *De diligendo Deo* o i *Sermones super Cantica canticorum*), che guiderà Dante all'ultima visione.

... prende da me l'impronta della mia luce, come io ricevetti l'impronta del suo influsso (com'io fe' di lui); che la figlia di Belo (Didone), recando offesa a Sicheo e a Creusa, non arse (d'amore) più di me, finché si convenne ai miei capelli (cioè alla mia età); né arsero di più la donna Rodopea (Fillide) che fu delusa da Demofoonte, né Alcide (Ercole) quando aveva nel suo cuore Iole. ◆ *Ma qui nel cielo non ci si pente, anzi si ride, non certo della colpa, che non torna in mente perché dimenticata, ma di quella virtù divina (valor) che dispose e ordinò (al bene) la nostra inclinazione.*

Qui si rimira ne l'arte ch'addorna
cotanto affetto, e discernesi 'l bene
108 per che 'l mondo di sù quel di giù torna.
Ma perché tutte le tue voglie piene
ten porti che son nate in questa spera,
111 procedere ancor oltre mi convene.
Tu vuo' saper chi è in questa lumera
che qui appresso me così scintilla
114 come raggio di sole in acqua mera.
Or sappi che là entro si tranquilla
Raab; e a nostr'ordine congiunta,

106-8. Qui si rimira...: qui in cielo si contempla con ammirazione l'opera divina della creazione (*l'arte*) che tanto amore (s'intende, di Dio) abbellisce (con l'ordinare e il provvedere tutto al bene) e si discerne, si vede con chiarezza, il *bene*, cioè il buon fine, per il quale il mondo celeste circonda, aggira col suo moto eterno, quello terreno. Per il senso di *arte*, opera dell'artefice divino, si cfr. X 10-1. Per *torna*, aggira, si veda la nota di approfondimento alla fine del canto.

– **si rimira ne l'arte**: per il costrutto «rimirare in», quasi guardar dentro, all'interno, si veda XIV 131-2: *li occhi belli, / ne' quai mirando* e, con lo stesso senso di questo verso, X 10-1: *e lì comincia a vagheggiar ne l'arte / di quel maestro che dentro a sé l'ama...* Questi ultimi versi, così vicini nella stesura, ci spiegano anche il senso di *arte* e di *affetto* nella discussa terzina.

109-10. perché tutte le tue voglie...: perché tu porti con te esauditi tutti i desideri nati in questo cielo... Chiuso il discorso su se stesso – la propria identità, e l'amore che lo vinse, e il divino provvedere a volgerlo in bene per cui se ne *ride* – lo spirito passa ad esaudire un altro desiderio che egli legge in Dante: chi sia quell'anima che rifulge così splendidamente presso di lui.

114. come raggio di sole...: come il sole che batte su una superficie di acqua limpida (*mera* sarà detto anche della luce, a XI 18 e XXX 59). Si veda il v. 69, e la nota relativa.

115. si tranquilla: gode l'eterna pace dei beati, qua-

si placando in sé ogni tempesta terrena. Il grande verbo esprime questo approdo dal tormento del mondo alla suprema pace divina; si cfr. X 128-9, dove è detto di Boezio: *da martiro / da essilio venne a questa pace*, e anche XV 148. Più forte appare il senso di questa parola quando si legge – dopo l'*enjambement* – il nome di colei che ne è il soggetto.

116. Raab: il nome esce improvviso ad apertura di verso, non meno sorprendente e «forte al nostro vulgo» di quello di Cunizza, anche se avallato dalla tradizione cristiana. Raab è infatti una meretrice, che nel racconto biblico accolse in casa sua a Gerico e aiutò poi a fuggire i due esploratori inviati da Giosuè prima dell'attacco alla città. Caduta Gerico, la casa di Raab – sola fra tutte – fu risparmiata dalla distruzione, e Raab fu accolta nel popolo di Israele (*Ios.* 2, 1-21 e 6, 15-25). Nel Nuovo Testamento Raab è celebrata per la sua fede e la sua opera (*Hebr.* 11, 31; *Iac.* 2, 25) e i Padri cristiani la considerarono figura della Chiesa, unico luogo di salvezza nel mondo corrotto significato da Gerico. L'ultimo dei tre spiriti di questo canto ripete dunque – questa volta con l'appoggio della Scrittura stessa – la vicenda dei primi due: grandi peccatori d'amore (su di lei non possono infatti esserci dubbi, come se ne sono avanzati per Cunizza) divenuti poi amanti di Dio e operanti per lui. La scelta di Raab – la meretrice santificata – è quanto mai significativa da parte di Dante, e illumina tutto lo svolgersi del canto. Sul particolare rapporto che la lega poi a Folco, si veda la nota ai vv. 124-5.

117. di lei nel sommo grado...: verso di difficile spiegazione e di controversa lezione (*di lei* – *di lui*): vedi la nota al testo. Accogliamo, con qualche perplessità, la lezione tradizionale *di lei* con la quale il testo va così inteso: e, unita al nostro coro, tale coro si improntà di lei (cfr. v. 96), si adorna del suo splendore, in sommo grado (cioè Raab è l'anima più lucente del cielo di Venere).

118. in cui l'ombra s'appunta: secondo le misure dell'astronomo arabo Alfragano (il cui *Liber de aggregationibus stellarum* secondo il Nardi era il manuale astronomico di cui Dante si serviva) il cono d'ombra proiettato dalla terra nello spazio termina con la sua punta (*s'appunta*) nel cielo di Venere; esso giunge in-

Qui si contempla con ammirazione l'opera della creazione (l'arte) che un amore tanto grande abbellisce, e si discerne il buon fine (bene) per il quale il mondo celeste gira intorno a quello terreno. Ma perché tu porti con te esauditi tutti i tuoi desideri nati in questo cielo, devo procedere ancora oltre. ◆ Tu vuoi sapere chi c'è in questa luce che qui vicino a me scintilla come un raggio di sole che batte su un'acqua limpida. Sappi dunque che là dentro gode l'eterna pace Raab e, essendo lei unita al nostro coro, ...

117   di lei nel sommo grado si sigilla.
        Da questo cielo, in cui l'ombra s'appunta
      che 'l vostro mondo face, pria ch'altr'alma
120   del trïunfo di Cristo fu assunta.
        Ben si convenne lei lasciar per palma
      in alcun cielo de l'alta vittoria
123   che s'acquistò con l'una e l'altra palma,
        perch'ella favorò la prima gloria
      di Iosüè in su la Terra Santa,
126   che poco tocca al papa la memoria.

---

fatti ad una distanza che si situa tra la minima e la massima distanza dalla terra toccate dal pianeta nella sua orbita. Oggi sappiamo che Venere è ben più lontano dalla terra, la cui ombra si protende per circa un milione e mezzo di chilometri, mentre il pianeta si trova a circa 50 milioni di chilometri di distanza. Ma allora si trattava di un dato scientificamente certo, e questo dato è usato da Dante – come sempre fa nel costruire il suo credibile mondo dell'aldilà – per far abitare i primi tre cieli dagli spiriti che ebbero delle debolezze terrene: i negligenti nei voti, gli attivi per amor di fama, gli amanti di amore sensuale.

119. pria ch'altr'alma: Raab fu accolta, ricevuta da questo cielo – cioè in questo grado di beatitudine – prima di ogni altra anima tra quelle liberate dal trionfo di Cristo; dal Limbo dunque, di dove alla morte di Cristo uscirono i giusti dell'Antico Testamento (cfr. *Inf.* IV 52-63), Raab fu la prima anima salvata tra quelle destinate al cielo di Venere. Si conferma così l'eccellenza di dignità conferita a questa meretrice (cfr. v. 117), prima fra tutti gli spiriti amanti portati in cielo dopo la redenzione.

121-3. Ben si convenne...: fu ben giusto lasciare lei in uno dei cieli dei beati come segno (la *palma* era simbolo di vittoria, e i suoi rami si usavano per festeggiare i trionfatori) della grande vittoria acquistata da Cristo con le due mani inchiodate sulla croce. È ben giusto cioè che di quel trionfo – che lei stessa in qualche modo favorì con la sua opera – lei restasse a testimonianza, con la sua salvezza eterna, ottenuta nonostante i suoi peccati.

– **in alcun cielo**: *alcun* ha valore determinato, come più volte: in un dato cielo, cioè in questo (cfr. *Purg.* VI 29).

– **con l'una e l'altra palma**: «quella vittoria Cristo la conquistò *con l'una e l'altra palma*, poiché con entrambe le mani fu appeso ala croce» (Benvenuto). Il riferimento alle mani confitte sulla croce per indicare l'atto supremo della redenzione è parallelo a quello fatto altrove ai piedi (XX 105), o alla ferita aperta dalla lancia nel costato di Cristo (XIII 40); e si cfr. anche XXXII 129; tutti luoghi che confermano trattarsi qui della vittoria di Cristo, e non di quella di Giosuè, come altri intendono (interpretando *con l'una e*

l'altra palma come «con la preghiera»).

124. favorò: favorì (dall'antica forma del verbo di 1ª coniugazione *favorare*, ritrovabile nel Villani, nel Cavalcanti, nell'Ottimo) con l'aiuto decisivo dato ai due esploratori.

124-5. la prima gloria/di Iosüè: la prima impresa gloriosa di Giosuè nella conquista della Terra Santa. Gerico fu infatti la prima città espugnata dagli Ebrei in Palestina. Il modo in cui Gerico fu presa (le sue mura caddero al suono delle trombe dei sacerdoti ebrei), uno degli eventi più celebri della Scrittura, fu singolarmente ripetuto nella conquista della fortezza albigese di Lavaur da parte dei crociati guidati dal vescovo di Tolosa: narrano infatti i cronisti che la fortezza si arrese mentre tutto il clero, schierato sul terrapieno di fronte alle mura, innalzava a Dio il canto del *Veni creator* (Petrus Sarnensis, *Historia Albigensium*, p. 599). Il rapporto tra Folco e Raab era dunque stabilito nella storia – e alcuni storici infatti lo riconobbero (si veda la nota di approfondimento alla fine del canto) – prima che nel canto del cielo di Venere. Questo legame illumina il senso di tutta l'ultima parlata di Folchetto, imperniata sulla Chiesa corrotta che ha abbandonato ormai l'ideale delle crociate.

126. che poco tocca...: di cui ben poco il papa si ricorda; detto in modo ironico: di quella terra così sacra per i cristiani non importa ora niente al vicario di Cristo, occupato in ben altri pensieri, di potere e di denaro.

... tale coro si adorna del suo splendore (di lei) in sommo grado. Da questo cielo, nel quale termina con la sua punta (s'appunta) il cono d'ombra creato dal vostro mondo (cioè dalla terra), ella fu accolta prima di qualsiasi altra anima di quelle che formano il trionfo di Cristo (cioè di quelle salvate). Fu ben giusto (si convenne) lasciare lei in uno dei cieli come segno (palma) della grande vittoria acquistata (da Cristo) con le due mani (inchiodate sulla croce); poiché ella favorì la prima impresa gloriosa di Giosuè nella conquista della Terra Santa, di cui ben poco il papa si ricorda.

La tua città, che di colui è pianta
che pria volse le spalle al suo fattore
129 e di cui è la 'nvidia tanto pianta,

produce e spande il maladetto fiore
c'ha disvïate le pecore e li agni,
132 però che fatto ha lupo del pastore.

Per questo l'Evangelio e i dottor magni
son derelitti, e solo ai Decretali
135 si studia, sì che pare a' lor vivagni.

A questo intende il papa e ' cardinali;
non vanno i lor pensieri a Nazarette,
138 là dove Gabrïello aperse l'ali.

127. **La tua città**: Firenze, non nominata ma proprio per questo fortemente e dolorosamente viva, appare all'improvviso in questo discorso ammonitore e profetico: da lei proviene il male – la moneta corruttrice – per il quale il pastore del gregge cristiano trascura e dimentica i suoi sacri doveri. Il brusco e inatteso passaggio da un soggetto all'altro dà maggiore risalto alla dolorosa realtà che sempre è presente al cuore del poeta.

127-9. **che di colui è pianta...**: Firenze è qui chiamata pianta di Lucifero (quasi nata e cresciuta dal suo seme), colui che per primo si ribellò al suo creatore e la cui invidia per l'uomo indusse Adamo al peccato, provocando così lungo pianto per l'umanità. L'invidia è per tradizione la causa per cui il diavolo tentò l'uomo (cfr. *Inf.* I 111 e nota).

130. **produce e spande**: la coppia di verbi sembra moltiplicare per tutta la terra quel *maladetto fiore* prodotto dalla pianta di Satana; è il fiorino fiorentino (così chiamato perché portava impresso un giglio su una delle due facce), la moneta più forte d'Europa a quel

tempo, qui presa a simbolo del denaro e del suo potere corruttore.

131. **disvïate**: fatte uscire dal retto cammino: il gregge esce di strada perché il pastore, preso dalla brama di potere, non è più per lui guida, ma lupo (non si cura cioè del suo bene, ma del proprio interesse, depredando le sue stesse pecore).

132. **lupo**: l'immagine, che tornerà a XXVII 55 (*In vesta di pastor lupi rapaci*), è variazione di un passo della Scrittura (*Matth.* 7, 15: «che vengono a voi in veste di pecore, ma dentro sono lupi rapaci»).

133. **Per questo**: per andar dietro a *questo*, cioè al *maladetto fiore*; che così vada inteso il pronome, si deduce dalla ripresa fattane al v. 136 (*A questo*) che obbliga a riferire l'uno e l'altro allo stesso oggetto.

– **i dottor magni**: sono gli scritti dei padri della Chiesa, dopo il Vangelo la massima autorità nella tradizione cristiana; *papa* e *cardinali* trascurano i testi sacri che trasmettono la fede, per dedicarsi alle *Decretali*, cioè ai testi di diritto canonico, strumento di potere temporale. Si cfr. queste parole di san Pier Damiano, già citate e tradotte dal D'Ovidio (*Studi*, p. 391, n. 1): «Oggidì i sacerdoti non meditano le parole della Santa Scrittura, ma la scienza delle leggi e le controversie del foro; vuoti i chiostri, non letti gli Evangeli, mentre le labbra dei sacerdoti non si schiudono che a propugnare i diritti del foro» (*Epist.* III 96). A Pier Damiano, sulla chiusa del canto XXI, Dante affiderà un altro grave passo di condanna per i *moderni pastori* avidi di beni terreni.

134. **son derelitti**: giacciono abbandonati; lo stesso lamento leva Dante nell'*Epistola ai Cardinali*, scritta nell'anno 1314, che appare in questi versi quasi riecheggiata, e che serve ad essi da chiosa: «Giace il tuo Gregorio [Gregorio Magno] tra le tele dei ragni; giace Ambrogio... giace Agostino trascurato, Dionigi, Damasceno e Beda; e declamano non so quale "Specchio" e Innocenzo e l'Ostiense [si indicano così lo *Speculum iudiciale* del vescovo Guglielmo Durante, il commento alle Decretali di Innocenzo IV, gli scritti del canonista Enrico da Susa vescovo ostiense, citato anche a XII 83, tutti testi di diritto canonico]. Perché no? quelli

◆ *La tua città (cioè Firenze), che è pianta nata da colui che per primo si ribellò al suo creatore e la cui invidia (per l'uomo) ha causato tanto pianto (cioè Lucifero), produce e diffonde il maledetto fiorino che ha fatto sviare le pecore e gli agnelli, perché ha reso lupo il pastore.* ◆ *Per questo (cioè per il fiorino) sono abbandonati il Vangelo e i grandi dottori (cioè i padri della Chiesa), e si studiano solo i Decretali, come risulta dai loro margini. A questo (al fiorino) mirano il papa e i cardinali; i loro pensieri non vanno a Nazaret, là dove Gabriele aprì le sue ali.*

Ma Vaticano e l'altre parti elette
di Roma che son state cimitero
a la milizia che Pietro seguette,
142   tosto libere fien de l'avoltero».

cercavano Dio, come fine e sommo bene; questi procurano entrate e benefici» (*Ep.* XI 16). Quest'ultima frase ci dà il senso della amara terzina qui pronunciata da Folco, che si fa voce di Dante stesso.

135. a' lor vivagni: ai loro margini, consunti dal troppo sfogliare.

136. A questo: come il *Per questo* della terzina precedente, del quale è evidente ripresa, va riferito al *maladetto fiore*: solo alla ricchezza volgono i loro pensieri (*intende*) le più alte gerarchie della Chiesa.

137. a Nazarette: la piccola città della Palestina dove viveva Maria è scelta da Dante a preferenza di Gerusalemme per indicare la Terra Santa proprio perché, in quel modesto e ignoto luogo, avvenne il grande evento dell'Annunciazione che doveva cambiare la storia del mondo, come è detto nel verso seguente. Si crea così un forte contrasto tra i due oggetti posti di fronte all'attenzione del papa: il potente fiorino e l'umile città di Maria.

138. Gabrïello: l'arcangelo Gabriele, che portò a Maria il divino annuncio della nascita di Gesù.

– aperse l'ali: l'angelo sta davanti a Maria con le ali spiegate, come spesso è rappresentato anche nelle pitture del tempo, in segno di reverente omaggio. La scena è descritta con soavità da Dante a *Purg.* X 34-45. Qui questo solo bellissimo verso evoca il grande momento, sacro ai cristiani, di cui il papa sembra non avere più memoria.

139. Ma Vaticano...: il *ma* (cfr. v. 46) introduce l'annuncio profetico dell'intervento divino che ristabilirà – in un tempo non conosciuto, ma comunque certo, e non lontano (*tosto*: v. 142) – l'ordine provvidenziale sulla terra. Il Vaticano è il colle dove fu sepolto san Pietro, sulla cui tomba sorge la basilica che da lui prende il nome.

– e l'altre parti elette: e le altre località di Roma (quali la via Tiburtina, o la via Appia) illustri (*elette*) perché furono cimitero ai primi martiri cristiani.

141. milizia: i martiri sono visti nella tradizione cristiana come combattenti per la fede.

142. tosto: il tempo è volutamente indeterminato. Alcuni vi hanno visto una precisa allusione alla morte di Bonifacio VIII, avvenuta nel 1303. Ma, a parte il fatto che quella morte non liberò la Chiesa dall'*avoltero* secondo il pensiero di Dante (cfr. *Inf.* XIX 82-4), la profezia è, come altrove nel *Paradiso*, sempre riferita agli ultimi tempi piuttosto che alla storia contemporanea (si veda il *tosto* nel discorso di Pietro stesso, che riprende molti temi di questo, a XXVII 63).

– libere fien...: quei luoghi dunque fatti sacri dalla tomba di Pietro e dei suoi primi seguaci, e che sono ora la sede dei suoi successori, saranno liberati ben presto dall'adulterio che vi si commette: l'adulterio consiste nel fatto che il vicario di Cristo, sposo della Chiesa, la tradisce per il denaro (cfr. *Inf.* XIX 1-4).

– avoltero: la forte parola sigilla il discorso profetico di Folco, serrato e veloce nelle sue concrete e potenti immagini (la pianta di Satana, il pastore fatto lupo, i margini consunti delle *Decretali*, il cimitero dei martiri, con al centro l'apertura celeste delle ali di Gabriele), e chiude il canto con una amarezza che la promessa di riscatto non basta a sanare; così avverrà anche nella chiusa del canto XXX.

Ma il colle del Vaticano e le altre località di Roma illustri (elette) perché furono cimitero ai primi seguaci di Pietro presto saranno liberati dall'adulterio».

approfondimenti

Il «grande anno»   *verso 40.   questo centesimo anno...*

Che questo verso voglia alludere al «grande anno» è una proposta avanzata da R. Benini (*Dante tra gli splendori*, pp. 94-6) che riteniamo degna di considerazione. Per «grande anno», o «anno cosmico», si intendeva il periodo di tempo nel quale veniva a compimento la rivoluzione di tutte le stelle del cielo, in modo che ogni stella venisse a ritrovarsi nel punto da cui era partita (cfr. Macrobio, *In Somnium Scipionis* II 11). La durata del «grande anno» era diversamente valutata dagli antichi. Macrobio la ritiene di 15.000 anni; Servio invece, nel luogo citato in nota, segue l'opinione che secondo Tacito (*De oratoribus* XVI 29 sgg.) era sostenuta da Cicerone nell'*Ortensio*. Sembra almeno probabile che Dante, così attento ai moti e alle simmetrie dei corpi celesti, abbia amato l'idea di questo «grande anno» – di cui parlavano testi fondamentali quali il *Timeo* e il *Somnium Scipionis* – e abbia potuto accogliere l'opinione di Cicerone riportata da Servio, che veniva a coincidere con le date della sua vita e del suo immaginato viaggio.

Girare intorno...   *verso 108.   per che 'l mondo di sù quel di giù torna.*

Il v. 108 è stato molto discusso, con diverse proposte di lezione e spiegazione, di cui nessuna veramente soddisfacente, e tutte dipendenti dalla incerta interpretazione del verbo in rima (che deve avere necessariamente senso diverso dal v. 104), inteso come «diventare», «volgere», «lavorare al tornio» ecc. In realtà la soluzione è a nostro avviso semplicissima, se si considera che il verbo *tornare* può avere nell'antico italiano lo stesso valore di *torneare*, verbo che si trova in autori dei primi secoli col significato transitivo, qui perfettamente corrispondente al contesto, di «attorniare», «girare intorno a»: si veda l'esempio, particolarmente significativo per l'analoga immagine, riportato già in TB dal *Tesoro Volgarizzato* di Bono Giamboni (I, II 30, 8): «ancora di sopra a quello aere è il firmamento che tuttora tornea e gira lo mondo con tutte stelle da Oriente in Occidente». Il significato del verbo è qui inequivocabilmente «attorniare», e non «far muovere in giro», come spiega erroneamente TB, in quanto la terra nella cosmologia medievale è notoriamente immobile (si cfr. del resto, per il verbo «gira» sinonimico che lo segue, l'uso di Dante stesso in *Amor che nella mente mi ragiona*, v. 19: «Non vede il sol, che tutto 'l mondo gira»). L'insigne linguista Arrigo Castellani mi segnala un caso analogo, da una redazione inedita del *Tesoro*: «lo sole si lieva da Oriente e si corica a Occidente, e tornea la terra tucto giorno e nocte». E si veda infine la chiosa al verso dell'Ottimo: «perché discerniamo il bene, per lo quale il mondo di sopra torna, gira e governa il mondo di sotto».

La vittoria di un canto   *verso 124-5.   ... la prima gloria / di Iosüè...*

Sulla somiglianza tra la caduta di Gerico e quella della fortezza di Lavaur si legga quanto scrive nel '700 Domenico Bernino, in *Historia di tutte l'heresie*, III, p. 277: «ed infine avendo inutilmente sudato l'Esercito Cattolico un intero mese per l'acquisto della importante fortezza di Lavaur, finalmente un giorno fu ella abbandonata impensatamente dagli Heretici, atterriti al canto dell'Inno *Veni Creator Spiritus*, che fu intonato dagli ecclesiastici dell'Armata per implorare l'aiuto di Dio, che volle in un certo modo rinnovare nella Francia la presa e la caduta di Gerico».

NOTE LINGUISTICHE

v. 44. **richiude**: racchiudono tra di loro; il verbo è concordato, come di norma, con uno solo dei due soggetti.

v. 79. **non satisface...**: non soddisfa; il verbo, nella forma antica che ricalca il latino (così *satisfatto* a *Inf.* X 17; *satisfaccia* a *Inf.* XIII 83 ecc.), è costruito col dativo come in latino.

v. 103. **si pente**: ci si pente (da *pentire* assoluto, come si usava *dolere*, *vergognare* ecc.); cfr. *s'impingua* a X 96, *si scolpa* a *Purg.* XXIV 84 ecc.

NOTE AL TESTO

v. 54. **malta**: era questo il nome proprio di molte prigioni del tempo (a indicare luogo oscuro e fangoso, dal primo senso di *malta*, fango), tra le quali sembrano particolarmente convenire al discorso di Cunizza quella fatta costruire da Ezzelino III a Cittadella presso Padova e quella adibita a prigione per il clero su un isolotto del lago di Bolsena (la prima conveniente per riguardo a chi parla, la seconda per riguardo a colui di cui si parla, appunto un vescovo). Tuttavia *malta* era anche nome comune per indicare una prigione umida e fangosa in genere (ben tre volte lo usa Jacopone in questo senso), e gli editori scelgono la maiuscola (come il Moore e il Vandelli nell'edizione del '21) o la minuscola (come il Petrocchi) secondo la loro interpretazione del testo. A noi sembra probabile, dato l'uso dantesco di fare riferimenti concreti in forma allusiva, che Dante usi qui il comune *malta* per «prigione», facendo chiara allusione alla nota prigione di Bolsena, come a dire: nessun prete o vescovo è stato così *empio* come il pastore di Feltre.

v. 117. **di lei**: la lezione tradizionale, mantenuta dal Petrocchi, che abbiamo accolta perché meglio conveniente al contesto (cfr. vv. 95-6), comporta tuttavia una forte anomalia sintattica: il complemento di termine della proposizione dipendente (*nostr'ordine*) diventa soggetto della principale. Per questo altri editori hanno preferito la variante *di lui* (ampiamente testimoniata). In ogni caso, con l'una o l'altra lezione il senso della terzina non cambia: nel paradiso di Dante Raab, la meretrice, è la più fulgida tra le luci del cielo di Venere (come l'imperatrice tra quelle del cielo della Luna: III 109-11).

approfondimenti

approfondimenti

SUGGERIMENTI PER LA RICERCA

Temi del canto

La passione civile

I tre discorsi pronunciati dagli spiriti amanti, quello di Carlo Martello nel canto VIII, quelli di Cunizza e di Folco di Marsiglia nel IX, fanno emergere, a contrasto con la serenità del paradiso, il triste quadro del disordine e della decadenza che regnano sulla terra: la *mala signoria* del regno meridionale (VIII 73-84), la *turba* impenitente che abita la Marca Trevigiana, destinata a essere colpita da gravi sciagure (IX 43-60), la cupidigia di Firenze e della Chiesa (IX 127-142). Rileggi e riassumi brevemente i passi citati; quindi dopo aver letto l'Introduzione ai due canti e analizzato *Mon.* I, XI 13-15, esponi le ragioni per cui amore e politica sono così strettamente intrecciati nel terzo cielo.

Gli spiriti «vinti» dall'amore

Cedere alla passione amorosa è stato il peccato di Paolo e Francesca e degli altri lussuriosi puniti nei due regni precedenti; invece Cunizza, Folchetto e la meretrice Raab ricordano lieti la debolezza terrena: con l'aiuto delle note e dell'Introduzione rifletti sulla differenza tra gli uni e gli altri, quindi giustifica la collocazione dei tre in paradiso anche facendo riferimento al passo evangelico (*Luc.* 7, 47) citato in nota al v. 36.

Personaggi del canto

Folchetto di Marsiglia

La storia del trovatore diventato vescovo può essere da te ricostruita, oltre che dalle note di commento, leggendo la voce dell'*Enciclopedia Dantesca* a lui dedicata (II, pp. 954-956, a cura di A. Viscardi) e il saggio di M. Picone indicato nelle *Letture consigliate*. Notizie circa la sua opera poetica e l'influenza da lui esercitata sui poeti della scuola siciliana sono reperibili in un buon manuale di letteratura italiana.

La meretrice Raab

Leggi nella Bibbia la storia della meretrice di Gerico (*Giosuè* 2,1-21 e 6,15-25) e i luoghi del *Nuovo Testamento* dove essa è ricordata (*Matteo* 1, 5; *Ebrei* 11,31; *Giacomo* 2, 25). Vedi poi l'interpretazione della sua figura da parte dei Padri della Chiesa nel testo: E. Auerbach, *Studi su Dante*, 1963, pp. 257-9. Inoltre, per meglio comprendere il rapporto stabilito da Dante fra Raab e Folco da Marsiglia, confronta la presa di Gerico da parte di Giosuè con la conquista della fortezza albigese di Lavaur narrata dallo storico D. Bernino nel testo riportato nella nota di approfondimento. Alla fine di queste letture cerca infine di spiegare il significato che ha nella Bibbia e nel poema di Dante la salvezza della meretrice Raab.

Lingua e stile

Un'imitazione di Gozzano – vv. 13-18

Confronta il passo indicato coi seguenti versi tratti dalla nota poesia *La signorina Felicità ovvero la Felicità* (vv. 290-95 «Tu m'hai amato. Nei begli occhi fermi / luceva una blandizie femminina / ... tu volevi piacermi, Signorina; / e più d'ogni conquista cittadina / mi lusingò quel tuo voler piacermi») e nota gli elementi del testo dantesco che Gozzano ha tenuto presenti.

mera – v. 114

Leggi i passi del *Paradiso* (che potrai identificare usando le *Concordanze* o le note di commento) in cui Dante utilizza l'aggettivo «mero», distinguendone il significato da quello dell'uso moderno, testimoniato anche da Manzoni (*Promessi Sposi* cap. V 35 «questo è... un di più, un mero di più»), e che puoi trovare definito in un buon Dizionario della Lingua Italiana.

CANTO X

Introduzione

on il decimo canto si lascia la zona del paradiso – costituita dai primi tre cieli – dove ancora si allunga l'ombra della terra, e si entra in
quella dove abitano gli spiriti la cui vita fu tutta rivolta, con diverse modalità, al fine proprio dell'uomo, cioè a Dio. Come già accadde nelle prime due cantiche, questo canto segna dunque l'ingresso nell'ambiente più specificamente proprio del nuovo mondo, dove sono sparite le ultime fievoli tracce della debolezza terrena,
e regna incontrastato l'amore e il fervore dello spirito nella contemplazione di Dio.

L'inizio del canto subito rivela il cambiamento di situazione, stabilendo un netto
distacco dal drammatico discorso che chiudeva il canto precedente. Del duro rimprovero fatto da Folchetto alla chiesa corrotta qui non c'è ricordo. I primi versi
si levano con solenne andamento a contemplare l'atto stesso con cui Dio, nella
triplice azione delle sue tre persone, creò l'armonioso ordine dell'universo celeste. E il poeta prosegue invitando il lettore a sollevare con lui lo sguardo verso
quel perfetto movimento delle grandi orbite astrali, che Dio stesso contempla con
l'occhio di un innamorato.

Sembra che in questo invito Dante voglia distaccare definitivamente il suo lettore – come fa il suo testo – dalle preoccupazioni della terra che così fortemente contrastano con la libertà e la pace del cielo, come sarà detto all'apertura del
canto seguente, dedicato a san Francesco di Assisi.

Anche l'entrata in questo quarto cielo – come sempre non avvertita da Dante
se non per il maggior splendore del volto di Beatrice – è sottolineata in modo
particolare per la sua totale mancanza di fisicità; non solo non è percepito il moto
nello spazio, ma neppure quello nel tempo: Beatrice lo conduce, dice Dante, così
velocemente, *che l'atto suo per tempo non si sporge.*

Si entra dunque nella zona alta del paradiso, dove le inclinazioni naturali attribuite ai quattro astri (Sole, Marte, Giove, Saturno) – che, come già abbiamo osservato, designano la specie di santità che fu propria, nella vita storica, dei beati che
vi si incontrano – sembrano corrispondere alle quattro virtù cardinali. Esse sono
infatti per il Sole la sapienza, per Marte la virtù guerriera, per Giove la giustizia,
per Saturno l'ascesi e la contemplazione (che possono appunto identificarsi con
sapienza, fortezza, giustizia e temperanza). E vi troveremo infatti, rispettivamente,
anime di sapienti, di combattenti per la fede, di giusti, di contemplativi.

Nel nuovo cielo, quello del Sole, Dante ha raccolto gli spiriti tradizionalmente detti dai commentatori «sapienti», che dedicarono cioè la loro vita allo studio
e alla ricerca della verità, non solo nell'ambito delle scienze divine, ma anche di
quelle umane (come il diritto, la storia, la logica, la grammatica); e si trovano qui
anche alcuni rappresentanti della sapienza che può dirsi pratica (come un re –
Salomone – due profeti, e anche due umili francescani, posti qui probabilmente, questi ultimi, a significare che il più semplice fedele seguace del vangelo è alla
pari, in sapienza, con i più grandi teologi).

Si ripresenta, qui nel *Paradiso*, un'accolta di grandi spiriti che ricorda quella vista già nel Limbo nel canto IV dell'*Inferno*. Là, intorno ad Aristotele, stavano coloro che cercarono la verità senza il lume della fede, solo col piccolo fuoco dell'umana ragione. Qui sono riuniti quelli che alla stessa opera si dedicarono, ma illuminati da ben altra luce: risplendono infatti più del sole (tanto da risultare distinguibili nella sua luce), secondo le parole della Scrittura: «Coloro che furono sapienti rifulgeranno quasi astri splendenti nel firmamento; e coloro che educano i popoli alla giustizia, brilleranno come stelle per l'eternità» (*Dan.* 12, 3).

Guardando ai nomi scelti per comporre questa grande adunanza – costituita da due corone di dodici spiriti ciascuna – sembra che Dante abbia voluto, non solo e non tanto indicare i più illustri rami della scienza, divina e umana, coltivati al suo tempo, ma anche, e forse soprattutto, comporre in armonia, lassù nel cielo, le diversità di scuola e di pensiero che separarono quegli uomini nella loro ricerca in terra, come apparirà nella scelta esemplare che egli fa, in ambedue le ghirlande, dell'ultimo spirito presentato con alta lode da colui che le guida, spirito che in tutti e due i casi fu dall'altro violentemente avversato nella vita storica. Già le due corone del resto che risplendono in questo cielo, una in questo canto, l'altra nel XII, sono in gran parte rappresentative delle due grandi correnti di pensiero nelle quali confluiva tutta la sapienza teologica del secolo di Dante, la domenicana e la francescana. Non a caso i due personaggi posti da Dante a capo delle ghirlande luminose sono i due più grandi dottori delle due scuole, san Tommaso e san Bonaventura, che si scambiano il favore di celebrare l'uno il santo fondatore dell'Ordine dell'altro (Tommaso farà il panegirico di Francesco, e Bonaventura quello di Domenico). Questo gesto è di per sé simbolico dello spirito di conciliazione – nella luce e nell'amore divini – delle differenze spesso acute e generatrici di dure polemiche, che domina tutta la scena del cielo del Sole.

Si potrebbe dire che le due corone ci offrono i nomi di una ideale biblioteca del tempo di Dante, cioè degli autori di quei libri che ogni convento o monastero dove fosse uno studio o una scuola allora possedeva: gli enciclopedisti, i giuristi, gli storici, accanto ai grandi mistici e ai teologi dogmatici.

Di quasi tutti sono dati poco più che i nomi, ben noti del resto a chiunque frequentasse le scuole. Ma per alcuni è fatta una eccezione. Nel nostro canto, nel quale la corona è presentata da Tommaso, due anime appaiono con speciale rilievo, l'una e l'altra di grande importanza, a diverso titolo, per la storia intellettuale e morale di Dante. In questo cielo, dedicato alla sapienza come ricerca della verità, esse rappresentano due aspetti essenziali di quella ricerca che fu uno dei più appassionati e alti motivi del suo animo tutto teso verso il bene e il vero.

Il primo dei due è Boezio, quello che, come narra il *Convivio*, lo introdusse allo studio e all'amore per la filosofia quando egli era prostrato dal dolore per la morte di Beatrice. Boezio, il grande mediatore tra la cultura classica e la cristiana; Boezio il consolatore (che mostra nella sua opera principale, la *Consolazione della filosofia*, come la filosofia possa confortare l'uomo colpito dalla sventura per colpa dell'umana ingiustizia); Boezio infine che insegna, come qui è detto, il distacco dal *mondo fallace* (vv. 125-6), cioè da quell'inganno dei beni terreni *che nulla promession rendono intera* (*Purg.* XXX 132). Tutte queste sue prerogative sono, come ben si vede, strettamente legate alla vita sia privata sia pubblica di Dante; da una parte alla sua crescita intellettuale, dall'altra alla sua amara vicenda politica, che egli vedeva quasi esemplata in quella dell'antico filosofo che morì in carcere, ingiustamente condannato. Di qui la commozione – pur in quel contenuto riserbo proprio di ogni riferimento personale che affiori nel poema – che sostiene le due grandi terzine a lui dedicate.

Ma non meno intense – se minore infatti è il rapporto affettivo, più drammatico è quello intellettuale – sono quelle che, a conclusione della serie, si leggono quasi subito dopo, e che presentano l'altro spirito a cui Dante dà singolare onore in questa corona, Sigieri di Brabante.

Dopo Boezio il mediatore, il consolatore, ecco risplendere la luce della tragica figura di Sigieri, il maestro parigino che sostenne l'autonomia della filosofia dalla teologia, e per questo fu contestato, destituito, e infine forse per questo ucciso. La distinzione tra i due ordini, naturale e soprannaturale, razionale e di fede, autonomo l'uno dall'altro, è centrale in tutto il pensiero di Dante. Tale distinzione è alla base della sua concezione della politica, fondata sulle due guide, imperatore e papa, di cui il primo agisce in autonomia dal secondo, come è detto alla conclusione della *Monarchia*. Ma come sul piano politico, così sul piano filosofico, questa concezione era fortemente combattuta da gran parte dei teologi, in quanto alcune affermazioni, logicamente dedotte dai cosiddetti «principi primi», ossia dalle verità di per sé evidenti alla mente (si cfr. II 43-45 e nota), venivano a mettere in dubbio le verità rivelate dalla fede, quali l'immortalità dell'anima individuale o la creazione del mondo (considerato eterno). Il fatto che Dante, oltre a porre Sigieri in paradiso, lo celebri addirittura con particolare risalto, ha da sempre costituito un problema per la critica. Ma sulla questione specifica della salvezza di Sigieri si veda la nota di approfondimento alla fine del canto.

Qui vogliamo rilevare la bellezza drammatica delle due terzine a lui dedicate, che riflettono il dramma già vissuto da Dante nel suo lungo studiare e meditare sulla condizione dell'umana ragione. La purezza d'intenzione del grande maestro parigino appassionato del sapere è riconosciuta nell'eterno splendore che da lui si irradia, scandito solennemente dal verso che porta in fondo il suo nome (*essa è la luce etterna di Sigieri*); e d'altra parte la profonda sofferenza della sua mente, nel constatare il limite di ciò che la ragione portava infallibilmente a concludere a confronto con quello che la fede insegnava, è detta con poche potenti parole (*che 'n pensieri / gravi a morir li parve venir tardo*), dove è riconoscibile il doloroso accento di una celebre pagina della *Monarchia* sulla incomprensibilità per la ragione umana della giustizia di Dio, a proposito della salvezza negata a chi non poté conoscere il Vangelo di Cristo: «La ragione umana di per sé non può vedere ciò come giusto; ma lo può aiutata dalla fede» (*Mon.* II, VII 5). La coscienza, e la sofferenza che ne derivava, di tale contrasto, non era del resto solo di Dante, ma di tutti i grandi pensatori cristiani del tempo, da quando la filosofia aristotelica era penetrata in Occidente. E la distinzione tra i due campi – nella quale si riconosceva che la ragione non può «dedurre» da se stessa le verità della fede, che la trascendono – era già stata chiaramente posta da Alberto Magno, al quale lo stesso Sigieri fa riferimento.

Il fatto che la celebrazione di Sigieri sia affidata a quello stesso – san Tommaso – che lo aveva combattuto in terra nella sua opera filosofica, e che ora ne riconosce la grandezza, la sincerità d'intenzione, e la sofferenza sopportata (vv. 134-5), è una delle molte ardite invenzioni proprie del *Paradiso*, quali la salvezza di Cunizza o del pagano Rifeo. Anche di questa seconda salvezza si potrebbe infatti dire, come per la prima, *che parria forse forte al vostro vulgo* (*Par.* IX 36).

Quasi a conferma dell'interpretazione da noi sopra indicata, sul criterio che guida Dante nella scelta dei personaggi qui presentati – e che in queste ultime parole della rassegna prende particolare rilievo –, non appena Tommaso tace, si leva dalla corona dei beati un armonioso canto, paragonato, per l'accordarsi dei diversi suoni, al suono dell'orologio risultante dal movimento delle diverse ruote del suo ingranaggio. La dolcezza e l'armonia prodotte da quella diversità, che le tre terzine finali rendono in modo mirabile con la delicatezza e l'accordo dei loro suoni, esprime senza altro commento il significato che Dante ha voluto dare a questo incontro dei grandi sapienti nel suo cielo del Sole.

CANTO X

Nel cielo del Sole: gli spiriti sapienti

1-27 Dopo una commossa contemplazione dell'ordine dell'universo e della sua armoniosa perfezione, il poeta invita il lettore ad alzare lo sguardo là dove si incontrano i due moti opposti del cielo, quello equinoziale e quello zodiacale, così da poter ammirare l'opera del creatore. Il lettore può soffermarsi a contemplare ciò di cui gli è stato offerto un assaggio, ma il poeta deve tornare alla materia del suo canto.

28-51 Dante è salito senza accorgersene nel cielo del Sole grazie alla guida di Beatrice. Gli spiriti che qui appaiono si distinguono per la loro luminosità che è ancor maggiore della luce del Sole dentro cui si trovano, tanto che il poeta non riesce a descriverli adeguatamente.

52-63 Beatrice esorta Dante a ringraziare Dio per l'alto privilegio che gli ha concesso ed egli, pieno di fervore, quasi dimentica anche la sua donna, la quale però non si dispiace, ma si rallegra, come dimostra l'accresciuto splendore degli occhi.

64-81 Gli spiriti lucenti danzano formando una corona intorno a Dante e Beatrice, accompagnandosi con un canto di ineffabile dolcezza; quindi, compiuti tre giri, sospendono il canto e si fermano, come in attesa di riprendere la danza.

82-138 Una delle anime manifesta a Dante l'intenzione di appagare ogni sua richiesta, dato che egli è così evidentemente privilegiato da Dio; perciò, interpretando il suo desiderio di sapere chi siano le anime che compongono quella corona, presenta sé, Tommaso d'Aquino, e il proprio maestro Alberto Magno, entrambi frati domenicani, quindi a uno a uno indica gli altri dieci spiriti che formano la ghirlanda. Essi rappresentano vari tipi di sapienza: i più sono teologi, ma con diversa connotazione, e vi si trovano anche un re saggio (Salomone), uno storico (Orosio), infine un filosofo (Sigieri).

139-148 Al termine del discorso di Tommaso, come un orologio dall'armonioso congegno che dà la sveglia al mattino con dolci note, così, accordando movimento e voci, le anime riprendono a danzare e cantare, con una dolcezza che si può sperimentare solo in paradiso.

Guardando nel suo Figlio con l'Amore
che l'uno e l'altro etternalmente spira,
3   lo primo e ineffabile Valore

1-3. Guardando nel suo Figlio...: con profondo mutamento di registro, dalle tristi vicende terrene amaramente denunciate nel cielo di Venere, il nuovo canto s'innalza a contemplare la vita stessa della Trinità divina, nel suo interno processo di mutuo amore, da cui ha origine l'universo. Il grande attacco prelude all'entrata nel nuovo cielo, dove più non giunge l'ombra della terra. Il verso si distende con solennità, aprendo con un gerundio che sostiene tutto l'ampio periodo e insieme lo stringe in serrata unità. La precisione teologica – come sempre in queste sequenze – sembra sposare la bellezza dell'espressione poetica. Il Padre (*lo primo Valore*) crea guardando il Figlio (il Verbo per cui tutto fu fatto: *Io.* 1, 1-3) con quell'amore che (oggetto) l'uno e l'altro vicendevolmente effondono in eterno. Già il solo primo verso contiene dunque il processo interno alla Trinità nell'atto creativo, quel processo a lungo indagato dalla grande teologia, che così ne aveva fissato i termini: «Creare non è proprio di una delle tre persone, ma comune a tutta la Trinità Dio padre crea attraverso il suo Verbo, che è il Figlio, per mezzo del suo Amore, che è lo Spirito Santo» (*S.T.* I, q. 45 a. 6).

– **l'Amore**: è lo Spirito Santo che, secondo il credo cattolico, «procede dal Padre e dal Figlio»; *spirare* è il verbo scritturale per indicare l'effondersi dello Spirito, usato in particolare in teologia per questa accezione trinitaria.

– **Valore**: è il latino «virtus», cioè potenza, attribu-

Guardando nel suo Figlio (il Verbo) con quell'Amore che l'uno e l'altro effondono in eterno (lo Spirito Santo), il primo e ineffabile Valore (il Padre) ...

quanto per mente e per loco si gira
con tant'ordine fé, ch'esser non puote
6   sanza gustar di lui chi ciò rimira.
    Leva dunque, lettore, a l'alte rote
meco la vista, dritto a quella parte
9   dove l'un moto e l'altro si percuote;
    e lì comincia a vagheggiar ne l'arte
di quel maestro che dentro a sé l'ama,
12   tanto che mai da lei l'occhio non parte.
    Vedi come da indi si dirama

to proprio del Padre nella Trinità, come la Sapienza è del Figlio, e l'Amore dello Spirito (cfr. *Inf.* III 5-6). Anche altrove *etterno valore* per Dio (I 107 e *Purg.* XV 72); *primo*, perché ogni altro procede da lui; *ineffabile*, perché la lingua degli uomini non può esprimere l'infinita realtà divina.

4-6. **quanto per mente e per loco si gira...**: le sfere celesti, cioè tutto ciò che eternamente gira, volto prima nelle intelligenze angeliche che gli imprimono il movimento (*per mente*) e poi nello spazio (*per loco*). Il verso è complemento oggetto del *fé* successivo. Dio (*lo primo Valore*) creò i cieli con un ordine così perfetto (*con tant'ordine*) che chi lo contempla non può non gustare, cioè intravedere qualcosa, e goderne, della perfezione stessa di lui. Altri intendono questo verso come riferito a tutta la creazione – ciò che si estende nelle menti e nello spazio, cioè le cose corporee e incorporee – ma i versi seguenti (7-21) dicono chiaramente che qui si *rimira* il meraviglioso ordine dato da Dio ai moti celesti, oltre al fatto che il verbo *si gira* è proprio delle sfere in tutta l'opera di Dante.

6. **sanza gustar di lui**: senza in qualche modo avere il gusto, il sentimento di Dio.

7-8. **Leva dunque, lettore...**: solleva dunque con me lo sguardo – dice il poeta al suo lettore – verso le sfere celesti. Il verso stesso sembra col suo ritmo portare in alto l'occhio e l'animo del lettore, dopo il doloroso spettacolo di ciò che accade sulla terra visto nel canto precedente. Il movimento – di rialzarsi come con un colpo d'ala a contemplare la bellezza serena del cielo, che parla all'uomo di Dio – è consueto in Dante (si veda *Purg.* XIV 148-9: *Chiamavi 'l cielo e 'ntorno vi si gira, / mostrandovi le sue bellezze etterne* o *Purg.* XIX 62-3). Il *dunque*, stabilendo un legame logico con ciò che precede, conforta l'interpretazione da noi accolta del v. 4.

– **dritto a quella parte**: esattamente a quel punto.

9. **dove l'un moto e l'altro...**: dove si scontrano (*si percuote*) i due opposti moti circolari del cielo: *l'un*, quello diurno del cielo stellato, da levante verso ponente; *l'altro*, quello annuo dei pianeti dello Zodiaco, che taglia obliquamente il primo muovendosi da ponente verso levante. I due cerchi massimi dei due movimenti, l'equatore celeste e l'eclittica, di cui il secondo è inclinato sul primo di 23 gradi e mezzo, si incrocia-

no in due punti che corrispondono ai due equinozi, di primavera e d'autunno. Dante vuole indicare qui, con *quella parte*, il primo dei due equinozi, come appare ai vv. 28-33.

10. **e lì comincia...**: e guardando in quel punto comincia a contemplare con amore (*vagheggiar*) l'opera del divino artefice. Il «vagheggiamento» dell'uomo per il creato risponde all'amore di Dio per la sua opera, espresso nei due versi seguenti. Ed è evidente il richeggiamento dal canto IX, vv. 106-7, dove *si rimira ne l'arte* divina, che il grande *affetto* del creatore *addorna* di ogni perfezione; richiamo che rende certa l'interpretazione là data di quel difficile passo.

11-2. **che dentro a sé l'ama...**: che l'ama, guardandola vivere dentro la sua stessa essenza, di tale amore che non ne distoglie mai lo sguardo. L'amore di Dio per la sua opera, amore che presiede alla creazione, continua ininterrotto, permettendo così ad ogni cosa creata di vivere. È racchiusa in questi versi l'idea teologica che se Dio cessasse per un attimo di alimentare l'universo col suo amore, questo si dissolverebbe nel nulla. Il geloso amore divino per la sua creazione appare anche a *Purg.* XVI 85-6 (*Esce di mano a lui che la vagheggia / prima che sia*), dove è usato lo stesso verbo – *vagheggiare* – qui riferito all'uomo contemplante; verbo proprio dell'amore umano nella poesia cortese.

13. **da indi si dirama**: da *quella parte*, cioè dal punto in cui s'incontrano i due moti celesti, *si dirama*, cioè diverge, come un ramo dal tronco (anche oggi si dice «diramazione» di una strada dalla principale). La metafora sembra disegnare nel cielo le due grandi strade divergenti dell'equatore e dell'eclittica.

■

... creò con un ordine così perfetto tutto ciò che si volge di moto circolare, nell'atto delle intelligenze angeliche (per mente) e nello spazio (per loco), cioè le sfere celesti, che chi lo contempla non può non gustare qualcosa della sua divina realtà (di lui). ◆ Solleva dunque, lettore, con me lo sguardo verso le sfere celesti, esattamente a quel punto dove si scontrano (si percuote) i due opposti moti circolari del cielo: e in quel punto comincia a contemplare con amore (vagheggiar) l'opera di quell'artefice che l'ama dentro la sua stessa essenza, di tale amore che non ne distoglie mai lo sguardo. ◆ Vedi come da quella parte diverge (si dirama) ...

l'oblico cerchio che i pianeti porta,
15   per sodisfare al mondo che li chiama.
     Che se la strada lor non fosse torta,
molta virtù nel ciel sarebbe in vano,
18   e quasi ogne potenza qua giù morta;
     e se dal dritto più o men lontano
fosse 'l partire, assai sarebbe manco
21   e giù e sù de l'ordine mondano.
     Or ti riman, lettor, sovra 'l tuo banco,
dietro pensando a ciò che si preliba,
24   s'esser vuoi lieto assai prima che stanco.

---

14. **l'oblico cerchio...**: la fascia zodiacale, che porta con sé, cioè dentro la quale si volgono, seguendo il suo movimento, le orbite dei pianeti; obliqua, perché il suo piano è inclinato su quello dell'equatore, come si è detto, di 23 gradi e mezzo, cioè con un angolo acuto. Si noti la forte evidenza del semplice verso, nel quale l'alta fantasia di Dante domina e raffigura i lontani e immensi fenomeni celesti.

15. **per sodisfare...**: per poter soddisfare alle necessità della natura terrestre, che sembra invocare il loro intervento. Il grande cerchio celeste compie dunque il suo eterno moto, portando con sé i pianeti, soltanto in funzione della conservazione della vita sulla terra, alla quale essi sono preposti.

16-8. **Che se la strada lor...**: si considera ora la grande perfezione dell'*ordine* (v. 21) che presiede a questi movimenti celesti: se la strada dei pianeti, cioè lo Zodiaco entro il quale essi camminano, non fosse *torta*, cioè obliqua, come è detto sopra, rispetto all'equatore, molta della virtù d'influenza propria dei cieli sarebbe vana, e quasi ogni potenzialità posta nella natura resterebbe come *morta*, perché non potrebbe tradursi in atto. I cieli infatti governano il crescere e il maturare delle varie forme di vita sulla terra; ma se l'eclittica – dove si trova il sole – coincidesse con l'equatore celeste verrebbe meno l'alternarsi delle stagioni, al quale è legato ogni ciclo vitale: avremmo infatti un'estate perpetua all'equatore, un inverno perpetuo ai poli, e una primavera perpetua nelle zone intermedie.

19-21. **e se dal dritto...**: e se d'altra parte il *partire*, cioè il divergere, dell'eclittica dall'equatore (considerato *dritto* nella rappresentazione antica del mondo, per cui ogni cerchio che se ne discosta è *torto*; cfr. *Conv.* II, III 5) fosse maggiore o minore, molto dell'ordine terreno risulterebbe manchevole, cioè imperfetto (per l'alterarsi dei climi, e dello stesso ciclo diurno e notturno), nell'uno e nell'altro emisfero (*e giù e sù*). Intendiamo *mondano* da *mondo* nel senso di «terra» come sopra al v. 15 e a *Conv.* III, V 3, in quanto qui si parla appunto della influenza dei pianeti sulla terra (si cfr. Restoro, *Composizione* II, I 3 dove si dimostra che lo Zodiaco «non pò essare declinato né più né meno ch'elli è, ch'elli non facesse danno...»).

22. **Or ti riman, lettor...**: il poeta interrompe la descrizione dell'ordine celeste per poter proseguire il suo racconto, e lascia al lettore di continuare da solo quella contemplazione, che non potrà dargli che gioia.

23. **dietro pensando...**: seguitando a pensare, a riflettere, su ciò di cui qui si è dato appena un assaggio, un breve cenno. *Prelibare* in questo senso (di «brevemente pregustare», un cibo o un argomento) anche a XXIV 4 e *Vulg. El.* I, IV 5.

24. **s'esser vuoi lieto...**: se vuoi provare tanto piacere da non arrivar mai a sentire la stanchezza di tali ardue meditazioni. Il conciso verso esprime insieme la fatica e il diletto che accompagnano lo scrutare il mirabile ordine del cosmo; ciò era proprio dell'esperienza di Dante, che alla contemplazione dei cieli e dei loro movimenti si era sempre appassionatamente dedicato: «Forse che non vedrò ovunque la luce del sole e degli astri? Forse che non potrò meditare le dolcissime verità dovunque sotto il cielo?» (*Ep.* XII 9).

25. **Messo t'ho innanzi...**: io ti ho servito il cibo, cioè, metaforicamente, la materia su cui riflettere; ora puoi nutrirti da solo, per tuo conto (*per te*). *Mettere* aveva in antico il senso di «servire in tavola». Il verso è veloce e quasi sbrigativo; l'autore è spinto avanti dall'urgenza di ciò che deve narrare.

26. **a sé torce**: quasi piega a sé con violenza tutta la mia attenzione, il mio impegno.

■

... la fascia zodiacale che porta con sé i pianeti, per poter soddisfare al mondo terrestre che li invoca. Che se la loro strada non fosse obliqua (torta), molta della virtù d'influenza propria dei cieli sarebbe vana, e quasi ogni forma di vita che è in potenza nella natura (ogni potenza) resterebbe come morta; e se d'altra parte il suo divergere (partire) dall'equatore (dritto) fosse maggiore o minore, molto dell'ordine terreno risulterebbe manchevole, nell'uno e nell'altro emisfero (e giù e sù). ◆ Rimani ora, o lettore, seduto al tuo tavolo, seguitando a riflettere su ciò di cui qui si è dato appena un assaggio (si preliba), se vuoi provare tanto piacere da non arrivar mai a sentire la stanchezza.

Messo t'ho innanzi: omai per te ti ciba;
ché a sé torce tutta la mia cura
27 quella materia ond'io son fatto scriba.
Lo ministro maggior de la natura,
che del valor del ciel lo mondo imprenta
30 e col suo lume il tempo ne misura,
con quella parte che sù si rammenta
congiunto, si girava per le spire
33 in che più tosto ognora s'appresenta;
e io era con lui; ma del salire
non m'accors'io, se non com'uom s'accorge,

27. **quella materia...**: quell'argomento, s'intende così alto e importante (il viaggio nel paradiso), del quale io sono stato fatto relatore.

– **scriba**: vale «scrivano», cioè colui che trascrive,
o scrive sotto dettatura, ciò di cui un altro è l'autore.
Con questa parola Dante dichiara il suo ruolo, di fedele trascrittore di un'esperienza che un altro – Dio
stesso – ha preparato per lui. Accenna cioè al compito a lui affidato, come fa altre volte nel poema, di «scrivere» ciò che ha visto (cfr. *Purg.* XXXII 103-5). Per
questo intendiamo *son fatto* come un perfetto passivo (e non, come altri, «mi sono fatto»): senso che introduce nel verso, insieme all'umiltà dello *scriba*, l'alta consapevolezza di colui che a tale compito è stato
scelto.

28. **Lo ministro maggior...**: il sole, che è il più importante dei «ministri», cioè degli esecutori della natura, intesa qui nella sua attività generatrice e con-
servatrice della vita, svolta attraverso i pianeti, nella
quale il sole ha il maggior ruolo (esso è detto infatti
padre d'ogne mortal vita a XXII 116).

29. **che del valor del ciel...**: che imprime nel mondo più di ogni altro pianeta la virtù del cielo (per *imprenta*, cfr. VII 69 e 109). Si veda *Conv.* III, XIV 3: «Onde vedemo lo sole che, discendendo lo raggio suo qua
giù, reduce le cose a sua similitudine di lume quanto
esse per loro disposizione possono dalla [sua] vertude lume ricevere».

30. **e col suo lume...**: «da cui dipende la misura delle ore, dei giorni, e di tutto il nostro tempo» (Dionigi pseudo-Areopagita, *De Divinis nominibus* IV 119).
Il tempo infatti, anni giorni ore, si misura, oggi come
allora, sul cammino del sole.

31. **con quella parte...**: cioè col punto equinoziale
sopra ricordato (vv. 8-9). Il sole si trova, nella finzione del viaggio dantesco, nell'equinozio di primavera,
come è detto già nel primo canto del *Paradiso* (vv. 37-
42), dove compare anche lo stesso verbo: *congiunta*
(v. 41).

32-3. **si girava per le spire...**: nel suo apparente movimento da un tropico all'altro, che si svolge tra l'u-
no e l'altro solstizio, il sole sembra descrivere una spirale, dovuta ai suoi due moti, diurno e annuale. (In

modo simile in *Convivio* III, V 14 Dante paragona questo movimento a quello di una vite). Il sole dunque
percorreva quel tratto del suo cammino (*si girava per
le spire*) nel quale ci si presenta, cioè sorge per noi,
sempre *più tosto*, cioè ogni giorno un po' prima, cosa che accade dal solstizio d'inverno al solstizio d'e-
state. Dante vuol dunque precisare che, dei due punti in cui si intersecano equatore ed eclittica ricordati
ai vv. 8-9, e cioè i due equinozi, il sole si trovava ora
in quello di primavera, che cade appunto nel periodo in cui esso sorge sempre più presto.

34. **e io era con lui**: le due solenni terzine dedicate
al sole introducono questa piccola frase, invertendo
l'ordine consueto del discorso (io ero giunto nel cielo del sole); così al re dei pianeti è dato singolare rilievo.

34-6. **ma del salire...**: ma non mi accorsi di salirvi, come non ci si accorge del sopraggiungere del pensiero
prima che esso appaia col suo primo insorgere nella nostra mente. Se ne accorse quindi quando già vi era giunto, come l'uomo si accorge di pensare quando già sta
pensando. Il processo è definito con la consueta profondità e concisione, proprie dell'attenzione con la quale
Dante scruta i più interni moti della coscienza (si veda
l'equivoco sogno-veglia a *Inf.* XXX 136-41 o, in questa cantica, la straordinaria similitudine di XXXIII 58-
63). Si vuol descrivere qui la rapidità atemporale di quel
passaggio, tanto che il pellegrino non fa in tempo a pren-
derne coscienza. Ciò accade ad ogni salita da un cielo
all'altro, che non è mai materialmente descritta: Dan-

───────── ■ ─────────

*lo ti ho servito il cibo; ora puoi nutrirti per tuo conto (per
te); poiché attira a sé con violenza (torce) tutta la mia attenzione quell'argomento del quale io sono stato fatto relatore.* ◆ *Il più importante degli esecutori della natura (cioè
il sole), che imprime nel mondo la virtù del cielo e con la
sua luce ci dà la misura del tempo, congiunto col punto equinoziale sopra ricordato, girava in quel tratto della spirale (che
descrive nel suo moto apparente tra i due tropici) in cui ci
si presenta (cioè sorge) ogni giorno un po' prima (ognora
più tosto); e mi trovavo nel suo cielo; ma non mi accorsi di
salirvi, come non ci si accorge ...*

36   anzi 'l primo pensier, del suo venire.
         È Bëatrice quella che sì scorge
         di bene in meglio, sì subitamente
39   che l'atto suo per tempo non si sporge.
         Quant'esser convenia da sé lucente
         quel ch'era dentro al sol dov'io entra'mi,
42   non per color, ma per lume parvente!
         Perch'io lo 'ngegno e l'arte e l'uso chiami,
         sì nol direi che mai s'imaginasse;
45   ma creder puossi e di veder si brami.
         E se le fantasie nostre son basse
         a tanta altezza, non è maraviglia;
48   ché sopra 'l sol non fu occhio ch'andasse.
         Tal era quivi la quarta famiglia

te se ne rende conto solo da segni esteriori (la bellezza di Beatrice, il cresciuto splendore ecc.) e si adombra così la qualità singolare, non più terrestre, di quel corpo che traversa i cieli.

37-9. È Bëatrice...: è Beatrice colei che così mi conduce, mi scorta (cioè che rende possibile tale straordinario cammino), da un cielo a un altro cielo più alto (*di bene in meglio*), in modo così subitaneo che il suo atto non si estende (*non si sporge*) nel tempo; non ha cioè una durata misurabile e quindi non è percepibile dai sensi. *Scorgere* per «scortare», «condurre», anche a *Purg.* XVII 18.

– si sporge: verbo di singolare evidenza e precisione, difficilmente traducibile: vuol dire che nemmeno per un poco, per una piccola parte, quell'atto si affaccia, emerge nel tempo, tanto da essere colto, afferrato dai sensi.

40-2. Quant'esser convenia...: quanto doveva essere *lucente* di per se stesso, cioè di propria luce, ciò che si trovava dentro il sole, se era visibile ai miei occhi

(*parvente*) non per un diverso colore, ma per intensità di luce! Cioè se le luci degli spiriti beati erano distinguibili dentro la luce solare, la più splendente che l'uomo conosca, dovevano essere di ben straordinaria intensità. Comincia così, con questa meravigliata esclamazione, il racconto di ciò che accade nel nuovo cielo.

43-4. Perch'io lo 'ngegno: il senso di meraviglia espresso nella terzina che precede continua in questa con la dichiarazione di impotenza dell'autore a ridire ciò che vede: per quanto io chiami in aiuto tutte le mie risorse di poeta – della mente (*'ngegno*), della tecnica (*arte*) e dell'esperienza (*uso*) – non potrei dirlo in modo che il lettore potesse mai «immaginarlo», cioè raffigurarselo. È questo il *topos* dell'ineffabile, o dell'inesprimibile, una costante del linguaggio del *Paradiso*, che sempre trova nuovi modi di espressione, o variazioni del tema, ricordando al lettore come sia al di là delle forze umane rappresentare la bellezza e la qualità irripetibile di quel regno.

45. ma creder puossi...: ma, s'io non posso far vedere questa realtà, ognuno può almeno crederla per fede e desiderare di vederla un giorno coi suoi occhi in paradiso. Questo verso, improvviso e modesto, porta quella nota di veridicità e di semplice fede che già abbiamo riconosciuto a I 70-2. Se il poeta non può ripetere quello splendore, ogni credente potrà farne esperienza un giorno.

46-8. E se le fantasie...: ancora una terzina, la terza, dedicata alla eccezionalità delle luci apparse nel cielo del sole; terzina che appare più debole delle altre, spiegando razionalmente ciò che è già stato detto con stupore e fede: se l'umana fantasia è insufficiente di fronte a così grandi splendori, non c'è da stupirsi, poiché nessun occhio ha mai visto cosa più luminosa del sole. E la fantasia, o «immaginativa», non può andare oltre l'esperienza dei sensi, come insegnava Aristotele (cfr. IV 40-2 e nota).

49. Tal: così luminosa, tanto da vincere il sole.

... del sopraggiungere del pensiero prima che esso sia arrivato (nella nostra mente). ◆ *È Beatrice colei che così mi scorta da un cielo a un altro cielo più alto (di bene in meglio) in modo tanto subitaneo che la sua azione non si estende (non si sporge) nel tempo. Quanto doveva essere lucente di per se stesso ciò che si trovava dentro il sole dove io entrai, se era visibile ai miei occhi (parvente) non per un diverso colore, ma per intensità di luce! Per quanto io chiami in aiuto la mente ('ngegno), la tecnica (arte) e l'esperienza (uso) non potrei dirlo in modo che il lettore potesse mai raffigurarselo; ma ognuno può crederlo e si desideri dunque di vederlo.* ◆ *E se l'umana fantasia è insufficiente di fronte a così sublimi realtà, non c'è da stupirsi; poiché nessun occhio ha mai potuto vedere cosa più luminosa del sole. Così splendente (tal) era qui il quarto gruppo dei familiari ...*

de l'alto Padre, che sempre la sazia,
51   mostrando come spira e come figlia.
    E Bëatrice cominciò: «Ringrazia,
    ringrazia il Sol de li angeli, ch'a questo
54   sensibil t'ha levato per sua grazia».
    Cor di mortal non fu mai sì digesto
    a divozione e a rendersi a Dio
57   con tutto 'l suo gradir cotanto presto,
    come a quelle parole mi fec'io;
    e sì tutto 'l mio amore in lui si mise,
60   che Bëatrice eclissò ne l'oblio.
    Non le dispiacque, ma sì se ne rise,
    che lo splendor de li occhi suoi ridenti
63   mia mente unita in più cose divise.

– **la quarta famiglia**: il quarto gruppo dei familiari di Dio, cioè i beati raccolti nel quarto cielo.

50-1. la sazia...: appaga il suo desiderio ardente, la sua fame di lui, rivelandole l'interno processo della Trinità, che è il più grande mistero della fede: *come spira*, cioè come effonde lo Spirito, e *come figlia*, cioè come genera eternamente il Figlio. Si ripete, con maggiore concisione, ciò che è detto nella solenne terzina che apre il canto, quasi motivo centrale di questa entrata nel cielo di coloro che dedicarono la loro vita alla speculazione intellettuale.

53. il Sol de li angeli: Dio, quasi sole che illumina le menti angeliche.

53-4. a questo/sensibil: a questo sole sensibile, cioè a quel sole materiale che è figura sensibile di lui, sole spirituale.

55-7. Cor di mortal...: un cuore umano non fu mai così disposto (*digesto*) a devozione e così pronto (*presto*) a donarsi a Dio con la pienezza della sua gratitudine.

– **digesto**: (dal latino «digerere») vale propriamente «digerito» (cfr. XVII 132); qui in senso traslato di «predisposto», «ben preparato». Così il Buti: «lo cibo digesto si dice disposto al notrimento del corpo, e così digesto si dice lo cuore umano quando è disposto a donazione a Dio».

56. rendersi: è il tipico verbo usato da Dante per esprimere il totale affidamento, quasi la resa a Dio dell'animo umano; la sola cosa, in realtà, che salva l'uomo. Si veda *Conv.* IV, XXVIII 7: «Rendesi dunque a Dio la nobile anima in questa etade» e *Purg.* III 119-20, quando Manfredi narra la sua conversione in punto di morte: *io mi rendei, / piangendo, a quei che volontier perdona*.

57. gradir: dei due sensi del termine è preferibile intendere «gratitudine», piuttosto che «gradimento», data l'esortazione di Beatrice (a ringraziare Dio) che precede queste parole.

59. in lui si mise: si ripose in Dio; il verso dice un totale e profondo abbandono di amore.

60. eclissò ne l'oblio: me la fece dimenticare, oscurando la sua luce, come un astro è oscurato nelle eclissi. L'amorosa contemplazione di Dio supera la stessa speculazione delle verità celesti, che Beatrice raffigura; così, alla fine della cantica, a lei succederà come guida il grande mistico Bernardo.

61. ma sì se ne rise: anzi ne sorrise in modo così luminoso; la forma riflessiva, come più volte altrove (cfr. *si sa* a XIX 39 o *si gode* a *Inf.* VII 96), esprime l'intensità dell'atto (quasi ne rise in se stessa, godendone dentro di sé).

62. che lo splendor...: il verso stesso sembra splendere, e fa brillare al centro della breve scena quegli *occhi ridenti* che gareggiano con la stessa bellezza divina.

63. mia mente unita...: divise tra due diverse attrattive (il riso di Beatrice e Dio) il mio animo, prima tutto rivolto ad un solo termine, Dio stesso. La frase non deve sembrare eccessiva: quel riso infatti non è che la visibilità stessa, in un volto umano, della realtà di Dio.

■

... del supremo Padre (cioè i beati raccolti nel quarto cielo), che sempre lo appaga, rivelandogli come effonde lo Spirito (spira) e come genera il Figlio (figlia). ◆ E Beatrice cominciò a dire: «Ringrazia, ringrazia il sole che illumina le menti angeliche (cioè Dio), che ti ha sollevato fino a questo sole sensibile per la sua grazia». Un cuore umano non fu mai così disposto (digesto) alla devozione e così pronto (presto) a donarsi a Dio con la pienezza della sua gratitudine così rapidamente, come a quelle parole mi feci io; e tutto il mio amore si ripose così (completamente) in Lui, che mi fece dimenticare Beatrice come eclissandola. Ciò non le dispiacque, anzi ne sorrise in modo tale, che lo splendore dei suoi occhi ridenti divise tra due diverse attrattive il mio animo, prima unito in un solo desiderio.

Io vidi più folgór vivi e vincenti
far di noi centro e di sé far corona,
66   più dolci in voce che in vista lucenti:
così cinger la figlia di Latona
vedem talvolta, quando l'aere è pregno,
69   sì che ritenga il fil che fa la zona.
Ne la corte del cielo, ond'io rivegno,
si trovan molte gioie care e belle
72   tanto che non si posson trar del regno;
e 'l canto di quei lumi era di quelle;
chi non s'impenna sì che là sù voli,
75   dal muto aspetti quindi le novelle.
Poi, sì cantando, quelli ardenti soli
si fuor girati intorno a noi tre volte,

---

64. vivi e vincenti...: *vivi*, intensi (cfr. XXX 49); *vincenti*: si sottintende, di solito, la luce stessa del sole, come dicono i vv. 40-2, ma poiché questo è già stato detto, è preferibile intendere «vincenti la vista umana», come a *Conv*. III, VII 4: «E certi [corpi] sono tanto vincenti nella purità del diafano, che divengono sì raggianti, che vincono l'armonia dell'occhio e non si lasciano vedere senza fatica del viso».

65. far di noi centro...: formare come una corona, un cerchio che aveva in noi il suo centro. È la prima volta che le anime appaiono a Dante ordinate in una figura geometrica; qui nella più semplice, quella del cerchio.

66. più dolci in voce...: e se la loro luce vinceva il sole, quale sarà stata la dolcezza di quel canto!

67-9. così cinger...: così talvolta vediamo in cielo la luna (Diana, *la figlia di Latona*) cingersi di un alone, quando l'aria è densa di vapori (*pregno*, detto dell'aria, anche a *Purg*. V 118) tale da trattenere i raggi (*il fil*) che formano intorno all'astro come una cintura (*zona*). Per *cinger* vedi nota linguistica.

– **zona**: vale «cintura», «fascia che cinge» (cfr. XXIX 3) dal latino anche biblico (cfr. *Matth*. 10, 9, citato in *Mon*. III, X 14).

◆ *Io vidi molti fulgori intensi e vincenti la vista umana formare come una corona che aveva in noi il suo centro, ancora più dolci nel loro canto che splendenti allo sguardo: così talvolta vediamo la luna (Diana, la figlia di Latona) cingersi di un alone, quando l'aria è densa di vapori (pregno), tanto da trattenere i raggi (il fil) che le formano come una cintura (zona).* ◆ *Nella corte celeste, dalla quale sono di ritorno, si trovano molte gemme preziose e belle, tanto che non si possono portare fuori da quel regno; e il canto di quei lumi era una di esse; chi non mette le ali per volare un giorno fin lassù, può pure aspettarne il racconto da un muto.* ◆ *Dopo che, così cantando, quelle anime ardenti come soli ebbero girato attorno a noi tre volte,...*

---

70. corte del cielo: il paradiso è immaginato come una corte regale, dove Dio è il re, e gli angeli e i beati i suoi principi, sudditi e ministri. L'immagine torna più volte nel poema, e proprio la *corte del cielo* è già in *Inf*. II 125.

– **ond'io rivegno**: dalla quale sono di ritorno.

71. gioie: gemme; *care* vale «preziose»; si veda IX 37, riferito a Folchetto: *luculenta e cara gioia*.

72. trar del regno: portarle fuori dal regno celeste; cioè descriverle qui in terra con il linguaggio umano. La metafora è tolta dall'uso di molti paesi, che vietavano per legge di portar fuori dallo stato oggetti particolarmente pregiati. Si veda Marco Polo, *Il Milione*, p. 46, 4-5: «E quivi nasce le priete preziose che si chiamano balasci, che sono molto *care* E è pena la testa chi cavasse di quelle pietre *fuori del reame*, perciò che ve n'à tante, che diventerebbero vile».

73. di quelle: di quella specie di *gioie* che non si possono *trar del regno*.

74-5. chi non s'impenna...: chi non mette le ali per volare un giorno fin lassù, non potrà averne da altri il racconto. Si intendono qui le ali del puro amore di Dio, che solo può portare in paradiso («coloro che sperano nel Signore... metteranno penne come di aquila»: *Is*. 40, 31). Si ripete il motivo del v. 45: solo chi un giorno arriverà in cielo potrà gustare quella musica celeste; gli altri aspettino inutilmente di avere da me notizie di lassù (*quindi*), perché sarebbe come aspettarle da un muto: la sua bellezza non è esprimibile nella lingua umana.

76. Poi: poi che, dopo che.

– **ardenti soli**: le luci dei beati, così dette perché fulgenti più del sole.

77. fuor: «furono», già incontrato.

– **tre volte**: è il numero della Trinità, proprio in genere degli atti liturgici.

78. come stelle...: lentamente, come girano le stelle più vicine ai poli (i *fermi poli* sono in questo caso Dante e Beatrice) (cfr. *Conv*. II, III 13-4). Così a *Purg*. VIII 87 le stelle girano *tarde* presso il polo, *sì come ro-*

78   come stelle vicine a' fermi poli,
         donne mi parver, non da ballo sciolte,
     ma che s'arrestin tacite, ascoltando
81   fin che le nove note hanno ricolte.
         E dentro a l'un senti' cominciar: «Quando
     lo raggio de la grazia, onde s'accende
84   verace amore e che poi cresce amando,
         multiplicato in te tanto resplende,
     che ti conduce su per quella scala
87   u' sanza risalir nessun discende;
         qual ti negasse il vin de la sua fiala
     per la tua sete, in libertà non fora
90   se non com'acqua ch'al mar non si cala.
         Tu vuo' saper di quai piante s'infiora

ta più presso a lo stelo.

79-81. donne mi parver: gli spiriti, dopo aver girato in corona intorno a Dante e Beatrice, si arrestano nell'atto di danzatrici che, ancora raccolte in tondo nella figura del ballo, sostano brevemente tra una strofe e l'altra, attendendo la musica con cui riprendere la danza. Tempo breve dunque, nel quale i corpi e le anime sono protesi verso il momento in cui torneranno a danzare: così i beati sostano per Dante, ma il loro spirito anela all'eterna danza celeste (cfr. VIII 34-9).

– **non da ballo sciolte:** «ferme bensì, ma in ballo tuttavia» (Lombardi).

– **s'arrestin tacite, ascoltando...:** le figure femminili sono colte nella loro tensione, tra il movimento che s'arresta e quello che sta per riprendere, con l'udito pronto a «raccogliere» la nuova nota d'avvio.

82. a l'un: di quegli *ardenti soli*; si saprà poi, al v. 99, che si tratta di Tommaso d'Aquino.

– **senti' cominciar:** dall'interno della sua luce, lo spirito comincia a parlare. Inizia così, terminato il grande prologo, la rassegna dei beati di questa prima ghirlanda apparsa nel cielo del Sole, rassegna che occupa tutta la seconda metà del canto.

– **Quando:** giacché (è il latino «quandoquidem»).

83-4. lo raggio de la grazia...: il raggio della grazia divina per il quale (*onde*), quasi fuoco che si trasmette al contatto, *s'accende* nell'uomo il vero amore, cioè l'amore del bene, che poi cresce, aumenta, con l'amare stesso.

85. multiplicato in te...: risplende in te quasi fosse moltiplicato, cioè con tale sovrabbondanza; per la grazia eccezionale concessa a Dante già si inducevano a parlare le anime del *Purgatorio* (cfr. *Purg.* XIV 1-15 o XX 40-2).

86-7. per quella scala...: per quella scala celeste (i cui gradini sono i cieli stessi, fino all'Empireo) dalla quale nessuno discende senza poi risalirvi; chi la sale cioè – per speciale grazia – durante la sua vita, la risale poi sicuramente alla sua morte, è destinato cioè al paradiso (e s'intende dire che chi ha fatto una volta l'esperienza diretta di Dio, non potrà più essere deviato in terra dai falsi beni – *Purg.* XXX 131 – che ingannano gli uomini). Ciò è accaduto finora solo a san Paolo e – nella finzione del poema – a Dante; ma non è escluso che ad altri venga concesso da Dio lo stesso privilegio.

88-9. qual ti negasse...: chiunque (*qual* vale «qualunque», con valore di pronome relativo indefinito: cfr. *Inf.* XV 37) ti rifiutasse il suo vino per appagare la tua sete (cioè la sua sapienza per placare il tuo desiderio di conoscere).

– **fiala:** ampolla, qui recipiente per il vino.

89-90. in libertà non fora...: non sarebbe libero, come un'acqua che non potesse scendere verso il mare. Poiché nel paradiso tutti i beati seguono di necessità la legge dell'amore che li conforma al volere divino (III 73-81), venire incontro ai desideri di chi è favorito dalla grazia è per loro naturale come per l'acqua tendere verso il basso (si veda l'analogo paragone, riferito al fuoco che tende all'alto, di I 141).

91. di quai piante s'infiora: di quali spiriti si adorna; sostantivo e verbo sono portati dall'immagine della *ghirlanda*, o serto di fiori, che succede a quelle dell'alone lunare e del cerchio di danzatrici.

─────────■─────────

... come girano le stelle più vicine ai poli (cioè lentamente), mi sembrarono (simili a) donne che non si sciolgano ancora dalla figura composta nella danza, ma che si arrestino in silenzio, ascoltando fino a quando non hanno percepito una nuova musica. ◆ *E dentro ad una (di esse) sentii cominciare a dire:* «*Giacché il raggio della grazia divina, per il quale (onde) s'accende nell'uomo il vero amore (cioè l'amore del bene) che poi cresce con l'amare stesso (amando), risplende in te quasi fosse moltiplicato, tanto che ti conduce su per quella scala dalla quale nessuno discende senza poi risalirvi, chiunque (qual) ti rifiutasse il vino della sua bottiglia per appagare la tua sete, non sarebbe libero, come un'acqua che non potesse scendere verso il mare.* ◆ *Tu vuoi sapere di quali piante si adorna ...*

questa ghirlanda che 'ntorno vagheggia
93 la bella donna ch'al ciel t'avvalora.
Io fui de li agni de la santa greggia
che Domenico mena per cammino
96 u' ben s'impingua se non si vaneggia.
Questi che m'è a destra più vicino,
frate e maestro fummi, ed esso Alberto
99 è di Cologna, e io Thomas d'Aquino.
Se sì di tutti li altri esser vuo' certo,
di retro al mio parlar ten vien col viso

92-3. che 'ntorno vagheggia...: che, circondandola, contempla con amore quella donna che ti dà la forza, la capacità (*t'avvalora*) di salire al cielo.

94-6. Io fui de li agni...: io fui uno degli agnelli (*agni*, come a IX 131) del gregge di san Domenico, cioè fui frate domenicano.

– mena per cammino...: conduce (con la sua regola) per una strada dove ci si può nutrire abbondantemente, arricchirsi cioè di beni spirituali (*ben s'impingua*), se non si corre dietro a cose vane (*se non si vaneggia*); *s'impingua* vale *ci s'impingua*, secondo un uso antico già incontrato (cfr. *si pente* a IX 103 e nota linguistica). Tutto il v. 96 sarà illustrato ampiamente nel canto seguente, offrendo così l'occasione alla celebrazione di san Francesco e al grave rimprovero rivolto ai domenicani che tralignano dal cammino segnato dal loro fondatore.

97. più vicino: cioè il primo alla sua destra, dal quale comincia la rassegna degli spiriti, che terminerà con quello che si trova alla sua sinistra. Tommaso sta così tra il maestro e l'avversario, come si vedrà.

98. frate: fratello nell'ordine, in quanto anch'egli domenicano.

98-9. Alberto/è di Cologna: Alberto Magno, nato a Lauingen in Svevia sulla fine del XII secolo e morto a Colonia nel 1280; studiò a Padova, dove si fece domenicano nel 1223; provinciale dell'Ordine nel '54, vescovo di Ratisbona nel '60, insegnò a Friburgo, Ratisbona, Parigi e infine a Colonia, dove diresse lo Studio generale dell'Ordine fino alla sua morte, e dove fu suo discepolo Tommaso d'Aquino. Sulla sua opera, e sull'importanza della sua influenza culturale, an-

che per Dante, si veda la nota di approfondimento alla fine del canto.

99. Thomas d'Aquino: Tommaso dei conti d'Aquino, forse il più grande, certo il più importante per influenza culturale, dei pensatori cristiani del XIII secolo, nacque a Roccasecca, in Campania, nel 1226; entrato giovanissimo nell'Ordine domenicano (1243), compì gli studi a Parigi e a Colonia dove fu discepolo di Alberto Magno; insegnò poi teologia nella stessa Colonia, a Parigi, a Napoli, e a Parigi tornò negli anni della polemica con gli averroisti latini, a capo dei quali era Sigieri di Brabante, citato più avanti (per cui si veda la nota al v. 136). Tornato in Italia nel 1272, morì due anni dopo a Fossanova mentre era in viaggio diretto al concilio di Lione; una leggenda che Dante raccolse (*Purg.* XX 69) lo disse avvelenato per mandato di Carlo I d'Angiò. Sull'opera dell'Aquinate e sulla sua influenza sul pensiero dantesco si veda la nota di approfondimento alla fine del canto.

100. esser vuo' certo: vuoi essere fatto certo, cioè aver notizia, essere informato (dal latino «certior fieri», forma usata anche altrove).

101. di retro al mio parlar...: vieni con lo sguardo dietro alle mie parole.

102. su per lo beato serto: lungo la corona formata dai beati (*su per* non indica necessariamente salita, ma anche semplice trascorrimento; cfr. *Inf.* III 118; *Purg.* XXVIII 6 e XXIX 8).

103. esce del riso: la luce fiammeggiante che Dante vede *esce*, deriva, dall'interno *riso*, cioè dalla gioia celeste del beato; la bella immagine, e la profonda idea che esprime, riprendono ciò che è detto a V 124-6.

104. Grazïan: Francesco Graziano, nato presso Orvieto (secondo altri a Chiusi), morto prima del 1160, fu monaco camaldolese e insegnò teologia a Bologna. Intorno alla metà del XII secolo compose la sua grande opera, la *Concordia discordantium canonum*, detta poi comunemente *Decretum Gratiani*, nella quale per la prima volta furono raccolte sistematicamente tutte le leggi ecclesiastiche ritrovabili nella tradizione, dalla Scrittura ai Padri, dai testi dei concili alle *Decretali* pontificie. Nelle varie disposizioni, riunite per materia, Graziano tenta sempre di spiegare e comporre (come dice il titolo dell'opera) le apparenti discordanze, arrivando a costituire un organico «corpus iu-

───■───

... questa ghirlanda che, facendole cerchio intorno, contempla con amore la bella donna che ti dà la forza (t'avvalora) di salire al cielo. Io fui uno degli agnelli (agni) del santo gregge che san Domenico conduce per una strada dove ci si può nutrire abbondantemente (ben s'impingua: di beni spirituali), se non si corre dietro a cose vane (se non si vaneggia). Questi che mi è più vicino sulla destra fu mio confratello e maestro, ed è Alberto di Colonia (Alberto Magno), e io sono Tommaso d'Aquino. ◆ Se vuoi essere informato allo stesso modo di tutti gli altri, vieni con lo sguardo dietro alle mie parole ...

102   girando su per lo beato serto.
       Quell'altro fiammeggiare esce del riso
       di Grazïan, che l'uno e l'altro foro
105   aiutò sì che piace in paradiso.
       L'altro ch'appresso addorna il nostro coro,
       quel Pietro fu che con la poverella
108   offerse a Santa Chiesa suo tesoro.
       La quinta luce, ch'è tra noi più bella,
       spira di tale amor, che tutto 'l mondo
111   là giù ne gola di saper novella:

ris», sul quale si basarono in seguito tutti gli studiosi del diritto ecclesiastico. Qui tra i sapienti cristiani egli rappresenta il fondatore, o sistematore, di tale diritto, come colui che segue, Pietro Lombardo, fu il sistematore della scienza teologica (si veda la nota al v. 107). Le loro opere erano infatti ai tempi di Dante la base dei due insegnamenti scolastici relativi, di diritto canonico e di teologia.

– **l'uno e l'altro foro**: espressione di interpretazione controversa; gli antichi, e molti moderni, intendono il civile e l'ecclesiastico, armoniosamente composti, ognuno con propria autonomia, in accordo con l'ideale politico di Dante, ed è forse la spiegazione preferibile. Ma alcuni critici studiosi del diritto intendono invece dei due fori interni alla Chiesa, il giudiziale e il penitenziale, senso che solo corrisponderebbe realmente all'opera di Graziano il quale non si è di fatto occupato di diritto civile. I due fori ecclesiastici sono espressamente nominati da Tommaso, che qui parla, in *IV Sent.*, d. 18, q. 2, a. 2.

105. **aiutò**: col dar loro sistemazione e chiarezza nella sua opera.

– **sì che piace**: in un modo che è gradito nel paradiso, per cui egli è lassù glorificato.

107. **quel Pietro fu**: Pietro Lombardo, nato nel novarese verso la fine dell'XI secolo, monaco a San Vittore dal 1134, insegnò teologia a Parigi negli anni intorno alla metà del secolo, e vi morì nel 1160. La sua opera principale, *Sententiarum libri quattuor*, grande sistemazione della scienza teologica fino a quel tempo, dove vengono ordinati e commentati i principali testi dei padri (le *sentenze*) sui vari argomenti, servì di base per oltre tre secoli all'insegnamento scolastico della teologia e fu il modello delle varie *Summae* teologiche e filosofiche che seguirono; dalla sua opera Pietro fu detto il *Magister sententiarum*, o anche soltanto *Magister*, come lo chiama anche Dante in *Mon.* III, VII 6.

107-8. **che con la poverella...**: che offrì a Dio con la sua opera tutto ciò che aveva, come la povera vedova del Vangelo offrì le sue uniche due monete al tempio di Gerusalemme (*Luc.* 21, 1-4). Dante riprende qui le parole di Pietro stesso che, nel prologo alle *Sententiae*, allude chiaramente, in spirito di umiltà, all'episodio evangelico: «desiderando depositare, insieme

alla poverella («cum paupercula»), qualcosa della nostra povertà e piccolezza nel tesoro del Signore, abbiamo avuto la presunzione di compiere un lavoro superiore alle nostre forze».

109. **più bella**: più lucente di tutte; il perché della sua eccellenza sarà spiegato nelle terzine seguenti. È questa la luce di Salomone, il grande re biblico figlio di David, ritenuto dalla tradizione autore dei libri sapienziali (*Proverbi*, *Ecclesiaste*, *Sapienza*) e del *Cantico dei Cantici*. Testi ben noti e citatissimi da Dante, che dà a questa figura biblica grande importanza, come appare dal fatto che ne fa la luce maggiore di tutta la corona dei sapienti e che a lui affiderà, nel canto XIV, il sublime discorso sulla resurrezione della carne (vv. 34-60).

110. **spira di tale amor...**: effonde un tale spirito d'amore... Si allude qui al *Cantico dei Cantici*, poema di amore nuziale di grande bellezza, e interpretato nella tradizione cristiana come figura delle mistiche nozze di Dio con l'anima dell'uomo.

110-1. **che tutto 'l mondo...**: che tutti (franc. «tout le monde») sulla terra (*là giù*) sono bramosi di saperne notizie (*ne gola di saper novella*). La *novella* che si vuol sapere è se Salomone fosse salvo o dannato, questione largamente disputata dagli esegeti, per il vizio di lussuria a cui il grande re cedette nella sua vecchiaia (*3 Reg.* 11, 1-9).

– **gola**: il verbo per «aver gola», «agognare», è dell'uso antico: si veda Monte Andrea, *Rime* 27, 10: «altro saper non golo», e M. Villani X, XXI: «non curarono li comandamenti de' loro signori, golando il soldo di messer Bernabò».

... girando lungo la corona dei beati. Quell'altra luce fiammeggiante esce dal riso gioioso di Graziano, che (con la sua opera giuridica) contribuì alla definizione dei due diritti (canonico e civile) in un modo che è gradito nel paradiso. L'altra luce che subito dopo adorna la nostra schiera fu quel Pietro (Pietro Lombardo) che offrì alla Santa Chiesa tutto ciò che aveva, come la poverella. La quinta luce, che tra noi è la più bella, effonde un tale spirito d'amore, che tutti sulla terra (là giù) sono bramosi di saperne notizie: ...

entro v'è l'alta mente u' sì profondo
saver fu messo, che, se 'l vero è vero,
114   a veder tanto non surse il secondo.
Appresso vedi il lume di quel cero
che giù in carne più a dentro vide
117   l'angelica natura e 'l ministero.
Ne l'altra piccioletta luce ride
quello avvocato de' tempi cristiani
120   del cui latino Augustin si provide.
Or se tu l'occhio de la mente trani

112-3. l'alta mente...: quell'alto intelletto nel quale (*u'*: ove) fu instillata da Dio una sapienza così profonda che, se il vero (cioè la Scrittura, che è la verità stessa perché di ispirazione divina) dice il vero: cosa indiscutibile.

114. a veder tanto...: non nacque un altro uomo capace di tanta sapienza; il verso riprende alla lettera il passo biblico nel quale Dio, al re Salomone che aveva chiesto come dono speciale non ricchezze né onori, ma la sapienza, così risponde: «ti ho dato un cuore sapiente e intelligente, tanto che nessuno a te uguale ci sia stato prima di te né possa mai sorgere dopo di te» (*3 Reg.* 3, 12).

115. cero: candela di grandi dimensioni, usata nelle celebrazioni liturgiche: qui «luminare», uomo che dette luce alla Chiesa.

116. in carne: quand'era in vita, nel corpo; vide *più a dentro*, più profondamente di ogni altro.

117. l'angelica natura...: la natura e il compito proprio degli angeli. Il più profondo teologo degli angeli è l'autore del *De Coelesti Hierarchia*, opera di larghissima diffusione nel Medioevo, che l'attribuiva a Dionigi l'Areopagita, discepolo di san Paolo (*Act. Ap.* 17, 34), attribuzione da cui derivava la sua grande autorità. Oggi quest'opera, come altre ritenute di Dionigi, è stata dalla critica assegnata a un anonimo autore cristiano del V secolo, di scuola neoplatonica, detto per convenzione lo «pseudo-Dionigi». Autore di forte ispirazione mistica, è noto e caro a Dante, che lo cita in *Ep.* XI 16 tra i grandi padri trascurati dai moderni pastori (cfr. IX 133-5 e nota) e ne deriva alcuni motivi fondamentali nell'impianto teologico della terza cantica. Nel poema Dante segue l'ordine delle gerarchie angeliche da lui stabilito, correggendo quello di Gregorio Magno che aveva seguito nel *Convivio* (cfr. la nota a VIII 34).

118. piccioletta: la luce è piccola a confronto con le precedenti: dopo dei grandi come Pietro Lombardo, Salomone e Dionigi, lo storico Paolo Orosio, discepolo di Agostino, appare di più modesto rilievo.

119-20. quello avvocato...: quel difensore dell'età cristiana la cui opera Agostino si procurò a sostegno della propria. La perifrasi indica chiaramente Paolo Orosio, lo storico cristiano nato in Spagna e vissuto e morto in Africa tra il IV e il V secolo. Solo Orosio infatti – dei vari autori proposti per identificare questa *piccioletta luce*, tra i quali Ambrogio, Lattanzio, Mario Vittorino – risponde alla lettera alle due indicazioni dantesche: nella sua opera, *Historiarum libri VII adversus paganos* (grande compendio storico dalla creazione del mondo fino all'età dell'autore), egli dimostra che le età pagane avevano portato agli uomini ben più sventura che quella cristiana (facendosi così difensore dei «christiana tempora», come egli li chiama), e l'opera fu composta – come è dichiarato nel prologo – su suggerimento di Agostino, che ne attendeva conferma storica al suo *De civitate Dei*. Il libro di Orosio, diffusissimo nel Medioevo, fu, come appare chiaramente in più luoghi dove è citato quasi alla lettera, la principale fonte storica di Dante, che vi trovava fra l'altro l'idea della provvidenza come guida della storia (*Hist.* II, III 5) e dell'impero universale di Roma, cardini del suo pensiero politico.

– **latino:** vale «linguaggio» in genere, scritto o parlato (cfr. XII 144 e XVII 35).

– **si provide:** quasi ebbe cura di provvedersi in anticipo, in modo che il suo lavoro di teologia della storia avesse un valido appoggio sul piano documentario. Le *Historiae* uscirono di fatto quasi in concomitanza con il *De civitate Dei*.

121. trani: conduci, fai scorrere. Vedi nota linguistica alla fine del canto.

122. dietro a le mie lode: andando dietro agli elogi ch'io faccio via via (*lode* è plurale di *loda*, dell'uso comune antico, come *froda*, forme già incontrate).

123. già de l'ottava...: resti ormai desideroso di sapere chi sia l'ottava luce.

124-6. Per vedere ogne ben...: il *per* è causale: per il fatto di vedere, perché finalmente vede la somma di ogni bene (Dio), dentro quella luce gioisce ora quel santo spirito che a chi sa ascoltarlo, cioè a chi legge e comprende le sue opere, rivela tutta la fallacia dei beni del mondo. Quell'anima – intendono dire questi versi – go-

... dentro c'è quell'alto intelletto nel quale (u') fu instillata da Dio una sapienza così profonda che, se il vero dice il vero, non nacque un secondo uomo capace di tanto comprendere. ◆ *Dopo di lui vedi la luce di quel luminare che in terra, quando era ancora rivestito del corpo, seppe vedere più addentro di tutti la natura e il compito proprio degli angeli. Nell'altra piccola luce ride quel difensore dell'età cristiana, la cui opera Agostino si procurò (a sostegno della propria). Ora se tu fai scorrere (trani) l'occhio della mente ...*

di luce in luce dietro a le mie lode,
123 già de l'ottava con sete rimani.
    Per vedere ogni ben dentro vi gode
l'anima santa che 'l mondo fallace
126 fa manifesto a chi di lei ben ode.
    Lo corpo ond'ella fu cacciata giace
giuso in Cieldauro; ed essa da martiro
129 e da essilio venne a questa pace.
    Vedi oltre fiammeggiar l'ardente spiro
d'Isidoro, di Beda e di Riccardo,

de ora di quel supremo bene che additò agli altri in terra come l'unico vero. Il tono del verso si alza per lui, Severino Boezio, il senatore romano ministro di Teodorico che prima lo onorò e poi lo fece incarcerare e mettere a morte nel 526. Autore di numerosi e noti trattati di teologia, logica e matematica, Boezio compose in carcere la sua opera principale e più nota, la *Consolatio Philosophiae*, nella quale la Filosofia gli appare a confortarlo, dimostrandogli la vanità, la «fallacia» dei beni terreni, e come la vera felicità si trovi soltanto in Dio: opera carissima a Dante, che vi trovò a sua volta conforto dopo la morte di Beatrice e ne fu iniziato alla filosofia (*Conv.* II, XII 2). Boezio, il più importante mediatore tra la cultura classica e la nuova speculazione cristiana, è tra gli autori più citati e più vicini allo spirito di Dante che in lui, perseguitato ricercatore del vero, vedeva quasi specchiata la propria storia, sia interiore che pubblica. Si veda quanto si è detto nella Introduzione al canto, e la voce relativa in *Enciclopedia Dantesca* I, pp. 654-8, a cura di F. Tateo.

127. **cacciata**: dice la violenza di quella morte: Boezio fu infatti decapitato.

128. **giuso in Cieldauro**: sulla terra, nella basilica di S. Pietro in Ciel d'Oro a Pavia, dove anche oggi si trova la sua tomba, fatta erigere dal re Liutprando. Il pensiero del corpo sepolto in terra torna più volte nel poema dell'aldilà: così già Virgilio e Manfredi ricordano il proprio (*Purg.* III 25-7 e 127-32) e qui nel *Paradiso* farà san Giovanni (XXV 124); il corpo è il segno della realtà storica alla quale sempre è riferita la realtà oltremondana della *Commedia*.

– **da martiro**: Boezio fu considerato martire nel Medioevo (e santo e martire lo consacra qui Dante) in quanto la sua morte era vista come dovuta alla sua professione e difesa – in politica e nella morale – delle idee cristiane: «Teodorico mandò in prigione e fece poi morire a Pavia il buon santo Boezio Severino perch'egli per bene e stato della repubblica di Roma e della fede cristiana il contrastava de' suoi difetti e tirannie» (Villani III, V 30). Che egli fosse cristiano è stato messo in dubbio in passato, ma oggi è stato dimostrato con certezza dalla critica storica. Boezio è anche oggi annoverato tra i santi della Chiesa; nel 1883 il papa Leone XIII ne concesse il culto a Pavia, dove la sua festa si celebra il 23 ottobre.

129. **da essilio**: esilio dalla patria è per il cristiano la vita in terra, che per Boezio fu dura e dolorosa, come lo fu per Dante, esule insieme dalla patria celeste e da quella terrena.

– **a questa pace**: dopo tanto tormento. La stessa clausola (*dal martiro a questa pace*) userà Cacciaguida per se stesso a XV 148.

130. **l'ardente spiro**: lo spirito infuocato, luminoso. Tra le due commosse terzine dedicate a Boezio e le due che seguiranno, altrettanto intense, scritte per Sigieri, questa serve come di pausa, raccogliendo tre nomi sui quali Dante non si sofferma, quasi per lasciare spazio agli altri due.

131. **Isidoro**: Isidoro di Siviglia, nato a Cartagena in Spagna nel 570 e morto a Siviglia, dove era vescovo, nel 636. Scrisse libri di teologia, di storia, di grammatica, ma l'opera sua di gran lunga più famosa è quella detta *Etymologiae*, o *Origines*, ordinata enciclopedia che abbraccia ogni campo del sapere, diffusa in tutti gli ambienti culturali del Medioevo. Dante lo pone qui certamente per questa sua opera di diffusore e sistematore della cultura, come furono quasi tutti gli altri spiriti citati in questa corona. Insieme a Beda, Isidoro sembra rappresentare gli enciclopedisti, che tanta importanza ebbero nella cultura dell'età medievale e dei quali egli fu certamente il capofila. Echi e citazioni isidoriane sono ritrovabili in tutta l'opera di Dante, anche se una sua conoscenza diretta della fonte non è dimostrabile con sicurezza.

– **Beda**: Beda detto il Venerabile, monaco inglese vissuto dal 674 al 735, santo e dottore della Chiesa; dopo Isidoro, la maggiore figura di erudito dell'Alto Medioevo, certo uno dei padri della cultura medievale. Tra le sue opere, diffuse in tutte le biblioteche, ricordiamo

■

... di luce in luce, andando dietro agli elogi ch'io faccio via via, resti ormai col desiderio di sapere chi sia l'ottava luce. ◆ Per il fatto di vedere la somma di ogni bene (cioè Dio) dentro vi gioisce quella santa anima che, a chi sa ascoltarlo, rivela tutta la fallacia del mondo. Il corpo del quale essa fu cacciata giace giù nella basilica di S. Pietro in Ciel d'Oro (a Pavia); ed essa dal martirio e dall'esilio giunse a questa pace. Vedi più oltre fiammeggiare lo spirito ardente di Isidoro (di Siviglia), di Beda e di Riccardo (di San Vittore) ...

132   che a considerar fu più che viro.
        Questi onde a me ritorna il tuo riguardo,
    è 'l lume d'uno spirto che 'n pensieri
135   gravi a morir li parve venir tardo:
        essa è la luce etterna di Sigieri,
    che, leggendo nel Vico de li Strami,
138   silogizzò invidïosi veri».
        Indi, come orologio che ne chiami
    ne l'ora che la sposa di Dio surge

i commenti alla Scrittura, il *De natura rerum* (una cosmografia a cui sembra abbia attinto anche Dante), il *De temporum ratione* (cronologia universale su cui si fondano le successive cronologie medievali) e infine l'*Historia ecclesiastica gentis Anglorum*, per la quale soprattutto egli è noto nei tempi moderni. Dante lo pone qui probabilmente – non per niente accanto ad Isidoro – come uno dei grandi sistematori del sapere di tutta l'età medievale.

– **Riccardo**: è questi Riccardo di San Vittore, scozzese di nascita, nominato, come Ugo, dall'abbazia agostiniana presso Parigi di cui fu priore alla fine della sua vita (1162-73). Riccardo fu uno dei principali autori mistici del suo tempo e Dante, che più volte sembra ispirarsi ai suoi scritti, specie nel *Paradiso* (si veda per esempio I 7-9 e nota), ne cita espressamente uno, il *De gratia contemplationis*, in *Ep.* XIII 80, per dimostrare come all'uomo possa essere concesso in vita di contemplare la gloria celeste. Egli è posto qui con Dionigi in rappresentanza, nella ghirlanda dei sapienti, di quel filone mistico così essenziale nella tradizione culturale cristiana, dal quale lo spirito di Dante fu fortemente attratto e influenzato, come tutto il *Paradiso*, e soprattutto la sua conclusione nel segno di Bernardo, ampiamente dimostra.

132. che a considerar...: che, nella contemplazione di Dio, si levò oltre le possibilità dell'uomo (Riccardo fu detto «magnus contemplator»). Per la forma latina *viro* con valore di eccellenza, si cfr. XXIV 34.

133. Questi onde a me ritorna...: questo spirito dal quale, ultimo del cerchio, il tuo sguardo ritorna a me, avendo compiuto tutto il giro. Questa posizione, di ultimo e vicino a Tommaso, già conferisce allo spirito che ora si presenta uno speciale rilievo, che le parole seguenti accresceranno.

■

... che, nella contemplazione di Dio, si levò oltre le possibilità dell'uomo (fu più che viro). ◆ *Questo lume dal quale il tuo sguardo ritorna a me, è il lume di uno spirito a cui, stretto in tormentosi pensieri, la morte parve giungere troppo lentamente: essa è la luce eterna di Sigieri, che, facendo lezione nella Via della paglia (a Parigi), dimostrò per via di sillogismo verità invise a molti».* ◆ *Poi, come un orologio che ci chiami nell'ora in cui la sposa di Dio (cioè la Chiesa) si leva ...*

134-5. che 'n pensieri/gravi...: a cui, stretto in tormentosi pensieri, la morte parve tardare. Affrettò dunque la morte col desiderio, tanta era la sofferenza che quei pensieri gli causavano. Non tanto perché – crediamo – la morte li avrebbe risolti, ma perché lo avrebbe liberato da quel tormento. Si veda la concentrata forza di questo verso e mezzo, tipica delle grandi definizioni storiche e umane di Dante. Prima di pronunciarne il nome, le tragiche parole identificano la persona dalla sua prerogativa, il tormento del pensiero.

136. Sigieri: il verso, solennemente scandito, dà a questo nome, con l'avallo del grande Tommaso, un singolare onore; onore che crea un grave problema di interpretazione in quanto Sigieri di Brabante, maestro alla Facoltà delle Arti nell'Università di Parigi, fu alla metà del secolo il capo riconosciuto del cosiddetto averroismo latino (cioè l'aristotelismo fondato sul commento di Averroè) più volte condannato per alcune dottrine – dedotte logicamente dalla filosofia aristotelica – inconciliabili con la fede cristiana. Appellatosi al papa, che allora risiedeva in Orvieto, Sigieri fu assolto ma trattenuto in una specie di libertà vigilata, e in Orvieto morì, ucciso da un chierico, nel 1283. Quale significato abbia l'onore che qui gli rende Dante per bocca di Tommaso, che fu suo avversario in terra, è problema ancora discusso. Si veda sulla questione la nota di approfondimento alla fine del canto.

137. leggendo: facendo lezione; *leggere* era il verbo tecnico usato per l'insegnamento, il quale consisteva essenzialmente nel leggere e commentare i testi autorevoli di ogni disciplina.

– **Vico de li Strami**: è la «rue du Fouarre», o «via della paglia», la strada di Parigi dove si trovavano le scuole di filosofia della Facoltà delle Arti. La precisazione è importante, perché la Facoltà delle Arti era appunto quella dove insegnavano gli aristotelici, con la quale era in continua polemica la Facoltà di Teologia, per i diversi princìpi da cui le due scuole partivano. – *strame* è ciò che serve di cibo o letto alle bestie, fieno o paglia (cfr. *Inf.* XV 73).

138. silogizzò: dimostrò per via di sillogismo, cioè dedusse logicamente; il verbo è importante, in quanto sottolinea che i *veri* insegnati da Sigieri erano dimostrati come necessari sul piano della ragione, piano sul quale egli dichiaratamente si teneva.

– **invidïosi veri**: verità invise a molti, «che gli pro-

141   a mattinar lo sposo perché l'ami,
       che l'una parte e l'altra tira e urge,
       tin tin sonando con sì dolce nota,
144   che 'l ben disposto spirto d'amor turge;
       così vid'ïo la gloriosa rota
       muoversi e render voce a voce in tempra
       e in dolcezza ch'esser non pò nota
148   se non colà dove gioir s'insempra.

curarono odio e persecuzioni» (Pasquini – Quaglio). L'aggettivo è usato in senso passivo, cioè non «che invidia», ma «che è invidiato» (come *odioso*, di cui ha qui analogo valore). Quali siano i *veri* che Dante dichiara insegnati da Sigieri è tuttora problematico ad intendere, in quanto non si tratta certo delle proposizioni contrarie alla fede per cui fu condannato, da Dante stesso apertamente dichiarate erronee altrove. Sulla interpretazione di questo verso, come in genere della figura di Sigieri, si veda la nota di approfondimento alla fine del canto.

139. **che ne chiami**: che ci chiami, quasi ci esorti col suo dolce suono.

140-1. **ne l'ora...**: al primo mattino, quando la Chiesa (*la sposa di Dio*) si leva a «fare la mattinata» (cioè a dare il risveglio col canto, come era uso degli amanti sotto le finestre dell'amata) al suo sposo, per chiederne l'amore: così chiama Dante, con dolce metafora ispirata all'amore, la recita del mattutino, la preghiera liturgica che si fa nella Chiesa alla prima ora del giorno.

142. **che l'una parte...**: in modo che l'una parte, cioè una ruota dell'ingranaggio, *tira* la ruota che la segue e *urge*, cioè spinge, mette in moto, quella che le è davanti. Con un solo evidente verso si rappresenta il meccanismo delle ruote dentate che costituiva il movimento dell'orologio. Tali orologi erano un'invenzione recente, e Dante dimostra qui ancora una volta la sua attenzione e il suo interesse per ogni novità nel campo delle arti come in quello scientifico.

143. **tin tin sonando**: si tratta qui di un orologio «destatore», come dice il Landino, o sveglia, che cioè produceva un suono tintinnante (dovuto a martelletti che percuotevano delle campanelle) richiamando così chierici e monaci alla preghiera.

144. **che 'l ben disposto...**: il suono dell'orologio è così dolce che lo spirito già ben disposto si gonfia (*turge*, latinismo), s'empie tutto d'amore. Con l'amore si apre e si chiude dunque il canto: all'apertura (v. 1) quello altissimo interno alla Trinità stessa, in chiusura quello umanissimo, confortato da una dolce musica, assimilato a quello degli sposi terreni. L'uno è per Dante omogeneo all'altro (e il verbo *mattinar*, come già *vagheggia* al v. 92, è non casualmente preso dal linguaggio dell'amore umano).

145. **così**: cioè con eguale trasmettersi di moto e suono dall'uno all'altro nel volgersi del cerchio.

– **la gloriosa rota**: la corona di spiriti gloriosi.

146. **render voce a voce...**: cantare rispondendo una voce all'altra *in tempra*, cioè «in armonia»; *tempra* è detto altre volte del suono musicale (cfr. XIV 118 e *Purg.* XXX 94), indicando probabilmente un accordo di più voci (dal valore di *temperare*; cfr. I 78 e nota) e sempre unito all'aggettivo *dolce* (come qui a *dolcezza*).

147-8. **ch'esser non pò nota...**: tale che non può essere conosciuta se non lassù in paradiso, dove la gioia dura per sempre.

– **s'insempra**: da *insemprarsi*, eternarsi, è voce di conio dantesco, costruita con la preposizione *in* + avverbio, come *indovarsi* (XXXIII 138) o *inforsarsi* (XXIV 87); un simile valore di *in* si riscontra in *s'inmilla* di XXVIII 93. La dolcezza e l'armonia (*tempra*) che concludono il canto nel ritmico movimento dell'orologio che chiama all'amore sono chiara figura del senso che Dante ha voluto dare alla sua ghirlanda di sapienti, a quel movimento appunto assimilata: una diversità concorde, che armonizza ora in cielo le differenze anche profonde e sofferte dello speculare terreno.

... a risvegliare col canto (mattinar) il suo sposo, per chiederne l'amore (cioè al primo mattino), in modo che l'una parte dell'ingranaggio tira e spinge l'altra, risonando nel suo tintinnare con un suono così dolce, che lo spirito già ben disposto si gonfia (turge) d'amore; così io vidi la corona di spiriti gloriosi muoversi e cantare accordando nota con nota con un'armonia (in tempra) e una dolcezza tale che non può essere conosciuta se non lassù (in paradiso) dove la gioia dura per sempre.

approfondimenti

PERSONAGGI - UN PROBLEMA DI INTERPRETAZIONE

Il «dottore universale» *versi 98-9. Alberto... di Cologna*

Alberto, detto di Colonia dalla città che fu centro del suo insegnamento e dove morì e fu sepolto, fu uno dei più grandi maestri del suo tempo; di smisurata dottrina, scrisse un gran numero di opere che abbracciavano ogni ramo del sapere, per le quali fu detto «dottore universale» e gli fu dato il titolo di *Magno*. Egli si dedicò a far conoscere all'Occidente latino la dottrina di Aristotele parafrasandone ed esponendone le opere che in quegli anni erano giunte in Europa attraverso i commentatori arabi, e interpretandone il pensiero in senso cristiano, come poi farà con rigorosa sintesi il suo discepolo Tommaso. Dalla fisica alla metafisica alle scienze naturali (botanica, zoologia, astronomia) i suoi scritti rappresentano una immensa enciclopedia del sapere, che fu il fondamento della cultura del suo tempo. Dante ne ebbe conoscenza diretta, come appare da più citazioni, e il suo pensiero filosofico ne fu influenzato, secondo il Nardi e altri studiosi, più che dalle opere dello stesso Tommaso. Ad Alberto risalgono fra l'altro la teoria – di origine neoplatonica – della derivazione delle cose da Dio secondo una gerarchia discendente attraverso le intelligenze (cfr. II 112 sgg.), cardine dell'universo dantesco, e la rigorosa distinzione tra filosofia e teologia, diverse nei metodi e nelle conclusioni, che fu al centro delle polemiche teologiche del secolo, per cui si veda qui avanti la nota su Sigieri relativa al v. 136, e l'Introduzione al canto.

Il maggior maestro della Chiesa *verso 99. ... e io Thomas d'Aquino.*

Tommaso fu il grande sistematore della teologia cristiana sul fondamento razionale della filosofia aristotelica, realizzando quell'ideale accordo fra il pensiero antico – il massimo a cui potesse giungere la mente umana con le sue forze naturali – e la dottrina cristiana, accordo che, fin dal primo apparire di Aristotele in Occidente, era stato desiderato dai più, ma da molti ritenuto impossibile; ed è questo, crediamo, il suo vero merito presso Dante, che di quell'operazione intuiva la portata e che su quell'accordo fondò tutto il suo universo e il suo poema. Ancora oggi la sua opera resta il punto di riferimento filosofico della teologia della Chiesa romana. Della sua vasta produzione fondamentali sono i commenti ad Aristotele e le due grandi *Summae* (*Summa Theologiae*, *Summa contra Gentiles*), gli uni e le altre noti a Dante, che più volte li cita, e che sembra conoscere Aristotele proprio attraverso i suoi commenti. Oltre alla ragione principale di cui si è detto, Dante fu certamente vicino a Tommaso, più che nei singoli problemi (infatti in diverse questioni si discosta dalla sua dottrina), nello spirito, razionale e chiarificatore, con cui affrontarli. Non per niente Tommaso guida la prima corona del cielo del Sole: a lui è evidentemente riconosciuto un ruolo primario – di corifeo appunto – tra gli spiriti che fondarono la loro sapienza sull'umana ragione.

Sigieri e le verità perseguitate *verso 136. ... la luce etterna di Sigieri*

Sigieri di Brabante (1226-83), maestro alla Facoltà delle Arti di Parigi, si presentava come il fedele interprete di Aristotele sulla base del commento di Averroè; ritenendo il filosofo greco come il massimo rappresentante dell'umana ragione, egli dava le sue conclusioni come necessarie dal punto di vista della filosofia, cioè delle naturali capacità dell'intelletto umano, dichiarando tuttavia che, quando esse fossero in disaccordo con la fede cristiana, si doveva tener per vero ciò che insegnava la fede. I punti centrali della differenza, per i quali Sigieri fu condannato, erano l'eternità del mondo (che negava la creazione), il determinismo astrale (che negava il libero arbitrio) e l'unità dell'intelletto (che veniva a negare l'immortalità dell'anima individuale), tesi quest'ultima contro la quale Tommaso stesso scrisse un importante trattato. Ma al di là di tali singoli problemi, il vero oggetto della contestazione era la risoluta distinzione tra filosofia e teologia – tra ciò che è razionalmente dimostrabile e ciò che non lo è –, distinzione del resto posta anche da Tommaso (che a sua volta fu condannato per alcune proposizioni). Sigieri rappresenta quindi in paradiso probabilmente il campione di questa posizione che sosteneva l'autonomia della filosofia, e cioè della ragione; quella autonomia, e libertà, che Dante sempre difende in ogni campo, politico, etico e filosofico. A questa interpretazione, che riteniamo la più valida, si può aggiungere una precisazione del senso di quelle due parole, *invidïosi veri* (cioè verità perseguitate, avversate), che Sigieri insegnava, e che certamente non sono le proposizioni condannate, contro le quali Dante stesso prende posizione apertamente nel poema (contro il determinismo astrale in *Purg.* XVI 67-81 e contro l'unità dell'intelletto in *Purg.* XXV 61-6; per la creazione si veda XXIX 13-30). Dante infatti li dichiara *veri*, e la verità è una sola. Ora quei *veri*, cioè le verità sull'uomo e sul mondo a cui si giungeva deducendole soltanto per via di ragione, come aveva fatto Aristotele, furono avversati dai teologi appunto per il metodo seguito nel raggiungerli, partendo cioè dai princìpi propri della ragione, e non da quelli offerti dalla fede. Ciò comportava infatti una esaltazione della mente umana che veniva a sottrarre la singola persona a qualsiasi autorità terrena; e questo spiegherebbe sia la persecuzione dei teologi, sia la celebrazione di Dante che su quella libertà fonda tutto il suo poema. Sulla figura di Sigieri e la complessa questione della sua presenza in questo canto si vedano la voce relativa in *Enciclopedia Dantesca* V, pp. 238-42, a cura di C. Vasoli; B. Nardi, *Studi di filosofia medievale*, Roma 1979, pp. 58-68.

NOTE LINGUISTICHE

v. 67. **cinger**: infinito del verbo riflessivo usato senza la particella pronominale in dipendenza da un verbo di percezione, come *rivestire* a XII 48 o *eclissar* a XXV 119.

v. 121. **trani**: la voce *tranare*, da «trainare», è un gallicismo per «trascinare», con caduta della -*i* nel dittongo discendente propria dell'uso fiorentino, come in *atare, cotare* ecc. Cfr. Villani VIII, XXIX 80: «e così morto il tranò infino fuori della Chiesa villanamente».

SUGGERIMENTI PER LA RICERCA

Temi del canto

Un esordio solenne

Rileggi i versi di apertura (1-27) che separano i primi nove canti, dedicati ai cieli sui quali ancora si stende l'ombra della terra, dai successivi nei quali è descritta la zona alta del paradiso. Con l'aiuto delle note, rileva gli elementi tematici significativi (immagini, concetti teologici, ammonimenti al lettore); quindi confronta il testo con il passo di *Convivio* III, V 13 sgg. (in particolare la conclusione). Sull'argomento svolto in questo esordio puoi leggere il saggio di F. Forti, indicato nelle *Letture consigliate*.

approfondimenti

Il cammino dello sguardo

L'uomo Dante passa di cielo in cielo senza lo sforzo fisico (proprio del cammino sulla terra) che aveva segnato la salita del monte del purgatorio, tanto che si accorge di salire solo guardando Beatrice, il cui sorriso e la cui bellezza diventano in ogni cielo più splendenti. Riprendi i passi del *Paradiso* V 85-96; VIII 13-15; X 34-39; XIV 79-81 e 133-139; XXVII 88-99 e leggi con attenzione le note di commento; quindi rivedi nell'*Introduzione* alla cantica le osservazioni sul tema dell'ascesa perché ti sia chiaro il significato dell'invenzione dantesca. Completa il lavoro con la stesura di un tuo breve commento su questo singolare aspetto del racconto paradisiaco.

L'orologio

In due luoghi del *Paradiso* (X, 139-144 e XXIV, 13-18) Dante paragona la danza dei beati al movimento rotatorio degli ingranaggi di un orologio, fornendo così la prima testimonianza letteraria della recente invenzione. Fai una piccola ricerca sull'origine e la diffusione degli orologi meccanici, consultando l'*Enciclopedia Italiana Treccani* o altri testi sull'argomento a tua disposizione.

Personaggi del canto

Gli spiriti sapienti

Osserva le caratteristiche dei beati del quarto cielo (luminosità, disposizione in corone ecc.) e chiariscine il significato, aiutandoti con le note. Quindi traccia un breve profilo dei personaggi nominati in questo canto, ricercando notizie sui commenti a tua disposizione o su un dizionario enciclopedico; infine rileggi a confronto la descrizione degli *spiriti magni* del Limbo (*Inf.* IV 106-144), rilevando differenze e affinità tra le due diverse assemblee.

Boezio

Per meglio comprendere il legame che unisce Dante all'antico filosofo, leggi innanzitutto il passo di *Convivio* II, XII 1-6; quindi fai una ricerca sulla vita e l'opera di Boezio, consultando un manuale di filosofia o di letteratura latina, e individua le analogie con le vicende biografiche e col pensiero del nostro poeta; infine riprendi le due terzine di presentazione (vv. 124-129), osservando quali tratti del «consolatore» Dante mette in evidenza. Per approfondire l'argomento, consulta la voce *Boezio*, a cura di F. Tateo, in *Enciclopedia Dantesca* I, pp. 654-658.

Lingua e stile

scorge – v. 37

Distingui i due diversi significati del verbo *scorgere* («vedere» e «scortare, guidare») in questo e nei seguenti passi della *Commedia*: *Inf.* VI 22, XXXIII 56; *Purg.* X 120; XVII 18 e XXI 21. Rileggi poi nelle note di commento la discussione sul significato di (i)*scorta* in *Inf.* VIII 93 e in *Purg.* XIX 12.

Ingegno ed arte – v. 43

In questo passo Dante varia e amplia, con l'aggiunta di un terzo termine (*uso*), una coppia tradizionale di vocaboli (*ingegno e arte*). Cerca, utilizzando le *Concordanze*, i passi della *Commedia* in cui compaia la tradizionale correlazione fra i due termini, chiarendone per ogni passo, con l'aiuto delle note di commento, il significato complessivo. Puoi ampliare la ricerca nei sonetti della tenzone fra Dante Alighieri e Dante da Maiano (*Rime* XLVI-XLVII).

Un'onomatopea: tin tin sonando – v. 143

Cerca sul *Dizionario* il significato e l'etimologia del termine «onomatopea». Leggi poi sull'*Enciclopedia Dantesca* (IV, pp. 156-7) la voce curata da F. Tateo, dove si documentano i diversi usi che Dante fa di questa particolare figura del linguaggio.

CANTO XI

Introduzione

I l canto dedicato al santo che ancora oggi in tutto il mondo – anche non cristiano – esercita sugli uomini un singolare fascino si apre con una esclamazione del poeta che, commosso dalla dolce armonia che risuona alla chiusa del canto precedente, confronta la libertà e felicità del cielo con l'affannarsi degli uomini dietro ai poveri beni della terra, «battendo in basso l'ali» destinate a ben altro volo.

Quel coro di chiusura e questa esclamazione di apertura – gioia amorosa del cielo, miseria e affanno delle cure terrene – costituiscono così quasi un doppio preludio alla vita del santo *serafico in ardore*, che tutto in terra volle lasciare facendosi povero per amor di Dio. Il canto è così, fin dall'inizio, dominato dalla grande figura che lo occupa, con quella coerenza e unità di ispirazione che è propria delle più alte pagine dantesche.

La vita del santo è tuttavia concepita come parte di un più ampio quadro, che tiene insieme questo canto e il seguente, costruiti in un evidente parallelismo. Dante presenta infatti, con le due vite di Francesco e di Domenico, un quadro storico-profetico della Chiesa del suo tempo, quella Chiesa alla quale Dio aveva mandato in soccorso i due grandi campioni dell'amore e della fede, e che invece, non seguendo la via da essi indicata, andava corrompendosi e degradandosi, come sempre il poema denuncia secondo la sua ispirazione primaria.

L'idea profetica che accomunava i due grandi santi sorti nello stesso secolo, quasi due «ruote della biga» con la quale la Chiesa potesse combattere la sua battaglia nel mondo, era diffusa nella tradizione dei due Ordini, e nella stessa gerarchia ecclesiastica, tanto che si ritrova anche nella bolla di canonizzazione di san Domenico (si veda nel commento al canto XII la nota ai vv. 106 sgg.). All'origine di tale interpretazione era la concezione di Gioacchino da Fiore di un rinnovamento della Chiesa nell'ultima età del mondo dovuto ai «viri spirituales», quando sarebbero sorti, come dice un testo apocrifo, due uomini («erunt duo viri»), uno da Oriente e uno da Occidente, a sostenerla. La profezia gioachimita è notoriamente presente nel pensiero politico ed ecclesiologico dantesco, anche se diversa è la prospettiva in cui Dante si pone per la restaurazione dell'ordine divino sulla terra, che egli vede affidato all'autorità civile (l'Imperatore), mentre Gioacchino lo affida alla Chiesa. Non è certo casuale il comparire dello spirito dell'«abate calabrese», ultimo nome della seconda ghirlanda come Sigieri lo è della prima, proprio alla chiusura del canto XII, cioè alla conclusione della doppia storia dei due grandi santi e del doppio lamento sul degenerare dei due Ordini da loro fondati.

Ma in questo schema parallelo, che conduce saldamente i due canti ad uno stesso fine, si leva nel canto XI con autonomia singolare la figura di Francesco, che sopraffà in certo modo la stessa cornice con la potenza della sua personalità quale Dante la comprese, facendone uno dei suoi immortali ritratti, svolto quasi come un *epos*, paragonabile soltanto a quello di Ulisse nell'*Inferno*. La struttura del canto lascia in realtà alla vita di Francesco non più della metà circa dei versi, ma questi restano di fatto, proprio come accade nel XXVI dell'*Inferno*, quelli

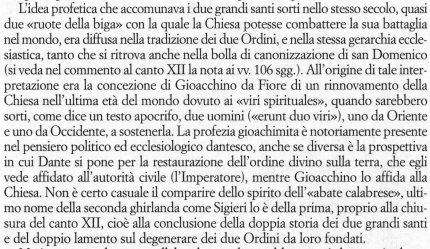

che soli dominano nella memoria secolare del poema.

La storia del santo di Assisi – affidata alla voce di Tommaso – è introdotta da un ampio preambolo, che propone il tema profetico dei due campioni di Dio, voluti dalla provvidenza a sostegno della Chiesa. Lo stesso inizio della vita del santo rientra, per immagini e linguaggio, in questa cornice profetica; Francesco è infatti presentato, allegoricamente, come un sole che sorge dall'Oriente, figura che deriva dall'*Apocalisse* (*Ap.* 7, 2) e che si ritrova in san Bonaventura e in genere nella tradizione francescana. Ma quella figura allegorica si trasforma d'un tratto – nel giro dello stesso periodo – nel giovane uomo che entra in guerra col padre sulla piazza di Assisi, davanti al vescovo, per sposare la povertà. Ed è a questo punto che, svanita la cornice, subentra la persona poetica di Francesco, della quale cercheremo di indicare i tratti e il loro significato.

Il tema scelto da Dante come motivo-guida per interpretare la persona di Francesco e la sua vita – quello della povertà come totale distacco dai beni del mondo e assimilazione perfetta a Cristo – corrisponde a quella che fu la sua concezione della Chiesa e del suo compito, e cioè della sposa in tutto conforme a Cristo e guida spirituale dell'umanità, compito da lei tradito per brama dei beni temporali, come tutto il poema denuncia. Ma è anche quella che fu storicamente la scelta di Francesco per identificare se stesso e il suo Ordine, come i suoi stessi scritti e le prime fonti francescane chiaramente testimoniano.

C'è di fatto una singolare consonanza tra le parole di Francesco nel suo *Testamento*, quando dice che Dio gli rivelò la via da seguire, che era «vivere secondo la forma del santo Evangelo», cioè imitando in tutto la vita di Cristo («seguire la dottrina e le orme di Cristo», come è detto nella *Regola*), e quelle che Dante usa nella *Monarchia* per definire la condizione della Chiesa nel mondo: «La forma propria della Chiesa non altro è che la vita di Cristo, intesa sia nelle parole che nei fatti» (III, XIV 3). E la ben nota espressione dantesca, il «precetto proibitivo» dato da Cristo agli apostoli inviandoli nel mondo («non abbiate né oro né argento, né denaro nelle vostre cinture, né bisaccia nel viaggio...»: *Matt.* 10, 9-10) che è citato, sempre nella *Monarchia* (III, X 14), a fondamento dell'impossibilità della Chiesa a possedere i beni della terra, si riferisce proprio a quella pagina del Vangelo a udire la quale Francesco comprese con commozione – come narrano tutti i primi biografi – quale fosse la via che il Signore gli indicava («e subito si tolse le scarpe, depose il bastone e la cintura, esclamando: "questo è quello che desidero!..."»: *L. M.* III 1).

Che il Francesco di Dante risponda a quello che fu il suo ideale di Chiesa, al ruolo cioè che egli assegnava alla Chiesa nella sua concezione della storia, tutt'altro che una forzatura operata dal poeta a suo vantaggio – come molti critici hanno sostenuto – è una realtà storica. Il rapporto fra i due fatti è inverso: non il Francesco povero è generato dal pensiero politico di Dante, ma è il pensiero dantesco – nella sua ispirazione originaria – che nasce dalla tradizione culturale del francescanesimo, risalente al suo fondatore; tradizione che Dante ben conosceva attraverso la sua frequentazione dello studio di Santa Croce a Firenze, dove insegnavano i grandi maestri francescani quali l'Olivi o Ubertino da Casale.

Certo Dante rielaborò con altri elementi la propria originale dottrina politica, ma quel centro incrollabile – perché evangelico – da cui sempre parte (il «precetto proibitivo») è di fatto l'idea cardine della invenzione di Francesco, quella per cui l'umile uomo di Assisi rivoluzionò il mondo, riproponendo al centro della vita cristiana non il Cristo trionfatore dei mosaici bizantini, ma la figura sofferente del Cristo storico. Perché la povertà che volle Francesco non altro era se non il segno esteriore dell'interiore assimilazione a Cristo, povero nella nascita e nudo nella morte in croce (non a caso il presepio e la croce sono i centri della devozione francescana). Ed è questa povertà che Dante – con quella profondità di penetrazione degli uomini e dei significati espressi dalle loro vite che fu uno dei suoi massimi doni – rappresenta nel suo testo, sobrio e breve, ma nel quale non manca nessuno dei grandi motivi ispiratori del Francesco storico. Tutt'altro che tradirlo, si potrebbe dire che Dante, volando al di sopra delle posizioni delle due opposte fazioni dell'ordine che si combattevano al suo tempo (si vedano i vv. 124-6 del canto XII e le relative note), recupera il vero volto di Francesco (che non è quello che molta letteratura e la leggenda stessa hanno contribuito a deformare) nel significato propriamente mistico che in lui assunse la povertà come stretta e intima unione al Cristo sofferente, e insieme regale dignità del figlio del re del cielo. (Noi, diceva infatti Francesco ai suoi, siamo eredi del regno celeste, come Gesù proclamò nella prima beatitudine, perché siamo di fatto i figli del re.)

Se ora guardiamo a come Dante ha costruito la storia del santo, vi riconosceremo quasi impressi uno dopo l'altro i segni distintivi dell'uomo di Assisi. Nudo all'inizio della storia – quando si spoglia di fronte al padre rinunciando a ogni avere –, nudo alla fine sulla nuda terra come Cristo sulla croce; ma anche *regale* nella sua scelta della povertà (come appare di fronte al papa Innocenzo III nei vv. 88-92), per cui alla morte egli entra, come figlio del re, nel suo *regno*. Piccolo, *pusillo*, come Francesco amava chiamarsi («Franciscus parvulus»), ma proprio per questo accolto come un grande nel cielo.

Al centro della storia, serrata e veloce come tutte le grandi storie dantesche, due momenti, i più alti, ne rivelano il significato: da una parte l'aspro e nudo evento della Verna, dove Francesco riceve le stimmate (e il luogo, il *crudo sasso*, si fa espressione della crudezza di quella sofferenza, specchio di quella di Cristo); dall'altra la sublime terzina che – quasi una sosta in tanta durezza – scopre l'intima profondità di amore che effondeva la più alta gioia nel cuore del santo, e attraeva irresistibilmente gli altri, sì che il moltiplicarsi dei seguaci ebbe di fatto del miracoloso: *La lor concordia e i lor lieti sembianti, / amore e maraviglia e dolce sguardo / facieno esser cagion di pensier santi*. Qui si tocca il cuore stesso della mistica di Francesco, quella «perfetta letizia» nell'umile condizione disprezzata dal mondo che portò dietro a lui le folle. E non manca il ricordo della leggenda francescana degli inizi, riflessa nel ritmo ingenuo del verso: *Oh ignota ricchezza! oh ben ferace! Scalzasi Egidio, scalzasi Silvestro / dietro a lo sposo, sì la sposa piace*.

Questo intervallo di dolcezza nell'asperità di immagini e vocaboli che conduce il racconto compie e restituisce a noi in modo poeticamente perfetto la figura del santo, quale fu nella storia e quale Dante la comprese.

A tale racconto, difficile era dare un seguito (e non lo ha infatti, come non lo ha quello di Ulisse). Ma la cornice storica e profetica, per la quale infine era stato scritto, doveva necessariamente richiudersi. Così nell'ultima sequenza del canto Tommaso riprende il tema aperto all'inizio, deplorando che, dopo un così alto intervento divino, la Chiesa non abbia seguito la traccia indicata dai due grandi riformatori. Il santo d'Aquino condanna tuttavia soltanto il suo ordine, quello domenicano, deducendo la grandezza del fondatore da quella di Francesco, del quale era stato *degno* compagno nell'azione restauratrice voluta dalla provvidenza, e ora abbandonata dai suoi frati (e così farà san Bonaventura nel prossimo canto, lodando Domenico e rimproverando i francescani). Il tono del rimprovero è più amaro che sdegnato, come di chi tristemente confronta la santità e grandezza di spirito del fondatore con la bassezza dei suoi seguaci.

Questa sequenza finale appare tuttavia priva della forza e della passione proprie di altri analoghi luoghi, come per esempio di quelle che chiudono il canto IX, o il XXI. La chiusa profetica sembra insolitamente debole – e forse non poteva essere altrimenti – a confronto con la *mirabil vita* di cui segna la conclusione.

CANTO XI

Nel cielo del Sole: san Francesco d'Assisi

1-12 *Il poeta, a confronto con la gloria e la pace gustate in cielo, commisera gli uomini che si affannano correndo dietro a beni terreni, incapaci di soddisfarli.*

13-27 *Compiuto un giro di danza, ognuno dei dodici sapienti si ferma riprendendo il suo posto: l'anima di san Tommaso si fa più luminosa e riprende a parlare per risolvere i dubbi che le sue parole hanno fatto nascere in Dante.*

28-42 *Per spiegare il significato della frase u' ben s'impingua se non si vaneggia, riferita all'ordine domenicano, Tommaso inizia il discorso ricordando che la provvidenza, volendo soccorrere la Chiesa in difficoltà, aveva suscitato in suo sostegno due principi, l'uno caratterizzato dall'ardore di carità, l'altro dalla chiarezza e certezza della fede: sono rispettivamente san Francesco e san Domenico, non ancora però nominati. Tommaso parlerà del primo, così che indirettamente sia lodato anche l'altro, che ugualmente operò per la salvezza della Chiesa.*

43-117 *Egli ricorda così gli episodi salienti della vita di san Francesco, preceduti da un'ampia descrizione del suo luogo di nascita, Assisi, che dovrebbe essere chiamata più propriamente Oriente, dato che vi nacque il sole della fede. Ancor giovane Francesco entrò in contrasto col padre per una donna disprezzata e fuggita da tutti, la Povertà, che egli amò fino a sposarla: attratti dal fascino di questo amore, altri uomini lo seguirono, formando il primo nucleo della famiglia francescana. La prima approvazione dell'ordine fu data oralmente dal papa Innocenzo III, poi confermata con una bolla dal successivo pontefice, Onorio III. Dopo aver tentato in Oriente l'evangelizzazione dei popoli musulmani, Francesco tornò in Italia, dove, sul monte della Verna, ricevette il terzo e ultimo riconoscimento, impresso nella sua carne da Cristo stesso: le stimmate. Infine morì, raccomandando ai suoi la povertà, e fu sepolto senza bara nella nuda terra, secondo le sue ultime disposizioni.*

118-139 *A paragone con lui si può ben comprendere la grandezza del degno collega, san Domenico, ma ormai solo pochi dei suoi frati seguono la traccia da lui segnata: a ciò – dice Tommaso concludendo la sua spiegazione – si riferisce la frase se non si vaneggia, cioè se non si inseguono le verità terrene.*

<blockquote>
O insensata cura de' mortali,
quanto son difettivi silogismi
3   quei che ti fanno in basso batter l'ali!
Chi dietro a *iura*, e chi ad amforismi
</blockquote>

1. O insensata cura...: o folle, dissennato affannarsi degli uomini... Il motivo, già proprio dei classici («O preoccupazioni ["curas"] degli uomini, o quanto è vano di fronte alla realtà!»: Persio, *Sat.* I 1), è qui elevato da Dante nella prospettiva cristiana dell'uomo che, dall'alto della beatitudine celeste – cioè della partecipazione alla vita divina –, misura la pochezza e la vanità delle preoccupazioni terrene degli uomini destinati alla morte (*mortali*). Come si vedrà, questo at-

tacco è preludio funzionale al tema centrale del canto, la vita di Francesco modellata sulla povertà.

2. difettivi silogismi: difettosi ragionamenti. Il silogismo è il ragionamento deduttivo – da una premessa certa – cardine della logica scolastica di origine aristotelica. Difettosi, cioè probabilmente errati nella premessa, quelli per cui gli uomini inseguono beni di per sé vani, che non possono soddisfarli.

3. in basso batter l'ali: volare raso terra; mentre, s'intende, l'uomo ha le ali per volare alto fino a Dio. Cfr. *Purg.* XII 95: *o gente umana, per volar sù nata.*

4-6. Chi dietro a iura...: proposto il tema con l'accorata esclamazione iniziale, ecco ora apparire in concreto quell'affannoso *batter l'ali* a terra degli uomini destinati al cielo, raffigurato nei brevi membri sintat-

---

O dissennato affannarsi degli uomini, quanto sono difettosi ragionamenti quelli che ti fanno volare raso terra! Chi se ne andava dietro agli studi giuridici (iura), chi dietro agli studi di medicina (amforismi), ...

>   sen giva, e chi seguendo sacerdozio,
> 6   e chi regnar per forza o per sofismi,
>   e chi rubare, e chi civil negozio,
>   chi nel diletto de la carne involto
> 9   s'affaticava e chi si dava a l'ozio,
>   quando, da tutte queste cose sciolto,
>   con Bëatrice m'era suso in cielo
> 12   cotanto glorïosamente accolto.
>   Poi che ciascuno fu tornato ne lo
>   punto del cerchio in che avanti s'era,
> 15   fermossi, come a candellier candelo.
>   E io senti' dentro a quella lumera
>   che pria m'avea parlato, sorridendo
> 18   incominciar, faccendosi più mera:

tici – *Chi... e chi... / e chi... / e chi* – che si sovrappongono in un costrutto serratissimo: *sen giva* regge
dietro a del primo verso e *seguendo* del secondo; *seguendo* regge a sua volta, oltre a *sacerdozio*, gli infiniti sostantivati *regnar* e *rubare*.

4. **iura**: gli studi giuridici; il plurale indica i due diritti, quello civile e quello canonico.

– **amforismi**: gli studi di medicina, così chiamati dal-
l'opera del medico greco Ippocrate che porta quel titolo. La forma *amforismi* per *aforismi* è quella antica,
che si trova in tutti i più vecchi codici («Amphorismi»
anche in *Conv.* I, VIII 5).

5. **sacerdozio**: s'intende qui non l'ufficio sacerdo-
tale in quanto tale, ma le cariche ecclesiastiche nel loro aspetto mondano, che conferiscono cioè potere e
ricchezza (sulle stesse tre professioni – «legisti», «me-
dici», «religiosi» – intraprese «per acquistare moneta o dignitade», si veda *Conv.* III, XI 10).

6. **regnar**: indica il potere politico in genere; *per forza*, cioè con la violenza; *per sofismi*, cioè con l'inganno (attraverso ragionamenti capziosi); sono i due modi nei quali si ottiene il potere a cui non si ha diritto
in forma legittima.

7. **rubare**: trattandosi qui delle varie occupazioni
mondane a cui si dedicano gli uomini, non s'intenderà
di semplice furto, ma dell'«usurparsi l'altrui» (Lombardi) a cui si tende con i commerci illeciti, l'usura e
altre attività di carattere economico e finanziario.

– **civil negozio**: l'attività nella pubblica amministrazione che, se assorbe totalmente l'uomo, lo distoglie dal vero e unico bene, che è Dio.

8. **involto**: quasi tutto ravvolto, inviluppato; il forte participio, con il lungo e pesante verbo che segue,
esprime la condizione cieca e affannosa dell'uomo immerso nei piaceri dei sensi.

9. **a l'ozio**: ultima, ma non meno grave tra le scelte
terrene dell'uomo nato per la contemplazione di Dio.

10-2. **quando...**: attacco liberatorio, il cui effetto è
dovuto al particolare costrutto sintattico inverso (cfr.
I 43-6): mentre tutti si affaticano in terra dietro mil-

le cose vane, egli è libero da quegli impacci (*sciolto*,
non più *involto*), e gloriosamente *accolto* in cielo. Tutta la terzina ha un andamento trionfale, a dire quella
felice libertà raggiunta. E risuona qui la voce di uno
degli spiriti da poco ricordati, l'antico Boezio: «Ma noi
dall'alto irridiamo a coloro che si affannano dietro alle cose più vili, al sicuro da tutto quel furioso tumulto... » (*Cons.* I 3, 14).

– **glorïosamente**: la dieresi, e la lettura bipartita del-
l'avverbio (*gloriosa* – *mente*), dilatano nel verso quella celeste gloria (che allude al canto e alla danza della *gloriosa rota* che chiude il canto precedente).

15. **come a candellier candelo**: compiuto un intero
giro, ogni fiamma si ferma al posto dov'era prima, come una candela che si ponga sul candeliere: cioè come al suo luogo proprio, restando immobile nel suo
splendore.

16-7. **dentro a quella lumera...**: all'interno di quella luce che aveva parlato prima, cioè quella di Tommaso d'Aquino.

– **sorridendo**: il *sorridere* di colui che abita la luce
si manifesta nel suo farsi *più mera*, cioè più luminosa, segno della carità che gode di contentare l'altro.
Per questo straordinario *sorridendo* si veda V 124-6,
dove si spiega come la luce trasmetta *coruscando* il riso degli occhi di chi vi si *annida*.

■

---

*... chi seguiva le cariche ecclesiastiche (sacerdozio), chi il po-
tere (regnar) ottenuto con la violenza o con l'inganno (per
sofismi), e chi il furto, e chi la pubblica amministrazione (civil negozio), chi si affannava inviluppato nei piaceri della
carne, e chi si dedicava all'ozio, quando, libero da tutte queste cose, ero accolto tanto gloriosamente su in cielo insieme a Beatrice.* ◆ *Dopo che ciascuno fu tornato nel punto
del cerchio nel quale stava prima, si fermò, come una candela che si ponga sul candeliere. E io sentii all'interno di quella luce che mi aveva parlato prima (cioè quella di Tommaso d'Aquino) cominciare a dire sorridendo, facendosi più luminosa (mera):*

«Così com'io del suo raggio resplendo,
sì, riguardando ne la luce etterna,
21   li tuoi pensieri onde cagioni apprendo.
Tu dubbi, e hai voler che si ricerna
in sì aperta e 'n sì distesa lingua
24   lo dicer mio, ch'al tuo sentir si sterna,
ove dinanzi dissi: "U' ben s'impingua",
e là u' dissi: "Non nacque il secondo";
27   e qui è uopo che ben si distingua.
La provedenza, che governa il mondo
con quel consiglio nel quale ogne aspetto
30   creato è vinto pria che vada al fondo,
però che andasse ver' lo suo diletto
la sposa di colui ch'ad alte grida

19-21. Così com' io...: come io risplendo riflettendo il raggio della luce eterna di Dio, così, guardando in essa, vedo i tuoi pensieri là dove essi hanno origine, cioè ve li leggo come riflessi.

– **onde cagioni**: espressione pregnante: nel luogo stesso da dove tu li derivi. Il gioco di specchi per cui i beati vedono in Dio i pensieri e i sentimenti di Dante è motivo ricorrente nella cantica; per questo passo si vedano in particolare IX 20-1 e XV 55-6.

22. dubbi: dubiti, cioè hai un dubbio.

– **si ricerna**: si chiarisca ancora; regge *lo dicer mio*: ciò che io ti ho detto, le mie parole di poco fa. *Cernere* vale propriamente «vagliare», detto del grano, da cui il senso traslato di «discernere», attribuito all'intelletto, comune già in latino, senso con il quale è usato altrove nel poema (cfr. VII 55; *Purg.* XVI 131 ecc.).

23-4. in sì aperta...: con discorso così chiaro e ampio, circostanziato, che (consecutivo) sia reso piano, cioè comprensibile, alla tua capacità di intendere. *Sternere* vale «distendere a terra», quindi per traslato «appianare», «render piano», come anche oggi si dice di concetti difficili (cfr. XXVI 37, 40, 43). L'uso dei due latinismi in rima (*ricerna – sterna*) è segno dell'alzarsi dell'argomento. Col v. 28 comincerà infatti il grande racconto.

25. U' ben s'impingua: si veda il v. 96 del canto precedente. Tommaso ha dichiarato che seguendo san Domenico ci si arricchisce (ci *s'impingua*), *se non si vaneggia*; il senso di questa limitazione non è stato spiegato, ed è questo il primo dei due dubbi che il santo legge nella mente di Dante, e che questo canto risolverà.

26. Non nacque il secondo: si veda il v. 114, sempre del canto X. Il secondo dubbio (come si possa affermare che nessuno abbia uguagliato in sapienza Salomone, quando in Adamo, e più in Cristo, si è raggiunta la pienezza di ogni umana facoltà) sarà risolto nel canto XIII.

27. ben si distingua: si spieghino bene, con le opportune distinzioni, l'uno e l'altro problema. Altri intendono che il verbo sia riferito solo al secondo dubbio (indicato con *qui*), in quanto in Salomone si distinguerà di fatto l'uomo dal re. Ma sembra più probabile che il verso introduca tutti e due i discorsi, facendo da apertura alla terzina seguente, anche perché il «distinguere» è verbo tipico dell'argomentare di Tommaso, che così ne risulta indirettamente caratterizzato (si veda anche il *discreto latino* di XII 144 e nota).

28. La provedenza...: dalla provvidenza divina, nel suo eterno governo del mondo, parte, con solenne attacco, la storia di Francesco.

29-30. con quel consiglio...: con quell'intendimento così profondo, che ogni vista creata (s'intende vista della mente, quindi di uomini e angeli) non può toccarne il fondo. Si adombra qui l'immagine dell'abisso, anche altrove usata per le insondabili decisioni divine (cfr. XXI 94-6, o *Purg.* VI 121-3).

31. però che andasse: il verbo regge il v. 34, mentre il suo soggetto sono i vv. 32-3: affinché la sposa di Cristo camminasse verso il suo *diletto sicura* (s'intende nella dottrina) e *più fida*, più fedele a lui (s'intende nel comportamento), a lui conforme. Le due indicazioni sembrano riferite ai caratteri specifici dei due santi: la difesa della fede (Domenico) e la conformità a Cristo (Francesco).

32-3. la sposa di colui...: la Chiesa, sposa di Cristo,

♦ «Come io risplendo riflettendo il raggio della luce eterna (di Dio), così, guardando in essa, vedo i tuoi pensieri là da dove tu li derivi (cagioni). Tu dubiti, e hai voglia che si chiariscano ancora le mie parole (lo dicer mio) con discorso così chiaro e ampio, che sia reso comprensibile (si sterna) alla tua capacità di intendere, là dove prima dissi "Dove bene ci si arricchisce", e là dove dissi "Non nacque un secondo uomo"; e qui bisogna che si facciano le opportune distinzioni (si distingua). ♦ La provvidenza, che governa il mondo con quell'intendimento dal quale ogni intelligenza creata è sconfitta prima di raggiungerne il fondo, affinché la sposa di colui che con alte grida ...

33   disposò lei col sangue benedetto,
            in sé sicura e anche a lui più fida,
        due principi ordinò in suo favore,
36   che quinci e quindi le fosser per guida.
            L'un fu tutto serafico in ardore;
        l'altro per sapïenza in terra fue
39   di cherubica luce uno splendore.
            De l'un dirò, però che d'amendue
        si dice l'un pregiando, qual ch'om prende,
42   perch'ad un fine fur l'opere sue.
            Intra Tupino e l'acqua che discende
        del colle eletto dal beato Ubaldo,
45   fertile costa d'alto monte pende,
            onde Perugia sente freddo e caldo

che la sposò – quasi conquistandola a caro prezzo – versando il suo sangue al momento della morte in croce. L'idea è già negli *Atti* («acquistò col suo sangue»: *Act. Ap.* 20, 28) e le *alte grida* riecheggiano il racconto evangelico della morte di Cristo («gridando a gran voce»: *Matth.* 27, 50); si veda come i due versi fondano insieme i due elementi della Scrittura in una drammatica densità e novità che è propria dello stile dantesco.

35. due principi: vale «capi», «condottieri» (senso latino di «principes»), come più oltre dirà *duca* (XII 32).

36. quinci e quindi: è riferito ai due aspetti sopra ricordati (v. 34): la sicurezza della fede e la fedeltà nel seguire gli insegnamenti di Cristo. Ma sembra indubitabile – dato il riscontro letterale – l'eco di un noto testo profetico pseudo-gioachimita, riferito concordemente ai due santi: «Ci saranno due uomini, uno di qui l'altro di là... uno italiano, l'altro spagnolo...», dove i due avverbi hanno valore di luogo.

37-9. L'un fu tutto serafico...: l'uno fu tutto ardente di carità, come un serafino; l'altro splendente, per sapienza, come un cherubino (cfr. *S.T.* I, q. 63 a. 7: «è chiaro che i cherubini prendono il loro nome dalla scienza... i serafini dall'ardore della carità»). L'*ardore* e lo *splendore* in rima fanno risplendere come due fiamme le figure dei due santi che illuminano la terra.

40-2. De l'un dirò...: parlerò del primo, giacché lodando l'uno, qualunque si scelga, si parla di tutti e due, in quanto il loro operare fu rivolto ad uno stesso *fine*, cioè a soccorrere la Chiesa.

– om: è il consueto soggetto del verbo impersonale, più volte incontrato.

43. Intra Tupino...: il racconto ha inizio con un'ampia descrizione geografica – come sarà poi per la vita di Domenico – che designa il luogo di nascita del santo.

43-4. Tupino e l'acqua...: si comincia con due fiumi – connotazione tipica dei paesaggi danteschi – tra i quali si leva il monte Subasio, dove è posta Assisi. Sono il fiume Tupino e il Chiascio, corso d'acqua che scende dal colle sopra Gubbio, prescelto (*eletto*) in gio-

ventù dal beato Ubaldo Baldassini (1084-1160), che fu poi vescovo di Gubbio, per dedicarsi alla vita eremitica. Il ricordo di Ubaldo, che già prima della nascita di Francesco santificava quei luoghi con la sua vita di preghiera, serve a conferire al paesaggio una prima caratterizzazione mistica. Questo tipo di introduzione «geografica» è più volte usato nelle vite del *Paradiso* – si veda quella di Carlo Martello nel canto VIII o quelle di Cunizza e Folchetto nel IX – ma in questo caso essa prenderà un valore singolare, simbolico di un evento spirituale.

45. fertile costa: è il fianco occidentale del Subasio, che declina verso Perugia; l'aggettivo *fertile*, come *ferace* al v. 82, è parola nuova nel nostro volgare e sembra latinismo dantesco. Esso deriva forse dalle fonti francescane ed è un altro segno del valore tutto simbolico di questo paesaggio (si cfr. La *Leggenda di S. Chiara*, v. 172: «la fertile terra di Assisi»).

– pende: anche questo verbo sembra dipendere dalle fonti («la città di Assisi... pende dall'alta cima del monte ricoperto di olivi»: *Leggenda di S. Francesco*, vv. 29-30).

46. onde Perugia...: dalla quale costa Perugia riceve il freddo invernale e il caldo estivo, s'intende riverberato dalla parete incombente del monte.

―――――――――――――――――――――― ■ ――――――――――――――――――――――

... la sposò col suo sangue benedetto (cioè Cristo) camminasse verso il suo amato sicura in se stessa e anche più fedele a lui, dispose in suo aiuto due condottieri, che le fossero di guida per l'uno e per l'altro aspetto (quinci e quindi). ◆ L'uno fu tutto ardente di carità, come un serafino (serafico); l'altro fu in terra, per sapienza, splendente come un cherubino (di cherubica luce). Parlerò del primo, giacché lodandone uno, qualunque si scelga, si parla di tutti e due, in quanto il loro operare fu rivolto ad uno stesso fine. ◆ Fra il fiume Tupino e il corso d'acqua (il Chiascio) che scende dal colle prescelto (eletto) dal beato Ubaldo (cioè il colle sopra Gubbio), un fertile fianco digrada dall'alto monte da cui Perugia riceve il freddo invernale e il caldo estivo ...

da Porta Sole; e di rietro le piange
48 per grave giogo Nocera con Gualdo.
Di questa costa, là dov'ella frange
più sua rattezza, nacque al mondo un sole,
51 come fa questo talvolta di Gange.
Però chi d'esso loco fa parole,
non dica Ascesi, ché direbbe corto,
54 ma Orïente, se proprio dir vuole.
Non era ancor molto lontan da l'orto,
ch'el cominciò a far sentir la terra

47. da Porta Sole: dalla parte di levante, dove era posta la porta di tal nome, quasi rivolta a ricevere il sole. L'indicazione non è casuale, come tutti i dati di questo paesaggio (cfr. v. 50 e nota).

47-8. e di rietro le piange...: e dall'altra parte del monte, cioè quella opposta a Perugia, piangono le due città di Nocera e Gualdo; contrapposte, s'intende, alla fertilità felice della costa volta a ponente.

– per grave giogo: questa espressione è stata, fin dagli antichi, presa in due diversi sensi: fisico e politico. Il primo significato, che intende delle condizioni climatiche delle due città, più infelici per il monte che toglie loro il sole (*grave giogo*, cioè rilievo montano che grava, incombe su di loro), è più coerente con il contesto, stabilendo un contrasto tra le città tristi per il freddo e la fertile costa dove sorge Assisi. Il secondo, che intende della tirannia politica (*grave giogo* come «pesante dominio») esercitata sulle due città da Perugia, sembra linguisticamente più chiaro, e non si può escluderlo in quanto non pertinente, perché Dante spesso introduce il commento politico nei suoi paesaggi (si vedano anche, proprio nel seguente canto parallelo, i vv. 52-4). Tuttavia esso appare qui fuori posto, in quanto tutto il senso del testo sta nell'indicare Assisi come luogo divinamente predisposto, per la posizione e per il nome (cfr. v. 53 e nota), a dare i natali al santo inviato da Dio nel mondo. Preferiamo quindi la prima interpretazione, che già dettero Pietro di Dante e Benvenuto.

49-50. dov'ella frange...: dove essa spezza, interrompe di più la sua ripidità (cioè dove il pendio è meno ripido). – *rattezza* significa letteralmente «rapidità»,

s'intende della discesa. Per il verbo *frange*, cfr. *si rompe del montar l'ardita foga* di *Purg.* XII 103. Qui la montagna sembra frenare la sua ripida discesa per offrire un luogo più dolce e sereno alla nascita di Francesco.

50. nacque al mondo un sole: ecco apparire finalmente colui per il quale tutti questi luoghi acquistano senso. L'equivalenza Francesco-sole è della più antica tradizione francescana che si ispirava a sua volta al testo scritturale profetico dell'*Apocalisse*, là dove si parla dell'angelo che sale dall'Oriente (*Apoc.* 7, 2): «a buon diritto si afferma che Francesco è simboleggiato nella figura dell'angelo che sale dall'Oriente e porta in sé il sigillo del Dio vivo».

51. questo: cioè questo sole nel quale ora noi ci troviamo, quello reale e non metaforico.

– talvolta di Gange: *talvolta* vale «in un dato momento dell'anno», cioè nell'equinozio di primavera, quando il sole nella geografia dantesca si leva appunto dal Gange; cfr. *Purg.* II 1-6 e nota. L'indicazione ha un senso preciso: il sole-Francesco nasce con la stessa virtù rinnovatrice, fecondatrice, che ha il sole astronomico nella stagione primaverile.

52. chi d'esso loco: chi parla, nomina quel luogo.

53. direbbe corto: direbbe troppo poco, non direbbe tutto; *Ascesi* infatti (forma toscana antica di Assisi) è solo il nome geografico, che non dice la vera realtà di quel luogo: se vi è nato il sole, per esattezza, si dovrà chiamarlo *Orïente*. Alcuni pensano a un'intenzione etimologica presente nel nome *Ascesi* (collegato ad «ascendere», salire), che sarebbe un parlar *corto*, insufficiente, perché non specifica che colui che sale è il sole.

54. Orïente: l'idea dell'angelo che sorge dall'Oriente è, come si è visto, nell'*Apocalisse*, ripresa da Bonaventura; l'identificazione Assisi-Oriente è tuttavia propria del testo dantesco, come sua è tutta la creazione del paesaggio che conduce a questa conclusione.

55. Non era ancor...: terminato il preambolo, comincia qui la vita del santo e nel giro del primo periodo la metafora del sole – che occupa la prima terzina – cede improvvisamente il posto alla persona concreta del *giovinetto* Francesco. Non era lontano dall'*orto*, cioè dalla nascita (*orto* si dice appunto degli astri; cfr. IX 91), era dunque molto giovane ancora... La pub-

... dalla parte di Porta Sole; e dall'altro versante piangono le due città di Nocera e Gualdo per il suo pesante ingombro (che le priva del sole). Da questa costa, là dove essa interrompe di più la sua ripidità, nacque per il mondo un sole, come in un dato momento dell'anno (talvolta) questo sole (cioè il pianeta dove ci troviamo) nasce dal Gange. Perciò chi nomina quel luogo, non dica Assisi, perché direbbe troppo poco, ma Oriente, se proprio gli vuol dare un nome. ◆ Non era ancora molto lontano dalla nascita (orto), che cominciò a far sì che la terra sentisse ...

57   de la sua gran virtute alcun conforto;
            ché per tal donna, giovinetto, in guerra
      del padre corse, a cui, come a la morte,

60   la porta del piacer nessun diserra;
            e dinanzi a la sua spirital corte
      et *coram patre* le si fece unito;

63   poscia di dì in dì l'amò più forte.
            Questa, privata del primo marito,
      millecent'anni e più dispetta e scura

66   fino a costui si stette sanza invito;

blica rinuncia di Francesco ai propri beni, di cui qui
si parla, avvenne nel 1207, quando il santo aveva venticinque anni.

56-7. a far sentir la terra...: a far sì che la terra ri-
sentisse già dell'influsso benefico della sua virtù. Si parla qui ancora in termini metaforici (*orto, far sentir la
terra, virtute*) riferendosi al *sole* del v. 50, che è il soggetto della terzina.

58. ché per tal donna...: questo primo verso già porta d'un tratto sulla scena i due protagonisti della storia: la *donna*, la povertà, ancora non nominata, e il *giovinetto*, Francesco, che ancora molto giovane entrò in
guerra col proprio padre per una donna tale che nessun uomo le apre la porta aspettandone gioia, proprio
come alla morte.

– **giovinetto**: giovanissimo, poco più che adole-
scente; l'adolescenza termina infatti per Dante a venticinque anni, quando comincia, secondo l'usanza latina, la giovinezza (cfr. *Conv.* IV, XXIV 1-2). Sono chiamati *giovanetti* anche Scipione e Pompeo a VI 52 e
giovinetto è chiamato santo Stefano a *Purg.* XV 107.
Il termine serve a rilevare il coraggio, l'ardire generoso
di colui che, così giovane, osa affrontare il proprio padre e rompere con lui.

60. la porta del piacer: espressione ellittica: la porta che si apre volentieri a colui, o colei, da cui si aspetta di ricever piacere. Come alla morte, nessuno vorrebbe mai aprire la porta alla povertà. Così una lauda già attribuita a Iacopone: «Va pe'l mondo sconosciuta, / et ogn'uno la rifiuta. / Tutti dicon: Dio m'aiuta / se la veggion pur passare... / ad ogn'uno dà tremore / che non gli abbia in casa à entrare» (Iacopone da Todi, *Le poesie spirituali*, p. 38).

61. spiritral corte: la corte spirituale è il tribunale ecclesiastico: il termine *corte* indica il valore pubblico e
giuridico della rinuncia e del vincolo stabilito. Il fatto è narrato da tutti i biografi: avendo Francesco dato tutto il denaro che possedeva ai poveri e per il re-
stauro della chiesetta di San Damiano, il padre lo citò
davanti al vescovo perché rinunciasse all'eredità. Francesco, alla presenza del popolo, si spogliò anche
degli abiti, restituendoli al padre, e rimanendo così privo di ogni cosa. Con questo gesto egli sposò, pubblicamente, la povertà (*le si fece unito*). La scena, come
le altre scelte da Dante per la sua breve e intensa bio-

grafia, è raffigurata da Giotto nella basilica superiore
di Assisi.

62. coram patre: al cospetto del vescovo. L'espressione giuridica, propria degli atti notarili, può riferirsi sia al padre carnale (Pietro Bernardone) che a quello spirituale (il vescovo), come già osservò il Buti. Tuttavia il fatto che nella *Vita prima* del frate francescano Tommaso da Celano ricorra ben due volte (14 e
15) la formula «coram episcopo [al cospetto del ve-
scovo]» fa pensare che essa sia ripetuta qui con lo stesso significato.

63. di dì in dì: ogni giorno che passava, cresceva l'a-
more nel cuore dello sposo. Il verso, come del resto
tutta la storia, parla come si farebbe di un amore umano tra due giovani.

64. primo marito: Gesù Cristo, il primo fra gli uomini a scegliere la povertà in sposa. Francesco ripete
dunque, a distanza di *millecent'anni e più*, la scelta del
Cristo. È questo il primo segno dell'identificazione delle due figure – Francesco come «secondo Cristo» –
che è motivo centrale della realtà storica del santo, ripreso da Dante in questa sua grande biografia poetica. Si veda su questo aspetto l'Introduzione al canto.

65. millecent'anni e più: tanti se ne contano dalla
morte di Cristo (34 dell'era volgare, secondo Dante)
all'anno della rinuncia di Francesco sulla piazza di Assisi (1207).

– **dispetta e scura**: disprezzata e ignorata da tutti.
L'aggettivo *dispetto* sarà ripreso per Francesco al v. 90.
Il tema della povertà che, amata da Cristo, è in seguito
abbandonata e fuggita da tutti fino a che Francesco
nuovamente la prende in sposa, è nella vita di Bonaventura (*L. M.* VII 1) ed è motivo ritrovabile in altre
fonti francescane.

---

*... già l'influsso benefico della sua grande virtù; giacché, an-
cora giovanissimo, entrò in guerra col proprio padre per una
donna a cui, come alla morte, nessuno apre la porta del
proprio piacere; e davanti al tribunale ecclesiastico e al cospetto del vescovo si unì a lei; poi di giorno in giorno l'amò
sempre di più.* ◆ *Essa, privata del suo primo marito (Gesù
Cristo), era stata più di mille e cento anni disprezzata e ignorata, senza essere richiesta in sposa fino all'arrivo di lui; ...*

né valse udir che la trovò sicura
con Amiclate, al suon de la sua voce,
69 colui ch'a tutto 'l mondo fé paura;
né valse esser costante né feroce,
sì che, dove Maria rimase giuso,
72 ella con Cristo pianse in su la croce.
Ma perch'io non proceda troppo chiuso,
Francesco e Povertà per questi amanti
75 prendi oramai nel mio parlar diffuso.
La lor concordia e i lor lieti sembianti,
amore e maraviglia e dolce sguardo
78 facieno esser cagion di pensier santi;

67-9. né valse udir: e non servì (a farla amare) sentir raccontare che Giulio Cesare, di cui tutto il mondo aveva paura, la trovò *sicura*, cioè al riparo da ogni timore, insieme ad Amiclate, il povero pescatore dell'Epiro nella cui capanna il generale era entrato al tempo della guerra con Pompeo per chiedere di essere traghettato in Italia. Narra Lucano (*Phars.* V 515-31) che Amiclate, sicuro nella sua povertà, aveva come porta una semplice barca rovesciata, non temendo le scorrerie della soldataglia, e che rimase tranquillo anche al comparire di Cesare stesso nel cuore della notte. L'episodio è citato anche nel *Convivio*, là dove si contrappone, con le parole stesse di Lucano, l'affannosa vita del ricco alla tranquillità del povero: «Oh sicura facultà della povera vita!» (*Conv.* IV, XIII 12-3).

70. né valse esser...: e non le servì l'essere eroicamente fedele e impavida (*feroce* vale «fiera», «che non teme di nulla»).

71-2. sì che, dove Maria...: al punto che, mentre Maria – che pur tanto amava il figlio – restò ai piedi della croce, ella vi soffrì insieme a Cristo, a lui strettamente unita fino all'ultimo. L'idea della fedeltà fin sulla croce è nello scritto allegorico che risale ai primi anni dopo la morte del santo, il *Sacrum commercium sancti Francisci cum domina Paupertate* (6, 9-13): «Ma tu, fedelissima sposa non lo abbandonasti fino alla morte. E sulla stessa croce soffrivi insieme a lui» (FF, p. 1712). Ma il confronto con Maria si trova soltanto nell'*Arbor vitae crucifixae* del francescano Ubertino da Casale (V 3), che appare così sicura fonte, con Bonaventura e il

Celano, di questa vita dantesca: «e quando la tua stessa madre, per l'altezza della croce... non riuscì a toccarti, donna Povertà... rimase più che mai strettamente abbracciata a te e unita a te nella sofferenza».

73. troppo chiuso: con linguaggio troppo oscuro, coperto (cfr. il *parlar coverto* di *Inf.* IV 51).

74. Francesco e Povertà: il motivo delle nozze tra Francesco e la povertà, proprio come si è visto della più antica tradizione francescana, è assunto da Dante, con scelta del tutto personale, a tema guida della sua vita del santo. Si veda su questa scelta quanto si è detto nella Introduzione al canto.

75. prendi oramai...: intendi ormai in tutto il lungo discorso da me fatto fin qui.

76-8. La lor concordia: la loro perfetta concordia e i loro volti sereni, l'amore e la felice meraviglia che apparivano nel loro dolce guardarsi l'un l'altro, erano motivo di santi pensieri in chiunque li vedesse. Il verbo *fare* è fraseologico (cfr. *Inf.* XXXI 4-5 e nota linguistica) per cui «facevano esser cagione» vale semplicemente «erano cagione».

79. Bernardo: Bernardo di Quintavalle, nobile assisiate, già uomo maturo al tempo della pubblica rinuncia di Francesco (era nato intorno al 1170), fu uno dei primissimi seguaci del santo; sul suo esempio distribuì le sue ricchezze ai poveri (1209) e lo seguì con il primo piccolo gruppo, restandogli poi fedele fino alla morte, alla quale fu presente. Egli fondò a Bologna nel 1211 il primo convento francescano, e fu sepolto nella basilica di Assisi. Dante lo nomina per primo, seguendo Bonaventura (*L. M.* III 3), che lo considera il primo e beneamato figlio del santo.

80. si scalzò: è il gesto – già compiuto da Francesco – che designa la scelta della povertà (così gli apostoli appariranno, a XXI 128, *magri e scalzi*); a quello scalzarsi segue il veloce correre, quasi l'un gesto portasse l'altro, come è proprio della concreta e viva fantasia dantesca.

– **dietro a tanta pace**: a quella così grande pace che Francesco e povertà dimostravano nel loro aspetto.

81. li parve esser tardo: pur correndo, gli pareva di andar piano (tanto era il suo desiderio; cfr. X 135). Di

... e non le servì (a farsi amare) sentir raccontare che (persino) colui di cui tutto il mondo aveva paura (Giulio Cesare) la trovò tranquilla insieme ad Amiclate, al suono della sua voce; né le servì l'essere fedele e impavida al punto che, mentre Maria restò ai piedi della croce, ella vi soffrì insieme a Cristo. ◆ Ma affinché io non continui con linguaggio troppo oscuro, intendi ormai in tutto il mio lungo discorso (parlar diffuso) Francesco e Povertà per questi due amanti. La loro concordia e i loro volti sereni, l'amore, la meraviglia e i loro dolci sguardi, erano motivo di santi pensieri; ...

　　　　　　　　tanto che 'l venerabile Bernardo
　　　　　　　　si scalzò prima, e dietro a tanta pace
81　　　　　corse e, correndo, li parve esser tardo.
　　　　　　　　Oh ignota ricchezza! oh ben ferace!
　　　　　　　　Scalzasi Egidio, scalzasi Silvestro
84　　　　　dietro a lo sposo, sì la sposa piace.
　　　　　　　　Indi sen va quel padre e quel maestro
　　　　　　　　con la sua donna e con quella famiglia
87　　　　　che già legava l'umile capestro.
　　　　　　　　Né li gravò viltà di cuor le ciglia
　　　　　　　　per esser fi' di Pietro Bernardone,
90　　　　　né per parer dispetto a maraviglia;

lui così dice Tommaso da Celano: «corse alacremente dietro al santo di Dio». Il verso corre velocemente, con l'ansia di chi insegue un bene prezioso e sospirato, come subito rivelerà l'esclamazione che segue.

82. **Oh ignota ricchezza!**: o ricchezza ignota agli uomini, che la cercano vanamente altrove. L'esclamazione, che segue spontanea alla veloce corsa di Bernardo, racchiude il senso di tutte queste tre terzine (vv. 76-84), che fanno centro sulla serena felicità, dolcezza e pace di chi tutto lascia per amore di Dio. In questi versi è profondamente espresso – anche se non riconosciuto in genere dai commentatori – quel valore mistico insito nel distacco dal mondo che Francesco chiamò «perfetta letizia». Si veda su questo l'Introduzione al canto.

– **ferace**: fecondo di frutti (la gioia e la pace appunto, che gli altri beni terreni non possono dare).

83. **Scalzasi Egidio...**: l'incalzare dei due verbi ripetuti dice il rapido moltiplicarsi dei seguaci di Francesco, attratti, come Bernardo, dall'incanto che si sprigionava da quei due sposi. Egidio, giovane di Assisi (era nato nel 1190) che seguì tra i primi il santo, è presentato dai biografi come uomo semplice e dedito alla contemplazione; Bonaventura stesso dichiara di aver assistito di persona alle sue estasi.

– **Silvestro**: Silvestro era un prete di Assisi che, dopo una visione avuta in sogno, lasciò il mondo e seguì Francesco nella povertà, come narra un antico scritto francescano, la *Leggenda dei tre compagni*.

84. **sì... piace**: tanto li attira, per la pace e serenità che promette.

85. **Indi sen va...**: radunato un primo piccolo gruppo di seguaci, Francesco parte per Roma, come dopo si intenderà. Si veda l'andamento semplice e modesto del verso, e di tutta la terzina, affidato alla paratassi, che vuol figurare quella povera e umile schiera che comincia a camminare per le strade del mondo, e che presto lo conquisterà.

86-7. **con la sua donna...**: la povertà, che è come la loro guida.

– **quella famiglia...**: quel primo nucleo di discepoli che (oggetto) già cingeva il cordone francescano. Per *famiglia* si veda X 49 e *Inf.* IV 133.

87. **capestro**: è propriamente la cavezza, cioè la corda usata per legare alla testa gli animali. Francesco sostituì per umiltà la cintura di cuoio con una semplice corda. Dante usa il termine *capestro* a sottolinearne il significato, come chiaramente dice l'aggettivo che lo accompagna. Il cordone, o cordiglio, diventò segno di riconoscimento per i francescani, da esso detti appunto *cordiglieri* (cfr. *Inf.* XXVII 67).

88. **Né li gravò...**: e non gli fece abbassare gli occhi (quasi un peso che gravasse sulle sue palpebre) alcun senso di viltà (viltà, come dice il *Convivio* – I, XI 18 – è il ritenersi da poco, propriamente da meno di quello che si è). Qui siamo già, con rapido trapasso narrativo, a Roma davanti al papa, di fronte al quale Francesco non si sentì da meno, per essere il figlio di un mercante, ma parlò da pari a pari, con l'uguale dignità che hanno i figli di Dio. Si veda la nota al v. 91.

89. **di Pietro Bernardone**: narrano gli antichi biografi, tra i quali san Bonaventura, che Francesco stesso si denominava «figlio di Pietro di Bernardone», volendo indicare l'umiltà della sua nascita (Tommaso da Celano, *Vita prima* 53; Bonaventura, *L. M.* VI 1).

90. **dispetto a maraviglia**: disprezzabile, tanto da stupire chi lo guardava (s'intende, nel vestire e nell'umile portamento). L'aggettivo ritorna più volte nella vita di Bonaventura e in particolare nel racconto del sogno in cui Innocenzo III vede Francesco («un uomo poverello, modesto e disprezzabile ["despectus"]») sostenere la Chiesa.

... tanto che il venerabile Bernardo (di Quintavalle) si scalzò per primo, e corse dietro a tanta pace, e pur correndo, gli pareva di andar piano. O ricchezza ignota agli uomini, o ben fecondo di frutti! Si scalza Egidio, si scalza Silvestro dietro allo sposo, tanto li attira la sua sposa. ◆ *Allora se ne va quel padre e quel maestro con la sua donna e con quel primo nucleo di discepoli (famiglia) che già era cinto dall'umile corda. E non gli fece abbassare gli occhi (le ciglia) alcun senso di viltà per il fatto di essere figlio di Pietro Bernardone, né per (il fatto di) apparire disprezzabile, tanto da destare meraviglia; ...*

ma regalmente sua dura intenzione
ad Innocenzio aperse, e da lui ebbe
93   primo sigillo a sua religïone.
Poi che la gente poverella crebbe
dietro a costui, la cui mirabil vita
96   meglio in gloria del ciel si canterebbe,
di seconda corona redimita
fu per Onorio da l'Etterno Spiro
99   la santa voglia d'esto archimandrita.

91. regalmente: questo avverbio rovescia decisamente la tradizionale e artificiosa immagine di un
Francesco «poverello», cioè piccolo e povero in ogni
suo aspetto, che toglieva e toglie tuttora al santo la
sublime dignità e statura di chi, proprio nella povertà,
raggiunge la grandezza divina. L'animo di Francesco
è quello di un re, re del più vero regno, quello dello spirito. Con la coscienza di questa «dignità regale» (come dice Bonaventura) egli presenta al papa la
sua regola, pur mantenendo l'aspetto umile e *dispetto*
che aveva scelto. Tutt'altro che tradire il vero senso
della figura del santo, come alcuni hanno detto, Dante lo ha colto nella sua profondità: come il Cristo condannato e flagellato si dichiara re di fronte a Pilato
(ma ricordiamo le sue parole: «il mio regno non è di
questo mondo»: *Io.* 18, 36), così il suo uguale Francesco, cinto dell'umile capestro, di fronte a Innocenzo.

– sua dura intenzione: è la regola da lui scritta per
ispirazione divina, come narrano i biografi, *dura* a seguire per la totale rinuncia ai beni del mondo. Così
dichiarò lo stesso papa Innocenzo III, incerto se approvare una tale proposta di vita: «la vostra vita ci sembra troppo dura e aspra» (*Leggenda dei tre compagni*
49). Bonaventura ricorda inoltre che ad alcuni cardinali quella regola pareva addirittura superiore alle forze umane.

93. primo sigillo: è la prima approvazione (1210)
che fu solo orale, poi confermata con bolla pontificia
da Onorio III. In essa Innocenzo conferiva ai frati anche il permesso di predicare (compito riservato ai vescovi), purché soltanto in materia morale e non dog-
matica. Il termine *sigillo* è qui usato in senso traslato
(in quanto il sigillo dava alle carte valore ufficiale), come sarà più avanti (v. 107) per le stimmate impresse

da Cristo sul corpo di Francesco. Il secondo, e molto più rilevante, traslato è probabilmente la ragione
del primo.

– religïone: ordine religioso.

94. la gente poverella: ancora non erano un vero e
proprio ordine e il loro segno di riconoscimento, per
cui erano ovunque noti, era appunto la totale povertà;
il diminutivo basta a raffigurare l'aspetto umile di questo nuovo popolo che cresceva e si moltiplicava in modo quasi miracoloso, come attestano tutte le fonti.

95. dietro a costui: seguendo le orme, la traccia segnata da Francesco, cioè il suo modo di vita.

96. meglio in gloria del ciel...: molto si è discusso
sul senso di queste parole, cioè sul valore di quel *meglio*, inteso in genere in due modi: meglio di quel che
fanno in terra i frati degeneri, o meglio di quel che posso qui fare io. Noi crediamo che il valore di questa
espressione s'intenda chiaramente se si guarda per quale scopo è qui narrata la *mirabil vita* di Francesco, e
cioè in rimprovero degli ordini corrotti (per spiegare
infatti il *se non si vaneggia* di X 96). Meglio sarebbe
cantata una tale vita, dice Tommaso, come un inno a
pura gloria di Dio, che non come severo ammonimento, per contrasto, ai frati che deviano dal cammino da lui segnato, come io qui sono stato costretto a
fare. E ci sembra che in questo verso, così inteso, si
racchiuda quasi un rammarico di Dante – celato in
quello di Tommaso – per aver cantato la vita del grande santo da lui amato legandola a un fine necessario
sì, ma solo storico e di segno negativo, piuttosto che
come libero canto di lode a Dio, quale quella vita era
stata.

97. redimita: cinta, inghirlandata (dal latino «redi-
mire», usato anche in *Aen.* III 81 e X 538); la *corona*
è l'approvazione, questa volta scritta, come si è detto, che Onorio III conferì alla regola nel 1223, costituendo con una bolla papale il nuovo Ordine. La regola è come l'espressione del santo desiderio (*voglia*)
di Francesco.

98. da l'Etterno Spiro: la regola appare come ap-
provata dallo Spirito Santo stesso attraverso il tramite del papa (*per Onorio*), che fu dunque solo lo strumento della volontà divina, che lo ispirò in tal senso.

99. archimandrita: pastore (letteralmente «capo della mandria»); grecismo usato anche nel latino ecclesiastico, per designare i superiori dei monasteri. La *gen-*

*... ma regalmente espose a papa Innocenzo la sua dura rego-
la, e da lui ebbe la prima approvazione (sigillo) al suo
ordine. ◆ Quando quel popolo poverello crebbe dietro a lui,
la cui vita mirabile sarebbe più degna di essere cantata a
gloria di Dio, il santo volere di questo pastore (archimandrita) fu inghirlandato di una seconda corona (cioè di una
seconda approvazione) dallo Spirito Santo per tramite di papa Onorio.*

E poi che, per la sete del martiro,

ne la presenza del Soldan superba

102   predicò Cristo e li altri che 'l seguiro,

e per trovare a conversione acerba

troppo la gente e per non stare indarno,

105   redissi al frutto de l'italica erba,

nel crudo sasso intra Tevero e Arno

da Cristo prese l'ultimo sigillo,

108   che le sue membra due anni portarno.

te poverella, la *famiglia*, diventa così un gregge, con immagine tipicamente evangelica, che sarà ripresa alla chiusa del canto (vv. 124 sgg.).

100. **E poi che...**: il quarto momento della vita di Francesco scelto da Dante nella sua veloce ed emblematica sequenza è il viaggio in Terra Santa, intrapreso dal santo nella speranza di convertire a Cristo il popolo musulmano. Egli vi andò, con dodici frati, nel 1219 (dunque prima dell'approvazione di Onorio; Dante segue qui l'ordine dei fatti che è dato da Bonaventura) ma le sue parole, pur ascoltate con rispetto, furono vane.

– **per la sete del martiro**: le parole di Dante ripetono quelle di Bonaventura: «ardendo del desiderio del martirio» (*L. M.* IX 5), ma collocate in un costrutto sintattico che le collega strettamente all'episodio culminante della storia, l'impressione delle stimmate. Francesco, recandosi in terra saracena, andava coscientemente incontro al martirio, cioè alla morte per la propria fede; ma quella sua *sete*, là non esaudita, doveva trovar compimento alla Verna per opera di Cristo stesso.

101. **presenza... superba**: Francesco, fatto prigioniero, fu ascoltato con attenzione e senza ostilità dal Sultano d'Egitto come attestano le fonti. Ma l'aggettivo *superba* ricorda il potere e la forza del grande Sultano a fronte del disarmato e povero frate che gli parlava di Cristo, e la sua totale chiusura a comprendere, a ricevere, quel messaggio di umiltà e di amore.

102. **li altri**: cioè gli apostoli, e in genere i propagatori della fede cristiana.

103. **acerba**: non disposta, ancora immatura.

104-5. **per non stare indarno...**: per non restare inutilmente là dove gli animi non erano pronti ad accogliere la fede, tornò in Italia, dove la sua parola portava buon frutto nel popolo. Anche qui Dante segue Bonaventura quasi alla lettera: «vedendo che non aveva risultati nel convertire quella popolazione ritornò nelle terre dei fedeli» (*L. M.* IX 9).

105. **italica erba**: l'*erba*, che qui vale «vegetazione in genere», raffigura la *gente*, proseguendo la metafora iniziata con l'aggettivo *acerba*, attribuito alla popolazione musulmana.

106. **nel crudo sasso...**: sul monte della Verna, alto e roccioso massiccio che separa la valle del Tevere dall'alta valle dell'Arno. L'aspetto *crudo*, cioè aspro e ru-

pestre, e la natura pietrosa del monte (*sasso*), creano in due parole lo spirito del paesaggio, nudo e sofferente, che corrisponde alla condizione di Francesco in quel momento.

107. **da Cristo**: da Cristo stesso, che gli apparve sotto forma di serafino e gli impresse le stimmate, cioè le piaghe delle ferite da lui subite nella crocifissione, alle mani, ai piedi e al costato. Sono queste le cinque piaghe prodotte dai chiodi e dalla lancia, mostrate nel Vangelo da Cristo risorto a Tommaso, e venerate da sempre dalla pietà cristiana (si veda il ricordo che ne fa Dante, nominando la passione di Cristo sempre con riferimento a quelle piaghe: IX 123; XIII 40; XX 105; XXXII 129). La miracolosa impressione delle stimmate, testimoniata da tutti i primi seguaci, avvenne nel 1224.

– **l'ultimo sigillo**: dopo quelli conferiti dai papi. Ma questo è impresso non sulla carta, bensì sulla carne (v. 108).

108. **che le sue membra...**: si veda Ubertino, *Arbor vitae crucifixae* V 3: «che portò nel suo santo corpo per un biennio». – *due anni*, cioè fino alla morte, avvenuta nel 1226. La terzina è spoglia e ridotta all'essenziale – il luogo, il fatto, la conseguenza – come se un tale evento non tollerasse di essere commentato. Ma le parole scelte – il *crudo sasso*, il *sigillo*, le *membra* vive del santo – ne esprimono il profondo significato: la dolorosa assimilazione di Francesco alla persona stessa del Cristo sofferente.

E quando, per il desiderio del martirio, alla superba presenza del Sultano predicò la dottrina di Cristo e dei suoi apostoli (li altri che 'l seguiro), e trovando la gente ancora troppo immatura per la conversione, per non restarvi inutilmente, tornò a svolgere la sua missione nella fruttuosa terra italiana, nell'aspro monte tra il Tevere e l'Arno prese da Cristo l'ultimo sigillo, cioè l'ultima approvazione, quella divina, che le sue membra portarono per due anni.

> Quando a colui ch'a tanto ben sortillo
> piacque di trarlo suso a la mercede
> 111   ch'el meritò nel suo farsi pusillo,
>   a' frati suoi, sì com'a giuste rede,
> raccomandò la donna sua più cara,
> 114   e comandò che l'amassero a fede;
>   e del suo grembo l'anima preclara
> mover si volle, tornando al suo regno,
> 117   e al suo corpo non volle altra bara.
>   Pensa oramai qual fu colui che degno
> collega fu a mantener la barca
> 120   di Pietro in alto mar per dritto segno;
>   e questo fu il nostro patrïarca;

109-11. Quando a colui...: quando a Dio, che lo aveva prescelto, destinato, a fare tanto bene agli uomini e alla Chiesa in pericolo (cfr. vv. 28-36), piacque di portarlo su in cielo, a ricevere la ricompensa da lui meritata nel farsi piccolo, nella sua umiltà e povertà...

– **farsi pusillo**: si riprendono qui le parole di Cristo nel Vangelo: «se non vi farete come i piccoli, non entrerete nel regno dei cieli» (*Matth.* 18, 3; e nello stesso contesto i fanciulli sono poi chiamati «pusilli»). Francesco stesso, con questo spirito, si chiama nei suoi scritti «piccolo e minimo servo» e chiama i suoi frati, come Cristo i suoi discepoli, «piccolo («pusillus») gregge». Francesco fu dunque grande e meritò il cielo non tanto, o non solo, per la sua povertà materialmente intesa, ma per la sua scelta di umile piccolezza agli occhi del mondo. È questa scelta che Dante stesso, facendosi guidare come un fanciullo inesperto prima da Virgilio e poi da Beatrice, ha fatto nel poema. Si veda su questo l'Introduzione al canto.

112. sì com'a giuste rede: come a legittimi eredi (per *reda*, erede, si cfr. *Inf.* XXXI 116). Francesco lasciò ai suoi, oltre alle calde raccomandazioni orali narrate dai biografi, uno scritto, intitolato appunto *Testamento*, che raccoglie tutto il senso della sua vita.

113. più cara: la povertà; le altre donne a lui care, raccomandate negli ultimi consigli, erano la carità e la pazienza: sentendosi vicino alla morte, narra Tommaso da Celano, il santo fece chiamare a sé tutti i frati, e con paterno affetto li esortò all'amore divino, raccomandando poi con insistenza di osservare la pazienza e la povertà (*Vita secunda* 216). Dante, secondo la sua scelta, parla soltanto della prediletta, che dà il senso alla morte, come alla vita del santo.

114. a fede: fedelmente; «aderendovi totalmente» sono le parole della *Regola* scritta da Francesco stesso.

115. del suo grembo: dal grembo stesso della povertà; Francesco chiese infatti, in punto di morte, di esser posto nudo sulla nuda terra. Come all'inizio della sua vita si era unito a lei spogliandosi sulla piazza di Assisi, così ripete lo stesso gesto alla fine. È la stessa sposa, ricordiamo, che *pianse con Cristo*, denudato sulla croce.

– **preclara**: splendida di luce, rifulgente; latinismo usato soltanto qui da Dante, che riecheggia il «praenitida» e «praefulgida» di Bonaventura.

116. al suo regno: il povero Francesco è di fatto un re, come già diceva il v. 91. Così si legge nella liturgia della festa del santo: «il povero e umile Francesco entra ricco in cielo».

117. altra bara: non altra bara, dove giacesse il suo corpo, che il grembo della povertà, la nuda terra; dove lo deposero obbedienti i suoi frati, alla Porziuncola, la piccola cappella presso Assisi, di dove l'Ordine aveva iniziato il suo cammino. Francesco morì il 4 ottobre del 1226. Si veda come quest'ultima terzina ha la stessa spoglia austerità di quella dedicata alle stimmate (vv. 106-8).

118. Pensa oramai: chiusa, con quella nuda bara, la storia del santo, il discorso di Tommaso si rivolge ora a spiegare la frase da cui era partito (v. 25), riprendendo il tono e l'andamento didattico che aveva al suo inizio (vv. 22-7). Il grande racconto resta così come racchiuso in se stesso (vv. 28-117).

– **oramai**: cioè dopo che hai udito questa *mirabil vita* (v. 95).

118-9. qual fu colui...: quale dovette essere, in santità s'intende, colui che fu degno compagno di un tale santo nello stesso compito.

♦ *Quando a colui che lo aveva prescelto a fare tanto bene (cioè Dio) piacque di portarlo su in cielo, a ricevere la ricompensa (a la mercede) da lui meritata con la sua umiltà, raccomandò ai suoi frati come a legittimi eredi la sua donna più cara, e comandò che la amassero fedelmente (a fede); e dal suo grembo stesso (cioè, della povertà) l'anima splendida volle partire, tornando al suo regno, e non volle altra bara per il suo corpo.* ♦ *Pensa di quale valore dovette essere colui che (gli) fu degno compagno nel mantenere la barca di Pietro (cioè la Chiesa) in alto mare verso la giusta meta (per dritto segno); e questo fu il nostro fondatore (san Domenico); ...*

per che qual segue lui, com'el comanda,

123　discerner puoi che buone merce carca.

Ma 'l suo peculio di nova vivanda

è fatto ghiotto, sì ch'esser non puote

126　che per diversi salti non si spanda;

e quanto le sue pecore remote

e vagabunde più da esso vanno,

129　più tornano a l'ovil di latte vòte.

Ben son di quelle che temono 'l danno

e stringonsi al pastor; ma son sì poche,

132　che le cappe fornisce poco panno.

Or, se le mie parole non son fioche,

se la tua audïenza è stata attenta,

119-20. la barca / di Pietro: la Chiesa; la metafora era comune nella tradizione cristiana, sia letteraria che figurativa. I due santi insieme mantengono la rotta, quasi reggendo il timone, verso la giusta meta (*per dritto segno*; cfr. vv. 31-6), «in mezzo ai burrascosi mondani flutti» (Lombardi). – *per* indica qui direzione, come a *Conv.* III, V 9: «andando diritto per tramontana».

121. il nostro patrïarca: san Domenico, padre fondatore dell'Ordine dei Predicatori, al quale appartenne Tommaso (X 94-6).

122. per che: per il qual motivo (cioè se Domenico fu degno di affiancare Francesco nel guidare la Chiesa sul dritto cammino).

123. discerner puoi...: puoi ben comprendere che chi lo segue tenendosi fedele ai suoi comandi, cioè alla sua regola, carica buona merce, cioè ben si provvede, si arricchisce di meriti che gli serviranno per acquistarsi il cielo (si spiega così il *ben s'impingua* citato al v. 25).

– **buone merce carca**: l'immagine continua la metafora della barca, che fa buon carico, da cui verrà ricchezza.

124. peculio: gregge (cfr. *Purg.* XXVII 83). Il gregge di Domenico sono i suoi frati, con metafora evangelica (e l'immagine è già usata per Francesco, detto *archimandrita* al v. 99). Con questo verso ha inizio il rimprovero per l'Ordine che non segue la traccia segnata dal suo fondatore.

– **nova vivanda**: *nova* vale «diversa» da quella indicata dalla regola e fin qui cercata. La *vivanda*, cioè il cibo di cui sono ora «ghiotti» i domenicani, saranno i beni terreni in genere, e probabilmente gli studi profani in particolare (la «scienza mondana», e non la teologia, come invece intendono Pietro di Dante e il Buti).

125-6. ch'esser non puote...: «non può essere che non» significa «è inevitabile»; dato il suo desiderio di altro cibo (o meglio pascolo, trattandosi di pecore), è inevitabile che il gregge vada disperdendosi per balze e gioghi *diversi*, cioè lontani da quelli consueti. – *diversi* è latinismo (da «devertere», portar fuori stra-

da), come *salti* (da «saltus», luogo montano scosceso), e sopra *peculio*. Forme dotte proprie del linguaggio oratorio, usato qui come in genere nei passi ammonitori e profetici del poema.

127. remote: perché si allontanano cercando il nuovo cibo (cfr. *diversi* del verso precedente).

128. da esso: dal fondatore.

129. di latte vòte: prive di latte; perché mangiano un cibo che non dà nutrimento. Il *latte*, fuor di metafora, è la ricchezza spirituale, come le *buone merce* del v. 123.

130. 'l danno: che deriva dal vagare lontano dal pastore.

132. che le cappe...: brusco passaggio, nell'ambito dello stesso periodo, dalla metafora alla realtà: le pecore sono così poche che basta poca stoffa a provvedere alle loro *cappe* (si noti il riecheggiarsi di *poche* e *poco*). La *cappa* è il mantello che i domenicani, come anche altri monaci, portano sulla tonaca (così portano *cappe* gli ipocriti di Malebolge: cfr. *Inf.* XXIII 61-3).

133-5. se... / se... / se...: i tre *se*, e i tre versi, dicono in fondo la stessa cosa: se tu hai ben inteso ciò che ho detto. L'insistenza sembra sottolineare che la spiegazione è stata più che esauriente: bastava ascoltare attentamente

– **non son fioche**: non sono troppo deboli, inintelligibili; ma la frase è figura retorica, e vale: se tu non sei sordo, s'intende nella mente.

– **audïenza**: ascolto.

... per cui puoi ben comprendere che chi lo segue come lui comanda, carica buona merce (cioè si arricchisce di meriti). ◆ *Ma il suo gregge è diventato ghiotto di un diverso cibo, così che è inevitabile che vada disperdendosi per balze diverse; e quanto più le sue pecore si allontanano da lui e vagano disperdendosi, più tornano all'ovile prive di latte. Ce ne sono bene di quelle che temono il danno, e si tengono strette al pastore; ma sono così poche, che basta poca stoffa a provvedere alle loro cappe.* ◆ *Ora se le mie parole non sono troppo deboli e se il tuo ascolto è stato attento, ...*

135　　se ciò ch'è detto a la mente revoche,
　　　　　in parte fia la tua voglia contenta,
　　　　perché vedrai la pianta onde si scheggia,
　　　　e vedra' il corrègger che argomenta
139　　　"U' ben s'impingua, se non si vaneggia"».

– **revoche**: richiami. Cioè: se le parole erano udibili, e tu le hai ascoltate attentamente, e ora le ripensi nel loro insieme

136. **in parte**: cioè, per quel che riguarda il primo dubbio, la prima frase che ti era rimasta oscura.

– **voglia**: desiderio di chiarimento; cfr. vv. 22-4.

137. **la pianta onde si scheggia**: ordina: vedrai per quale ragione (*onde*) la pianta dell'Ordine domenicano perde dal suo tronco via via più schegge, indebolendosi così progressivamente. – *si scheggia* è forma passiva per «è scheggiata», cioè ne sono tolte schegge, frammenti del tronco (se la pianta è l'ordine, le schegge raffigurano i frati). Per *scheggia* si cfr. *Inf.* XIII 43.

138. **il corrègger che argomenta**: che cosa significa la mia correzione, cioè la limitazione ipotetica aggiunta alla frase *u' ben s'impingua*: ci si arricchisce sì, a seguire Domenico, ma soltanto *se non si vaneggia*, cioè se non si seguono, come la maggior parte dei suoi frati, i vani e ingannevoli beni mondani. La frase è costruita, come nel verso precedente, con anticipazione del soggetto della proposizione relativa. Le altre interpretazioni proposte per questo verso, che è stato molto discusso in passato, sono decisamente da scartare, considerata la chiarezza, e la precisa pertinenza al contesto, della spiegazione qui data e ormai da tutti accolta.

　　　　　■
... se richiami alla mente ciò che è stato detto, in parte il tuo desiderio di sapere sarà accontentato, perché vedrai per quale ragione (onde) la pianta (dell'ordine domenicano) perde schegge (dal suo tronco), e vedrai che cosa significa (argomenta) la mia precisazione (corregger) che dice "Dove ci si arricchisce, ma soltanto se non si seguono i vani beni mondani (si vaneggia)"».

approfondimenti

NOTE LINGUISTICHE

v. 105. **redissi**: tornò (da *redire*: cfr. XVIII 11); è forma pronominale comune nei verbi di moto (così *starsi*, *partirsi* ecc.).

NOTE AL TESTO

v. 26. **nacque**: le precedenti edizioni leggono *surse*, ripetendo così letteralmente le parole di X 114. Ma la stragrande maggioranza dell'antica tradizione manoscritta porta *nacque*, che il Petrocchi ha giustamente ripristinato, come evidente lezione più difficile (è ben più probabile che un copista corregga *nacque* in *surse*, che non il contrario). Del resto Dante non era obbligatoriamente tenuto a ripetere in forma esatta la precedente espressione; si veda la variazione a XIII 47-8.

SUGGERIMENTI PER LA RICERCA

Temi e personaggi del canto

Francesco d'Assisi
Metti a confronto il ritratto di Francesco che emerge dal canto con la vita narrata da una o più fonti biografiche a tua disposizione (importante fra tutte la *Legenda maior* di Bonaventura, tradotta in italiano in *Fonti francescane*, Assisi, 1978), e con quella rappresentata da Giotto sulle pareti della Basilica superiore di Assisi (puoi reperire le immagini nei manuali o CD Rom di Storia dell'Arte), indicando quali aspetti Dante metta in rilievo e perché (un'attenta lettura dell'Introduzione ti sarà d'aiuto alla comprensione); quindi elabora una relazione scritta con i risultati della ricerca e le tue riflessioni in proposito. In conclusione, puoi vedere con la classe il film *Francesco* di Liliana Cavani, in cui la vita del santo è raccontata con un linguaggio ancora diverso (e a noi oggi più familiare), quello delle immagini cinematografiche.

L'ordine domenicano
Fai una ricerca sull'ordine domenicano e sulla sua rilevanza nella storia della Chiesa consultando una Storia della Chiesa a tua disposizione oppure la voce *Domenicani*, a cura di M.H. Vicaire, del *Dizionario Enciclopedico del Medioevo*, II, pp. 585-588. Sui rapporti tra Dante e i Domenicani, consulta la voce relativa in *Enciclopedia Dantesca* II, in particolare le pp. 542-544, a cura di I. Venchi.

Tommaso d'Aquino
Ricostruisci la figura storica del santo e approfondisci la tua conoscenza del pensiero tomistico, su cui si fonda la cultura medievale e cristiana, consultando la voce *Tommaso d'Aquino. Tomismo* del *Dizionario Enciclopedico del Medioevo* (a cura di J. P. Torrel, vol. III, pp. 1920-1922) oppure quella del *Grande libro dei Santi*, III, pp. 1869-76, a cura di F. Santi. Quindi per comprendere l'influenza di Tommaso nell'opera dantesca, leggi la voce *Tommaso*, a cura di K. Foster, in *Enciclopedia Dantesca* V, pp. 633 e segg.

Lingua e stile

negozio – v. 7
Cerca sul *Grande Dizionario della Lingua Italiana* l'etimologia e i diversi significati che il sostantivo *negozio* ha assunto nel tempo, riconoscendovi, con l'aiuto della nota

approfondimenti

di commento, quello attribuitogli in questo canto del *Paradiso*. Estendi quindi la ricerca ai termini *negoziare* e *negoziato*.

involto – v. 8

Leggi il cap. III della *Vita Nuova* ai prf. 4 e 12, e i passi della *Commedia*, che individuerai con le *Concordanze*, in cui compaia il participio *involto*. Distingui poi nei vari luoghi i diversi significati e l'uso metaforico da quello proprio. Ricerca quindi sull'*Enciclopedia Dantesca* (o eventualmente su un buon *Dizionario* di lingua italiana) i valori traslati dei verbi, di significato affine, *avviluppare* e *inviluppare*, che si trovano numerosi nel poemetto attribuito a Dante, il *Fiore*.

Un pronome relativo – vv. 58-60

In italiano antico, e particolarmente in poesia, è frequente la separazione fra il pronome relativo e il sostantivo a cui esso è riferito. Individua, entro il periodo indicato, il sostantivo al quale si riferisce il relativo *a cui*. Trova poi nel canto I dell'*Inferno* un esempio analogo.

CANTO XII

Introduzione

Questo canto è dedicato al secondo dei due «campioni», o guide, mandate dalla provvidenza a dare sicurezza e forza alla sua Chiesa in pericolo. E la sua struttura è simmetrica a quella del precedente, così da stringerli in una sola unità narrativa, che rispecchia l'unità dell'azione compiuta dai due santi in essi celebrati.

Analogo è il preludio, affidato alla musica, che pone le due vite nella prospettiva dell'armonia propria degli atti divini: al suono dell'orologio mattutino che precede il canto di Francesco (X 139-48) rispondono il canto e la danza che con dolce concordia le due corone, o ghirlande, compiono in apertura del canto di Domenico.

Lo svolgimento che segue si articola poi negli stessi tre momenti del canto precedente – la vita del santo, il rimprovero all'ordine traviato, l'indicazione degli spiriti che compongono la nuova ghirlanda – ma ordinati in modo diverso. Qui infatti i nomi della ghirlanda vengono elencati in chiusura, come là in apertura, in maniera da chiudere come in una cornice – quasi in forma di chiasmo – le due grandi vite.

Il canto dedicato a Domenico, pur nella costruzione del tutto simmetrica, ha tuttavia una fisionomia completamente diversa da quello di Francesco. Nel primo infatti la persona del santo domina e prevale sull'intero arco del canto, non lasciando quasi spazio ad altro. La figura di Domenico invece non prende rilievo personale, ma resta piuttosto nell'ambito di un racconto alto e in gran parte generico che celebra la vita del santo, dove valgono le tematiche più che il carattere individuale del protagonista.

Il santo viene come a identificarsi, a sparire, nella sua opera, nella sua azione. Del resto le stesse fonti biografiche a cui Dante attingeva, oltre alla memoria ancora ben viva nella realtà storica del tempo, non hanno la commossa voce del testimone diretto che caratterizza le vite di Francesco. Nella storia qui narrata mancano i fatti singoli, i luoghi, i gesti e le parole che segnano quella del santo di Assisi: l'affrontarsi col padre, col papa, col sultano, la scena della Verna e della morte. Il racconto, bello e potente nel suo genere, ma in qualche modo anonimo, si inserisce nella trama del canto sullo stesso piano delle altre sequenze che lo compongono, dalla dolce apertura di musica e di danza alla drammatica denuncia del decadere dell'Ordine francescano, alla presentazione dei dodici sapienti che lo conclude, e che termina nel nome profetico di Gioacchino da Fiore.

Il principale risultato del canto è così, piuttosto che l'immagine del secondo campione mandato da Dio in soccorso della sua Chiesa, proprio l'evidenza storica delle due vite parallele, del loro concorrere allo stesso fine, del comune tradimento perpetrato dai seguaci dell'uno e dell'altro, e della loro comune ispirazione di distacco da ciò che è terreno – sia sul piano materiale sia su quello intellettuale – e di ritorno alla Chiesa degli apostoli, mandati da Cristo in totale povertà a predicare la fede.

Nel passo evangelico dell'invio dei discepoli nel mondo (*Matth.* 10, 7-10), ricordato da Francesco come il primo ispiratore del movimento che da lui doveva nascere, si trovano di fatto le caratteristiche proprie dei due Ordini, delle quali ognuno ne assunse una come primaria e quasi distintiva: i francescani la povertà («andate senza denaro, né bisaccia, né calzari, né bastone...»), i domenicani la predicazione («predicate che il regno di Dio è vicino»). E con acuta intuizione storica Dante presenta Francesco come sposo della povertà, e in questo canto presenterà Domenico come sposo della fede.

Tale sincronia ispira la bella sequenza d'apertura del nostro canto, dove la vaga immagine del doppio arcobaleno (*due archi paralleli e concolori*), esprime il concorde muovere delle due vite ad uno stesso fine. Mentre l'apparire dell'iride in cielo, ricordando la biblica promessa fatta da Dio a Noè di non intervenire più con punizioni per correggere l'umanità ribelle, preannuncia il soccorso mandato dalla provvidenza con i due uomini *al cui fare, al cui dire*, all'esempio e alla parola dei quali, si convertisse il *popol disvïato*.

L'inizio del racconto fatto poi dal santo che, quale capo della seconda corona, sarà il solo a parlare, come già Tommaso nella prima, riprende il motivo profetico del «soccorso» mandato da Dio alla sua Chiesa, facendo eco al preambolo che introduce la vita di Francesco; le immagini qui usate, tuttavia, definiscono il diverso carattere del secondo inviato: il popolo cristiano è un *esercito*, una *milizia* in pericolo, a cui vengono in aiuto i due *campioni* di Dio. Così già si delinea quell'aspetto di combattente, di difensore della fede in guerra contro coloro che la tradivano, che sarà quello da Dante conferito come distintivo alla figura di Domenico.

L'inizio del racconto della sua vita segue il modello usato per Francesco, dando evidenza alla complementare azione dei due inviati del cielo. In apertura l'indicazione geografica del luogo di nascita, vicino alle onde nelle quali tramonta il sole, risponde alla descrizione di Assisi-Oriente, così da far sorgere le figure dei due santi quasi ai due lati del mondo, come abbracciandolo nella loro azione salvifica.

Ma, a differenza di quel che accade nel canto XI, la descrizione di quel luogo d'Occidente, di dove il vento primaverile si leva a rinverdire la terra, ha una singolare bellezza e freschezza, tanto che la metafora sparisce in quel vivo paesaggio, e il dolce vento di Zefiro prevale su colui che dovrebbe significare, cioè il santo che con la sua parola fa rifiorire la fede nei cuori stanchi e smarriti dei cristiani.

La storia prosegue con episodi leggendari comuni alle vite dei santi, come i sogni premonitori della madre e della madrina, o il significato profetico del nome, o la eccezionale disposizione alla santità che si manifesta nel fanciullo; come si è osservato, mancano qui i singoli fatti storici che creano la persona. Tuttavia, uscita dalla generica infanzia, la figura di Domenico assume il carattere suo proprio, di grande dottore nelle cose divine, capace di combattere con l'arma della parola contro le deviazioni della fede. Seguendo la stessa ispirazione di Francesco, egli non cura le scienze del mondo che portavano i chierici a interessi temporali, ma solo la *verace manna*, cioè la sapienza celeste. E come Francesco chiese al papa di poter osservare l'assoluta povertà, così egli non chiede nessun altro onore se non quello di poter combattere per la fede con la predicazione. La sua azione contro gli eretici di Provenza è presentata con l'immagine biblica del violento irrompere di un torrente che tutto travolge, ma le sue sole armi – come Dante sottolinea – furono la dottrina, lo zelo, e l'autorità conferitagli dal vicario di Cristo.

Il ricordo della crociata di Provenza, ancora vivo a un secolo di distanza, prende così figura nel poema di Dante nei due uomini che la condussero sui due fronti: Folco da Marsiglia sul piano politico-militare, Domenico di Guzmam su quello della parola e della preghiera. Gli storici ricordano – quasi a conferma – che durante la battaglia di Muret Domenico con i suoi stava in preghiera nella chiesa vicina. Ma i singoli fatti, come abbiamo osservato, sono esclusi da questa vita, che segue una sua diversa linea di ispirazione.

Così la storia di Domenico si chiuderà non con la sua morte, ma con il ricordo dei molti suoi seguaci che si diffusero per il mondo a ravvivare la fede continuandone l'opera, quasi identificando così la sua persona con l'azione compiuta dal suo Ordine.

Alla narrazione della vita fa seguito, come nel canto precedente, il rimprovero ai frati degeneri dell'Ordine gemello, i francescani. Ma questa volta il passo ammonitore ha ben diversa drammaticità. Quel tradimento brucia infatti da vicino colui che scrive, che tanto aveva sperato nel rinnovamento avviato da Francesco nella Chiesa. Dei riferimenti particolari alle due fazioni che lacerarono l'Ordine per tutto il secolo, con opposti eccessi di rigorismo e lassismo, si dirà nel commento. Qui rileviamo come Dante voglia tenersi al di sopra della polemica, denunciando egualmente i due estremismi, secondo lo spirito che impronta tutta la scena ambientata nel cielo dei Sapienti.

A questo proposito appare significativa la conclusione del passo (vv. 127-9), dove si presenta il personaggio che finora ha parlato: *Io son la vita di Bonaventura / da Bagnoregio, che ne' grandi offici / sempre pospuosi la sinistra cura*. Il grande Bonaventura, che come generale dell'Ordine seppe moderare gli opposti estremismi, sempre ispirandosi al santo fondatore, presenta se stesso come colui che, pur nell'alto incarico tenuto (*ne' grandi offici*), sempre subordinò gli interessi temporali (*la sinistra cura*) a quelli spirituali. Questa presentazione è un preciso richiamo al tema dominante della vita di Francesco, che tuttavia ispira anche quella del santo qui celebrato: negli studi infatti, in cui eccelleva, Domenico non si affannò, come abbiamo visto, dietro alle scienze che davano prestigio nel mondo, ma cercò soltanto la sapienza delle cose divine.

Il cerchio delle due vite si chiude così nel segno dello stesso ideale, quell'ideale che il poeta fiorentino, esule e senza alcun potere, con alto coraggio annunziava e difendeva (quasi terzo campione, si potrebbe dire) con la forza a lui propria, l'unica che avesse, quella della sua poesia.

Questo canto tuttavia, come si è osservato, si conclude in modo diverso dal precedente: al doloroso passo profetico Bonaventura fa seguire in chiusura la presentazione degli spiriti della corona, che invece apre il discorso di Tommaso, venendo così a racchiudersi tra le due serie di gloriosi nomi tutto lo svolgimento dei due canti.

Anche questa corona, come la prima, non ha un carattere uniforme. È evidente anche qui l'intenzionale accostamento di generi e livelli diversi di sapienza: accanto alla grande teologia sono rappresentate infatti la storia, la logica e la *prim'arte* del ciclo degli studi, la grammatica.

Tuttavia si può forse dire – come qualche critico ha osservato – che nel cerchio di Tommaso prevalgono gli aristotelici, e in quello di Bonaventura gli autori di ispirazione mistica e profetica: qui troviamo infatti, ad aprire la serie, due *scalzi poverelli* francescani, dei quali non è nota alcuna opera dottrinale; e più avanti Ugo di San Vittore, e il profeta Natan, senza dire dello stesso personaggio presentatore – massimo rappresentante nel suo secolo della scuola teologica di connotazione mistica – e dell'ultimo nome che, come già nel canto X, è quello che conta più di tutti.

È questo il nome di colui che chiude il cerchio, e che risplende, come l'altro, accanto alla luce dello spirito che del cerchio è la guida, e che lo addita: *... e lucemi dallato / il calavrese abate Giovacchino / di spirito profetico dotato.*

Si può dire che nelle ultime tre parole – che sono citazione dal testo liturgico della messa dedicata a san Gioacchino da Fiore – è indicato il senso, e l'origine, del quadro storico che i due canti ci offrono. Le vite dei due santi sono fin dal principio presentate – nel discorso di Tommaso – come un diretto intervento provvidenziale nella storia del tempo (XI, vv. 28 sgg.). Ora questa interpretazione dipendeva di fatto, nella coscienza culturale del secolo, e di Dante stesso, dall'opera dell'«abate calabrese», dal suo annuncio profetico di un rinnovamento della Chiesa, che nuovi uomini, *viri spirituales*, avrebbero guidato.

La celebrazione delle due grandi figure di santi posta da Dante nel cielo dei sapienti viene così a essere illuminata, nel significato che l'autore ha voluto darle, da quella luce profetica che – indicata da Bonaventura, il massimo interprete in tal senso della vita di Francesco – conclude il cerchio dei due canti.

CANTO XII

Nel cielo del Sole: san Domenico

1-30 Non appena san Tommaso ha finito di parlare, la corona dei beati riprende il suo giro di danza: subito appare un'altra corona che la cinge accordandosi con essa nel movimento e nel canto, con la stessa armonica simmetria di due archi dell'arcobaleno. Insieme si fermano e una luce della seconda corona inizia a parlare.

31-45 L'anima si presenta come seguace di Francesco – solo alla fine dirà il proprio nome, Bonaventura da Bagnoregio –, che, grato dell'elogio del fondatore dell'ordine al quale egli appartiene, elogio appena pronunciato da un domenicano, manifesta l'intenzione di ricambiare l'omaggio con un panegirico di san Domenico, l'altro campione attraverso cui Dio soccorse la sua Chiesa.

46-105 La narrazione della vita del santo (come quella di Francesco nel canto precedente) comincia con l'indicazione del luogo della nascita, Calaruega, che si trova in Castiglia, nell'Europa occidentale. La madre e la madrina in sogno profetizzarono la sua grandezza, di cui è segno anche il nome, Domenico, «che appartiene a Dio». Fin dalla fanciullezza fu amante della povertà; in breve tempo divenne gran dottore, non per desiderio di successo mondano, ma per servire la Chiesa. Dalla sede papale ottenne l'autorizzazione a combattere le eresie, compito cui si dedicò con ardente zelo; dietro di lui si mossero molti seguaci che, in diverse forme, ne continuarono l'opera.

106-126 Se tale fu l'eccellenza dell'uno, dovrebbe essere evidente anche l'eccellenza dell'altro, Francesco, ma l'Ordine francescano ormai si è allontanato dalla strada da lui segnata, tanto che presto se ne raccoglierà l'amaro frutto: forse c'è ancora qualcuno fedele alla Regola, ma non tra i seguaci delle due opposte correnti, quelle di Ubertino da Casale e di Matteo d'Acquasparta, che l'hanno rispettivamente ignorata o esasperata.

127-145 Concludendo il suo discorso, l'anima presenta sé e gli altri beati della corona: per primi indica due umili francescani, Illuminato e Agostino, accanto ai quali stanno, oltre ai grandi teologi come Anselmo d'Aosta, il profeta ebreo Natan, il logico Pietro Ispano, l'antico grammatico Elio Donato, rappresentanti dei diversi generi di sapienza, e, in ultimo, un personaggio particolarmente significativo (come lo fu Sigieri nella prima corona), Gioacchino da Fiore.

<blockquote>

Sì tosto come l'ultima parola
la benedetta fiamma per dir tolse,
3   a rotar cominciò la santa mola;
e nel suo giro tutta non si volse

</blockquote>

1-3. Sì tosto...: non appena Tommaso ebbe iniziato a pronunciare (*per dir tolse*) l'ultima parola del suo discorso, la corona dei beati riprese il suo giro di danza, ruotando in senso orizzontale come fa la rotonda pietra della macina del mulino (*mola*). La sovrapposizione dei due atti – l'ultima parola, l'inizio della danza – fa sì che non ci sia alcuna pausa, neppure minima, tra le due azioni, e quindi fra i due canti, che formano una sola unità.

– tolse: prese; anche oggi «prendere a dire» è dell'uso; dice il primo muoversi della voce, sottolineando la perfetta coincidenza tra gli inizi delle due azioni.

– mola: l'immagine era in uso per i corpi celesti, per il suo valore di perfetta circolarità geometrica: l'a-

stronomo arabo Alfragano la utilizza per il cielo intorno ai poli («il ruotare del cielo è simile al ruotare della macina del mulino»: *Aggregazione delle stelle* VII) e Dante per il sole in *Conv.* III, V 14: «conviene che Maria veggia... esso sole gira[r] lo mondo intorno giù alla terra o vero al mare, come una mola».

4-6. e nel suo giro...: e non aveva ancora finito il suo giro, era cioè all'ultimo tratto del cerchio descritto, che

———— ■ ————

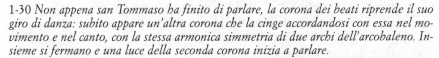
Non appena la benedetta fiamma (Tommaso) ebbe iniziato a pronunciare (per dir tolse) l'ultima parola (del suo discorso), la ruota formata dai beati (santa mola) riprese a girare; e non aveva ancora finito il suo giro, ...

prima ch'un'altra di cerchio la chiuse,

6   e moto a moto e canto a canto colse;

canto che tanto vince nostre muse,

nostre serene in quelle dolci tube,

9   quanto primo splendor quel ch'e' refuse.

Come si volgon per tenera nube

due archi paralleli e concolori,

12   quando Iunone a sua ancella iube,

nascendo di quel d'entro quel di fori,

a guisa del parlar di quella vaga

15   ch'amor consunse come sol vapori,

e fanno qui la gente esser presaga,

per lo patto che Dio con Noè puose,

18   del mondo che già mai più non s'allaga:

---

un'altra corona la cinse tutto intorno, riprendendo la danza e il canto nell'esatto punto in cui erano, e con lo stesso tempo. Si ripete in questa seconda terzina la stessa simultaneità tra una fine e un principio descritta nella prima: alla fine del giro della prima corona, ma prima che sia finito, comincia il giro della seconda, come all'ultima parola di Tommaso comincia la danza della prima. Le due corone si legano così l'una all'altra in un solo movimento e canto, e formano una sola figura, come l'immagine che segue dichiarerà.

– **colse**: riprese, entrando in tempo, come il musicista o il cantante entra sulla battuta dell'altro.

7-9. canto che tanto...: un canto che, in quelle dolci voci (*tube* vale propriamente «trombe», qui per strumenti musicali in genere, ai quali sono assomigliate le voci), vince le nostre Muse e le nostre Sirene di tanto, quanto il raggio diretto vince quello riflesso (*refuse*: *rifondere* vale qui «riflettere», come a II 88).

– **muse... serene**: le Muse e le Sirene stanno a indicare ogni più alta armonia concepibile in terra: come annota il Buti, le Muse rappresentano la poesia, le Sirene la musica che l'accompagna.

10-2. Come si volgon...: come nelle nuvole, leggere alla fine della pioggia, s'incurva il doppio arco del-

l'arcobaleno, equidistante e fatto degli stessi colori, quando Giunone dà un incarico a Iride, la sua messaggera... Comincia qui la vaghissima similitudine ideata da Dante per le due corone parallele degli spiriti di questo cielo, a significare la loro stretta unità, quasi identità, negli stessi colori e nel raddoppiarsi delle voci; adombrando anche, nella promessa fatta a Noè, la funzione salvatrice a cui la provvidenza destina i due santi qui celebrati.

– **paralleli e concolori**: i due aggettivi – di ugual numero di sillabe – sembrano disegnare nel cielo, con leggerezza, i due archi luminosi (*concolori*, di ugual colore, è aggettivo derivato dal latino classico, usato da Virgilio, Ovidio ecc.).

– **iube**: lat. «iubet», comanda, dà un qualche incarico: l'*ancella* di Giunone è Iride (ricordata anche a *Purg.* XXI 50-1), personificazione mitologica dell'arcobaleno che segnava in cielo la strada attraverso la quale lei scendeva in terra.

13-4. nascendo di quel d'entro...: l'uno quasi nascendo dall'altro (il secondo arco era allora ritenuto una riflessione del primo), come l'eco nasce dalla voce. Il secondo paragone, che s'innesta sul primo, è riferito al canto, come il primo (*Come si volgon*) al moto dei due cerchi, riprendendo così nell'ordine i due membri del v. 6 (*e moto a moto e canto a canto colse*).

– **quella vaga**: la ninfa Eco, che consumata dal suo non corrisposto amore per Narciso si ridusse ad ossa e voce; le ossa furono dagli dèi mutate in pietra, e la voce sola rimase viva di lei, errante per l'aria (*vaga*). Il mito è in Ovidio, *Met.* III 339-510.

15. consunse...: consumò, come il calore del sole assottiglia e disperde i vapori; una terza veloce similitudine s'innesta nella seconda, quasi inavvertita, tanto è la sua naturalezza: l'ardore del sole ben si conviene infatti a quello consumante dell'amore.

16-8. e fanno qui la gente...: il doppio arcobaleno col suo apparire dà agli uomini in terra (*qui*) la sicurezza nel presagire che il mondo non sarà più sommerso dal diluvio (*mai più non s'allaga*), grazie al pat-

---

■

... *che un'altra corona la cinse tutto intorno, riprendendo da lei il movimento e il canto; un canto che, in quei dolci strumenti (tube), supera le nostre Muse e le nostre Sirene di tanto, quanto il raggio diretto (primo splendor) supera quello riflesso.* ◆ *Come nelle nuvole leggere s'incurva un doppio arco equidistante e fatto degli stessi colori, quando Giunone dà un incarico alla sua messaggera (Iride), quello di fuori quasi nascendo da quello di dentro, come le parole di quella creatura errante per l'aria (vaga; cioè la ninfa Eco) che amore consumò come il calore del sole consuma i vapori; e quell'arco rende gli uomini in terra (qui) sicuri, grazie al patto stabilito da Dio con Noè, che il mondo non sarà più sommerso dal diluvio (mai più non s'allaga); ...*

> così di quelle sempiterne rose
>
> volgiensi circa noi le due ghirlande,
>
> 21   e sì l'estrema a l'intima rispuose.
>
> Poi che 'l tripudio e l'altra festa grande,
>
> sì del cantare e sì del fiammeggiarsi
>
> 24   luce con luce gaudïose e blande,
>
> insieme a punto e a voler quetarsi,
>
> pur come li occhi ch'al piacer che i move
>
> 27   conviene insieme chiudere e levarsi;
>
> del cor de l'una de le luci nove
>
> si mosse voce, che l'ago a la stella
>
> 30   parer mi fece in volgermi al suo dove;
>
> e cominciò: «L'amor che mi fa bella
>
> mi tragge a ragionar de l'altro duca

to stabilito da Dio con Noè, di cui lasciò come segno o garanzia appunto l'arcobaleno.

– **per lo patto**: cfr. *Gen.* 9, 11-3: «Stabilirò con voi un patto, e mai più saranno uccisi tutti i viventi dall'acqua del diluvio... Porrò il mio arco sulle nubi del cielo, e sarà il segno del patto fra me e la terra».

19-20. così di quelle...: come dunque si volgono in cielo i due archi dell'arcobaleno, così intorno a noi si volgevano le due ghirlande formate dai beati (*sempiterne rose*: quasi fiori sboccianti eternamente in cielo).

21. e sì l'estrema: e così quella esterna rispose nel canto a quella interna; *rispuose* è riferito alle voci, come *volgiensi* alla danza, secondo la struttura simmetrica del paragone, tutto fondato sui due elementi (moto e canto). – *estrema* e *intima* sono due forme di superlativo, ma usate anche nel confronto tra due soli termini.

22-3. 'l tripudio e l'altra festa...: oltre che nella danza (*'l tripudio*), la festa delle anime si manifestava nel cantare e nel risplendere quasi le une verso le altre (*fiammeggiarsi*), a dimostrarsi amore. Il riflessivo esprime lo slancio reciproco di amore che appariva in quelle luci.

24. gaudïose e blande: che manifestavano gioia e insieme carità; il primo aggettivo indica la beatitudine goduta per sé, il secondo il suo effondersi in amore verso gli altri.

25. a punto e a voler: a uno stesso istante, con uno stesso volere; forte dittologia, nella quale il secondo termine è causa del primo: la volontà unanime dei due cerchi fece sì che si fermassero nello stesso momento.

26-7. pur come li occhi...: l'immagine rafforza l'idea della simultaneità data nel verso che precede: proprio come gli occhi necessariamente si aprono e chiudono insieme, secondo il desiderio, il beneplacito (*piacer*: cfr. XXVI 13; *Purg.* XXVII 131) che li fa muovere. Così l'Ottimo; altri, come il Buti, intendono: secondo lo stimolo della cosa che loro piaccia. La prima spiegazione è preferibile, vista la sottolineatura data in precedenza all'unanime *voler* (v. 25) che arresta il movimento qui raffigurato sul quale verte il paragone. La stessa similitudine a XX 146-8.

28. del cor: dall'interno, dove è racchiusa l'anima beata; *de le luci nove*, cioè da poco arrivate.

29-30. che l'ago a la stella...: che, volgendomi io verso il luogo da cui proveniva (*al suo dove*), mi fece sembrare l'ago della bussola che si indirizza verso la stella polare. Il paragone – geometricamente esatto in quanto Dante si trova, come l'ago, al centro di un cerchio con vari punti di riferimento – vuole significare il pronto e quasi obbligato volgersi di lui verso il punto (il *dove*) da cui veniva la voce.

31. L'amor che mi fa bella: quell'ardore di carità che fa qui la mia bellezza; la causa dunque di tutto il discorso che seguirà è l'amore, che spinge l'anima beata a cantare le lodi dell'altro santo. Dante sottolinea in apertura ciò che sempre, nel suo universo, muove gli animi e le cose.

32-3. mi tragge...: mi induce a parlare di quell'altro condottiero (si veda come nel canto XI ai vv. 35-6 Tommaso aveva indicato i due santi, guide alla Chiesa sviata) *per cui*, a causa del quale, per celebrare il quale, si è parlato qui (*ci*) del mio con così grandi elogi (*sì ben*). L'espressione *per cui* significa che Tommaso

---

... così intorno a noi si volgevano le due ghirlande formate da quelle rose eterne (cioè i beati), e così quella esterna rispose nel canto a quella interna. ◆ *Dopo che la danza ('l tripudio) e l'altra grande festa (fatta dalle anime), sia nel cantare sia nel risplendere le une verso le altre (fiammeggiarsi), luci con luci che manifestavano gioia e insieme carità (gaudïose e blande), si furono fermate nello stesso istante e con uno stesso volere, proprio come gli occhi necessariamente si aprono e chiudono insieme, secondo il desiderio (piacer) che li fa muovere; allora dall'interno (del cor) di una delle luci da poco arrivate (nove) uscì una voce che, volgendomi io verso il luogo da cui proveniva (al suo dove), mi fece sembrare l'ago (della bussola) che si indirizza verso la stella (polare), e cominciò a dire: «Quell'amore che fa qui la mia bellezza mi induce a parlare di quell'altro condottiero ...*

33   per cui del mio sì ben ci si favella.
    Degno è che, dov'è l'un, l'altro s'induca:
sì che, com'elli ad una militaro,
36   così la gloria loro insieme luca.
    L'essercito di Cristo, che sì caro
costò a rïarmar, dietro a la 'nsegna
39   si movea tardo, sospeccioso e raro,
    quando lo 'mperador che sempre regna
provide a la milizia, ch'era in forse,
42   per sola grazia, non per esser degna;
    e, come è detto, a sua sposa soccorse
con due campioni, al cui fare, al cui dire

ha parlato di Francesco per dimostrare, in via indiretta, anche la grandezza di Domenico, come è detto apertamente a XI 40-2 e 118-21.

– **del mio**: del mio *duca*, cioè di Francesco. Chi parla è un francescano, il grande Bonaventura, come si saprà alla fine. Dante fa riprendere qui in cielo ai due santi il costume proprio dei loro Ordini di scambiarsi i panegirici dei rispettivi fondatori nel giorno della loro festa. L'uso, che significava fraterna concordia in terra, viene elevato così a segno della perfetta carità in cielo, altro elemento di quell'armonia superiore fra spiriti diversi, pensieri e scuole diversi e spesso contrastanti, che il poeta ha voluto celebrare in questo suo cielo dei sapienti, e che il perfetto accordo musicale delle due ghirlande ha offerto in dolce figura.

34-6. Degno è...: è ben degno, cioè è giusto, che *dov'è l'un* (la frase sembra riecheggiare quella di Tommaso in XI 40-2: *De l'un dirò*) *s'induca*, sia introdotto, anche *l'altro*, così che come combatterono insieme (*ad una*: cfr. *Purg.* XXI 35) così insieme siano celebrati.

– **militaro**: il verbo guerresco intona tutto il canto, dove Domenico apparirà come uno strenuo combattente per la fede. E l'immagine che subito segue, usata per la Chiesa (l'*essercito di Cristo*), stabilisce con coerenza il quadro figurativo in cui si muove il racconto di questa eroica vita.

37. L'essercito di Cristo: il popolo cristiano, cioè la Chiesa, raffigurata come «chiesa militante», in quanto combattente contro il male (cfr. V 117 e nota).

37-8. che sì caro...: che costò così caro (cioè costò la morte del Redentore) *a rïarmar*, a esser di nuovo provveduta delle armi, dei mezzi necessari a combattere, perduti col peccato originale. S'intende qui della grazia divina, ottenuta agli uomini col sacrificio di Cristo. L'idea dell'alto costo è in Paolo: siete stati comprati a caro prezzo – egli dice (*1 Cor.* 6, 20) – come si ricompra un ostaggio (che è il senso del verbo latino «redimere»: ricomprare).

38. dietro a la 'nsegna: dietro alla croce, vessillo della Chiesa di Cristo («Vessillo del re [«Vexilla regis»]» è detta appunto la croce nel primo verso del notissimo inno di Venanzio Fortunato, cantato nella liturgia del Venerdì Santo: cfr. *Inf.* XXXIV 1 e nota).

39. tardo: «cioè lento nelle opere virtuose»; *sospeccioso*, «cioè con molti dubbi, siccome appare nelle sette delli eretici che s'erano levati»; e *raro*, «imperò che pochi la dottrina evangelica seguitavano come si doveva» (Buti). Questo esercito smarrito e rarefatto è immagine nuova e forte rispetto al prologo della vita di Francesco, di cui si ripete qui lo schema dell'intervento provvidenziale di Dio con l'invio dei due *campioni* (cfr. XI 28-36).

40-1. lo 'mperador...: l'imperatore eterno provvide, venne in aiuto, alla sua milizia in pericolo (*in forse*): si ripetono in questa terzina le immagini militari, alle quali il costrutto inverso (*si movea... quando*: cfr. XI 4-10) dà particolare rilievo.

42. per sola grazia: dipende da *provide*: per solo atto gratuito, non perché essa ne fosse degna per i suoi meriti. Come sempre, Dante sottolinea la gratuità della misericordia divina.

43. come è detto: come è stato detto; s'intende da Tommaso (cfr. XI 31-6). I due discorsi vengono così affiancati, quasi nascenti dalla stessa matrice.

– **sua sposa**: rifacendosi alle parole di Tommaso, l'oratore abbandona qui l'immagine militare, e l'*essercito* torna ad essere la *sposa*, più cara e preziosa di ogni altra cosa (sposata *col sangue*: XI 33), a cui si soccorre con urgente amore.

... a causa del quale si è parlato qui (ci) del mio con così grandi elogi (sì ben). ◆ *È ben giusto (degno) che dove si trova uno di loro sia introdotto (s'induca) anche l'altro, così che come combatterono insieme (ad una), così insieme risplenda la loro gloria. L'esercito di Cristo (cioè la Chiesa), che costò così caro a esser di nuovo provveduto delle armi, si muoveva dietro alla sua insegna (la croce) con lentezza, dubbioso e scarso, quando l'imperatore che regna in eterno venne in aiuto (provide) alla sua milizia che era in pericolo (in forse), per solo atto gratuito, non perché essa ne fosse degna (per i suoi meriti); e, come è stato detto prima, soccorse la sua sposa con due campioni, al cui esempio e alle cui parole ...*

45   lo popol disvïato si raccorse.
         In quella parte ove surge ad aprire
      Zefiro dolce le novelle fronde
48   di che si vede Europa rivestire,
         non molto lungi al percuoter de l'onde
      dietro a le quali, per la lunga foga,
51   lo sol talvolta ad ogne uom si nasconde,
         siede la fortunata Calaroga
      sotto la protezion del grande scudo
54   in che soggiace il leone e soggioga:
         dentro vi nacque l'amoroso drudo
      de la fede cristiana, il santo atleta

44. **due campioni**: già la diversa parola (da *princi-pi* di XI 35) preannuncia il nuovo carattere del secondo santo, *atleta* della fede.

– **al cui fare, al cui dire**: al cui esempio, alle cui parole.

45. **si raccorse**: si ravvide; da «raccorgersi», accorgersi di avere sbagliato, ravvedersi.

46-8. **In quella parte...**: concluso il prologo, comincia qui la vita del santo che si apre, come quella di Francesco, con l'indicazione geografica della terra natale: nella parte occidentale del mondo, là dove sorge il dolce vento di Zefiro a far aprire sui rami le nuove foglie primaverili che rivestono, di terra in terra, tutta l'Europa... Si indica così la costa atlantica (*l'occidente* di Ulisse), che segnava allora il confine a ponente delle terre abitate. Il luogo è simmetrico a quello di Francesco (Assisi-Oriente), volendo significare la doppia azione dei due santi che quasi viene ad abbracciare il mondo (si veda su questo l'Introduzione al canto). Ma la descrizione appare qui più libera e di fresco respiro: il mare, il vento, la fioritura d'Europa al dolce soffio di Zefiro, compongono un quadro di grande evidenza poetica, senza alcun riferimento concettoso, come nel passo corrispondente del canto XI.

47. **Zefiro dolce**: che al vento di Zefiro (o Favonio) fosse dovuto il risveglio della natura a primavera è idea dell'antica poesia, espressa, tra l'altro, nelle *Metamorfosi* di Ovidio. Qui la terzina, fatta tutta di parole che dicono novità e leggerezza (*surge, aprire, dolce, novelle, rivestire*), diffonde un vivo soffio rinnovatore che già dichiara – senza dirlo – il senso della vita che si sta per narrare.

49-51. **non molto lungi...**: alla prima vaga indicazione dell'Occidente si aggiunge ora quella, più determinata e altrettanto bella, della costa atlantica, dove batte con forza l'oceano: non molto lontano da quelle onde battenti, dietro le quali *talvolta* (nel solstizio d'estate) tramonta il sole, (affaticato) per la lunga corsa diurna. C'è qui una evidente suggestione virgiliana segnalata dal Torraca: «ma il rosso Febo [il dio Sole] immergeva nel mare i suoi stanchi cavalli» (*Aen.* XI 913-4).

– **lunga foga**: *lunga* dice che il corso diurno del sole ha maggior durata in estate; *foga* dice l'ardente slancio di quella corsa. L'una e l'altra circostanza contribuiscono a stancarlo.

– **talvolta**: come *talvolta* sorge dal Gange a XI 51.

– **ad ogne uom**: ricordiamo che le terre abitate si estendevano per Dante da Cadice al Gange, e per circa 60 gradi di latitudine a nord e a sud dell'equatore.

52. **Calaroga**: Calaruega, piccola città della Vecchia Castiglia; *fortunata* per esser stata patria di un tale uomo; l'aggettivo, che anticipa l'evento, imprime subito sulla vita che ora si narra quel segno di fatale predestinazione che ne caratterizzerà ogni tratto. Calaroga si trova in realtà a più di trecento chilometri dalla costa, ma Dante poteva non avere sicure notizie geografiche o, se le aveva, forzare liberamente i dati a suo vantaggio.

53. **scudo**: è lo stemma del re di Castiglia, nel quale sono iscritti quattro quarti con leoni e due torri, disposti in modo che il leone si trova da una parte sotto la torre e dall'altra sopra (*soggiace* e *soggioga*).

55. **l'amoroso drudo**: l'innamorato ardente; *drudo* in senso buono, per «amante», o «fedele», è normale in antico (cfr. *Conv.* II, XIV 20 e XV 4). Come Francesco è presentato in figura di amante e sposo della povertà, così Domenico della fede. In questa storia però alla figura dell'amante si sovrappone subito quella dell'*atleta*, del combattente. Della fede infatti Domenico si fece strenuo difensore contro l'eresia, ed è questo il tratto che Dante sceglie a caratterizzarlo. – *atleta* è termine spesso usato nelle vite del santo.

■

... il popolo sviato si ravvide. ◆ *Nella regione dove sorge il dolce vento di Zefiro a far aprire sui rami le nuove foglie che rivestono tutta l'Europa, non molto lontano dalla riva dove battono le onde, dietro le quali talvolta (nel solstizio d'estate) si nasconde agli uomini (cioè tramonta) il sole, quasi stanco per la lunga corsa, si trova la fortunata (città di) Calaruega; sotto la protezione del grande stemma nel quale un leone si trova da una parte sotto una torre e dall'altra sopra (soggiace e soggioga):* ◆ *in quella città nacque l'innamorato ardente della fede cristiana, il santo combattente ...*

57   benigno a' suoi e a' nemici crudo;
         e come fu creata, fu repleta
       sì la sua mente di viva vertute,
60   che, ne la madre, lei fece profeta.
         Poi che le sponsalizie fuor compiute
       al sacro fonte intra lui e la Fede,
63   u' si dotar di mütüa salute,
         la donna che per lui l'assenso diede,
       vide nel sonno il mirabile frutto
66   ch'uscir dovea di lui e de le rede;
         e perché fosse qual era in costrutto,
       quinci si mosse spirito a nomarlo

57. benigno a' suoi: cioè ai cristiani fedeli, «ammonendoli caritativamente»; *e a' nemici crudo*, «cioè duro agli eretici e agli infedeli» (Buti). L'aggettivo *crudo* non vale «crudele», ma «severo», «durissimo» nel condannare e denunciare l'errore. La contrapposizione, che risale forse alla Scrittura (*1 Thess.* 5, 14), si ritrova in altri autori cristiani. Così san Bernardo di Cristo: «soave per i suoi, e forte per i nemici» (*In laudibus Virginis Matris*, p. 92); e sant'Antonio di Padova, del leone dell'*Apocalisse*: «*benigno* con chi è umile, *crudele* con chi si ribella» (*In librum Apocalypsis*, p. 599).

58-60. e come fu creata...: e appena creata, la sua anima fu così colma di santa virtù che rese profeta la madre, stando ancora nel suo seno. Della virtù profetica del fanciullo predestinato già operante nel seno materno parla la Scrittura più volte, così in particolare è detto del Battista: «sarà *pieno* dello Spirito Santo fin dal seno di sua madre» (*Luc.* 1, 15). Le biografie narravano che la madre di Domenico sognò che avrebbe dato alla luce un cane bianco e nero, con in bocca una fiaccola accesa che incendiava il mondo. Simboli evidenti dell'abito dell'ordine, e dell'ardente zelo del santo nel convertire i cuori.

61. le sponsalizie: le nozze di Domenico con la fede si compiono *al sacro fonte* battesimale, come sulla piazza d'Assisi quelle di Francesco con la povertà. Ognuno dei due avrebbe speso la vita per la propria donna. Ma l'evento è qui soltanto dichiarato, nel can-

to XI è scena drammatica che coinvolge fortemente la persona.

63. u' si dotar...: dove, cioè nel sacro fonte, si portarono in dote reciprocamente salvezza: Domenico avrebbe salvato la fede dall'eresia, la fede avrebbe dato a lui la salvezza eterna. Nel rituale del battesimo, alla domanda: che cosa ti offre la fede? il battezzando, tramite il padrino o la madrina, risponde: la vita eterna.

64. la donna...: la madrina (colei che in suo nome dette il consenso al battesimo). Dopo il sogno profetico della madre, quello della madrina. Sul fanciullo si vanno accumulando i segni di un destino provvidenziale.

65-6. il mirabile frutto...: il meraviglioso effetto che doveva derivare dall'opera di lui e dei suoi seguaci (*rede*, eredi, come a XI 112). La madrina sognò che il bambino portava in fronte una stella che illuminava il mondo, quasi faro al popolo cristiano sulla via della fede.

67-9. e perché fosse...: terzo segno di predestinazione, anch'esso, come i due sogni, presente nelle biografie del santo: e perché fosse anche nel nome (*costrutto*: espressione in parole; cfr. XXIII 24 e *Purg.* XXVIII 147) quale era di fatto, di qui (*quinci*), cioè dal cielo, venne (ai suoi genitori) una divina ispirazione perché lo chiamassero col possessivo di colui (il Signore) del quale egli *era tutto*, cioè a cui totalmente apparteneva. «Dominicus» è infatti l'aggettivo possessivo di «dominus», signore: «ciò che in qualunque modo appartiene al Signore ("Domini"), è detto *dominicus*» (*S.T.* III, q. 16 a. 3). Si legga la ballata scritta in onore di san Domenico da Guittone d'Arezzo, certo ben presente a Dante: «O nome ben seguitato / e onorato — dal fatto, / Domenico degno nomato, / *a Domino* [dal Signore] dato...» (*Rime* XXXVII 10-3). L'idea che i nomi dei santi venissero da Dio stesso è nella tradizione biblica. Così il nome di Gesù (Salvatore) fu dato dall'angelo a Maria; così quello del Battista (Giovanni) fu rivelato al padre Zaccaria. Che i nomi poi, come sarà detto in seguito di quelli dei genitori, fossero portatori di significato, era concetto dif-

---

... benigno verso i suoi fedeli e duro verso i nemici (cioè gli eretici e gli infedeli); e appena creata, la sua anima fu così ricolma di santa virtù, che rese profeta la madre, stando ancora nel suo seno. ◆ *Dopo che le sue nozze con la fede furono compiute al sacro fonte battesimale, dove si portarono in dote la reciproca la salvezza, la donna che diede per lui l'assenso al battesimo (cioè la sua madrina) vide in sogno il meraviglioso effetto che doveva derivare da lui e dai suoi seguaci (rede),* ◆ *e perché fosse anche nel nome (costrutto) quale era di fatto, di qui (quinci, cioè dal cielo) venne una divina ispirazione (spirito) perché fosse chiamato ...*

69   del possessivo di cui era tutto.

Domenico fu detto; e io ne parlo
sì come de l'agricola che Cristo
72   elesse a l'orto suo per aiutarlo.

Ben parve messo e famigliar di Cristo:
che 'l primo amor che 'n lui fu manifesto,
75   fu al primo consiglio che diè Cristo.

Spesse fïate fu tacito e desto
trovato in terra da la sua nutrice,
78   come dicesse: 'Io son venuto a questo'.

Oh padre suo veramente Felice!
oh madre sua veramente Giovanna,

---

fuso e spesso ripetuto nell'opera di Dante (cfr. *Vita Nuova* XIII 4; XXIV 4) dove l'esempio principe è dato dal nome di Beatrice, fin dall'inizio identificata come la «beatitudine» dell'autore (*Vita Nuova* II 5; VI 1 ecc.).

71. **de l'agricola**: una seconda figura, tipicamente evangelica, si aggiunge a quella del combattente: quella dell'agricoltore scelto da Cristo per aiutarlo a coltivare il suo orto. Cfr. *Matth.* 21, 33: «Un padrone piantò una vigna... e la affidò a dei vignaioli (agricolis)».

72. **orto**: il termine vale «luogo recintato» particolarmente curato e amato dal padrone: giardino, frutteto, o vigna, come è nel passo evangelico citato. Più avanti appariranno l'immagine della *vigna* (v. 86) e ancora quella dell'*orto* (v. 104).

73. **parve messo e famigliar**: apparve a tutti inviato, quasi ambasciatore, e servo fedele di Cristo; *famigliar* era il servo, qui inteso come fedele esecutore della volontà del padrone. Domenico apparve tale per il suo comportamento, fin dalla prima fanciullezza, come ora si dirà.

74. **fu manifesto**: si dimostrò, negli atti e nelle scelte.

75. **al primo consiglio**: alla povertà, il primo dei cosiddetti «consigli evangelici», cioè esortazioni, non vincolanti, alla perfezione (povertà, castità, obbedienza). Così Cristo al giovane ricco che gli chiedeva che cosa fare, oltre a rispettare i comandamenti da lui sempre osservati: «se vuoi essere perfetto, va', vendi ciò che hai e dallo ai poveri» (*Matth.* 19, 21). L'amore di Domenico alla povertà, che lo assomiglia a Francesco, è celebrato da tutti i suoi biografi. Egli la impose al suo Ordine, che fu infatti «di mendicanti», come quello dei Minori. E narrano i biografi che quando era ancora studente, durante una carestia, vendette tutti i suoi libri dandone il ricavato ai poveri.

– **Cristo**: il nome di Cristo nel poema rima solo con se stesso (XIV 104-8; XIX 104-8; XXXII 83-7), significando che nessun altro uomo può essergli messo alla pari, secondo la parola di Paolo (*Phil.* 2, 9: «e gli dette un nome sopra ogni altro nome»).

76-8. **Spesse fïate...**: «quando era ancora fanciullo, ancora sotto la custodia della nutrice, spesso fu trovato lasciare il letto, e giacere sulla nuda terra» (*Legenda Aurea*, p. 166). La terzina crea con i soli due aggettivi una scena notturna di raccoglimento mistico dove il fanciullo (non indicato come tale, ma come tale deducibile dalla parola *nutrice*) già appare circondato da un'aura di grazia celeste e di grave umiltà, simile in questo al Francesco della piazza di Assisi.

– **come dicesse**: stava *tacito*, zitto, ma parlavano i suoi atti.

– **Io son venuto a questo**: cioè a vivere in umiltà e povertà, e non per riposare in agi e ricchezze. Si cfr. *Marc.* 1, 38: «per questo sono venuto» e *Io.* 18, 37: «per questo sono venuto nel mondo», parole dette da Cristo della sua missione di predicatore della verità.

79. **Oh padre suo...**: a questi primi segni di santità del fanciullo, l'oratore non può trattenersi dall'esclamazione in lode dei suoi genitori. Ritorna il motivo del significato del nome, che sembra risalire da quello del bambino a quello del padre e della madre.

– **Felice**: di nome come di fatto.

80. **Giovanna**: secondo il lessicografo Uguccione da Pisa (XII secolo), «Giovanni significa grazia di Dio» (così anche in Brunetto, *Tresor* I, LXV 2), ed era, questa etimologia, ben nota al popolo cristiano, e in particolare al fiorentino, in quanto ricordata sempre nelle celebrazioni della festa di san Giovanni Battista.

... col possessivo di colui (il Signore) al quale egli totalmente apparteneva (era tutto). Fu detto Domenico; e io ne parlo come dell'agricoltore che Cristo scelse per aiutarlo a coltivare il suo giardino. Ben chiaramente apparve inviato e servo fedele (famigliar) di Cristo; poiché il primo amore che in lui si manifestò fu per il primo dei consigli dati da Cristo (cioè la povertà). ◆ Spesso fu trovato per terra dalla sua nutrice silenzioso e sveglio, come se dicesse: "Io sono venuto per questo". O come il padre suo fu veramente Felice (di nome e di fatto)! O come la sua madre fu veramente Giovanna (di nome e di fatto), ...

81 se, interpretata, val come si dice!
  Non per lo mondo, per cui mo s'affanna
di retro ad Ostïense e a Taddeo,
84 ma per amor de la verace manna
  in picciol tempo gran dottor si feo;
tal che si mise a circüir la vigna
87 che tosto imbianca, se 'l vignaio è reo.
  E a la sedia che fu già benigna
più a' poveri giusti, non per lei,
90 ma per colui che siede, che traligna,

81. se, interpretata...: se, tradotto dall'ebraico, quel nome ha il senso che se ne dichiara, *veramente* la madre di Domenico fu tale. Il *se* non esprime dubbio, ma una dato di fatto, come a II 37. Il verso di Dante richeggia un luogo evangelico: «Rabbi che, tradotto ["interpretatum"], significa maestro» (*Io.* 1, 38).

82-4. Non per lo mondo...: chiuso il primo periodo, quasi il prologo della vita, dedicato alla nascita e alla fanciullezza, segnata dal cielo, si apre ora con nuovo andamento, non più idilliaco ma epico, la storia dell'uomo che, adulto, entra in azione con singolare vigore e ardimento. E si comincia con una forte contrapposizione tra l'uso comune dei chierici e della curia, corrotto e corruttore, e l'ardente e puro impegno di Domenico a difesa della fede: non per avere successo nel mondo, per cui oggi tutti i chierici si affannano negli studi delle *Decretali* (o leggi pontificie) e del diritto canonico, ma per amore della celeste sapienza (la *verace manna* è il cibo divino, e non quello mondano: II 11; *Purg.* XI 13) divenne in breve grande teologo. Il movimento sintattico (*Non... ma*), ripreso con più insistenza ai vv. 91-4 (*non... non... non... ma*), sottolinea il contrasto tra l'uso corrente dei chierici e il puro e solitario comportamento di Domenico.

– **s'affanna**: vale «ci si affanna», secondo l'uso romanzo già incontrato (cfr. *si pente* a IX 103 e nota linguistica).

83. Ostïense: Enrico di Susa, decretalista insigne docente negli Studi di Bologna e Parigi, cardinale e vescovo di Ostia dal 1261 (per questo chiamato Ostïen-

se), scrisse la *Summa super titulis Decretalium*, detta *Summa Hostiensis*, testo usato nelle scuole. Il suo nome significa quindi da solo lo studio delle *Decretali*, cioè del diritto canonico e delle costituzioni papali, quello stesso che Dante condanna a IX 134-6 come occupazione che distrae dal Vangelo *il papa e ' cardinali*, per brama di denaro.

– **Taddeo**: per alcuni si tratta di Taddeo d'Alderotto (1215-1295), celebre medico fiorentino (citato in *Conv.* I, x 10) le cui opere erano anch'esse testi universitari nelle facoltà di medicina; la coppia di nomi riprenderebbe così il v. 4 del canto XI: *Chi dietro a iura e chi ad amforismi*. Altri pensano invece a Taddeo Pepoli, giureconsulto bolognese, famoso studioso di diritto canonico, contemporaneo di Dante. Dato il contesto, che anche nei versi seguenti sembra contrapporre Domenico agli altri chierici – e non ai laici, di cui qui non c'è discorso –, appare più probabile la seconda identificazione: a che sarebbero serviti gli studi di medicina al religioso che voleva avere potere nel *mondo*?

85. in picciol tempo gran dottor: breve il tempo, grande la dottrina acquistata. I due aggettivi dicono lo zelo ardente e l'alta capacità di Domenico.

86-7. circüir la vigna...: girare tutto intorno – per custodirla e coltivarla – per la *vigna* di Dio, cioè la Chiesa (l'immagine della vigna è evangelica e ben nota: cfr. *Matth.* 20, 1-16; 21, 33-41), quella vigna che presto inaridisce (*imbianca*) se il vignaiuolo (cioè il papa) è malvagio (*reo*), cioè non la cura e custodisce come dovrebbe. – *circüire* vale «andare attorno» per qualche luogo con un dato scopo, ed è verbo latino usato nella Vulgata biblica per gli apostoli predicatori del vangelo (*Matth.* 23, 15).

– **se 'l vignaio è reo**: cfr. *Purg.* VIII 131-2: *che, perché il capo reo il mondo torca* L'idea del pastore che non adempie al suo ufficio, ripetuta qui al v. 90, è sempre presente nel poema (cfr. IX 130-2; XXVII 55-7; *Inf.* XIX 106-17; *Purg.* XVI 98-9). La stessa figura evangelica è usata in *Ep.* V 6, dove il padrone della vigna è l'imperatore, la vigna è l'Italia e i cattivi vignaiuoli i re e principi che la governano.

88. E a la sedia...: il verbo reggente è *addimandò* del v. 94; il costrutto inverso imprime così un andamento affannoso alla frase, dando forte risalto al *ma* che segue: non chiese dunque alla sede papale beneme-

---

... se, tradotto, quel nome ha il senso che si dice! ◆ *Non per avere successo nel mondo, per cui oggi tutti si affannano a studiare gli scritti dell'Ostiense e di Taddeo, ma per amore del vero nutrimento divino (verace manna, cioè la celeste sapienza) divenne in breve grande teologo; tanto che si mise a girare tutto intorno per la vigna di Dio (cioè la Chiesa), che presto inaridisce (imbianca) se il vignaiuolo (cioè il papa) è malvagio.* ◆ *E alla sede papale (sedia) che nel tempo passato fu ben più provvida verso i poveri onesti, non per colpa sua (per lei), ma di colui che quella sedia occupa, e che devia dalla giusta strada (traligna), ...*

non dispensare o due o tre per sei,

non la fortuna di prima vacante,

93   non *decimas, quae sunt pauperum Dei*,

addimandò, ma contro al mondo errante

licenza di combatter per lo seme

96   del qual ti fascian ventiquattro piante.

Poi, con dottrina e con volere insieme,

con l'officio appostolico si mosse

99   quasi torrente ch'alta vena preme;

e ne li sterpi eretici percosse

renze particolari, ma solo il permesso di combattere in difesa della fede.

88-90. che fu già benigna...: che nel tempo passato fu ben più provvida verso i poveri *giusti*, cioè buoni, onesti; e questo *non per lei*, cioè non per colpa dell'istituzione, ma di colui che quella sedia occupa, e che devia dalla giusta strada (*traligna*). La distinzione è importante per Dante, che sempre divide la responsabilità della persona dall'ufficio, che egli riconosce sacro e degno di alta reverenza (cfr. XXVII 22-4; *Inf.* XIX 101 e XXVII 91; *Purg.* XX 87).

91. non dispensare...: non chiese dunque, come tanti chierici allora facevano, la «dispensa» di distribuire in opere buone solo *due o tre per sei*, cioè solo un terzo o la metà delle rendite dei beni ecclesiastici.

92. non la fortuna...: non la concessione del primo posto, o beneficio ecclesiastico, che si rendesse vacante.

93. non decimas: non il poter usare per sé le decime, cioè le tasse ecclesiastiche, «che appartengono ai poveri di Dio»; tali tasse erano infatti destinate ai bisognosi, secondo l'uso già stabilito dalla Chiesa primitiva. La frase latina, che ripete la formula giuridica curiale, chiude con particolare solennità la serie delle prevaricazioni da tutti comunemente compiute, con quell'accorato richiamo ai «poveri di Dio» a cui gli ecclesiastici tolgono quel poco che loro spetta. Si cfr. *Mon.* II, x 1-3 dove si lamenta che i poveri di Cristo, «il cui patrimonio sono i beni della Chiesa», siano defraudati dai loro pastori.

94. ma contro al mondo errante: ma chiese soltanto l'autorizzazione a combattere contro quella parte del mondo cristiano che deviava dalla vera fede, cioè contro gli eretici; si noti la singolare forza dell'espressione *mondo errante*, così tipicamente dantesca (cfr. XX 67). Nel 1205 Domenico chiese ed ottenne dal papa Innocenzo III il permesso di recarsi a predicare contro gli Albigesi in Provenza.

95. licenza: perché la predicazione era riservata ai soli vescovi.

– per lo seme...: in difesa di quella fede, che è il seme del quale ti circondano ventiquattro piante; cioè di cui sono frutto i beati che qui ti attorniano, esempi insigni di cultori della fede cristiana.

97-8. Poi, con dottrina e con volere...: Domenico infine si muove, con tutta la forza che gli viene dai tre

elementi indicati: la dottrina acquistata nell'intenso studio, l'ardente zelo che gli era proprio, e l'autorità datagli dall'incarico papale. La terzina avanza, ritmicamente, verso l'ultimo verso, che con potenza raccoglie, come il fiume nominato, tutte le energie che fin dalla nascita si radunavano in quell'uomo predestinato.

99. quasi torrente...: come torrente che (oggetto) una sorgente profonda fa scaturire con la forte pressione. L'immagine è biblica («come un fiume irruente sospinto dallo spirito del Signore»: *Is.* 59, 19).

100. li sterpi eretici: si allude qui alla campagna di predicazione contro gli Albigesi, condotta da Domenico prima e durante la crociata promossa da papa Innocenzo III e guidata da Simone di Monfort e da Folchetto di Marsiglia (su Folchetto si veda la nota a IX 94). L'immagine degli sterpi è portata dal torrente in piena che travolge e sradica la sterpaglia che cresce sulle sue rive. *Sterpi* sono gli eretici perché sterili, come i fedeli sono alberi fruttiferi, che i primi insidiano e soffocano. Domenico compie il suo ufficio di fedele *agricola* (v. 71), che protegge la vigna di Dio.

– percosse: con la forza della parola, come il contesto dichiara (Domenico si muove infatti con le sole armi della dottrina, dello zelo e della licenza papale a predicare: vv. 97-8) e come concordemente testimoniano le fonti. Oltre ai biografi del santo, che parlano della sua azione instancabile fatta solo di persuasione e di esempio, anche le cronache della crociata ricordano come durante la battaglia di Muret egli stesse con i suoi in preghiera nella vicina chiesa.

■

... non chiese la dispensa di distribuire (in opere buone) solo un terzo o la metà (due o tre per sei, sottinteso delle rendite dei beni ecclesiastici), né la concessione del primo posto vacante, né le decime, che appartengono ai poveri di Dio; ma chiese invece l'autorizzazione a combattere, contro il mondo che deviava dalla verità (errante), a difesa di quel seme (cioè la fede) dal quale sono germogliate le ventiquattro piante che ti circondano. ◆ Poi con la sua dottrina, col suo zelo (volere) e con l'autorità datagli dall'incarico papale (officio apostolico) si mosse come un torrente che una sorgente profonda fa scaturire (preme); e diresse il suo impeto contro la sterpaglia degli eretici, ...

l'impeto suo, più vivamente quivi
102   dove le resistenze eran più grosse.
    Di lui si fecer poi diversi rivi
onde l'orto catolico si riga,
105   sì che i suoi arbuscelli stan più vivi.
    Se tal fu l'una rota de la biga
in che la Santa Chiesa si difese
108   e vinse in campo la sua civil briga,
    ben ti dovrebbe assai esser palese
l'eccellenza de l'altra, di cui Tomma
111   dinanzi al mio venir fu sì cortese.
    Ma l'orbita che fé la parte somma

---

102. dove le resistenze...: cioè in Provenza, dove più tenacemente resisteva l'eresia.

103-5. Di lui si fecer...: da lui (sempre immaginato come un grande torrente) derivarono poi differenti ruscelli, che irrigano l'orto della Chiesa e lo rendono fecondo; i *rivi* saranno i suoi discepoli, o anche i tre ordini domenicani: frati (Predicatori), suore e Terz'Ordine. L'*orto* riprende la prima immagine dell'*agricola* e della *vigna* riportando, dopo la violenta parentesi guerriera, a visioni di pace e serenità (l'*orto* irrigato, gli *arbuscelli vivi*). Come se, dopo l'intervento impetuoso e potente di Domenico, fosse tornato nella Chiesa un tranquillo tempo di fecondità. Con questa serena immagine si chiude la vita di Domenico, alla quale segue il rimprovero ai francescani, come nel canto XI a quella di Francesco segue il rimprovero ai domenicani.

106 sgg. Se tal...: il nesso fra la vita narrata e il lamento profetico e ammonitore è stabilito in modo analogo a XI 118-23: se tale fu l'uno, puoi ben dedurre l'eccellenza dell'altro, mandato da Dio allo stesso compito riparatore. Ma purtroppo ora i suoi eredi non seguono più il cammino da lui tracciato.

– **de la biga**: i due santi sono come le due ruote del carro da guerra (tale era la biga romana) col quale la Chiesa poté difendersi dagli attacchi di Satana e vincere la sua guerra civile. La *biga* rappresenta evidentemente i due Ordini (non la Chiesa, che con tale biga vince appunto la sua guerra). Nella bolla di canonizzazione di Domenico (1234) i due Ordini sono paragonati all'ultima delle quattro quadrighe profetizzate da Zaccaria (6, 1-3), interpretate come le forze inviate da Dio lungo la storia a difendere la sua Chiesa.

108. briga: combattimento, contesa (cfr. *Purg.* XVI 117); *civil*, perché gli eretici erano cristiani, e quindi appartenevano allo stesso popolo, alla stessa città.

110. de l'altra: dell'altra ruota; *di cui*, riguardo alla quale (complemento di relazione), Tommaso si mostrò così cortese prima che io venissi qui con il sopraggiungere della seconda corona.

112-3. Ma l'orbita...: il *ma* introduce, come a XI 124, l'ultima parte dell'orazione, il rimprovero all'ordine corrotto: l'orbita, cioè il solco impresso sul terreno dalla parte superiore della circonferenza di quella ruota, è stata abbandonata, cioè non più seguita come indicazione del cammino.

– **orbita**: vale «cammino tracciato», come quello che percorrono i corpi celesti; la stessa immagine e parola è usata da Dante nell'*Epistola ai Cardinali*, che hanno fatto deviare il carro della Chiesa dall'orbita segnata da Cristo, come fece Fetonte col carro del sole (*Ep.* XI 5).

– **la parte somma**: espressione non chiara; alcuni intendono «la parte più esterna», ma tale non è il senso di *somma*. Si vuole probabilmente indicare qui che, nel girar della ruota, la parte più alta imprime il primo solco nel terreno, come fece Francesco (anche se poi, in realtà, la traccia è segnata dall'intera circonferenza).

114. sì ch'è la muffa...: nella consecutiva una metafora si sovrappone all'altra creando una certa confusione di immagini: dalla traccia non seguita si passa alla botte dove si è guastato il vino. Intendi: così ora, dove prima nelle botti era la *gromma* (cioè quella crosta formata dal sedimento del buon vino, che gli dà odore e sapore), c'è invece la muffa, come accade quando il vino è di qualità scadente. Così un antico proverbio: «buon vin fa gruma, e tristo vin fa muffa». Dante ricorre qui a immagini popolari (tali almeno nella sua Toscana) per dire che i francescani si sono guastati, e nei loro conventi (nelle loro botti) non c'è più il buon fermento dei santi princìpi del loro fondatore.

115. La sua famiglia: tutti i suoi seguaci, i francescani.

116. coi piedi a le sue orme: seguendo coi piedi le

... con maggior forza (più vivamente) là dove la resistenza era maggiore (cioè in Provenza). ◆ Da lui derivarono poi differenti ruscelli che irrigano l'orto della Chiesa cattolica, in modo che le sue piante siano più vive. Se tale fu una delle due ruote del carro (biga) con il quale la santa Chiesa si difese e vinse in campo la sua guerra civile, ti dovrebbe essere ben chiara l'eccellenza dell'altra, riguardo alla quale Tommaso si mostrò così cortese prima che io venissi qui. ◆ Ma il solco impresso (sul terreno) dalla parte superiore ...

di sua circunferenza, è derelitta,

114   sì ch'è la muffa dov'era la gromma.

La sua famiglia, che si mosse dritta

coi piedi a le sue orme, è tanto volta,

117   che quel dinanzi a quel di retro gitta;

e tosto si vedrà de la ricolta

de la mala coltura, quando il loglio

120   si lagnerà che l'arca li sia tolta.

Ben dico, chi cercasse a foglio a foglio

nostro volume, ancor troveria carta

123   u' leggerebbe "I' mi son quel ch'i' soglio";

ma non fia da Casal né d'Acquasparta,

---

orme del fondatore; si riprende l'immagine della traccia sul terreno già segnata dalla ruota.

– **è tanto volta**: ha talmente deviato (da quel dritto andare).

117. che quel dinanzi...: che ormai pone la parte anteriore del piede là dove nell'orma di Francesco è la parte posteriore; si muove cioè addirittura in senso contrario.

118-20. e tosto si vedrà...: interviene la profezia della punizione: e ben presto (questo «presto» indeterminato è proprio dei testi profetici; cfr. IX 142; XXI 120; XXVII 63 ecc.) ci si accorgerà di qual è il frutto, il raccolto della cattiva coltivazione, *quando il loglio*, cioè le male erbe, si lagneranno di essere gettate fuori dall'arca, cioè dal granaio. C'è qui una precisa allusione alla parabola evangelica della zizzania (o *loglio*) mescolata al grano, che nel giorno del raccolto (il giudizio finale) viene gettata nel fuoco (*Matth.* 13, 30). Se questo significato è chiaro, non è tuttavia pacifico che cosa Dante voglia intendere per *il loglio* e per *l'arca*. Molti pensano che *l'arca* sia l'Ordine, e che si alluda qui alle condanne che colpirono gli Spirituali rigoristi – che sarebbero quindi *il loglio* – sotto il pontificato di Giovanni XXII (1317-18). Ma se si considera che tutto il contesto porta a un'eguale denuncia dei due diversi estremismi (rigorismo e lassismo), e che d'altra parte, se una preferenza Dante poteva avere, questa non era certo per quelli che venivano accusati di lassismo, ma proprio per coloro che più fedelmente seguivano la povertà del fondatore, sembra indubbio che qui si intendano, con *il loglio*, tutti i frati degeneri; *l'arca* sarà dunque, come del resto vuole la parabola, il granaio del cielo. Il *tosto* non è vincolante a una data, come si è visto, ma può ben indicare, anzi ha spesso questa funzione, proprio la fine dei tempi, considerata ormai vicina, come appare in tutto il poema (cfr. XXX 131-2).

121-2. Ben dico...: vale come attenuazione del già detto: certo, non proprio tutti sono corrotti

– **chi cercasse...**: a volgere foglio per foglio il libro dei francescani, qualcuno ancora se ne potrebbe trovare fedele alla regola; la *carta* è la facciata, due per

ogni *foglio*. – *cercare* indica il percorrere con lo sguardo attentamente (cfr. *Inf.* I 84).

123. I' mi son...: sono come solevo, cioè come i primi seguaci del santo (cfr. vv. 115-6). – per *soglio*, solevo, cfr. *Inf.* XXVI 21 e nota linguistica.

124. da Casal né d'Acquasparta: con i due luoghi di nascita si designano due personaggi di grande rilievo, Ubertino da Casale e Matteo d'Acquasparta, nei quali Dante, per bocca di Bonaventura che ambedue riconoscevano come maestro, vuole quasi rappresentati i due opposti tradimenti fatti alla Regola (*la scrittura*) dalle due tendenze estremiste dell'Ordine, l'una ignorandone l'insegnamento di povertà (*la fugge*) e l'altra restringendone il senso in modo esasperato (*la coarta*). Si ricorda qui la grave contesa che travagliò l'Ordine francescano in quel tempo fra Conventuali e Spirituali, che interpretavano la Regola in modo rilassato o ristretto riguardo alla povertà predicata dal fondatore. Dante vuole così porsi, come sempre, al di sopra delle due parti, indicando nell'obbedienza alla Regola, ma osservata senza eccessi – nella linea seguita appunto da Bonaventura –, la vera fedeltà al santo fondatore. Su Ubertino da Casale, l'ardente capo degli Spirituali, e Matteo d'Acquasparta, cardinale e accorto politico ministro di Bonifacio VIII, ambedue conosciuti da Dante in Firenze, si veda la nota di approfondimento alla fine del canto.

... della circonferenza di quella ruota, è stato abbandonato, così che ora, dove prima (nelle botti) era la gromma, c'è invece la muffa. I suoi seguaci, che si mossero nella giusta direzione, tenendo i piedi sulle sue orme, hanno talmente deviato (è tanto volta), che ormai pongono la parte anteriore (del piede) là dove (nell'orma di Francesco) è la parte posteriore (cioè si muovono in senso contrario); e presto ci si accorgerà di qual è il raccolto della cattiva coltivazione, quando le male erbe (loglio) si lagneranno di essere gettate fuori dal granaio. ◆ *Certo, chi volesse sfogliare pagina per pagina il nostro libro, troverebbe ancora qualche facciata in cui leggerebbe: "Io sono come solevo essere prima"; ma non proverrà da Casale né d'Acquasparta, ...*

là onde vegnon tali a la scrittura,
126 ch'uno la fugge e altro la coarta.
Io son la vita di Bonaventura
da Bagnoregio, che ne' grandi offici
129 sempre pospuosi la sinistra cura.
Illuminato e Augustin son quici,
che fuor de' primi scalzi poverelli
132 che nel capestro a Dio si fero amici.

126. **la fugge**: fugge dai suoi insegnamenti, non rispettandone il principio informatore, cioè lo spirito di povertà.

– **la coarta**: ne restringe forzatamente il significato; il termine *coarctare* è usato nelle fonti francescane per chi «determina restringendo» ciò che la Regola non precisa, ed è quindi volutamente impiegato da Dante come termine tecnico, del quale non può discutersi il significato.

127. **Io son la vita...**: la terzina si leva con ritmica solennità, proclamando il grande nome e il primato – da quel nome rappresentato – dello spirituale sul temporale.

– **Bonaventura**: Giovanni Fidanza, nato a Bagnoregio in provincia di Viterbo nel 1221, francescano, insegnò teologia a Parigi come Tommaso, con cui ebbe un fraterno rapporto di amicizia; generale dell'Ordine nel 1257, dovette occuparsi del grave dissidio in atto tra i due opposti estremismi, che cercò di comporre con saggio equilibrio, mantenendo la sostanza della Regola ma evitandone l'esasperazione. Morì a Lione nel 1274. Fu con Tommaso il più illustre maestro del XIII secolo, e il massimo rappresentante della corrente mistica agostiniana. Le sue opere più note sono il *Commento alle sentenze* e gli scritti mistici, il *Breviloquium* e l'*Itinerarium mentis in Deum*; a quest'ultimo testo, di larghissima diffusione specie negli ambienti francescani, può essersi ispirato Dante per la sua ascesa a Dio nel *Paradiso*, ma si tratta piuttosto di un modello generico che di una fonte specifica. Certamente lo spirito del grande francescano si ritrova in molti aspetti dell'opera dantesca, in tutti quei tratti che possono chiamarsi in largo senso mistici. In particolare Dante si servì, come si è visto, della *Legenda* di Francesco scritta da Bonaventura come traccia per la sua vita del santo nel canto XI.

129. **la sinistra cura**: la preoccupazione per le cose temporali che, secondo la tradizione dei commenti biblici, appartengono alla sinistra. Così Pietro Lombardo nel *Commento ai Proverbi* 3, 16: «La destra di Dio è la felicità eterna, la sinistra quella terrena Per questo alla sua destra è detto che saranno posti coloro che cercarono le cose eterne, e alla sua sinistra coloro che cercarono le cose terrene» (cfr. *Matth.* 25, 33). Bonaventura, dichiarando che negli incarichi di alto prestigio da lui ricoperti (i *grandi offici*) aveva messo sempre al secondo posto la cura del temporale, sembra porsi quasi vivente rimprovero a chi, come Matteo d'Acquasparta, aveva invece dato grande spazio all'azione politica, a fianco di Bonifacio VIII.

130. **Illuminato e Augustin**: comincia ora la rassegna della seconda corona, e comincia da due umili francescani, dei primi discepoli di Francesco, entrambi ricordati da Bonaventura nella sua *Legenda* (altri tre, Bernardo, Egidio e Silvestro, erano stati nominati a XI 79-83); il primo accompagnò il santo in Oriente, il secondo morì nello stesso giorno di lui: essendo gravemente infermo, vide l'anima di Francesco salire al cielo, ed esclamò: «Aspettami, Padre, aspettami, che io vengo con te!» (*L. M.* XIV 6). Ponendo due *scalzi poverelli* accanto a Bonaventura, in apertura di una ghirlanda di sapienti, Dante sembra voler indicare che la mistica è anch'essa una via alla vera sapienza, che è la conoscenza di Dio, come proprio Bonaventura aveva insegnato.

132. **nel capestro**: indossando il cordone francescano, *umile* segno di riconoscimento dei francescani (cfr. XI 87 e nota).

133. **Ugo da San Vittore**: grande autore mistico, nato probabilmente in Fiandra intorno al 1097, verso il 1120 divenne canonico nell'abbazia di San Vittore presso Parigi, dove insegnò e dove morì nel 1141. Ugo e il suo discepolo Riccardo (cfr. X 131-2) furono tra i massimi rappresentanti nel XII secolo della corrente mistica agostiniana, riconosciuti come maestri da Bonaventura e Tommaso; la loro opera appare per molti riscontri nota e cara a Dante. Di Ugo si ricordano soprattutto il *Didascalicon*, il *De sacramentis christianae fidei*, il trattato mistico *De arrha animae* e l'operetta *De quinque septenis*, del cui probabile influsso sulla struttura del *Purgatorio* abbiamo detto nell'*Introduzione* a quella cantica.

134. **Pietro Mangiadore**: Petrus Comestor (così detto dal latino «comestor», «divoratore», forse in quan-

---

... da dove si accostano alla Regola persone tali, che da una parte la ignorano (fugge) e dall'altra la restringono esageratamente (coarta). ◆ Io sono l'anima di Bonaventura da Bagnoregio, che nei miei grandi compiti sempre misi in secondo piano la preoccupazione per le cose temporali (sinistra cura). Qui si trovano Illuminato e Agostino, che furono tra i primi scalzi poverelli che si consacrarono a Dio indossando il cordone francescano (capestro).

Ugo da San Vittore è qui con elli,
e Pietro Mangiadore e Pietro Spano,
135   lo qual giù luce in dodici libelli;
Natàn profeta e 'l metropolitano
Crisostomo e Anselmo e quel Donato
138   ch'a la prim'arte degnò porre mano.
Rabano è qui, e lucemi dallato
il calavrese abate Giovacchino

to «divoratore» di libri), nato a Troyes, in Francia, agli inizi del XII secolo, fu decano di quella cattedrale, poi cancelliere dell'Università di Parigi, dove insegnò teologia; si ritirò infine a vita di preghiera nell'abbazia di San Vittore, dove morì tra il 1179 e il 1185. Fu, come Pietro Lombardo, soprattutto un sistematore e ordinatore della dottrina teologica. La sua opera principale è la *Historia scholastica*, compilazione con commento della storia sacra da Adamo a san Paolo. L'opera, diffusissima nelle scuole, fu quasi certamente nota a Dante, che sembra derivarne l'opinione sulla durata del soggiorno di Adamo nell'Eden (cfr. XXVI 139-42) e altri elementi della storia biblica. Importante appare anche, per l'opera di Dante, la sua definizione dell'allegoria biblica e dei criteri esegetici che ne derivano.

– **Pietro Spano**: o Ispano, così detto in quanto originario di Lisbona; nato nel 1226, eletto papa nel 1276 col nome di Giovanni XXI, morì nel 1277. Autore di opere di medicina e di teologia, divenne famoso (*giù luce*, cioè «è illustre nel mondo») per le sue *Summulae logicales*, manuale di logica in dodici libri che risulta ben noto a Dante nelle argomentazioni logiche usate nella *Monarchia*. È questo l'unico papa del suo tempo che Dante ammette in paradiso, dove tuttavia ha un posto non in quanto papa, ma in quanto sapiente.

136. **Natàn profeta**: il profeta biblico era noto, oltre che per il rimprovero da lui rivolto a David per il suo amore adultero con Betsabea, moglie di Uria, per la sua profezia, detta «oracolo di Natan», sull'eternità e il ruolo salvifico da Dio concessi alla stirpe davidica, profezia considerata il primo testo messianico dell'Antico Testamento; e Natan consacrò re il figlio di David, Salomone, ritenuto figura del Cristo. Sembra probabile che per questa seconda ragione Dante lo abbia posto in questo cielo (chiamandolo appunto *profeta*), cielo in cui sarà esaltato, nel prossimo canto, proprio Salomone, il re giusto e sapiente, nel quale si incarnava il suo ideale politico.

137. **Crisostomo**: san Giovanni detto Crisostomo (o Boccadoro) per la sua eloquenza, patriarca metropolitano di Costantinopoli, uno dei grandi padri greci del IV secolo; morì in esilio nel 407 per la sua aperta denuncia della corruzione imperante nella corte di Arcadio. Forse per questo suo ruolo profetico è posto da Dante accanto a Natan.

– **Anselmo**: Anselmo d'Aosta, nato nel 1033, monaco benedettino, arcivescovo di Canterbury nel 1093, morì nel 1109. Il più grande teologo dell'XI secolo, e tra i più insigni di tutto il Medioevo. Tra le sue molte opere sono famose il *Cur Deus homo*, trattato sull'incarnazione da cui Dante deriva i suoi argomenti nel canto VII (si vedano le note ai vv. 19-48), e il *Proslogium*, dove si trova la ben nota prova ontologica dell'esistenza di Dio (fondata sul concetto stesso che l'uomo ne ha), contestata poi da Tommaso, ma ripresa invece da Bonaventura.

– **Donato**: Elio Donato, grammatico vissuto nel IV secolo, commentatore e biografo di Terenzio e Virgilio (si veda il riscontro segnalato a *Inf.* I 79-80). Il suo manuale (*Ars Gramatica*) era usato come testo nelle scuole, dove la grammatica era la prima (*la prim'arte*) tra le sette discipline del Trivio e del Quadrivio. Oggi può sembrare strano di trovare un grammatico fra i teologi e i profeti del cielo dei sapienti, ma la scienza grammaticale aveva allora largo posto negli studi speculativi, ed era particolarmente coltivata dai francescani.

139. **Rabano**: Rabano Mauro, monaco benedettino nel monastero di Fulda, arcivescovo di Magonza, morì nell'856. Autore di opere teologiche di commento ai testi sacri di cui si alimentò l'enciclopedismo medievale.

– **dallato**: al mio fianco, chiudendo la ghirlanda aperta dai due *scalzi poverelli*. Il posto privilegiato non è dato a caso, ma ha lo stesso significato di quello assegnato a Sigieri accanto a Tommaso, come si vedrà.

140. **Giovacchino**: Gioacchino da Fiore (1130-1202), nato a Celico in Calabria, prima monaco cistercense, poi fondatore di una nuova più rigida congregazione (detta Florense dal convento di Fiore nella Sila), espose nelle sue opere esegetiche (tra cui principale l'*Expositio in Apocalipsim*) una visione profetica della storia del mondo e della Chiesa che ebbe

Ugo da San Vittore è qui con loro, e Pietro Comestore e Pietro Ispano, il quale in terra è famoso per i dodici libri del suo manuale di logica; il profeta Natan, e il patriarca metropolitano Crisostomo, e Anselmo, e quel Donato che si degnò di metter mano alla prima delle arti (la grammatica). Qui c'è Rabano, e al mio fianco rifulge il calabrese abate Giovacchino, ...

141   di spirito profetico dotato.
       Ad inveggiar cotanto paladino
       mi mosse l'infiammata cortesia
       di fra Tommaso e 'l discreto latino;
145   e mosse meco questa compagnia».

grande risonanza in tutta la cristianità. La storia aveva per lui tre grandi tempi: del Padre, l'età ebraica fino alla morte di Cristo; del Figlio, l'età cristiana della Chiesa visibile; dello Spirito, l'età che stava per cominciare, di un totale rinnovamento, dove la Chiesa non sarebbe più stata storicamente visibile ma soltanto spirituale, col trionfo della povertà e purezza evangeliche. Nei suoi scritti c'era una forte condanna della corruzione ecclesiastica, ma anche dell'Impero svevo visto come nuova Babilonia.

141. spirito profetico: con queste due parole – tolte dalla liturgia della festa di Gioacchino quale si celebrava nella sua congregazione – Dante riconosce sia pur genericamente un'ispirazione divina negli scritti dell'abate da Fiore: che un tempo finisse e un altro – ultimo – stesse per cominciare, che le figure dell'*Apocalisse* apparissero nella storia, che un rinnovamento (di cui i due santi qui celebrati avevano gettato il seme) si annunciasse per la Chiesa, erano fatti che a lui apparivano certi. Affidando queste parole a Bonaventura, che quello *spirito profetico* aveva negato, e ponendo Gioacchino accanto a lui, il poeta compie quella suprema armonia – iniziata con la presenza di Si-

gieri accanto a Tommaso – che egli sembra aver destinato al cielo della sapienza umana, nelle sue varie forme: teologica, filosofica, mistica e profetica.

142. Ad inveggiar...: a esaltare un tale paladino della fede. Discusso, fin dagli antichi, il senso di questo verbo, che propriamente significa «invidiare» (cfr. *inveggia* a *Purg.* VI 20). Alcuni intendono «invidiare in senso buono, quindi emulare»; a emulare cioè (elogiando Domenico) Tommaso, così valente paladino di Francesco, mi mosse la cortesia di Tommaso stesso. Ma tutto il contesto porta a riconoscere in *cotanto paladino* Domenico, campione della fede, come erano i paladini di Carlo Magno; inoltre sembra forzata sintatticamente la doppia indicazione di Tommaso (*cotanto paladino* e *fra Tommaso*) nella stessa frase. È senz'altro preferibile intendere *inveggiar* come «esaltare», «lodare» («la santa invidia come motivo di lode»: Lombardi).

144. 'l discreto latino: il suo parlare chiaro e preciso. – *latino* per «discorso», «parole», anche a XVII 35; *discreto* (da «discernere») indica probabilmente la specifica qualità dell'argomentare di Tommaso, fondata sul *distinguere* (cfr. XI 27 e nota).

... dotato di spirito profetico. ◆ *A esaltare un tale paladino della fede mi mosse l'ardente cortesia di fra Tommaso e il suo parlare chiaro e preciso; e con me mosse tutta questa compagnia».*

PERSONAGGI

Due francescani:
rigorismo e lassismo

verso 124.   ...ma non fia da Casal né d'Acquasparta...

Ubertino da Casale, nato nel 1259 a Casale Monferrato, francescano, fu da giovane a Firenze a Santa Croce (1285-89), dove fu discepolo di Pietro di Giovanni Olivi e probabilmente lettore di teologia; e in quegli anni Dante poté dunque conoscerlo. Andò poi a Parigi dove insegnò teologia (1289-98) e tornato in Italia divenne il battagliero capo degli Spirituali, nelle loro posizioni più estremiste (e tale era ancora quando Dante compose questo canto). Relegato alla Verna, nel 1305 compose l'*Arbor vitae crucifixae*, il suo capolavoro, alle cui tesi (condanna della Chiesa corrotta e in particolare del papato, identità di Francesco-Cristo, profezia di un rinnovamento della Chiesa) Dante appare ben vicino, anche se non sappiamo con certezza se il libro gli fu direttamente noto (ma si veda XI 71-2 e nota). La sua posizione fortemente polemica nella contesa che infieriva nell'Ordine e contro la Chiesa ufficiale lo portò all'aperta ribellione (egli non riconosceva legittimi, fra l'altro, i pontefici succeduti a Celestino V e considerava Bonifacio VIII come la bestia dell'*Apocalisse*) finché Giovanni XXII nel 1317 condannò gli Spirituali come scismatici. Accusato d'eresia nel 1325, Ubertino fu costretto a fuggire; si ignorano il luogo e l'anno della sua morte. Dante, che come chiaramente appare nel canto XI e in tutta la sua opera era un sostenitore dell'ideale di povertà della Chiesa e un denunciatore dell'ingerenza del papato nella sfera politica, rifugge tuttavia dallo spirito di eccesso e di ribellione che si manifestavano in Ubertino, condannandolo qui per bocca del grande Bonaventura (su Ubertino si legga la voce relativa in *Enciclopedia Dantesca* V, pp. 782-3, a cura di R. Manselli).

Matteo d'Acquasparta (1240-1302) fu figura di grande rilievo nel francescanesimo del tempo, sotto due diversi aspetti, di studioso e di politico. Filosofo e teologo di notevole statura, nel-

la linea del suo maestro Bonaventura, insegnò a Parigi, a Bologna e a Roma. Ministro generale dell'Ordine dal 1287 al 1291, si comportò con prudenza ed equilibrio. Cardinale dal 1288, divenne poi fedele ministro di Bonifacio VIII, affiancandone la politica e sostenendone la tesi della «pienezza del potere» anche nelle vicende temporali. Fu legato del papa a Firenze una prima volta nel 1297 per avere appoggio nella crociata contro i Colonna (*Inf.* XXVII 85 sgg.); inviato di nuovo nel 1300 come pacificatore, appoggiò in realtà i Neri provocando la caduta e l'esilio dei Bianchi (*Inf.* VI 69). Il giudizio negativo di Dante non riguarda evidentemente la dottrina o il suo comportamento come generale dell'Ordine, ma la sua azione politica, e cioè la difesa delle idee teocratiche di Bonifacio e il suo comportamento in Firenze dove il poeta (priore nel 1300) lo vide, nella finta veste di pacificatore, patteggiare e anche trattare forti somme di denaro (cfr. Compagni, *Cronica* I, XXI), occupato in quella *sinistra cura* (v. 129) che tradiva l'ideale francescano di povertà e distacco dal mondo (su Matteo d'Acquasparta si veda la voce a lui dedicata in *Enciclopedia Dantesca* III, pp. 868-9, a cura di A. Frugoni).

approfondimenti

Temi e personaggi del canto

Francesco e Domenico: due vite parallele

Rileggi a confronto i due discorsi, quello di san Tommaso nel canto X e quello di san Bonaventura nell'XI: elabora uno schema del contenuto, riassumendo e identificando con un titolo (per esempio *Il luogo della nascita* ecc.) ogni sezione individuata; rileva infine somiglianze e differenze nella presentazione dei due *campioni*. Completa il lavoro con una ricerca su san Domenico, utilizzando la voce relativa, a cura di G. Sarolli, in *Enciclopedia Dantesca* II, pp. 546-551, oppure quella del *Grande libro dei Santi*, I, pp. 539-560, a cura di E. Montanari.

L'ordine francescano

Fai una ricerca sulla nascita, la diffusione e le caratteristiche dell'ordine francescano, consultando una Storia della Chiesa a tua disposizione e la voce *Francescani*, a cura di G. Barone, del *Dizionario Enciclopedico del Medioevo*, II, pp. 753-756. Sui rapporti tra Dante e il francescanesimo puoi leggere il saggio *Gli influssi della spiritualità duecentesca*, di G. Petrocchi, citato nelle *Letture consigliate*.

Bonaventura da Bagnoregio

Ricostruisci la biografia del santo e la sua spiritualità, consultando la voce relativa nel *Dizionario Enciclopedico del Medioevo* (a cura di J. G. Bougerol, vol. I, pp. 265-267) e quella del *Dizionario biografico degli italiani,* a cura di R. Manselli e T. Gregory (pp. 612-630). Il saggio di Manselli, citato nelle *Letture consigliate*, può esserti di aiuto per comprendere perché Dante abbia scelto proprio Bonaventura a rappresentare i francescani.

La ninfa Eco

Leggi la triste storia della ninfa innamorata di Narciso in Ovidio, *Metamorfosi*, III, vv. 339-510, annotando gli elementi tratti da questa fonte e utilizzati da Dante nel suo rapido ma efficace accenno; infine esprimi le tue osservazioni sulle due redazioni del mito.

Lingua e stile

intima – v. 21

Confronta l'aggettivo *intimo* nel passo indicato con *Vita Nuova* XXII 2 «nulla sia sì intima amistade come da buon padre a buon figliuolo», e stabiliscine le differenze di uso e significato. Individua poi su un buon *Dizionario* di lingua italiana i diversi valori dell'aggettivo nell'uso moderno quando esso sia sostantivato.

Il linguaggio metaforico – vv. 31 sgg.

Individua, nel lungo panegirico fatto da San Bonaventura, la terminologia militare e quella agreste che è impiegata in metafora per descrivere l'opera di San Domenico, annotando anche la presenza di sinonimi e di latinismi.

discreto – v. 144

Cerca, servendoti delle *Concordanze*, i passi della *Commedia* in cui compaia l'aggettivo *discreto* e, con l'aiuto della parafrasi o delle note di commento, precisane il significato. Confronta quindi tali significati con quelli dell'uso moderno che puoi trovare registrati in un buon *Dizionario* di lingua italiana.

CANTO XIII

Introduzione

Chiuso il cerchio dei due canti del cielo del Sole – che presentano, tra le due corone di spiriti sapienti, il grande quadro storico della Chiesa del tempo, con le due figure dei *campioni* mandati da Dio in suo soccorso, e la triste deplorazione del suo deviare dalla strada da loro segnata – il racconto riprende ora su un piano quasi esclusivamente dottrinale. In questo canto XIII infatti, dove non a caso è Tommaso a parlare, si affronta un argomento di carattere teorico, che non ha tuttavia quella forza di parola e di immagine che trasformano in poesia la dottrina, come accade nel VII, dove l'occhio contempla con commozione i grandi misteri della fede.

Qui l'andamento è puramente dimostrativo, e tutto il canto resterebbe tra i più poveri di inventività e qualità drammatica della cantica, se non ci fosse al suo centro la grande sequenza teologica sulla creazione dell'universo, tema che sempre è per Dante fonte di viva ispirazione, nella sua qualità concreta di evento, con un oggetto contemplabile – il mondo creato appunto – nella sua straordinaria bellezza.

Oltre all'argomento, forse la minore vitalità artistica del canto è dovuta anche alla sua posizione, quasi un intervallo, una pausa, tra due momenti di altissima tensione poetica, quali sono le storie dei due grandi santi che lo precedono e la doppia mirabile sequenza che si svolge nel canto successivo: prima la celebrazione, in forma d'arte sublime, del mistero della resurrezione della carne, e poi l'entrata nel cielo di Marte, nel quale la croce di stelle in cui balena la figura di Cristo, la musica di arpe celesti, infine il rapimento mistico del pellegrino, creano una delle pagine più belle di tutta la poesia dantesca.

Questo XIII è l'ultimo della serie di canti dottrinali che occupano in larga misura la prima parte del *Paradiso*, nella quale Dante ha come voluto porre le basi teologiche del suo mondo poetico, rendendola tuttavia ardua alla lettura, per la sproporzione esistente tra le diverse sequenze, narrative e dottrinali, che la compongono. Da ora in poi lo svolgimento del racconto sarà diversamente condotto, in forme descrittive, drammatiche e profetiche, e un solo altro canto, il XXIX, ripeterà il rischioso impianto tutto teorico proprio del IV, del VII, e di questo XIII.

Il nostro canto ha per argomento la soluzione del secondo dei due dubbi che le parole con cui Tommaso aveva presentato gli spiriti della sua corona avevano potuto suscitare in Dante, e che lui stesso indica quando riprende a parlare nel canto XI (vv. 21-27). Egli aveva dichiarato infatti, a proposito di Salomone, che nessuno era stato pari a lui in sapienza (*a veder tanto non surse il secondo*: X 114); ma ciò sembrava contraddire la stessa fede, per la quale i due esseri umani superiori a tutti gli altri in perfezione erano Adamo e Gesù, creati direttamente da Dio. La soluzione è data con un procedimento logico di distinzione: in realtà tutti gli esseri umani sono imperfetti, eccettuati i due di cui si è detto – ai quali dunque nessuno può essere superiore –, ma il sapere in cui Salomone eccelleva su tutti era relativo, e non assoluto, era cioè la sapienza propria del re, a lui necessaria per ben governare, quella soltanto che di fatto egli aveva chiesto a Dio; nessuno quindi come re poté superarlo. ⸎

L'impianto del ragionamento – con l'obiezione scolasticamente formulata e la risposta fondata sulla distinzione – e l'argomento stesso di cui si tratta, così presentato, non danno allo svolgersi del discorso possibilità di respiro inventivo, e quindi di persuasione che non sia fondata soltanto sul piano intellettuale.

Ma al centro di questo logico argomentare il tema della creazione risolleva il verso e risplende in uno dei passi più alti della poesia teologica di Dante. L'idea della creazione vista come irraggiamento della luce divina (la luce del Verbo che procede dal Padre come atto di amore) discendente attraverso i cieli fino alle ultime creature di breve, effimera vita, fa parte della ispirazione primaria della cantica e fonda tutto il cosmo dantesco sia nella sua struttura razionale, sia nella sua bellezza.

Essa ritorna a più riprese nello svolgersi del viaggio paradisiaco, ogni volta con viva e variata potenza di immagini, e ogni volta in una diversa prospettiva: nel canto II presiede al grande discorso cosmologico della differenziazione dell'universo, nel VII pone il fondamento alla storia della salvezza, e ancora nel XXIX sarà ripresa per narrare la creazione degli angeli. In questo canto quell'idea è svolta allo scopo di definire da una parte la limitatezza di tutte le creature e la loro complementare diversità, dall'altra, in questo ambito, la specificità della sapienza propria del re, che non è riconducibile ad altri tipi di sapienza, ma ha una sua autonomia, che da Dio stesso discende.

Tale ampio e solenne spazio dedicato infine soltanto a questa precisazione rivela il significato primario che Dante ha voluto porre in questo canto, e che già il rifulgere della luce di Salomone come la *più bella* di tutta la prima corona di sapienti aveva anticipato. Non per niente il XIII è stato definito un canto «politico». Il personaggio protagonista è infatti lui, il re illuminato da Dio, del quale *a veder tanto non surse il secondo* (verso su cui è costruito tutto il discorso di Tommaso). Nel cielo dei sapienti, accanto ai grandi teologi ed eruditi, come risplende la luce di Sigieri – che proclamò l'autonomia della ragione –, come si celebrano i due grandi santi che segnarono per la Chiesa la via del distacco da ogni bene o sapienza terreni, così trova posto il re sapiente, la cui sapienza di discernimento e giudizio discende dall'alto, ed è non meno grande, non meno importante per la vita degli uomini, dell'altra sapienza, quella speculativa.

Il tema del principe giusto, così essenziale nella concezione storica di Dante, già svolto nel canto VIII dal suo rappresentante Carlo Martello con una argomentazione ben simile a questa, non trova tuttavia qui, stretto nell'impianto logico del ragionamento di Tommaso, una forma di espressione che riesca ad imporlo e a renderlo evidente. Esso resta, per così dire, riconoscibile solo intellettualmente.

Il discorso di Tommaso non si conclude tuttavia sul piano concettuale. All'argomentazione logica fa seguito, senza intervallo, una sequenza di carattere ammonitorio, che chiude il canto, come già chiuse le due vite dei santi celebrate in questo cielo. Prendendo lo spunto dal ragionamento appena concluso, il poeta si rivolge – per bocca del suo personaggio – agli uomini del suo tempo, e di tutti i tempi, perché siano cauti nel dare giudizi senza usare il necessario discernimento (la *distinzione*). E prima tratta del giudizio intellettuale, portando ad esempio due filosofi pagani (che usavano il sillogismo in modo errato) e due teologi cristiani eretici (che distorcevano il senso della Scrittura); poi passa a mettere in guardia sul giudizio morale, che riguarda il destino dell'uomo, in quanto giudica appunto della sua bontà o malvagità, note a Dio solo. E in questo ultimo passo, dove emerge il tema etico, si solleva con la consueta potenza espressiva il tessuto ritmico e stilistico proprio del parlare profetico dantesco. Dal verso iniziale *Non sien le genti, ancor, troppo sicure* (che ricorda l'attacco del canto V al v. 73: *Siate, Cristiani, a muoversi più gravi*), alle vive immagini del pruno secco che fiorisce e della nave sicura che naufraga al momento di entrare nel porto, alle espressioni di gusto popolare (*Non creda donna Berta e ser Martino...*) che ritorneranno nel XXIX (*Non ha Fiorenza tanti Lapi e Bindi*), tutto concorre a creare quel singolare effetto, fatto di passione e realismo, che è tipico del linguaggio ammonitore del poema. Dietro a quei giudizi incauti, che non possono vedere *dentro al consiglio divino*, si riconoscono le grandi storie di Manfredi o Guido da Montefeltro (il primo scomunicato e salvato, il secondo assolto da un papa e dannato) e si anticipa la pagina dedicata alla salvezza degli infedeli nel cielo di Giove: *E voi, mortali, tenetevi stretti / a giudicar: ché noi, che Dio vedemo, / non conosciamo ancor tutti li eletti* (XX 133-5).

Su questo tema, che come si vede traversa tutte le cantiche, ed è di fatto una delle linee portanti delle umane vicende storiche narrate negli incontri fatti lungo il cammino, si conclude il canto dedicato al discernimento, alla capacità di giudizio propria della sapienza del re (questo infatti chiese Salomone a Dio: «Darai al tuo servo un cuore saggio, perché possa giudicare il tuo popolo e discernere tra il bene e il male»: *3 Reg.* 3, 9).

Se la chiusa del canto indica, nella forma solenne e insieme semplice del linguaggio ammonitore, il suo tema specifico, la sua apertura – non meno significativa – serve a stabilire, in forma di figura, un collegamento tra i vari canti del cielo del sole, suggerendo il significato centrale dato da Dante al cielo dell'umana sapienza. La figura è circolare e composta dagli astri del cielo, come nel canto X i primi beati appaiono in cerchio, simili all'alone lunare, e nel XII le corone, diventate due, sono paragonate agli archi paralleli dell'arcobaleno; qui nel XIII la figura della doppia corona è rappresentata come una costellazione immaginaria, formata dalle ventiquattro stelle più lucenti del cielo, raccolte dalle *diverse plage* e ridistribuite in un nuovo ordine, appunto due cerchi concentrici.

Nel canto seguente, ancora il cerchio – sempre visto in relazione al suo centro, come le corone dei beati intorno a Dante e Beatrice – servirà d'apertura, e una terza ghirlanda di luci apparirà intorno alle prime due a concludere la scena svolta in questo cielo.

La figura di luce è accompagnata da un canto, che è ispirato al tema della trinità divina (*Lì si cantò non Bacco, non Peana, / ma tre persone in divina natura, / e in una persona essa e l'umana*) come sarà quello intonato nel canto seguente dai due «santi cerchi» prima del discorso di Salomone (*Quell'uno e due e tre che sempre vive...*). Se ricordiamo che, accanto a queste forme sensibili alla vista e all'udito, il primo canto di questo cielo, il X, è aperto dalla definizione della trinità nel suo atto creatore, e al centro di questo XIII lo stesso processo viene celebrato nell'alta sequenza teologica di cui sopra abbiamo parlato, apparirà chiaro l'intendimento del poeta nella struttura di questo gruppo di canti: egli ha incardinato tutto lo svolgimento della scena del cielo del Sole sul tema trinitario, espresso dalla triplice figura del cerchio, dalla triplice danza e dal triplice canto.

Nei tre cieli superiori Dante userà altre più complesse figure per presentare i beati, quali la croce, l'aquila e la scala. A questo, dedicato all'umana sapienza, egli ha riservato quella che la mente dell'uomo aveva sempre considerato come l'unica che potesse corrispondere all'idea che essa poteva farsi di Dio: il cerchio appunto, la figura geometrica più perfetta, quella che tornerà nell'ultimo canto a rappresentare sensibilmente al suo sguardo – nella visione suprema – lo stesso mistero, il primo e il più insondabile della fede cristiana.

CANTO XIII

Nel cielo del Sole: soluzione del secondo dubbio

1-30 Le due corone di beati, simili a costellazioni che fossero composte dalle ventiquattro stelle più lucenti del firmamento, riprendono a danzare e cantare all'unisono, ruotando l'una all'interno dell'altra intorno a Dante e Beatrice. Ancora una volta simultaneamente si fermano.

31-51 L'anima di san Tommaso riprende il discorso per risolvere il secondo dubbio di Dante: se Dio ha infuso al massimo grado la sapienza in Adamo e in Gesù, da Lui creati, come si può dire di Salomone a veder tanto non surse il secondo?

52-87 Tutti gli esseri, corruttibili e incorruttibili, sono riflesso del Figlio, generato dal Padre in unione eterna allo Spirito Santo: il Verbo divino si irradia, pur rimanendo uno, prima nei nove cori angelici, sostanze incorruttibili, quindi discende attraverso i cieli fino alle cose generate, cioè create indirettamente, per generazione, e corruttibili: la materia prima di tali creature e la virtù celeste che la informa non sono sempre uguali, e da ciò deriva la diversità degli individui di una stessa specie e la loro imperfezione. Ma quando lo Spirito Santo imprime direttamente la luce del Figlio, la creatura ha la massima perfezione: così è stato creato Adamo e così è stato concepito Cristo. Dunque l'umana natura in essi soltanto è perfetta.

88-111 Detto questo, come può essere Salomone l'uomo più sapiente? Egli chiese e ottenne da Dio il senno necessario a svolgere adeguatamente il suo ufficio regale, non la massima sapienza in altri campi: quindi è tra i re che Salomone non ha pari.

112-142 San Tommaso conclude dicendo che il giudizio su ciò che non si vede chiaramente deve sempre essere cauto, così da evitare di incorrere nell'errore in cui molti al mondo cadono: per il giudizio intellettuale, vi sono esempi tra i filosofi antichi, Parmenide, Melisso e Brisone, e tra i teologi cristiani, Sabellio e Ario. Così bisogna essere prudenti anche nel giudicare il comportamento morale, perché può esser salvo uno che è sorpreso a rubare e dannato chi fa offerte.

Imagini, chi bene intender cupe
quel ch'i' or vidi – e ritegna l'image,
3　　mentre ch'io dico, come ferma rupe –,
quindici stelle che 'n diverse plage
lo ciel avvivan di tanto sereno

1-21. Le due corone dei beati riprendono il canto e la danza alla fine delle parole di Bonaventura. Per raffigurarle Dante propone una lunga e complessa similitudine che deriva la sua singolarità dall'essere stabilita con una figura non reale, ma immaginaria: le due ghirlande di dodici beati sono infatti paragonate a ventiquattro lucenti stelle, scelte tra le più splendide del firmamento e raccolte insieme a formare due costellazioni fittizie, simili a quella detta della Corona (cfr.

la nota ai vv. 13-5). La similitudine è sempre apparsa ai critici forzata e intellettualistica. Essa è di fatto un'astrazione: se una tale costellazione ci fosse, ad essa somiglierebbero le due ghirlande di luci. Ma tale ardimento, certamente voluto, è appunto in quell'ordine dell'estremo, dello straordinario, dell'ultrareale, che Dante intende creare nel suo ultimo regno, dove sono consuete quelle che bene il Sapegno definisce le «astrali geometrie luminose».

1-3. **Imagini...**: chi desidera (*cupe*, latinismo puro da «cupit») comprender bene ciò ch'io vidi, si rappresenti nell'immaginazione (la similitudine è dunque già dalla prima parola dichiarata irreale) e si tenga ben ferma nella mente, come pietrificata, l'immagine mentre io la descriverò.

4-6. **quindici stelle...**: immagini dunque quindici stel-

◆ *Chi desidera* (cupe) *comprender bene ciò ch'io vidi, si rappresenti nell'immaginazione* (imagini) *– e si tenga ben ferma nella mente, come pietrificata, l'immagine mentre io la descriverò – quindici stelle che in diverse zone illuminano il cielo di tanto splendore ...*

6   che soperchia de l'aere ogne compage;
          imagini quel carro a cu' il seno
       basta del nostro cielo e notte e giorno,

9   sì ch'al volger del temo non vien meno;
          imagini la bocca di quel corno
       che si comincia in punta de lo stelo

12   a cui la prima rota va dintorno,
          aver fatto di sé due segni in cielo,
       qual fece la figliuola di Minoi

15   allora che sentì di morte il gelo;
          e l'un ne l'altro aver li raggi suoi,
       e amendue girarsi per maniera

le che in diverse zone illuminano il cielo di tanto splendore da superare ogni densità dell'aria (*compage*). Sono le quindici stelle di prima grandezza registrate da Tolomeo, e situate in diverse costellazioni (quindi in *diverse plage* del cielo).

7-9. quel carro...: è designata così l'Orsa maggiore, il Carro (così chiamato anche a *Inf.* XI 114 e *Purg.* I 30) il cui moto diurno e notturno si volge tutto nello spazio (*seno*) del cielo boreale (*del nostro cielo*, cioè quello visibile dalle terre abitate), così che al ruotare del timone (cioè alla fine del giro, quando ritorna indietro) *non vien meno*, cioè non sparisce alla nostra vista. Le sette stelle del Carro infatti non scendono mai sotto l'orizzonte dell'emisfero boreale, come Dante altre volte ricorda: Ulisse le vede tramontare quando avanza appunto nell'altro emisfero (*Inf.* XXVI 127-9) e Dante stesso non le vede più quando esce sulla spiaggia del purgatorio (*Purg.* I 28-30). Si aggiungono così sette stelle alle prime quindici, arrivando a ventidue.

10-2. la bocca di quel corno...: la *bocca* del *corno* sono le due ultime stelle – le più brillanti – dell'Orsa minore, la cui figura è assomigliata ad un corno, del quale la parte più larga sono le quattro stelle poste in quadrilatero (di cui le estreme costituiscono appunto la *bocca*) e la più stretta le tre del timone, di cui la prima (di dove il corno *comincia*) è la stella polare, posta quasi sulla *punta*, cioè sull'estremità superiore dell'asse celeste (*lo stelo* del mondo) intorno al quale si volge (*va dintorno*) il Primo Mobile (*la prima rota*, il primo dei cieli ruotanti) che dà il moto a tutti gli altri. Con le due stelle qui nominate si raggiunge così il numero di ventiquattro, quanti sono i beati delle due corone. Che questi tre gruppi di numeri – quindici, sette, due – non siano scelti a caso, appare molto probabile; l'unica proposta fatta finora al riguardo (da G. Rati, lettura citata nella bibliografia, pp. 356-7) è il riferimento alla Trinità: Padre, Spirito (i sette doni), Figlio (le due nature); proposta che, incerta quanto al rapporto Padre-quindici, appare tuttavia plausibile, e in ogni caso pone un problema non eludibile. Per *stelo*, asse della ruota, ugualmente usato per i moti celesti, si cfr. *Purg.* VIII 87.

– corno: *Corno* per l'Orsa minore si ritrova in vari testi postdanteschi: *Carro* e *Corno* sono dette per esempio le due Orse da due noti scrittori del '500, il novelliere Anton Francesco Grazzini e il traduttore dell'*Eneide* Annibal Caro.

13-5. aver fatto...: immagini dunque che le ventiquattro stelle nominate abbiano formato in cielo due costellazioni (*segni*) simili a quella in cui si mutò Arianna morendo, cioè due corone di dodici stelle ognuna. Arianna, figlia di Minosse, abbandonata da Teseo, fu soccorsa da Bacco, che alla sua morte tramutò in corona di stelle (la costellazione della Corona) la ghirlanda di fiori che ella portava in capo (Ovidio, *Met.* VIII 174 sgg.). Dante segue, o crea, una differente versione del mito, per cui Arianna stessa sarebbe stata mutata in costellazione. La Corona astronomica è formata di nove stelle.

16. e l'un ne l'altro...: e immagini che l'un segno, o costellazione, abbia i raggi coincidenti con quelli dell'altro (il che vale a dire essere i loro due cerchi concentrici).

17-8. e amendue girarsi...: e ruotare ambedue in modo tale che l'uno vada in una direzione, e l'altro in quella opposta. Andare *l'uno al prima e l'altro al poi* è espressione a prima vista non chiara, che altri intendono diversamente (e di fatto anche il testo è qui discusso: il Petrocchi legge *primo*, come la maggior par-

... da superare ogni densità (compage) dell'aria; immagini quel carro (cioè l'Orsa maggiore) al cui moto, sia notturno che diurno, è sufficiente lo spazio (seno) del nostro cielo (cioè del cielo boreale), così che al ruotare del timone (temo) non sparisce alla nostra vista (non vien meno); ◆ immagini la bocca di quel corno (cioè le due ultime stelle dell'Orsa minore) che comincia sull'estremità superiore dell'asse celeste (lo stelo del mondo) intorno al quale si volge (va dintorno) il primo dei cieli ruotanti (la prima rota); immagini dunque che tutte queste stelle abbiano formato in cielo due costellazioni (segni) simili a quella in cui si mutò la figlia di Minosse (Arianna) quando sentì il gelo della morte; e immagini che una costellazione abbia i raggi coincidenti con quelli dell'altra, e che ambedue ruotino in modo tale ...

18 che l'uno andasse al prima e l'altro al poi;
    e avrà quasi l'ombra de la vera
    costellazione e de la doppia danza
21 che circulava il punto dov'io era:
    poi ch'è tanto di là da nostra usanza,
    quanto di là dal mover de la Chiana
24 si move il ciel che tutti li altri avanza.
    Lì si cantò non Bacco, non Peana,
    ma tre persone in divina natura,
27 e in una persona essa e l'umana.
    Compié 'l cantare e 'l volger sua misura;
    e attesersi a noi quei santi lumi,

te dei codici. Si veda sulla questione la nota alla fine del canto). Ma l'interpretazione generalmente accolta è la sola convincente e rispondente al contesto; se infatti i due cerchi girassero nello stesso senso, non ci sarebbe bisogno di tale attenta indicazione (si veda anche *la doppia danza* del v. 20, che corrisponde a questa terzina). Il *prima* e il *poi* sono due avverbi usati a indicare direzione (avanti e indietro) non di tempo ma di luogo, come consente il concetto filosofico di movimento, che identifica le due categorie: «Lo tempo, secondo che dice Aristotile nel quarto della Fisica, è "numero di movimento secondo prima e poi"» (*Conv.* IV, II 6; cfr. Aristotele, *Physica* IV, XI 219a-220a).

19-21. quasi l'ombra...: chi abbia formato e mantenuto dunque nella mente la figura (*l'image* del v. 2) da me proposta, avrà ottenuto *quasi l'ombra*, cioè solo una pallida immagine della realtà ch'io vidi, *la vera costellazione* (non quella fittizia descritta ai vv. 4-15) e *la doppia danza* (il supposto moto descritto ai vv. 17-8) che mi girava intorno. Per *ombra* (immagine debole, riflesso) si cfr. I 23.

22-4. poi ch'è tanto di là...: pur immaginando raccolte le più fulgide stelle del cielo, si avrà soltanto un'*ombra* di quel ch'io vidi, perché tale realtà è tanto al di sopra di ciò che è usuale vedere nel nostro mon-

do (*nostra usanza*) quanta è la differenza tra il lento muoversi della Chiana e il moto del cielo che supera (*avanza*) tutti gli altri in velocità, cioè il Primo Mobile (*il ciel che più alto festina*: *Purg.* XXXIII 90).

– **la Chiana**: allora affluente del Tevere di lentissimo corso, che traversava una regione paludosa dell'Aretino (ricordata in *Inf.* XXIX 46-51). *Il mover de la Chiana* doveva essere espressione proverbiale in Toscana per indicare lentezza.

25-7. non Bacco, non Peana...: non si cantavano lì inni in onore delle divinità pagane, ma i due più grandi misteri della fede cristiana, la Trinità e l'incarnazione del Verbo. *Peana* era un appellativo di Apollo e anche il nome di un inno che si cantava in suo onore. Qui sono citati i due dei in lode dei quali si usava cantare inni nei riti a loro dedicati, come Dante poteva leggere in Virgilio (*Aen.* VI 657; *Georg.* II 2 e 393-4). Tali inni cominciavano, l'uno con le parole «Io Bacche», l'altro con «Io Paean».

26. tre persone...: tre diverse persone con una stessa natura divina: è il primo mistero della fede cristiana, più volte citato e celebrato da Dante nel poema, fin dalla porta infernale (*Inf.* III 4-6), e in particolare nel *Paradiso*. In questo canto esso ha un singolare rilievo.

27. e in una persona...: e in una delle tre persone (la seconda, cioè il Figlio) si cantò l'unione delle due nature, *essa* (cioè la divina) e l'umana. È il secondo mistero, quello dell'incarnazione del Verbo, su cui ampiamente discorre il canto VII. In due versi Dante stringe così, nel suo mirabile modo sintetico e ritmico, tutta l'essenza teologica della sua fede.

28. Compié...: il canto e la danza circolare portarono a compimento la *misura*, il tempo ritmico del loro musicale accordo. Canto e danza si arrestano simultaneamente (come a XII 25) per dar luogo alla parola, che ora Tommaso riprenderà.

29. attesersi: rivolsero l'attenzione (cfr. *Inf.* XIII 109; XVI 13).

30. felicitando sé...: provando gioia, allietandosi nel passare dall'una all'altra occupazione (*cura*), cioè dal canto di lode al silenzio destinato a soddisfare il desiderio di Dante, in quanto l'uno e l'altro erano atti

---

... *che l'una vada in una direzione, e l'altra in quella opposta; ◆ e avrà allora ottenuto una pallida immagine (quasi l'ombra) della vera costellazione e della doppia danza che girava intorno al punto dove mi trovavo; perché (tale realtà) è tanto al di sopra di ciò che è usuale vedere nel nostro mondo (nostra usanza), quanto è più veloce del lento muoversi del fiume Chiana il moto del cielo che supera (avanza) tutti gli altri in velocità (cioè il Primo Mobile). ◆ Non si cantavano lì le lodi di Bacco o gli inni in onore di Apollo (Peana), ma tre diverse persone con una stessa natura divina (cioè la Trinità) e in una delle tre persone (cioè il Figlio) l'unione di quella natura divina (essa) con l'umana (cioè l'Incarnazione). Il canto e la danza circolare portarono a compimento il loro ritmo (misura); e quelle sante luci rivolsero l'attenzione verso di noi, ...*

30　felicitando sé di cura in cura.
　　　　Ruppe il silenzio ne' concordi numi
　　poscia la luce in che mirabil vita
33　del poverel di Dio narrata fumi,
　　　' e disse: «Quando l'una paglia è trita,
　　quando la sua semenza è già riposta,
36　a batter l'altra dolce amor m'invita.
　　　　Tu credi che nel petto onde la costa
　　si trasse per formar la bella guancia
39　il cui palato a tutto 'l mondo costa,
　　　e in quel che, forato da la lancia,
　　e prima e poscia tanto sodisfece,

di carità, verso Dio e verso l'uomo, carità di cui si sostanzia la beatitudine. Lo stesso verbo (lat. «felicitari») è usato per la gioia del paradiso in *Mon.* I, XII 6. Si veda con quale sintetica forza il verso esprime questa profonda idea, che sempre ritorna nella descrizione dello stato di felicità dei beati.

31. **Ruppe il silenzio...**: la parola «rompe» il silenzio che si è fatto nel cielo, per il concorde fermarsi dei canti e delle danze. Il verbo in apertura dà rilievo sia a quel profondo silenzio, sia alla voce che ora si udirà.

32-3. **la luce in che...**: la voce che prima mi aveva narrato la vita di Francesco, cioè quella di Tommaso. – *mirabil vita* riprende le parole dette dal santo a XI 95.

34. **e disse**: comincia qui il secondo grande discorso che Dante ha affidato a Tommaso nel cielo del Sole, discorso teologico questa volta, che ben risponde alla personalità del «dottore angelico». Del suo significato generale si è detto nella Introduzione al canto. Esso durerà sino alla fine del canto, articolandosi in tre grandi parti: posizione del problema (vv. 34-48); sua soluzione (vv. 49-111); un corollario o aggiunta di carattere pratico, ammonitorio, che esorta alla prudenza nel giudizio, sia sui concetti, sia sulle azioni (vv. 112-42).

34-6. **Quando l'una paglia...**: chiarito il primo dubbio, la carità mi spinge a trattare il secondo (per i due dubbi, si cfr. XI 22-7 e note). La metafora è tolta dalla vita campestre: le spighe del grano (la *paglia*) battute sull'aia (*trita*), e i chicchi (la *semenza*) riposti nel granaio, raffigurano i dubbi discussi e risolti, e la verità depositata nella mente: «come non si trae il seme dalla foglia, cioè dalla spiga, se non si trita bene, così non si trae il vero ascoso tra molti falsi se con somma diligenza non si batte e scuote» (Landino).

37. **Tu credi...**: si espone ora il dubbio, cioè la questione posta da Dante nella sua mente, nella quale Tommaso la legge (XI 19-21). Il periodo va così ordinato: tu credi – come insegna la fede – che tutta la sapienza che è possibile avere (*quantunque lece / aver di lume*) alla natura umana (vv. 43-4) sia stata infusa da Dio, che li plasmò (v. 45), nei due uomini nei quali fu perfetta quella natura, e cioè Adamo e Gesù (indicati nei vv. 37-42); e perciò ti meravigli (*miri*) di quel ch'io dis-

si prima, quando dichiarai che la quinta luce, cioè Salomone, non ebbe nessuno pari a lui in sapienza (X 112-4). Poiché l'opinione di Dante è in accordo con la fede, come può contraddire le parole del beato, che non possono essere che veritiere? Tommaso dimostrerà che le due opinioni sono ambedue vere (vv. 50-1).

– **nel petto onde la costa...**: nel petto di Adamo, da cui fu tratta la costola che formò Eva, la cui gola costa ancora a tutta l'umanità (perché mangiando il frutto proibito commise quel peccato da cui discendono tutti i mali degli uomini). Il ricordo di Eva non è inutile aggiunta, perché a quel peccato riparò il secondo uomo qui ricordato, come dicono i versi seguenti.

40-2. **e in quel che, forato...**: e nel petto di Gesù che, trafitto dalla lancia del centurione Longino (cfr. *Io.* 19, 34; la trafittura del cuore sta per tutta la passione di Cristo, di cui fu l'ultimo e significante atto), riparò per il passato e per il futuro (cfr. XIX 103-5 e XX 105) con tanta abbondanza da pesare sulla bilancia divina più di tutte le colpe umane.

– **forato**: si veda *Mon.* III, X 6: «perforarono con la lancia Cristo, il Dio vero». Il verbo deriva forse dal notissimo inno – entrato nella liturgia – di Venanzio Fortunato (vescovo di Poitiers e poeta, vissuto nel VI secolo) in onore della croce (*Pange, lingua*, vv. 19-20): «Ecco l'aceto... i chiodi, la lancia, / il mite corpo è perforato».

---------------------------------■---------------------------------

... allietandosi nel passare dall'una all'altra occupazione (cura).◆ La luce dentro la quale prima mi era stata narrata la miracolosa vita del poverello di Dio (cioè quella che racchiudeva l'anima di Tommaso) ruppe il silenzio unanime degli spiriti, e disse: «Ora che le prime spighe del grano (paglia) sono battute sull'aia (trita), e i chicchi (semenza) sono già riposti nel granaio, il dolce amore mi invita a battere le altre. ◆ Tu credi che nel petto (di Adamo), da cui fu tratta la costola per formare il bel viso (cioè quello di Eva), il cui palato (che gustò il frutto proibito) costa caro ancora a tutta l'umanità, e in quel petto (di Gesù) che, trafitto dalla lancia, riparò (a quel peccato) per il passato e per il futuro (e poscia e prima) con tanta abbondanza ...

42   che d'ogne colpa vince la bilancia,
        quantunque a la natura umana lece
        aver di lume, tutto fosse infuso
45   da quel valor che l'uno e l'altro fece;
        e però miri a ciò ch'io dissi suso,
        quando narrai che non ebbe 'l secondo
48   lo ben che ne la quinta luce è chiuso.
        Or apri li occhi a quel ch'io ti rispondo,
        e vedräi il tuo credere e 'l mio dire
51   nel vero farsi come centro in tondo.
        Ciò che non more e ciò che può morire
        non è se non splendor di quella idea
54   che partorisce, amando, il nostro Sire;

– **la bilancia**: è la bilancia della giustizia divina: si immagina che su un piatto siano posti tutti i peccati degli uomini di ogni tempo e sull'altro la passione di Cristo, e che il peso di questa superi di gran lunga quello degli altri, in modo da «soddisfare» in abbondanza la giustizia (cfr. VII 97-120). La stessa immagine è usata a V 61-2 per il valore inestimabile della libertà umana, il cui peso trae a terra *ogne bilancia*.

49. **apri li occhi...**: formula alla quale si fa spesso ricorso per introdurre, una volta posta la questione, la risposta chiarificatrice.

50-1. **il tuo credere...**: che quello che tu credi (da me ora enunciato: vv. 37-45) e ciò che io dissi (vv. 47-8) non si contraddicono, ma coincidono ambedue con la verità, collocandosi nel vero come il centro in un cerchio (cioè in un punto che non può essere che unico, come insegna la geometria: rispetto al vero, le due opinioni occupano entrambe il centro del cerchio, e quindi coincidono).

52-4. **Ciò che non more...**: liberatosi dalle premesse scolastiche, s'innalza ora il grande modo stilistico proprio dell'alta poesia teologica dantesca. Con luminose immagini, con solenne andamento ritmico, con novità e precisione di linguaggio, si narrano gli eventi cosmi-

ci (qui la creazione e la generazione degli esseri) secondo la fede e la teologia cristiana. In questa prima parte del suo discorso (vv. 52-87), che è anche la più bella, Tommaso conferma la verità dell'opinione di Dante riguardo ad Adamo e a Cristo. Nella seconda (vv. 88-111) dimostrerà la verità dell'opinione da lui stesso espressa su Salomone, risolvendo così il dubbio sull'apparente contrasto fra le due. Tutto ciò che esiste – sia le creature incorruttibili, sia le corruttibili (cfr. VII 130 sgg.) – non è che un riflesso dell'*idea* (il Figlio, o Verbo, secondo l'espressione di *Io.* 1, 1) che il Padre (il *nostro Sire*) genera nell'eternità con un atto del suo amore (*amando*, cioè attraverso lo Spirito Santo; cfr. VII 64-6 e X 1-3). L'universo creato è metaforicamente un riflesso del Verbo, o idea divina, in quanto tutti gli archetipi o esemplari delle cose esistenti sono originariamente nella mente di Dio (per *splendor*, «riflesso», si cfr. *Conv.* III, XIV 5). Il lessico e l'immagine sono di derivazione neoplatonica, trasferiti però nella concezione trinitaria propria del cristianesimo. In una sola terzina si raccoglie l'intero universo creato e la triplice azione della Trinità creante, definita con assoluta precisione teologica e il minimo impiego di parole.

55-7. **ché quella viva luce...**: perché quella viva luce (il Figlio) che procede (*mea*) dal Padre che ne è la fonte (il *suo lucente*), in modo tale da non disunirsi da lui (cioè restando con lui una sola sostanza) né da quell'amore (lo Spirito Santo) che si unisce a loro come terzo (*s'intrea*) La terzina definisce in modo intenso e perfetto la Trinità cristiana, facendo come brillare in essa per forza di parole la luce, l'amore, e la realtà una e trina.

– **mea**: latinismo da «meare», propriamente «passare», qui «derivare», «procedere»; è una delle voci rare e nuove proprie di questo passo, usata poi anche a XV 55 e XXIII 79.

– **lucente**: è participio presente sostantivato: fonte luminosa. Nel Credo è detto del Figlio: «luce da luce»; così qui la *luce* dal *lucente*.

56-7. **si disuna... s'intrea**: i due neologismi, formati con i numeri uno e tre e i due prefissi che rispettiva-

... da pesare sulla bilancia (divina) più di tutte le colpe (umane), tutta la sapienza che è possibile avere (quantunque lece / aver di lume) alla natura umana sia stata infusa da quella potenza (cioè Dio), che fece l'uno (Adamo) e l'altro (Cristo); e perciò ti meravigli (miri) di quel ch'io dissi prima, quando dichiarai che l'anima beata che è racchiusa nella quinta luce (cioè Salomone) non ebbe nessuno pari a lui in sapienza ('l secondo). ◆ Ora fai attenzione a quello che ti rispondo, e vedrai che quello che tu credi e ciò che io dissi vengono a collocarsi, rispetto alla verità, come il centro in un cerchio (cioè vengono a coincidere). ◆ Sia le creature incorruttibili sia le corruttibili (cioè tutto ciò che esiste) non sono che un riflesso dell'idea (il Figlio) che il nostro Signore (il Padre) genera con un atto del suo amore (amando); ...

ché quella viva luce che sì mea

dal suo lucente, che non si disuna

57　　da lui né da l'amor ch'a lor s'intrea,

per sua bontate il suo raggiare aduna,

quasi specchiato, in nove sussistenze,

60　　etternalmente rimanendosi una.

Quindi discende a l'ultime potenze

giù d'atto in atto, tanto divenendo,

63　　che più non fa che brevi contingenze;

e queste contingenze essere intendo

le cose generate, che produce

66　　con seme e sanza seme il ciel movendo.

---

mente dividono (*dis-*) e uniscono (*in-*), esprimono con viva efficacia il senso stesso del mistero qui definito. (Neologismi di formazione analoga a *s'intrea*, ma ognuno con significato diverso, sono *s'incinqua* di IX 40 e *s'inmilla* di XXVIII 93.)

58-60. per sua bontate...: l'atto creatore è dovuto alla pura bontà divina; cfr. VII 64-6 e nota. Il Verbo dunque, per sua gratuita bontà, fa convergere i suoi raggi, quasi specchiandosi, in nove diversi ordini di sostanze (i nove cori angelici), rimanendo in eterno uno. L'idea dell'indivisa unità divina da cui procede il molteplice (derivata alla teologia cristiana dalla filosofia neoplatonica) è uno dei temi sempre vivi e operanti nella fantasia di Dante. A questa terzina corrisponde quella sulla creazione degli angeli (anche qui con l'immagine dello specchio) a XXIX 143-5. Si veda la coincidenza dei due ultimi versi.

– il suo raggiare aduna: «è da sapere che lo primo agente, cioè Dio, pinge la sua vertù in cose per modo di diritto raggio, e in cose per modo di splendore reverberato; onde nelle Intelligenze (separate) *raggia* la divina luce sanza mezzo, nell'altre si ripercuote da queste Intelligenze prima illuminate» (*Conv.* III, XIV 4).

– in nove sussistenze: il termine *sussistenze* equivale a «sostanze», indica cioè ciò che è di per sé. La creazione, secondo questa concezione, procede per via gerarchica: prima le sostanze pure e incorruttibili (gli angeli e i cieli) attraverso le quali si generano poi gli esseri corruttibili.

61-3. Quindi discende...: di qui, cioè dalle gerarchie angeliche, la *viva luce* del Verbo discende, *d'atto in atto* (cioè di cielo in cielo), fino alle *potenze* che sono in fondo alla scala (gli elementi o materia prima che non hanno ancora forma), attenuando via via la sua forza così da produrre soltanto creature contingenti, di breve durata. Per questa discesa graduale si veda *Conv.* III, VII, dove si citano il *Liber de causis* – scritto neoplatonico allora attribuito ad Aristotele – e le opere di Alberto Magno (sul quale si veda la nota di approfondimento del canto X), i testi da cui Dante soprattutto deriva la sua cosmologia.

– potenze: gli elementi primari (la materia prima) di cui è composto il mondo sublunare sono solo *potenza*, che aspetta di ricevere la forma per giungere all'essere, secondo la terminologia aristotelica. Si veda per questa triplice distinzione tra le creature (le *sussistenze* o atti puri, gli *atti* o potenze attuate, e le pure *potenze*) la sequenza chiarificatrice di XXIX 22-36.

62. d'atto in atto: sono così chiamati i cieli, sostanze corporee ma create direttamente da Dio, quindi già «in atto» (*in loro essere intero*: VII 130-2) fin dal loro primo esistere. Come la virtù generatrice discenda di cielo in cielo, è detto nel grande discorso del canto II.

64-6. e queste contingenze...: tali sono tutte le cose *generate*, cioè non create direttamente, ma per generazione, prodotte quindi per l'influenza del moto dei cieli, sia attraverso un seme (animali o vegetali), sia senza seme (i minerali e le infime specie inorganiche degli altri due regni: cfr. *Purg.* XXV 56).

– contingenze: contingenza è tutto ciò che può essere o non essere, cioè non necessario e quindi corruttibile (*breve*); mentre le *sussistenze*, e gli esseri *in atto* creati direttamente da Dio, sono necessari, e quindi incorruttibili. Quali esseri siano detti *contingenze*, è spiegato nella terzina seguente.

■

... perché quella viva luce (il Figlio) che procede (mea) dalla sua luminosa sorgente (il suo lucente, cioè il Padre) in modo tale da non disunirsi da lui né da quell'amore (lo Spirito Santo) che si unisce a loro come terzo (s'intrea), per la sua bontà concentra i suoi raggi, quasi specchiandosi, in nove sostanze (le gerarchie angeliche), conservando in eterno la sua unità. ♦ Da queste essa (la viva luce del Verbo) discende di cielo in cielo (d'atto in atto) fino agli ultimi elementi (le potenze, cioè la materia prima), attenuando via via la sua forza (divenendo) tanto da produrre solo creature contingenti, di breve durata; e per queste creature contingenti intendo tutte le cose generate, che i cieli col loro movimento producono sia attraverso un seme (animali o vegetali), sia senza seme (i minerali e le infime specie inorganiche).

La cera di costoro e chi la duce

non sta d'un modo; e però sotto 'l segno

69   idëale poi più e men traluce.

Ond'elli avvien ch'un medesimo legno,

secondo specie, meglio e peggio frutta;

72   e voi nascete con diverso ingegno.

Se fosse a punto la cera dedutta

e fosse il cielo in sua virtù supprema,

75   la luce del suggel parrebbe tutta;

ma la natura la dà sempre scema,

similemente operando a l'artista

78   ch'a l'abito de l'arte ha man che trema.

Però se 'l caldo amor la chiara vista

de la prima virtù dispone e segna,

67-8. La cera di costoro...: la materia prima di tali *cose generate* (per la metafora della cera si cfr. I 41) e la virtù celeste che la informa, cioè la plasma dandole forma, non sono sempre nella stessa disposizione (*d'un modo*): nella prima varia l'attitudine a ricevere l'influsso, nella seconda l'efficacia, dovuta alla posizione o «congiunzione» degli astri (cfr. I 37-42; *Purg.* XXX 109-11; *Conv.* IV, XXI 7).

– **duce**: *ducere* per «ricavare dalla materia prima una data forma» (quindi usato in senso di poco diverso) si trova detto degli scultori in *Aen.* VI 848: «estrarranno ("ducent") dal marmo volti vivi».

69. più e men traluce: secondo quelle diverse disposizioni, la materia plasmata lascia trasparire più o meno la luce che la irraggia sotto l'impronta dell'idea divina. Per *tralucere*, «trasparire della luce in un corpo», cfr. XXI 28 e *Purg.* XIV 79.

70-2. Ond'elli avvien...: per queste diversità avviene che alberi uguali riguardo alla specie diano frutti

migliori o peggiori, e che gli uomini nascano con differenti indoli (*ingegno* usato nel suo senso latino): cfr. VIII 122-32. La differenziazione fra gli individui di una stessa specie dipende dunque sia dall'influsso celeste, sia dalla disposizione della materia.

73-5. Se fosse a punto...: se, al momento della generazione, la materia (*la cera*) fosse predisposta nel modo più adatto (*dedutta*: resa malleabile all'impronta; cfr. *duce* al v. 67), e il cielo fosse al massimo della sua capacità di influenza, la luce del *suggel*, cioè dell'idea divina che scende su di lei ad informarla, trasparirebbe intera nell'essere generato (si cfr. sopra i vv. 67-9). Il *suggel*, o sigillo che s'imprime sulla cera, è immagine tradizionale per l'operazione dei cieli sulla materia nella generazione: si veda II 127-32; VIII 127-8.

76. la natura: s'intende per natura «l'insieme delle cause seconde operanti nella generazione» (Vandelli). La natura dunque nella generazione degli esseri rende sempre imperfetta quella luce (le cose generate sono cioè sempre non perfettamente rispondenti all'esemplare idea divina); *scema* vale «mancante di qualcosa».

77-8. similemente operando...: operando in modo analogo all'artista (si pensa qui allo scultore, come la metafora della cera richiede) che, rispetto all'*abito* (l'attitudine, la disposizione; cfr. *Conv.* III, XIII 6) dell'arte (che ben possiede), ha mano che trema nell'eseguire, cosicché non riesce a tradurre che in parte nella materia l'immagine che ha nella mente (cfr. *Conv.* III, VI 6). Pur non cambiando il senso della frase, ci sembra che la lezione accolta dell'edizione Petrocchi al v. 78 sia meno chiara e meno linguisticamente sicura di quella adottata dai precedenti editori (*c'ha l'abito de l'arte e man che trema*).

78. ha man che trema: lo stesso tremito, lo stesso verbo, tornerà a XXIII 66 per dire l'insufficienza dell'autore stesso al suo alto tema. In questo verso, uno dei grandi terzi versi danteschi, si scopre la sofferta esperienza di Dante in strenua gara con la materia di cui si era *fatto scriba* (X 27).

79-81. Però se 'l caldo amor...: nella terzina forte-

◆ *La materia prima (cera) di tali cose generate e la virtù celeste che la plasma (duce) non sono sempre nella stessa disposizione (d'un modo); e perciò quella luce trasparer poi più o meno sotto l'impronta dell'idea divina (segno ideale); per cui avviene che alberi uguali quanto alla specie diano frutti migliori o peggiori; e che voi uomini nasciate con differenti indoli (ingegno). ◆ Se la materia (la cera) fosse predisposta (dedutta) nel modo più adatto, e il cielo fosse al massimo della sua capacità di influenza, la luce dell'impronta divina (suggel) trasparirebbe tutta intera (nell'essere generato); ma la natura trasmette quella luce sempre manchevole, operando in modo analogo all'artista, che rispetto alla sua padronanza dell'arte, ha la mano che trema (nell'esecuzione). Ma se il caldo amore (lo Spirito Santo) dispone e imprime (direttamente) la viva luce del Figlio (la chiara vista) che procede dalla prima virtù (cioè dal Padre), ...*

81   tutta la perfezion quivi s'acquista.

       Così fu fatta già la terra degna

       di tutta l'animal perfezïone;

84   così fu fatta la Vergine pregna;

       sì ch'io commendo tua oppinïone,

       che l'umana natura mai non fue

87   né fia qual fu in quelle due persone.

       Or s'i' non procedesse avanti pïue,

       'Dunque, come costui fu sanza pare?'

90   comincerebber le parole tue.

       Ma perché paia ben ciò che non pare,

       pensa chi era, e la cagion che 'l mosse,

93   quando fu detto "Chiedi", a dimandare.

       Non ho parlato sì, che tu non posse

mente sintetica si adombra ancora una volta l'idea della creazione come atto trinitario: se lo Spirito Santo (*'l caldo amor*, soggetto) dispone e imprime con azione diretta la viva luce del Figlio (*la chiara vista*, oggetto) che procede dal Padre (*la prima virtù*), *quivi*, cioè nella creatura così formata, si otterrà il massimo della perfezione. La creazione diretta è quindi atto dello Spirito (*amor*) compiuto mediante il Figlio (*vista*, cioè luce, sapienza) che, come è detto ai vv. 52-4, è idea procedente dal Padre (che è *virtù*, cioè potenza).

82-3. Così fu fatta già la terra degna...: così, cioè con questa azione diretta della Trinità, *la terra*, il fango, fu reso degno di tutta la perfezione possibile ad un essere animato; fu cioè creato Adamo: «Formò l'uomo con la polvere della terra» (*Gen.* 2, 7).

84. così fu fatta...: e sempre in questo modo diretto fu resa *pregna* la Vergine, cioè si compì nel suo seno il concepimento di Gesù per opera dello Spirito Santo, senza intervento d'uomo. Adamo e Gesù sono dunque i due soli uomini creati da Dio direttamente (non generati), e quindi perfetti.

85-7. sì ch'io commendo...: Tommaso conclude la prima parte del suo ragionamento, che ha dimostrato la verità di ciò che Dante credeva (cfr. vv. 37-45); *commendo* vale «lodo», cioè «dichiaro vera», la tua opinione, che la natura umana non fu né sarà mai perfetta come in quelle due persone (in quanto tutti gli altri uomini furono e saranno generati, quindi creati attraverso cause seconde).

88-90. Or s'i'...: se io mi fermassi qui, tu potresti chiedere: allora, come si potrà sostenere che costui, cioè Salomone, non ebbe l'uguale? La terzina, formulata in modo apertamente scolastico, serve a introdurre il secondo ragionamento, che dimostrerà vere anche le parole di Tommaso.

91-3. Ma perché...: ma perché ciò che ora non appare (cioè la verità della mia affermazione su Salomone) risulti ben chiaro (*paia ben*), tu considera chi egli era, cioè quale ruolo ricopriva, e quale fu il motivo, l'in-

tenzione che lo spinse a fare la sua domanda quando Dio stesso lo invitò a chiedere ciò che volesse. Tommaso cita qui l'episodio biblico su cui si fonda tutto il ragionamento, sia l'obiezione che la risposta: «il Signore apparve a Salomone in sogno durante la notte e gli disse: "Chiedimi ciò che vuoi, e te lo darò". Salomone disse: "... tu hai fatto regnare il tuo servo... concedi al tuo servo un cuore docile perché sappia rendere giustizia al tuo popolo e sappia distinguere il bene dal male...". Al Signore piacque che Salomone avesse domandato la saggezza nel governare. Dio gli disse: "Perché hai domandato questa cosa e non hai domandato per te né una lunga vita, né la ricchezza, né la morte dei tuoi nemici... ecco... ti concedo un cuore saggio e intelligente: come te non ci fu alcuno prima di te né sorgerà dopo di te"» (*3 Reg.* 3, 5-12).

94-6. sì, che tu non posse...: in modo così oscuro che tu non possa (*posse*, forma arcaica), ricordando il testo biblico, renderti conto che egli fu re, e chiese la sapienza per poter essere tale con la pienezza di doti necessarie al suo compito. Questa è dunque la risposta: Salomone ebbe in modo sommo quella sapienza

---

... in quella creatura (*quivi*) si otterrà il massimo della perfezione. ◆ *In questo modo la terra fu una volta (già) resa degna di tutta la perfezione possibile ad un essere animato (cioè fu creato Adamo); in questo modo fu resa pregna la Vergine (cioè fu generato Gesù); cosicché io dichiaro vera (commendo) la tua opinione: che la natura umana non fu né sarà mai perfetta come in quelle due persone (Adamo e Cristo). Ora, se io non procedessi più oltre, le tue parole comincerebbero a chiedere: "Allora, come costui (cioè Salomone) poté essere senza pari?". ◆ Ma perché ciò che ora non appare appaia chiaramente (paia ben), tu considera chi egli era, e quale fu il motivo che lo spinse a fare la sua domanda quando Dio stesso lo invitò a chiedere. Non ho parlato in modo così oscuro, che tu non posso ...*

ben veder ch'el fu re, che chiese senno
96 acciò che re sufficïente fosse;
non per sapere il numero in che enno
li motor di qua sù, o se *necesse*
99 con contingente mai *necesse* fenno;
non *si est dare primum motum esse*,
o se del mezzo cerchio far si puote
102 trïangol sì ch'un retto non avesse.
Onde, se ciò ch'io dissi e questo note,
regal prudenza è quel vedere impari
105 in che lo stral di mia intenzion percuote;
e se al "surse" drizzi li occhi chiari,
vedrai aver solamente respetto

che era inerente al suo ruolo, come aveva richiesto, e non ogni genere di sapienza, come ora si preciserà.

– **sufficïente**: il termine indica propriamente colui che ha in sé la propria sufficienza, in quanto ha ogni cosa in modo eminente, come dice Tommaso nel commento all'*Etica* (*Eth.* VIII, lect. X). Qui la «sufficienza» riguarda il *senno*, ovvero la sapienza, specifico di un re.

97. **non per sapere…**: dipende da *chiese senno*; si enumerano qui i vari generi di scienza per i quali Salomone non chiese a Dio il discernimento, indicando quattro problemi esemplificativi, ognuno proprio di uno dei campi (metafisica, logica, fisica, geometria) in cui si divideva, al di fuori dell'etica, la speculazione filosofica e scientifica.

97-8. **il numero in che enno…**: quale sia il numero delle intelligenze che muovono i cieli (*li motor di qua sù*), cioè degli angeli. Classico problema di metafisica, trattato a XXVIII 91-3, XXIX 130-5 e in *Conv.* II, IV 3-15. Nel *Convivio* Dante indica i diversi pareri sostenuti al riguardo dai pensatori greci, illustrando poi la soluzione cristiana.

98-9. **se necesse…**: se, poste in un sillogismo una pre-

messa necessaria e una contingente, possa dedursi una conclusione necessaria. Problema di logica, a cui Aristotele risponde negativamente (*Analytica priora* I 16), Platone affermativamente. Il diverso parere dei due sommi filosofi dice la rilevanza della questione che, come quella sugli angeli, era ancora aperta al tempo di Dante.

100. **si est dare…**: se si può ammettere (*dare*, «concedere», termine filosofico) che ci sia (*esse*) un primo moto, cioè un movimento originario che non sia causato a sua volta da un altro. È il problema, posto in termini di fisica, dell'origine dell'universo (anche oggi discusso: il «primo movimento» corrisponde al «big-bang» della fisica moderna). La soluzione di Aristotele (*Physica* VII, I) è ripresa alla lettera da Tommaso: «Tutto ciò che si muove, è necessario che sia mosso da qualcos'altro. E se questo da cui è mosso si muove a sua volta, dovrà essere anch'esso mosso da un altro. Per non procedere all'infinito, è necessario giungere ad un primo movente, che da nessun altro è mosso» (*S.T.* I, q. 2. a. 3).

101-2. **se del mezzo cerchio…**: se in un semicerchio possa inscriversi un triangolo che non sia rettangolo. Problema della geometria euclidea (Euclide, *Elem.* III 31), anche questo un classico a tutti noto.

103. **se ciò ch'io dissi…**: se dunque noti, cioè consideri insieme, ciò che dissi di Salomone (*a veder tanto non surse il secondo*: X 114) e quanto ora ho detto (cioè che egli non *chiese senno* per questo tipo di problemi, ma per essere *re sufficiente*)

104-5. **regal prudenza…**: quel sapere non eguagliato (*quel vedere impari*) a cui intendevano riferirsi le mie parole risulta essere la prudenza propria del re (*regal prudenza*), cioè la sapienza necessaria a esercitare il ruolo di re: «Dalla prudenza vegnono li buoni consigli, li quali conducono sé e altri a buono fine nelle umane cose e operazioni; e questo è quello dono che Salomone, veggendosi al governo del populo essere posto, chiese a Dio, sì come nel terzo libro delli Regi è scritto» (*Conv.* IV, XXVII 6). È in questo campo dunque che Salomone non ebbe l'uguale.

─────────■─────────

… renderti conto (ben veder) che egli fu re, e chiese la sapienza per poter essere re con le qualità necessarie al suo compito; non per sapere quale sia il numero delle intelligenze che muovono i cieli (li motor di qua sù), o se, poste una premessa necessaria (necesse) e una contingente, possa mai dedursi una conclusione necessaria (necesse); né per sapere se si può ammettere (dare) che ci sia (esse) un primo moto, o se in un semicerchio possa inscriversi un triangolo che non sia rettangolo. ◆ Se dunque consideri (note) insieme ciò che dissi (di Salomone) e questo che ho detto ora, quel sapere non eguagliato (quel vedere impari) a cui intendevano riferirsi le mie parole (lo stral di mia 'ntenzion) risulta essere la prudenza propria del re (regal prudenza); e se rivolgi gli occhi della mente, ora non più offuscati, all'espressione "surse" da me usata, capirai che era riferita solamente …

108   ai regi, che son molti, e ' buon son rari.
         Con questa distinzion prendi 'l mio detto;
         e così puote star con quel che credi
111   del primo padre e del nostro Diletto.
         E questo ti sia sempre piombo a' piedi,
         per farti mover lento com'uom lasso
114   e al sì e al no che tu non vedi:
         ché quelli è tra li stolti bene a basso,
         che sanza distinzione afferma e nega
117   ne l'un così come ne l'altro passo;
         perch'elli 'ncontra che più volte piega
         l'oppiniön corrente in falsa parte,
120   e poi l'affetto l'intelletto lega.

– **lo stral di mia intenzion**: la stessa immagine della freccia dell'intenzione che scocca dal nervo teso dell'arco è in *Ep.* I 6.

106-8. e se al "surse"...: e se fai attenzione, ora che gli occhi della mente ti si sono chiariti, all'espressione *surse* da me usata, capirai che era riferita solamente ai re. Come dire: nessun uomo, che fosse «innalzato alla dignità di re» (Bosco-Reggio), gli fu uguale. Cioè dovevi già capire, da quell'espressione, che io parlavo solo dei re, e non di tutti gli uomini in genere. L'argomento in realtà non regge, in quanto, come si è visto (cfr. nota ai vv. 91-3), il verbo è già nel testo biblico con il senso di «elevarsi» a tanta sapienza e non di «essere innalzato» tra gli uomini come re.

108. che son molti...: molti i re, pochi quelli buoni (ricordo della frase evangelica di *Matth.* 20, 16: «molti sono i chiamati, pochi gli eletti»). La pochezza dei re d'Europa è biasimata nel poema nelle due rassegne di XIX 112-48 e *Purg.* VII 91-136. Qui il verso sentenzioso è come un'aggiunta portata dall'amara considerazione di Dante sul proprio tempo.

109. distinzion: la distinzione posta tra gli uomini in genere e la categoria dei re, ai quali soltanto «avevano rispetto» le mie parole.

110-1. e così puote star...: e così preso, cioè con valore relativo, il *mio detto* può accordarsi con la tua opinione su Adamo e Cristo (chiamato il *Diletto* della Chiesa, come qui dei beati, anche a XI 31).

112-4. E questo ti sia sempre...: questo mio chiarimento – che dimostra l'errore che era nel tuo giudizio iniziale, formulato senza troppa riflessione, sulla contraddizione tra due verità, quella della Bibbia e quella delle mie parole – ti sia d'ora in avanti di ammonimento a procedere con prudenza e lentezza (con i piedi di piombo) ad affermare o negare (*al sì e al no*) ciò che non vedi subito chiaramente. Tommaso passa qui, dal ragionamento teorico, ad un ammaestramento pratico. È la terza parte del suo discorso, che si lega solo con fatica alle altre, come è di tutti i nessi di questo testo, meramente scolastici, che sopra abbiamo rilevato.

115-7. quelli è...: è da porsi all'ultimo gradino della stoltezza colui che dà giudizi positivi o negativi senza la necessaria *distinzione* tra un caso e l'altro.

– **ne l'un così come ne l'altro passo**: verso non chiaro; dato che il *passo* riprende la metafora dei *piedi*, e del *muovere* verso il *sì* e il *no*, si dovrà intendere: afferma e nega indiscriminatamente, muovendosi in modo precipitoso in entrambi i casi, sia verso il giudizio positivo che verso quello negativo.

118-9. elli 'ncontra...: accade (*elli* è soggetto impersonale) che spesso l'opinione *corrente*, cioè formulata in modo frettoloso, di corsa, *piega*, cioè inclina, in direzione errata. Per *corrente*, che va veloce, si cfr. VIII 20.

120. e poi l'affetto...: e una volta formatasi l'opinione falsa, *l'affetto*, cioè la naturale affezione al proprio parere, tiene vincolato *l'intelletto*, impedendogli di esercitare liberamente il proprio giudizio. La terzina disegna con acutezza una tipica situazione psicologica, quella di dipendenza della ragione dall'*affetto*, dall'attaccamento affettivo a precedenti giudizi (ciò che normalmente si chiama appunto il «pregiudizio»).

... ai re, che sono molti, ma pochi quelli buoni. ◆ *Prendi le mie parole con questa distinzione, e così esse possono accordarsi con ciò che tu credi del nostro primo padre (cioè Adamo) e del nostro amato (cioè Cristo). E questo mio chiarimento ti sia d'ora in avanti come il piombo ai piedi, per farti procedere con lentezza, come un uomo stanco, nell'affermare o negare (al sì e al no) ciò che non vedi chiaramente: poiché è da porsi all'ultimo gradino (bene a basso) tra gli stolti colui che dà giudizi positivi o negativi senza la necessaria distinzione, in entrambi i casi; poiché accade (elli incontra) che spesso l'opinione frettolosa si volge in direzione errata, e poi l'attaccamento (alla propria opinione) tiene vincolata la ragione.*

Vie più che 'ndarno da riva si parte,
perché non torna tal qual e' si move,
123   chi pesca per lo vero e non ha l'arte.
E di ciò sono al mondo aperte prove
Parmenide, Melisso e Brisso e molti,
126   li quali andaro e non sapëan dove;
sì fé Sabellio e Arrio e quelli stolti
che furon come spade a le Scritture
129   in render torti li diritti volti.
Non sien le genti, ancor, troppo sicure
a giudicar, sì come quei che stima

121-3. Vie più che 'ndarno...: colui che esce con la barca, come un pescatore, alla ricerca del vero (*chi pesca per lo vero*), e non ne possiede l'arte, parte dalla riva peggio che inutilmente (*Vie più che 'ndarno*), cioè a suo danno, perché non torna uguale a come era partito, ma in peggiori condizioni: prima era ignorante, ora è nell'errore.

123. e non ha l'arte: l'arte di «pescare» il vero è la capacità di distinguere andando cauti nel formulare i giudizi, come è stato sopra spiegato (vv. 112-7).

124. aperte prove: chiari esempi. Di tale rischio, di cader nell'errore se non si possiedono le necessarie capacità di discernimento, Tommaso porta ora ad esempio nomi famosi di due categorie: i filosofi pagani e i teologi cristiani, cioè i rappresentanti delle due scienze, l'umana e la divina. I primi errarono nell'uso della ragione naturale, i secondi nell'interpretare la Scrittura, cadendo i primi nell'illogicità, i secondi nell'eresia. La misura della verità è per Dante nel primo caso Aristotele, nel secondo la dottrina della Chiesa.

125. Parmenide, Melisso: filosofi vissuti nel V secolo a.C., l'uno iniziatore, l'altro seguace della scuola eleatica, che sosteneva l'unicità, immobilità e indivisibilità dell'essere. Alle loro tesi decisamente si oppose Aristotele, dimostrandole frutto di un errato modo di usare la ragione. Da lui Dante deriva la sua opinione, come appare in *Mon.* III, IV 4, dove i due sono portati ad esempio dell'errore possibile nell'argomentazione logica, con le parole stesse del «filosofo» (cfr. *Physica* I, III).

◆ *Colui che esce con la barca, come un pescatore, alla ricerca del vero (chi pesca per lo vero), e non ne possiede l'arte, parte dalla riva peggio che inutilmente (vie più che 'ndarno), perché non torna uguale a come era partito (ma in peggiori condizioni). E di ciò sono al mondo chiari esempi Parmenide, Melisso e Brisone e molti altri, che andarono avanti senza sapere dove stavano andando; così fecero Sabellio e Ario e quegli altri stolti che deformarono il senso delle Scritture, come le spade riflettono in modo distorto i volti che vi si specchiano.* ◆ *Inoltre la gente non sia troppo sicura nel giudicare, come quello che calcola ...*

– **Brisso**: Brisone (lat. «Brisso, -onis») di Eraclea, filosofo e matematico greco (IV secolo a.C.), figlio dello storico Erodoto, e forse discepolo di Socrate e di Euclide; tentò la quadratura del circolo, ed era stato anch'esso confutato da Aristotele (*Anal. post.* I 9; *Soph. Elenc.* 11) con l'uguale motivazione dell'uso scorretto dell'argomentazione. I tre nomi si ritrovano vicini, ugualmente contestati, in Alberto Magno (*Physica* I, II), di dove appare probabile derivi il raggruppamento di Dante, che nella *Monarchia* si limita ai primi due.

126. li quali andaro...: cfr. *Io.* 12, 35: «chi cammina nelle tenebre, non sa dove va». La frase si riferisce probabilmente al modo di procedere che Aristotele contesta a questi filosofi, e cioè il partire da premesse errate e proseguire con errati sillogismi, come è detto nel luogo della *Monarchia* sopra citato.

127. Sabellio e Arrio: sono questi due tra i più famosi eretici dei primi tempi cristiani. Il primo (III sec.) sosteneva una dottrina (condannata nel concilio di Alessandria del 261), che negava il dogma della Trinità, riconoscendo in Dio una sola persona, quella del Padre. Il secondo, prete di Alessandria morto nel 336, negava che il Figlio fosse coeterno e consustanziale al Padre, che avesse cioè natura divina; la sua dottrina, da lui detta arianesimo, ebbe grande seguito e fu condannata nel concilio di Nicea del 325. Osserviamo che si tratta, in entrambi i casi, di dottrine antitrinitarie, cioè contro quella verità della fede che è particolarmente celebrata in questo canto. Non sarà un caso che san Tommaso – colui che qui parla – affianchi Sabellio e Ario come autori di due errori opposti riguardo alla Trinità: il primo sostenendo l'unità delle persone e dell'essenza, il secondo la trinità delle persone e delle sostanze (*S.T.* I, q. 31 a. 2).

– **e quelli stolti**: e tutti gli altri, stolti come loro (*stolti* è l'aggettivo già usato al v. 115).

128-9. come spade...: che deformarono il senso delle Scritture, come le spade riflettendo in modo deviato, distorto, i volti che vi si specchiano. Altri intende che le spade degli eretici «producono mutilazioni» nelle Scritture, ma «"render torto" non è "mutilare", e *rendere* è poi il verbo che Dante usa per il riflettere degli specchi: *Purg.* XV 75; XXIX 68» (Vandelli).

130. Non sien le genti...: l'esortazione alla cautela

132 le biade in campo pria che sien mature;
     ch'i' ho veduto tutto 'l verno prima
     lo prun mostrarsi rigido e feroce,
135 poscia portar la rosa in su la cima;
     e legno vidi già dritto e veloce
     correr lo mar per tutto suo cammino,
138 perire al fine a l'intrar de la foce.
     Non creda donna Berta e ser Martino,
     per vedere un furare, altro offerere,
     vederli dentro al consiglio divino;
142 ché quel può surgere, e quel può cadere».

nel giudizio cambia qui bruscamente direzione: dal giudizio filosofico (su ciò che è vero o falso) si passa a quello etico, sul comportamento degli uomini (e quindi sul loro destino eterno, di salvezza o perdizione). Il nuovo tema, introdotto senza apparente giustificazione, preme in realtà a Dante non meno del primo, e porta con sé un mutamento anche nello stile, che si fa immaginoso e popolare, rivolgendosi ora non più ai filosofi, ma alle *genti*, cioè a tutti gli uomini.

– **ancor**: inoltre; segna il cambiamento di argomento.

131. **a giudicar...**: s'intende da quel che segue che si tratta di giudicare del destino finale degli altri sulla base di ciò che appare nel presente, cioè dalle loro azioni visibili.

– **come quei che stima...**: come il contadino che usa calcolare, guardando il campo, il valore del raccolto già prima che il grano sia giunto a maturazione. Il paragone è ancora comprensibile, in quanto la stessa operazione è compiuta oggi dagli esperti in agronomia.

133. **ch'i' ho veduto...**: per dimostrare come le cose terrene possano cambiare col procedere del tempo, e i giudizi prematuri quindi essere spesso errati, si portano ora due esempi tratti dall'esperienza comune (la rosa, la nave), come già quello delle *biade*: uno per terzina, disegnati con rara evidenza, essi danno a questo ultimo tratto del discorso una improvvisa vivacità, una «presa diretta» sul lettore comune, che è l'effetto voluto dall'autore nell'intenzione etica che domina qui il testo.

133-5. **tutto 'l verno...**: il pruno (il rosaio spinoso) appare *rigido* con i suoi rami secchi, e con aspetto *feroce*, mostrando così spoglie le sue spine, per tutta la durata dell'inverno: poi all'improvviso spunta la rosa sulla sua cima: il verso sembra *portare*, sulla sua punta ritmica, quel fiore nascente.

136-8. **e legno vidi già...**: la nave che corre sicura per il mare (per l'uso di *correr* si cfr. *Purg.* I 1) e affonda all'ultimo momento, entrando nel porto, è esempio contrario a quello della rosa. Così può accadere delle anime umane all'ultimo istante della vita, come lo stesso racconto dantesco ha più volte mostrato: ricordiamo tra tutti Guido e Buonconte da Montefeltro, e Manfredi. Le due immagini, comuni nella lirica duecentesca (si cfr. Chiaro Davanzati, *Rime* 104, 6:

«perch'io veggo del pruno uscir la rosa»; e Monte Andrea, *Rime* IV 79-80: «nave talor, poi giunta a porto, / di gran tempesta père e va a fondo»), acquistano qui, nel perfetto ritmo della terzina, nell'evidenza stilistica e nell'alto contesto morale, ben diverso rilievo e bellezza.

139. **donna Berta e ser Martino**: i nomi Berta e Martino stanno in antico per due persone qualunque, come oggi diremmo Tizio e Caio; cfr. *Vulg. El.* II, VI 5 e *Conv.* I, VIII 13. A volte usati in senso spregiativo, come in questo caso, dove però vogliono indicare non una bassa condizione sociale, ma la piccolezza dell'uomo di fronte a Dio.

140-2. **per vedere...**: non creda dunque la gente, per il fatto di vedere uno rubare, e l'altro fare offerte alla Chiesa, di poter leggere la loro sorte dentro il misterioso *consiglio*, cioè giudizio, di Dio; poiché l'uno, cioè il ladro, può risollevarsi col pentimento e salvarsi, e l'altro, il pio, perdersi. Traspaiono dietro a questo testo i due noti passi evangelici del «buon ladrone» salvato sulla croce (*Luc.* 23, 39-43) e del fariseo e pubblicano al tempio, l'uno condannato e l'altro assolto, contrariamente al giudizio del mondo (*Luc.* 18, 9-14). L'attenzione all'intimo della coscienza, che sola vale di fronte a Dio, e il nessun valore del gesto esteriore, sono una costante di tutte le storie umane che il poema di Dante narra.

... il valore del raccolto (le biade) nel campo prima che sia maturo: poiché io ho visto il pruno apparire secco e spinoso per tutta la durata dell'inverno, e poi far sbocciare la rosa sulla sua cima; e ho visto una nave correre il mare dritta e veloce per tutto il suo cammino, e poi naufragare alla fine al momento di entrare in porto (foce). ◆ *Non credano dunque madonna Berta e ser Martino, per il fatto di vedere uno rubare, e l'altro fare offerte, di poter leggere la loro sorte dentro il giudizio (consiglio) di Dio; poiché l'uno può risollevarsi e l'altro perdersi».*

approfondimenti

NOTE AL TESTO

18. **al prima**: la lezione *primo*, prevalente nella tradizione manoscritta e accolta dal Petrocchi contro la tradizione editoriale moderna, costringe, per poter mantenere il significato logico del verso, a ipotizzare un «*primo* neutro e perciò sinonimo dell'avverbio *prima*» (Petrocchi), forma questa che ha soltanto rarissime testimonianze in documenti d'archivio. Non crediamo tuttavia che la tradizione ci costringa a questa scelta. L'origine della variante *primo* è infatti ben spiegabile nel contesto, nel quale i copisti possono aver ritenuto giusto sostituire il pronome maschile a un originale *prima* riferendolo a «segno» (cfr. v. 13), come a «segno» sono riferiti *l'uno* e *l'altro*, sia in questo verso che nel v. 16, intendendo cioè:

«che l'un segno andasse verso il primo, e l'altro verso il secondo» (*poi* poteva avere infatti anche valore pronominale: cfr. Guittone, *Rime* IV 41-2: «che la 'nprimera mia speranza sete / e serete la poi»). Ma così inteso il verso non ha più alcun senso. Conviene quindi ritenere *primo* un errore, se non proprio una lezione più facile. Del resto per l'uso dantesco della correlazione *prima – poi* (con valore di spazio e non di tempo come in questo luogo) sembra decisivo l'esempio del *Convivio* da noi riportato nella nota al verso (e si veda anche «da prima e di poi» a *Conv.* IV, XXIII 15).

SUGGERIMENTI PER LA RICERCA

Temi del canto

La figura del cerchio

A partire dal cielo del Sole le anime si presentano a Dante disposte in figura geometrica: qui è scelta la più semplice e perfetta, il cerchio. Rileggi e confronta i passi X 64-69; XII 1-21; XIII 1-24; XIV 67-75, annotando, in particolare, le similitudini usate; quindi riprendi l'*Introduzione* per comprendere il significato simbolico del cerchio e il nesso col tema dominante in questi canti.

Creazione e generazione dell'universo

L'argomento è trattato a più riprese nella *Commedia*: rileggi, oltre ai vv. 52-87 di questo canto, i passi del *Paradiso* II 112-138; VII 64-78 e 130-144; X 1-6; quindi riprendi la teoria della generazione dell'uomo, esposta in *Purg.* XXV 37 e segg. Cerca poi di ricostruire in modo schematico il pensiero dantesco, individuandone, con l'aiuto delle note di commento, le principali fonti tra i pensatori classici e cristiani. Puoi approfondire l'argomento consultando la voce *Generazione*, a cura di A. Maierù, in *Enciclopedia Dantesca* III, pp. 107-108, e leggendo il saggio di B. Nardi citato nelle *Letture consigliate*.

La cera e il sigillo

Metafora ricorrente negli scritti dei filosofi classici e scolastici per indicare il rapporto tra materia e forma è frequentemente impiegata anche da Dante, che predilige immagini concrete per rappresentare concetti teorici: riprendi i passi *Purg.* XVIII 37-39; XXXIII 79-81; *Par.* I 40-42 (e nota); VII 67-69; VIII 127-128; XIII 67-78 e osserva il valore che di volta in volta Dante le attribuisce. Per conoscere meglio l'antico uso di cera e sigillo puoi consultare la voce *Sigillo* dell'*Enciclopedia Italiana Treccani*.

Personaggi del canto

Salomone

Dopo aver riletto la presentazione della *quinta luce* nel canto X (vv. 109-114), ricerca nella Bibbia la storia di Salomone (I *Re*, 1-11), quindi approfondisci la tua conoscenza consultando la voce relativa dell'*Enciclopedia Italiana Treccani*; infine, per comprendere la soluzione del dubbio circa l'eccellenza di tale personaggio, leggi l'*Introduzione al canto XIII* di U. Bosco, citata nelle *Letture consigliate*.

Lingua e stile

Una complessa similitudine – vv. 1 sgg.

Per illustrare lo spettacolo della danza dei beati, Dante stabilisce, come si spiega nella nota di commento, una comparazione con una figura immaginaria. Ricerca nei canti XXVIII e XXIX dell'*Inferno* due procedimenti simili, annotandone le differenze nel tipo di immagini che si evocano, quindi nel lessico e nel tipo di figure retoriche che vengono impiegate.

Quindi – v. 61

Consulta la *Grammatica italiana* del Serianni ai capp. XII.41*a* e XIV.25*a* in cui si spiegano le differenti funzioni in lingua italiana di *quindi* (avverbio e congiunzione), e distingui – in base agli esempi lì riportati e ai canti della *Commedia* che conosci – l'uso prevalente in antico da quello moderno. Consulta poi l'*Enciclopedia Dantesca* alla voce *quindi* § 3, in cui si chiarisce il significato della correlazione *quinci quindi*.

Aspetti retorici – vv. 37-45

Il discorso di san Tommaso inizia con un lungo periodo (*Tu credi*) caratterizzato da fitte perifrasi, metonimie e immagini simboliche; anzitutto riconosci e sottolinea tali figure, poi analizza anche il particolare lessico disposto in rima che contribuisce ad innalzare il tono dell'intero passo.

CANTO XIV

Introduzione

Questo canto che si svolge tra due cieli, quello del Sole e quello di Marte, narrando l'ultima scena che accade nel primo, e la prima del secondo, e dividendosi quasi esattamente tra le due, ha una singolare unità di ispirazione, tenuto tutto su un uguale registro stilistico di rapimento, visivo e auditivo, e come permeato di luce, tanto da farne uno dei più belli e, se così può dirsi, «paradisiaci» di tutto il *Paradiso*. È questo infatti un canto dove si contemplano solo realtà celesti: qui tace la storia, ogni nome, ogni evento terreno (se non l'unico nome e l'unico evento che di fatto oltrepassarono la storia: il nome di Maria nel momento dell'annuncio dell'angelo). Lo stesso solenne passo teologico che domina la prima parte è tutto indirizzato, pur nella sua struttura logica, alla rappresentazione di una realtà visibile, quella della condizione paradisiaca dopo la fine dei tempi, che è una condizione corporea; esso celebra infatti la resurrezione della carne.

Qui le due forme di visione che costituiscono il narrato del *Paradiso*, la visione sensibile e la visione intellettuale, vengono di fatto a coincidere, mentre le vaghe e ardenti immagini tolte dal nostro mondo a rappresentare la realtà divina – l'incerto apparire delle stelle sulla *prima sera*, il biancheggiare della Via Lattea, la danza del pulviscolo luminoso nel raggio che traversa una stanza oscura – stabiliscono quell'abbraccio tra l'umano e il divino che la resurrezione dei corpi – centro ideale e ispiratore del canto – di fatto significa.

L'argomento dell'azione è come diviso in due grandi arcate narrative, dal primo al secondo cielo, senza tuttavia che vi sia un intervallo, o una pausa, nel suo tessuto inventivo e ritmico. Dall'una all'altra intercorrono stretti vincoli, di immagini e di pensieri, tanto da non poterle di fatto distinguere: immagini stellari sullo sfondo del cielo, canti di gloria (il primo celebrante la Trinità, il secondo la Resurrezione), e lo stesso ripetuto intervento dell'autore (come non accade mai altrove nello stesso canto) con un appello al fedele cristiano, il quale potrà vedere lassù – se riuscirà ad arrivarci – la verità di quello che egli ora tenta di narrare.

Sembra da questa singolare corrispondenza che Dante abbia voluto fare quasi un'unica realtà di ciò che si vede nei due cieli contigui del Sole e di Marte. Al centro del canto, nel momento in cui il poeta sta per lasciare il primo, sopraggiunge infatti una terza fulgida corona a cingere le due già presenti sulla scena, immagine a cui fa seguito, all'entrata nel secondo, l'apparizione della luminosa croce iscritta nel cerchio che si staglia sullo sfondo del pianeta. Così al triplice cerchio – figura della Trinità – che abbiamo visto dominare i canti del cielo del Sole si affianca l'immagine della croce – figura dell'umanità divina –, facendo in tal modo risplendere, in questo ispirato canto, i due grandi misteri cristiani, che poi sono infine uno solo, quello che il discorso della prima sequenza annuncia, rivelando la gloria dell'umana carne nell'eternità di Dio.

Il canto comincia in forma piana, seguendo una linea di progressivo accrescersi di intensità e fervore – figurativo e ritmico – che toccherà il suo culmine al centro, per poi decrescere verso la fine. E la prima figura è appunto quella del cerchio, geometricamente rappresentato come relativo al suo centro, dal quale il movimento alternamente parte ed arriva (come fa l'acqua in un *ritondo vaso*). La figura, secondo la quale il parlare di Beatrice – al centro della corona di spiriti – quasi riprende e rimanda la voce di Tommaso quando questa si tace, ripete quella, ugualmente geometrica, dell'*ago a la stella*, usata per il volgersi di Dante alla voce di Bonaventura nel canto XII (vv. 28-30). Questa piana geometria che presto si accenderà, si rivestirà di luce e di musica nel volgersi festoso delle due ghirlande alla domanda formulata da Beatrice, ha la funzione di proporre, per mezzo della sola scienza che esprime l'astrazione propria dell'intelletto in forme percepibili dai sensi, il tema base del canto, quel rapporto tra il cerchio e il suo centro – fra il cielo e la terra – che tutte le successive immagini svolgeranno.

La domanda di Beatrice – che formula quella di Dante prima ancora che egli la pensi (vv. 10-2) – riguarda questa volta direttamente la condizione di coloro a cui è rivolta (simile in questo alla domanda fatta a Piccarda nel primo cielo, sulla sua possibile felicità nella *spera più tarda*): chiede cioè se i beati saranno sempre, come ora, avvolti di luce, e come sarà in tal caso possibile, una volta risorti, che essi possano vedere, con i loro occhi corporei, attraverso quella coltre luminosa.

A tale domanda, la danza e il coro delle due corone ferme dall'inizio del canto precedente ripartono con nuovo ardore. La richiesta, formulata in modo generico, ha in realtà un senso preciso: che cosa potrebbero vedere infatti quegli occhi risorti, in un luogo tutto spirituale? Una cosa sola è loro possibile: vedersi gli uni con gli altri. Ed è questo che di fatto a loro preme, e per questo, come si capirà alla fine della risposta, essi così ardentemente si rallegrano con un canto festoso. La risposta viene ad essere così come incorniciata dal coro delle loro voci, che all'inizio si leva, in una terzina di ritmo circolare che sembra tornare su se stessa, a celebrare la Trinità, il tema che inaugura nel canto X la scena del cielo del Sole e che presiede a tutto il suo svolgimento.

La crescita, ritmica e figurativa, che fino a questo momento distingue il movimento del canto, ha qui una breve pausa di arresto: la voce che risponde si leva con semplice modestia, e la voce del poeta narratore attenua il suo timbro. Il terzo verso, portando, come accade più volte, la maggiore invenzione, ricorda a confronto la voce dell'angelo dell'annunciazione, come il poeta pensa, immagina che fosse: *forse qual fu da l'angelo a Maria*. L'una e l'altra voce sono pensate simili, perché annunciano i due più grandi e correlati misteri: l'incarnazione del Verbo e la resurrezione dell'uomo.

Così pianamente introdotto, parte ora il fervido discorso che in un musicale e luminoso sillogismo definisce il significato del dogma cristiano della resurrezione della carne. Discorso teologico che non ha riscontro in tutta la cantica per il totale assorbimento del rigoroso tessuto logico nello splendore dell'immagine e nel fervore del ritmo. La proporzione è stabilita tra quattro termini: la luminosità della veste è proporzionata all'ardore interno dell'animo, l'ardore all'altezza della visione, la visione infine alla grazia che si sposa al merito. Ciò porta a rigor di logica che alla maggiore intensità dell'ultimo termine risponda la maggiore intensità del primo. Così la maggior perfezione che l'uomo acquisterà riassumendo il corpo (ottenendo così maggior grazia) produce l'accrescersi, uno in seguito all'altro, in senso inverso, di ognuno dei quattro termini; e quindi per ultimo della *chiarezza*, cioè della luminosità. Tale ragionamento – perché di questo si tratta – viene così ad assumere la forma di un ardentissimo cerchio di luce. Ma il discorso non è finito qui, perché alla principale domanda ancora non si è risposto, anzi se ne è accresciuta la difficoltà: se la *chiarezza* di quella veste di luce sarà ancora aumentata, come potranno quegli occhi risorti vedere? È questo il momento più alto di tutta la sequenza, quando Dante, arditamente oltrepassando la stessa speculazione teologica del suo tempo, dichiara che quel corpo – ora sepolto nella terra – vincerà in splendore, come il carbone acceso vince la sua fiamma, la stessa luce fin da ora irradiata dall'anima: *così questo folgòr che già ne cerchia / fia vinto in apparenza da la carne / che tutto dì la terra ricoperchia.*

Il tema del corpo chiuso nell'oscura terra che un giorno rifulgerà nel cielo, tema che affiora più di una volta nel poema (si ricordino *Purg.* I 73-5; *Par.* XXV 124-6; XXX 13-5), ha qui la sua massima celebrazione, in un testo poetico – due sole terzine – che conduce il paragone col carbone in modo da portare nell'ultimo verso il confronto tra lo splendore futuro e quella carne mortale, *che tutto dì la terra ricoperchia.*

A queste parole risponde immediato il coro delle due corone di beati, il cui desiderio dei *corpi morti* Dante interpreta, come già fece per il tono della voce narrante, con un iniziale *forse*: forse non tanto per se stessi (per avere cioè la pienezza della perfezione), quanto per poter rivedere i volti di coloro che essi amarono in terra. Tale ardita supposizione – della cui singolarità, non minore di quella sopra osservata sulla luminosità del corpo risorto, si dirà in particolare nel commento – porta d'un sol tratto, all'interno dell'alta teologia, le affettuose ragioni dei vincoli dell'amore terreno, che non appaiono ad essa estranee, ma anzi ne fanno parte: lo stesso coro infatti, che cantò il *tre – due – uno* della inaccessibile Trinità, festeggia ora il poter rivedere nella carne, come annota Benvenuto, «coloro che amarono nella carne». Si tocca qui, con linguaggio di semplicità sublime (*forse non pur per lor, ma per le mamme...*), il cuore stesso di quell'alleanza tra l'umano e il divino che è l'essenza del mistero cristiano e che il grande discorso, non a caso posto tra due *forse*, tenta di penetrare.

Al termine del gioioso coro, segue una nuova ultima visione, che serve quasi da ponte verso la seconda parte del canto, dove si narra l'arrivo nel cielo di Marte e la visione che vi appare. Le due apparizioni sono, come osservammo, singolarmente simili tra loro, tanto da creare quasi un unico quadro, o meglio una sola unità di discorso poetico.

Al tacere del coro dei beati, subentra improvviso il sopraggiungere di un terzo cerchio luminoso, prima vago e diffuso come lo schiarirsi dell'orizzonte al primo mattino, poi distinto in tante singole luci, come appaiono qua e là le stelle nel cielo al salire della sera. Ma i due opposti momenti crepuscolari a cui è assomigliato – con effetto di soave incanto – questo nuovo apparire di luci sono poi d'un tratto trasformati in uno *sfavillare* così infuocato da abbagliare gli occhi di Dante: (vv. 76-78). In questa apparizione sembra racchiuso qualcosa di misterioso: non si dice infatti di che spiriti si tratti, né si spiega perché questo terzo cerchio abbia tale potenza di luce, nella quale splende lo stesso Spirito santo. Si può tuttavia intendere che, coerentemente a tutta la figurazione del cielo del Sole, questa ultima figura che così si forma (un triplice cerchio) sia riferita alla Trinità, della quale il nuovo cerchio sembra rappresentare la terza persona, appunto lo Spirito.

Ma il testo non concede tempo, ogni figura è velocemente oltrepassata dalla seguente. E già siamo nel nuovo cielo, di colore del fuoco (il colore proprio di Marte: si veda *Purg.* II 13-15) – come *candente* era lo sfavillare dell'ultima ghirlanda –, dove sul rosso ardente dello sfondo appaiono tracciati due candidi raggi costellati di rosse luci, due scie biancheggianti come la misteriosa traccia della

Galassia tra i poli del nostro cielo. Le due similitudini stellari congiungono così le due figure che appaiono nei due cieli, mentre la seconda si va delineando come il segno venerato dai cristiani, la croce, definito qui, non casualmente, come quello *che fan giunture di quadranti in tondo*. La croce inscritta nel cerchio, l'umanità inserita nel divino. E di fatto in quell'*albore* che con tanta misteriosa bellezza si dispiega ai nostri occhi balena alla vista l'immagine stessa di Cristo – immagine per la quale il poeta *non sa trovare* un possibile paragone.

Tale balenante e non descrivibile visione, che anticipa l'ultima immagine del poema, segna l'acme della seconda parte del canto, quella dedicata al cielo di Marte, come il fulgore del corpo risorto lo è della prima, dedicata al cielo del Sole. Dopo di essa il tono va lentamente decrescendo senza tuttavia nulla perdere in bellezza: prima la bella e familiare similitudine dei corpuscoli danzanti nel raggio che filtri attraverso il buio di una stanza, passando dalle immagini del cielo stellato a quella di una casa costruita dagli uomini, sembra quasi voler gettare un ponte fra l'una e l'altra dimensione. Poi, ancora senza soste, una terza similitudine, musicale questa volta, sopravviene, con instancabile invenzione, a chiudere con un dolce accordo di arpe, tese *in tempra di molte corde*, l'alta apparizione e il canto stesso: questa armonia, prodotta dal coro che si leva dalla croce, raccogliendosi via via dalle diverse luci (come il canto degli uccelli *di ramo in ramo* nella pineta di Chiassi al mattino: *Purg.* XXVIII 19-21), induce un effetto di estatico rapimento, che incanta colui che ascolta senza che ne intenda le parole, e che per tutto il canto, come in tutti i canti del cielo del Sole, ha sempre taciuto.

La dolce *melode* che «rapisce» l'animo del poeta ha la funzione di chiudere in «smorzato» l'ardore ritmico e figurativo che percorre senza soste tutto il canto. Il breve passo che segue, che con calmo e diremmo puntiglioso ragionamento indugia sul ritorno dello sguardo a Beatrice, sembra quasi un'appendice che offuschi quella perfetta chiusa. Ma la stessa tensione ininterrotta che precede richiedeva una sosta. E questo indugiare sugli amati occhi di Beatrice serve al poeta da intervallo, quasi da riposo, prima di affrontare il drammatico episodio destinato a questo cielo – dove si rivelerà il senso della sua vita storica – che occuperà i prossimi canti.

CANTO XIV

Nel cielo del Sole: la resurrezione dei corpi;
ascesa al cielo di Marte

1-18 Appena Tommaso ha concluso il suo discorso, Beatrice si rivolge ai beati perché spieghino a Dante se la luce che avvolge le anime resterà in eterno tale quale è ora e come sarà possibile, una volta ripreso il corpo, che gli occhi possano sostenerne la vista.

19-33 Le anime, liete di poter soddisfare un'altra richiesta, manifestano la loro gioia con una danza vivace e un triplice inno alla Trinità. Una voce modesta, che proviene dalla luce più splendente (si tratta di Salomone) inizia a rispondere.

34-60 In eterno – spiega lo spirito – l'ardore di carità rivestirà i beati di luce: la luminosità, infatti, è conseguenza dell'amore e questo della visione di Dio che è proporzionata alla grazia che l'uomo ottiene. Al momento della resurrezione dei corpi, la persona sarà perfetta, essendo ricomposta la sua unità: perciò aumenterà la visione di Dio, quindi l'amore e la luminosità, dentro cui però sarà visibile il corpo. Tale luce non potrà affaticare la vista, perché gli organi del corpo risorto, più potenti di quelli avuti in vita, sono in grado di percepire tutto ciò che è fonte di piacere.

61-78 Alle ultime parole di Salomone i due cori rispondono prontamente con un Amen, *che dimostra il vivo desiderio dei beati di recuperare il corpo, forse non tanto per sé, ma per poter tornare a vedere coloro che hanno amato in terra. Ed ecco che un nuovo chiarore si diffonde e una terza corona cinge le due già presenti: lo splendore abbaglia il poeta che è costretto a distogliere lo sguardo.*

79-139 Beatrice è ancora più bella e sorridente: Dante si accorge di essere salito in un nuovo cielo, quello di Marte, diffuso di una luce rossa come il fuoco; pieno di gratitudine per la nuova grazia accordatagli, egli offre a Dio tutto se stesso. Il nuovo spettacolo che si offre ai suoi occhi lo rende certo che l'offerta è stata gradita. Compaiono in cielo due raggi luminosi, trapunti di stelle, che formano una croce a bracci uguali, nella quale balena l'immagine di Cristo. Lungo i raggi si muovono scintillanti le luci e si diffonde un canto armonioso di cui il poeta riesce a distinguere solo le parole «Resurgi» e «Vinci». Dante è così rapito dalla melodia da anteporre tale bellezza a quella degli occhi di Beatrice: ma è scusabile perché da quando è giunto nel nuovo cielo non si è ancora rivolto a essi, la cui bellezza, salendo, diventa sempre più intensa.

> Dal centro al cerchio, e sì dal cerchio al centro
> movesi l'acqua in un ritondo vaso,
> 3   secondo ch'è percosso fuori o dentro:
> ne la mia mente fé sùbito caso
> questo ch'io dico, sì come si tacque
> 6   la glorïosa vita di Tommaso,

1-3. Dal centro al cerchio...: l'acqua in un vaso rotondo si muove dal centro verso la circonferenza, o

♦ *L'acqua in un vaso rotondo si muove dal centro verso la circonferenza, o in senso inverso dalla circonferenza al centro, secondo che riceva una percossa da un punto esterno o interno (al vaso): nella mia mente si presentò subito (cadde) il fatto ora descritto, non appena tacque l'anima gloriosa di Tommaso, ...*

in senso inverso, secondo che riceva una percossa da un punto esterno o interno al vaso (e il suo movimento è uguale ed opposto, in cerchi concentrici più ampi o più stretti).

4. fé... caso: cadde, cioè mi si presentò subito alla mente (cfr. *piovve* a *Purg.* XVII 25) il fatto ora descritto (*questo ch'io dico*). – *caso* per «caduta» è latinismo (da «casus») di cui si hanno altri esempi nei nostri antichi. – *far caso* vale «cadere», come *far niego* «negare» ecc.

per la similitudine che nacque
del suo parlare e di quel di Beatrice,
9   a cui sì cominciar, dopo lui, piacque:

«A costui fa mestieri, e nol vi dice
né con la voce né pensando ancora,
12   d'un altro vero andare a la radice.

Diteli se la luce onde s'infiora
vostra sustanza, rimarrà con voi
15   etternalmente sì com'ell'è ora;

e se rimane, dite come, poi
che sarete visibili rifatti,
18   esser porà ch'al veder non vi nòi».

Come, da più letizia pinti e tratti,
a la fïata quei che vanno a rota
21   levan la voce e rallegrano li atti,

così, a l'orazion pronta e divota,
li santi cerchi mostrar nova gioia

7-9. per la similitudine...: per la perfetta somiglianza che apparve lassù, quando tacque Tommaso, del parlare suo e di Beatrice (che subito prese la parola dopo di lui) con i due moti dell'acqua; l'uno infatti parlava dal cerchio dei beati verso Dante, che era al centro, l'altra riprendeva a parlare dal centro verso Tommaso. E i due discorsi erano omogenei e perfetti (come il moto circolare dell'acqua) in quanto ambedue di creature beate, fisse nell'eterno vero. Come nei tre canti precedenti, l'apertura riporta l'attenzione sulla situazione scenica propria di questo cielo: Dante e Beatrice al centro, e intorno la ghirlanda dei beati. Al fermarsi delle danze, dei canti e delle voci, il discorso riprende il suo svolgimento, di argomento in argomento, che in questo canto toccherà il suo culmine.

10. fa mestieri: è necessario (per saziare in tutto il suo desiderio: cfr. VII 121).

11. né pensando ancora: Beatrice conosce dunque i pensieri di Dante prima ancora che egli li pensi.

12. d'un altro vero...: andare al fondo di un'altra verità; cioè chiarirsi un altro dubbio.

13-8. se la luce...: il dubbio è duplice nella forma, ma uno solo nella sostanza: se la luce che avvolge con la sua bellezza la *sustanza*, cioè l'anima dei beati, resterà tale per sempre (cioè, s'intende, anche dopo la resurrezione); e se sì, come potrà essere, una volta che essi siano *rifatti visibili*, cioè abbiano ripreso il loro corpo, che tale intensa luce non impedisca ai loro occhi corporei di vedere (s'intende, gli altri corpi risorti, unici oggetti corporei visibili in paradiso).

– **s'infiora**: si riveste, si adorna come di una fioritura. Il verbo già intona il discorso che qui si apre sul registro della bellezza sensibile, che tutto lo dominerà.

– **visibili**: su questo aggettivo si fonda tutto il grande discorso: riassumere il corpo, nella resurrezione, vuol dire tornare ad essere *visibili*, vale a dire fisicamente visibili da occhi corporei. Ma solo gli altri beati avranno tali occhi. Di qui la domanda: se avvolti di tanta luce, come potranno quegli occhi *veder*, cioè vedersi tra loro? È questo il vero senso della duplice domanda, e di tutta la straordinaria risposta, come la terzina conclusiva ci rivelerà.

– **non vi nòi**: non vi sia di impedimento.

19-21. Come, da più letizia...: come talvolta coloro che danzano in cerchio (*vanno a rota*), sospinti e quasi trascinati da maggiore letizia, alzano il tono del canto e mostrano più vivi e festosi i loro movimenti

– **pinti e tratti**: la gioia li spinge e li trascina, quasi sollecitando il movimento da dietro e da davanti.

– **a la fïata**: a volte.

22. a l'orazion...: alla richiesta di Beatrice, *pronta*, perché segue immediatamente alle parole di Tommaso, e reverente (per *divota* cfr. II 46).

23. nova gioia: una gioia che si aggiungeva a quella consueta.

... per la perfetta somiglianza che apparve col suo parlare e con quello di Beatrice, che dopo di lui cominciò a dire così: «Per costui è necessario, anche se non ve lo dice né con la voce e nemmeno col pensiero, di andare al fondo di un'altra verità. ◆ Diteli se la luce che avvolge la vostra anima (sustanza) resterà tale in eterno intorno a voi come è ora; e se sì, dite come potrà essere, una volta che sarete di nuovo resi visibili corporalmente, che tale intensa luce non impedisca ai vostri occhi di vedere». ◆ Come talvolta coloro che danzano in cerchio (vanno a rota), sospinti e quasi trascinati da maggiore letizia, alzano il tono del canto e mostrano più festosi i loro movimenti, così alla richiesta (di Beatrice) immediata e reverente (divota), i cerchi santi mostrarono un'ulteriore gioia ...

24   nel torneare e ne la mira nota.
          Qual si lamenta perché qui si moia
      per viver colà sù, non vide quive
27   lo refrigerio de l'etterna ploia.
          Quell'uno e due e tre che sempre vive
      e regna sempre in tre e 'n due e 'n uno,
30   non circunscritto, e tutto circunscrive,
          tre volte era cantato da ciascuno
      di quelli spirti con tal melodia,
33   ch'ad ogne merto saria giusto muno.

24. nel torneare...: nel riprendere con più fervore il movimento circolare di danza e il loro canto mirabile che prima si erano arrestati. Le corone dei beati (*li santi cerchi*) già sono state assomigliate a danzatori. Qui il paragone è ripreso, diremmo, dall'interno: la gioia si manifestò in quella danza celeste nel ravvivarsi della voce e degli atti, come accade quaggiù nelle danze terrene.

25-7. Qual si lamenta...: un improvviso commento del narratore interrompe il racconto, rivolgendosi al lettore (come a X 74-5), con movimento semplice e diretto, e vivo effetto di assoluta veridicità. Chi si lamenta perché qui in terra si debba morire per giungere alla vita eterna del cielo, non vide lassù, come io vidi, il dolce e sublime appagamento riversato sulle anime beate dall'eterno piovere su di loro della grazia divina. – **refrigerio... ploia**: i due termini, riferiti all'immagine dell'acqua che ristora e rianima la terra assetata, esprimono, nel largo distendersi del verso, il godimento ineffabile dell'animo inondato, appagato eternamente, nel suo desiderio di felicità. – *refrigerio*, usato per «appagamento», «saziamento», anche a *Conv.* IV, XII 5, è parola biblica: «Il giusto, anche se muore prematuramente, troverà riposo (*refrigerio*)» (*Sap.* 4, 7).

28-9. Quell'uno...: il coro dei beati si rivela ora come un inno alla Trinità, quasi riprendendo quello interrotto nel canto precedente, quando le due ghirlande si erano fermate per dare spazio alla parola di Tommaso (vv. 25-30). Quel Dio che, essendo uno (il Padre) e consustanzialmente due (Padre e Figlio) e tre (Padre Figlio e Spirito), eternamente vive e regna in tre e due e una persona Nei due versi che si rimandano, come un andare e venire, i tre numeri in senso

inverso, a significarne la circolare unità, Dante esprime con la poesia, in modo musicale e insieme altamente teologico, il mistero inesprimibile in termini razionali dell'unità e trinità di Dio. Alcuni riferiscono il *due* alle due nature del Figlio, ma come spiegare allora il *tre* per lo Spirito? Inoltre, come giustamente osservò il Vandelli, qui si canta la Trinità, e non l'incarnazione; e i tre numeri vogliono indicare appunto la triplice persona, che pur fa una sola sostanza.

– **che sempre vive / e regna sempre...**: si riecheggia qui la conclusione trinitaria delle orazioni liturgiche: «Per... il tuo Figlio, che *vive e regna* con te in unità con lo Spirito Santo, *per tutti i secoli dei secoli*».

30. non circunscritto...: non contenuto in alcun luogo, e che tutto contiene (cfr. *Purg.* XI 2). Dio, puro spirito, non è circoscritto in un luogo, e pure contiene in sé l'universo. È accennato qui il problema del luogo del mondo, che sarà risolto nel poema con la figura dell'Empireo, cielo che *non è in loco* (XXII 67) e pure avvolge l'intero universo, identificandosi con la mente divina (XXVII 109-11): « lo soprano edificio del mondo, nel quale tutto lo mondo s'inchiude, e di fuori dal quale nulla è; ed esso non è in luogo ma formato fu solo nella Prima Mente, la quale li Greci dicono Protonoè» (*Conv.* II, III 11).

31. tre volte: il triplice canto alla Trinità è quasi certamente il *Gloria*, l'inno trinitario della liturgia cristiana, che sentiremo risuonare all'entrata del cielo stellato (XXVII 1-3).

32-3. con tal melodia...: cioè così dolce e sublime, che sarebbe adeguato compenso ad ogni merito, comunque grande, dell'uomo. – *muno* è latinismo (dal nominativo «munus») e vale «remunerazione».

34. E io udi'...: al tacere del coro, si leva una voce solitaria, che risponderà alla domanda formulata da Beatrice. Dante sottolinea la qualità di quella voce, che narrerà un altro grande mistero, questa volta in gloria dell'uomo: la resurrezione dei corpi e il loro splendore.

– **più dia**: la più luminosa (*dia* dal lat. «diva», divina, vale qui «risplendente», come a XXIII 107). È la luce di Salomone, detta la *più bella* della prima corona (il *minor cerchio*) a X 109. Che a Salomone sia affidata la proclamazione della resurrezione, è forse dovuto al celebre testo biblico a lui attribuito, il *Canti-*

... nel muoversi circolarmente (torneare) e nel loro canto mirabile. ◆ Chi si lamenta perché qui (in terra) si debba morire per vivere poi su nel cielo, non vide lassù il refrigerio della pioggia eterna (della grazia divina). Quel Dio che, essendo uno (il Padre) e insieme due (Padre e Figlio) e tre (Padre Figlio e Spirito), eternamente vive e regna in tre e due e una persona, non contenuto in alcun luogo, e che tutto contiene, per tre volte era cantato da ciascuno di quegli spiriti con una melodia tale, che sarebbe adeguato compenso a qualsiasi merito.

E io udi' ne la luce più dia
del minor cerchio una voce modesta,
36   forse qual fu da l'angelo a Maria,
rispronder: «Quanto fia lunga la festa
di paradiso, tanto il nostro amore
39   si raggerà dintorno cotal vesta.
La sua chiarezza séguita l'ardore;
l'ardor la visïone, e quella è tanta,
42   quant'ha di grazia sovra suo valore.
Come la carne glorïosa e santa

co dei *Cantici*, che nell'unione sponsale dell'uomo e della donna celebra – secondo l'esegesi – l'unione della natura divina con quella umana nella incarnazione del Verbo, che assume, come Dio, il corpo dell'uomo.

35. una voce modesta: dallo spirito di eccelsa sapienza muove una voce *modesta*, per annunciare il grande mistero della resurrezione, come dovette essere quella dell'angelo che annunciò l'incarnazione a Maria. Questa definizione della voce è tra le più straordinarie invenzioni del genio poetico di Dante, sia per l'aggettivo – che dice come umilmente e reverentemente il potente re si accinge a dire cosa così grande – sia per l'immaginato confronto, temperato dal *forse* (quasi il poeta non ardisca qualificare quell'arcana voce, pur tentando di farlo).

– **modesta**: l'aggettivo non vale «moderata» o «piana», come alcuni annotano, ma ha il senso, che gli è proprio anche nell'italiano moderno, di «umile», «che non presume di sé» (cfr. XXIX 58); «quantunque partisse – annota il Torraca – dallo spirito del più savio dei re».

36. da l'angelo a Maria: si ricordi l'*atto soave* con cui quell'angelo è figurato nella scena di *Purg.* X 38 sgg.: «a quell'atto dové corrispondere la voce» (Torraca). I due misteri sono volutamente accostati, in quanto il secondo – la resurrezione dei corpi – dipende dal primo – l'incarnazione di Cristo – che glorificò divinamente il corpo dell'uomo.

37-9. Quanto fia lunga...: quanto a lungo durerà la beatitudine del paradiso, tanto a lungo, cioè in eterno, l'amore che arde in noi irradierà intorno a sé questa veste di luce. Si risponde così alla prima domanda di Beatrice (vv. 13-5). Quello splendore di cui le anime beate «s'infiorano» non verrà mai meno (e nell'immagine la *vesta* risponde alla fioritura). Ma non sarà tuttavia sempre uguale. Con slancio crescente, il grande periodo si avvia e si sviluppa quasi avvolgendosi su se stesso, nel ritmo, nei termini e nelle figure.

40-2. La sua chiarezza...: la luminosità (*chiarezza*) di tale veste è conseguenza (*séguita*) dell'ardore interno dell'animo; ma l'ardore a sua volta consegue al grado di visione di Dio che l'animo raggiunge; e quella visione è tanto alta (cioè è anch'essa proporzionata nella quantità) quanta è la grazia divina che l'animo riceve in aggiunta al suo proprio merito. La terzina è

un crescendo di intensità, ogni suo termine «conseguendo» all'altro: la luce esteriore all'ardore interno, questo alla visione di Dio, e la visione infine alla grazia che l'uomo ottiene al di là del suo personale *valore*; quella grazia, o dono gratuito, che è termine d'arrivo, e insieme di partenza, per la nuova catena di concetti e di immagini che ora si formerà. Per la correlazione dei primi tre termini, si cfr. Bonaventura, *Soliloquium* IV 5, 27: «Godranno tanto quanto ameranno, ameranno tanto quanto conosceranno».

– **sovra suo valore**: il termine *sovra* indica qualcosa che si aggiunge, per dono gratuito. Alla visione di Dio non basta infatti il merito che può acquistarsi l'uomo con le sue forze, ma è necessaria la grazia che Dio stesso gli dona in aggiunta: «nella tua luce vedremo la luce» (*Ps.* 35, 10). Questa idea, centrale nella teologia cristiana, è sempre presente nel tessuto dottrinale e figurativo del *Paradiso* dantesco (si vedano in particolare XXV 67-9 e XXIX 61-3).

43-5. Come la carne...: nello splendore delle immagini, segue ora un serrato sillogismo: la luce dei beati, si è detto, è proporzionata alla loro visione, e questa alla grazia che loro è data; ma dopo la resurrezione, la persona umana sarà più perfetta, in quanto completa per l'unione dell'anima al corpo (*tutta quanta*), e quindi riceverà maggior dono di grazia, e avrà dunque maggior splendore di luce. Il primo verso di questo discorso di ritorno porta il tema dominante di tutto il passo, quella *carne gloriosa*, il corpo glorificato dell'uomo, che si accampa splendido e vittorioso nell'estensione dell'endecasillabo.

– **gloriosa**: l'aggettivo è quello attribuito dalla teologia al corpo risorto («corpus gloriosum»).

■

◆ *E io udii nella luce più luminosa del cerchio minore una voce modesta, forse come quella dell'angelo che parlò a Maria, rispondere: «Quanto a lungo durerà la beatitudine (festa) del paradiso, tanto a lungo (cioè in eterno) il nostro amore irradierà intorno a sé questa veste (di luce). La sua luminosità è conseguenza (séguita) dell'ardore; ma l'ardore a sua volta consegue al grado di visione (di Dio), e quella visione è tanto alta quanta è la grazia divina che l'animo riceve in aggiunta al suo proprio merito (sovra suo valore).* ◆ *Quando la carne glorificata e santa ...*

fia rivestita, la nostra persona
45 più grata fia per esser tutta quanta;
per che s'accrescerà ciò che ne dona
di gratüito lume il sommo bene,
48 lume ch'a lui veder ne condiziona;
onde la visïon crescer convene,
crescer l'ardor che di quella s'accende,
51 crescer lo raggio che da esso vene.
Ma sì come carbon che fiamma rende,
e per vivo candor quella soverchia,
54 sì che la sua parvenza si difende;
così questo folgór che già ne cerchia
fia vinto in apparenza da la carne
57 che tutto dì la terra ricoperchia;

– **più grata fia...**: più gradita a Dio, perché più perfetta, come già è stato detto a *Inf.* VI 106-8 (cfr. la nota relativa). Si veda anche *S.T.* III, Suppl., q. 93 a. 1: «L'anima congiunta al corpo glorioso è più simile a Dio di quando ne è separata, in quanto congiunta al corpo è più perfetta nel suo essere».

46-51. per che s'accrescerà...: l'ardente ragionamento ritorna su se stesso, come l'andare e venire dei cerchi nell'acqua nei primi versi del canto: se più grata a Dio la persona, maggiore sarà il *gratuito* dono di luce che condiziona la visione (quel «gratuito donare» risponde al *sovra* del v. 42); per cui crescerà la visione, e di conseguenza l'ardore interno del cuore, che solo da quella nasce (*s'accende*), e quindi l'irraggiarsi esterno che da quell'ardore proviene. L'andamento inverso ha un potente effetto insieme musicale, logico e figurativo: l'incalzare del ritmo che trascina il sillogismo nell'inseguirsi delle immagini luminose è la celebrazione vittoriosa di quella *carne* che, come è detto poco oltre, *tutto dì la terra ricoperchia*.

49. crescer convene...: si noti il ripetersi del verbo – *s'accrescerà, crescer, crescer, crescer* – che sostiene lo sviluppo logico della frase (cresce il *lume* di grazia, e quindi la *vision*, l'*ardor*, il *raggio*), essendo ogni volta

unito al termine essenziale della catena, che appare infine tutta fatta di luci.

51. crescer lo raggio...: non solo dunque la luce di cui s'infiorano i beati rimarrà dopo la resurrezione, ma il suo splendore sarà più intenso, per la maggiore visione. Come potrà dunque non impedire la vista? È la seconda domanda di Dante (vv. 16-8), a cui ora si risponderà.

52-7. Ma sì come carbon...: ma come il carbone acceso produce la fiamma e contemporaneamente la supera per il suo ardore incandescente, così che la sua *parvenza*, cioè visibilità, non ne è sopraffatta (*si difende*), allo stesso modo questo splendore, che già ora ci avvolge, sarà vinto nella visibilità (sarà cioè meno luminoso, non impedendone quindi la vista) da quella carne che ora ricopre sulla terra nell'oscurità. L'immagine del carbone è in Bonaventura, *In IV Sent.*, d. 49, p. 2, a. 2: «Il corpo risorgendo sarà per sua natura colorato, e lo splendore della luce lo avvolgerà come un carbone ardente». Ma l'idea di Dante è più ardita: quella carne gloriosa vince lo stesso splendore irradiato dall'anima (idea questa che non si ritrova nella teologia della resurrezione). Questa coppia di terzine con il rimandarsi degli accenti di luce – *carbon, candor, folgór* –, tanto più splendenti a confronto del verso finale con il suo mesto e improvviso richiamo alla terra, porta forse la maggiore invenzione, concettuale e stilistica, di tutto il grande passo.

57. che tutto dì...: il vivo contrasto tra il corpo glorioso che splende con più forza della stessa luce di gloria e quello sepolto racchiuso nella terra porta qui alla sua massima resa un tema caro alla meditazione e alla poesia di Dante (cfr. XXV 91-3 e 124-6; *Purg.* I 73-5).

58-60. né potrà...: ecco infine la risposta alla seconda domanda: eppure una così intensa luce non potrà affaticare il nostro vedere, cioè essergli di ostacolo (*noiare*, come è detto al v. 18), perché gli organi del corpo risorto saranno sufficientemente potenti a ricevere ogni sensazione che possa causarci diletto (come sarà il vedere gli altri corpi). Come abbiamo osservato in no-

...sarà rivestita, la nostra persona sarà più gradita a Dio, per il fatto di essere completa di anima e corpo (tutta quanta); per questo crescerà il gratuito dono di luce (gratüito lume) fattoci dal sommo bene (Dio), luce che condiziona la visione di lui; per cui necessariamente crescerà la visione, e di conseguenza l'ardore che da quella nasce (s'accende), e quindi l'irraggiarsi che proviene da quell'ardore. ◆ Ma come il carbone che produce la fiamma e contemporaneamente la supera per il suo ardore incandescente, così che la sua visibilità (parvenza) non ne è sopraffatta (si difende), allo stesso modo questo splendore, che già ora ci avvolge, sarà vinto nella visibilità da quella carne che ora la terra ricopre; ...

> né potrà tanta luce affaticarne:
> ché li organi del corpo saran forti
> 60 a tutto ciò che potrà dilettarne».
>
> Tanto mi parver sùbiti e accorti
> e l'uno e l'altro coro a dicer «Amme!»,
> 63 che ben mostrar disio d'i corpi morti:
>
> forse non pur per lor, ma per le mamme,
> per li padri e per li altri che fuor cari
> 66 anzi che fosser sempiterne fiamme.
>
> Ed ecco intorno, di chiarezza pari,
> nascere un lustro sopra quel che v'era,
> 69 per guisa d'orizzonte che rischiari.
>
> E sì come al salir di prima sera
> comincian per lo ciel nove parvenze,

ta al v. 17, tutto il discorso tende a questa conclusione: la visibilità reciproca dei corpi risorti. Poiché di nessun'altra possibile «visibilità» è qui questione, se non di quella fisica – relativa infatti agli *organi del corpo* – per cui gli uni potranno vedere gli altri. A questo tendeva la domanda iniziale (vv. 16-8), a questo conduce la risposta, che supera arditamente la difficoltà di quella luce non solo uguale, ma superiore a quella presente, che avvolgerà i corpi nella gloria.

61-3. Tanto mi parver...: la terzina suggella il grande discorso, rivelandone il più profondo significato: tanto pronti e solleciti (per *accorti* si cfr. *Inf.* XIII 120) parvero i due cori, le due ghirlande dei beati, a chiudere con l'*Amen* le parole dette da Salomone (*Amme* è forma toscana popolare per *Amen* – così sia –, formula conclusiva delle preghiere liturgiche), che rivelarono ben chiaramente il desiderio di riassumere i loro corpi.

– **disio d'i corpi morti**: la bella e semplice frase racchiude un non peregrino pensiero. Che le anime beate possano provare un desiderio – non essere quindi perfettamente beate – era ammesso dalla teologia in quanto solo riassumendo il corpo l'anima raggiunge, come si è visto sopra, la sua perfezione: «e perciò – continua Tommaso al luogo citato nella nota ai vv. 43-5 – l'anima separata desidera naturalmente di ricongiungersi al proprio corpo». Ma lo slancio appassionato con cui i beati di Dante acclamano alle parole di Salomone conferisce a quel *disio* un singolare rilievo affettivo, di cui i versi seguenti daranno la ragione.

64-6. forse non pur per lor...: l'ultima terzina porta il più alto momento della già straordinaria sequenza inventiva: *forse* (è il secondo *forse* del poeta che tenta di interpretare forme e sentimenti non penetrabili) i beati hanno *disio* dei loro corpi non tanto per se stessi – per raggiungere quindi la massima perfezione – ma per i familiari della vita terrena che essi avevano amato (*che fuor cari*) prima che divenissero spiriti celesti (*sempiterne fiamme*). Che vuol dire: per poterli rivedere così come li avevano amati. Perfettamente commenta Benvenuto: «desideravano vedere in carne coloro che avevano ama-

to in carne». Si osservi che con questo *forse* si mette in secondo piano il motivo primario di quel *disio* addotto dalla teologia (la maggior perfezione), e si dà il primo posto a quello teologicamente secondario e da pochi autori accennato (il rivedere i propri cari). Rovesciamento singolare che degnamente chiude, con alta e ardita poesia, il discorso tutto teso a celebrare quella *carne* che la terra tiene ora in suo potere.

67-9. Ed ecco intorno...: il tema è appena concluso, che la scena cambia all'improvviso, con un nuovo accendersi dell'invenzione: ed ecco tutto intorno, nel cielo circostante, diffondersi un chiarore (*un lustro*) che si aggiunse, con uguale luminosità (*di chiarezza pari*), a quello che emanava dalle due ghirlande di luci, come la linea dell'orizzonte si rischiara tutta prima del sorgere del sole.

– **rischiari**: è intransitivo: «cioè incomincia a schiarare» (Buti).

70-1. E sì come al salir...: con forte ardimento, il paragone trapassa dal primo mattino alla *prima sera*: e come al salire dell'oscurità nel cielo della sera cominciano ad apparire qua e là le stelle prima invisibili (*nove parvenze*).

... eppure una così intensa luce non potrà esserci di impedimento (al vedere), perché gli organi del corpo (risorto) saranno in grado di sostenere ogni sensazione che possa causarci diletto». ◆ *Tanto pronti e solleciti mi parvero i due cori a dire «Amen», che rivelarono chiaramente il desiderio di riavere i loro corpi morti; forse non tanto per se stessi, ma per le mamme, i padri e gli altri che furono loro cari prima che divenissero spiriti celesti (sempiterne fiamme).* ◆ *Ed ecco tutto intorno diffondersi un chiarore (un lustro) che si aggiunse, con uguale luminosità (di chiarezza pari), a quello che già c'era, come la linea dell'orizzonte si rischiara (prima del sorgere del sole). E come all'avanzare della prima oscurità della sera cominciano ad apparire nel cielo le stelle prima invisibili (nove parvenze), ...*

72   sì che la vista pare e non par vera,
      parvemi lì novelle sussistenze
      cominciare a vedere, e fare un giro
75   di fuor da l'altre due circunferenze.
      Oh vero sfavillar del Santo Spiro!
      come si fece sùbito e candente
78   a li occhi miei che, vinti, nol soffriro!
      Ma Bëatrice sì bella e ridente
      mi si mostrò, che tra quelle vedute
81   si vuol lasciar che non seguir la mente.
      Quindi ripreser li occhi miei virtute
      a rilevarsi; e vidimi translato

---

72. sì che la vista...: il verso ritrae, quasi in modo onomatopeico, il tremulo apparire e sparire allo sguardo delle prime pallide stelle (*la vista*, «cioè l'immagine che si vede»: Buti). Dalla prima luce solare a quella delle prime stelle vespertine tutto il cielo è chiamato, con i suoi aspetti più vaghi e ammirabili, di cui nessuno sembra essere sufficiente, a significare la visione celeste nella sua suprema bellezza. Nel delicatissimo svolgersi del paragone, la prima terzina indica una luminosità diffusa e indistinta che sorge tutto intorno, la seconda l'apparire, il rendersi distinguibili, delle molteplici singole luci dei beati: due momenti successivi del cielo terreno, che segnano ciò che l'occhio di Dante gradualmente vede nel cielo divino.

73-4. parvemi lì...: così a me parve lassù di cominciare a vedere: i tre verbi esprimono il lento, graduale apparire che già il paragone ha ritratto.

– **novelle sussistenze:** nuove anime. Dante usa questo termine nello stesso senso di *sostanza* (cioè essere dotato di esistenza autonoma). Egli li riferisce infatti ambedue sia alle anime separate (cfr. III 29; XV 8 ecc.), sia alle intelligenze angeliche (XIII 59; XXIX 76), sia a Dio stesso (XXXIII 115; *Purg.* III 36).

74-5. e fare un giro...: e disporsi tutte intorno, come un grande cerchio di luci, fuori dalle altre due corone. Non è detto qui che si tratti di una terza ghir-

landa uguale alle prime due. Il paragone che precede sembra piuttosto indicare un indeterminato numero di anime che appaiono, senza nome, intorno alle ventiquattro qui nominate. Ma dato il ricorrere per tutti questi canti dell'immagine trinitaria, sembra indubbio che appaia qui una terza corona (indicante la terza persona divina: cfr. v. 76), tuttavia di differente, misterioso carattere.

76. Oh vero sfavillar...: il brillare delle anime sopraggiunte è quello stesso dello Spirito Santo, in quanto luce prodotta dalla loro carità. Quello *sfavillar*, per il suo eccessivo ardore, provoca l'esclamazione di Dante. Il verbo, proprio del fuoco attizzato che spande intorno *faville* (cfr. XVIII 100-1 e XXVIII 89-90), è singolarmente conveniente all'azione dello Spirito nell'animo dell'uomo.

77. si fece sùbito e candente: quello sfavillio si avvicinò (*si fece*) improvviso e abbagliante agli occhi di Dante, che non riuscirono a sostenerlo. La coppia di aggettivi forma endiadi (l'essere subitaneo fa sì che il candore, cioè l'incandescenza, divenga insostenibile allo sguardo), con potente accento sul raro latinismo *candente* (da «candeo», essere incandescente) che riecheggia il *candor* del v. 53. Sempre con questo valore di luce ardente è usato anche altrove *candor* nel poema (XVIII 68 e XXIII 124; *Purg.* XXIX 66).

79-81. Ma Bëatrice...: è qui sottinteso un passaggio: non sostenendo la vista delle nuove luci, Dante si volge, come sempre, a Beatrice. Ma questa volta – egli dice – la sua bellezza era tale, che va lasciata tra le molte cose vedute in paradiso che la memoria non ha potuto ritenere. L'aumento della bellezza di Beatrice è il segno del passaggio a un cielo superiore, passaggio che non è mai descritto fisicamente (cfr. X 37-9 e nota).

– **che non seguir...:** che sfuggirono alla mia memoria. Sulla lezione di questo verso si veda la nota al testo alla fine del canto.

82. Quindi: da quella bellezza contemplata in Beatrice; *ripreser li occhi miei virtute:* i miei occhi acquistarono la forza necessaria a risollevarsi verso l'alto (perché prima erano stati *vinti* dalle nuove abbaglianti luci, e quindi volti in basso).

■

... tanto che la loro vista ora pare, ora non pare vera, così a me parve lassù di cominciare a vedere nuove anime (sussistenze), e disporsi tutte intorno in cerchio all'esterno delle altre due corone. ◆ O vero sfavillare dello Spirito Santo! come si avvicinò (si fece) improvviso e abbagliante ai miei occhi che, sconfitti, non riuscirono a sostenerlo! Ma Beatrice mi si mostrò così bella e ridente, che debbo lasciarla tra quelle visioni che sfuggirono (non seguir) alla mia memoria. Da quella visione i miei occhi riacquistarono la forza per risollevarsi verso l'alto: e mi vidi trasportato ...

84 sol con mia donna in più alta salute.
    Ben m'accors'io ch'io era più levato,
per l'affocato riso de la stella,
87 che mi parea più roggio che l'usato.
    Con tutto 'l core e con quella favella
ch'è una in tutti, a Dio feci olocausto,
90 qual conveniesi a la grazia novella.
    E non er'anco del mio petto essausto
l'ardor del sacrificio, ch'io conobbi
93 esso litare stato accetto e fausto;
    ché con tanto lucore e tanto robbi
m'apparvero splendor dentro a due raggi,

83. **e vidimi translato**: nel momento stesso in cui solleva gli occhi, si vede già trasportato (*translato*, lat. «translatus») in un cielo più alto. Il movimento non si estende per lo spazio, o meglio non è percepito come tale; egli si accorge, come subito dirà, della nuova condizione, solo dalla diversa e maggiore luce che lo circonda.

85. **Ben m'accors'io...**: l'avverbio vuole spiegare il *vidimi translato*: come poteva rendersi conto di essere in un nuovo cielo senza percepire alcun movimento? Ma io ben potei capirlo

86-7. **per l'affocato riso...**: Dante si accorge dunque di essere giunto in Marte per lo splendore di fuoco che era nel nuovo cielo, che gli si mostrava più rosso di quel che di solito appare; anche Marte quindi, come Mercurio, *si cambiò e rise* all'arrivo di Dante (cfr. V 97). – *riso* qui ha il significato di «luce irradiata». Il riso della stella è la sua luce, metafora consueta nel *Paradiso* dantesco (si vedano XX 13; V 124-6 e relativa nota).

– **affocato**: indica il colore del fuoco, proprio del pianeta Marte: «esso Marte disecca e arde le cose, perché lo suo calore è simile a quello del fuoco; e questo è quello per che esso pare *affocato* di colore, quando più e quando meno» (*Conv.* II, XIII 21).

– **roggio**: è usato sempre per il colore della fiamma: cfr. *Inf.* XI 73 e *Purg.* III 16.

88-9. **quella favella...**: con il linguaggio dello Spirito, che è uguale per tutti; egli tace dunque, ma con tutto il suo cuore esprime a Dio l'offerta di se stesso.

– **olocausto**: significa sacrificio, offerta totale (cfr. v. 92); l'olocausto, secondo l'etimologia nota nel Medioevo (dal greco «hólos», intero, e «caustós», bruciato), era il sacrificio totale fatto col fuoco; questo significato del termine pare qui presente, se si guarda ai vv. 91-3, dove *essausto* e *ardor* sono parole specifiche dell'azione propria del fuoco. Così Tommaso spiega il significato figurale di questa forma di sacrificio nell'Antico Testamento: «come tutto l'animale, dissolto in vapore, saliva verso l'alto, così tutto l'uomo, e tutto quello che è suo, deve essere offerto a Dio» (*S.T.* Iª IIªᵉ, q. 102 a. 3).

90. **qual conveniesi...**: un sacrificio quale si conveniva alla nuova grazia ricevuta.

91. **essausto**: consumato; la fiamma di quell'interiore sacrificio non si era ancora spenta Un evento si accende sull'altro, in questo canto che non conosce soste nell'invenzione e nel ritmo.

92. **l'ardor del sacrificio**: «non si dimentichi che la vittima si ardeva» (Torraca).

93. **esso litare...**: che quell'offerta era stata accetta a Dio, e di esito felice (*fausto*). La frase è costruita come l'infinitiva oggettiva latina. *Litare* è infinito di un verbo latino (che vale «sacrificare») qui sostantivato. Forma rara, che come *olocausto* e *essausto* dà a questo gesto tutto interiore una singolare nobiltà liturgica.

94-6. **ché con tanto lucore...**: Dante comprende che l'offerta era stata gradita, perché appaiono a un tratto degli splendori così luminosi e infuocati dentro due raggi di luce da farlo prorompere in una esclamazione di gratitudine per colui che così mirabilmente li riveste e li adorna. – *robbi* (lat. «rubeus») equivale a *rossi*, e vale quindi «rosso fuoco» (cfr. *roggio* al v. 87).

95. **m'apparvero splendor**: il verso indica sistematicamente una prima visione d'insieme, che poi si determinerà nei particolari, secondo un procedimento spesso seguito da Dante.

... in su con la mia donna verso un più alto luogo di salvezza. ◆ *Io mi accorsi di essere stato sollevato più in alto per l'infuocato splendore ridente (riso) del pianeta, che mi appariva più rosso del solito. Con tutto il cuore e con quel linguaggio (dello Spirito) che è uguale per tutti, feci offerta di me a Dio, quale si conveniva alla nuova grazia ricevuta.* ◆ *E l'ardore del sacrificio non era stato ancora consumato nel mio petto, che io seppi che quell'offerta era stata accolta da Dio, e di esito felice (fausto), poiché mi apparvero degli splendori così luminosi e rossi dentro due raggi di luce, ...*

96   ch'io dissi: «O Elïòs che sì li addobbi!».
      Come distinta da minori e maggi
      lumi biancheggia tra ' poli del mondo
99   Galassia sì, che fa dubbiar ben saggi;
      sì costellati facean nel profondo
      Marte quei raggi il venerabil segno
102   che fan giunture di quadranti in tondo.
      Qui vince la memoria mia lo 'ngegno;
      ché quella croce lampeggiava Cristo,

96. **O Elïòs**: è il nome greco del sole («hélios») che le antiche etimologie credevano derivato dal nome ebraico di Dio («El»). Dante lo usa qui non a caso per designare Dio, in quanto egli riveste della sua luce le anime beate, come il sole le cose della terra.

– **addobbi**: adorni di splendida veste.

97-9. **Come distinta...**: si distende ora, in ampia similitudine celeste, la visione appena balenata allo sguardo al v. 95: come la Via Lattea (*Galassia*), formata da tante distinte luci di diversa grandezza (*minori* e *maggi*, maggiori), si estende biancheggiando fra i due poli estremi del cielo, tale da lasciare in dubbio (sulla sua natura) i più sapienti scienziati L'immagine, familiare e insieme misteriosa allo sguardo, riempie il grande cielo dove si è appena giunti con inarrivabile fascino: innumerevoli, ma distinte luci, di cui nessuno sa quale sia la natura, che formano una striscia bianca sul suo sfondo.

– **biancheggia**: il verbo da solo disegna quella fascia di luce che si allunga candida tra i due poli. Cfr. *Conv.* II, XIV 7: «[Aristotele] dice che la Galassia non è altro che moltitudine di stelle fisse in quella parte, tanto picciole che distinguere di qua giù non le potemo, ma di loro apparisce quello albore lo quale noi chiamiamo Galassia».

– **fa dubbiar**: così è detto nel *Convivio* (II, XIV 5): «Per che è da sapere che di quella Galassia li filosofi hanno avute diverse oppinioni». E sono poi ricordati i pitagorici, Anassagora e Democrito, Aristotele, Avicenna e Tolomeo: dunque tra i più grandi *saggi* dell'antichità.

100-2. **sì costellati...**: con forte ripresa ritmica, la figura viene ora a precisarsi in forme geometricamente determinate: così trapunti di innumerevoli stelle – come la Via Lattea (*Come distinta... sì costellati*) – quei due raggi luminosi che mi erano apparsi formavano nella profondità di Marte il segno di una croce a bracci eguali (o croce greca), quale formano in un cerchio (*in tondo*) i quattro raggi che delimitano i quattro quadranti (*giunture di quadranti*, cioè le linee di congiunzione tra l'uno e l'altro quadrante). Appare dunque nel cielo dei guerrieri morti per la fede – cioè quello di Marte – il sacro segno della croce che, presentato come inscritto nel cerchio, da esso suddiviso in quattro quadranti, ricorda la divisione del cielo secondo i quattro punti cardinali nella quale gli antichi cristiani riconoscevano appunto la croce di Cristo. La figura di una croce greca gemmata sul fondo d'oro con al centro il volto di Cristo appare nell'abside di S. Apollinare in Classe a Ravenna, di dove poté forse venire a Dante un suggerimento. Molte erano del resto le figurazioni di tal genere nelle chiese di allora.

– **nel profondo** / **Marte**: «figura il pianeta quasi cavo, come nicchia alla croce» (Tommaseo).

103. **Qui vince...**: a questo punto l'ingegno è vinto dalla memoria, cioè è incapace ad esprimere, a raffigurare in parole, ciò che la memoria ritiene. Ricordiamo che la bellezza di Beatrice, ai vv. 79-81, era tale da non poter essere conservata nemmeno dalla memoria. Sono gli straordinari avvenimenti della mente umana in questo straordinario viaggio.

104. **lampeggiava**: faceva lampeggiare; sul testo di questo verso, vedi la nota in fondo al canto.

– **Cristo**: l'immagine del Redentore appare dunque, in modo non precisato, in quella croce di stelle: forse al suo centro, come nella croce di Ravenna; forse in tutta la sua estensione. Ma Dante, sempre così preciso nelle sue figurazioni, qui non dà indicazioni, non trova, come dice, *essempro degno*: quell'immagine resta, come vuol essere, una indistinta, lampeggiante visione.

105. **non so trovare**: si noti l'assoluta semplicità e forza di queste tre parole: colui che tutto sa rappresentare, che per ogni cosa trova l'immagine più calzante e chiarificatrice, questa volta non sa: quella realtà – l'umanità divina – non può essere espressa dalle parole; così accadrà sempre infatti nella cantica (cfr. XXIII 31-45 e XXXIII 137-9) dove essa è intravista e non descritta.

... che dissi: «O Sole, che li adorni di così splendida veste (addobbi)!». ◆ Come la Via Lattea (Galassia), formata da tante distinte luci piccole e grandi (minori e maggi), si estende biancheggiando fra i due poli del cielo, tale da lasciare in dubbio i più sapienti scienziati (saggi), così trapunti di innumerevoli stelle (costellati) quei due raggi luminosi formavano nella profondità di Marte il segno venerabile che formano in un cerchio (in tondo) i quattro raggi che delimitano i quattro quadranti (giunture di quadranti; cioè una croce a bracci uguali, o croce greca). ◆ A questo punto la mia memoria supera il mio ingegno; poiché quella croce faceva lampeggiare l'immagine di Cristo, ...

105 sì ch'io non so trovare essempro degno;
ma chi prende sua croce e segue Cristo,
ancor mi scuserà di quel ch'io lasso,
108 vedendo in quell'albor balenar Cristo.
Di corno in corno e tra la cima e 'l basso
si movien lumi, scintillando forte
111 nel congiugnersi insieme e nel trapasso:
così si veggion qui diritte e torte,
veloci e tarde, rinovando vista,

– **essempro degno**: paragone adeguato; tra le due straordinarie similitudini qui proposte, della Galassia prima e del pulviscolo atmosferico poi, delle più belle di tutto il poema, questa rinuncia assume anche maggiore significato.

106-8. ma chi prende sua croce: non potendo raffigurare ciò che ha visto, il poeta rimanda il suo lettore – il fedele cristiano – a quando anche lui vedrà, giunto in paradiso, quello stesso spettacolo. Così accade anche a I 70-2 o a X 43-5, con lo stesso effetto di assoluta veridicità e disarmante fede: colui che in terra segue fedelmente Cristo portando la sua croce, mi scuserà di quel che ora tralascio di rappresentare, quando vedrà, nel biancore di quella croce, apparire come un baleno la figura di Cristo. Questo costrutto conforta la lezione che noi preferiremmo al v. 104: Cristo *balena* (il verbo è una variante di *lampeggiare*) nella croce, non è la croce a farlo balenare.

– **chi prende sua croce**: si traduce qui la frase evangelica, nota a tutti i fedeli: «Se qualcuno vuole venire dietro a me, rinneghi se stesso, prenda la sua croce e mi segua» (*Matth.* 16, 24). Il semplice andamento del verso sembra seguire nello spirito e nel ritmo il testo biblico.

108. vedendo: alcuni preferiscono riferire il *vedendo* a Dante, soggetto di *lasso* (mi scuserà se, vedendo tale spettacolo, tralascio di descriverlo), per il motivo che questo paradiso, con queste figure che vi appaiono, è fittizio, e quindi non sarà visto dai fedeli alla loro entrata nel vero cielo. Ma Dante non la pensa così, come appare chiaramente a X 43-5; del resto con questa lettura non avrebbe più alcun senso il primo verso della terzina e il momento del vedere sarebbe fatto contemporaneo (*vedendo*) a quello dello scrivere (*lasso*, tralascio nel mio narrare).

– **quell'albor**: è il «biancheggiare» del v. 98; la parola ritorna dal *Convivio*, da quel passo che descrive la Galassia citato in nota ai vv. 97-9.

109-11. Di corno in corno...: dall'uno all'altro braccio della croce (in senso orizzontale) e dal punto più alto al più basso (in senso verticale) si muovevano lungo i due raggi luminosi molte luci che scintillavano con particolare intensità quando si incontravano o si oltrepassavano fra loro. Quello scintillio è il festoso saluto, quasi l'accendersi di maggior fuoco d'amore. L'andamento ritmico dei primi due versi – due emistichi

uguali con forte pausa al centro – sembra accompagnare quel moto, eguale e costante nelle due direzioni. – per *corno*, braccio della croce, si cfr. XV 19 e XVIII 34.

111. nel congiugnersi... nel trapasso: si indicano forse i due diversi modi in cui avveniva l'incontro tra due lumi che si muovevano in opposte direzioni (*nel congiugnersi*) o nella stessa, con diversa velocità (*nel trapasso*). Tanta minuta attenzione a quei movimenti non stupisce, quando si legge la similitudine che subito segue, creata appunto per descriverne la molteplice dinamica.

112-7. così si veggion qui...: allo stesso modo qui in terra si vedono muoversi, con diversa direzione (*diritte e torte*) e velocità (*veloci e tarde*), le minime particelle dei corpi, di diversa grandezza (*lunghe e corte*), mostrando sempre nuovi aspetti alla vista, dentro al raggio di luce del quale talvolta si riga l'ombra (di un ambiente chiuso) che gli uomini si procurano a difesa della luce e del calore del sole. Il paragone domestico e familiare del pulviscolo atmosferico che danza nel raggio di luce filtrante in una stanza buia segue a quello grandioso e celeste della Via Lattea, quasi avvicinando così, negli aspetti del mondo divino, la terra e il cielo, le piccole cose fatte dall'*ingegno e arte* degli uomini a quelle immense fatte dall'arte di Dio.

112-3. diritte e torte, / veloci e tarde: tutta la terzina, fatta di brevi segmenti ritmici – come i lievi movimenti delle particelle –, insiste sulla varietà molteplice (di direzione, di velocità, di grandezza) che rende sempre nuova allo sguardo la vista di quell'incessante andare e venire.

... cosicché io non so trovare un paragone adeguato (degno); ma chi prende la sua croce e segue Cristo mi scuserà di ciò che io tralascio, quando vedrà direttamente balenare Cristo in quella bianchezza. ◆ *Dall'uno all'altro braccio della croce (di corno in corno) e dal punto più alto al più basso si muovevano molte luci che scintillavano intensamente quando si incontravano o si oltrepassavano fra loro: allo stesso modo si vedono muoversi qui (sulla terra), con diversa direzione (diritte e torte) e velocità (veloci e tarde), mostrando sempre nuovi aspetti alla vista, ...*

114   le minuzie d'i corpi, lunghe e corte,
       moversi per lo raggio onde si lista
       talvolta l'ombra che, per sua difesa,

117   la gente con ingegno e arte acquista.
       E come giga e arpa, in tempra tesa
       di molte corde, fa dolce tintinno

120   a tal da cui la nota non è intesa,
       così da' lumi che lì m'apparinno
       s'accogliea per la croce una melode

123   che mi rapiva, sanza intender l'inno.
       Ben m'accors'io ch'elli era d'alte lode,
       però ch'a me venìa «Resurgi» e «Vinci»

126   come a colui che non intende e ode.

114. le minuzie d'i corpi: sono i corpuscoli che si distaccano dai corpi, tanto leggeri da non vincere la resistenza dell'aria, e che sogliono chiamarsi «pulviscolo atmosferico». Per *minuzie* vedi nota seguente.

115. si lista: forma passiva (*listare* vale «segnare con una riga»); il verbo ritrae la riga di luce che il raggio penetrante da una fessura produce nell'ombra della stanza. La viva similitudine, già usata da Democrito per gli atomi e riportata da Aristotele nel *De anima* (I 2, 404 a), è stata ritrovata, con singolari riscontri verbali, nel poema di Lucrezio (*De rerum natura* II 114 sgg.), che sappiamo tuttavia ignoto alla cultura medievale. Ma il passo lucreziano sembra giunto a Dante attraverso l'opera di Lattanzio (uno dei più importanti padri latini dei primi secoli), in un testo che è di fatto vicinissimo a questo del *Paradiso*: «Queste volteggiano nel vuoto con movimenti oscillanti e sono portate di qua e di là, come i granellini di polvere («minutias») che vediamo nel sole, quando passa con un raggio attraverso una finestra» (*De ira Dei* X 3).

118-20. E come giga e arpa...: alla similitudine visiva ne segue subito un'altra, che riguarda il secondo senso sempre desto nel paradiso, l'udito. In quella croce di luci si diffondeva un dolce suono, molteplice e vario come quel moto ora descritto, ma formante un'unica, sovrumana melodia: come una giga e un'arpa, con l'armonizzata tensione delle loro corde, producono un

dolce concerto, anche a chi non distingue tra loro le differenti note... Si allude qui alla musica polifonica (*tempra tesa / di molte corde* vale appunto «armonia fra diversi suoni») che per Dante è motivo di alto rapimento, e sempre nel poema è denominata come *dolce* (cfr. *Purg.* IX 141 e relativa nota di approfondimento).

– **giga**: strumento musicale a corde, di cui abbiamo scarse notizie; l'avvicinamento all'arpa fa pensare a una somiglianza nel tipo di suono prodotto. I due strumenti sono qui scelti forse per la singolarità propria del pizzicato dei suoni (come il *tin tin* dell'orologio a X 143), meglio assomigliabili alle singole voci di quelle piccole molteplici e varie luci, e per la loro arcana vaghezza.

– **a tal da cui...**: oggi i più preferiscono intendere, seguendo il Monterosso (*Enciclopedia Dantesca* I, p. 389), che non si tratti di difetto dell'ascoltante, ma di «indeterminatezza originaria del suono stesso». Tuttavia questa interpretazione non corrisponde né alla formulazione del testo (*la nota non è intesa*), né soprattutto all'altro termine del paragone (vv. 121-3), dove Dante appare rapito pur senza intender le parole dell'inno, che evidentemente esistevano. Così sulla terra – egli dice – si è rapiti dall'armonia di una musica fatta di più voci, anche se non la si distingue nelle sue parti.

122. s'accogliea...: si veniva raccogliendo, da quei distinti lumi, un'unica melodia; così *di ramo in ramo si raccoglie* la musica degli uccelli nella pineta di *Chiassi* (*Purg.* XXVIII 19).

123. che mi rapiva...: il terzo verso porta, come nella terzina precedente, l'incantato effetto del suono su colui che ascolta. – *sanza intender*, cioè senza che io distinguessi le parole dell'inno cantato.

124. Ben m'accors'io...: il *ben* è correttivo: non intendevo tutto l'inno, ma qualche parola pur la distinguevo. Mi resi conto dunque che si trattava di un canto di lode, per le due espressioni – forse cantate in tono più alto – che giungevano al mio orecchio.

125. venìa: «cioè mi giungevano alle orecchie» (Daniello).

... *le minime particelle dei corpi, di diversa grandezza (lunghe e corte) dentro al raggio di luce del quale talvolta si riga l'ombra che gli uomini si procurano con ingegno e tecnica per difendersi dalla luce.* ◆ *E come una giga e un'arpa, con l'armonizzata tensione delle loro molteplici corde, producono un dolce concerto anche per chi non distingue le differenti note, così dai lumi che lì mi apparirono si veniva raccogliendo lungo la croce un'unica melodia che mi rapiva, senza che io distinguessi le parole dell'inno. Mi resi ben conto che si trattava di un canto di lode, perché giungevano al mio orecchio le parole «Resurgi» e «Vinci», come a uno che sente senza comprendere bene.*

Ïo m'innamorava tanto quinci,

che 'nfino a lì non fu alcuna cosa

129 che mi legasse con sì dolci vinci.

Forse la mia parola par troppo osa,

posponendo il piacer de li occhi belli,

132 ne' quai mirando mio disio ha posa;

ma chi s'avvede che i vivi suggelli

d'ogne bellezza più fanno più suso,

135 e ch'io non m'era lì rivolto a quelli,

escusar puommi di quel ch'io m'accuso

per escusarmi, e vedermi dir vero:

ché 'l piacer santo non è qui dischiuso,

139 perché si fa, montando, più sincero.

– «**Resurgi**» e «**Vinci**»: le due parole, che celebrano la resurrezione di Cristo e la sua vittoria sulla morte, si levano dalla croce dove egli subì la sconfitta e la morte. Nel cielo di coloro che morirono per la fede, e sperimentarono quindi la stessa sconfitta e la stessa vittoria, i due verbi risuonano con grande forza di significato. E non sfugga il raccordo tematico con la prima parte del canto, dove il motivo della resurrezione occupa tutta la sequenza teologica che vi si svolge.

127-9. **Ïo m'innamorava...**: dall'armonia di quel canto ero così rapito, come innamorato, che fino a quel momento non vi era stata cosa alcuna (lassù nel cielo) che mi avvincesse con così dolci vincoli (*vinci*: lacci, legami; cfr. *Inf*. XI 56). La terzina riprende, con i due verbi *innamorava* e *legasse*, propri di chi è preso quasi in un incantesimo, il tema del rapimento estatico svolto nei versi finali delle tre terzine precedenti.

130. **Forse la mia parola...**: singolare chiusura di canto, con accusa e scusa del poeta, che riesce ad affermare ciò che prima ha negato, riportando gloriosamente in primo piano quegli occhi di Beatrice che parevano lasciati in disparte: forse sembrerò troppo ardito, egli dice (*osa*, audace, da «ausa», participio latino di «audeo»: cfr. *Purg*. XI 126), posponendo al canto udito nel cielo di Marte anche la stessa bellezza (*piacer*) degli occhi di Beatrice (così ha detto nella terzina che precede); ma quegli occhi diventavano più belli di cielo in cielo, e in quello ancora non li avevo guardati. Il poeta salva così le due cose che gli premono, senza rinunciare a nessuna delle due bellezze, che sembrano inseguirsi l'una con l'altra.

132. **ne' quai mirando...**: contemplando i quali, il desiderio del mio animo trova riposo, cioè appagamento. Verso di grande dolcezza, che esprime il totale riposo del desiderio che sempre incalza nell'uomo (cfr. *Purg*. XVIII 31-3).

133-5. **ma chi s'avvede...**: ma chi riflette al fatto che quegli occhi (*vivi suggelli / d'ogne bellezza*, cioè luoghi dove è impressa dal cielo ogni bellezza) diventano via via più potenti nella loro azione (*più fanno*) via

via che si sale da un cielo all'altro (*più suso*), e che io in quel nuovo cielo non mi ero ancora rivolto a guardarli... Sul valore di *suggelli*, da molti diversamente inteso, si veda la nota di approfondimento alla fine del canto.

136-9. **escusar puommi...**: mi potrà scusare di ciò di cui m'accuso (di aver posposto la bellezza degli occhi di Beatrice) per potermi scusare (col ragionamento che precede), e potrà vedere che io dico la verità: è vero cioè che non avevo visto né udito nulla che più mi rapisse prima della visione e della melodia che mi accolsero nel cielo di Marte; ma la divina bellezza (*'l piacer santo*) degli occhi di Beatrice non era stata nel dir questo esclusa (*dischiuso*: cfr. VII 102), cioè non messa nel conto, perché essa si fa sempre più pura, splendente (*sincero*), via via che si sale (e quindi nei cieli inferiori era minore, e in questo sarebbe stata certamente più grande e avrebbe superato – s'intende – ogni altra bellezza lì presente, come accade negli altri cieli).

■

Da quella melodia (quinci) ero così rapito, che fino a quel momento non vi era stata cosa alcuna che mi avvincesse con così dolci vincoli (vinci). ◆ Forse le mie parole sembrano troppo ardite (osa), mettendo così al secondo posto la stessa bellezza (piacer) degli occhi belli (di Beatrice) contemplando i quali il desiderio del mio animo trova riposo; ma chi riflette al fatto che quelle vive impronte di ogni bellezza (cioè quegli occhi) diventano più potenti nella loro azione (più fanno) via via che si sale (più suso), e che io in quel nuovo cielo (lì) non mi ero ancora rivolto ad essi, mi potrà scusare di ciò di cui m'accuso per potermi scusare, e potrà vedere che io dico la verità: poiché quella santa bellezza ('l piacer santo, degli occhi di Beatrice) non era stata nelle mie parole esclusa (cioè non considerata), perché essa si fa sempre più splendente (sincero) via via che si sale.

approfondimenti

PROBLEMI DI INTERPRETAZIONE

Gli occhi di Beatrice
versi 133-4. *Sugelli / d'ogne bellezza*

Molti, fin dagli antichi (Buti, Benvenuto), intendono per *suggelli* i cieli, che di fatto imprimono le forme nella materia terrestre (cfr. VIII 127-8). Ma i moderni preferiscono riferire l'espressione agli occhi di Beatrice («impressi d'ogni bellezza, e che la imprimono in altri»: Tommaseo). E crediamo giustamente. Come appassionatamente argomentò il Torraca, tutto il discorso fa centro su quegli occhi: sono quelli che si fanno via via più belli, di cielo in cielo; a quella bellezza mira l'intero arco delle tre terzine finali. Intendere diversamente toglie forza drammatica a tutta la sequenza. Inoltre *quelli*, se i *suggelli* sono i cieli, andrebbe riferito a una parola usata quattro versi prima. Dal punto di vista linguistico, *suggello* può benissimo prendersi in senso passivo, oltre che attivo (come intende la chiosa del Tommaseo). Secondo il Vocabolario della Crusca *suggello* è lo strumento con il quale «si effigia» l'impronta, «e l'impronta ancora fatta col suggello chiamasi nel medesimo modo». In questo secondo senso lo usa Dante stesso a *Inf.* XIX 21.

NOTE AL TESTO

v. 81. **che non seguir...**: la lezione a testo, portata da quasi tutta l'antica tradizione manoscritta, e da tutte le edizioni, lascia perplessi, in quanto capovolge il processo indicato da Dante a I 7-9, per il quale è la memoria (la *mente*) a andar dietro (*seguire*) alle cose, e non viceversa (si veda la nota a quel verso e il saggio del Nardi tra le *Letture consigliate* per il canto I). Per questo non è da escludere la variante *seguì*, presente in tre soli ma autorevoli manoscritti, e nel commento del Buti (*seguie*), variante che potrebbe anche considerarsi lezione più difficile, e quindi preferibile, per il più comune ordine (soggetto – verbo – oggetto) offerto dall'altra lezione. La variante fu accolta dal Chimenz.

v. 104. **quella croce lampeggiava**: questa lezione, accolta dal Petrocchi come «più rara ed elegante», richiede senso transitivo: «faceva lampeggiare». L'autorevole variante *che 'n quella croce* (accolta dal Vandelli), ci sembra tuttavia dare senso migliore: risplendeva «a modo di uno lampo» (Buti). Essa concorderebbe inoltre con l'espressione usata più avanti per dire la stessa cosa (v. 108).

NOTE LINGUISTICHE

v. 27. **ploia**: forma provenzale (dal lat. «pluvia») usata in rima anche a XXIV 91; altrove si trovano sempre le forme toscane *piova* e *pioggia*.

v. 121. **apparinno**: apparirono; forma di perfetto propria del pisano-lucchese, come *terminonno* a XXVIII 105 (cfr. *uscinci* a *Inf.* XIV 45 e nota linguistica).

SUGGERIMENTI PER LA RICERCA

Temi del canto

Il mistero della Trinità

La Trinità è il primo mistero della fede cristiana, più volte celebrato nel poema e che diventa il motivo dominante nei canti dedicati al cielo del Sole. Dopo aver letto la definizione di *Trinità* nel *Dizionarietto teologico* del volume *Strumenti*, riprendi i passi X 1-6; XIII 25-27 e XIV 28-33 annotando gli elementi messi in rilievo o ricorrenti; quindi, con la guida dell'Introduzione e delle note, ricerca in questo canto tutte le immagini che la richiamano. Sulla ricorrenza nell'opera di Dante di questo tema, consulta la voce *Trinità,* a cura di G. Fallani, in *Enciclopedia Dantesca* V, pp. 1718-1721; sulla riflessione trinitaria nel Medioevo, leggi quella del *Dizionario Enciclopedico del Medioevo*, a cura di M. A. Vannier (vol. III, pp. 1953-1954).

La «carne gloriosa»

Tutto il poema è tramato di immagini che accennano al mistero della resurrezione dei corpi, celebrato compiutamente in questo canto. Fai una ricerca sull'argomento partendo dalla definizione di *Resurrezione* e *Resurrezione dell'uomo* che trovi nel *Dizionarietto teologico* del volume *Strumenti* e dalla lettura della *Prima lettera ai Corinzi*, 15, 35-53 di san Paolo; quindi riprendi i seguenti passi della *Commedia*: *Inf.* VI 94-111 (e la nota di approfondimento *Il corpo dopo la morte*, alla fine del canto); *Purg.* I 73-75; XXX 13-15; *Par.* VII 139-148; XXV 91-96 e 124-129, annotando quali aspetti della tradizione cristiana Dante metta in evidenza; infine rifletti sul valore e la novità dell'osservazione contenuta nei vv. 61-66 del canto. Per approfondire il tema puoi leggere anche il saggio di G. Fallani, citato nelle *Letture consigliate*.

La croce

Rileggi la descrizione della croce che appare nel cielo di Marte e confrontala con la croce greca raffigurata nell'abside di S. Apollinare in Classe a Ravenna, che puoi trovare nel manuale o nei CD Rom di Storia dell'Arte, ricercando le somiglianze per cui si ipotizza che Dante ne abbia tratto ispirazione.

Il canto dei beati

Il canto delle anime beate è un canto polifonico, segno dell'armonia che regna in paradiso: metti a confronto con i vv. 118-123 di questo canto, i passi X 145-148; XV 1-6 e XXV 130-132, annotando verbi, sostantivi e aggettivi ricorrenti o particolarmente espressivi; quindi per comprendere adeguatamente il significato dell'aggettivo *dolce*, riprendi *Purg.* IX 139-145 e la nota di approfondimento relativa. Completa il lavoro con una ricerca sui due strumenti citati, l'arpa e la giga, di cui puoi trovare notizie alle voci relative dell'*Enciclopedia Dantesca*, a cura di R. Monterosso (I, p. 389 e III, p. 154) oppure con un approfondimento sulla musica polifonica nel Medioevo, consultando la *Storia della Musica* di A. Della Corte e G. Pannain (Torino 1944).

Lingua e stile

Fïata – v. 20

Cerca su un buon *Dizionario* di lingua italiana l'etimologia e il significato generale del termine *fiata*, e individua poi nella *Commedia*, servendoti delle *Concordanze*, i passi in cui compaiono le espressioni *a la fiata*, *spesse fiate* e *lunga fiata*, di cui annoterai lo specifico significato.

candor – v. 53

Consulta le *Concordanze* ed individua i passi della *Commedia* in cui compare il sostantivo *candore*, distinguendone, tramite la parafrasi o le note di commento, i due diversi significati. Stabilisci quindi a quale significato debba ricondursi sia l'aggettivo *candido* di *Purg.* X 31 e *Par.* XXXI 1, sia il participio *candente* che trovi in questo stesso canto.

Il cielo di Marte – vv. 85 sgg.

Servendoti delle note di commento, indica nel passo indicato i sostantivi e gli aggettivi che Dante impiega per descrivere la particolare luminescenza del cielo di Marte, distinguendo i vocaboli più rari o ricercati, e individuando anche quei termini che, pur non riguardando propriamente la raffigurazione del cielo, propongono comunque immagini di calore e di fuoco.

CANTO XV

Introduzione

C omincia con questo canto XV la trilogia di canti che, al centro della cantica, rivela il senso della vita dell'autore protagonista, quella vita che fin dalla prima terzina del poema appare all'origine di tutta la grande opera dell'aldilà. Tale sequenza di canti – la più drammatica e in certo senso la più storicamente determinata del poema – è situata dall'autore a seguito del canto che, come vedemmo, è tutto dedicato alla pura contemplazione di realtà celesti. Tale collocazione ha un suo preciso significato, quasi suggerendo il piano su cui quei fatti storici vanno letti e compresi. Qui si risponde infatti alle due domande poste dal poeta nei primi canti dell'*Inferno*: perché il privilegio di questo cammino nell'aldilà (*Io non Enëa, io non Paulo sono*: II 32); perché il dolore acerbo dell'esilio che gli è riservato (*da lei saprai di tua vita il vïaggio*: X 132). Ora quel divino preludio, al quale consuona, come vedremo, tutta la prima parte di questo canto, ci scopre la struttura profonda del poema, *al quale*, come l'autore dirà, *ha posto mano e cielo e terra* (XXV 2) e ci indica come questi canti vadano intesi: la storia dell'uomo nel tempo, in ogni suo concreto e definito accadere, è in realtà un aspetto, un riflesso dell'eterno pensiero e amore divino, al quale l'uomo può, nella sua libertà, sottrarsi o corrispondere. Il fatto che ciò sia visto, o meglio raccontato, all'interno della vita stessa dell'autore, dà a questo testo una singolare drammaticità, e a quell'idea una potente forza di convinzione.

È generalmente riconosciuto che i canti centrali del *Paradiso* racchiudono il nucleo originale, come il germe da cui si è sviluppato il grande poema. All'inizio della scena in questo primo canto il ricordo dell'ombra di Anchise, a cui è assomigliato Cacciaguida, porta infatti con sé quello dell'altra simile scena descritta nel II libro dell'*Eneide* virgiliana, quel libro da cui l'opera dantesca ebbe forse il primo suggerimento. Ma tale ispirazione di partenza si incardina in una visione del mondo che oltrepassa i confini del tempo storico nel quale l'*Eneide* si racchiude; e già il canto II del poema apre sulla oscura selva terrestre, nella quale il racconto ha inizio, un varco attraverso il quale si scorge – quasi nei due piani di una scena teatrale – la realtà celeste da cui quell'evento è guidato: *Donna è gentil nel ciel che si compiange...* In questa prospettiva vanno letti i tre canti del cielo di Marte, dove trova il suo compimento quello che è per così dire l'aspetto storico della vita di Dante, e quindi il significato storico del poema; ma oltre esso, e tuttavia già in esso presente, come in trasparenza, c'è un secondo compimento da perseguire, un secondo senso del poema, che solo nell'ultimo canto troverà la sua piena espressione.

Tale doppio valore appare già chiaramente da come Dante ha strutturato questo primo dei tre canti, dove apparirà il suo Anchise, colui cioè che, come l'altro Anchise ad Enea, gli predirà il suo destino, di dolore e insieme di gloria. Esso appare diviso in due parti: la prima è tutta raccolta nella visione e contemplazione delle cose celesti, e solo la seconda discende a raccontare, rispondendo infine alla domanda chiusa nel cuore di Dante, la storia – che è poi quella del passato da cui nasce la sua vita – dell'avo e della città, quella dell'uno confusa e racchiusa in quella dell'altra.

Il canto si apre con una pausa di silenzio, al tacere della *dolce lira*, la melodia di arpe risuonata nella croce di Marte, e prosegue con la similitudine della stella cadente nel sereno con la quale si presenta l'arrivo dello spirito lungo un raggio di quella fulgida croce, continuando così l'atmosfera stabilitasi nel canto precedente. Allo stesso modo tacquero le due corone del cielo del Sole per lasciar parlare i due santi dottori, e con simile delicato effetto di luce di stelle apparvero prima la terza corona al momento della salita al nuovo cielo, e poi i molteplici lumi che costellavano la croce, come la Galassia nel nostro cielo (XIV 99). Per la terza volta dunque in tanto breve spazio narrativo, e con non minore incanto (*Quale per li seren tranquilli e puri / discorre ad ora ad or sùbito foco*), Dante riprende dal firmamento tanto spesso contemplato la figura che esprime il modo di offrirsi a lui degli spiriti celesti. Tale continuità ha la sua importanza: colui che viene ora a parlargli, e con un preciso scopo, discende da quella suprema tranquillità, da quel luogo di purezza e di armonia, che tutto il canto precedente ha celebrato.

Anche il fatto che le sue prime parole siano pronunciate in latino – quasi in rendimento di grazie a Dio per il privilegio concesso a Dante –, per proseguire poi in un linguaggio inaccessibile all'uomo, sembra significare la profondità (*sì parlò profondo*) nella quale è racchiuso il senso d'ogni vita umana. L'immagine infine dello specchio, in cui gli spiriti vedono riflessi in Dio gli eventi storici, e i pensieri stessi prima che nascano, stabilisce quel misterioso rapporto fra il tempo e l'eterno che sarà il tema dominante di tutta la trilogia.

Le stesse parole con cui Dante, richiesto, formula la sua domanda sono tenute su questo registro alto, dove è messa in risalto la *disagguaglianza*, il tragico limite dell'uomo mortale a confronto con la perfetta *equalità* divina. Creato così lo sfondo che l'autore ha voluto alla storia della sua vita, comincia, nella seconda parte del canto, il racconto che si attendeva.

Il tono cambia, lo stile si fa semplice e diretto: i nomi, le date, i luoghi circoscrivono i fatti. Siamo ora nel tempo, nella storia. Il personaggio finora avvolto, come gli altri spiriti, nella sua misteriosa luce, assume una ben determinata fisionomia: suo figlio, morto da circa un secolo, dette il cognome agli Alighieri, ed egli è il trisavolo di Dante, vissuto quindi quasi due secoli prima. Ma prima di narrare la sua vita, egli la situa nel tempo, quel tempo da cui quella vita fu come segnata, di cui portò l'impronta, e che solo può esprimerne il significato: è questo il tempo dell'antica Firenze, della sua città, i cui tratti vengono a coincidere con quelli della sua stessa esistenza: la vita cittadina, di sobrietà e di virtù domestiche e civili, racchiude la vita del personaggio, e ne è come lo specchio. Sorge così, attraverso il filtro del poeta che scrive, dell'uomo senza città, il quadro di una città lontana ma vera, un sogno che è insieme una realtà: il sospiro dell'esule che non conoscerà più il sicuro riposo tra le fidate mura natali si mescola al sogno di un ideale tempo edenico – come un'età dell'oro – che l'umanità ha perduto e che solo il tempo alla fine della storia potrà riportare. Di qui l'insuperato e giustamente famoso incanto di quell'attacco che, come altri del poema, porta con sé un duplice rimpianto, dove l'umano dolore si tempera nella dolcezza di una più che umana speranza: *Fiorenza dentro da la cerchia antica, / ond'ella toglie ancora e terza e nona, / si stava in pace, sobria e pudica*. Il suono della campana che chiama al lavoro e alla preghiera, il modesto vestire di uomini e donne, la pacifica e operosa vita domestica, ogni tratto è concreto, fin nel dettaglio: cinture di cuoio e d'osso, gonne senza guarnizioni, donne che filano o vegliano presso la culla usando il dolce linguaggio con cui si suole rivolgersi ai più piccoli; tutto racchiuso, come in un geloso scrigno, dalla cerchia delle antiche mura. Ma su questa concretezza, fatta anche di nomi – Bellincion Berti, i Nerli, i Vecchietti –, è steso come un velo, quello di una lontananza che si trasforma in irraggiungibile sogno. Così quella Firenze è insieme due città, quella terrena – dove lo stanco uomo Dante dispera di riposare – e quella celeste – verso la quale tutta l'umanità affaticata tende sino alla fine dei tempi.

Da tale duplice forza, di concretezza storica e di speranza ultraterrena, si crea la casta bellezza di questo parlare poetico veramente «sobrio e pudico», con una sintassi semplice, quasi elementare, con un ritmo di leggenda, con immagini dirette della vita quotidiana – lo specchio, la rocca, la culla –, interrotto al centro da una sola esclamazione dove affiora dietro lo schermo del personaggio il segreto sospiro del poeta (*Oh fortunate! ciascuna era certa / de la sua sepoltura, e ancor nulla / era per Francia nel letto diserta*).

La storia personale di Cacciaguida è quindi narrata con pochi brevi tratti, sullo sfondo del quadro così delineato, tanto da sembrare fondersi con quella della città. La sua nascita avviene in quel *riposato* e *bello viver di cittadini*, il suo battesimo in quel Battistero, culla dell'antica fede, dove sarà battezzato anche Dante (come è ricordato a XXV 8-9). Fatto cavaliere, parte come crociato al seguito di Corrado per la Terra Santa, dove muore. Pochissimi dati – né Dante probabilmente sapeva di più –, ma quei pochi che bastano a fare anche di lui una figura in qualche modo leggendaria: un eroe di quel buon tempo antico, da cui Dante discende. Quella discendenza, quelle origini, sono in realtà ciò di cui si sostanzia (come la pianta dalla *radice*) la personalità stessa di Dante, della quale questo canto del passato serve così a definire i tratti, ripetendo la figura (già proposta da Brunetto Latini – anch'egli *imagine paterna* – nel canto parallelo dell'*Inferno*) dell'uomo solitario in cui rivive l'originaria nobiltà della città ora perduta, e contro il quale perciò i moderni cittadini corrotti si accaniranno (come sarà detto, nel terzo canto del trittico, il XVII, che predirà il futuro).

Il verso finale del canto rivela infine chiaramente – pur sempre in forma allusiva, con quel riserbo proprio dei passi dedicati alla storia privata dell'autore – il coincidere della figura del nipote con quella dell'avo: quel passo infatti, ripetendo le parole già usate nel canto X per lo spirito di Boezio (tra le quali ce n'era un'altra, qui taciuta ma evocata: *dal martiro / e da esilio venne a questa pace*: X 128-129) può dirsi egualmente, come del crociato morto in Terrasanta, anche del poeta esule di oggi: anche per lui la vita è un diuturno «martirio», anche per lui la morte seguirà il momento dell'approdo alla sospirata pace, quella *pace* che intitola il racconto (vv. 97-99) della città amata e perduta per sempre.

CANTO XV

Nel cielo di Marte: Cacciaguida

1-12 Per quello spirito di carità che è proprio del vero amore, i beati sospendono il canto per permettere a Dante di parlare: di fronte a tanta benevolenza come possono gli uomini pensare che le preghiere restino inascoltate? È giusto che soffra in eterno chi si priva di un tale amore per andar dietro a beni effimeri.

13-36 Dal braccio destro una luce trascorre ai piedi della croce, simile a una stella cadente nel cielo d'estate, e, facendosi incontro al poeta, prorompe in una esclamazione in latino che celebra l'eccezionalità del viaggio di colui che egli saluta come suo discendente. Meravigliato, il poeta si rivolge a Beatrice, ma è preso da un nuovo, profondo stupore vedendo gli occhi sorridenti di lei che gli fanno toccare il fondo di ogni beatitudine.

37-69 Lo spirito continua a parlare in un modo che eccede i limiti della comprensione umana: le prime parole che Dante riesce a comprendere sono un ringraziamento alla Trinità. Quindi l'anima invita il poeta a manifestare i suoi desideri, non tanto perché non li conosca già, dal momento che tutti i beati possono leggerli riflessi nella mente divina, quanto per poter meglio soddisfare l'ardore di carità che sente.

70-87 Ricevuto l'assenso di Beatrice, Dante comincia a parlare: dopo essersi scusato di non poter ringraziare adeguatamente se non col cuore, dato che la capacità di espressione nei mortali è limitata rispetto al desiderio, chiede allo spirito chi sia.

88-148 L'anima si presenta come la radice della famiglia di Dante, padre del bisavolo Alighiero, da cui deriva il nome della casata; quindi rievoca la Firenze del suo tempo, quando era ancora compresa nella più antica cinta muraria e abitata da cittadini sobri e modesti. Il lusso, l'ambizione e la corruzione non avevano ancora funestato la città e le donne si dedicavano alle cure domestiche senza preoccupazione di essere costrette all'esilio o abbandonate per i viaggi di mercatura. In questa età di pace l'avo era nato ed era stato battezzato col nome di Cacciaguida nell'antico Battistero; aveva sposato una donna della Val Padana, infine, per essere morto combattendo gli infedeli durante una crociata in Terrasanta, era salito alla pace del paradiso.

> Benigna volontade in che si liqua
> sempre l'amor che drittamente spira,
> 3   come cupidità fa ne la iniqua,
> silenzio puose a quella dolce lira,
> e fece quïetar le sante corde
> 6   che la destra del cielo allenta e tira.

1-4. Benigna volontade...: la volontà rivolta al bene altrui, nella quale sempre si rende visibile (*si liqua*, dal lat. «liquet», è chiaro) l'amore retto (che si muove cioè nella giusta direzione), come l'amore distorto (la cupidigia o brama delle cose terrene) si manifesta nella volontà di fare il male, impose silenzio al dolce coro dei beati. S'intende, per lasciare a Dante la possibilità di parlare ed esprimere i propri desideri. *Benigna* indica l'inclinazione a volere il bene dell'altro. L'amore *diritto*, cioè del vero bene, opposto all'amor *torto*, è tipica figura dantesca (cfr. XXVI 62-3 e *Purg.* XVII 97-102); *spira* indica il moto proprio dell'amore, secondo il verbo biblico riferito all'amore divino (cfr. X 2).

5-6. e fece quïetar...: e fece tacere le corde di quei santi strumenti (le voci stesse dei beati, secondo la similitudine di XIV 118 sgg.) che la mano divina tende o rilascia a suo piacimento; che cioè agiscono solo in perfetta dipendenza dalla volontà di Dio, come è detto più volte dai beati nel *Paradiso* dantesco (cfr. III 85; XX 138 ecc.). L'inizio del canto è piano e calmo, e crea una pausa di silenzio tra il fervore acceso della fine del precedente e la solenne scena che sta per cominciare.

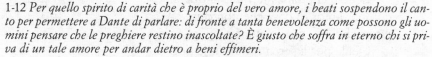

La volontà rivolta al bene altrui (benigna), nella quale sempre si rende visibile (si liqua) l'amore che si muove nella giusta direzione, come la cupidigia si manifesta nella volontà di fare il male, impose silenzio a quel dolce coro, e fece tacere le sante corde, che la mano celeste tende o rilascia (a suo piacimento).

Come saranno a' giusti preghi sorde
quelle sustanze che, per darmi voglia
9   ch'io le pregassi, a tacer fur concorde?
Bene è che sanza termine si doglia
chi, per amor di cosa che non duri,
12   etternalmente quello amor si spoglia.
Quale per li seren tranquilli e puri
discorre ad ora ad or sùbito foco,
15   movendo li occhi che stavan sicuri,
e pare stella che tramuti loco,
se non che da la parte ond'e' s'accende
18   nulla sen perde, ed esso dura poco:

7-9. **Come saranno...**: il tacere del fervido coro di gloria per venire incontro ai suoi desideri, tacere nel quale appariva chiara la potenza dell'amore caritatevole che governa quelle anime, provoca l'esclamazione del poeta: come potranno esser sorde alle nostre preghiere quelle anime che lasciarono il loro canto di beatitudine per invogliarmi – appunto – a pregarle? Si racchiude in questa terzina, sotto la spontanea forma della domanda retorica, una sicura accettazione della credenza cristiana nella intercessione dei beati in favore dei vivi, sulla quale non tutti erano allora d'accordo (si veda la difesa che ne fa Tommaso in *S.T.* II^a II^ae, q. 83 a. 11). Come già appare nel *Purgatorio*, Dante fonda tutti i suoi rapporti nei due regni della salvezza sul dogma, a lui così congeniale, della comunione dei santi.

– **concorde**: cfr. *Mon.* I, xv 5-8: «la concordia è il movimento uniforme di più volontà; ogni concordia dipende dall'unità che è nelle volontà». Lo stesso atto contemporaneo a XII 25.

10-2. **Bene è che sanza termine...**: è ben giusto che soffra eternamente chi, per amore di cose caduche, effimere, si priva per l'eternità di quel perfetto e non peribile amore. Anche qui, nel giro di una terzina di tutta naturalezza, si affronta e risolve un serio problema teologico: come possa essere giusta una pena infinita (l'inferno) per una colpa finita, problema a cui Tommaso dà più di una risposta (*S.T.* III, Suppl., q. 94 a.

1). Dante segue quella di Agostino in *Civ. Dei* XXI 12: «Ha meritato un male eterno colui che distrusse in se stesso quel bene che poteva essere eterno». Per la punteggiatura dei vv. 11-12, vedi la nota al testo in fondo al canto.

13-5. **Quale per li seren...**: come per il sereno cielo notturno, limpido e quieto, *discorre*, passa veloce da un punto all'altro, subitaneamente, una luce infuocata (una stella cadente), facendo spostare, per seguirla, gli occhi prima fermi e tranquilli di chi guarda il cielo (per i due aggettivi si cfr. III 11 e V 100).

– **sicuri**: che non si aspettavano quell'improvviso mutamento. L'improvvisa, dolce apertura del cielo, contemplato con la profonda attenzione e insieme l'abbandono propri dello sguardo dantesco, rompe il quieto e retoricamente composto esordio con un movimento simile a un attacco musicale in pianissimo, introducendo con alto lirismo la grande scena che sta per cominciare in questo cielo.

16-8. **e pare stella...**: e sembra, a vederla, una stella che cambi di sede (*tramuti loco*), mentre in realtà stella non è, perché nel luogo dove quella luce si accende nessun astro viene a mancare, ed essa poi ben presto si spegne (sulle stelle cadenti si cfr. *Purg.* V 37-40 e nota). La precisazione scientifica (*se non che*) riconduce la dolce bellezza del celeste spettacolo nell'ambito del severo ordine cosmico, secondo una costante del procedimento descrittivo dantesco (mai abbandonato al vago, all'indefinito, propri invece della poesia romantica). Così dice Ovidio di Fetonte precipitante dal cielo: «come talvolta nel cielo sereno una stella, anche se non cade veramente, può sembrare che cada» (*Met.* II 321-2).

19-21. **tale dal corno...**: come *discorre* dunque per il cielo una stella cadente, così dal braccio destro della croce venne ai piedi di quella una delle luci che formano la costellazione di quel cielo (è la croce di stelle descritta a XIV 97-102).

22-4. **né si partì...**: né, nel suo spostarsi, quella luce si allontanò dalla fascia luminosa (il *nastro*, cioè il raggio che formava il braccio della croce) entro la quale era inserita, ma vi corse dentro, come una fiamma

---

◆ Come potranno esser sorde alle nostre giuste preghiere quelle anime che tacquero tutte insieme per invogliarmi – appunto – a pregarle? È ben giusto che soffra eternamente chi, per amore di cose effimere, si priva per l'eternità di quell'amore. ◆ Come per il sereno cielo notturno, quieto e limpido, di quando in quando passa veloce (discorre) improvvisamente una luce infuocata, facendo spostare (per seguirla) gli occhi che erano fermi, e sembra una stella che cambi di sede (tramuti loco: cioè una stella cadente), mentre in realtà nel luogo dove quella luce si accende nessuna stella viene a mancare (sen perde), ed essa poi dura poco: ...

tale dal corno che 'n destro si stende

a piè di quella croce corse un astro

21   de la costellazion che lì resplende;

né si partì la gemma dal suo nastro,

ma per la lista radïal trascorse,

24   che parve foco dietro ad alabastro.

Sì pïa l'ombra d'Anchise si porse,

se fede merta nostra maggior musa,

27   quando in Eliso del figlio s'accorse.

«O sanguis meus, o superinfusa

gratïa Deï, sicut tibi cui

30   *bis unquam celi ianüa reclusa?»*.

---

che si muova dietro una lastra d'alabastro.

– **lista radïal**: la striscia formata nel cielo dai due raggi (*radïal* dal lat. «radius», raggio), il destro e l'inferiore della croce, che lo spirito percorre (si cfr. il verbo *listare* usato a XIV 115).

– **alabastro**: Dante pensa qui probabilmente alle lastre di alabastro che spesso chiudevano allora le finestre delle chiese (come a S. Vitale di Ravenna), dietro le quali accadeva la sera di veder passare delle fiaccole, con l'effetto di luce viva dietro luce diffusa che qui si vuol figurare. Il secondo paragone si inserisce nel primo, con diversa funzione e non minore evidenza: il primo ritrae il veloce e improvviso movimento, il secondo la specifica qualità di quella luce discorrente.

25. **Anchise**: il nome, rievocando alla memoria la scena virgiliana degli Elisi, già preannuncia l'identità dello spirito che qui viene in primo piano e l'alto ruolo che gli sarà attribuito. Nello stesso tempo si instaura il secondo parallelo tra il *figlio*, Enea, e Dante, quello stesso parallelo che già fu respinto – ma tuttavia evocato – nel canto II dell'*Inferno*. – *pïa* qui significa «teneramente affettuosa», con quella «pietas» cioè che è propria del padre verso il figlio (cfr. XVIII 129 e XXXI 62).

– **si porse**: si offrì, si fece incontro; cfr. *Aen.* VI 684-6: «E quando si vide camminare incontro per l'erba Enea, alacremente gli tese entrambe le braccia, e con occhi gonfi di lacrime così gli parlava».

26. **se fede merta...**: se è degna di fede, cioè merita di esser creduta, la nostra più grande voce poetica (cfr. *Conv.* IV, XXVI 8: «Virgilio, lo maggiore nostro poeta»; per *musa*, poesia, cfr. XVIII 33). – *nostra*, come già a *Purg.* VII 17, ci ricorda che Virgilio era per Dante – come non è più per noi – parte di una tradizione culturale che egli riconosce come unica, da quella latina a quella dei suoi tempi. *Eneide* e *Commedia* sono dunque due poemi della stessa civiltà e della stessa storia letteraria.

27. **s'accorse**: lo vide a un tratto davanti a sé (cfr. *Inf.* XXX 19 e nota).

28-30. **O sanguis meus...**: o sangue mio, o sovrabbondante grazia divina, a chi, come a te, fu mai aperta per due volte la porta del cielo? La terzina in latino, intessuta di ricordi insieme virgiliani e biblici, apre con solennità unica nel poema la scena dell'incontro. Sul rilievo del tutto singolare dato da Dante a questo episodio si veda l'Introduzione al canto. Qui vogliamo sottolineare, ancora una volta, la totale naturalezza con cui Dante piega nell'endecasillabo italiano la struttura e il lessico della lingua latina (cfr. VII 1-3). La risposta alla domanda qui formulata è già in *Inf.* II 13-33: l'andare da vivi nell'aldilà fu concesso solo a Enea e Paolo, per i particolarissimi compiti a cui erano chiamati. Il salire al cielo poi soltanto a Paolo; e a nessun altro tra i comuni mortali.

– **sanguis meus**: così Anchise nell'*Eneide*, rivolgendosi al suo discendente Giulio Cesare (*Aen.* VI 835).

– **superinfusa**: infusa con abbondanza eccezionale. Altri intendono «infusa dall'alto», ma tale è per definizione ogni grazia, mentre Dante usa anche altrove il prefisso *super-* con questo senso di eccellenza, seguendo il modello di san Paolo (cfr. VII 2 e nota). Tutto il contesto tende peraltro a sottolineare l'eccezionalità della grazia concessa a Dante.

– **bis**: per due volte, cioè in vita e dopo la morte; anche questo è termine virgiliano, detto dalla Sibilla a Enea che vuole affrontare il viaggio nell'aldilà: «solcare due volte ("bis") la palude Stigia, vedere due volte ("bis") il nero Tartaro...» (*Aen.* VI 134-5).

■

... così dal braccio destro della croce venne ai piedi di quella una delle luci della costellazione che risplende in quel cielo; ◆ *né quella luce si allontanò dalla sua fascia luminosa (nastro), ma corse dentro la striscia formata dai due raggi (radial), come una fiamma che passa dietro una lastra d'alabastro. Con uguale premuroso affetto (sì pïa) si presentò l'ombra di Anchise, se è degna di fede la nostra più grande voce poetica, quando nell'Eliso si accorse della presenza di suo figlio.* ◆ *«O sangue mio, o sovrabbondante grazia divina, a chi, come a te, fu mai aperta per due volte la porta del cielo?».*

> Così quel lume: ond'io m'attesi a lui;
> poscia rivolsi a la mia donna il viso,
> 33 e quinci e quindi stupefatto fui;
>
> ché dentro a li occhi suoi ardeva un riso
> tal, ch'io pensai co' miei toccar lo fondo
> 36 de la mia grazia e del mio paradiso.
>
> Indi, a udire e a veder giocondo,
> giunse lo spirto al suo principio cose,
> 39 ch'io non lo 'ntesi, sì parlò profondo;
>
> né per elezïon mi si nascose,
> ma per necessità, ché 'l suo concetto
> 42 al segno d'i mortal si soprapuose.
> E quando l'arco de l'ardente affetto

31. **m'attesi**: rivolsi la mia attenzione (*Inf.* XVI 13).

33. **e quinci e quindi**: da una parte e dall'altra; dal *lume*, per le sue straordinarie parole – già dette –, e da Beatrice, per la sublimità del suo riso – che ora dirà. Dante appare come preso tra due fuochi, tra le due eccezionali esperienze che lo accolgono in questo cielo.

34-6. **ché dentro a li occhi suoi...**: l'assoluta e candida naturalezza di questa terzina, uno dei vertici del linguaggio del *Paradiso*, terzina della quale ogni termine è ancora oggi vivo, rende inutile la spiegazione; qualunque parafrasi la turberebbe. Segnaliamo quell'ardere del *riso* negli occhi, espressione dell'amore propria del terzo regno (cfr. III 24 e 42; V 126), e la semplice paratassi del terzo verso, propria del parlare umile e quotidiano, qual è anche quel *toccar lo fondo*, espressione ancora in uso nell'italiano moderno, che esprime con le parole comuni a tutti il massimo del rapimento. Rivive qui, con ben altra intensità di sentire e potenza di linguaggio poetico, un'esperienza già fermata nella *Vita Nuova*, a proposito del saluto di Beatrice: «e passando per una via, volse li occhi verso quella parte ov'io era molto pauroso, e per la sua ineffabile cortesia, la quale è oggi meritata nel grande secolo, mi salutoe molto virtuosamente, tanto che me parve allora vedere tutti li termini de la beatitudine» (III 1). Non a caso quel tempo, e quel libro, torneranno in filigrana dietro l'ultima descrizione che di Beatrice si tenterà nel poema, a XXX 28 sgg.

■

Così disse quel lume: per cui io rivolsi la mia attenzione a lui; poi volsi lo sguardo verso la mia donna, e da una parte e dall'altra rimasi stupefatto; perché dentro ai suoi occhi ardeva un riso tale, che io pensai coi miei di toccare il fondo della mia grazia e della mia beatitudine (paradiso). ◆ *In seguito, trasmettendo gioia (giocondo) a sentirlo e a vederlo, lo spirito aggiunse alle parole dette in principio cose tali ch'io non le compresi, tanto profondo era il senso del suo parlare; e non mi rimase incomprensibile (nascose) per sua scelta (elezïon), ma per necessità, in quanto i suoi concetti superavano il limite (segno) imposto ai mortali.* ◆ *E quando la tensione dell'ardente carità ...*

36. **de la mia grazia...**: della grazia e della beatitudine che io avrei mai potuto raggiungere. Il testo del Petrocchi porta la lezione *gloria*, molto più limitatamente attestata dalla tradizione. Sulle ragioni della nostra scelta si veda la nota di approfondimento alla fine del canto.

37. **giocondo**: che dava gioia; valore attivo comune in antico: «Al Signore... sia giocondo il mio parlare» (*Bibbia volgare* V 445).

38. **giunse... al suo principio**: aggiunse alle parole dette in principio.

39. **ch'io non lo 'ntesi...**: cose tali ch'io non riuscii a comprenderlo, tanto profondo era il contenuto del suo parlare: cioè, come dice dopo, non era la lingua, ma i concetti, le idee espresse, che superavano per sublimità l'intendimento umano. L'idea di profondità esprime anche altrove in Dante la misteriosa, infinita estensione del pensiero divino che l'uomo non può penetrare (come un *abisso*, un *mare* insondabile: cfr. XIX 58-60; XX 118-20; XXI 94-6; XXVIII 107-8).

40-2. **né per elezïon...**: e non disse cose per me incomprensibili (che mi restassero cioè nascoste) per sua scelta (*elezïon*), cioè deliberatamente, ma per necessità, in quanto le idee che esprimeva superavano il limite (il *segno*, quasi linea divisoria) posto alla mente mortale.

– **si soprapuose**: si pose al di sopra, cioè si trovò al di là di quel limite. Di che cosa lo spirito parlasse si può in parte desumere dalle parole che per prime si arriveranno a distinguere (vv. 47-8), parole di ringraziamento a Dio per la grazia concessa a Dante: si sarà trattato, come suppone tra gli altri il Landino, del mistero della predestinazione, o comunque delle ragioni insondabili per cui proprio quell'uomo era stato scelto tra tutti. È questo il solo argomento logicamente inseribile tra le prime parole latine (*o superinfusa*) e quelle italiane che poi seguono.

43. **l'arco...**: la tensione dell'ardente carità che sublimava le sue parole. La metafora dell'arco – che indica appunto tensione – si ritrova più volte nel poema per i moti dell'animo: conoscenza, volontà, amore. Qui sembra portata dal *segno* dei vv. 42 e 45 (Sapegno).

           fu sì sfogato, che 'l parlar discese
    45   inver' lo segno del nostro intelletto,
           la prima cosa che per me s'intese,
           «Benedetto sia tu», fu, «trino e uno,
    48   che nel mio seme se' tanto cortese!».
           E seguì: «Grato e lontano digiuno,
           tratto leggendo del magno volume
    51   du' non si muta mai bianco né bruno,
           solvuto hai, figlio, dentro a questo lume
           in ch'io ti parlo, mercé di colei
    54   ch'a l'alto volo ti vestì le piume.
           Tu credi che a me tuo pensier mei
           da quel ch'è primo, così come raia

44. **discese**: si rese comprensibile, scendendo al livello del nostro umano intelletto.

46. **per me s'intese**: forma passiva con compl. d'agente retto da *per* (cfr. *Inf.* I 126).

47. **Benedetto sia tu...**: lo spirito prosegue il suo dire in lingua volgare, mantenendo tuttavia tono e linguaggio alti e solenni. Dio è designato dal mistero trinitario (*trino e uno*), la più elevata e specifica idea cristiana dell'essere divino, già tema dominante nel canto precedente.

48. **nel mio seme**: verso la mia discendenza; come il *sanguis meus* delle prime parole, questa espressione rivela ora anche in volgare che chi parla è un antenato del protagonista.

– **cortese**: largo, liberale; il termine implica l'idea del signore che elargisce doni ai suoi sudditi; usato non a caso per lo stesso privilegio concesso a Enea in *Inf.* II 17. Si cfr. anche VII 91.

49. **Grato e lontano digiuno**: dipende da *solvuto hai* del v. 52. Tu hai saziato in me (col giungere in questo cielo) una lunga e gradita aspettativa. – *lontano* dice la lunga distanza di tempo (cfr. *Inf.* II 60) che è durata quell'attesa; da quando cioè era salito al cielo, e aveva visto in Dio il futuro (Cacciaguida era morto prima del 1189). Le prime parole dell'avo a Dante sono ispirate a quelle dell'Anchise virgiliano: «Sei venuto infine... Questo pensavo che pure accadesse, contando le stagioni, e l'ansioso pensiero non mi deluse» (*Aen.* VI 687-91). Quelle sono tuttavia tutte tenute nel limite umano dell'affetto paterno, incerto della sua speranza, queste elevate sul registro della divina predestinazione, e di una gioia più sacra che terrena.

50-1. **tratto leggendo...**: aspettativa che io avevo accolto in me (il *tratto* forse riecheggia il «ducebam» di Virgilio) leggendo nel libro del divino consiglio, dove nulla mai può mutare : «beato Augustino dice che nella mente di Dio non è nulla mutazione, ma tutta cosa eternale è e che giamai non si muta» (*Cronica fiorentina*, p. 116).

51. **bianco né bruno**: allusione alla pagina scritta – nero su bianco, come si dice oggi – dove nessun segno può mai essere aggiunto o tolto. Tutta la terzina ha andamento solenne e velato di mistero: quella lontananza da cui è iniziata l'attesa, quel *digiuno* che dice sospiro ardente di desiderio, quel *volume* immutabile della predestinazione divina, ogni parola, e lo stesso costrutto inverso, concorrono a creare aspettativa e a circondare di sacralità ciò che sarà detto in seguito.

52. **solvuto**: lo stesso verbo e sostantivo a XIX 25: *solvetemi, spirando, il gran digiuno*.

– **dentro a questo lume**: è quello che avvolge lo spirito (dentro il quale egli parla); come dire: nel mio animo, che in esso è racchiuso.

53-4. **mercé di colei...**: grazie a colei che ti ha dato le ali, cioè la capacità spirituale, a volare così in alto (la stessa immagine a XXV 49-50). Si riconosce qui a Beatrice, come solennemente si dirà al momento del congedo da lei (XXXI 82-4), il merito di aver reso possibile il grande viaggio.

55 sgg. **Tu credi...**: dopo il festoso saluto, Cacciaguida esorta Dante a dire a voce alta l'interno desiderio.

55-7. **tuo pensier mei...**: che il tuo pensiero derivi, giunga a me da colui che è l'Essere primo (cioè da Dio), come dalla conoscenza dell'uno discende (*raia*: si irradia) quella di tutti gli altri numeri. È principio aristotelico più volte citato nelle opere di Dante. – per *mei*, dal lat. «meare», cfr. XIII 55 e nota.

– **quel ch'è primo**: cfr. *Ep.* XIII 54: «avere l'essere da se stesso è possibile ad uno solo, e cioè al Primo o Principio, che è Dio».

... attenuò il proprio fuoco tanto che le parole discesero al livello del nostro umano intelletto, la prima cosa che compresi fu: «Benedetto sia Tu, trino e uno, che sei tanto generoso verso la mia discendenza (seme)!». ◆ *E continuò: «Tu hai soddisfatto, figlio, una lunga e gradita aspettativa (digiuno), che io avevo accolto in me leggendo nel gran libro (del divino consiglio) dove nulla mai può mutare, dentro a questo lume nel quale ti parlo, grazie a colei che ti ha dato le ali per questo altissimo volo.* ◆ *Tu credi che il tuo pensiero giunga (mei) a me da colui che è l'Essere primo (cioè da Dio), così come ...*

57   da l'un, se si conosce, il cinque e 'l sei;
       e però ch'io mi sia e perch'io paia
       più gaudïoso a te, non mi domandi,

60   che alcun altro in questa turba gaia.
       Tu credi 'l vero; ché i minori e ' grandi
       di questa vita miran ne lo speglio

63   in che, prima che pensi, il pensier pandi;
       ma perché 'l sacro amore in che io veglio
       con perpetüa vista e che m'asseta

66   di dolce disïar, s'adempia meglio,
       la voce tua sicura, balda e lieta
       suoni la volontà, suoni 'l disio,

69   a che la mia risposta è già decreta!».
       Io mi volsi a Beatrice, e quella udio

58-60. e però...: e per questo non mi chiedi (ritenendolo inutile) quel che vorresti sapere, cioè chi io sia e perché io mi mostri a te più gioioso di tutti, in questa gioiosa folla di anime. – *gaia* è variazione di *gaudïoso*: là dove tutti manifestano gioia, quello spirito ne dimostra più di ogni altro nei riguardi di Dante.

61-3. i minori e ' grandi...: tutti i beati, dai gradi più bassi ai più alti, guardano nella luce della mente divina, nella quale tu manifesti il tuo pensiero ancor prima di concepirlo e dove essi lo vedono riflesso come in uno specchio. La stessa immagine, comune nei teologi, a XXVI 103-8, e già in *Vulg. El.* I, II 3. – *speglio* è provenzalismo usato nel poema solo in rima, e in senso traslato. – *pandi* è latinismo da «pandere», palesare (cfr. XXV 20).

64-6. ma perché 'l sacro amore...: io conosco dunque i tuoi desideri. Tuttavia, affinché quel divino amore nel quale io eternamente vigilo, con gli occhi perennemente aperti in Dio (*con perpetüa vista*), e che mi dà ardente brama (*m'asseta*) di desiderare di compiacerti (desiderio *dolce*, perché appunto nato da amore), possa più abbondantemente essere soddisfatto (nel corrispondere a un desiderio formulato in modo espli-

cito, cioè dalla voce)... Tutta la terzina, intessuta di parole forti e di intenso significato – *sacro amore*, *veglio*, *perpetüa vista*, *asseta*, *dolce disïar*, *s'adempia* –, esprime con le sue potenti metafore l'insonne ardore dell'amore (*veglio*, *perpetüa vista*) e la forza e dolcezza del desiderio (la *sete*) di compiacere l'altro, che chiede solo di essere saziato.

– **m'asseta / di dolce disïar**: è costrutto singolare, apparentemente tautologico: mi ispira un intenso desiderio di desiderare. Esso esprime con intensa concisione l'azione dell'amore nell'animo, che spinge, urge appassionatamente a desiderare di fare il bene altrui (si ricordi la *benigna volontade* in cui sempre si manifesta l'amore dei vv. 1-2 del canto).

67. la voce tua...: la voce dunque deve risuonare nel cielo delle anime, farsi udire in tutta la sua pienezza. Ancora una volta l'aspetto corporeo dell'uomo rivela la sua importanza nell'universo dantesco. Solo nel rispondere a quella voce sarà infatti pienamente «adempiuto il sacro amore» che anima lo spirito beato (cfr. XVII 7-12).

– **sicura, balda e lieta**: sicurezza, baldanza, felicità: questo deve esprimere la voce dell'uomo che fa la sua richiesta nel paradiso. Quell'uomo non sicuro e non lieto (incerto del proprio destino, e che lo sa comunque doloroso) deve farsi sicuro e ardito, addirittura gioioso, nella fiducia che le vicende del mondo tornano sempre in bene per coloro che amano Dio (*Rom.* 8, 28). Queste parole già sembrano preannunciare la chiusa gloriosa del canto XVII.

68. suoni: transitivo: faccia risuonare.

– **la volontà... 'l disio**: i due termini non sono puri sinonimi: nella *volontà* di sapere (che è dell'intelletto) è racchiuso un profondo *disio*, che è proprio del cuore, ansioso della sua sorte.

69. è... decreta: è già stabilita, preparata: «perché so che cosa vuoi e che cosa desideri» (Benvenuto). – *decreta* per «decretata» è latinismo già usato a I 124. La terzina ha andamento trionfante, preludendo allo

---

... dalla conoscenza dell'uno discende (raia) quella del cinque e del sei (cioè di tutti gli altri numeri); e per questo non mi chiedi chi io sia e perché io mi mostri a te più gioioso di tutti in questa gioiosa folla. Tu credi cosa vera; poiché chi partecipa di questa vita (cioè tutti i beati), dai gradi più bassi ai più alti, guarda in quello specchio (la mente divina), nel quale tu manifesti il tuo pensiero ancor prima di pensarlo; ◆ *ma affinché quel divino amore nel quale io vigilo con gli occhi perennemente aperti in Dio e che mi dà ardente brama (m'asseta) di questo dolce desiderio, possa essere meglio soddisfatto, la tua voce, sicura, balda e lieta faccia risuonare la tua volontà, il tuo desiderio per il quale è già stabilita la mia risposta!».* ◆ *Io mi volsi a Beatrice, ed ella comprese ...*

72   pria ch'io parlassi, e arrisemi un cenno
    che fece crescer l'ali al voler mio.
        Poi cominciai così: «L'affetto e 'l senno,
    come la prima equalità v'apparse,
75   d'un peso per ciascun di voi si fenno,
        però che 'l sol, che v'allumò e arse
    col caldo e con la luce, è sì iguali,
78   che tutte simiglianze sono scarse.
        Ma voglia e argomento ne' mortali,
    per la cagion ch'a voi è manifesta,
81   diversamente son pennuti in ali;
        ond'io, che son mortal, mi sento in questa
    disagguaglianza, e però non ringrazio
84   se non col core a la paterna festa.

---

svelarsi di un alto destino.

70. **udio**: forma arcaica del perfetto; cfr. *vanio* a III 122 e nota linguistica.

71. **arrisemi un cenno**: mi rivolse un cenno di assenso col suo sorriso; *arridere* transitivo (come *sorridere* a I 95) include il cenno nel riso, con luminosa immagine. Beatrice tace, il suo sorriso parla per lei. Il verbo, che vale «ridere verso qualcuno», sarà usato per l'amore dello Spirito che intercorre tra Padre e Figlio a XXXIII 126.

72. **crescer l'ali**: si cfr. *Purg.* XXVII 123: *al volo mi sentia crescer le penne*. Qui il desiderio stesso sembra alzarsi in volo, con uno slancio accresciuto dal consenso di Beatrice. La metafora riprende, con variazione, le parole dette prima da Cacciaguida al v. 54, dove il volo è quello di Dante stesso nei cieli. Segreti accordi di un'altissima musica, quale è la poesia dell'ultima cantica.

73. **cominciai così**: preludio a una riflessione seria e profonda, con la quale Dante introduce la sua prima domanda, quasi facendosi degno dell'alta accoglienza ricevuta con parole tenute sullo stesso registro solenne e concettoso di quelle di Cacciaguida.

73-5. **L'affetto e 'l senno...**: in ciascuno di voi beati la capacità affettiva e quella intellettiva, non appena vi si manifestò la prima, assoluta eguaglianza, cioè Dio, divennero perfettamente commisurate l'una all'altra (*d'un peso*: di uno stesso peso, come posti sui due piatti di una bilancia che stia in pari).

– **prima equalità**: quell'uguaglianza su cui tutte le altre si misurano. In Dio ogni facoltà è perfettamente uguale all'altra, essendo tutte di grado assoluto.

76-8. **però che 'l sol...**: giacché quel sole (Dio) che vi illuminò con la sua luce (il *senno*) e infiammò (l'*affetto*) col suo calore (i quattro termini sono disposti a chiasmo: *v'allumò* con la *luce*, vi *arse* con il *caldo*) è così perfettamente uguale in tutte le sue qualità che ogni altra somiglianza appare inadeguata al suo confronto.

79. **Ma voglia e argomento**: corrispondono all'*affetto* e al *senno* del v. 73; il desiderio (che è proprio dell'affetto) e il mezzo per esprimerlo (che è proprio dell'intelletto). – *argomento* per «mezzo», «strumento», è comune nel poema; qui indica il mezzo per eccellenza dell'intelletto umano, cioè la parola. A differenza di quel che accade nei beati, le due facoltà negli uomini mortali non sono uguali fra loro (hanno diverse penne, cioè diversa potenza nelle ali).

80. **per la cagion...**: la ragione di questa dolorosa diversità è nota ai beati, che la vedono in Dio, non agli uomini, che la soffrono.

82-4. **ond' io, che son mortal...**: la terzina porta, nella sua semplice drammaticità, tutta la sofferta esperienza del poeta, che combatté per tutta la vita, e in particolare in questa terza cantica, contro tale *disagguaglianza* (si vedano i vv. 77-8 del canto XIII e i vv. 67-9 del XXIII). La situazione specifica – Dante non può esprimere all'avo il suo ringraziamento a parole, ma solo col cuore – è solo un'occasione che porta alla luce il profondo interno contrasto che è proprio in particolare del poeta, ma in generale di ogni umana esperienza.

■

... prima ancora che io parlassi, e mi rivolse col suo sorriso un cenno di assenso che fece crescere le ali alla mia volontà. Poi cominciai a dire: «La capacità affettiva e quella intellettiva, non appena vi si manifestò la prima eguaglianza (cioè Dio), divennero per ciascuno di voi perfettamente equilibrate (d'un peso), giacché quel sole (Dio) che vi illuminò con la sua luce e infiammò col suo calore è così perfettamente uguale (in ogni suo aspetto) che ogni altra somiglianza appare inadeguata (scarse) al suo confronto. ◆
Ma nei mortali il desiderio e lo strumento per esprimerlo (argomento; cioè la parola), per la ragione che a voi è chiara, hanno diverse potenzialità; per cui io, che sono mortale, mi sento in questa disuguaglianza, e perciò non ringrazio se non col cuore per questa festa paterna.

Ben supplico io a te, vivo topazio
che questa gioia prezïosa ingemmi,
87   perché mi facci del tuo nome sazio».
«O fronda mia in che io compiacemmi
pur aspettando, io fui la tua radice»:
90   cotal principio, rispondendo, femmi.
Poscia mi disse: «Quel da cui si dice
tua cognazione e che cent'anni e piùe
93   girato ha 'l monte in la prima cornice,
mio figlio fu e tuo bisavol fue:
ben si convien che la lunga fatica
96   tu li raccorci con l'opere tue.

85. **Ben**: correttivo: non posso ringraziare a parole, ma posso ben chiedere.

– **supplico... a te**: costrutto latino dei verbi di preghiera (cfr. XXVI 94; XXXIII 25 e *Purg.* XV 112).

86. **gioia prezïosa**: indica la croce luminosa, come il monile in cui s'incastona la singola gemma.

87. **mi facci... sazio**: sazi il mio grande desiderio di sapere il tuo nome; la metafora risponde al *digiuno* sofferto da Cacciaguida nell'attesa di poter vedere Dante (vv. 49-52).

88-9. **O fronda mia...**: con queste prime parole di risposta, lo spirito si rivela come un antenato del poeta: egli è la *radice* e l'altro è la sua *fronda*. Ciò era già stato detto nelle esclamazioni precedenti (*O sanguis meus*; *mio seme*), ma in forma implicita. Qui il colloquio muta registro e dalla contemplazione degli eventi divini si scende al dialogo storico: nomi, date, fatti concreti. Lo stile cambia i suoi modi: da solennemente paludato, a diretto e semplicemente costruito.

– **radice**: capostipite; anche questo termine è biblico, e di un celebre luogo di Isaia citato da Dante stesso a *Conv.* IV, v 5: «E però è scritto in Isaia: "Nascerà virga della radice di Iesse, e fiore della sua radice salirà"» (*Is.* 11, 1). Ma l'immagine dell'albero, del seme, dei rami per le umane stirpi è comunque un luogo comune diffusissimo e largamente ricorrente nel poema.

90. **cotal principio... femmi**: così cominciò la sua risposta. – *femmi*: mi fece, mi offrì.

91-2. **Quel da cui si dice...**: colui da cui deriva il nome della tua casata (cfr. v. 138; *cognazione* indicava la parentela fino al sesto grado).

93. **'l monte**: s'intende del purgatorio, nel quale la prima cornice ospita i superbi. Ci si è chiesti perché Dante abbia voluto porre tra i superbi il suo bisavolo, di cui certo nulla sapeva. Questi sono i suoi segreti, ma l'unica ipotesi che si può avanzare è che tale indicazione voglia suggerire che è quello il luogo proprio degli Alighieri: là infatti dovrà raggiungerlo il bisnipote (*Purg.* XIII 136-8).

94. **mio figlio fu**: Alighiero «figlio del fu Cacciaguida» è ricordato in due documenti, uno del 1189 e uno del 1201 (ma Dante, come appare dal v. 92, lo credette morto prima del 1200). Sposò una figlia di Bellincion Berti dei Ravignani (cfr. v. 112), sorella della *buona Gualdrada*, parentela che denota l'alto livello sociale che aveva allora la famiglia, poi via via decaduta. Ebbe due figli: Bello, padre del Geri che s'incontrò nell'*Inferno* (XXIX 27), e Bellincione, da cui nacque Alighiero II, padre di Dante.

95. **fatica**: la pena faticosa, che è propria dei superbi, di portar sulle spalle pesantissimi massi.

96. **raccorci**: abbrevi; *con l'opere*, s'intende, di pietà, che potrai compiere in suo suffragio.

97. **Fiorenza**: con questa parola, che quasi intitola tutto il passo, si apre il sereno e dolce quadro dell'antica piccola Firenze nel quale l'esule racchiude la sua nostalgia e insieme proietta – affidandolo come sempre al passato – l'ideale sognato del vivere civile. Pagina tra le più belle e famose del poema, proprio per questa sua doppia risonanza – insieme privata e universale – ugualmente alimentata da un forte e appassionato sentire.

– **la cerchia antica**: è la prima delle tre cinte murarie della città, che risaliva secondo la tradizione all'epoca di Carlo Magno; la seconda fu costruita nel 1173 – al tempo dunque di Cacciaguida, che può chiamare l'altra *antica* – e la terza fu cominciata nel 1284, al tempo di Dante. Questo primo verso, mostrando la città dentro l'angusta cerchia delle prime mura, già la presenta come tutta raccolta nella sua modesta e pacifica vita; e la piccolezza del cerchio è insieme figura della parsimonia e semplicità che domineranno il quadro successivo.

E tuttavia ti supplico, o vivo topazio che sei una gemma (ingemmi) di questo gioiello prezioso (cioè di questo cielo), di appagare il mio desiderio di sapere il tuo nome». ◆ «O mio discendente nel quale io mi compiacqui già solo nell'attesa, io fui il tuo capostipite»: così cominciò la sua risposta. Poi mi disse: «Colui da cui deriva il nome della tua casata (cognazione) e che per più di cent'anni ha girato intorno al monte (del purgatorio) nella prima cornice, fu mio figlio e tuo bisavolo: è ben giusto che tu abbrevi con le tue opere buone la sua dura pena.

Fiorenza dentro da la cerchia antica,
ond'ella toglie ancora e terza e nona,
99   si stava in pace, sobria e pudica.
Non avea catenella, non corona,
non gonne contigiate, non cintura
102   che fosse a veder più che la persona.
Non faceva, nascendo, ancor paura
la figlia al padre, che 'l tempo e la dote
105   non fuggien quinci e quindi la misura.
Non avea case di famiglia vòte;
non v'era giunto ancor Sardanapalo
108   a mostrar ciò che 'n camera si puote.

98. ond'ella toglie...: «sulle ditta mura vecchie si è una chiesa, chiamata la Badia, la quale chiesa suona terza e nona e altre ore, alle quali li lavoranti delle arti entrano ed esceno dal lavorio» (Lana).

– terza e nona: sono le ore canoniche (rispettivamente le nove del mattino e le tre del pomeriggio) con le quali Dante sempre misura il tempo nel poema, come facevano tutti i suoi contemporanei nell'Europa cristiana (cfr. *Inf.* XXXIV 96; *Purg.* XV 1 ecc.). Il suono della campana, che chiama alla preghiera e al lavoro, sembra l'ultima cosa sacra rimasta dell'antico tempo, ed ha nel verso un fascino singolare.

99. in pace: questa prima parola (che sarà anche l'ultima del canto: cfr. v. 148) ci dà la chiave di lettura di tutto il passo; questo è il vero e profondo sospiro dell'uomo nel suo vivere civile, e del cittadino che conosce e soffre le amare guerre di parte in una stessa cittadinanza (cfr. *Purg.* VI 82-4).

– sobria e pudica: i due aggettivi si riferiscono il primo alla parsimonia del vivere, cioè al costume esteriore, il secondo alla temperanza degli animi, cioè al costume morale. L'una e l'altra fondamento della pace nella città.

100. Non avea catenella...: le prime quattro terzine presentano il quadro al negativo (*Non... Non...*), costruito a confronto (sottinteso) con il presente. E il primo esempio è tolto dal costume femminile, come il più visibile segno della temperie morale di una città: le donne non avevano allora lussuosi ornamenti; la *catenella* può indicare un monile portato al collo, oppure al polso o alle maniche («de' bottoncelli d'ariento inorato infilati a varie guise»: Buti), e la *corona* è «adornamento di capo, che portano le donne come li re e le reine, fatto con foglie d'ariento inorato con gemme preziose e con perle».

101. gonne contigiate: vesti arricchite con ricami o altri fregi o perle; *contigia* valeva «ornamento» (ant. franc. «cointise»), da cui il verbo *contigiare*.

– cintura: allora quasi segno dello stato sociale.

102. a veder più...: più vistosa, appariscente, della persona che la indossava; si cfr. *Conv.* I, X 12: «sì come non si può bene manifestare la bellezza d'una donna, quando li adornamenti dell'azzimare e delle vestimenta la fanno più ammirare che essa medesima»

103-5. Non faceva, nascendo...: il padre non doveva temere se gli nasceva una figlia, perché allora non usava ancora prometterla in sposa fin da fanciulla e dare doti eccessive. L'età quindi e la cifra della dote (*'l tempo e la dote*) non oltrepassavano la giusta misura l'una in difetto, l'altra in eccesso (*quinci e quindi*, nelle due direzioni). «Maritansi oggi di 10 anni ed anco di meno... e dannosili 400 fiorini e oltre per dote... le quali dote non si possono acquistare in sì poco tempo se non usureggiando o rubbando o male acquistando» (Buti; cfr. anche Villani VII, LXIX).

106. case di famiglia vòte: alcuni intendono per la loro eccessiva grandezza, sproporzionata agli abitanti; altri per gli esilii dei padri e dei figli. Ma sembra più giusta l'interpretazione morale (per la corruzione dei costumi, che rendeva sterili le famiglie, prive di figli), in quanto corrispondente ai due versi successivi, che illustrano il primo. Ogni altra terzina di questa serie fa infatti centro su una sola idea: l'eccesso negli ornamenti, nelle doti, nei grandiosi palazzi. Così questa terzina denuncia l'eccesso nella corruzione dei costumi.

107. Sardanapalo: re assiro del VII secolo a.C., noto per la sua depravazione morale, di cui era divenuto quasi il simbolo già presso gli antichi. Dante avrà avuto presente soprattutto Orosio: «Sardanapalo, re d'Assiria, uomo più che femmina corrotto, tra la greggia delle femmine meretrici fu visto filare la porpora in abito di femmina vestito» (*Hist.* I, XIX). Nell'antica sobria Firenze non era ancora penetrata, dunque, la lussuria effeminata e molle propria delle età ricche e corrotte.

■

◆ *Firenze stava in pace, sobria e pudica, dentro l'antica cerchia della mura, da dove ancora riceve i rintocchi delle ore di terza e nona. Non c'erano monili, non corone, non vesti ricamate, non cinture che fossero più appariscenti della persona che le indossava.* ◆ *Il padre non doveva ancora temere se gli nasceva una figlia, perché l'età della sposa (il tempo) e la cifra della dote non oltrepassavano la giusta misura, l'una in difetto, l'altra in eccesso (quinci e quindi). Non c'erano case prive di figli; non vi era ancora giunto Sardanapalo a mostrare ciò che si può fare in camera da letto.*

Non era vinto ancora Montemalo
dal vostro Uccellatoio, che, com'è vinto
111   nel montar sù, così sarà nel calo.
    Bellincion Berti vid'io andar cinto
di cuoio e d'osso, e venir da lo specchio
114   la donna sua sanza 'l viso dipinto;
    e vidi quel d'i Nerli e quel del Vecchio
esser contenti a la pelle scoperta,
117   e le sue donne al fuso e al pennecchio.
    Oh fortunate! ciascuna era certa

109. **Montemalo**: Monte Mario, dal quale si vedeva apparire Roma venendo per la via Cassia da Viterbo – la strada allora più comune – come dal monte Uccellatoio si scorgeva Firenze venendo da Bologna. La terzina allude quindi all'aspetto della città vista dall'alto, cioè al fasto degli edifici, palazzi e torri, nel quale Roma non era ancora superata, come oggi è accaduto, da Firenze.

110-1. **che, com'è vinto**: il pronome *che* va riferito a *Montemalo*, che sta per la città nel suo aspetto grandioso: come Roma (*Montemalo*) è stata vinta nell'ascesa, così sarà anche superata nel declino, che per Firenze, s'intende, sarà più rapido e più rovinoso. Così il Villani racconta di aver avuto l'idea della sua cronaca quando si recò a Roma per il Giubileo del 1300: «considerando che la nostra città di Firenze, figliuola e fattura di Roma, era nel suo montare sì come Roma nel suo calare» (Villani IX, XXXVI); dove è ben evidente l'influenza del testo dantesco.

112. **Bellincion Berti**: il «buono messere Bellincione Berti de' Ravignani onorevole cittadino» (Villani V, I), della nobile casata dei Ravignani (XVI 97-9), padre della *buona Gualdrada* citata in *Inf.* XVI 37. Uno dei più illustri personaggi dell'antica Firenze. Il suo nome, ben noto come poi quello dei Nerli e dei Vecchietti, è esemplare di tutta la classe più agiata e nobile della città. Ma il fare un singolo, concreto nome, invece di dare una generica indicazione, è proprio della realistica, storica arte dantesca. Noi vediamo questo gran signore aggirarsi modestamente vestito per le vie della città, e la sua donna alzarsi dal tavolino con lo specchio senza alcun trucco: atti e gesti del vivere quotidiano che fanno presente allo sguardo quella semplice vita.

113. **di cuoio e d'osso**: la cintura di cuoio, con fibbia d'osso, era la più modesta possibile. Come per le donne (v. 101) la cintura dava il tono a tutto l'abbigliamento.

115. **quel d'i Nerli...**: i Nerli d'Oltrarno e i Vecchietti (o del Vecchio) di porta San Brancazio, nobili e antiche famiglie guelfe; per i Nerli, fatti cavalieri già nel X secolo, si cfr. XVI 127 e nota.

116. **esser contenti...**: «e dice che vide li maggiori di quelle case andare (ed era spezial grazia e grande cosa) contenti della pelle scoperta senza alcuno drappo; chi la portasse oggi sarebbe schernito» (Ottimo).

117. **fuso pennecchio**: oggetti tipici dell'arte della filatura, proverbialmente compito femminile dall'antichità fino ai tempi delle moderne filande (oggi si direbbe: fare la calza). Il *fuso* è quell'arnese di legno, acuminato ai due lati e panciuto al centro, con il quale si riduceva in filo la piccola massa di lana (il *pennecchio*) posta via via sulla rocca (cfr. *Purg.* XXI 25-7 e nota). La terzina ricalca la precedente, ampliando il quadro: gli uomini contenti di modesti vestiti, le donne dedite ai lavori femminili e non distratte da futili vanità.

118. **Oh fortunate!**: fortunate a confronto con le donne, mogli e madri, del tempo presente, incerte – per i continui bandi che cacciavano in esilio ora questa, ora quella parte – di dove avrebbero vissuto i loro ultimi giorni. L'esclamazione dolente sembra prorompere dal cuore dell'esule, più che da quello dello spirito che sta parlando. La terzina segna il passaggio da un quadro che fa centro sulla parsimonia e modestia del costume esteriore ad un altro, di più alto livello, che presenta in una raccolta scena d'interno i valori intimi e profondi del vivere familiare.

119. **de la sua sepultura**: che avrebbero avuto nella chiesa vicina, nella loro città, tra gli amici, e non in terra straniera, come colui che scrive questi versi.

120. **per Francia**: «... e ancora nulla delle donne fiorentine era abbandonata dal marito per andare a stare in Francia a mercatantare, come si va oggi» (Buti). La Francia era allora per i fiorentini il luogo principale del commercio. Le passioni politiche, e la passione del guadagno, portavano dunque, con gli esilii e i lontani viaggi, la desolazione e la solitudine nelle case.

– **diserta**: abbandonata, dal lat. «deserere» (cfr. *Inf.* XXVI 102).

◆ *Non era stato ancora vinto Monte Mario dal vostro Uccellatoio, quel Monte Mario che, come è vinto nell'ascesa, così sarà anche superato nel declino (calo). Bellincion Berti vidi andare cinto con la cintura di cuoio con fibbia d'osso, e sua moglie lasciare lo specchio senza essersi truccata il viso; e vidi i Nerli e i Del Vecchio accontentarsi della pelle senza ornamenti (scoperta), e le loro donne del fuso e del pennecchio.* ◆ *O fortunate! ciascuna era certa ...*

de la sua sepultura, e ancor nulla
120   era per Francia nel letto diserta.
L'una vegghiava a studio de la culla,
e, consolando, usava l'idïoma
123   che prima i padri e le madri trastulla;
l'altra, traendo a la rocca la chioma,
favoleggiava con la sua famiglia
126   d'i Troiani, di Fiesole e di Roma.
Saria tenuta allor tal maraviglia
una Cianghella, un Lapo Salterello,

121-6. L'una vegghiava...: ed ecco le fortunate e serene donne di un tempo, raccolte in una casa dove regnano la pace e la dolcezza degli affetti: *l'una*, la madre, vegliava ad addormentare il suo bambino, con quel dolce linguaggio che padri e madri godono usare con i loro piccoli; *l'altra*, la nonna, filava la lana e raccontava le leggende dell'antica storia di Firenze. Si vedono qui riunite tre generazioni, simboleggiate e come custodite dalla figura femminile, segno della continuità e dell'amore nelle famiglie.

– a studio de la culla: tutta intenta alla cura del figlioletto in culla; *studio* vale «cura», «occupazione attenta»: cfr. *Conv.* III, IX 15: «per affaticare lo viso molto a *studio* di leggere».

122-3. l'idïoma...: è il linguaggio volutamente artificioso che da sempre si usa con i piccoli, che *trastulla*, cioè dà piacere, come acutamente osserva Dante, a chi lo usa (più che ai destinatari). Questo delicato tratto che ritrae padre e madre allietati dal parlare infantilmente col loro bambino è uno dei molti che nel poema rivelano l'attento e affettuoso guardare di Dante agli atti e parole che riguardano la prima infanzia (cfr. XXIII 121-3; XXX 82-4 e *Purg.* XXX 43-5).

124. traendo a la rocca...: togliendo via la chioma dall'alto della rocca, cioè riducendo a filo il pennecchio (cfr. v. 117 e nota), visto come una bianca capigliatura sull'alto bastone. Il verbo *trarre* è usato per lo stesso gesto a *Purg.* XXI 26.

125. la sua famiglia: indica latinamente le donne della servitù, tutte raccolte al lavoro intorno alle padrone di casa, anch'esse parte, nel mondo antico, del nucleo familiare patriarcalmente concepito.

126. d'i Troiani...: narrava delle antiche leggende sull'origine di Firenze, che i primi cronisti facevano discendere dai Romani, risalendo fino ad Enea. Il verso segue la direzione della storia, quella storia che è anche altrove rievocata da Dante: Enea venuto da Troia a fondare Roma, i Romani che distrussero Fiesole e di lì scesero poi a fondare Firenze (cfr. *Inf.* XV 61-3 e 73-8). Tali leggende erano di larga diffusione popolare, tanto da essere raccontate a veglia, come qui appare. I versi hanno un andamento di favola, che il lungo verbo del verso precedente accompagna.

127. Saria tenuta allor...: a quel tempo una donna scostumata, o un uomo politico corrotto, sarebbero stati cose straordinarie, degne di meraviglia, come oggi una donna o un uomo di esemplare virtù morale. Così noi traduciamo questi versi. Ma come sempre Dante fa invece dei nomi concreti, ben noti ai suoi lettori (così prima *Bellincion Berti*), che appaiono vivi e significativi nel verso.

128. Cianghella: figlia di Arrigo della Tosa e moglie di un Alidosi di Imola, «donna piena di tutto disonesto abito e portamento, e parlante senza alcuna fronte [cioè sfrontatamente]» (Ottimo); così di lei tutti gli antichi. In particolare il Boccaccio la ricorda nel *Corbaccio* come donna dissoluta e di parlare disonesto. Questo sfrontato parlare, di cui fanno menzione i due antichi, dovette caratterizzare la persona e motivare perciò la scelta di Dante, in quanto rendeva un fatto tollerato in pubblico il disonesto comportamento privato.

– Lapo Salterello: noto giurista e rimatore fiorentino, attivo protagonista della vita pubblica del Comune nell'ultimo decennio del secolo, bandito nel 1302, insieme a Dante, per baratteria e corruzione di processi giudiziari. Priore nel 1300, cioè nello stesso anno di Dante, aveva denunciato segreti accordi fra tre cittadini di Firenze e papa Bonifacio VIII, e sostenuto l'autonomia del Comune di fronte al papa, e ciò gli valse la vendetta della Parte nera. Quando questa prevalse, egli cercò invano di salvarsi tradendo i suoi, come ci narra il Compagni, fatto che spiegherebbe il severo giudizio dato qui da Dante, che pur ne condivise la posizione politica. Ma in questo luogo specifico, a confronto con Bellincione e Cincinnato, sembra pesare anche l'altra immagine che ci resta di lui nei commenti antichi, e cioè di uomo molle e raffinato nelle vesti e nel tenore di vita: «uno giudice di tanti vezzi in vestire e in mangiare, in cavalli e famigli, che intra nullo termine di sua condizione si contene» (Ottimo).

... della sua sepoltura, e ancora nessuna era stata lasciata sola nel letto per andare a commerciare in Francia. Una vegliava intenta a curare i piccoli nella culla e, per consolarli, usava quel linguaggio che diverte i padri e le madri prima che i figli; l'altra, togliendo via via la chioma dall'alto della rocca, raccontava via via alla sua servitù le leggende dei Troiani, di Fiesole e di Roma. ◆ *A quel tempo una Cianghella (donna scostumata) o un Lapo Salterello (uomo politico corrotto) ...*

129   qual or saria Cincinnato e Corniglia.
       A così riposato, a così bello
    viver di cittadini, a così fida
132   cittadinanza, a così dolce ostello,
       Maria mi diè, chiamata in alte grida;
    e ne l'antico vostro Batisteo
135   insieme fui cristiano e Cacciaguida.
       Moronto fu mio frate ed Eliseo;
    mia donna venne a me di val di Pado,
138   e quindi il sopranome tuo si feo.

129. Cincinnato e Corniglia: due esempi di alta probità, pubblica e privata, dell'antica repubblica romana, tratti dai più famosi nomi della grande storia di Tito Livio, passati in proverbio in tutte le scuole. Il primo è il dittatore che rinunciò a ogni compenso dopo la vittoria sugli Equi, tornando al suo campicello. La seconda è la madre dei Gracchi – Cornelia –, modello della virtù familiare propria delle antiche matrone romane. L'uno e l'altra ricordati anche altrove da Dante (per il primo si vedano VI 46; *Conv.* IV, v 15; *Mon.* II, v 9 sgg.; per la seconda *Inf.* IV 128).

130-2. A così riposato...: la terzina raccoglie nella serie di quei sereni aggettivi – *riposato, bello, fida, dolce* – tutta la pacifica e dolce vita finora descritta; in quel luogo ebbe la ventura di nascere colui che qui parla, che soltanto ora narrerà brevemente la sua vita, quasi tutta contrassegnata da quel vivere puro e forte dentro le mura che simboleggiano la custodia morale degli animi.
– **fida**: dove ognuno poteva fidarsi dell'altro.
– **ostello**: dimora; bello e fidato quel vivere, dolce la città dove così si vive.
– **Maria mi diè...**: Cacciaguida ricorda qui l'antico costume, per cui la donna invocava Maria nei dolori del parto (cfr. *Purg.* XX 19-21). Tratto che imprime su quella nascita il segno divino, come sarà della morte.

134. Batisteo: forma antica di «battistero»; è il *bel San Giovanni* di *Inf.* XIX 17, chiesa cara a Dante, quasi il simbolo della sua città, che egli ricorderà ancora come il luogo del suo battesimo e come quello dove spera di essere un giorno incoronato poeta, *se mai* tornerà, a XXV 1-9. Esso è detto *antico* in quanto la tradizione lo voleva fondato sulle rovine del tempio di Marte (cfr. *Inf.* XIII 143 sgg.); di fatto risale all'XI secolo ed è con S. Miniato la più antica chiesa di Firenze.

135. cristiano e Cacciaguida: il nome vien dato insieme al titolo di cristiano, quasi due segni di riconoscimento dell'uomo, indivisibili l'uno dall'altro. Di questo trisavolo di Dante non abbiamo nessuna notizia che possa aggiungersi a quanto qui si dice; la sua esistenza è assicurata dai due documenti (1189 e 1201) in cui è citato come il padre defunto del figlio Alighiero (cfr. nota al v. 94). Anche la nobiltà originaria della famiglia è garantita dalla dignità di cavaliere, che soltanto ai nobili poteva essere conferita. Aveva la casa nel Sesto di porta San Piero (di dove, secondo il Villani, veniva «la migliore cavalleria») ed era forse imparentato con la nobile famiglia degli Elisei; nacque sulla fine del sec. XI (cfr. XVI 34-9 e nota) e se, come Dante ci riferisce, morì in Terra Santa nella crociata condotta da Corrado III, l'anno della sua morte dovette essere il 1147, quando l'esercito cristiano fu distrutto dagli infedeli, o al più tardi il 1148, quando i crociati lasciarono la Terra Santa. Nobile, cavaliere, crociato, questo antenato si presenta come la persona storica che in qualche modo prefigura il suo discendente, nel quale nobiltà, milizia, e martirio, dovevano essere caratteri non più impressi dall'esterno, ma acquisiti tutti nella coraggiosa vita del suo spirito.

136. Moronto... Eliseo: anche di questi fratelli nulla sappiamo. Un «Moronto de Arco» è citato in un documento del 1076, ma niente prova che egli fosse parente di Cacciaguida. Alcuni storici hanno dedotto, dal nome del secondo fratello e da altri indizi, un rapporto con l'antica famiglia degli Elisei, tra le più illustri di Firenze, ma è ipotesi senza sicura conferma.

137. di val di Pado: dalla valle padana. Famiglie col nome di Alighieri sono state ritrovate in varie città padane: Ferrara, Parma, Verona. I più tuttavia pensano a Ferrara (così tra gli antichi l'Ottimo, il Boccaccio, il Bruni), dove una famiglia degli Aldighieri appare nei documenti fin dall'XI secolo e un Aldighiero degli Aldighieri è ricordato nell'anno 1083 (forse il padre della *donna* di Cacciaguida?).

138. e quindi il sopranome tuo: dalla famiglia della madre prese nome il figlio di Cacciaguida, Alighiero, da cui poi si fece, derivò, il cognome di Dante. «Per

---

... sarebbero stati cose degne di meraviglia, come oggi Cincinnato o Cornelia (uomo e donna di esemplare virtù morale). A una vita così bella e tranquilla di cittadini, ad una cittadinanza così fidata, ad una dimora così dolce, mi diede Maria, invocata nelle grida del parto; e nel vostro antico Battistero divenni cristiano col nome di Cacciaguida. ◆ Moronto ed Eliseo furono miei fratelli; mia moglie venne dalla Val Padana, e da lei (quindi) si formò il tuo cognome.

Poi seguitai lo 'mperador Currado;
ed el mi cinse de la sua milizia,
141   tanto per bene ovrar li venni in grado.
Dietro li andai incontro a la nequizia
di quella legge il cui popolo usurpa,
144   per colpa d'i pastor, vostra giustizia.
Quivi fu' io da quella gente turpa
disviluppato dal mondo fallace,
lo cui amor molt'anime deturpa;
148   e venni dal martiro a questa pace».

isposa ebbe una donzella degli Aldighieri di Ferrara della quale forse più figlioli ricevette In uno, siccome le donne sogliono esser vaghe di fare, le piacque di rinnovare il nome de' suoi maggiori, e nominollo Aldighieri» (Boccaccio, *Vita di Dante*, p. 69).

139. **lo 'mperador Currado**: Corrado III di Svevia, imperatore dal 1138 al 1152. Venne in Italia per l'incoronazione a re nel 1128, e in quell'occasione fu anche in Toscana, dove trovò consensi e seguaci. Condusse la seconda crociata (1147-48) insieme a Luigi VII di Francia, crociata miseramente finita in una clamorosa sconfitta. Molti italiani si unirono alla spedizione, e tra loro si sa con certezza che furono alcuni fiorentini, come Pazzino dei Pazzi e Guido Guerra. Non vi sono dunque dati storici che si oppongano al racconto di Dante, e non vi è ragione di dubitarne. Niente vieta che al tempo della sua dimora in Toscana Corrado abbia conosciuto e armato cavaliere il nobile Cacciaguida, il quale poi lo avrebbe seguito in Terra Santa insieme agli altri illustri fiorentini. Ignorando i fatti oggi a noi noti (quali la venuta di Corrado in Toscana e la partecipazione dei toscani alla sua crociata) molti antichi e moderni avevano pensato a Corrado II il Salico (1024-39), che scese in Italia, armò cavalieri molti fiorentini e combatté in Calabria contro i Saraceni. Ma la cronologia, e anche il chiaro accenno alla Terra Santa dei vv. 142-4, rendono del tutto inverosimile quella ipotesi, e inutile anche il supporre una confusione, da parte di Dante, tra i due imperatori. Sembra ben più credibile che nella famiglia si conservasse, di padre in figlio, il ricordo di quella gloriosa impresa e di quella morte.

140. **mi cinse**: l'investitura a cavaliere veniva fatta cingendo la spada ai fianchi del candidato; «miles» era nel Medioevo il termine latino con cui si indicava il cavaliere.

142-4. **incontro a la nequizia...**: contro la perversità della religione musulmana, il cui popolo occupa con usurpazione, per colpa dei vostri pastori (i pontefici), la terra che per diritto spetterebbe a voi cristiani (cioè la Terra Santa).

143. **legge**: in questa accezione indica l'insieme dei precetti che caratterizzano una religione (cfr. *Conv.* II, VIII 9: «questo vuole ciascuna legge, Giudei, Saracini, Tartari»).

144. **d'i pastor**: la colpa è dei pontefici, che non si

curano dei luoghi santi perché tutti occupati soltanto ad accrescere il loro potere temporale (cfr. IX 136-8).

145. **gente turpa**: sono gli usurpatori, e seguaci della fede di Maometto, considerata allora una gravissima eresia (cfr. *Inf.* XXVIII 31 e nota). – *turpa*, unica occorrenza nel poema, è vocabolo forte che vale «brutto in sommo grado», spesso detto di bruttezza morale: «e così come questa [la reverenza] è bellezza d'onestade, così lo suo contrario è turpezza e menomanza dell'onesto» (*Conv.* IV, VIII 2). Per la forma in *-a* si cfr. *loda* a *Inf.* II 103, *froda* a *Inf.* XVII 7 e relativa nota linguistica.

146. **disviluppato**: io (è lo spirito che parla) fui sciolto dai lacci mortali, e liberato così dalle ingannevoli lusinghe del mondo.

– **mondo fallace**: è l'espressione boeziana usata già nel cielo del Sole nella presentazione del saggio filosofo fatto uccidere da Teodorico (cfr. X 124-6), che non a caso qui ritorna, come da quel luogo torneranno le ultime parole del canto, ricordando così un altro *martiro*, non meno amaro, come sarà quello di colui che qui ascolta.

147. **lo cui amor...**: la cui attrattiva ingannevole porta a rovina molte anime. – *deturpa* vale «macchia», «guasta».

148. **dal martiro a questa pace**: la morte dei crociati, subita per la fede, era considerata un martirio. Il verso finale riconduce l'una sull'altra le due figure dell'avo e del nipote, al quale ultimo è riserbato, nella speranza del suo cuore, un simile passaggio.

Poi seguii l'imperatore Corrado (III di Svevia); ed egli mi investì del suo ordine cavalleresco, tanto gli divenni gradito per le mie buone opere. Gli andai dietro contro la perversità di quella religione (musulmana), il cui popolo occupa con usurpazione, per colpa dei vostri pastori (i pontefici), la terra che secondo giustizia spetterebbe a voi (cristiani). ◆ *Qui io per mano di quella gente orribile (turpa) fui sciolto dai lacci del mondo ingannevole, la cui attrattiva porta a rovina molte anime; e dal martirio giunsi a questa pace».*

approfondimenti

NOTE AL TESTO

vv. 10-2. Per le ragioni espresse nel commento a questi versi, non sembra giusto unire *etternalmente* a *non duri*, come l'edizione del '21 e il Petrocchi, che pongono la virgola non dopo *duri*, ma dopo *etternalmente*. L'idea qui espressa (che il *sanza termine* e l'*etternalmente* messi a confronto chiaramente rivelano) è che l'eternità della pena è proporzionata non alla colpa, necessariamente finita, ma all'eternità del supremo bene cui l'uomo volontariamente rinuncia per amore di cose effimere. Per questo abbiamo preferito adottare nel testo la punteggiatura del Casella (come già il Chimenz e il Sapegno).

v. 36. grazia: il Petrocchi adotta qui la variante *gloria*, molto debolmente rappresentata dalla tradizione manoscritta, considerandola lezione più difficile e intendendola rafforzativa del termine *paradiso* (il «binomio» *gloria* e *paradiso* corrisponderebbe così alla *beatitudine* del luogo della *Vita Nuova* citato nella nota al testo). In realtà, a parte l'incertezza del criterio di «più difficile» nel caso dei due termini di cui qui si tratta, la distinzione tra i due concetti, per cui alla beatitudine significata dal termine *paradiso* si viene ad aggiungere l'idea della *grazia* eccezionalmente concessa a Dante (motivo dominante nel poema ed in particolare in questo canto: vv. 28-30), sembra piuttosto un arricchimento da preferirsi alla presunta sinonimia dei due termini (come già osservava il Sapegno); e ricordiamo anche che la grazia è proprio ciò che giunge a Dante per mezzo di Beatrice (cfr. XXXI 83-4 e *Purg.* XXVI 59). Inoltre – ed è questo l'argomento per noi decisivo – il termine *gloria* non può essere riferito nella teologia cristiana (e dantesca) ad un uomo mortale, ma soltanto a coloro che già godono, accomunati a Dio stesso, della visione beatifica (essere nella gloria è infatti partecipare alla vita divina). Si vedano i due luoghi citati dallo stesso Petrocchi (XIX 14 e XXV 68), o anche XXIII 139, dove il termine ha sempre questo specifico significato, e non è mai infatti riferito a Dante (e si cfr. anche l'uso dell'aggettivo *glorioso* a XIV 6; XX 112; XXXI 60).

vv. 76-8. L'evidente chiasmo illustrato nel commento (*v'allumò e arse / col caldo e con la luce*) rende a nostro parere inopportuno lo spostamento della virgola da dopo *luce* a dopo *arse* introdotto dal Petrocchi; quella virgola fa dipendere *col caldo e con la luce* da *è sì iguali* (dandogli il valore di compl. di relazione: «rispetto al caldo e alla luce»), mentre la figura del chiasmo vuole (e tutti i precedenti commentatori intendono) che l'espressione dipenda da *v'allumò e arse*. Inoltre l'aggettivo *iguali* non richiede un complemento, in quanto indica una qualità posseduta in forma assoluta (cfr. *la prima equalità* del v. 74), come mostra anche il v. 78. Per questo abbiamo ritenuto corretto riportare la virgola dopo *luce* (v. 77), come è nell'edizione del '21, inserendone inoltre una dopo *sol* (come già fecero altri editori) per non separare il soggetto dal verbo.

v. 101. gonne: tutta la tradizione manoscritta porta *donne* e non *gonne*. Ma gli editori moderni (Vandelli, Casella, Petrocchi) hanno preferito la congettura *gonne*, che si inserisce coerentemente tra gli altri oggetti qui nominati (*catenella, corona, cintura*), tra i quali sembra invece stonare *donne* (uomini e donne saranno ricordati dopo: vv. 112 sgg.).

NOTE LINGUISTICHE

v. 9. concorde: il femminile plurale in *-e* di nomi e aggettivi derivati dalla 3ª declinazione latina dell'uso corrente (cfr. *accline* a I 109; *consorte* a XXI 78 ecc.).

SUGGERIMENTI PER LA RICERCA

Temi e personaggi del canto

L'ombra di Anchise

L'episodio dell'incontro agli inferi tra Enea e il padre Anchise ispira il racconto di questo canto: leggi i vv. 679-702 del VI canto dell'*Eneide* e gli altri luoghi citati nelle note, rintracciando le precise corrispondenze del testo virgiliano col testo dantesco; quindi esponi in un breve testo scritto le tue osservazioni in proposito.

«io fui la tua radice»

Ricostruisci in base al testo e alle note l'albero genealogico di Dante; quindi ricerca ulteriori notizie e informazioni su Cacciaguida consultando la voce relativa, a cura di F. Forti, in *Enciclopedia Dantesca* I, pp. 733-739 oppure quella a cura di A. D'Addario, nel *Dizionario biografico degli Italiani*, II pp. 384-385.

La Firenze antica

Analizza la descrizione della Firenze di Cacciaguida (confrontandola se ti è possibile col quadro fatto nel cap. 69 del libro VII della *Nuova Cronica* di Giovanni Villani); quindi elabora uno schema mettendo a confronto le caratteristiche della città antica e dei suoi cittadini con la situazione presente, che è descritta in controluce in questo canto e direttamente nell'invettiva di *Purg.* VI 127-151. Per completare la ricerca leggi all'interno della voce *Firenze* dell'*Enciclopedia Dantesca* il paragrafo *Firenze nell'opera dantesca,* a cura di E. Ragni (vol. III, pp. 920-927) oppure il saggio di D. Consoli, citato nelle *Letture consigliate.*

Le favole sull'origine di Firenze

La tradizione popolare faceva risalire la fondazione di Firenze ai Romani: riprendi il canto XV dell'*Inferno* (vv. 61-63 e 73-78) per rileggere come ne parla Brunetto Latini; quindi ricerca notizie sulla storia della città – dai suoi albori fino al tempo di Dante – nell'*Enciclopedia Treccani*; infine sull'argomento puoi consultare la voce *Fiesole*, a cura di F. Cardini, in *Enciclopedia Dantesca* II, pp. 863-865.

Lingua e stile

gemma – v. 22

Nel *Paradiso* Dante rappresenta talvolta le luminose anime dei beati come pietre preziose. Individua nel canto i verbi e i sostantivi impiegati in questo tipo di metafore e nota, servendoti delle *Concordanze*, in quali altri canti essi siano utilizzati. Prosegui poi la ricerca consultando ancora le *Concordanze* alle voci *balasso, lapillo, margherita,* e *rubino* e compila un elenco delle gemme che trovi menzionate nel *Paradiso*, annotandone le diverse caratteristiche di colore e luminescenza.

in che – v. 64

In italiano antico è piuttosto frequente l'uso del pronome relativo *che* in funzione di complemento indiretto preceduto da preposizione (in luogo cioè dell'odierno *cui*). Individua alcuni relativi di questo tipo nella *Commedia*, ripercorrendo i canti VII e XXXIII dell'*Inferno*, VIII e XXXI del *Purgatorio*, V e IX del *Paradiso*. Leggi poi gli esempi riportati dalla *Grammatica italiana* del Serianni, cap. VII. 232c, che testimoniano la sopravvivenza del relativo *in che* nella più recente letteratura ottocentesca.

L'articolo indeterminativo – v. 128

Consulta la *Grammatica italiana* del Serianni al cap. IV.70a-d dove si riportano i diversi significati che l'articolo indeterminativo assume quando è riferito a nomi propri, e attribuisci il senso corretto al caso qui indicato: «una Cianghella, un Lapo Salterello».

approfondimenti

CANTO XVI

Introduzione

Questo canto, quello mediano del trittico, si presenta come in tono minore: non vi si trovano infatti l'intensità degli affetti, il sogno del passato e il dolore del futuro, che rendono così vivi e drammatici gli altri due. Il suo andamento più descrittivo e sommesso lo ha fatto considerare da alcuni come poeticamente incolore, quasi una caduta di tono nel grande quadro dell'incontro con l'avo che occupa il centro della cantica. Ma la sua funzione è invece essenziale, né si potrebbe togliere dalla sequenza dei tre canti senza perdere quello che è il carattere primario del poema, e che è all'origine della sua stessa bellezza e novità poetica, quella compresenza di storia ed eternità di cui tante volte si è parlato. Tutto il suo argomento infatti, che non a caso è condotto, come si è detto, su un registro meno alto dei canti adiacenti, ci presenta l'aspetto storico, diremmo quasi carnale, della doppia vicenda, della città e dell'uomo, che gli altri due canti innalzano a un valore universale di esempio, proiettandola nella prospettiva dell'eterno pensiero divino.

La modesta, ma reale *nobiltà di sangue* del cittadino che, come gli antichi profeti, sarà cacciato dalla città corrotta e avrà un ruolo simile al loro – nobiltà che è l'oggetto della prima parte del canto – e la precisa analisi della decadenza dei costumi e il circostanziato elenco dei nomi delle antiche famiglie della città presentata come un mitico Eden – che sono l'oggetto della seconda e più lunga parte di esso –, danno infatti all'uno e all'altra quella storica concretezza – fatta di nomi, di date, di luoghi, di «sangue» – che toglie loro ogni genericità mitica e li pone in quella dimensione insieme celeste e terrena, universale e individuale, che è propria di ogni fatto o persona della *Commedia*, ed è poi la misura con cui la cultura cristiana comprendeva la storia e il mondo.

Questo è il senso del modesto vanto – da Dante stesso subito ridimensionato – che egli esprime nei primi versi del canto per il suo discendere da una famiglia equestre (l'ordine di cavaliere, di cui era stato insignito Cacciaguida, si trasmetteva infatti agli eredi) e da un crociato morto per la fede. Cacciaguida preciserà poi che i suoi *maggiori* abitavano nel quartiere della città dove erano le case delle più nobili e antiche famiglie. (E questo motivo – della casa e del quartiere come segno preciso, quasi tangibile, nella sua realtà di pietra, della consistenza di una famiglia – tornerà poi nella rassegna dei nomi degli antichi cittadini). Dante osserva qui che questo genere di nobiltà resiste nel tempo solo se i singoli uomini via via lo nutrono con le loro opere (vv. 7-9); tuttavia quel «seme» di partenza, dovuto alla disposizione della natura, è riconosciuto (come già nella lunga meditazione del *Convivio*, e più decisamente nella *Monarchia*), anche se di per sé destinato a breve vita. Su di esso si innesterà una nobiltà ben più duratura, che sfiderà i secoli, quella conferita al piccolo cavaliere fiorentino dalla sua poesia. Ma ciò non toglie che Dante ne tragga motivo di vanto anche nel cielo. Esso è la sua credenziale storica, per così dire, che può porlo, con la dovuta distanza, accanto al grande Enea di fronte al suo, anch'esso ben più mode-

sto, Anchise. Ma noi avvertiamo come i due eroi moderni – che di fatto eroi
non sono, perché non appartengono al mito, ma alla quotidianità storica – hanno
una realtà che i due antichi non potevano avere (come del resto nessun altro
eroe dei poemi scritti fino al tempo di Dante e anche oltre); ed è quella realtà
che ci coinvolge direttamente, perché è uguale alla nostra, quella per la quale
il lettore ancora può immedesimarsi in loro (perché le case dell'*ultimo sesto* di
Firenze sono simili a quelle dove egli vive).

Ma al breve spazio di versi dedicato alla persona di Dante segue il lungo
discorso nel quale Cacciaguida risponde alla seconda domanda fattagli dal pronipote, su come era al suo tempo l'*ovil di San Giovanni* e su quali erano *le genti*
più illustri che lo abitavano. Di quel pacifico e sereno ovile che l'avo aveva descritto nel canto precedente, Dante vuol sapere ora qualcosa di più, soprattutto sapere i nomi di quei cittadini (e non a caso la parola *ovile*, che suggerisce la raccolta e custodita pace dove dormono tranquilli gli agnelli, tornerà a designare
Firenze nell'ultimo canto dedicato all'esilio, il XXV, il canto della speranza).

La risposta di Cacciaguida, che occupa tutto il resto del canto, si sviluppa
in tre momenti: prima egli ricorda il piccolo numero di abitanti – ma tutti di
pura origine – della primitiva Firenze, e l'ingresso violento dei molti nuovi cittadini (la *gente nuova* di *Inf.* XVI 73) venuti dal contado, che avevano inevitabilmente portato la corruzione dei costumi; nomina i castelli abbandonati dai
nobili non più protetti dalla giurisdizione imperiale; addita la responsabilità della
Chiesa che tale protezione non aveva, per suo interesse, difeso. Tutte le cause
storiche di quella degenerazione sono indicate con una attenta e dolorosa analisi, dove i nomi, fortemente significativi per ogni fiorentino, sono rilevati con
melanconia: *sariesi Montemurlo ancor de' Conti; / sariano i Cerchi nel piovier
d'Acone, / e forse in Valdigrieve i Buondelmonti.*

Con il nome dei Buondelmonti, che segnò lo spartiacque nella storia della
città, con la divisione tra guelfi e ghibellini sorta a causa della loro famiglia (cfr.
Inf. XXVIII 106-8), termina la prima parte del ricordo di Cacciaguida.

Nella terza egli farà l'elenco, quasi un sirventese (cioè un poemetto con valore politico-morale alla maniera dei provenzali) delle famiglie fiorentine – come
bene lo definì il Parodi –, di quegli *antichi* ora non più tali; elenco che ha la
singolarità di esser fatto da chi vide con i suoi occhi quegli uomini (comincia
infatti con *io vidi*, e con *vidi* sarà punteggiato, ad ogni ripresa). Prima sono fatti
i nomi di quelli già in estinzione, poi quelli dei grandi nel pieno del loro potere, infine quelli delle famiglie che cominciavano allora la loro ascesa, rispec-
chiando così quell'andare e venire della mutevole fortuna, espresso anche dal-
l'andamento ritmico del verso, che, simile al moto delle maree, porta e toglie
potenza e ricchezze alla città, alle famiglie, agli uomini mortali sul quale è imperniata la meditazione posta al centro del canto.

Questa meditazione sull'inesorabile tramontare di ogni umana grandezza si
leva infatti, con alto andamento di esortazione morale, tra le due sequenze storiche del lungo discorso.

La riflessione, passando quasi insensibilmente da un piano all'altro, riconduce quei mutamenti, prima così acutamente analizzati nelle loro cause storicamente determinate, al più generale destino di ogni terrena fortuna; così che
sembra quasi impossibile alle forze umane contrastare, opporsi a quell'inevitabile deteriorarsi: *E come 'l volger del ciel de la luna / cuopre e discuopre i liti
anza posa, / così fa di Fiorenza la Fortuna.* La tristezza, e si direbbe la sfiducia,
che trapela in queste parole, stende la sua ombra su tutto il glorioso elenco che
segue. Tra i molti nomi messi in fila nel verso senza alcuna caratterizzazione –
e che pure, come dicemmo, nel loro stesso esser nomi hanno valore e signifi-

cato – spiccano quelli più noti e legati alla storia cittadina: ecco i Ravignani, da cui discese la famiglia dei conti Guidi; ecco gli Uberti (*disfatti / per lor superbia*) e i Lamberti, la cui gloriosa insegna (palle d'oro in campo azzurro) portava ovunque alto l'onore della città. Per ultimi sono nominati coloro da cui nacque la discordia e quindi la rovina del *viver lieto* di Firenze, cioè i Buondelmonti (*La casa di che nacque il vostro fleto*), il cui nome chiude così il primo come il secondo discorso sugli antichi fiorentini. E a quel nome segue il ricordo sinistro della statua mutila di Marte che ancora *guarda* il *ponte*, quasi affermando il suo tristo potere sulla città, già ricordato dal suicida dell'*Inferno* (XIII 143-51).

È questo aspetto tragico e doloroso della storia umana – nelle sue due forme, la discordia e la decadenza – che costituisce la segreta forza del canto.

Dopo quanto si è detto appare chiaro che classificare il quadro della Firenze antica, come alcuni critici hanno fatto, nella categoria del modello ricorrente (o «topos») dell'ideale mitico del passato è un modo inadeguato a intendere la realtà poetica di questo testo tripartito, composto dai tre «canti di Cacciaguida». Il «topos» svanisce infatti nella dolorosa concretezza di quella fila di nomi (e si veda in ultimo la figura adombrata del giovane Buondelmonte che passa fiducioso il fiume, lasciando il suo castello del contado, per andare nella città dove incontrerà la morte).

Nel secondo canto della trilogia il dolore insito nella storia, di cui l'uomo non sa rendersi ragione, pone dunque la sua eterna domanda. Nell'ultimo sarà data la risposta, che in quell'ineludibile dolore innesta la speranza: a livello pubblico, o politico, presentando colui che restaurerà l'ordine voluto da Dio nella persona di Cangrande, e al livello privato, o personale, della vita dell'autore, proclamando la missione profetica e la futura gloria poetica a lui riserbate.

CANTO XVI

Nel cielo di Marte: Cacciaguida

1-12 *Dopo una breve riflessione sull'orgoglio suscitato in lui dal fatto di appartenere a una famiglia nobile (cosa di ben modesta importanza), Dante si rivolge al trisavolo col «voi», invece che col «tu» usato prima; accorgendosene Beatrice sorride.*

13-27 *Il poeta, dopo aver espresso a Cacciaguida la sua gioia, gli pone quattro domande: le prime due riguardano la sua persona – chi sono i suoi antenati e in quali anni è vissuto –; le altre due la città – quanti cittadini allora abitavano in Firenze e quali erano le famiglie più importanti.*

28-45 *L'anima dell'avo, fattasi più bella e più luminosa per esserle stata offerta l'opportunità di esaudire il desiderio del suo discendente, inizia a rispondere: dal giorno dell'Annunciazione all'anno della sua nascita trascorse il tempo impiegato dal pianeta Marte a compiere 580 rivoluzioni (cioè 1091 anni); degli antenati dice soltanto che abitarono la parte di Firenze dove vivevano le famiglie di più antica nobiltà.*

46-72 *Il numero dei cittadini in grado di portare armi era ai suoi tempi un quinto di quelli attuali, ma erano tutti fiorentini di nascita, fino al più umile artigiano, non mescolati con gente venuta dai borghi vicini. La colpa della funesta mescolanza è della curia romana, che ostacolò l'autorità dell'Impero, privando di protezione i nobili del contado.*

73-87 *Come illustri città del passato sono andate in rovina, così decadono anche le stirpi: tutte le cose terrene finiscono, e questo è anche il destino di Firenze e dei nobili fiorentini.*

88-147 *Segue una lunga rassegna di famiglie che ai tempi di Cacciaguida erano già in decadenza o all'apice della fama oppure in ascesa. Per ultima è citata la famiglia dei Buondelmonti che è all'origine delle sventure di Firenze: il giovane Buondelmonte, infatti, rifiutando le nozze con la figlia di un Amidei, aprì tra le due famiglie un contrasto non più sanato e fu la causa della divisione della città in guelfi e ghibellini.*

148-154 *Cacciaguida conclude dicendo che egli visse in quella Firenze antica, tra quelle nobili famiglie: la città era in pace, il popolo era glorioso e giusto e non conosceva ancora la sconfitta e la lacerazione politica.*

O poca nostra nobiltà di sangue,
se glorïar di te la gente fai

3   qua giù dove l'affetto nostro langue,

1. O poca nostra...: o piccola (*poca*: di poco conto) nostra, di noi mortali, nobiltà di sangue! La specificazione suggerisce che c'è un'altra nobiltà, quella dell'animo, di questa ben maggiore. Con questo primo verso, dove sembra riecheggiare l'esclamazione di Boezio («chi non vede quanto è vana, quanto è futile la fama della nobiltà?»: *Cons.* III, VI 7), già Dante dà la misura (ridotta, modesta) della nobiltà dovuta alla stirpe, quella stessa di cui egli si fa vanto in questo testo. A quel suo vanto egli guarda come a una debolezza (vv. 13-5). Ma riconosce tuttavia il valore, pur limitato, di quella nobiltà carnale, come sempre è nel poema di tutto ciò che è storico e terreno, e lascia intendere che tale valore è elevato a dignità assoluta quando vi si somma l'altra nobiltà, quella dello spirito, che sola può renderlo duraturo, cioè non soggetto al tempo consumatore (vv. 7-9). Non c'è dunque contrad-

dizione con il principio sostenuto nella lunga meditazione sulla nobiltà fatta nel *Convivio*: «la stirpe non fa le singulari persone nobili, ma le singulari persone fanno nobile la stirpe» (IV, XX 5; cfr. *Mon.* II, III 4).

2-6. se gloriar...: non mi stupirò più se sulla terra (*qua giù*) gli uomini se ne vantano, visto che io me ne vantai là dove il desiderio non può più deviare dal vero bene (*non si torce*), cioè in paradiso.

– **dove l'affetto... langue**: dove la volontà (*l'affetto*: cfr. XV 73) è debole, inferma, e quindi spesso rivolta a falsi beni.

◆ *O piccola nostra nobiltà di sangue, se sulla terra (qua giù), dove la nostra volontà (affetto) è debole, tu fai vantare gli uomini di te (cioè di esserne dotati), ...*

mirabil cosa non mi sarà mai:

ché là dove appetito non si torce,

6   dico nel cielo, io me ne gloriai.

Ben se' tu manto che tosto raccorce:

sì che, se non s'appon di dì in die,

9   lo tempo va dintorno con le force.

Dal 'voi' che prima a Roma s'offerie,

in che la sua famiglia men persevra,

12   ricominciaron le parole mie;

onde Beatrice, ch'era un poco scevra,

ridendo, parve quella che tossio

15   al primo fallo scritto di Ginevra.

Io cominciai: «Voi siete il padre mio;

voi mi date a parlar tutta baldezza;

18   voi mi levate sì, ch'i' son più ch'io.

7-9. Ben se' tu manto...: viva ed evidente immagine: la nobiltà di stirpe è come un mantello (quindi un ornamento, un rivestimento esterno) che presto si accorcia, col passare degli anni. Il tempo infatti lo taglia via via tutt'intorno (cioè la nobiltà perde col tempo il suo prestigio) se non si provvede ad allungarlo, s'intende con le opere nobili di chi lo eredita col sangue.
– **force**: forbici.
10-2. Dal 'voi'...: la debolezza di Dante, il suo interno vanto per aver appreso la nobiltà della sua famiglia (che discendeva da un cavaliere, da un crociato), si manifesta con l'uso del *voi* con il quale egli si rivolge ora al suo antenato (prima interpellato col *tu*: XV 85 sgg.).
– **che prima a Roma...**: che fu usato per la prima volta (fu offerto, nel rivolgersi a qualcuno) a Roma. Si credeva allora che il *voi* fosse stato usato per la prima volta dai Romani in omaggio a Giulio Cesare quando riunì nella sua persona tutti i pubblici poteri.
– **in che la sua famiglia**: la popolazione di Roma – che pure lo ha instaurato – ha «perseverato» in quell'uso meno delle altre; si allude al costume romano di

dare del tu a tutti, consuetudine rimasta fino ai nostri giorni.
13. scevra: appartata, separata da noi; questa posizione in disparte data a Beatrice conferisce maggiore rilievo alle due figure a colloquio, dell'avo e del nipote, che sole dominano i tre canti.
14-5. parve quella che tossio...: nel romanzo di Lancillotto (alla stessa pagina che leggono Paolo e Francesca in *Inf.* V) la dama di Malehaut, che con Galeotto assiste in disparte al primo colloquio tra Ginevra e l'eroe, che anch'ella ama, quando sente le parole della regina che rivelano chiaramente l'amore che Lancillotto nutriva per lei, finge di tossire, avvertendo così il cavaliere della sua presenza, e di avere ormai inteso ciò che egli le aveva tenuto nascosto. Così Beatrice avverte Dante di aver ben compreso il significato di quel *voi*, e gli ricorda la sua vicinanza, che è tacito ammonimento a non lasciarsi vincere dalla vanità terrena.
– **primo fallo**: s'intende qui il convegno che la regina volle avere in segreto col giovane cavaliere, e che Galeotto le procurò.
16. Voi siete il padre mio: la terzina ripete tre volte il pronome, quasi a esprimere la pienezza della gioia. Tocca ora a Dante compiacersi di Cacciaguida; chiamandolo *padre* «pare che, passando sopra a tre generazioni, voglia ricongiungersi immediatamente con lui» (Torraca).
17. baldezza: ardire pronto e lieto; così aveva chiesto Cacciaguida (XV 67), e sono le sue stesse parole che hanno ispirato, «dato», a Dante la possibilità di parlare come egli voleva.
18. mi levate sì...: mi sollevate col vostro parlare, tanto ch'io mi sento fatto superiore a me stesso.
19-20. Per tanti rivi...: tante e diverse ragioni si affollano a empire la mia mente di gioia La mente è come un fiume, o un lago, che molti affluenti ricolmano delle loro acque.
20-1. che di sé fa letizia...: che si rallegra di se stes-

... (questo, dunque) non mi parrà più cosa strana (mirabil); poiché io me ne vantai là dove il desiderio non può più deviare dal vero bene (non si torce). Tu sei un mantello che presto si accorcia, in modo tale che se non si provvede ad allungarlo giorno per giorno, il tempo lo recide tutto intorno con le sue forbici. ◆ *Dal «voi» che per la prima volta fu usato a Roma, uso nel quale la sua popolazione persevera meno di ogni altra, ricominciarono le mie parole; e allora Beatrice, che era un po' appartata, ridendo, parve colei che tossì alla prima manifestazione della colpa di Ginevra narrata nel suo romanzo (scritto). Io cominciai: «Voi siete il padre mio; voi mi date il coraggio di parlare; voi mi sollevate (con le vostre parole) tanto ch'io mi sento fatto superiore a me stesso.*

> Per tanti rivi s'empie d'allegrezza
> la mente mia, che di sé fa letizia
> 21 perché può sostener che non si spezza.
>   Ditemi dunque, cara mia primizia,
> quai fuor li vostri antichi e quai fuor li anni
> 24 che si segnaro in vostra püerizia;
>   ditemi de l'ovil di San Giovanni
> quanto era allora, e chi eran le genti
> 27 tra esso degne di più alti scanni».
>   Come s'avviva a lo spirar d'i venti
> carbone in fiamma, così vid'io quella
> 30 luce risplendere a' miei blandimenti;
>   e come a li occhi miei si fé più bella,
> così con voce più dolce e soave,
> 33 ma non con questa moderna favella,

sa, della sua capacità di poter sostenere una tale piena di sentimenti senza spezzarsi.

22. Ditemi dunque...: Dante esprime formalmente le sue domande, che sono quattro: due sulla persona dell'avo – nella prima terzina – e due sulla città nella quale egli viveva – nella seconda –, quella città che nel canto precedente egli ha presentato quasi come il naturale sfondo alla sua vita.

– **primizia**: primo della famiglia, capostipite; è la *radice* di XV 89. L'uso del termine nel senso di «primo di una serie» (come a XXV 14) è di origine biblica; viene infatti adoperato da san Paolo per riferirsi a Cristo come primo tra i risorti (*1 Cor*. 15, 20).

23-4. quai fuor li anni...: quali anni furono registrati sulle carte al tempo della vostra infanzia. Gli anni correnti venivano annotati («segnati») nei documenti ufficiali e anche in quelli privati delle famiglie. Qui si chiede dunque in che anno era nato Cacciaguida. E si può pensare che Dante voglia suggerire di aver visto delle carte di famiglia in cui fosse registrata quella data, che di fatto qui viene stabilita con tutta esattezza – pur nella complessa perifrasi – nei versi seguenti.

25. de l'ovil di San Giovanni: la città è come un ovile custodito dal pastore, il suo patrono san Giovanni. Immagine di sicurezza e di pace, che tornerà nei nostalgici versi dell'apertura del canto XXV (4-6).

26. quanto: quanto popolato, cioè quanti cittadini ospitava.

26-7. le genti...: le famiglie degne dei posti (*scanni*, seggi) più importanti nella vita pubblica.

28-9. Come s'avviva...: come un carbone nel fuoco si ravviva sotto il soffio dell'aria. L'immagine è ovidiana: «e come la piccola favilla rimasta nascosta sotto un velo di cenere suole prendere alimento dal vento, e crescere, e agitata risorgere e riacquistare il perduto vigore...» (*Met*. VII 79-81).

30. blandimenti: parole calde d'affetto, carezzevo-

li: l'affettuoso entusiasmo di Dante è come un soffiare sul fuoco per la carità paterna che già anima Cacciaguida.

33. ma non con questa...: non col linguaggio che parliamo oggi; cioè col linguaggio arcaico del secolo passato. Tale è certamente il senso di questa espressione, senso che ben si accorda sia al pensiero di Dante sul rapido mutare delle lingue, sia al quadro dell'antica città nel quale è situato, fin da principio, questo personaggio. Si veda *Conv*. I, V 9: «Onde vedemo nelle città d'Italia, se bene volemo aguardare, da cinquanta anni in qua molti vocaboli essere spenti e nati e variati» (cfr. anche *Vulg. El*. I, IX 6-8). L'opinione di molti, che Cacciaguida continui a parlare in latino – latino che Dante quindi tradurrebbe in volgare –, sembra non corrispondere al contesto. Prima di tutto il latino per Dante si addice alle cose divine, non certo all'elenco delle famiglie di Firenze vecchie e nuove. Inoltre le parole dette in latino sono state puntualmente trascritte in latino (XV 28-30), e il seguito in volgare (vv. 49 sgg.). Se tutto fosse stato detto in latino, sarebbe stato dichiarato allora. Infine la *non moderna favella* sembra meglio riferirsi a un modo di parlare più arcaico, che all'antica lingua latina.

◆ *Per tante ragioni si riempie di gioia la mia mente, che si rallegra di se stessa, perché riesce a sopportare tali sentimenti senza esserne sopraffatta. Ditemi dunque, caro mio capostipite, quali furono i vostri antenati, e quali anni furono registrati sulle carte al tempo della vostra infanzia; ditemi quanto era grande a quei tempi l'ovile di San Giovanni (cioè Firenze), e quali erano in esso le famiglie degne dei posti (scanni, seggi) più importanti nella vita pubblica».* ◆ *Come un carbone nel fuoco si ravviva sotto il soffio dell'aria, così vidi quella luce risplendere alle mie parole affettuose; e come ai miei occhi si fece più bella, così con voce più dolce e soave, ma non col linguaggio che parliamo oggi, ...*

dissemi: «Da quel dì che fu detto *"Ave"*
al parto in che mia madre, ch'è or santa,
36　s'alleviò di me ond'era grave,
al suo Leon cinquecento cinquanta
e trenta fiate venne questo foco
39　a rinfiammarsi sotto la sua pianta.
Li antichi miei e io nacqui nel loco
dove si truova pria l'ultimo sesto
42　da quei che corre il vostro annüal gioco.
Basti d'i miei maggiori udirne questo:
chi ei si fosser e onde venner quivi,

34-9. Da quel dì...: dal giorno dell'incarnazione, cioè dall'inizio dell'era volgare (secondo l'uso fiorentino, che contava gli anni dal 25 marzo, festa dell'Annunciazione), alla mia nascita, questo pianeta infuocato (*questo foco*) tornò 580 volte a riaccendersi sotto il segno del Leone (compì cioè 580 rivoluzioni annuali). Sono passati dunque 580 anni di Marte ognuno dei quali, secondo l'astronomo arabo Alfragano, dura 687 giorni, e che equivalgono quindi a 1091 anni solari. Cacciaguida era nato dunque nel 1091. L'indicazione precisa di questa data fa pensare, come si è detto, che Dante la potesse leggere nelle carte conservate dalla sua famiglia.

37. suo Leon: suo, particolarmente amato, perché simile nel calore ardente.

39. a rinfiammarsi: quasi Marte venisse a riaccendere il suo fuoco a quello del Leone: è il consueto modo dantesco di raffigurare gli astri come creature vive, alle quali dare moti e atti umani (cfr. *Inf.* XI 113-4 e note).

– la sua pianta: è la pianta del piede del Leone, disegnato nelle carte zodiacali, come gli altri animali (il Toro, i Pesci ecc.), sopra le sue stelle: così è ricordato il *petto del Leone* a XXI 14, e si veda *Purg.* VIII 133-5. Nel libro di Alfragano, al capitolo XX, dove si elen-

cano le principali stelle dello Zodiaco, sono indicate quelle che formano gli occhi, il petto e la coda del Leone (*Aggregazione delle stelle*, p. 143).

40. Li antichi miei...: Cacciaguida risponde ora alla prima domanda di Dante, dicendo soltanto, dei suoi *maggiori*, che essi avevano le case nell'antico quartiere di porta San Piero. Era questo il più antico e nobile della città, dove abitavano le più vecchie famiglie, tra cui quella di Bellincion Berti (Villani IV, II 5-6); altro l'avo non sa, o non vuol dire, ma ciò è sufficiente a denotare la nobiltà della casata, come appartenente al piccolo gruppo originario delle famiglie che si ritenevano di antica discendenza romana.

41-2. dove si truova...: dove colui che corre il palio annuale di san Giovanni (corsa di cavalli sciolti, da levante a ponente, attraverso la città, fatta per la festa del patrono) entra nell'ultimo sestiere – una delle sei parti in cui era suddivisa Firenze –, quello di porta San Piero; il punto indicato, all'entrata del sestiere, è l'imbocco di via degli Speziali, dove si trovavano le case degli Elisei, tra i più illustri degli antichi fiorentini, dei quali probabilmente Cacciaguida era consanguineo.

– ultimo sesto: «la città era partita in quartieri ma poi quando si crebbe la città, si recoe a sei sesti, siccome numero perfetto». L'ordine numerico rispecchiava quello con cui i cittadini entravano in battaglia. Il primo era il sesto d'Oltrarno e l'ultimo quello di porta San Piero: « E dove [porta San Piero] fu de' primi sesti abitati in Firenze, fu messo a l'andare dell'oste e la dietroguardia imperciò che in quello sesto sempre aveva la migliore cavalleria e gente d'arme della città anticamente» (Villani IV, II 67-91). Da qui appare che aver le case in quel sesto era di per sé «segno di cittadinanza antica» (Torraca).

43-5. Basti...: dei miei antenati (*li vostri antichi*, aveva chiesto Dante) ti basti sapere questo (*udirne*: sentirne dire), cioè il luogo dove erano le loro case. Chi fossero (cioè i loro nomi) e di dove fossero venuti in Firenze (cioè la loro origine, se fiesolana o romana, come sembra si possa qui intendere) è più opportuno tacere che dire. Perché? Nella finzione si può pensare che il beato non voglia indulgere alla vanità terre-

---

■

... mi disse: «Dal giorno in cui fu pronunciato l'Ave (cioè dall'incarnazione) al giorno nel quale mia madre, che è ora santa, mi partorì dopo essere stata incinta di me, questo pianeta infuocato (questo foco) tornò 580 volte a riaccendersi sotto la pianta del piede del segno a lui caro (suo) del Leone. I miei antenati ed io nascemmo nel luogo dove colui che corre il vostro gioco annuale (il palio di san Giovanni) entra nell'ultimo sestiere (quello di porta San Piero). Dei miei antenati ti basti sapere questo: chi essi fossero e da dove giunsero qui, ...

45   più è tacer che ragionare onesto.
      Tutti color ch'a quel tempo eran ivi
      da poter arme tra Marte e 'l Batista,
48   erano il quinto di quei ch'or son vivi.
      Ma la cittadinanza, ch'è or mista
      di Campi, di Certaldo e di Fegghine,
51   pura vediesi ne l'ultimo artista.
      Oh quanto fora meglio esser vicine
      quelle genti ch'io dico, e al Galluzzo
54   e a Trespiano aver vostro confine,
      che averle dentro e sostener lo puzzo

na di Dante; nella realtà è ben probabile che Dante non sapesse di più dei suoi *maggiori*.

47. da poter arme: uomini atti a portare le armi, cioè tra i diciotto e i sessant'anni, i soli che allora si contavano, in quanto iscritti nelle liste dell'esercito cittadino. L'espressione ricalca il latino «armipotentes», «in grado di portare armi». Il verbo potere seguito dall'oggetto sottintende un infinito, più comunemente «sopportare». Così in *Rime* L 29: «d'attender io non posso»; Livio, *Le deche* II, p. 435: «I Galli non sono la fatica» ecc.

– tra Marte e 'l Batista: tra il *passo d'Arno*, il ponte Vecchio, dove era la statua mutila di Marte (*Inf.* XIII 146-7), e il Battistero; cioè i limiti, a sud e a nord, della città di allora. I due nomi – i due patroni tra i quali era come contesa la città – non sono messi a caso, come apparirà alla fine del canto (vv. 145-7).

48. il quinto: se la popolazione globale del comune (*quei ch'or son vivi*) era nel 1300, come ci dice il Villani, di circa trentamila cittadini, gli uomini validi al tempo di Cacciaguida dovevano dunque essere circa seimila (il che ci porta a una popolazione di 18.000 abitanti). Il calcolo è naturalmente approssimativo, ma così va fatto secondo il testo che non dice, come quasi tutti annotano, che la popolazione della Firenze antica era di seimila persone, ma che tanti erano i suoi uomini atti alle armi.

49-51. ch'è or mista...: che ora è mescolata con gli abitanti venuti dal contado, allora era pura, cioè tutta di antica origine cittadina, fino al più modesto artigiano. L'artigiano (l'*artista*), cioè chi era dedito a un lavoro manuale, indicava il più basso gradino sociale nella città antica.

– Campi... Certaldo... Fegghine: i tre borghi indicano le tre valli (rispettivamente la Val Di Bisenzio, la Valdelsa e il Valdarno superiore) che scendono a Firenze da nord-ovest, sud-ovest ed est, quasi vertici di un triangolo che racchiude la città. Campi passò sotto il dominio di Firenze nel 1176, Certaldo e Figline (di cui *Fegghine* è la forma antica) nel 1198.

– pura: «pura è detta quella cosa, che non ha in sé mescuglio» (Fra Giordano, *Prediche*, ed. Narducci, p. 33).

52. fora meglio...: sarebbe meglio, per la città, che fossero ancora *vicine*, cioè confinanti (cfr. VI 42 e *Inf.* XXII 67).

53. quelle genti: gli abitanti delle valli ora ricordate.

53-4. e al Galluzzo / e a Trespiano: e che i confini del vostro territorio fossero ancora, come allora, al Galluzzo e a Trespiano: sono questi due borghi, rispettivamente a sud sulla via Senese e a nord sulla Bolognese, a pochi chilometri dal centro cittadino. Come prima per la città (*tra Marte e 'l Batista*) e poi per le tre valli del contado, Dante segna, come in una ideale carta topografica, i diversi luoghi quasi disponendoli secondo i punti cardinali.

55. sostener lo puzzo: la violenta espressione – che sotto il *puzzo* dell'uomo dei campi inurbato intende quello, ben più dannoso alla città, del suo comportamento moralmente illecito nella pubblica amministrazione – sembra, proprio come il dolente sospiro di XV 118-9, uscire dall'amareggiato cuore dell'esule più che da quello del beato del cielo. Nel verso che segue si allude infatti a due ben determinati personaggi, noti giuristi del tempo di Dante, ambedue colpevoli di frodi e truffe nella gestione della cosa pubblica.

... è meglio tacere che parlare. ◆ *Tutti coloro che in quel tempo erano in Firenze uomini atti a portare le armi tra la statua di Marte (cioè il ponte sull'Arno) e il Battistero, erano un quinto di quanti ve ne sono adesso. Ma la cittadinanza, che ora è mescolata con gli abitanti venuti da Campi, da Certaldo e da Figline, allora era pura fino al più modesto artigiano. Oh quanto sarebbe meglio per la città che fossero ancora confinanti (vicine) quelle genti che dico, e che il vostro confine fosse al Galluzzo e a Trespiano, piuttosto che averle dentro e dover sopportare il puzzo ...*

del villan d'Aguglion, di quel da Signa,

57   che già per barattare ha l'occhio aguzzo!

Se la gente ch'al mondo più traligna

non fosse stata a Cesare noverca,

60   ma come madre a suo figlio benigna,

tal fatto è fiorentino e cambia e merca,

che si sarebbe vòlto a Simifonti,

63   là dove andava l'avolo a la cerca;

sariesi Montemurlo ancor de' Conti;

---

56. del villan d'Aguglion: Baldo d'Aguglione (castello della val di Pesa da cui proveniva la sua famiglia), insigne giurista e uomo politico, più volte priore, partecipò alla compilazione degli Ordinamenti di Giustizia nel 1293, e quindi alla loro «Riformagione» del settembre del 1311 (che da lui prese il nome), nella quale si concedeva l'amnistia ai fuoriusciti bianchi – in occasione della discesa di Arrigo VII – escludendone quelli di famiglia o sentimenti ghibellini (quasi una lista di proscrizione), tra i quali Dante Alighieri. Come feroce persecutore dei ghibellini, dopo essere passato dai Bianchi ai Neri, lo ricorda il Compagni (*Cronica* II 30). Nel 1299 era stato condannato per una manomissione di atti pubblici commessa insieme a Niccolò Acciaiuoli (per cui si veda *Purg.* XII 105 e nota).

– **di quel da Signa**: Fazio (Bonifazio) dei Morubaldini da Signa (piccolo centro sull'Arno, a valle di Firenze), giurista come Baldo e come lui più volte priore, passò al pari dell'altro dalla Parte bianca a quella nera «per malfare», come dice il Compagni (*Cronica* II 23), e in quanto esponente dei Neri fu anch'egli responsabile dell'esilio di Dante.

57. che già per barattare...: che ha l'occhio acutamente pronto ad ogni buona occasione di barattaria, cioè di illecito guadagno negli incarichi pubblici; occasioni che non sarebbero mancate a chi si univa ai vincitori. Ricordiamo che la barattaria, comportamento proprio di ambedue i giuristi secondo gli antichi, è il reato di cui fu formalmente accusato Dante nella motivazione del suo esilio.

58. Se la gente...: Cacciaguida dichiara ora la causa storica di quel nefasto ingresso della gente del contado nella pura *cittadinanza* fiorentina, e cioè la politica di opposizione all'ingerenza imperiale in Italia sempre fatta dalla Chiesa romana, per cui i signori dei castelli, non

più protetti dall'autorità dell'Impero (infatti il contado era sotto la giurisdizione imperiale), finivano col cedere ai comuni il loro territorio, venendo a stabilirsi nella città. È probabile che qui si ricordi in particolare, come precisò il Torraca, il trattato di San Genesio (1197) nel quale le città toscane, con a capo Firenze e in accordo con la Curia, decisero di non riconoscere nessuno che governasse per conto dell'imperatore, se non avesse anche l'assenso della Chiesa romana. Atto che permise al Comune di impadronirsi del contado, già tolto a Firenze dal Barbarossa «infino alle mura» (Villani VI, XII), e solo in piccola parte restituito da Arrigo VI.

– **la gente**: il papa e gli uomini della Curia romana, che più di ogni altro deviano dalla strada tracciata da Dio (*traligna*), in quanto si oppongono all'autorità dell'Impero stabilita in terra dalla provvidenza (si cfr. *Purg.* VI 91-3, dove tra l'altro è usata la stessa espressione *gente* per le alte gerarchie della Chiesa).

– **più**: perché hanno la responsabilità del gregge loro affidato, che ha meno colpa in quanto li segue (cfr. IX 130-2 e *Purg.* XVI 97-102).

59. noverca: matrigna, quindi ostile, e non *benigna* come è la vera madre: l'imperatore è da Dante visto come «figlio» del papa, al quale deve reverenza – pur essendo da lui indipendente –, mentre l'altro deve sostenerlo con la luce della sua sacra autorità (cfr. *Mon.* III, XV 18).

61-2. tal fatto è fiorentino...: ha ora la cittadinanza fiorentina, e esercita l'arte del cambio e della mercatura (la seconda e terza per importanza, dopo quella dei giudici e notai), chi sarebbe ancora nel contado di Semifonte, dove i suoi avi facevano umili mestieri. È probabile, anche qui, l'allusione a persona determinata: a quel Lippo dei Velluti (famiglia venuta appunto dal castello di Semifonte), mercante e cambiatore, che il Compagni (*Cronica* I 13-9) cita tra i «falsi popolani» e «pessimi cittadini» che concorsero, nel 1295, alla cacciata di Giano della Bella, podestà di Firenze.

– **Simifonti**: nella Valdelsa, feudo imperiale degli Alberti, distrutto dai guelfi, dove Lippo (o chi altri si intenda) avrebbe ricercato il proprio sostentamento, come facevano i suoi avi.

63. andava... a la cerca: espressione variamente intesa dagli antichi commenti: o come il mestiere dell'ambulante «col panieri e col somieri vendendo la merce, come vanno per lo contado i rivenditori» (Buti), o

---

... del contadino di Aguglione, di quello da Signa, che ha l'occhio acutamente pronto ad ogni barattaria! ◆ *Se la gente che più di ogni altro al mondo devia dalla retta via (cioè la curia romana) non fosse stata quasi una matrigna per l'imperatore (Cesare), ma fosse stata benigna come una madre verso suo figlio, chi ha ora la cittadinanza fiorentina, e esercita l'arte del cambio e della mercatura, sarebbe ancora nel contado di Semifonte, dove i suoi avi facevano venditori ambulanti; Montemurlo sarebbe ancora dei Conti; ...*

sarieno i Cerchi nel piovier d'Acone,
66   e forse in Valdigrieve i Buondelmonti.
Sempre la confusion de le persone
principio fu del mal de la cittad,
69   come del vostro il cibo che s'appone;
e cieco toro più avaccio cade
che cieco agnello; e molte volte taglia
72   più e meglio una che le cinque spade.
Se tu riguardi Luni e Orbisaglia

come quello della milizia di sorveglianza dei castelli («alla guardia»: Ottimo), o anche come l'equivalente di «chiedere l'elemosina», come si diceva dei frati (Benvenuto). Nel secondo senso la frase è stata ritrovata in molti testi dal Del Lungo fino al '500. In ogni caso il significato generale non cambia: si tratta di un'attività di gente misera, qui dichiarata con spregio. Il contesto (cioè la differenza con l'arte esercitata ora) fa preferire tuttavia la prima spiegazione.

64. **Montemurlo**: castello presso Pistoia, feudo imperiale dei conti Guidi (a Firenze i *Conti* per antonomasia), che essi cedettero per denaro al comune di Firenze nel 1254, non avendo più la possibilità di difenderlo contro i pistoiesi; da allora i Conti si stabilirono in città, nelle case che erano state dei Ravignani (cfr. vv. 97-9 e nota).

65. **i Cerchi**: nome decisivo, questo, per la storia cittadina del tempo di Dante: la potente famiglia, capo della Parte bianca e causa di tanti lutti, sarebbe ancora nel piviere di Acone, in Val di Sieve. Sui Cerchi, primi della *gente nuova*, non nobili inurbati come i Conti o i Buondelmonti, ma di origine contadina, si veda *Inf.* VI 65 e nota.

– **piovier**: piviere o pievania era la circoscrizione ecclesiastica con più parrocchie sotto una pieve.

66. **i Buondelmonti**: è questa la famiglia da cui doveva aver origine la divisione di Firenze in due partiti (cfr. *Inf.* XXVIII 106-8 e note, e qui oltre i vv. 140-4); essi sarebbero ancora nella valle della Greve, a sud di Firenze, dove era il loro castello di Montebuoni, che fu loro tolto dai fiorentini nel 1135 «a patti che il castello si disfacesse e i signori tornassero ad abitare in Firenze» (Torraca). (E tanti lutti, s'intende, sarebbero stati risparmiati alla città.) Ma quel *forse*, che solo a questo ultimo fatto è apposto da Dante, vuol suggerire che quella venuta dei Buondelmonti forse non era evitabile, perché voluta dal destino come origine delle discordie civili in Firenze (cfr. i vv. 145-7). La terzina chiude il primo quadro tracciato da Cacciaguida del mutamento della città, che si sarebbe potuto evitare (si vedano i due condizionali pieni di rimpianto), con tre nomi di grande rilievo nella storia cittadina.

67-9. **Sempre la confusion...**: dopo aver presentato il decadimento della città, e le sue cause storiche, Cacciaguida eleva qui il suo dire, con mutamento di tono, a modi sentenziosi. È una grave meditazione sul generale andamento delle cose umane (*sempre*, l'avverbio di apertura, avverte del cambiamento), dove si accompagnano severità e malinconia, l'una propria del saggio che vede dall'alto, l'altra dell'uomo che soffre la sua caducità. La *confusion*, cioè il mescolarsi di diverse classi di cittadini, ha sempre dato origine alla rovina delle città, come il troppo cibo (il cibo in eccesso che si aggiunge a quello già preso: *s'appone*) è dannoso per l'uomo. – *del vostro* (sottinteso *male*) vale «di voi uomini». Si cfr. Tommaso, *De regimine principum* II, VII: «Il contatto con gli stranieri corrompe i costumi dei cittadini». Il concetto è aristotelico (*Politica* V, III 1303a 25-b4).

70-2. **e cieco toro...**: continua il parlare per sentenze: il toro, che è più grosso e forte, se cieco, cade prima del piccolo agnello: cioè una città molto grande, ma male e confusamente governata, cade più facilmente di una piccola; e così una sola spada taglia meglio di cinque, cioè una città piccola, ma concorde, resiste meglio di una grande, ma confusa e divisa. Le due frasi hanno forma di proverbio popolare e mettono a confronto la piccola Firenze raccolta dentro la prima cerchia di mura e la nuova, grande ma discorde (con abitanti, ricordiamo, cinque volte più numerosi).

73. **Luni e Orbisaglia**: il discorso si allarga ancora: dalla determinata causa di rovina (*la confusion de le persone*) si sale a considerare il necessario, comune decadere di tutte le istituzioni umane. E si nominano qui antiche e illustri città, ora del tutto spente o in via di spegnimento (*come sono ite, e come se ne vanno*). *Luni*, città etrusca sulla Magra (cfr. *Inf.* XX 47) un tempo illustre per il suo porto poi interrato (da essa prende ancora il nome il territorio della Lunigiana), distrutta più volte dai Saraceni, e al tempo di Dante ormai disabitata. *Orbisaglia*, città romana della Marca di Ancona (la *Urbesalvia* citata da Plinio in *Nat. Hist.* III 13), distrutta dai Visigoti; al tempo di Dante c'era nella zona solo un castello con quel nome.

■

... i Cerchi sarebbero nella circoscrizione di Acone, e forse i Buondelmonti in Val di Greve. ◆ Sempre il mescolarsi dei cittadini ha dato origine alla rovina delle città, come il cibo che si aggiunge (a quello già preso) è causa della vostra rovina; e il grande toro, se cieco, cade prima del piccolo agnello; e spesso una sola spada taglia più e meglio di cinque. ◆ Se guardi Luni e Urbisaglia ...

come sono ite, e come se ne vanno

75   di retro ad esse Chiusi e Sinigaglia,

udir come le schiatte si disfanno

non ti parrà nova cosa né forte,

78   poscia che le cittadi termine hanno.

Le vostre cose tutte hanno lor morte,

sì come voi; ma celasi in alcuna

81   che dura molto, e le vite son corte.

E come 'l volger del ciel de la luna

cuopre e discuopre i liti sanza posa,

84   così fa di Fiorenza la Fortuna:

per che non dee parer mirabil cosa

ciò ch'io dirò de li alti Fiorentini

87   onde è la fama nel tempo nascosa.

---

75. di retro ad esse: le città sembrano, nell'andamento dei due versi, via via allontanarsi e sparire allo sguardo, una dietro l'altra, affondando nel vuoto del tempo.

– **Chiusi e Sinigaglia**: un'altra coppia, ugualmente formata da una città etrusca e da una romana (che rappresentano quindi i due grandi popoli dell'Italia centrale antica) che, non del tutto scomparse come le precedenti, sono tuttavia in corso di estinzione: *Chiusi*, l'antica «Clusium», al centro della Valdichiana, abbandonata per il suo clima malsano (cfr. *Inf.* XXIX 46 sgg.); *Sinigaglia*, la romana «Sena Gallica» (anch'essa, come *Orbisaglia*, nelle Marche), devastata dai Saraceni e ugualmente infestata dalla malaria.

76-8. udir come le schiatte...: se consideri lo sparire delle città, anche illustri e potenti, non ti parrà cosa straordinaria (*nova*) né difficile a capirsi (*forte*) che si estinguano le famiglie (*le schiatte*).

79-81. Le vostre cose...: con andamento grave e solenne, il discorso tocca il suo termine: le cose degli uomini sulla terra (*vostre*, dice il beato del cielo, uomo anch'egli, ma entrato nell'eternità divina) hanno tutte una fine, come l'hanno gli uomini stessi in quanto mortali. Ma tale fine non si scorge da voi (*celasi*) in alcune che hanno lunga durata (come appunto le città

e le stirpi), perché le vite umane sono brevi e non possono arrivare a vederla. L'osservazione, di per sé scientifica (un confronto di misure), porta tuttavia un profondo accento di mestizia: è il sentimento della caducità delle cose terrene, acutamente doloroso anche per chi crede nei valori eterni che le trascendono, ma pure, come è del nostro poeta, appassionatamente le vive e le ama.

82-4. E come 'l volger...: e come la rivoluzione lunare copre e scopre le spiagge (determina cioè le maree), così la Fortuna opera su Firenze, produce cioè alterni flussi di potenza e avvilimento delle sue famiglie. L'influsso della luna sulle maree era noto alla fisica del tempo, anche se non da tutti riconosciuto. Ma si veda come la nozione scientifica diventi straordinaria metafora dell'andamento alterno delle umane fortune: quel *coprire* e *discoprire* (ricchezza e nudità), quel *sanza posa* (l'incessante mutare), toccano l'essenza stessa dell'avvicendarsi della sorte, da Dante descritto con eguale potenza e accoramento in *Inf.* VII 73-90. Sul concetto di fortuna in Dante, si veda in quel canto la nota di approfondimento al v. 68.

– **di Fiorenza**: il nome chiude il ragionamento universale, riportando il discorso là dove era partito: è quel nome il punto dolente da cui nasce la mesta meditazione, e che serve da cerniera allo svolgersi successivo del discorso: *per che...*

85. per che non dee parer...: non apparirà dunque cosa degna di meraviglia il decadere delle antiche famiglie fiorentine, se tale è l'universale mutare e deperire di tutte le cose umane.

86. alti: nobili, illustri.

87. onde è la fama...: dei quali la fama si è perduta, oscurata col passare degli anni.

88. Io vidi li Ughi...: l'*Io vidi* ci riporta ora al tempo determinato di cui Cacciaguida è stato testimone diretto, come già nella descrizione della Firenze antica nel canto XV. La serie di nomi, del cui significato e valore abbiamo detto nella Introduzione al canto, ha un suo ordine logico: essa comincia da un primo grup-

---

... come sono decadute, e come stanno decadendo dopo di loro Chiusi e Senigaglia, non ti parrà cosa straordinaria (nova) né difficile a capirsi (forte) che si estinguano le famiglie (le schiatte), dato che hanno un termine perfino le città. Le vostre cose hanno tutte una fine, come l'avete voi; ma tale fine è (per voi) nascosta (celasi) in alcune che hanno lunga durata (come appunto le città e le stirpi), perché le vite umane sono brevi. ◆ *E come la rivoluzione lunare copre e scopre le spiagge senza sosta (determinando le maree), così la Fortuna opera su Firenze: non deve dunque apparire cosa degna di meraviglia ciò che dirò delle grandi famiglie fiorentine, la cui fama si è oscurata col passare degli anni.*

> Io vidi li Ughi e vidi i Catellini,
> Filippi, Greci, Ormanni e Alberichi,
> 90   già nel calare, illustri cittadini;
> e vidi così grandi come antichi,
> con quel de la Sannella, quel de l'Arca,
> 93   e Soldanieri e Ardinghi e Bostichi.
> Sovra la porta ch'al presente è carca
> di nova fellonia di tanto peso
> 96   che tosto fia iattura de la barca,
> erano i Ravignani, ond'è disceso
> il conte Guido e qualunque del nome
> 99   de l'alto Bellincione ha poscia preso.
> Quel de la Pressa sapeva già come
> regger si vuole, e avea Galigaio

po di sei famiglie già in decadenza (*già nel calare*) al tempo di Cacciaguida. Questi nomi, come gli altri che seguono, si ritrovano tutti — come di antiche famiglie ormai spente — nella cronaca del Villani (V, XI), ma disposti secondo i quartieri, mentre altro è il criterio qui seguito da Dante, che intende delineare sul piano dell'esperienza storica il progressivo sorgere e cadere delle fortune che i versi precedenti hanno definito sul piano filosofico.

91. così grandi come antichi: ancora tanto potenti quanto si confaceva alla loro antichità (a differenza dei precedenti, antichi ma non più così grandi), dunque nel pieno della loro fortuna. Anche questo secondo gruppo è composto di sei famiglie, come il primo.

94. Sovra la porta: è la porta San Piero (che come si è visto denomina il *sesto* di Cacciaguida: vv. 40-2). La serie dei *grandi come antichi* si chiude con l'alto nome della famiglia illustre, e dei suoi discendenti, che tanto peso ha in questi canti, quella dei Ravignani (v. 97); ad essa sono dedicate ben due terzine, dove appaiono in violento e quasi simbolico contrasto la nobiltà dell'antica famiglia e la *fellonia* della nuova, quella dei Cerchi, che ora ne occupa le case.

94-6. carca / di nova fellonia...: *fellonia* vale per lo più «tradimento», ma qui sembra più opportuno il senso generico di «perfidia», «malvagità», dato che di vero tradimento non sembra potersi parlare per i Cerchi. Sull'antica nobile famiglia grava il peso della spregiudicatezza dei nuovi arrivati, che con la loro condotta porteranno a rovina (*iattura*) la barca di Firenze (nella metafora il *peso* fa affondare la barca). Si parla qui, senza nominarli ma con amaro disprezzo, dei Cerchi, la *parte selvaggia* di *Inf.* VI 65, la famiglia a capo della Parte bianca che tanta responsabilità ebbe nelle feroci lotte civili del tempo di Dante. Che essi occupino, *al presente*, le case dei nobili Ravignani (da loro comprate dai conti Guidi nel 1280) è ben doloroso per l'antico crociato, e più ancora per il suo discendente, che quella realtà vive.

97-9. i Ravignani...: «i Ravignani furono molto gran-

di, e abitavano in sulla porta San Piero, che furono poi le case de' conti Guidi, e poi de' Cerchi, e di loro per donna nacquero tutti i conti Guidi della figliuola del buono messere Bellincione Berti: a' nostri dì è venuto tutto meno quello lignaggio» (Villani V, XI). Il *conte Guido* è Guido Guerra, nipote della *buona Gualdrada* (*Inf.* XVI 37) che era andata sposa a Guido il Vecchio, capostipite dei conti Guidi. Le altre figlie di Bellincione dei Ravignani tramandarono il nome paterno nelle famiglie dei Donati, degli Adimari e degli Alighieri stessi. Una di loro infatti sposò Alighiero I, figlio di Cacciaguida, e il nonno di Dante si chiamò appunto Bellincione. A questo certamente alludono con discrezione i vv. 98-9: *e qualunque del nome...* Nella terzina appaiono dunque, uno per verso, i tre grandi nomi della famiglia: la casa originaria, il conte Guido e il nobile Bellincione, che già campeggia nel canto precedente come rappresentante del buon tempo antico.

100-2. Quel de la Pressa...: il terzo gruppo di famiglie, segnato dal *già*, è quello che allora cominciava a prendere importanza, mentre i primi erano *già nel calare*. I Della Pressa (ghibellini, che tradirono a Montaperti: cfr. Villani VII, LXXVIII) già sapevano governare: «erano chiamati ed erano eletti officiali a reggimento delle terre vicine» (Ottimo). I Galigai, anch'essi ghibellini, del quartiere di porta San Piero, già erano

---

*Io vidi gli Ughi, e vidi i Catellini, Filippi, Greci, Ormanni e Alberichi, illustri cittadini già in decadenza (*già nel calare*); e vidi ancora tanto potenti quanto si confaceva alla loro antichità, quelli della Sanella, quelli dell'Arca, e i Soldanieri e gli Ardinghi e i Bostichi. ◆ Nei pressi della porta (Porta San Piero) che in questo momento è gravata di nuova malvagità, così pesante che presto porterà alla rovina della barca, abitavano i Ravignani, da cui è disceso il conte Guido, e tutti coloro che poi hanno preso nome dal grande Bellincione. Quelli della Pressa sapevano già come si deve governare, e i Galigai avevano già ...*

102   dorata in casa sua già l'elsa e 'l pome.

Grand'era già la colonna del Vaio,
Sacchetti, Giuochi, Fifanti e Barucci

105   e Galli e quei ch'arrossan per lo staio.

Lo ceppo di che nacquero i Calfucci
era già grande, e già eran tratti

108   a le curule Sizii e Arrigucci.

Oh quali io vidi quei che son disfatti
per lor superbia! e le palle de l'oro

111   fiorian Fiorenza in tutt'i suoi gran fatti.

Così facieno i padri di coloro
che, sempre che la vostra chiesa vaca,

114   si fanno grassi stando a consistoro.

---

cavalieri (soltanto i cavalieri portavano «dorati» l'*elsa* e il *pome*, cioè la guardia e l'impugnatura della spada); «ora sono di popolo, assai bassi», ci dice l'Ottimo.

103. **la colonna del Vaio**: l'insegna dei Pigli, famiglia del quartiere di porta San Pancrazio, era «una lista di vaio nel campo vermiglio alla lunga [cioè per tutta la lunghezza] dello scudo» (Anonimo). Il vaio era propriamente la pelliccia dello scoiattolo siberiano, grigia e bianca (da «varius», pezzato: cfr. *Inf.* IX 115 e nota); se ne facevano fodere e abiti di magistrati e notabili, e si trovava per questo nelle insegne gentilizie, in genere come banda grigio-argentea.

– **del Vaio**: per l'uso della preposizione articolata davanti al compl. di materia si cfr. *Inf.* XII 47 e nota linguistica, e più oltre al v. 110: *le palle de l'oro*.

104-5. **Sacchetti, Giuochi...**: dipendono tutti da *Grand'era già*. Sono famiglie ricordate ugualmente dal Villani (V, X, XI e XIII): nel quartiere di porta San Piero i Giuochi, «che oggi sono popolani»; nel quartiere della porta Santa Maria i Fifanti e i Galli; della porta del Duomo «furono i Barucci che oggi sono venuti meno».

105. **quei ch'arrossan...**: sono i Chiaramontesi, che ancora si vergognano *per lo staio*, cioè per la frode commessa da uno di loro nella distribuzione del sale, to-

gliendo una doga allo staio regolamentare (cfr. *Purg.* XII 105 e nota).

106. **Lo ceppo...**: «i Donati, o vero Calfucci, che tutti furono uno legnaggio, ma i Calfucci vennero meno». Nel *ceppo*, o radice, Dante intende dunque comprendere anche i Donati, la famiglia a capo della Parte nera che tanto peso doveva avere nella sventura sua e di tutta la città (cfr. *Inf.* VI 67-72 e *Purg.* XXIV 76 sgg.). Come dei Cerchi, anche di loro non è fatto il nome.

107. **era già grande**: si noti il chiasmo con il *Grand'era già* del v. 103, figura che ribadisce l'affollarsi delle nuove famiglie in crescita al tempo di Cacciaguida, sotto l'impero di quella Fortuna che innalza ed abbatte a turno le cose degli uomini.

108. **a le curule**: ai seggi di governo, alle cariche del comune; le «sedie curuli» erano nell'antica Roma i seggi dei magistrati repubblicani.

– **Sizii e Arrigucci**: famiglie guelfe, ricordate insieme anche dal Villani (V, X) nel quartiere di porta del Duomo: «Erano ancora nel detto quartiere Arrigucci, e' Sizii...».

109-11. **Oh quali io vidi...**: in quale stato di grandezza (*quali*) io vidi allora *quei che son disfatti*, quelli che ora sono ormai finiti, «annullati in perpetuo bando dalla città» (Del Lungo). L'esclamazione, che rompe e varia con improvvisa commozione l'elenco, tocca le due grandi famiglie ghibelline degli Uberti e dei Lamberti, tra le più potenti di Firenze, ambedue rovinate dalla sconfitta di Montaperti (sugli Uberti, e sul bando perpetuo che ne decretò il Comune, si veda *Inf.* X 49-51; 82-7, e note). Di loro non si fa il nome, tanto era illustre e riconoscibile ad ogni fiorentino. Ma la loro grandezza proterva riempie la terzina con straordinario risalto, dichiarando più di ogni altro passo il cadere inesorabile delle umane fortune che è il tema principe di tutta la sequenza.

– **per lor superbia**: la superbia è dunque ciò che ha *disfatto* gli Uberti; si ricordi l'atteggiamento del grande Farinata a *Inf.* X 35-6.

– **le palle de l'oro...**: «Nel quartiere della porta di San Pancrazio erano grandissimi e potenti la casa de'

... nella loro famiglia l'elsa e l'impugnatura (il pome) della spada d'oro. Era già grande lo stemma con la lista di vaio (cioè la famiglia dei Pigli), i Sacchetti, i Giuochi, i Fifanti e i Barucci e i Galli e quelli che (ancora) si vergognano per la faccenda dello staio. ◆ Il ceppo dal quale nacquero i Calfucci era già grande, e già Sizii e Arrigucci erano arrivati ai seggi di governo. Oh, in quale stato di grandezza (quali) io vidi allora quelli che ora sono ormai finiti per la loro superbia (cioè gli Uberti)! e lo stemma con le palle d'oro (dei Lamberti) adornava Firenze in tutte le sue grandi imprese. Così facevano i padri di quelli (Visdomini e Tosinghi) che, nel periodo in cui la sede vescovile è vacante, si arricchiscono disponendo dei soldi della Chiesa (stando a consistoro).

L'oltracotata schiatta che s'indraca

dietro a chi fugge, e a chi mostra 'l dente

117   o ver la borsa, com'agnel si placa,

già venìa sù, ma di picciola gente;

sì che non piacque ad Ubertin Donato

120   che poï il suocero il fé lor parente.

Già era 'l Caponsacco nel mercato

disceso giù da Fiesole, e già era

123   buon cittadino Giuda e Infangato.

Io dirò cosa incredibile e vera:

nel picciol cerchio s'entrava per porta

126   che si nomava da quei de la Pera.

Ciascun che de la bella insegna porta

Lamberti nati per loro antichi della Magna» (Villani V, XII); l'insegna dei Lamberti erano palle d'oro in campo azzurro. Essa si trovava allora presente ovunque ci fosse una grande impresa fiorentina. Si osservi l'esplodere di quell'oro come una fioritura superba, ora spenta e finita. La viva figura etimologica (*fiorian Fiorenza*) è di origine guittoniana: si cfr. «la sfiorata Fiore» di *Rime* XIX 16 e *Purg.* VII 105 e nota.

112-4. i padri di coloro...: gli antenati di Visdomini e Tosinghi, le famiglie che reggevano l'economia del vescovado nel periodo di sede vacante (quando la *chiesa vaca*). Allora grandi per le loro imprese (*Così facieno*, cioè come i Lamberti), ora si fanno ricchi *stando a consistoro*, cioè disponendo dei soldi della Chiesa; l'espressione è fortemente ironica: «come sta lo papa coi cardinali a consistoro a ordinare e disponere li fatti della Chiesa» (Buti).

115-7. L'oltracotata schiatta...: l'arrogante famiglia, che si fa drago con chi cede, e si fa mite agnello con chi le resiste con la forza o con il denaro La crudele perifrasi, di grande evidenza e forza verbale, designa la consorteria degli Adimari (come si deduce dai vv. 119-20); ad essa apparteneva Filippo Argenti, crudamente presentato in tutta la sua boria in *Inf.* VIII 31-48. Di personali attriti fra Dante e gli Adimari parlano gli antichi commenti. Certo il risalto dato alla schiatta superba è di singolare intensità, come è di tutto ciò che tocca da vicino la vita dell'autore; ma si vedano le note a *Inf.* VIII 43 e 61.

– **oltracotata**: superbamente arrogante; gallicismo (si veda *oltracotanza* a *Inf.* IX 93 e nota) che dà forte rilievo all'aggettivo, distendendolo per tutto il verso. Come *s'indraca* («si fa drago», neologismo dantesco) è termine tipico dell'inventività linguistica che si accende nei passi di particolare tensione polemica.

118-20. già venìa sù...: cominciava a crescere d'importanza, ma era di origine umile (*di picciola gente*), tanto che Ubertino Donato, che aveva sposato una figlia di Bellincion Berti, si dispiacque che il suocero maritasse un'altra sua figlia a uno degli Adimari, imparentandolo così con quella famiglia di modesta estrazione.

121. Caponsacco: i Caponsacchi erano allora già venuti a Firenze da Fiesole, stabilendosi nel quartiere del Mercato Vecchio; famiglia ghibellina consolare, delle grandi di Fiesole, i Caponsacchi furono esiliati, come tutti i ghibellini, dopo Benevento, e da allora persero ogni influenza e potere nella città.

123. Giuda e Infangato: i Giudi e gli Infangati, altre due ragguardevoli famiglie ghibelline, quasi spente al tempo di Dante.

124. incredibile: perché ora la famiglia della Pera era scomparsa. Ne parla il Villani, che ricorda il nome dell'antica porta Peruzza dietro a San Piero Scheraggio, nome derivato da «quelli della Pera» (V, XIII). La terzina riprende il tema centrale del canto, il veloce declinare e scomparire di ogni umana grandezza.

127. de la bella insegna: ed ecco ora ricordate le famiglie che portavano ancora nello stemma l'insegna del marchese Ugo di Toscana, cioè quelle da lui insignite del titolo cavalleresco: Giandonati, Pulci, della Bella, Nerli, Gangalandi e Alepri, «i quali tutti, per suo amore, ritennero e portarono l'arme sua addogata rossa e bianca con diverse intrassegne» (Villani V, II). La *bella insegna* era formata da sette bande rosse in campo bianco; il partitivo *de la* è così spiegato dal Tommaseo: «dice porta *della insegna*, non *la*, perché quelle case avevano all'arme propria quasi una parte di quell'insegna: la squartavano, inquadrandola».

◆ *L'arrogante famiglia, che si fa drago con chi fugge, e si fa mite agnello con chi le resiste con la forza o con il denaro (cioè gli Adimari), cominciava a crescere d'importanza, ma era di origine umile (di picciola gente); tanto che Ubertino Donati si dispiacque che il suocero (Bellincion Berti) lo imparentasse con loro.* ◆ *Già i Caponsacchi erano scesi giù da Fiesole nel quartiere del Mercato, e già erano cittadini di riguardo i Giudi e gli Infangati. Dirò una cosa incredibile eppure vera: nella piccola cerchia di mura si entrava attraverso una porta che prendeva nome da quelli della Pera. Tutti coloro che si fregiavano della bella insegna ...*

del gran barone il cui nome e 'l cui pregio

129   la festa di Tommaso riconforta,

da esso ebbe milizia e privilegio;

avvegna che con popol si rauni

132   oggi colui che la fascia col fregio.

Già eran Gualterotti e Importuni;

e ancor saria Borgo più quïeto,

135   se di novi vicin fosser digiuni.

La casa di che nacque il vostro fleto,

per lo giusto disdegno che v'ha morti

138   e puose fine al vostro viver lieto,

era onorata, essa e suoi consorti:

128-9. del gran barone...: il marchese Ugo di Toscana, vicario imperiale di Ottone III (fine del X secolo), godeva di grande fama in Firenze, città verso la quale era sempre stato largo di favori; su di lui la voce popolare aveva creato una leggenda che ne celebrava la nobile generosità e la pietà religiosa e l'Ottimo ci racconta come in seguito a una visione egli avesse fondato sette badie. Se non sette, più d'uno furono i monasteri da lui in realtà fondati o donati alla città, tra cui quello sulla *cerchia antica* delle mura (cfr. XV 97-9) dove si trova ancora la sua tomba. La tradizione era cara ai fiorentini che nella festa di san Tommaso, giorno della sua morte, ancora celebravano messe in suo onore (consuetudine che è durata fino ai nostri giorni). – *riconforta* vale «rinnova il ricordo», del suo nome e del suo valore (*pregio*).

130. milizia e privilegio: l'ordine cavalleresco e il privilegio nobiliare.

131-2. avvegna che...: per quanto oggi accada che colui che porta nell'arme quell'insegna cinta da un fregio dorato (tale era lo stemma dei della Bella) si unisca al popolo contro la nobiltà. Si allude qui chiaramente a Giano della Bella, il promotore degli Ordinamenti di Giustizia (1293) che tolsero il governo della città ai magnati conferendolo alla classe popolare. Nel 1300, anno in cui è immaginato il viaggio oltremondano, Giano era in esilio ormai da cinque anni, ma il suo orientamento politico non era mutato ed egli ancora rappresentava la ribellione dei popolani alla secolare prepotenza dei grandi. Dante sembra qui rimproverare al nobile che portava ancora *la bella insegna* del marchese di Toscana quasi un tradimento della propria classe, nell'essersi fatto capo della parte avversa. In questo contesto, dove le antiche famiglie sono assurte a simbolo del buon costume e del buon governo del tempo passato, chi lottava contro di loro diventa un sovvertitore dell'ordine e della pace.

133. Gualterotti e Importuni: due nobili famiglie di Parte guelfa che abitavano, secondo il Villani, nel borgo Santi Apostoli; quel *Borgo* sarebbe più tranquillo oggi se non fossero venuti di fuori dei nuovi abitanti (i Buondelmonti) da cui ebbero origine le divisioni in Firenze.

135. se di novi vicin...: il verso preannuncia quello che le terzine seguenti infine diranno: la sventura che doveva cadere sulla città per l'arrivo di quei «nuovi vicini», già nominati, con triste presagio, al v. 66.

136. La casa...: la famiglia da cui doveva aver origine il pianto (*fleto*, lat. «fletus»), cioè il dolore per i tanti lutti della vostra gente: sono questi gli Amidei, per il cui legittimo sdegno per l'offesa ricevuta (cfr. la nota ai vv. 140-1) la città è stata distrutta, ed è finito il *viver lieto*, la pacifica convivenza (il *bello / viver di cittadini*) celebrata nel canto precedente.

137. v'ha morti: morire ha valore transitivo, secondo l'uso antico più volte incontrato; quello sdegno vi ha *morti*, distrutti, per la divisione in due parti della città che ne seguì: «il maladetto isdegno onde la città di Firenze fu guasta e partita». Così il Villani (VI, XXXVIII) che sembra riecheggiare le parole di Dante.

139. era onorata: era tenuta in onore («onorevoli e nobili cittadini» li chiama il Villani: VI, XXXVII) mentre ora, s'intende, è esecrata da tutti per il pianto da lei provocato.

– **e suoi consorti**: facevano parte della consorteria degli Amidei le famiglie degli Uccellini e dei Gherardini.

... del grande barone (il marchese Ugo di Toscana), il cui nome e il cui valore sono celebrati nella festa di san Tommaso, ricevettero da lui l'ordine cavalleresco (milizia) e il privilegio nobiliare; per quanto oggi accada che colui che cinge quell'insegna con un fregio dorato (cioè porta lo stemma dei della Bella) si unisca al popolo (contro la nobiltà). ◆ Già erano in città i Gualterotti e gli Importuni; e il Borgo (Borgo Santi Apostoli, dove essi abitavano) sarebbe più tranquillo, se essi fossero privi dei loro nuovi vicini (i Buondelmonti). La famiglia da cui ebbe origine il vostro pianto (fleto; cioè gli Adimari), per il legittimo sdegno che vi ha distrutti, ed ha posto fine alla vostra felice convivenza, era allora tenuta in onore, con la sua consorteria:...

o Buondelmonte, quanto mal fuggisti
141   le nozze süe per li altrui conforti!
         Molti sarebber lieti, che son tristi,
se Dio t'avesse conceduto ad Ema
144   la prima volta ch'a città venisti.
         Ma conveniesi, a quella pietra scema
che guarda 'l ponte, che Fiorenza fesse
147   vittima ne la sua pace postrema.
         Con queste genti, e con altre con esse,
vid'io Fiorenza in sì fatto riposo,
150   che non avea cagione onde piangesse.

140-1. **o Buondelmonte...**: l'esclamazione dolente nasce spontanea al ricordo del fatto che provocò tanti mali: Buondelmonte dei Buondelmonti, che aveva promesso di sposare la figlia di un Amidei, venne meno all'impegno e il giorno stesso previsto per le nozze prese in moglie una fanciulla dei Donati. Di qui lo sdegno e la vendetta degli Amidei, che uccisero il giovane Buondelmonte presso ponte Vecchio la mattina di Pasqua dell'anno 1215 (si veda *Inf.* XXVIII 106-8 e note). Il fatto è narrato dal Villani (VI, XXXVIII), dal Compagni (*Cronica*, I 2) e dalla *Cronica fiorentina*, pp. 118-9. Tutti i cronisti attribuiscono a questo episodio la divisione della città tra guelfi e ghibellini: i primi si identificarono nei seguaci dei Buondelmonti e i secondi nei seguaci degli Amidei.

– **quanto mal**: con quali terribili conseguenze; per questo valore di *mal* si cfr. *Inf.* IX 54; XII 66; *Purg.* IV 72 ecc.

– **süe**: di quella casa, di quella famiglia; *conforti*, consigli: raccontano i cronisti che Buondelmonte si lasciò convincere a venir meno alla sua promessa da Gualdrada dei Donati, di cui sposò la figlia.

142. **Molti sarebber...**: molte famiglie non avrebbero avuto tanti loro cari uccisi... L'idea della tristezza, del dolore che subentra alla serenità della vita (si veda sopra il *fleto*, la fine del *viver lieto*), è dominante in questa rievocazione più dell'ira o della dura condanna proprie di altre pagine dantesche su questi argomenti. Qui il tema centrale è sempre la bella Firenze perduta e il doloroso volgere in basso delle umane fortune.

143-4. **se Dio t'avesse...**: se, quando entrasti la prima volta in città venendo dal tuo castello di Montebuoni, Dio avesse permesso che tu annegassi nel torrente Ema (che si deve appunto attraversare arrivando a Firenze da quel castello in Val di Greve). L'augurio può apparire empio e spietato, ma va visto in questo contesto di gravi e luttuosi destini: Buondelmonte sarebbe ugualmente morto ben presto, crudelmente ucciso; meglio dunque se la morte, avvenuta per cause naturali, avesse risparmiato infiniti lutti ai suoi concittadini.

145-7. **Ma conveniesi...**: ma era necessario, era do-

vuto a quel troncone di pietra (la statua *scema*, mutila, di Marte) che sta come a guardia del ponte Vecchio, che Firenze le immolasse una vittima nell'ultimo giorno della sua vita pacifica. Presso quella statua fu infatti ucciso Buondelmonte. C'è nella terzina come un amaro riconoscimento della potenza malefica di quella pietra, che ancor pesa sul destino della città (cfr. *Inf.* XIII 143-50).

148. **Con queste genti**: chiusa, con il triste fatto che segnò il destino luttuoso di Firenze, l'ampia rassegna di nomi che si configura come una triste parabola discendente, Cacciaguida riprende il discorso dall'inizio, cioè dalla domanda di Dante a cui ha risposto, ma con andamento tale che se ne era come dimenticato l'oggetto primo: queste sono le famiglie che erano al mio tempo nella città. Ma aggiunge: quando la città era felice.

149-50. **vid'io Fiorenza...**: ritorna il verbo del testimone diretto: io vidi quella Firenze, che è dunque una realtà, vivere in una tale pace (il *riposo* è il *riposato viver* di XV 130-1), che non vi era motivo per i suoi abitanti di piangere (il *fleto* che ora essi versano per i loro morti).

... o Buondelmonte, con quali terribili conseguenze (quanto mal) evitasti le nozze con quella famiglia per i consigli di altri! ◆ Molte famiglie, che ora sono nel dolore, sarebbero ancora liete, se, quando entrasti la prima volta in città, Dio avesse permesso che tu annegassi nel torrente Ema. Ma era dovuto a quella statua mutilata (di Marte) che sta come a guardia del ponte (il Ponte Vecchio), che Firenze le immolasse una vittima nell'ultimo giorno della sua vita pacifica (pace postrema). ◆ Con queste famiglie, e con altre insieme a queste, io vidi Firenze in un periodo di tale pace, che non aveva nessun motivo per cui piangere.

Con queste genti vid'io glorïoso
e giusto il popol suo, tanto che 'l giglio
non era ad asta mai posto a ritroso,
154   né per divisïon fatto vermiglio».

151-2. **glorïoso / e giusto**: il popolo di allora era glorioso in guerra e giusto in pace; gli aggettivi segnano la differenza di prospettiva tra questo canto e il quadro del canto XV. Là si celebrano i costumi del vivere familiare (*riposato*, *bello*, *fido*, *dolce*), qui si considera l'aspetto politico della convivenza civile.

152-3. **tanto che 'l giglio...**: tanto glorioso che la bandiera della città, il giglio bianco in campo rosso, non era stata mai capovolta (*posto a ritroso*) con l'asta rivolta a terra (cioè non aveva subito sconfitte). C'era infatti l'uso di trascinare a terra, per scherno, il gonfalone dell'esercito vinto, e tale oltraggio era stato inflitto ai fiorentini a Montaperti, come forse qui si vuol ricordare.

154. **fatto vermiglio**: e quel popolo era tanto giusto nella sua vita civile che il giglio non era ancora divenuto rosso per la divisione tra le due fazioni: i guelfi infatti dopo la cacciata dei ghibellini nel 1251 cambiarono l'insegna cittadina invertendone i colori (giglio rosso in campo bianco), mentre i ghibellini mantennero l'antica (Villani VII, XLIII). La bandiera guelfa è quella poi rimasta a Firenze fino ai nostri giorni. Quel *vermiglio*, ultima parola del canto, che spicca nell'insegna fiorentina, è il colore stesso del sangue che ha funestato la città; esso suggella il discorso di Cacciaguida che dalla rassegna delle antiche famiglie si è mutato nella storia del doloroso destino della città di Firenze.

■

Con queste famiglie io vidi l'insegna del popolo glorioso in guerra e giusto in pace, tanto l'insegna del giglio non era stata mai capovolta sulla sua asta (posto a ritroso), né era ancora divenuta rossa per la divisione tra le due fazioni».

NOTE AL TESTO

v. 10. **s'offerie**: le precedenti edizioni moderne leggono *Roma sofferie*, sofferse, nel senso di «tollerò», «ammise». La lezione prescelta dal Petrocchi sembra preferibile nel contesto, perché «tollerò» comporta un valore negativo del *voi* (tra l'altro incompatibile con la concezione che Dante aveva dell'imperatore), mentre «si offrì», «si presentò», indica omaggio e reverenza, senso che meglio si conviene alla situazione; *offerie* è voce del perfetto arcaico, con la rara uscita in *-ie*, da *offerere* (si vedano anche *s'udìe* e *parturìe* a *Purg.* XXIII 10-2).

SUGGERIMENTI PER LA RICERCA

Temi del canto

La nobiltà di sangue
Metti a confronto la riflessione sulla nobiltà di sangue che apre il canto con la lunga meditazione del *Convivio* (IV, XX 5), col passo della *Monarchia* II, III 4 e con il cap. III, 6 della *Consolazione* di Boezio; quindi rileggi con attenzione l'Introduzione al canto e il saggio di U. Carpi, citato nelle *Letture consigliate*. Infine elabora un testo scritto con i risultati della tua ricerca e le tue osservazioni in proposito.

La popolazione di Firenze
Approfondisci la tua conoscenza delle circostanze storiche che portarono alla *confusion de le persone* e delle famiglie fiorentine, leggendo innanzitutto i passi della *Cronica* del Compagni e del Villani citati nelle note; poi consultando il capitolo *La gente nuova in Firenze* nel volume di I. Del Lungo, *Dante ne' tempi di Dante* (Firenze 1888), oppure il saggio di R. Morghen citato nelle *Letture consigliate*. Una efficace sintesi della storia di Firenze nel Medioevo è fornita dalla voce *Firenze* nel *Dizionario Enciclopedico del Medioevo*, a cura di A. Benvenuti (vol. II, pp. 738-740).

Firenze e dintorni
Ricostruisci l'urbanistica della Firenze medievale: leggi prima le citazioni del Villani che trovi in nota ai vv. 41-42, consultando la pianta di Firenze nel XIII secolo a pag. VI; rintraccia poi sulla cartina del volume *Strumenti* (a p. 24) i luoghi citati della Toscana e, con le indicazioni delle note, verifica il progressivo allargarsi dei confini della città.

Stemmi e stendardi
Per la seconda volta nella *Commedia* Dante si sofferma a descrivere gli stemmi delle famiglie più importanti del suo tempo: rileggi nel canto XVII dell'*Inferno* la sfilata degli stemmi sulle sacche degli usurai (vv. 58-65); quindi ricercane qualche immagine nei dizionari enciclopedici che hai a disposizione (in particolare i due gigli di Firenze, quello ghibellino, bianco in campo rosso e quello guelfo, rosso in campo bianco, e l'attuale stendardo del Comune di Firenze).

Lingua e stile

Concordanza del verbo – v. 40
In italiano antico, quando i soggetti di una frase siano due, è possibile che il verbo, come nel passo qui indicato, si accordi solo al secondo. Rileggi i canti VIII dell'*Inferno*, IV del *Purgatorio* e I del *Paradiso* e riconosci simili concordanze del verbo.

le palle de l'oro – v. 110
In italiano antico, quando il sostantivo reggente recasse l'articolo determinativo, il complemento di materia si poteva esprimere anche con la preposizione articolata (cfr. nota linguistica a *Inf.* XII 47). Individuane alcuni esempi in questo stesso canto, in *Inferno* X, *Purgatorio* XXVIII, *Paradiso* XIX, e infine nel sonetto di Dante a Forese, *Ben ti faranno il nodo Salamone* (*Rime* LXXV). Potrai inoltre approfondire la ricerca consultando l'*Enciclopedia Dantesca*, vol. VI, alla voce *articolo determinativo*, § 16 p. 153.

approfondimenti

CANTO XVII

Introduzione

Al XVII canto, non a caso il canto numericamente centrale della cantica, che chiude il cerchio dei tre dedicati all'incontro di Dante con Cacciaguida, l'autore ha affidato il compito più importante, quello di dichiarare ciò che fin dall'inizio della scena si attendeva, e cioè il senso della sua vita e del suo poema, così come lui stesso lo interpreta alla luce della fede, negli ultimi anni del suo tempo terreno. Presentando Cacciaguida come Anchise, già si lasciava intendere infatti che era il destino del nuovo Enea di cui in quell'incontro si sarebbe trattato, come era avvenuto nella scena degli Elisi virgiliani.

La città, che è la protagonista dei primi due canti, cede il posto all'uomo alla cui vita la sua rievocazione era stata di fatto come la preparazione, offrendone il punto di partenza, la radice nella storia.

Il terzo canto è di fatto soltanto di Dante, ora solo di fronte al suo destino, che egli vede nella prospettiva soprannaturale in cui si pone, e come tale accoglie.

Che qui si dichiari quindi il nucleo originario da cui nasce l'invenzione del poema, strettamente connesso al significato storico della vita dell'autore come egli la comprese, è chiaramente detto nella lettera del testo.

Qui si svelano infatti le oscure e minacciose profezie – le *parole gravi* – sparse lungo i primi due regni e, come Virgilio aveva preannunciato nel X dell'*Inferno* dopo la prima esplicita predizione fattagli da Farinata, il poeta autore viene infine a conoscere «il viaggio della sua vita», che comprende insieme il doloroso esilio e il glorioso poema.

Riteniamo tuttavia che la generale tendenza critica a dare a questo canto il valore quasi di culmine del poema, come quello che ne esprima tutto il significato, sia un errore di interpretazione. Il poema si colloca infatti in un più vasto orizzonte, in un altro diverso spazio. L'Enea virgiliano vede compiersi il suo destino – nella visione offertagli da Anchise – entro il tempo storico. Ma il mondo di Dante conosce un'altra dimensione oltre quella storica, quella eterna e celeste, nella quale appunto la storia si misura e acquista significato, quella dove *la contingenza*, (cioè i singoli fatti che avvengono nel tempo) è raccolta *con amore in un volume* (XXXIII 86) nella mente stessa di Dio.

Per questo il canto XVII non esaurisce il significato della *Commedia*. Qui si rivela il valore che è proprio di uno dei due cammini che la vita di Dante, e il suo poema con lui, percorrono: cioè quel cammino che si svolge e ha il suo compimento nella storia. Ma al di là di questo, e come nascosto sotto a questo, c'è un secondo cammino, che termina oltre il tempo, e che solo l'ultimo canto del poema porterà a conclusione.

All'inizio della *Commedia* un uomo smarrito ha perso la strada. Ma dove conduceva quella strada? Come Dante dirà al suo maestro Brunetto Latini (*Inf.* XV 54) quella strada lo portava «a casa», dove lo riconduce Virgilio, non a caso a colui che è figura speculare a Cacciaguida, l'avo che gli farà la precisa predizione del doloroso destino che gli si prepara, quello di lasciare per sempre la sua casa terrena.

C'è dunque un'altra casa che lo attende, e da cui è ugualmente esiliato, quella dove di fatto il poema è diretto e terminerà, nel cielo stesso di Dio, luogo che è la patria dell'uomo.

L'esilio celeste abbraccia e comprende l'esilio storico che ne è la figura – come lo era l'esilio degli Ebrei dalla loro Terra promessa – così che per tutto il poema due sono i percorsi e due le patrie, e la patria terrena non è che l'immagine di quella celeste, come la città mitica del canto XV rivela.

La prima parte del canto, come già accade nel XV, imposta il racconto che si svolgerà nella seconda sul piano da cui Dante vuole che sia guardato. Già in apertura il poeta fiorentino, ansioso di conoscere dall'avo la sua *vita futura*, si paragona a Fetonte, il figlio del Sole che chiede conferma alla madre sulla sua origine celeste. Il paragone dà come il titolo a tutto il canto, dove nel doloroso susseguirsi degli eventi storici preannunciati viene letta, come in trasparenza, la figliolanza, quasi la predilezione divina per il protagonista.

La stessa domanda che Dante pone, piena di umana trepidazione pur nell'affermata certezza di poter sostenere la sventura (... *avvegna ch'io mi senta / ben tetragono ai colpi di ventura*), offre all'interlocutore, come in una partitura musicale, quasi la nota da cui partire con la risposta: tu vedi, egli dice, le *cose contingenti*, in quel *punto*, la mente divina, *a cui tutti li tempi son presenti* (che vede cioè, come presente, tutto lo svolgersi del tempo, passato e futuro). E Cacciaguida, come rieccheggiando queste parole, comincerà: *La contingenza, che fuor del quaderno / de la vostra matera non si stende, / tutta è dipinta nel cospetto etterno.*

In quel *cospetto etterno*, la mente divina appunto, è dunque scritto il contingente destino dell'uomo che ascolta. E di là esso giunge alla vista dell'avo come una *dolce armonia da organo* giunge alle orecchie umane. Quale sia quel destino – e quanto amaro – è subito detto senza intervallo, e senza reticenze e attenuazioni, nelle terzine che immediatamente seguono. E in questo contrasto, quasi una contraddizione in termini non verbale, ma sostanziale, è racchiuso il segreto di tutto il canto.

Cacciaguida, come tutti i beati, vede in Dio la *contingenza* della vita di Dante, come parte dell'universale armonia di tutti gli eventi storici governati dalla provvidenza (ciò che nell'ultimo canto anche a Dante sarà dato di vedere: cfr. XXXIII 85-7), e ne comprende così il valore e il significato, che la rendono *dolce* in quanto parte del progetto dell'amore divino, anche se *acerba* a sostenersi nella storia (si veda il rapporto *dolce-acerbo* ripreso all'inizio del canto seguente, al v. 3). Le parole che seguono – con le quali ha inizio la seconda parte del canto – non sono precedute, come abbiamo osservato, da nessuna pausa. I due discorsi, come i due diversi piani su cui si svolgono, sono adiacenti l'uno all'altro. Ma il tono del parlare cambia, subentra infatti il linguaggio della storia, diretto e concreto. E ciò che crea la novità e la forza di questo testo è la mancanza di ogni velo, fino ad ora sempre posto fra la vita privata dell'autore e il suo racconto, salvo che nella scena dell'Eden di fronte a Beatrice – l'altra chiave di volta per la comprensione del poema – dove tuttavia si trattava della vicenda morale, e non di quella storica, del poeta-personaggio, l'uno dall'altro, come qui, indistinguibili. In questo canto infatti tutto viene detto, non *per ambage*, cioè con giri di frase, ma con *chiare parole* e con *preciso latino*: *Tu lascerai ogne cosa diletta... Tu proverai sì come sa di sale...* Ben poche parole – due terzine in tutto – Dante ha concesso a quell'inconsolato, privato dolore che lo accompagnò per tutta la vita. Dietro ad esse traspaiono e le storie di Provenzano nel canto XI del *Purgatorio* (il suo represso tremore) e di Romeo di Villanova nel VI del *Paradiso* (il suo mendicare la vita *a frusto a frusto*). E si aggiunge l'amara esperienza della meschina compagnia con cui il poeta si trovò a dividere quella dura condizione, quella pena che già gli aveva preannunciato Brunetto (*Inf.* XV vv. 61 gg.). Ma sulla sua dolorosa vita personale si innesta, quasi si proietta, la luce di un altro destino – quello dell'uomo a cui è dedicata la parte centrale del canto, Cangrande della Scala – che racchiude in sé la speranza mai perduta nel futuro rinnovamento: riappare qui – incrociandosi questa volta con la vita stessa di Dante – la figura profetica, già annunciata nel Veltro (*Inf.* I 101-111), dell'imperatore giusto e magnanimo, che sprezzerà terra e denaro, *argento* e *affanni*, riportando nel mondo il valore e la cortesia, quella vera nobiltà che l'antica Firenze aveva rappresentato. Questa figura – che Dante vide prima impersonata in Arrigo, poi in Cangrande, e divenne più tardi solo una imprecisata, ma mai abbandonata speranza – conclude il discorso storico di Cacciaguida, che stabilisce così un preciso rapporto tra le due vicende – quella di Dante e quella del promesso restauratore –, rapporto il cui senso sarà chiarito dal discorso successivo.

In questa pagina Dante presenta se stesso nella figura dell'uomo offeso dall'ingiustizia che tutto fortemente sopporta, rimasta come scolpita in quella parola – *tetragono* – da lui ripresa quasi a definire la sua persona (come già la torre non piegabile da alcuna forza di vento di *Purg.* V 14-5). È la figura morale – già propria dell'Enea virgiliano (*Aen.* VI 95-6) – che il libro dello scrittore e filosofo latino Boezio (*La consolazione della filosofia*), come lui ingiustamente colpito, aveva tramandato con forti e commosse parole; quel Boezio che per tutto il canto traspare nelle frequenti citazioni, come si annoterà nel commento, e che già l'ultimo verso del canto XV aveva quasi sovrapposto alla figura di Cacciaguida, e attraverso di lui a quella di Dante.

Ora l'immagine del giusto che la città – cioè il mondo degli uomini – ingiustamente condanna trapassa, secondo il modello biblico, in quella del profeta, che di quel mondo denuncerà l'interna, profonda ingiustizia. Ciò appare già nelle prime battute dei tristi annunci infernali, dai *due giusti* non *intesi* dai fiorentini delle parole di Ciacco (*Inf.* VI 73), all'isolata pianta che si leva nella corrotta Firenze, contro cui si accaniscono gli opposti partiti, di cui parlò Brunetto (*Inf.* XV 61-78). In quella persecuzione da parte del mondo è già in qualche modo scritto il destino profetico dell'uomo. Questo è propriamente il senso della vita di Dante – e del suo poema – che qui si rivela. Ma il compito del profeta riguarda appunto la storia, ed in essa si realizza. Per questo dicevamo all'inizio che il canto non esaurisce l'intero senso del poema, che non nella storia si racchiude, come è invece il caso dell'*Eneide*. Solo dall'altra riva, oltre il tempo, nella dimensione dell'eterno, la storia umana è compresa, in quel *punto* dove Cacciaguida guarda, e dove ogni singolo evento è raccolto e giustificato.

Qui viene a terminare quella che potremmo chiamare la componente virgiliana del poema – nel quale Virgilio è il portatore della storia – e che di fatto non a caso dà a questa scena il titolo fin dall'inizio (*Sì pia l'ombra d'Anchise si porse...*: XV 25).

Ma vi è una seconda direttrice di percorso, che fino a questo punto corre parallela e come a specchio dell'altra, ma che d'ora in avanti procede oltrepassandola. Ad essa corrisponde una diversa figura del protagonista: non quella del *tetragono*, della torre salda sotto i colpi della fortuna; ma quella della nave, o della freccia, che corre al suo porto, o al suo segno, immagine a cui corrisponde una parola, il *disio* (cfr. I 7 e XXXIII 143), che si richiama dal primo all'ultimo canto, e con la quale terminerà il poema.

Il doppio cammino verso le due patrie, di cui l'una – l'*ovile* di cui qui si è parlato – *serra* per sempre le sue porte all'esule, mentre l'altra lo accoglierà, apparirà con evidenza nella scena del cielo Stellato, la seconda scena drammatica dedicata alla persona di Dante nella cantica, e situata non casualmente nel canto che ha per tema la virtù della speranza, il XXV.

Ma a quest'altezza del racconto è la prima patria, quella storica (la città un tempo felice, ora corrotta, come lo è il mondo), patria profondamente amata e perduta, di cui si parla: da quella dolorosa esclusione nasce infatti il grande ruolo profetico affidato all'ignoto fiorentino, portatore di una sia pure esigua, ma reale, nobiltà carnale, che lo radica nella storica purezza della città antica, e di una ben più alta nobiltà, quella della sua poesia, che prolungherà nel futuro (e s'intende il futuro storico, di cui noi siamo oggi i rappresentanti) la breve vita dell'esule.

Il canto si svolge dunque come in tre grandi campate, alle quali corrispondono tre diversi tipi di linguaggio poetico: la prima parte parla delle cose eterne, e tiene il tono stilistico alto e il periodare ampio proprio della poesia teologica della cantica; la seconda discende al racconto storico, e parla lo stesso linguaggio, diretto e concreto, fatto di dolori e di affetti, con cui parlano della propria vita tutti i personaggi dell'aldilà dantesco, ai quali il poeta è fatto qui singolarmente simile; la terza infine ha l'andamento solenne e nobilmente oratorio tipico dei testi propriamente profetici. Ma ciò che fa l'unicità, se così può dirsi, di questo canto, sta nel fatto che tutto è qui riferito al poeta stesso che scrive: sia la contingenza *dipinta* in Dio (che in questo caso è il suo destino), sia la storia di una vita mortale (che è la sua), sia l'annuncio profetico (che è il suo stesso poema: *Questo tuo grido farà come vento...*).

Come sopra si è visto, le tre diverse sequenze, quella che diremmo teologica, quella storica, e quella profetica, sono connesse l'una all'altra. Ma delle tre quella che più importa, in quanto dà significato alle altre, non è l'ultima – come molti critici hanno ritenuto – ma la prima. Dante ha posto infatti non a caso in apertura – in quei primi 45 versi – il senso profondo che lui scorge nella vicenda della propria vita di cui poi parlerà. Ciò che gli viene preannunciato è una realtà fatta di dolore: *Tu lascerai... Tu proverai...* Ma dal primo discorso di Cacciaguida si comprende che ogni accadimento del tempo umano, anche il più amaro, è in Dio come una nota di un dolce e armonioso canto. Tale arcana armonia, che il poeta sconfitto nella storia ebbe la forza di riconoscere e contemplare, nella vita sua come nell'intero universo, è quella di cui si sostanzia la grande poesia della *Commedia* che tutto il mondo ama.

CANTO XVII

Nel cielo di Marte: Cacciaguida

1-12 Turbato dalle parole di Cacciaguida, Dante si rivolge a Beatrice, come Fetonte si era rivolto alla madre Climene per conoscere la verità sulla propria origine. La donna lo invita a esprimere il suo desiderio così che possa essere soddisfatto.

13-30 Sapendo che i beati conoscono in anticipo gli avvenimenti che accadono perché li vedono in Dio, Dante chiede all'avo di svelargli il suo destino, circa il quale, durante il viaggio nell'oltretomba, ha già udito profezie di sventura. Infatti, benché si senta ben saldo di fronte ai colpi della Fortuna, conoscendo prima ciò che lo attende potrà meglio prepararsi a resistere.

31-99 L'avo risponde in modo chiaro e senza le ambiguità degli antichi oracoli: prima di tutto ribadisce che gli eventi contingenti sono tutti scritti nella mente divina, e da lì arrivano a lui come l'armonia di un canto. Poi rivela che il futuro riserva a Dante una ingiusta condanna e l'esilio, tramati a suo danno dalla corte papale: dovrà dunque lasciare ciò che gli è più caro e provare l'amarezza del mendicare ospitalità, ma il peso più gravoso saranno proprio i suoi compagni di sventura, che con la loro condotta si dimostreranno ingrati e ostili a lui. Il primo sicuro rifugio sarà presso gli Scaligeri, dove lo accoglieranno prima Bartolomeo, poi Cangrande, che adesso è ancora fanciullo, ma è destinato ad alte imprese. A lui l'esule rivolga le sue aspettative. Cacciaguida aggiunge cose incredibili sul futuro di Cangrande, vietando però al poeta di riferirle; quindi gli raccomanda di non nutrire invidia verso i suoi concittadini, perché la sua vita durerà ben oltre la punizione dei suoi avversari.

100-120 Dopo queste parole, Dante sente il bisogno di essere consigliato: conoscendo il destino che lo attende forse non gli converrà ridire ciò che ha visto nei tre regni, arrecando così fastidio a molti proprio quando avrà bisogno di protezione; d'altra parte se sarà timido amico della verità la sua opera non durerà nel tempo.

121-142 L'anima di Cacciaguida, fattasi più splendente, risponde: è vero che le parole di Dante saranno amare per chi si è macchiato di colpa, ma egli deve ugualmente riferire quanto ha visto, perché ciò servirà al ravvedimento degli uomini. Il suo canto colpirà proprio i più grandi e potenti, ma è per questo che gli sono stati mostrati personaggi famosi, perché chi ascolta si convince solo se gli si offrono esempi illustri.

> Qual venne a Climenè, per accertarsi
> di ciò ch'avëa incontro a sé udito,
> 3   quei ch'ancor fa li padri ai figli scarsi;

1-3. Qual venne a Climenè...: il canto si apre introducendo fin dai primi versi il suo argomento principale, il destino del poeta. Dopo le domande sull'antica Firenze, sale ora la domanda che fin dal principio premeva nel cuore del protagonista: quella, per lui decisiva, sulla sua *vita futura* (v. 22). Ma al momento di porla, Dante raffigura la sua situazione psicologica di fronte a Cacciaguida con un paragone mitologico, che solleva la sua persona in una dimensione eroica e mitica: *Qual*, cioè con lo stesso animo, con cui

---

Con lo stesso animo con cui colui (Fetonte) che ancora induce i padri a essere avari di concessioni coi figli andò dalla madre Climene per sapere se era vero ciò che di doloroso per lui (incontro a sé) aveva udito sulla sua origine, ...

andò dalla madre Climene per sapere se era vero ciò che aveva udito sulla propria origine (e cioè che non era veramente figlio del Sole), colui (Fetonte) che ancora induce i padri a non acconsentire troppo facilmente alle richieste dei figli Il Sole infatti – per convincerlo che egli era veramente suo figlio – permise a Fetonte di guidare il suo carro, permesso che portò il giovane alla morte (*Inf.* XVII 106-8).

– **incontro a sé**: cosa cioè tale da recargli dolore; è voluta ripresa delle parole (*quel ch'udito / hai contra te*) che Virgilio dice a Dante dopo la profezia che dell'esilio gli fa Farinata (*Inf.* X 127-8), annunziandogli che ne avrà spiegazione in paradiso: che è ciò che qui si compie.

– **ancor**: cfr. *Purg.* XXVIII 72.

– **scarsi**: avari di concessioni.

> tal era io, e tal era sentito
> e da Beatrice e da la santa lampa
> 6   che pria per me avea mutato sito.
> Per che mia donna «Manda fuor la vampa
> del tuo disio», mi disse, «sì ch'ella esca
> 9   segnata bene de la interna stampa:
> non perché nostra conoscenza cresca
> per tuo parlar, ma perché t'ausi
> 12   a dir la sete, sì che l'uom ti mesca».
> «O cara piota mia che sì t'insusi,
> che, come veggion le terrene menti
> 15   non capere in trïangol due ottusi,
> così vedi le cose contingenti

4-6. tal era io...: in quella stessa condizione, di turbamento e di dubbio, ero io allora, e che io fossi «tale» ben sapevano i due beati, che leggevano in Dio, s'intende, ogni mio pensiero. – *sentito* vale «percepito», «conosciuto» (cfr. *Purg.* XVIII 52); *la santa lampa* (lampada) è la vivida luce di Cacciaguida, che aveva *mutato sito*, cioè cambiato il suo posto nella croce di stelle (la costellazione del cielo di Marte descritta nel canto XIV) per venirmi incontro (XV 19-24).

7. la vampa: l'ardente desiderio trabocca dal cuore nelle parole come una vampa di fuoco che si proietti fuori della fornace. La forte metafora già dice come questa ultima domanda urga nell'animo di Dante con una forza che non si può più contenere. Si veda la diversa esortazione, più solenne e paludata, di XV 67-9.

9. segnata bene...: tale che porti come stampato l'interno sentimento del cuore; si veda la stessa immagine usata per il volto a *Purg.* VIII 82-3.

10-2. non perché...: Dante deve chiedere non perché i beati possano sapere di lui più di quel che già sanno, ma perché prenda l'abitudine, qui in cielo, a manifestare a parole la sua sete (cioè ogni suo desiderio), perché altri possa versargli da bere, cioè appagarlo.

– **t'ausi**: ti abitui (da *ausare*; cfr. *Inf.* XI 11 e nota); *uom* è soggetto impersonale, più volte incontrato. Come già è stato detto a XV 64-9, la formulazione a parole del desiderio da parte dell'uomo mortale è la condizione richiesta dall'abitante del cielo per esaudirlo, in quanto così si «adempie» più perfettamente il suo desiderio di compiacerlo.

13. piota: propriamente pianta del piede; qui per traslato base, o radice, dell'albero della stirpe. Dante ripete variandolo l'appellativo di XVI 22 (*cara mia primizia*), che dice quanto gli sia caro quel titolo con cui può chiamare con legittimo orgoglio il beato.

– **sì t'insusi**: ti innalzi tanto, dimori così in alto (cioè nel paradiso). Il verbo è coniato da Dante col prefisso *in-* e l'avverbio *suso* (come nel caso di *insemprare*, *indovare* ecc.).

14-8. che, come veggion...: che, con la stessa immediatezza con cui gli uomini in terra vedono che in un triangolo non possono essere contenuti due angoli ottusi, così vedi gli avvenimenti del tempo prima che accadano, guardando in quel punto fuori del tempo (Dio) nel quale ogni tempo è presente. Il vedere dei beati in Dio, tema ricorrente lungo tutta la cantica, è qui presentato nella prospettiva della compresenza dei tempi nell'eternità, prospettiva che proietta già sullo sfondo dell'eterno la terrena vicenda dell'esule che ora sarà narrata.

– **capere**: poter essere contenuto, poter star dentro; cfr. III 76 e nota. Il teorema qui citato è corollario di quello (la somma degli angoli di un triangolo è eguale a due angoli retti) ricordato da Aristotele nella *Metafisica* (IX 10) per esemplificare, come qui, un'assoluta evidenza (cfr. *Mon.* I, XII 2).

– **contingenti**: *contingente* è ciò che non è necessario, che può cioè essere o non essere (cfr. XIII 64-6 e nota). Così *contingenti* sono le cose che non accadono necessariamente – che possono accadere o non accadere – come sono tutti gli eventi del tempo storico, sottoposti alla mutabilità di ogni cosa terrena (e alla stessa libertà umana).

... così ero io, e così ero percepito sia da Beatrice sia dalla santa luce che prima aveva mutato la sua posizione per me. Per cui la mia donna mi disse: «Fai uscir fuori (in parole) la fiamma ardente del tuo desiderio, in modo che porti come stampato l'interno sentimento del cuore: non perché noi ne sappiamo di più per il fatto che tu parli, ma perché tu ti abitui a esprimere la tua sete (cioè il tuo desiderio), affinché ti si possa mescere da bere (cioè esaudirti)».
◆ *«O mio caro antenato, che dimori così in alto che, con la stessa immediatezza con cui gli uomini in terra vedono che in un triangolo non possono essere contenuti due angoli ottusi, così vedi gli avvenimenti del tempo ...*

anzi che sieno in sé, mirando il punto

18 a cui tutti li tempi son presenti;

mentre ch'io era a Virgilio congiunto

su per lo monte che l'anime cura

21 e discendendo nel mondo defunto,

dette mi fuor di mia vita futura

parole gravi, avvegna ch'io mi senta

24 ben tetragono ai colpi di ventura;

per che la voglia mia saria contenta

d'intender qual fortuna mi s'appressa:

27 ché saetta previsa vien più lenta».

Così diss'io a quella luce stessa

che pria m'avea parlato; e come volle

30 Beatrice, fu la mia voglia confessa.

– **il punto**: il punto è l'entità geometrica che non ha estensione, e che quindi rappresenta l'eternità, come la linea rappresenta il tempo. Per il concetto, si cfr. *S.T.* II^a II^ae, q. 172 a. 1: «preconoscere le cose future è proprio dell'intelletto divino, alla cui eternità tutte le cose sono presenti».

19-21. mentre ch'io era...: lungo tutto il cammino compiuto con Virgilio salendo la montagna della purificazione e discendendo nel mondo infernale (*defunto*: si cfr. *lo regno de la morta gente* a *Inf.* VIII 85). La terzina sembra seguire, nel suo movimento ritmico, quella faticosa salita e quella triste discesa.

22. dette mi fuor: da molti dei personaggi incontrati nei due regni: Farinata, Brunetto, Vanni Fucci nell'*Inferno*; Corrado Malaspina e Oderisi nel *Purgatorio* (cfr. *Inf.* X 79 sgg.; XV 61 sgg.; XXIV 140 sgg.; *Purg.* VIII 133 sgg.; XI 139 sgg.).

23. parole gravi: pesanti a sentire, che annunciavano dolorosi eventi.

24. tetragono: saldo, incrollabile, tale da restare sempre in piedi anche se colpito. Il termine, che letteralmente indica una figura geometrica quadrangolare, era dagli antichi riferito al cubo, come appare dall'*Etica Nicomachea* di Aristotele (I, XI 1100 a), nella quale è usato con un simile senso metaforico, così illustrato nel commento di Tommaso, da dove evidentemente Dante lo deriva: «chiama tetragono colui che è perfetto nel-

la virtù a somiglianza del cubo che ha sei superfici quadrate, per cui sta bene in piedi su qualsiasi superficie. Allo stesso modo il virtuoso si trova bene in qualsiasi condizione di fortuna». La figura dell'uomo che fieramente resiste alla Fortuna, in forza del suo coraggio morale e della sua buona coscienza, è quella che Dante dà di se stesso nel poema (si cfr. in particolare le parole dette a Brunetto in *Inf.* XV 91-6), e che di lui è rimasta nell'immaginazione popolare. E tale di fatto egli fu, sopportando nella sua dolorosa vita molte e gravi sventure, senza perdere quella suprema forza spirituale che lo condusse a portare a termine il poema.

– **ai colpi**: si cfr. l'immagine usata più oltre, ai vv. 106-8. È qui presente il ricordo di un altro magnanimo ingiustamente colpito, il filosofo latino Severino Boezio su cui si veda la nota X 124-6: «sento di potere ormai far fronte ai colpi della fortuna» (*Cons.* III 1, 2).

26. d'intender...: di sapere, di venire a conoscere con chiarezza (le *parole gravi* erano infatti sempre indeterminate) quale sventura sta per raggiungermi; *fortuna*, che è voce cosiddetta «media», ha qui valore negativo di «caso sventurato» (si cfr. *fortunata terra* a *Inf.* XXVIII 8 e nota).

27. saetta previsa...: la freccia che si aspetta colpisce con minor violenza. Il verso sentenzioso traduce quasi alla lettera un pentametro latino («le freccie previste sogliono produrre ferite minori») che appartiene ad una raccolta esopiana in distici (detta il «Gualterus anglicus») diffusa in tutte le scuole medievali; si tratta dunque di una massima proverbiale nota ad ogni lettore. Tuttavia il voler sapere non è di tutti: tale atteggiamento si conviene a chi coraggiosamente e consapevolmente si prepara a resistere alla sventura.

29. come volle: cfr. i vv. 7-9.

30. confessa: manifestata spontaneamente.

31-3. Né per ambage...: e non con le ambigue parole degli oracoli antichi, nelle quali restavano invischiate, confuse, le genti pagane prima della morte di Cristo (cioè prima dell'avvento del cristianesimo). – *ambage* è latinismo virgiliano («ambages», parole dop-

---

... *prima che accadano, guardando in quel punto fuori del tempo (Dio) nel quale ogni tempo è presente; finché io ero insieme a Virgilio, salendo la montagna della purificazione e discendendo nel mondo infernale, mi furono dette sulla mia vita futura parole pesanti a sentire, sebbene io mi senta ben saldo di fronte ai colpi della sorte; per cui il mio desiderio sarebbe contento di sapere quale sventura sta per raggiungermi, poiché la freccia che si aspetta colpisce con minor violenza».* ● *Così dissi a quella stessa luce che prima mi aveva parlato; e come voleva Beatrice, il mio desiderio fu espresso in parole.*

Né per ambage, in che la gente folle
già s'inviscava pria che fosse anciso

33   l'Agnel di Dio che le peccata tolle,
ma per chiare parole e con preciso
latin rispuose quello amor paterno,

36   chiuso e parvente del suo proprio riso:
«La contingenza, che fuor del quaderno
de la vostra matera non si stende,

39   tutta è dipinta nel cospetto etterno;
necessità però quindi non prende
se non come dal viso in che si specchia

42   nave che per corrente giù discende.
Da indi, sì come viene ad orecchia
dolce armonia da organo, mi viene

---

pie, ambigue: cfr. *Aen.* VI 99) usato a proposito della predizione che la Sibilla fa ad Enea nella scena ben simile a questa del dialogo fra i due all'ingresso nel mondo dell'aldilà.

– **folle**: che viveva nell'errore; cfr. VIII 6: *le genti antiche ne l'antico errore.*

– **s'inviscava**: restava impigliata, come gli uccelli nella pania, non potendosene poi districare.

– **l'Agnel di Dio...**: il verso traduce alla lettera la frase evangelica e liturgica che indica Gesù: «l'Agnello di Dio che toglie i peccati del mondo» (*Io.* 1, 29) come a *Purg.* XVI 18 (qui è mantenuto il latino «tolle», là tradotto con *leva*).

34-5. con preciso / latin: con linguaggio preciso, cioè senza ambiguità; per *latin* si cfr. XII 144.

36. chiuso e parvente...: verso di rara pregnanza: che insieme era nascosto e rivelato dalla sua stessa luce, che ne rendeva visibile il sorriso (cfr. V 124-6).

37-42. La contingenza...: prima di dare diretta risposta, cioè di narrare i fatti futuri, Cacciaguida fa un alto preludio, che si intona sullo stesso registro tenuto da Dante nella domanda e ne ripete i termini. Così la dolorosa vicenda storica dell'esule – che appartiene alla *contingenza*, alle *cose contingenti* – appare iscritta, già prima di essere detta, nell'eterna sapienza e provvidenza divina (*dipinta nel cospetto etterno*). I fatti contingenti, che non escono dall'ambito del vostro mondo terreno, costituito dalla materia elementare, sono tutti presenti alla eterna mente di Dio: e tuttavia non ne derivano carattere di necessità, come il movimento di una nave che scende lungo la corrente di un fiume non è determinato dall'occhio nel quale si riflette, cioè dalla conoscenza che ne ha colui che la guarda. È l'antico problema che comporre la prescienza divina con la libertà degli atti umani e con il relativo evolversi della contingenza storica. A questo problema sono dedicati i capitoli IV-VI del libro V della *Consolatio* di Boezio, dove si trova un paragone simile a questo.

– **quaderno / de la vostra matera**: l'insieme dei fatti terreni, come fogli successivi di uno stesso quader-

no; l'immagine del quaderno con i suoi molti fogli, per indicare la molteplicità propria dell'universo creato, si ritroverà a XXXIII 85-7. Per *vostra matera* si intende qui la materia che forma il mondo sublunare, luogo del caduco e del corruttibile, dove solo si danno cose e fatti *contingenti*: i cieli e gli astri erano infatti ritenuti incorruttibili e i loro moti necessari (cfr. VII 124-41; XXIX 22-36 e note).

– **corrente**: il Petrocchi, a differenza di tutti i precedenti editori, legge *torrente*; ma il valore di questo termine, sia biblico che classico, che comporta impeto e violenza (escludendo quindi la navigabilità) ci fa preferire con sicurezza la lezione tradizionale. Si veda sulla questione la nota alla fine del canto.

43-5. Da indi, sì...: dal *cospetto etterno* viene alla mia vista la tua vita futura (il tempo che ti si prepara), come da un canto a più voci (*organo*) viene all'orecchio che ascolta una *dolce armonia* (si veda VI 124-6 e, per *organo*, la voce relativa in *Enciclopedia Dantesca* IV, pp. 193-4). Il paragone è parso contraddittorio, data l'amarezza degli eventi che si preparano per colui che ascolta. Ma esso ha invece un significato profondo: nella eterna mente divina ogni fatto *contingente* di una umana vicenda non esiste per sé solo, ma nell'intero

---

E non con le ambigue parole (degli oracoli), nelle quali restavano invischiate le genti pagane prima che fosse ucciso l'Agnello di Dio che toglie i peccati (cioè Cristo), ma con parole chiare e con linguaggio preciso quel padre amorevole mi rispose, nascosto e insieme risplendente della sua stessa letizia (riso): ◆ *«I fatti contingenti, che non escono dall'ambito del vostro mondo (quello sublunare) costituito dalla materia elementare, sono tutti presenti alla eterna mente di Dio; e tuttavia non ne derivano carattere di necessità, come il movimento di una nave che scende lungo la corrente di un fiume non è determinato dall'occhio (viso) nel quale si riflette. Da quella mente eterna (Da indi), come da un canto a più voci (organo) viene all'orecchio una dolce armonia, viene ...*

45   a vista il tempo che ti s'apparecchia.
        Qual si partio Ipolito d'Atene
        per la spietata e perfida noverca,
48   tal di Fiorenza partir ti convene.
        Questo si vuole e questo già si cerca,
        e tosto verrà fatto a chi ciò pensa
51   là dove Cristo tutto dì si merca.
        La colpa seguirà la parte offensa
        in grido, come suol; ma la vendetta
54   fia testimonio al ver che la dispensa.

svolgersi e compiersi di quella vita e della storia. Così la dolorosa vita di Dante è vista da Cacciaguida sullo sfondo dell'alta missione profetica e della futura gloria che a lui è riservata, come la fine del canto dichiarerà. S'intende così il vero valore di quel termine *organo*, canto polifonico (da molti frainteso), e di quella «dolcezza» che il poeta esule legge nella sua storia coraggiosamente guardandola con lo stesso sguardo divino.

46-8. Qual si partio...: come Ippolito fu costretto a lasciare Atene pur essendo innocente, per le false accuse della spietata matrigna (*noverca*), così (ugualmente innocente, e per la crudeltà della città che ti avrebbe dovuto esser madre) sarai costretto a lasciare Firenze.

– **Ipolito**: Ippolito, figlio di Teseo re di Atene, fu falsamente accusato dalla matrigna Fedra, da lui respinta, di aver tentato di sedurla, e per questo esiliato (Ovidio, *Met.* XV 493 sgg.). Il secondo paragone mitico, come già quello con Fetonte, solleva l'evento di cronaca fiorentina nella dimensione della narrazione epica e dà al protagonista dignità regale (Ippolito era figlio di re, come Fetonte era figlio del Sole). L'analogia sta nell'innocenza del colpito e nel rapporto madre-figlio che è spietatamente violato. Per questo crediamo che la *noverca* non possa essere che Firenze, la madre che si fa matrigna, e non la Curia romana, come altri intendono (cfr. anche XXV 4-5 e *Conv.* I, III 4).

49-50. Questo si vuole...: si vuole, si cerca, presto si farà: i tre verbi si susseguono con ritmo incalzante e fatale. *Questo*, cioè il *partire* di Dante da Firenze, la sua condanna e il suo esilio, è attribuito alle brighe della corte papale, bramosa di potere, prima origine di ogni male civile (si cfr. XVI 58-60, dove essa è *noverca* a Cesare, come Firenze a Dante), in quanto la politica di Bonifacio VIII fu in realtà la causa prima della rovina della Parte bianca – cui Dante apparteneva – in Firenze (cfr. *Inf.* VI 67-9 e note).

– **a chi ciò pensa**: compl. d'agente: da chi già fin d'ora prepara questi eventi. Già nel 1300 infatti Bonifacio si accordava nascostamente con la Parte nera per abbattere il governo dei Bianchi, come è detto nel luogo dell'*Inferno* sopra citato.

51. là dove Cristo...: il verso allude duramente alla simonia propria della Curia, dove «si fa mercato» di Cristo stesso, cioè si vendono i beni spirituali da lui acquistati a prezzo del suo sangue.

52-3. La colpa...: il torto, come sempre accade, sarà dalla voce comune (*in grido*) addossato all'offeso; si veda *Conv.* I, III 4: «per le parti quasi tutte alle quali questa lingua si stende, peregrino, quasi mendicando, sono andato, mostrando contra mia voglia la piaga della fortuna, che suole ingiustamente al piagato molte volte essere imputata»; testo che risale a Boezio, il maestro così fortemente presente in questi canti: «questo è l'ultimo dei pesi imposti dall'avversa fortuna, che quando un qualche delitto è attribuito agli infelici, si crede che abbiano meritato quello che patiscono» (*Cons.* I 4, 44). La parte offesa è per molti interpreti la Parte bianca (cacciata, come è detto a *Inf.* VI 66, *con molta offensione*); ma più verosimilmente, dato il severo giudizio che dei Bianchi è dato poco oltre, si intenderà di Dante («parte lesa» nel linguaggio giuridico qui usato: *colpa, testimonio, dispensa* ecc.). Del resto di sé solo egli poteva proclamare l'innocenza, come sempre farà (dicendosi «esule senza colpa»: *Ep.* VI 1; VII 1) e come il paragone con Ippolito ricorda, e di lui solo qui si parla.

53-4. ma la vendetta...: ma la punizione che presto coglierà i colpevoli renderà testimonianza alla verità, quella verità (Dio) che assegna le punizioni a chi le merita. Si allude qui verosimilmente alle tragiche morti che dovevano cogliere di lì a pochi anni Bonifacio VIII (*Purg.* XX 85-90) e Corso Donati, capo della Parte nera (*Purg.* XXIV 82-7). Di fatto l'oltraggio di Anagni (dove il pontefice fu schiaffeggiato e catturato ad opera di emissari del re di Francia) e la conseguente morte del papa sembrarono a molti un castigo divino: «Iddio fece punire lui per lo modo ch'è detto, et poi l'offenditore punì» (Villani VIII, LXIV). Per *vendetta*, castigo divino, si cfr. *Inf.* VII 12; *Purg.* XX 95 ecc.

───────────────────■───────────────────

... alla mia vista il tempo che ti si prepara. ◆ Nella stessa condizione in cui Ippolito lasciò Atene per le calunnie della spietata e bugiarda matrigna (noverca), così tu sarai costretto a lasciare Firenze. Questo si vuole, e questo già si cerca di realizzare, e presto sarà realizzato, da chi fin d'ora ci sta pensando nel luogo dove in ogni momento si fa mercato di Cristo. Il torto, come sempre accade, sarà dalla voce comune (in grido) addossato all'offeso; ma la punizione (vendetta) renderà testimonianza alla verità (Dio) che la impartisce.

Tu lascerai ogne cosa diletta

più caramente; e questo è quello strale

57 che l'arco de lo essilio pria saetta.

Tu proverai sì come sa di sale

lo pane altrui, e come è duro calle

60 lo scendere e 'l salir per l'altrui scale.

E quel che più ti graverà le spalle,

sarà la compagnia malvagia e scempia

63 con la qual tu cadrai in questa valle;

che tutta ingrata, tutta matta ed empia

– **dispensa**: il verbo *dispensare*, oltre al valore di liberare da un peso, da un obbligo (cfr. V 35), ha anche quello di distribuire, assegnare (cfr. *dispense* a *Purg.* XXVII 72 e nota), valore rimasto nell'italiano moderno (detto di grazie, favori ecc.).

55-6. Tu lascerai...: la predizione giunge infine al suo centro, scoprendo la radice stessa del dolore che ancora – dopo tanti anni – è come una ferita aperta nel cuore dell'esule. Prima è stato detto: dovrai partire da Firenze. Ora si dice ciò che quel *partir* significava: lasciare tutto ciò che più si amava al mondo. La notorietà di questi versi può farli passare davanti a noi senza che ci si accorga della loro suprema misura di intensità e riserbo: il dolente andamento ritmico, la greve condanna di quel verbo d'apertura, il velo che nasconde, in quell'*ogne cosa*, la moglie e i figli, mai nominati in tutto il poema. Un verso e mezzo: è quanto Dante ha concesso a quell'intimo, inconsolato dolore che segnò tutta la sua vita; ed è quanto è bastato.

56. quello strale: l'immagine della freccia porta con sé quella della piaga («la piaga della fortuna», dice il *Convivio* nel luogo citato in nota ai vv. 52-3) inferta dall'esilio, che appare come un nemico armato contro l'uomo inerme, come più avanti sarà raffigurato il tempo (vv. 106-8).

57. pria: per primo; altri dolori seguiranno, come ora si dirà, ma questo, il primo, della separazione irrevocabile, è anche il più amaro.

58. Tu proverai: la ripetizione insistita di quel futuro di seconda persona (*Tu lascerai... Tu proverai....*) grava su colui che ascolta con tutto il peso di un inesorabile destino.

58-60. come sa di sale...: come è amaro il pane che si riceve dagli altri, e come è penoso dover scendere e salire, più e più volte, nelle scale altrui, a chiedere ospitalità. Tanto più amaro quel pane, e duro quel cammino (*calle*), per un uomo dalla fiera natura e alta consapevolezza di sé, quale era Dante; si ricordino le parole dette per Romeo a VI 139-42 e quelle del *Convivio* citate qui ai vv. 52-3.

61. ti graverà le spalle: ti peserà, ti sarà grave a sopportare.

62-3. la compagnia...: sono i compagni d'esilio, quei fuorusciti Bianchi a cui il poeta si trovò accomunato per forza di cose dal bando (*in questa valle* vale «in questa dolorosa situazione», dove *valle* è biblicamente luogo di sventura, di pena), ma con i quali non poté trovare alcuna vera intesa; gente che egli definisce *malvagia e scempia*, cioè infida e stolta (cfr. il v. 64), come essi gli apparvero nei pochi anni in cui egli divise con loro i tentativi di rientrare in Firenze.

64. tutta ingrata...: lo stesso iroso accanimento dei Bianchi esuli contro il poeta è descritto in *Inf.* XV 61 sgg. dalle parole di Brunetto Latini. Di come si siano svolti i fatti non abbiamo notizie sicure. Dei vari tentativi militari, tutti falliti, fatti dai fuorusciti Bianchi per rientrare in Firenze tra il 1303 e il 1307 – noti sotto il nome di «guerre mugellane» dal teatro delle operazioni, la zona del Mugello – sappiamo con certezza che Dante prese parte alla organizzazione del primo, poiché il suo nome appare (accanto a quello degli Ubertini, dei Cerchi, dei Pazzi e delle altre principali famiglie di Parte bianca) tra i partecipanti al trattato detto di San Godenzo, dal nome della pieve del Mugello dove i capi dei Bianchi si riunirono nel giugno del 1302. E quasi certamente egli partecipò anche a quella del secondo tentativo (1303), guidato da Scarpetta Ordelaffi di Forlì, presso il quale egli si trovava in quel periodo. Si dissociò invece dalla terza spedizione, che finì in una grave sconfitta, subita dai Bianchi alla Lastra, presso Firenze, nell'estate del 1304. Secondo quanto narrano gli antichi commenti, Dante tentò di dissuadere i compagni da tale impresa, e questo gli valse da parte loro l'accusa di viltà e di tradimento. Prima di quella sconfitta egli si separò definitivamente da quei suoi compagni (come appare dai vv. 65-9) e prese da solo la via del suo lungo esilio. I Bianchi ripeterono ancora, più di una volta, fino al 1307, i tentativi militari di ritorno in città, dopo di che, come scrive il Compagni (*Cronica* III 17): «mai si raunoron più».

◆ *Tu lascerai ogni cosa da te più teneramente amata; e questa è la freccia che l'arco dell'esilio scocca per prima. Tu proverai come è amaro il pane che si riceve dagli altri, e come è dura la strada di chi deve scendere e salire le scale delle case altrui. E ciò che più ti sarà grave a sopportare saranno i compagni malvagi e stolti con cui tu cadrai in questa dolorosa situazione (valle); i quali diventeranno tutti ingrati, folli ed iniqui ...*

si farà contr'a te; ma, poco appresso,

66 ella, non tu, n'avrà rossa la tempia.

Di sua bestialitate il suo processo

farà la prova; sì ch'a te fia bello

69 averti fatta parte per te stesso.

Lo primo tuo refugio e 'l primo ostello

sarà la cortesia del gran Lombardo

72 che 'n su la scala porta il santo uccello;

ch'in te avrà sì benigno riguardo,

che del fare e del chieder, tra voi due,

75 fia primo quel che tra li altri è più tardo.

Con lui vedrai colui che 'mpresso fue,

nascendo, sì da questa stella forte,

---

66. n'avrà rossa la tempia: per questa sua follia (*ne*) subirà una sanguinosa sconfitta. L'allusione è alla battaglia della Lastra, di cui sopra si è detto, come sembra dichiarare il collegamento dei tempi e dei fatti (*poco appresso, / ella, non tu*). È proprio quella infatti – secondo l'Ottimo – l'impresa che Dante sconsigliò e per la quale avvenne la rottura tra lui e i compagni d'esilio.

67-8. Di sua bestialitate...: la sua condotta, il suo modo di procedere (*processo*; cfr. VII 113) sarà prova della sua stoltezza. La *bestialitate* corrisponde agli aggettivi *scempia* e *matta* dei versi precedenti: indica cioè un comportamento non dettato dalla ragione.

68-9. fia bello...: sarà motivo di onore esserti diviso da loro, facendoti *parte* della tua sola persona. Fiera e coraggiosa affermazione, di chi è rimasto solo a sopportare ogni peso della dura condizione di esule.

70-2. Lo primo tuo refugio...: il primo sicuro rifugio, la prima «dimora ospitale» (Sapegno) per l'esule ormai isolato sarà la generosità del signore di Verona, colui che nell'insegna della sua casata porta sulla scala l'aquila imperiale. Gli Scaligeri furono nominati vicari imperiali da Arrigo VII nel 1311, ma non è escluso che già nel 1300 l'aquila fosse stata aggiunta allo stemma originario della famiglia, forse quando Bartolomeo sposò Costanza, pronipote di Federico II.

– gran Lombardo: pare oggi sicura l'identificazione con Bartolomeo della Scala, signore di Verona dal 1301 al marzo del 1304, presso il quale Dante si sarebbe recato in seguito alla rottura con i suoi compagni d'esilio, cioè nell'estate del 1303. Tutto il verso ha un largo andamento liberatorio, che esalta la liberalità del signore e insieme esprime il sollievo dell'uomo non più costretto per vivere a richieste mortificanti della propria dignità.

73. in te: verso di te.

75. fia primo quel...: cioè il *fare* precederà il *chiedere*, con ordine inverso a quello che di solito accade tra gli uomini. La liberalità, che «precorre il dimandare», sarà ricordata come prerogativa divina nella preghiera a Maria dell'ultimo canto (XXXIII 16-8).

76-8. colui che 'mpresso fue...: colui che, alla nascita, fu così profondamente segnato dall'influsso di questo pianeta guerriero (*forte*) che le sue imprese saranno degne di essere ricordate (*notabili*). Entra così sulla scena del canto il personaggio al quale Dante dedica l'onore e lo spazio maggiore, quasi restituendo quell'onore e quello spazio di vita serena e dignitosa che il potente signore aveva offerto all'esule senza mezzi e senza protezione. Cangrande della Scala, signore di Verona dal 1312 al 1329, presso il quale Dante visse onorato, tra il 1312 e il 1318, il più lungo periodo del suo esilio, fu di fatto uomo di grande statura e di fama al suo tempo quasi leggendaria. Vicario imperiale dal 1311, dopo la morte di Arrigo fu il capo del ghibellinismo italiano e tentò di realizzare quel progetto di unificazione dell'Italia sotto l'aquila imperiale che già era stato di Federico II. La sua impresa, che sembrava felicemente avviata, fu interrotta dalla morte, che lo colse ancor giovane, nel 1329.

80-1. per la novella età: per l'età ancora giovanile: Cangrande, nato nel 1291, aveva nel 1300 nove anni, come dice la perifrasi che segue: dato che soltanto (*pur*) nove anni queste sfere celesti (*queste rote*) hanno compiuto la loro rivoluzione (*son torte*, si sono aggirate) intorno a lui. Si cfr. quasi la stessa frase usata a *Vita Nuova* II 1: «Nove fiate già appresso lo mio nascimento era tornato lo cielo de la luce quasi a uno medesimo punto».

82. pria che 'l Guasco...: prima che Clemente V (il

... contro di te; ma poco dopo essi, non tu, ne avranno il volto rosso di sangue. La loro condotta sarà prova della loro empia follia; così che per te sarà motivo di onore esserti fatto parte della tua sola persona. ◆ *Il primo tuo rifugio, la prima dimora sarà la liberalità del gran Lombardo che (nell'insegna della sua casata) porta sulla scala l'aquila imperiale (Bartolomeo della Scala); il quale avrà verso di te un riguardo così benevolo che dei due atti del fare (un favore) e del chiederlo, tra voi due sarà fatto per primo quello che tra gli altri è (di solito) fatto per secondo (cioè il fare precederà il chiedere).* ◆ *Con lui vedrai colui che, alla nascita, fu così profondamente segnato dall'influsso di questo pianeta guerriero (forte) ...*

78   che notabili fier l'opere sue.

Non se ne son le genti ancora accorte

per la novella età, ché pur nove anni

81   son queste rote intorno di lui torte;

ma pria che 'l Guasco l'alto Arrigo inganni,

parran faville de la sua virtute

84   in non curar d'argento né d'affanni.

Le sue magnificenze conosciute

saranno ancora, sì che ' suoi nemici

87   non ne potran tener le lingue mute.

A lui t'aspetta e a' suoi benefici;

per lui fia trasmutata molta gente,

90   cambiando condizion ricchi e mendici;

---

papa guascone: cfr. *Inf.* XIX 83) compia il suo inganno verso il grande Arrigo. Clemente invitò prima l'imperatore a scendere in Italia, e sembrò favorirlo, ma poi di fatto ne ostacolò l'impresa, attraverso la forte opposizione delle città guelfe. Dante non perdonò al papa questo tradimento, cioè l'avere prima illuso e poi amaramente deluso le speranze sue e di tanti altri in Italia. Clemente è sempre citato con duro disprezzo nel poema: si cfr. XXX 142-8, dove è ripresa l'accusa di falsità verso Arrigo (vv. 143-4), e *Inf.* XIX 82-4.

83. **parran faville...**: cominceranno a manifestarsi i primi luminosi segni del suo valore: le faville sono solo il primo avviso della fiamma, che poi divamperà. Prima dell'«inganno» di Clemente, cioè prima del 1312, Cangrande aveva infatti già assunto la signoria di Verona e il titolo di vicario imperiale, conferitogli nel 1311.

84. **in non curar...**: la *virtute* di Cangrande appare nel suo disprezzo del denaro e della fatica (*argento* e *affanni*), che corrispondono alle due attività pubbliche, del governo civile e delle imprese di guerra. È evidente il riscontro con le doti riconosciute al Veltro in *Inf.* I 103-4 (*Questi non ciberà terra né peltro*: non cercherà il possesso né di terre, né di denaro); ciò non significa che nel Veltro si debba riconoscere Cangrande, ma che il secondo impersona la stessa figura rappresentata dal primo, quell'auspicato restauratore che assunse per Dante ora il volto storico di Arrigo, ora quello del suo vicario, ma che resta tuttavia una speranza ultraterrena, una figura simbolica della fine dei tempi, sempre viva anche quando ogni terrena possibilità sembra svanire.

85. **magnificenze**: la «magnificenza», una delle aristoteliche virtù morali (*Conv.* IV, XVII 5), era propria del mondo cavalleresco, e significa larghezza, generosità nel dare. Dante l'attribuisce, nelle due preghiere finali di ringraziamento, a Beatrice e a Maria, appunto in riferimento alla loro gratuita azione di salvezza verso di lui (XXXI 88 e XXXIII 20). Allo stesso modo lo Scaligero, come già il padre (vv. 74-5), dette a Dante senza essere richiesto. La stessa parola risuona nell'apertura dell'*Epistola* a lui indirizzata: «L'inclita

lode della Magnificenza vostra che l'attenta fama diffonde volando» (*Ep.* XIII 2).

86. **ancora**: anche, oltre cioè al disprezzo di *argento* e di *affanni*.

87. **non ne potran tener...**: gli stessi nemici non potranno fare a meno di riconoscerle. Della fama del signore di Verona sono in realtà piene le cronache del tempo.

88. **A lui t'aspetta**: a lui sia rivolta la tua aspettativa; lo stesso costrutto a *Purg.* XVIII 47.

– **benefici**: ai benefici di Cangrande Dante rispose con non minore «magnificenza»; gli dedicò infatti, oltre a questi versi, la sua suprema fatica: «la suprema cantica della Commedia che s'adorna del titolo di Paradiso» (*Ep.* XIII 11).

89-90. **per lui fia trasmutata...**: grazie a lui molti cambieranno di condizione, da ricchi a poveri e da poveri a ricchi (s'intende, con la riparazione delle ingiustizie). L'elogio, che non ha un riscontro in fatti determinati (se non in quello del cambiamento che avvenne nella condizione dell'esule, che «mendicava» la sua vita di corte in corte: cfr. VI 141 e *Conv.* I, III 4-5), è un'evidente citazione scritturale (*Luc.* 1, 52-3), alludendo cioè a un tempo in cui verrà ristabilita la giustizia sulla terra. È ancora la stessa caratteristica messianica propria del Veltro (*Inf.* I 109-11).

■

... che le sue imprese saranno degne di essere ricordate (notabili). La gente non se n'è ancora accorta per la sua età ancora giovane, dato che soltanto (pur) nove anni queste sfere celesti (queste rote) hanno compiuto la loro rivoluzione (son torte) intorno a lui; ma prima che il papa guascone (Clemente V) compia il suo inganno verso il grande Arrigo, si manifesteranno i primi luminosi segni del suo valore, nel disprezzo del denaro e delle fatiche guerresche. ♦ *Anche altri atti della sua magnificenza saranno poi conosciuti, a tal punto che gli stessi nemici non potranno fare a meno di parlarne. A lui e ai suoi benefici sia rivolta la tua aspettativa; grazie a lui molti cambieranno di condizione, da ricchi a poveri e da poveri a ricchi; ...*

e portera'ne scritto ne la mente
di lui, e nol dirai»; e disse cose
93   incredibili a quei che fier presente.
         Poi giunse: «Figlio, queste son le chiose
di quel che ti fu detto; ecco le 'nsidie
96   che dietro a pochi giri son nascose.
         Non vo' però ch'a' tuoi vicini invidie,
poscia che s'infutura la tua vita
99   via più là che 'l punir di lor perfidie».
         Poi che, tacendo, si mostrò spedita
l'anima santa di metter la trama
102   in quella tela ch'io le porsi ordita,
         io cominciai, come colui che brama,
dubitando, consiglio da persona

91-2. e portera' ne...: e da qui (da questo cielo) porterai impresse nella memoria cose di lui, che non dovrai riferire (per *portera'ne scritto* si cfr. *Purg.* XXXIII 76-7). Il *ne* non può valere «di lui», come molti intendono, in quanto *di lui* è detto subito dopo; ma ha valore di avverbio di luogo, come più volte (cfr. *Inf.* II 29; IX 27 ecc.). Il divieto di riferire (*nol dirai*) è tratto ricorrente delle profezie (cfr. IX 4-6) che giustifica il silenzio su fatti futuri non conosciuti in realtà da chi scrive, ma soltanto, come qui, genericamente auspicati.

93. che fier presente: che ad esse saranno presenti; cioè che le vedranno coi propri occhi. Tanto più incredibili quindi a chi ora le sentirebbe soltanto annunziare. È questa la ragione per cui si consiglia di non parlarne. Il silenzio è così motivato ammantando di straordinarietà l'evento previsto.

94. le chiose: la spiegazione, l'interpretazione; si riprende l'immagine del commento a un *testo* – quasi scritto nella memoria – già usata nel canto di Brunetto (*Inf.* XV 89).

■

... e da qui (da questo cielo) porterai impresse nella memoria cose di lui, che non dovrai riferire...»; e disse cose incredibili anche per quelli che ad esse saranno presenti. ◆ *Poi aggiunse: «Figlio, questa è la spiegazione di quello che ti è stato detto; ecco le insidie che ti attendono di qui a pochi anni (giri). Non voglio che tu per questo (però) porti invidia ai tuoi concittadini, poiché la tua vita si prolungherà nel futuro ben oltre il momento in cui sarà punita la loro malvagità».* ◆ *Quando, col tacere, l'anima santa si mostrò liberata dal compito di mettere la trama nella tela di cui io le avevo offerto l'ordito (cioè di rispondere alla mia domanda), io cominciai, simile a chi, stando in dubbio, desidera aver consiglio da qualcuno ...*

95-6. le 'nsidie...: gli eventi che si vanno preparando a tuo danno (si ricordino i vv. 49-51) nascosti, «quasi in agguato» (Del Lungo), dietro pochi giri di sole (la condanna di Dante è del gennaio del 1302).

97. Non vo' però...: non voglio che tu per questo (*però*) porti invidia ai tuoi concittadini per la loro miglior sorte (si intende dei Neri vincitori, rimasti nella loro città). Per la voce *vicini*, si cfr. *Inf.* XVII 68 e *Purg.* XI 140.

98. s'infutura: si prolunga nel futuro; neologismo dantesco di grande vigore espressivo che non può avere un senso alto, non riferito cioè all'immediato. Tutto il contesto – che converge verso la missione profetica di Dante, legata al suo esilio – porta ad escludere che s'intenda qui della vita mortale, per cui il poeta sarebbe sopravvissuto alla rovina dei suoi avversari, giusto castigo della loro malvagità (*il punir di lor perfidie*). Quella *vita* che si protende in avanti non per pochi anni, ma nei secoli futuri (*via più là*: di gran lunga al di là), è la vita del poema, il grande *grido* di cui tra poco si dirà: Dante ha creato a se stesso il verbo della sua immortalità di poeta.

100. spedita: liberata, dal compito di rispondere alle mie richieste *di metter la trama*: Dante con la sua domanda ha quasi offerto l'ordito sul quale Cacciaguida doveva, rispondendo, tessere la trama, formando così la tela. Il paragone varia quello precedente delle *chiose* al testo. – *spedire*, dal latino «expedire», liberare; cfr. *Purg.* XX 5.

103-5. come colui che brama...: simile a chi, stando in dubbio su come comportarsi, desidera aver consiglio da qualcuno che abbia rettamente orientati l'intelletto, la volontà e l'amore. Tale è Cacciaguida che, come beato, *vede* le cose in Dio, *vuole* soltanto il bene e *ama* Dante con amore divino.

106. Ben veggio...: la risposta di Dante, ora che ha saputo, riprende sullo stesso tono, fiero e paziente, che era proprio della domanda, come se il suo animo, veramente pronto a tutto sopportare, non avesse in nul-

105 che vede e vuol dirittamente e ama:
    «Ben veggio, padre mio, sì come sprona
    lo tempo verso me, per colpo darmi

108 tal, ch'è più grave a chi più s'abbandona;
    per che di provedenza è buon ch'io m'armi,
    sì che, se loco m'è tolto più caro,

111 io non perdessi li altri per miei carmi.
    Giù per lo mondo sanza fine amaro,
    e per lo monte del cui bel cacume

114 li occhi de la mia donna mi levaro,
    e poscia per lo ciel, di lume in lume,
    ho io appreso quel che s'io ridico,

117 a molti fia sapor di forte agrume;
    e s'io al vero son timido amico,

la cambiato atteggiamento. Si noti l'andamento grave del verso, le parole consapevoli (*Ben veggio*) di chi vede venire di lontano la sventura, e fermamente l'aspetta.

– **sì come sprona**: come un cavaliere armato, con la lancia pronta a colpire (cfr. lo *strale* dei vv. 56-7).

108. **tal, ch'è più grave...**: ferita che è tanto più grave, quanto più uno si abbatte, si piega nel riceverla. S'intende così meglio sopporta il colpo chi resta in piedi, trovando nel suo animo la forza di resistere. È ancora l'immagine del tetragono che, come si è visto, resta sempre stabile su se stesso.

109. **di provedenza**: di previdenza, cioè saggezza nel prevedere i possibili eventi, e nel tentare di evitarli.

– **ch'io m'armi**: come di uno scudo; segue l'immagine del guerriero che aspetta l'assalto nemico (vv. 106-8), assalto che non è evitabile.

110-1. **sì che, se loco...**: così che, se mi è necessariamente tolto il luogo più caro (la mia città, Firenze), io non debba perdere anche gli altri possibili rifugi per colpa dei miei versi. Con le pesanti accuse, s'intende, che nel poema sono fatte a principi e signori di quasi tutte le città e regioni d'Italia. Il problema si pose evidentemente all'alta coscienza dell'esule con tutta la sua valenza pratica ed etica, e qui ne traspare a noi l'interno combattimento.

112-4. **Giù per lo mondo...**: scendendo per l'inferno, e salendo per il purgatorio. La terzina ripete, variandola, la doppia perifrasi prima usata per i due regni (vv. 19-21), allora ricordando le profezie udite sulle proprie sventure, ora le condanne conosciute delle altrui colpe.

– **del cui bel cacume...**: dalla cui splendida cima (il Paradiso terrestre) mi sollevarono in alto gli occhi di Beatrice. – *cacume*, cima di monte, è latinismo usato anche a XX 21.

115. **di lume in lume**: di stella in stella, da un pianeta all'altro. Le profezie si erano esaurite nei primi due regni; la conoscenza delle colpe dei potenti prosegue invece nei cieli, attraverso le parole profetiche dei beati (cfr. in particolare VI 97-111; IX 43-60; 133-42).

116-7. **quel che s'io ridico...**: verità che, se le riferisco nel mio poema, saranno per molti ben aspre, pungenti a sentire, come è in bocca il sapore forte degli agrumi (così erano detti, in antico, non i frutti che intendiamo oggi, ma alcuni ortaggi di acuto sapore: «Dicono i savi che porri, cipolle e agli, e ogni *agrume* crudo... fanno avere i sogni terribili e noiosi»: Passavanti, *Specchio*, p. 262).

118-20. **e s'io al vero**: e d'altra parte, s'io sono reticente nel dire la verità, temo di perdere la mia vita presso i posteri, cioè temo che la mia opera non sopravviverà a lungo. L'idea del preferire la verità ad ogni altro valore – e l'immagine stessa dell'amicizia – è nel famoso detto di Aristotele (*Eth. Nic.* I, IV) che Dante così cita nel *Convivio* (IV, VIII 15): «Se due sono li amici, e l'uno è la verità, alla verità è da consentire». Pensiero, questo, dominante della sua vita, che torna più volte nella sua opera, con accenti alti e commossi; cfr. *Mon.* III, I 3 e *Ep.* XI 11.

... che abbia rettamente orientati l'intelletto, la volontà e l'amore: «Vedo bene, padre mio, come il tempo sprona il suo cavallo contro di me, per darmi un colpo tale che è tanto più grave, quanto più uno lo subisce senza reagire, per cui è bene che io mi armi di previdenza, cosicché, se mi è necessariamente tolto il luogo più caro (Firenze), io non debba perdere anche gli altri (cioè i possibili rifugi) per colpa dei miei versi. ◆ Scendendo per il mondo eternamente amaro (l'inferno), e salendo per il monte dalla cui splendida cima (cacume) mi sollevarono in alto gli occhi della mia donna (il purgatorio), e poi per il cielo, di stella in stella, io ho appreso ciò che, se lo riferisco, avrà per molti sapore fortemente aspro; e d'altra parte, s'io sono reticente (timido) nel dire la verità, ...

        temo di perder viver tra coloro
120   che questo tempo chiameranno antico».

        La luce in che rideva il mio tesoro
        ch'io trovai lì, si fé prima corusca,
123   quale a raggio di sole specchio d'oro;

        indi rispuose: «Coscïenza fusca
        o de la propria o de l'altrui vergogna
126   pur sentirà la tua parola brusca.

        Ma nondimen, rimossa ogne menzogna,
        tutta tua visïon fa manifesta;
129   e lascia pur grattar dov'è la rogna.

        Ché se la voce tua sarà molesta
        nel primo gusto, vital nodrimento
132   lascerà poi, quando sarà digesta.

– **antico**: quindi ben lontano negli anni. Traspare qui la coscienza che Dante ebbe della grandezza del suo poema, che avrebbe oltrepassato i secoli.

121. **tesoro**: vale «gioiello», come prima il beato è stato detto *gemma* e *topazio* (XV 22 e 85).

122. **corusca**: lampeggiante; il corruscare, cioè il brillare mobile della luce, che rivela l'interno riso, è l'immagine usata anche altrove da Dante per figurare la gioia dei beati nel parlare con lui: cfr. V 124-6 e nota, e XX 84.

123. **quale a raggio...**: il riverbero dell'oro sotto il sole spiega il *corusca*, dilatando in suprema bellezza l'immagine: il metallo più prezioso e lucente sotto la luce più intensa che sia sulla terra.

124-6. **Coscïenza fusca...**: una coscienza offuscata, macchiata, da opere degne di vergogna, proprie o dei propri congiunti, certo troverà duro, aspro, il tuo parlare.

127. **Ma nondimen...**: l'affermazione, dopo la premessa, parte con singolare slancio, sintattico e ritmico, dando rilievo massimo al verso centrale, cuore della risposta e di tutta la scena.

– **rimossa...**: respinta ogni menzogna, o dissimulazione di verità (quel *rimossa* sembra indicare quasi l'allontanare da sé ogni tentazione), rivela al mondo la tua visione, senza nulla nascondere.

128. **tutta tua visïon**: la dieresi esalta la parola, sulla quale fa perno la terzina. È questa la solenne investitura profetica che, dopo le parole di Beatrice nel Paradiso terrestre (*Purg.* XXXII 103-5), Dante si fa confermare nel cielo. Un ultimo definitivo avallo si avrà per bocca di Pietro stesso nel cielo stellato (XXVII 64-6). In tutti e tre i casi si ripete l'ordine di rendere pubblico ciò che è stato concesso di vedere a lui solo (*fa che tu scrive; fa manifesta; e non asconder*). Ma questo è dei tre il verso di maggior potenza espressiva, nascendo alla fine di una lunga sequenza, quasi quell'opera fosse il frutto della dolorosa vita preannunciata.

129. **grattar...**: la rogna era una malattia della pelle con fastidioso prurito, molto diffusa a quel tempo. Di qui il detto proverbiale, con quel linguaggio plebeo che ricorda i modi già usati da Brunetto (*Inf.* XV 65-6; 70-5). Tale linguaggio, che fa singolare contrasto con i toni alti e nobili fin qui tenuti da Cacciaguida, stride all'orecchio di noi moderni, abituati a una diversa levigatezza del dire. Ma esso era proprio dello stile profetico e si ritrova infatti più volte nel *Paradiso*, sempre nei testi ammonitori e denunciatori, anche in bocca a san Pietro e alla stessa Beatrice (cfr. XXVII 25-6; XXIX 124-6).

130-1. **molesta / nel primo gusto**: sgradita, aspra al palato; si riprende l'immagine del sapore usata da Dante nella sua domanda (v. 117). Anche questa metafora ci riporta a Boezio, che abbiamo incontrato ormai tante volte in questo canto: «alcune verità sono tali [dice al prigioniero la Filosofia]... che al primo assaggio sono aspre e pungenti, ma una volta digerite si rivelano dolce nutrimento» (*Cons.* III 1, 3).

132. **digesta**: digerita; cfr. *Purg.* XXV 43.

... temo di perdere la mia vita presso coloro (i posteri) che chiameranno antica quest'epoca (cioè di perdere quella vita che dà la fama)». ◆ *La luce nella quale gioiva lo spirito prezioso del mio antenato che io avevo trovato lì, si fece prima lampeggiante, come uno specchio d'oro sotto un raggio di sole; poi rispose: «Una coscienza offuscata da opere degne di vergogna, proprie o dei propri congiunti, certo troverà duro il tuo parlare. Ma nondimeno, respinta da te ogni menzogna, rivela tutta intera la tua visione; e lascia pure che si gratti dove c'è la rogna. Poiché se la tua voce sarà sgradita al palato, poi lascerà un nutrimento vitale, quando sarà digerita.*

Questo tuo grido farà come vento,

che le più alte cime più percuote;

135   e ciò non fa d'onor poco argomento.

Però ti son mostrate in queste rote,

nel monte e ne la valle dolorosa

138   pur l'anime che son di fama note,

che l'animo di quel ch'ode, non posa

né ferma fede per essempro ch'aia

la sua radice incognita e ascosa,

142   né per altro argomento che non paia».

133-4. **Questo tuo grido...**: si tocca qui l'acme del canto, e di tutta la scena che si è svolta nel cielo di Marte. La grande metafora del *grido* – il poema stesso – che come un vento impetuoso colpisce *le più alte cime*, i potenti del mondo, prorompe alla fine della dolorosa pagina dell'esilio, quasi venendo ad esprimerne il senso, da Dio riposto negli eventi, e dichiarando il valore del *s'infutura* che ne appare come la prima nota anticipatrice.

136-8. **Però ti son mostrate...**: per questa ragione nei cieli (le *rote*), nel monte del purgatorio e nell'abisso infernale, ti sono state mostrate soltanto (*pur*) le anime di persone famose. Di fatto Dante incontra nei tre regni anche molti personaggi oscuri, noti soltanto alla sua biografia – come Ciacco, o Belacqua, o Piccarda –, ma qui l'attenzione è tutta rivolta alla funzione profetica del poema, per la quale contano soltanto quelle *più alte cime*, che sono poi le sole che creano

a Dante il problema a cui qui Cacciaguida risponde.

139-42. **che l'animo di quel ch'ode...**: perché l'ascoltatore non si acquieta (nella sua esigenza di sapere) e non presta fede di fronte a esempi tratti da materia ignota o oscura, o ad altri argomenti che non abbiano forte evidenza (*paia*: appaia evidente; per *aia*, abbia, cfr. *Inf.* XXI 60 e nota linguistica). È questa la legge della retorica, fatta per l'oratore che deve conquistare il suo pubblico (*quel ch'ode*) e che deve sempre servirsi di esempi illustri e dimostrazioni brillanti. La stessa legge vale per la poesia che intenda ammaestrare gli uomini e educarli alla virtù (e l'intento etico del poema è apertamente dichiarato, oltre che qui, a *Purg.* XXXII 103-5 e in *Ep.* XIII 15-6). Dopo l'alta affermazione profetica, la chiusa del canto si svolge in tono minore, decrescente, come un saggio e pacato ragionare che esaurisca e plachi il fervore ardente prima acceso nei versi.

◆ *Questo tuo grido farà come il vento, che percuote di più le cime più alte (cioè i potenti del mondo); e ciò non è scarso motivo di onore. Per tale ragione in questi cieli del paradiso (rote), nel monte del purgatorio e nella valle dolorosa dell'inferno, ti sono state mostrate soltanto (pur) le anime di persone famose, perché l'animo dell'ascoltatore non si acquieta (cioè non si convince) e non presta fede di fronte a esempi tratti da materia ignota e oscura, o ad altri argomenti che non abbiano forte evidenza (non paia).*

approfondimenti

NOTE AL TESTO

v. 42. **corrente**: il Petrocchi adotta la lezione *torrente*, più ampiamente testimoniata dalla tradizione manoscritta, ritenendo che la scelta degli altri editori sia dovuta all'erronea convinzione che *torrente* indichi un «piccolo corso d'acqua», mentre per Dante esso vale «fiume impetuoso» in genere. Si tratta tuttavia di un fiume appunto «impetuoso», addirittura travolgente, come appare sia dai luoghi virgiliani che il Petrocchi cita, sia dal passo di XII 97-102, sia soprattutto dai luoghi biblici a cui quel passo è ispirato («il suo soffio è come un torrente che straripa... per annientare i popoli»: *Is.* 30, 28; «Ecco s'avanzano ondate dal settentrione, diventano un torrente che straripa. Allagano la terra... urlano tutti gli abitanti della terra»: *Ier.* 47, 2). Sembra per questo ben difficile che lungo un tale corso d'acqua possa «discendere una nave», il cui movimento oltretutto non è da ritenersi impetuoso, ma calmo come lo scorrere del tempo. Manteniamo per questo la lezione tradizionalmente accolta, dato che la vicinanza grafica tra le due forme rimette infine la scelta al criterio dell'editore.

SUGGERIMENTI PER LA RICERCA

Temi del canto

Il tempo e l'eterno

Rileggi i primi quarantacinque versi del canto: dopo aver ben chiarito il senso del termine *contingente*, spiega con l'aiuto delle note di commento il significato della similitudine ai vv. 43-45; rileggi poi con attenzione l'Introduzione al canto per comprendere il valore di questi versi non soltanto qui ma in tutta la *Commedia*.

«le chiose / di quel che ti fu detto»

Dante ha già ascoltato durante il suo viaggio *parole gravi* circa il suo futuro: rileggi le profezie di Farinata (*Inf.* X 79-81), di Brunetto Latini (*Inf.* XV 61-72), di Vanni Fucci (*Inf.* XXIV 140-151), di Corrado Malaspina (*Purg.* VIII 133-139) e di Oderisi da Gubbio (*Purg.* XI 139-141) rilevandone la diversità di tono e di intenzione; in particolare metti a confronto il dialogo con Cacciaguida e il colloquio avuto con Brunetto, annotando le evidenti analogie che vanno oltre la profezia, e osservando come in paradiso tutto trova spiegazione e compimento.

L'esilio

Ricostruisci le vicende dell'esilio consultando una biografia di Dante, quindi riprendi la storia degli altri esuli della *Commedia*, Provenzan Salvani (*Purg.* XI 127-142) e Romeo di Villanova (*Par.* XI 128-142), e del filosofo Boezio ingiustamente perseguitato dai potenti (*Par.* X 124-129), rilevando le analogie tra questi e il destino del nostro poeta. Rileggi quindi i vv. 19-27 e *Inf.* XV 91-96, in cui Dante traccia il ritratto dell'uomo che resiste fiero alla Fortuna, e confrontali con *Eneide* VI 95-96 e con il passo di Boezio *Cons.* II 1, 2. Per una adeguata comprensione di questo tema, che tanto rilievo ha nella *Commedia,* leggi il saggio di A. Chiavacci Leonardi citato tra le *Letture consigliate*.

La missione profetica

Dante riceve dall'avo la solenne investitura profetica, già anticipata da Beatrice in *Purg.* XXXII 103-05 e che sarà confermata da san Pietro nel canto XXVII 64-66. Dopo aver letto questi brani, mettili a confronto col discorso in cui Anchise rivela a Enea la grandezza della sua discendenza (*Eneide* VI 755-853) e rifletti sulla differenza tra il compito cui è destinato Enea e quello di Dante. Infine sull'argomento leggi anche le pagine di B. Nardi, *Dante profeta* nella sezione *Interpretazioni critiche* del volume *Strumenti*.

Personaggi del canto

Cangrande della Scala

Fai una ricerca sulla figura storica di Cangrande, consultando nell'*Enciclopedia Dantesca* la voce *Della Scala, Cangrande,* a cura di G. Arnaldi, II, pp. 356-359; quindi confronta la sua presentazione con quella del *Veltro* in *Inf.* I 100-111, rilevando analogie e differenze (a tal proposito ti sarà utile riprendere la Nota di approfondimento Il Veltro, alla fine del I canto dell'*Inferno*).

Lingua e stile

le cose contingenti – vv. 16 e 37

Consulta le note di commento ai vv. indicati e ai vv. 63-64 del XIII canto del *Paradiso* dove si spiega il significato filosofico del termine *contingenza*, e confrontalo poi col significato che il termine ha (e che puoi trovare registrato in un buon *Dizionario* di lingua italiana) in espressioni del linguaggio moderno quali «in certe contingenze della vita», «trovarsi in una brutta contingenza» ecc.

Le parole di Cacciaguida – vv. 46 sgg.

Confronta l'inizio della profezia con il passo del canto precedente contraddistinto dalle medesime parole con la rima in *-erca*, cercando poi di individuare quelle caratteristiche (rarità e asprezza fonetica delle parole o delle espressioni, anafore, allitterazioni, replicazioni ecc.) che caratterizzano le ripetute espressioni di biasimo di Cacciaguida per la decadenza di Firenze e della Chiesa.

Francesismi – v. 51

Chiarisci il valore di *tutto dì* in questo passo e in *Par.* XIV 57, individuando su un buon dizionario di lingua francese il significato esatto di *tout - jours* (*toujours*) che a questa locuzione avverbiale italiana fa da modello; ripeti lo stesso esercizio confrontando l'espressione *tutto il mondo* di *Inf.* XXX 120 (frequentissima anche nel *Fiore* LXXIV 8, XCVII 13 ecc.) col francese *tout le monde*. Vedi poi un caso simile al v. 11 della canzone *Tre donne intorno al cor* (*Rime* CIV) «come persona discacciata e stanca / cui *tutta gente* manca» dove l'espressione *tutta gente*, nel senso di «tutti», deriva dall'antico francese *tote gent*.

CANTO XVIII

Introduzione

L a trama di questo canto è a struttura bipartita
– come già quella del XIV – svolgendosi la narrazione per la prima parte ancora nel cielo di
Marte, e per la seconda nel cielo di Giove, con
al centro il passaggio dall'uno all'altro pianeta, come
sempre affidato al maggiore splendore del volto di Beatrice. Il canto è stato in genere poco apprezzato dalla
critica, forse anche per la sua collocazione, posto com'è
tra due grandi e celebri episodi – l'incontro con Cac-
ciaguida nel cielo di Marte e il discorso con l'aquila nel cielo dei giusti – che
con la loro rilevanza drammatica e l'ampia estensione (tre canti il primo, due
il secondo) lo hanno per così dire lasciato in ombra. Ma in realtà si tratta di
un canto ricco di alta e varia poesia, sia per la profondità degli affetti, sia per
la vivezza e abbondanza della figurazione, tanto che il Tommaseo – critico di
grande finezza e sensibilità – lo considerò addirittura «uno dei più belli» di tutta la cantica. È una bellezza, la sua, non appariscente, come è delle parti del
poema più tranquille e riflessive, ma non per questo meno reale e meno significativa; essa è dovuta infatti all'argomento proprio del canto, uno di quelli che
più da vicino toccano l'animo di Dante. Si passa qui dal cielo nel quale è stato annunciato al protagonista l'amaro esilio, a quello dove viene proclamata la
giustizia divina. La stretta continuità tematica tra i due cieli è evidente: sono
ambedue cieli d'impegno civile e politico, dopo quello dei sapienti e prima di
quello dei contemplanti. (E sono anche gli ultimi dove tale impegno ha un suo
specifico spazio nella cantica, che si rivolge d'ora in poi ad argomenti celesti).
Ma mentre il racconto del primo cielo è imperniato sulla dolorosa condizione
della storia umana (di cui è esempio la corruzione della felice Firenze) e sulle
sofferenze che in terra patiscono i giusti (di cui è figura la storia di Dante, «esule innocente», cacciato per sempre dalla sua patria), il secondo celebra invece
la giustizia divina, quella giustizia che Dio aveva instaurato nella storia con l'i-
stituzione dell'Impero romano e alla quale gli uomini si sono ribellati. Ma tale giustizia è ristabilita in cielo nel giudizio a cui nessuno si potrà sottrarre, giudizio dove ogni torto sarà riparato, e ogni giusto – anche se non riconosciuto
dal mondo, né dalla stessa Chiesa – sarà ricompensato.

Già all'inizio del canto si manifesta il legame tematico che corre tra i due
cieli, sul piano personale della vita dell'autore: Beatrice infatti conforta Dante,
rattristato dalle parole di Cacciaguida, dicendogli che in Dio ogni ingiustizia è
risanata. Ma in seguito tale rapporto si estende alla vicenda storica di tutta l'u-
manità, con l'apparire della grande figura nella quale risplendono come scintille le anime dei giusti, come era scritto nel libro della *Sapienza* (3, 7). È questo – lo splendore eterno dei giusti che il mondo perseguita – il tema ispiratore della seconda parte del canto, la cui fonte è quel libro biblico a cui tante
volte Dante ritorna nella sua opera. Da lì discendono le parole che leggeremo
scritte nel cielo, da lì l'immagine – così vivamente variata da Dante in quella
delle faville del focolare – degli spiriti giusti, che in terra furono emarginati e

sofferenti, e ora rifulgono come le luci vivissime delle stoppie incendiate.

Il canto – come si è detto – è diviso in due parti, che corrispondono ai due diversi cieli. La prima conclude la scena svoltasi nel precedente, rimasta come interrotta sulle ultime parole di Cacciaguida che preannunciavano, dopo quello doloroso, il destino glorioso di Dante. E l'apertura è come una silenziosa pausa, dove quelle parole sembrano ancora echeggiare, nella raccolta e diversa meditazione dei due personaggi, il beato del cielo e l'uomo della storia: il primo, che vede in Dio, prova solo gioia, il secondo sente dentro di sé insieme il dolore umano e la speranza divina (il *dolce* e l'*acerbo*).

L'intervento di Beatrice viene a dargli *conforto* con dolcezza e amore. Prima con le parole sopra ricordate, che assicurano quella infallibile giustizia da cui ogni torto è risarcito, anticipando così il tema del prossimo cielo, dove quella giustizia risplenderà, quasi compensando l'amarezza in questo sofferta; poi con la sola bellezza dolcissima del suo volto. Ed è questa in realtà, non quelle parole, che contenta e placa lo spirito di Dante, la sua angustia di uomo mortale (*che, rimirando lei, lo mio affetto / libero fu da ogne altro disire*). La figura – quel volto pieno d'amore che toglie ogni altro pensiero – esprime l'interno evento dell'animo che, contemplando Dio, dimentica, come più non esistessero, tutti gli affanni terreni.

Si chiude così il cerchio del grande episodio autobiografico, quasi riconducendo quel destino storico annunciato nel seno del *cospetto etterno*, dove tutto è dolce armonia, dal quale il canto precedente lo aveva fatto discendere nelle parole di Cacciaguida (XVII 37-45).

Ma prima di lasciare il cielo di Marte, vengono presentati i nomi di altri beati, secondo un modello narrativo seguito comunemente nei pianeti. Questa rassegna, una serie di illustri nomi fatti da Cacciaguida, come già fecero Tommaso e Bonaventura, ha tuttavia qui un senso particolare, in quanto appare strettamente legata al discorso con cui termina il canto precedente, ne è come la logica continuazione; qui in cielo ti sono presentate le anime *di fama note*, era stato detto, e la rassegna – veloce e lampeggiante – che ora viene fatta è appunto tutta di personaggi *di gran voce*, che ognuno a quel tempo conosceva; essa somiglia in realtà – più che a quella degli spiriti sapienti – a quella degli spiriti amanti fatta da Virgilio nel canto V dell'*Inferno*: si tratta di celebri nomi della storia biblica e dell'epopea romanza, noti dunque a tutti, non solo ai dotti, attraverso la Scrittura e la letteratura (tra loro si troverà tra l'altro anche Rinoardo, personaggio soltanto letterario dei poemi epici francesi).

Quella fila di gloriosi uomini – tra cui si inserirà alla fine lo stesso Cacciaguida – che appaiono come lampi sullo sfondo della croce, chiude la scena del cielo dei combattenti e martiri per la fede. I loro nomi risuonano con accento forte e trionfante, con quelli di suono più largo posti in fine di verso: *Macabeo*, *Orlando*, *Rinoardo*, *Guiscardo*. Ancora una volta torna la suggestione dei nomi propri (come fu per le famiglie dell'antica Firenze), segno della storia e della gloria umana presenti nell'eterna beatitudine del cielo.

Una coppia di similitudini fra loro interdipendenti – e ambedue di delicata bellezza – segna il passaggio al nuovo cielo. La prima di carattere interiore: l'accorgersi di Dante del cambiamento di cielo dalla maggior bellezza che vede nel volto di Beatrice è paragonato al rendersi conto dell'uomo del suo progredire nella virtù dalla maggiore gioia provata nel bene operare. L'altra è di carattere esteriore: il cambiare improvviso del colore del cielo, dal rosso di Marte all'argento di Giove, è assomigliato al mutarsi di un volto di donna per i diversi sentimenti provati. Ma ora le invenzioni si susseguono senza sosta, e la più singolare – l'apparire nel cielo di parole scritte nella lingua umana (*nostra favella*) –

è introdotta da un'altra similitudine piena di estro e di fascino: il volare degli uccelli sulle rive di un fiume, che disegnano volteggiando nel cielo, con il loro disporsi in varie file, le lettere dell'alfabeto. Lo spunto offerto a Dante dai versi di Lucano e di Lucrezio (si veda la nota ai vv. 73-8) è qui mirabilmente rinnovato in questo arabesco di voli, di luci e di canti, che viene a comporre – una lettera dopo l'altra – cinque *vocaboli*, costituenti il primo versetto della *Sapienza*: «Diligite iustitiam qui iudicatis terram» («Amate la giustizia voi che siete giudici in terra»). L'idea delle lettere scritte nel cielo – forse suggerita dal biblico episodio della mano scrivente sul muro (*Dan.* 5, 5) che appare al re Baldassarre – sembra voler trasporre, anche fisicamente, nel luogo del divino quella legge di giustizia che deve governare il mondo della storia. Le lettere infatti si trasformano – con l'ultima, inattesa invenzione – nella figura di un'aquila, tutta formata da innumerevoli faville, quelle faville alle quali, come dice sempre la *Sapienza*, saranno paragonabili le anime dei giusti nell'eternità.

L'idea di Dio che, pittore supremo, disegna lassù senza modello – in quanto è lui stesso il modello di ogni cosa – è l'ultimo sorprendente tratto di questo inesauribile tessuto fantastico che caratterizza l'entrata nel cielo di Giove. Quell'aquila che si accampa come un ricamo d'oro sul fondo argenteo del cielo (cfr. vv. 95-6) è lo stesso *segno* che fu celebrato da Giustiniano nel canto VI (cfr. XIX 101-2). Là esso era la figura della giustizia storica, da Dio voluta per l'ordine del mondo, che passa di mano in mano agli imperatori della terra. Qui la stessa aquila è figura della giustizia divina, di quell'idea che è appunto nella mente dell'eterno artista, di dove proviene il «modello» di ogni realtà dell'universo. L'identità fra i due segni – che esprime il rapporto tra i due piani, terreno e celeste – sarà il centro ideale su cui è fondato tutto lo svolgimento della scena del cielo di Giove nei due prossimi canti. Rapporto che crediamo sia significato dalla M, ultima lettera della frase scritta nel cielo, da cui la figura dell'aquila si sviluppa, e che indica appunto la forma storica (*Monarchia*) in cui quella eterna giustizia si realizza sulla terra.

Compiutosi infine nel cielo il vario susseguirsi di figure con l'apparire della grande immagine dell'aquila formata dalle luci dei beati, si leva dal cuore dell'autore protagonista una commossa preghiera che occupa tutta l'ultima parte del canto. E la sua veemenza è tale da fargli confondere – per l'unica volta in tutto il poema, e crediamo, consapevolmente – i tempi del verbo: cioè il tempo passato usato di solito per la visione (tempo fittizio, in quanto la visione è immaginata) diventa a un tratto tempo presente (che è il tempo reale del momento in cui il poeta scrive: *O milizia del ciel cu'io contemplo, / adora per color che sono in terra...*

Tale passaggio ci rivela l'appassionato sentimento di Dante per la dolorosa condizione dell'umanità, che gli sta a cuore quanto la sua stessa.

Di fronte a quello splendore di giustizia, egli va col pensiero alla terra tormentata dall'ingiustizia umana, con quel movimento dello sguardo, consueto nella cantica, dall'alto verso il basso, che ritroveremo fino nell'ultimo cielo, quando si manifesterà svelata la realtà dell'eterna beatitudine (si veda il canto XXXI, ai vv. 28-30). Il rimprovero di tono profetico – tipico di molti finali di canto – è rivolto con profonda amarezza a quella Chiesa che si fondò sul sangue dei martiri e ora è ridotta a luogo di mercato. Il richiamo al martirio, e alle gloriose spade usate un tempo per difendere la fede – mentre oggi si usano le armi della simonia per difendere interessi politici –, ricollega questa sequenza profetica al cielo di Marte appena lasciato, cielo di guerrieri e di martiri, dove ugualmente si denunciò, per bocca di Cacciaguida, il continuo mercanteggiare nel tempio di Dio (XVII 51).

Ma quanto doloroso e supplichevole è il tono usato in questa preghiera alla *milizia del cielo* per il mondo traviato, tanto violento e aspro è quello che subentra nelle due ultime terzine, dove il poeta cambia improvvisamente interlocutore, rivolgendosi con sprezzo al pontefice stesso: *Ma tu che sol per cancellare scrivi...*

Passo breve, ma potente, delle più crude tra le apostrofi profetiche del poema: nella prima terzina il poeta ricorda al papa, minacciosamente, che i due Apostoli morti per la Chiesa che egli distrugge sono *ancor vivi*; nella seconda fa parlare il papa stesso, che con linguaggio sprezzante e plebeo, dichiara di ignorarli ambedue. La chiusa brusca e amara del canto ricorda altre simili chiuse – quali quelle del IX o del XXI – ma forse più delle altre ci scopre, nella sua improvvisa violenza, la sofferenza chiusa nel cuore dell'autore. Dante conclude così, drammaticamente, l'entrata piena di luce e di gloria nel cielo argenteo della giustizia, quasi a sottolineare il tragico contrasto tra quella celeste serenità e la crudele vicenda della storia umana.

CANTO XVIII

Dal cielo di Marte al cielo di Giove: la scritta nel cielo

1-27 Dante resta pensieroso, meditando le parole che ha ascoltato da Cacciaguida: Beatrice per confortarlo lo invita a guardare lei che è presso colui (Dio) il quale ripara ad ogni ingiustizia; la sua bellezza assorbe talmente l'attenzione del poeta che la donna deve richiamarlo a prestare ancora ascolto all'antenato che vuole parlargli.

28-51 Cacciaguida gli indica alcune anime beate del quinto cielo che ebbero grande fama in terra: ci sono protagonisti della storia biblica come Giosuè e Maccabeo e accanto a loro i campioni delle guerre contro i saraceni, da Carlo Magno e Orlando, fino al condottiero della prima crociata, Goffredo di Buglione. Appena nominate le luci si muovono velocemente lungo la croce e, terminata la rassegna degli spiriti combattenti per la fede, anche Cacciaguida si unisce a loro.

52-69 Dante si rivolge verso Beatrice e si accorge, dall'aumentato splendore dei suoi occhi, di essere salito al sesto cielo, il cielo di Giove, che risplende di luce argentea.

70-80 Come gli uccelli, levandosi in volo dalla riva di un fiume, disegnano in cielo varie figure, così davanti agli occhi del poeta le luci in cui risplendono gli spiriti giusti formano, una dopo l'altra, diverse lettere dell'alfabeto, accompagnandosi col canto.

81-87 Il poeta interrompe la descrizione per invocare di nuovo l'intervento delle Muse che gli concedano di rappresentare con esattezza quello che ha visto.

88-114 Via via che le lettere appaiono nel cielo Dante può leggere la scritta Diligite iustitiam qui iudicatis terram. *I beati si fermano nella disposizione dell'ultima lettera, la M, quindi altre luci vengono a posarsi sulla sua sommità in modo da trasformare la M prima in un giglio araldico, poi in un'aquila (simbolo dell'Impero e immagine dell'ordine politico predisposto da Dio).*

115-136 A Dante appare ormai evidente che la giustizia terrena dipende dall'influenza di questo cielo, perciò prega la mente divina, da cui ha origine la virtù propria del pianeta, di guardare alla Curia papale, corrotta dall'avarizia che oscura la sua luce nel mondo, e chiede alle anime sante di pregare per coloro che in terra sono traviati dal cattivo esempio; infine apostrofa direttamente il papa che pensa solo ad accumulare denaro, ricordandogli che Pietro e Paolo, i quali sacrificarono la vita per la Chiesa da lui ora corrotta, sono ancora vivi in cielo.

Già si godeva solo del suo verbo
quello specchio beato, e io gustava
3   lo mio, temprando col dolce l'acerbo;

1-3. Già si godeva...: una pausa di profondo silenzio segue al grande discorso che chiude il canto precedente. Concluso il suo dire, già Cacciaguida è tornato a godere, *solo*, cioè raccolto in se stesso, del pensiero che aveva espresso; mentre Dante, con eguale silenzio, assapora il suo, cioè quel che aveva udito, temperandone l'amaro col dolce. I due tacciono riflettendo sulle stesse parole ma con diverso animo. Il primo *go-*

de, perché vede in Dio la provvidenziale bellezza di quel destino (XVII 43-5); l'altro *gusta*, rivolge in sé quelle parole, cercando di mitigarne l'asprezza con quanto era stato detto di consolante per lui.

– **verbo**: qui vale scolasticamente il concetto formulato nella mente: «principalmente il concetto interno della mente si definisce verbo» (*S.T.* I, q. 34 a. 1).

– **temprando**: temperando, attenuando (cfr. *Inf.* XXIV 2 e nota).

– **dolce... acerbo**: sono due aggettivi neutri sostantivati: l'acerbità, l'asprezza, era nella predizione del doloroso e umiliante esilio; la dolcezza nell'annuncio dell'ospitalità generosa dello Scaligero, della punizione prossima dei suoi nemici, ma soprattutto della missione gloriosa a lui affidata dal cielo.

Quello spirito beato, specchio della luce divina, già godeva tutto raccolto in se stesso (solo) del pensiero che aveva espresso (verbo), e io assaporavo quello che avevo udito, attenuandone l'asprezza con la dolcezza; ...

e quella donna ch'a Dio mi menava
disse: «Muta pensier; pensa ch'i' sono
6   presso a colui ch'ogne torto disgrava».
Io mi rivolsi a l'amoroso suono
del mio conforto; e qual io allor vidi
9   ne li occhi santi amor, qui l'abbandono:
non perch'io pur del mio parlar diffidi,
ma per la mente che non può redire
12   sovra sé tanto, s'altri non la guidi.
Tanto poss'io di quel punto ridire,
che, rimirando lei, lo mio affetto
15   libero fu da ogne altro disire,
fin che 'l piacere etterno, che diretto
raggiava in Bëatrice, dal bel viso
18   mi contentava col secondo aspetto.
Vincendo me col lume d'un sorriso,

5-6. Muta pensier...: abbandona, lascia il pensiero in cui sei tutto preso; non pensar più alla dolorosa profezia. Pensa invece che io, a cui tu sei affidato, vivo presso quel Dio che toglie il peso (*disgrava*) di ogni ingiustizia subita (punendo chi la compie e compensando chi la subisce). L'intervento di Beatrice – che legge nel tormentato animo di Dante – porta il cambiamento (che il verbo *mutare*, posto con forza all'inizio, sottolinea) da una umana condizione di dolore, pur «temperata» di dolcezza, alla fiducia soprannaturale, alla divina gioia che «libera» da ogni turbamento (vv. 14-5).

7. l'amoroso suono: le parole piene di amore.

8. del mio conforto: così è chiamata Beatrice, come già Virgilio (*Purg.* III 22; IX 43 ecc.); tale è la guida nei momenti difficili del viaggio.

8-9. e qual io allor vidi...: *qual* è predicativo di *amor*: e quale, cioè di quale intensità e splendore, era l'amore che io vidi nei suoi occhi, rinuncio a descriverlo. Dante abbandona, cioè rinuncia, come altre volte di fronte allo sguardo di Beatrice; di cielo in cielo, questo sovrumano rinnovarsi di splendore ineffabile scandisce il cammino, fino all'ultimo sublime momento dell'addio, al canto XXX 16-33.

10-2. non perch'io pur...: non tanto perché io non abbia fiducia nella mia parola poetica, ma perché la memoria non può tornare su se stessa *tanto*, cioè a tale profondità (quale sarebbe necessaria per ricordare una simile vista), senza l'aiuto di Dio (*altri*: cfr. *Inf.* V 81). Si veda l'analoga immagine di I 7-9, dove la memoria non riesce a raggiungere la profondità in cui è penetrata la mente.

13. Tanto: questo soltanto (cfr. *Inf.* XV 91); e cioè non la bellezza di quegli occhi, ma l'effetto che essa ebbe su di lui.

– di quel punto: di quel momento.

14-5. lo mio affetto...: la mia volontà fu libera da ogni altro desiderio (s'intendono qui gli umani desi-

deri di evitare tanti dolori; la divina bellezza li travolge e li annulla); l'*affetto* indica la volontà, sede dei desideri, come l'intelletto è il luogo della conoscenza: cfr. l'*affetto* e il *senno* di XV 73.

16-8. fin che 'l piacere etterno...: fino a quando l'eterna bellezza divina, che risplendeva direttamente in Beatrice, mi appagava giungendo a me mediata dal bel volto di lei (il *secondo aspetto* è la visibilità di quella bellezza non nella sua fonte prima, ma nel luogo dove essa si riflette; ed è opposto al modo *diretto* con cui essa giungeva a Beatrice). La terzina indugia su questa bellezza, già dichiarata ineffabile, lasciando intendere come quella realtà soprannaturale sopraffacesse i sentimenti umani, appagando (*mi contentava*) ogni desiderio del cuore.

19. Vincendo me...: sopraffacendomi (abbagliando i miei occhi con la luce del suo sorriso; costringendolo dunque a distogliere lo sguardo da lei, Beatrice fa volgere Dante di nuovo verso Cacciaguida, per ascoltare ancora le sue parole. Il verso splende di dolcissima luce, *vincendo* con la sua forza anche il lettore.

... e quella donna che mi conduceva a Dio disse: «Smetti di pensarci; pensa che io sono vicino a colui che libera da ogni torto». ◆ Io mi rivolsi al suono delle amorose parole del mio conforto (cioè di Beatrice); e quale era l'amore che io vidi nei suoi occhi santi, qui rinuncio a descriverlo; non tanto perché io non abbia fiducia nella mia parola, ma perché la memoria non può tornare dentro se stessa a tale profondità, se qualcun altro (cioè Dio) non la guida. Questo soltanto di quel momento posso riferire, che, rimirando lei, la mia volontà fu sgombra da ogni altro desiderio, fino a quando l'eterna bellezza, che risplendeva direttamente in Beatrice, mi appagava giungendo a me in forma indiretta (cioè riflessa nel suo volto). ◆ Sopraffacendomi con la luce del suo sorriso, ...

ella mi disse: «Volgiti e ascolta;

21 ché non pur ne' miei occhi è paradiso».

Come si vede qui alcuna volta

l'affetto ne la vista, s'elli è tanto,

24 che da lui sia tutta l'anima tolta,

così nel fiammeggiar del folgór santo,

a ch'io mi volsi, conobbi la voglia

27 in lui di ragionarmi ancora alquanto.

El cominciò: «In questa quinta soglia

de l'albero che vive de la cima

30 e frutta sempre e mai non perde foglia,

spiriti son beati, che giù, prima

che venissero al ciel, fuor di gran voce,

33 sì ch'ogne musa ne sarebbe opima.

---

21. non pur ne' miei occhi...: il paradiso, cioè la beatitudine celeste, non è solo nella luce dei miei occhi; ma, s'intende, anche nel vedere e ascoltare gli altri spiriti beati che ti sono qui intorno. Come suggeriscono gli antichi commentatori, c'è qui probabilmente un significato teologico: che la beatitudine cioè non consiste soltanto nella contemplazione diretta di Dio, ma anche nella comunione con le altre anime e nella manifestazione in ognuna della divina grazia.

22-4. Come si vede qui...: come qui in terra talvolta il sentimento dell'animo si manifesta nello sguardo, quando sia così intenso che attiri, assorba in sé, tutte le facoltà dell'anima (*tolta* vale «presa»; analogo concetto a *Purg.* IV 1-4). Si veda *Conv.* III, VIII 10: «Dimostrasi [l'anima] nelli occhi tanto manifesta, che conoscer si può la sua presente passione, chi bene là mira».

25-7. così nel fiammeggiar...: allo stesso modo io conobbi il suo desiderio di parlarmi ancora nel vivo brillare della luce di Cacciaguida. Il *fiammeggiar* della luce che li avvolge (che è il *farsi corusco* di XVII 122, un intenso sfavillio) corrisponde dunque nei beati all'ardore dello sguardo visibile nei volti terreni, manifestazione sensibile del forte sentimento interno. Cfr. V 124-6.

28. quinta soglia: quinto gradino, cioè il quinto cielo, quello di Marte. Il termine, già usato a III 82 per i vari cieli nei quali appaiono i beati, indica la scala

---

della beatitudine (cfr. anche XXX 113 e XXXII 13). Nell'immagine dell'albero che qui figura il paradiso, ogni *soglia* o grado è come un ordine di rami (cfr. *Purg.* XXII 133: *e come abete in alto si digrada*).

29-30. l'albero che vive de la cima...: questo albero, che rappresenta il paradiso nella gradualità dei suoi diversi stadi di beatitudine, ha tre caratteri singolari, che lo distinguono da quelli terreni: trae la sua vita dalla cima (dove è il luogo di Dio) e non dalle radici; fruttifica sempre; non perde mai le sue foglie. L'immagine è biblica, tolta dalla visione di Ezechiele dei rigogliosi alberi nutriti dalle divine acque che sgorgano dal tempio: «le loro fronde non appassiranno, i loro frutti non cesseranno» (*Ez.* 47, 12). Ma la figura dell'albero come scala verso Dio con i suoi rami è propria anche del linguaggio dei mistici; per esempio Iacopone, nella *Lauda* 84, presenta le tre virtù teologali come tre alberi di nove rami ciascuno, che portano il primo al cielo stellato, il secondo al cielo cristallino, il terzo fino al cielo di Dio.

31. giù: sulla terra.

32. fuor di gran voce: ebbero grande fama.

33. sì ch'ogne musa...: sì che ogni narrazione poetica avrebbe in loro copiosa materia d'argomento.

34. ne' corni: nelle due braccia della croce formata dagli spiriti nel cielo di Marte (cfr. XIV 109).

35-6. quello ch'io nomerò...: ogni spirito di cui io farò il nome brillerà e si muoverà veloce per quei due corni (*lì*) come il fulmine attraversa la nube che lo produce.

– suo foco: il fulmine era ritenuto un vapore igneo che si accendesse dentro le nubi: «Come nella nube li vapori caldi e secchi che vi sono s'accendono e discorrono per essa, così faranno li spiriti beati che sono in quelli corni» (Buti). Per l'immagine si cfr. *Purg.* V 37-9.

37-9. Io vidi...: io vidi un lume mosso attraverso la croce dal solo nominare Giosuè, non appena (*come*) quel nominare (*el*) fu fatto (*si feo*, si fece, perfetto arcaico già incontrato); né percepii le parole prima del fatto: cioè nello stesso istante che il nome fu detto, il lume fu mosso. – *Iosuè* è il condottiero che succedet-

---

... ella mi disse: «Volgiti ed ascolta; poiché il paradiso non è solo nella luce dei miei occhi». Come qui in terra talvolta il sentimento si manifesta nello sguardo (vista), quando sia così intenso che tutte le facoltà dell'anima ne siano prese, allo stesso modo io conobbi il suo desiderio di parlarmi ancora nel vivo brillare della santa luce (di Cacciaguida), verso la quale mi girai. ◆ Egli cominciò: «In questo quinto gradino del Paradiso, che è come un albero che trae la sua vita dalla cima e dà sempre frutti e non perde mai le foglie, si trovano spiriti beati che giù sulla terra, prima di venire al cielo, ebbero grande fama, sì che ogni opera poetica avrebbe in loro abbondante materia d'ispirazione.

Però mira ne' corni de la croce:
quello ch'io nomerò, lì farà l'atto
36 che fa in nube il suo foco veloce».
Io vidi per la croce un lume tratto
dal nomar Iosuè, com'el si feo;
39 né mi fu noto il dir prima che 'l fatto.
E al nome de l'alto Macabeo
vidi moversi un altro roteando,
42 e letizia era ferza del paleo.
Così per Carlo Magno e per Orlando
due ne seguì lo mio attento sguardo,
45 com'occhio segue suo falcon volando.
Poscia trasse Guiglielmo e Rinoardo

te a Mosè e guidò gli Ebrei alla conquista della Terra promessa, la prima epopea storica compiuta sotto il segno della fede.

40. Macabeo: Giuda Maccabeo, che liberò il popolo ebreo dalla tirannide del re di Siria Antioco Epifane (*1 Macc.* 3 sgg.). I primi due nomi – ambedue notissimi – sono presi dall'Antico Testamento, dando così significato e dignità anche a quelli che seguono. – *alto*, come per Arrigo a XVII 82, significa grandezza di capo, principe o guerriero.

41. roteando: girando su se stesso; nel medesimo modo esprimerà la sua gioia san Pier Damiano a XXI 80-1; là il moto è paragonato a quello di una ruota da mulino, qui a una trottola, ambedue avvolgentisi velocemente su se stesse.

42. e letizia...: e l'interna gioia era la forza che lo spronava in quel suo ruotare, come la frusta (*ferza*) lo è per il ruotare della trottola (*paleo*): alla trottola veniva avvolta una fune che, sciolta d'un colpo, le imprimeva il moto rotatorio, poi mantenuto con sferzate date con la stessa fune. L'immagine può sembrare grottesca per un beato, ma niente è poco adatto per Dante quando si tratta di rendere con esattezza l'aspetto della realtà che egli immagina; inoltre c'è in questo caso il preciso sostegno del testo di Virgilio, che usa lo stesso paragone per il disperato aggirarsi della regina Amata in preda all'ira (*Aen.* VII 378 sgg.).

43. Carlo Magno... Orlando: dopo i due eroi biblici, i due più celebri campioni della guerra dei cristiani contro gli infedeli: Carlo Magno, il fondatore del Sacro Romano Impero, è in questo cielo come difensore della fede, sia contro i Longobardi (cfr. VI 94-6), sia soprattutto contro i Saraceni di Spagna. Le sue gesta erano narrate nelle canzoni del ciclo carolingio, dove il suo nome era unito a quello di Orlando, il famoso paladino suo nipote, morto nell'agguato di Roncisvalle (*Inf.* XXXI 16-8).

45. com'occhio segue...: con la stessa attenzione con cui l'occhio del falconiere segue il suo falcone mentre vola.

46. trasse: il soggetto del verbo sono i quattro nomi che seguono (l'accordo del verbo al singolare con più soggetti è normale in antico: cfr. VI 75; VIII 58-63 ecc.); l'oggetto è *la mia vista*: i quattro qui nominati mossero il mio sguardo lungo la croce (s'intende, per seguirli nel loro spostamento, come già era accaduto per gli altri).

– **Guiglielmo e Rinoardo**: Guglielmo, duca d'Orange, figlio del duca di Narbona, consigliere di Carlo Magno, anche lui famoso per le sue imprese contro i Saraceni cantate nei poemi del ciclo che a lui s'intitola; finì la sua vita in un monastero da lui fondato. Come a Carlo è affiancato Orlando, così a Guglielmo il fedele Rinoardo, un gigantesco servo saraceno da lui convertito e battezzato che lo accompagnava nelle sue imprese armato di una enorme clava, e che come il suo signore si era ritirato negli ultimi anni in un convento. Questo secondo personaggio è letterario e non storico, tuttavia tale era probabilmente per Dante. Del resto la questione era per lui inesistente, come appare dal virgiliano Rifeo che troveremo nel prossimo cielo (XX 67-9) o dai molti eroi dell'epica antica misti a quelli storici nel canto V dell'*Inferno*. Le due coppie qui nominate erano rese celebri dai poemi francesi, come sembra avvertire la frase prima detta da Cacciaguida (v. 33).

───── ■ ─────

Perciò guarda nelle due braccia della croce: ogni spirito di cui io farò il nome si comporterà come il fulmine che attraversa la nube che lo produce». ◆ Io vidi un lume mosso attraverso la croce dal solo nominare Giosuè, non appena (come) quel nominare (el) fu fatto (si feo); né percepii le parole prima del fatto. E al nome del grande Giuda Maccabeo ne vidi muoversi un altro girando su se stesso, e la gioia era la frusta (ferza) che faceva ruotare quella trottola (paleo) di luce. Così per Carlo Magno e per Orlando il mio sguardo attento seguì altri due bagliori, con la stessa attenzione con cui l'occhio del falconiere segue il suo falcone mentre vola. Poi fecero scorrere (trasse) ...

e 'l duca Gottifredi la mia vista

48   per quella croce, e Ruberto Guiscardo.

Indi, tra l'altre luci mota e mista,

mostrommi l'alma che m'avea parlato

51   qual era tra i cantor del cielo artista.

Io mi rivolsi dal mio destro lato

per vedere in Beatrice il mio dovere,

54   o per parlare o per atto, segnato;

e vidi le sue luci tanto mere,

tanto gioconde, che la sua sembianza

57   vinceva li altri e l'ultimo solere.

E come, per sentir più dilettanza

bene operando, l'uom di giorno in giorno

60   s'accorge che la sua virtute avanza,

47. **Gottifredi**: Goffredo di Buglione, duca di Lorena, il celebre condottiero che guidò la prima crociata, prese Gerusalemme, ne fu incoronato re, e vi morì nel 1100. Anche la sua impresa era stata cantata dai poemi epici francesi. La forma *Gottifredi* (dal germanico Gottfried) è propria del nostro volgare antico.

48. **Ruberto Guiscardo**: figlio di Tancredi d'Altavilla e fratello di Riccardo, duca di Normandia, guidò la conquista normanna dell'Italia meridionale contro i Bizantini, e nel 1059 fu nominato duca di Puglia e Calabria dal papa Niccolò II; celebre tra le sue imprese la liberazione di papa Gregorio VII assediato in Castel Sant'Angelo da Enrico IV (1084). Morì a Cefalonia nel 1085. Il suo posto nella croce di Marte è dovuto alla guerra condotta contro i Saraceni da lui cacciati dalle terre di Puglia, come la sua leggenda narrava. Anche le sue gesta infatti furono celebrate in poesia, in un poema latino (*Gesta Roberti Wiscardi*) scritto verso la metà del '200 da Guglielmo di Puglia. Poema che, anche se non direttamente noto a Dante, testimonia l'opinione corrente sull'azione di Roberto contro gli infedeli. Il Guiscardo è ricordato anche, per le sue molte e cruente battaglie di conquista, a *Inf.* XXVIII 13-4.

49. **mota e mista**: mossasi per tornare fra le altre e mescolatasi con loro: Cacciaguida torna a confondersi tra le mille luci della croce, ma i nomi che sono stati

fatti ne dichiarano l'alta dignità.

50-1. **mostrommi...**: mi mostrò, riprendendo a cantare, quale artista egli era fra gli altri cantori celesti: la sua voce dunque non è da meno di quelle degli altri grandi spiriti ora ricordati. Sparisce così dalla scena, che ha tenuto per più di tre canti, lo spirito a cui Dante ha affidato la dichiarazione del proprio destino storico, di uomo e di profeta.

53-4. **per vedere... segnato**: per vedere indicato, da sue parole o gesti, ciò che dovevo fare.

55. **mere**: risplendenti di purissima luce; *mero* (latinismo da «merus»: puro) è usato per il volto di Beatrice anche a XI 18 e XXIII 60; detto dell'acqua a IX 114 e della luce a XXX 59, ha sempre un valore di singolare lucentezza e chiarezza.

57. **vinceva li altri...**: superava tutti gli altri suoi soliti aspetti, e anche l'ultimo (quello già dichiarato ineffabile all'apertura di questo canto: vv. 8-12). – *solere* è infinito sostantivato come a *Purg.* XXVII 90: il suo solito (cioè la sua solita *sembianza*); *altri* sottintende «soleri». Il verso, tipica sintesi dantesca, ci avverte con quel *vinceva... e l'ultimo* che si sta lasciando il cielo di Marte per passare ad un cielo superiore, come ora si dirà.

58-63. **E come, per sentir...**: e come l'uomo si accorge di avanzare nella virtù per il fatto di provare maggior piacere nell'agire virtuosamente (il piacere che dà la virtù cresce infatti con il crescere della virtù stessa, come insegna Aristotele; cfr. *Purg.* IV 90 e nota), così io mi accorsi che il mio volgermi col cielo compiva ora un arco maggiore (che mi trovavo dunque in un cielo superiore) nel vedere Beatrice (*quel miracol*) accresciuta in bellezza (*più addorno*). Il paragone racchiude nel suo preciso significato letterale (crescita di piacere – salita nelle virtù; crescita di bellezza in Beatrice, e dunque di piacere in Dante – salita al nuovo cielo) anche una profonda corrispondenza morale: la salita al cielo superiore indica infatti una crescita spirituale di Dante, e il piacere sensibile che gli procura il volto di Beatrice è di fatto figura del piacere interiore che prova l'uomo avanzando nella virtù.

... il mio sguardo lungo la croce Guglielmo, e Rinoardo, e il duca Goffredo, e Roberto il Guiscardo. ◆ *Poi, mossasi per tornare fra le altre luci e mescolatasi con loro, l'anima che mi aveva parlato mi mostrò quale artista egli era fra gli altri cantori celesti. Io mi volsi alla mia destra per vedere indicato, con le parole o con i gesti da Beatrice, ciò che dovevo fare (il mio dovere); e vidi i suoi occhi tanto splendenti, tanto felici, che il suo aspetto superava tutti gli altri che le erano soliti, compreso l'ultimo.* ◆ *E come l'uomo si accorge di giorno in giorno di avanzare nella virtù per il fatto di provare maggior piacere nell'agire virtuosamente (bene operando), ...*

sì m'accors'io che 'l mio girare intorno
col cielo insieme avea cresciuto l'arco,

63   veggendo quel miracol più addorno.

E qual è 'l trasmutare in picciol varco
di tempo in bianca donna, quando 'l volto

66   suo si discarchi di vergogna il carco,

tal fu ne li occhi miei, quando fui vòlto,
per lo candor de la temprata stella

69   sesta, che dentro a sé m'avea ricolto.

Io vidi in quella giovïal facella
lo sfavillar de l'amor che lì era

72   segnare a li occhi miei nostra favella.

E come augelli surti di rivera,
quasi congratulando a lor pasture,

62. cresciuto l'arco: Dante è portato, nei cieli in cui si trova, dal loro movimento circolare intorno alla terra (*girare intorno col cielo insieme*); in ognuno di essi descrive dunque un dato arco, che corrisponde al tempo in cui vi si ferma. Quando passa a un cielo superiore, che ha maggiore circonferenza, l'arco descritto è necessariamente maggiore.

63. miracol: così è chiamata Beatrice più volte nella *Vita Nuova* (XXI 4; XXVI 6 ecc.), in quanto manifestazione diretta della realtà divina.

64-6. E qual è 'l trasmutare...: e quale è il mutamento di colore, in breve spazio di tempo, in una donna di carnagione bianca, quando il suo volto deponga il rossore causato dalla vergogna

– **si discarchi il carco**: cioè si liberi dal peso (si noti l'uso della figura etimologica): il rossore è visto come un pesante velo imposto dalla vergogna sul candore del volto.

67-9. tal fu ne li occhi miei...: un simile cambiamento si produsse davanti ai miei occhi, quando mi volsi a guardare il cielo, per il bianco splendente (*candor*) del sesto pianeta che mi aveva accolto dentro di sé. Biancore che faceva vivo contrasto con l'«affocato colore» di Marte.

– **temprata stella**: «Giove è stella di temperata complessione in mezzo della freddura di Saturno e dello calore di Marte intra tutte le stelle bianca si mostra, quasi argentata» (*Conv.* II, XIII 25); *temprata* vale «armoniosa», «senza eccessi» (così *temprando* al v. 3: mitigando, attenuando). La seconda similitudine che segna la salita al nuovo cielo è volta a significare il diverso colore dei due pianeti, che colpisce gli occhi di Dante in modo repentino, dandogli una seconda prova, dopo la maggior bellezza vista in Beatrice, di aver cambiato cielo. E si veda con quanta verità e bellezza, distogliendo Dante lo sguardo dal volto di Beatrice per guardare il cielo (*quando fui vòlto*), il cambiamento del colore da lui avvertito nella sfera celeste venga esemplificato con un volto di donna, quel volto che egli aveva ancora negli occhi.

70. giovïal facella: stella di Giove; *facella*, quasi «fiaccola» accesa nel cielo, vale «stella» anche a *Purg.* VIII 89; *giovïal* (lat. tardo «jovialis») vale qui certamente nel suo senso primario, cioè «di Giove» (così Galileo chiama «pianeti gioviali» i satelliti di Giove in *Massimi sistemi* III, p. 368), e non in quello, acquisito successivamente, di «giocondo», «festoso» (come «marziale» si disse del carattere dei nati sotto il pianeta Marte), valore che sembra oltretutto improprio se riferito al pianeta stesso.

71. lo sfavillar...: il brillio delle amorose luci dei beati che lì si trovavano.

72. segnare...: disegnare nel cielo, davanti ai miei occhi, il nostro linguaggio umano: cioè, s'intende, i segni, le lettere in cui quel linguaggio si trascrive. Quel *nostra favella* dice la sorpresa di vedere scritte, nell'alto paradiso, le parole della propria lingua terrena.

73-8. E come augelli...: lo straordinario fatto è illustrato da una non meno straordinaria similitudine. Come uccelli che si levano a volo dalle rive di un fiume formano in cielo varie figure (cerchi o altra figura geometrica), quasi rallegrandosi fra loro per il cibo di cui si sono pasciuti, così le anime beate chiuse nei loro lumi si disponevano, volando intorno e cantando, in figura di varie lettere dell'alfabeto: prima una D, poi una

... così io mi accorsi che il mio volgermi con la sfera celeste compiva ora un arco maggiore, nel vedere quel miracolo (cioè Beatrice) accresciuta in bellezza. E quale è il mutamento di colore, in breve spazio di tempo (varco), in una donna di carnagione bianca, quando il suo volto deponga il peso (del rossore) causato dalla vergogna, così accadde davanti ai miei occhi, quando mi volsi (a guardare il cielo), per il candore del sesto pianeta, dal misurato calore, che mi aveva accolto dentro di sé. ◆ *Io vidi nella stella di Giove (giovïal) il brillio delle amorose luci che lì si trovavano disegnare davanti ai miei occhi i segni del nostro linguaggio umano. E come uccelli che si levano a volo dalle rive di un fiume, quasi rallegrandosi per il loro pasto, ...*

75   fanno di sé or tonda or altra schiera,
            sì dentro ai lumi sante creature
            volitando cantavano, e facïensi
78   or *D*, or *I*, or *L* in sue figure.
            Prima, cantando, a sua nota moviensi;
            poi, diventando l'un di questi segni,
81   un poco s'arrestavano e tacïensi.
            O diva Pegasëa che li 'ngegni
            fai glorïosi e rendili longevi,
84   ed essi teco le cittadi e ' regni,
            illustrami di te, sì ch'io rilevi
            le lor figure com'io l'ho concette:

I, poi una L. La similitudine è ispirata da Lucano che così parla delle gru migranti in stormo dal fiume Strimone al Nilo: «nel primo volare formano a caso varie figure», ma poi «la lettera tracciata scompare confusa tra le ali disperse» (*Phars*. V 711-6). Le lettere a cui Lucano allude, e da cui Dante colse il suggerimento, erano quelle che gli antichi credevano di scorgere nel cuneo formato dallo stormo migrante, e cioè le greche maiuscole Y, Λ, Δ. Ma accanto a Lucano bisogna qui ricordare Lucrezio, per l'evidente riscontro che si trova nei suoi versi del festeggiamento sulle acque, e del raro verbo «pervolitare»: «e le varie specie degli uccelli, che animano festosi i ridenti specchi d'acqua, volando intorno alle rive, alle fonti e ai laghi, e sorvolano volteggiando («pervolitantes») le inaccessibili foreste...» (*De rerum natura* II 344-6). Come già a XIV 112-7, il richiamo letterale sembra costringere a supporre una dipendenza da questi testi da parte di Dante; là si è trovato un mediatore in Lattanzio, qui la ricerca sembra restare aperta. Ricordiamo che le gru erano ben note a Dante anche per conoscenza diretta, dato che i loro stormi sostavano allora regolarmente in Toscana; ed esse appaiono più volte nel poema, sempre con il doppio aspetto di ricordo letterario e di personale esperienza.

– **rivera**: fiume (ant. franc. «riviere»; cfr. *Inf*. XII 47.
– **lor pasture**: il cibo di cui si sono pasciuti; cfr. V 102.
77. **volitando**: è il frequentativo latino («volitare» da «volare») già segnalato nel testo lucreziano, che vale:

volare in varie direzioni. Qui conta il suono, leggero e quasi onomatopeico, che, creando assonanza con il *cantavano* che segue, ritrae il vago e vario volteggiare di quelle luci, quasi formanti figure di danza nel cielo. Se Dante tolse il verbo a Lucrezio, è questo uno dei suoi più felici «imprestiti» dalla grande poesia classica.

78. **or D, or I, or L**: sono le prime tre lettere della parola latina DILIGITE, che è la prima dell'iscrizione qui composta (si vedano oltre i vv. 91-3).

79-81. **Prima, cantando...**: la terzina dichiara con più precisione il movimento descritto in quella precedente.
– **a sua nota moviensi**: si muovevano seguendo il ritmo del loro canto (cfr. VII 4: *volgendosi a la nota sua*), quindi come in una danza.
– **poi, diventando...**: poi, una volta formata una delle lettere sopra indicate, si fermavano e tacevano per un certo tempo, per dar modo a Dante, s'intende, di ritenere nella mente il segno contemplato.

82. **O diva Pegasëa...**: prima di proseguire nell'illustrare le parole che lesse nel cielo, il poeta si ferma, alla terza lettera, per invocare la Musa che lo aiuti nell'alta impresa. Invocazione commossa, di chi si sente impari al suo compito, rivolta alla ispirazione poetica con un ardore e un senso alto della poesia che non si ritroverà altrove. Sembra inutile ricercare quale sia la Musa qui invocata. Lo stesso attributo generico dice che il poeta invoca qui la poesia in quanto tale, quella poesia che dà gloria ai poeti e a ciò che essi cantano, come la stessa terzina dichiara.
– **Pegasëa**: l'attributo deriva da Pegaso, il cavallo alato che percotendo con lo zoccolo l'Elicona – sede delle Muse – fece scaturire la fonte da cui si attingeva l'ispirazione poetica (cfr. *Purg*. XXIX 40).

83-4. **fai glorïosi...**: tu che rendi gloriosi e dai lunga vita nei secoli agli ingegni degli uomini, ed essi a loro volta con il tuo aiuto fanno tali le città e i regni con il loro canto... Con questi due versi commossi Dante celebra la forza della poesia nella quale egli vedeva, come già gli antichi, qualcosa di divino (cfr. *Vulg. El.* II, IV 9, e anche *Inf*. II 59-60 e *Purg*. XXI 85). Così egli pensava del suo poema, e in questa prospettiva va inteso il *s'infutura la tua vita* del canto che precede (v. 98).

... *formano, disponendosi in file, dei cerchi o altra specie di figure, così le sante creature chiuse nei loro lumi volando intorno cantavano, e si disponevano in figura di una D, poi di una I, poi di una L. Prima, cantando, si muovevano seguendo il ritmo del loro canto (nota); poi, una volta formata una di queste lettere (segni), si fermavano e tacevano per un certo tempo.* ◆ *O divina Musa, tu che rendi gloriosi e dai lunga vita agli ingegni degli uomini, ed essi con il tuo aiuto fanno tali le città e i regni, illuminami con la tua luce, così che io possa rappresentare le parole formate dalle loro figure come le ho concepite nella mente: ...*

87   paia tua possa in questi versi brevi!
       Mostrarsi dunque in cinque volte sette
    vocali e consonanti; e io notai
90   le parti sì, come mi parver dette.
       '*DILIGITE IUSTITIAM*', primai
    fur verbo e nome di tutto 'l dipinto;
93   '*QUI IUDICATIS TERRAM*', fur sezzai.
       Poscia ne l'emme del vocabol quinto
    rimasero ordinate; sì che Giove
96   pareva argento lì d'oro distinto.
       E vidi scendere altre luci dove
    era il colmo de l'emme, e lì quetarsi

85. **illustrami di te**: illuminami con la tua luce (cfr. IV 125).

– **rilevi**: possa rappresentare le parole formate dalle loro figure: il valore di questo verbo sembra essere quello, ritrovabile in antichi testi, di «ricavare una parola dalle singole lettere, dopo averle compitate», come fanno i fanciulli; che è esattamente quello che qui fa prima il protagonista, e poi il poeta.

86. **concette**: concepite nella mente.

87. **paia tua possa...**: la tua potenza si manifesti in questi miei versi così inadeguati, scarsi, a esprimere tale alta visione. Questo è l'unico senso possibile dell'aggettivo *brevi* in tale contesto di appassionata richiesta di aiuto: *breve* è il suo verso a confronto di ciò che deve dire, e per questo il poeta invoca la Musa. Intendere «pochi», come molti interpreti fanno, non dà alcun senso alla frase (né risponde al vero), e le toglie ogni commozione.

88. **cinque volte sette**: dunque trentacinque.

89-90. **e io notai...**: e io presi nota mentalmente, via via che mi si presentavano, delle varie lettere (*parti*), così come mi apparvero dette in figura, cioè scritte.

91-3. **DILIGITE IUSTITIAM...**: questi furono il verbo e il nome che apparvero per primi (*primai*) di tutta la frase lì disegnata. *QUI IUDICATIS TERRAM* ne furono gli ultimi (*sezzai*) vocaboli (*primaio* e *sezzaio* sono forme arcaiche di cui la prima usata più volte nel poema: si cfr. ad esempio *Inf.* V 1; per la seconda si veda *da sezzo* a *Inf.* VII 130 e nota). Le cinque parole («Amate la giustizia, voi che giudicate la terra») costituiscono il primo versetto del libro della *Sapienza* (*Sap.* 1, 1) e propongono solennemente il tema del cielo di Giove, dedicato alla giustizia come virtù propria dei reggitori dei popoli. Un altro versetto dello stesso libro (*Sap.* 6, 23), quasi identico a questo, è tradotto in *Conv.* IV, XVI 1: «Amate lo lume di sapienza, voi che siete dinanzi alli populi».

94-6. **Poscia ne l'emme...**: finita la frase, le anime beate rimasero disposte nella figura della lettera M della quinta parola (*terram*), cioè si fermarono ordinate a formare l'ultima lettera apparsa, in modo tale che il pianeta Giove (che è, ricordiamo, di luce bianchissima) pareva una sfera argentea segnata in quel luogo da un intarsio

d'oro. Le luci dei beati sono infatti color dell'oro, e la M da loro formata si staglia così come un immenso ricamo d'oro trapunto sul fondo argenteo del cielo.

– **l'emme**: fin dagli antichi commentatori si è riconosciuta – crediamo giustamente – in questa lettera, che resta dipinta, sfolgorante d'oro, nel cielo dei giusti, l'iniziale di *Monarchia*, il solo regime che può assicurare la giustizia sulla terra come Dante scrive nel suo trattato (*Mon.* I, XI 2), idea che fonda tutta la concezione politica del poema. Si veda su questo l'Introduzione al canto.

98. **il colmo de l'emme**: altre luci vengono a posarsi sulla parte più alta, cioè al centro della incurvatura che chiude in alto la emme. Per seguire lo svilupparsi di questa figura come Dante lo descrive da qui al v. 114, si deve immaginare la lettera di partenza come una maiuscola gotica epigrafica (figura 1); le nuove luci che ora si posano in alto al suo centro la trasformano in un giglio araldico stilizzato (figura 2). Infine, con successivi spostamenti, il giglio si cambierà nella figura di un'aquila (figura 3). Sulla forma e il significato di questa lettera si veda la voce *Emme*, in *Enciclopedia Dantesca* II, pp. 665-6, a cura di E. Malato.

figura 1

figura 2

figura 3

98-9. **e lì quetarsi...**: e lì fermarsi come acquietate,

... la tua potenza si manifesti in questi miei versi così inadeguati! ◆ *(Gli spiriti beati) si mostrarono dunque in trentacinque vocali e consonanti: e io presi nota delle varie lettere (parti), così come mi apparvero dette in figura (cioè scritte).* DILIGITE IUSTITIAM *(«Amate la giustizia») furono il verbo e il nome che apparvero per primi (primai) di tutta la frase lì disegnata;* QUI IUDICATIS TERRAM *(«voi che giudicate la terra») ne furono gli ultimi (sezzai). Poi le anime rimasero disposte nella figura della lettera M della quinta parola (terram); in modo tale che il pianeta Giove pareva una sfera argentea segnata in quel luogo da un intarsio d'oro. E vidi altre luci scendere dove era la parte più alta dell'emme, e lì fermarsi ...*

99   cantando, credo, il ben ch'a sé le move.
          Poi, come nel percuoter d'i ciocchi arsi
       surgono innumerabili faville,
102   onde li stolti sogliono agurarsi,
          resurger parver quindi più di mille
       luci e salir, qual assai e qual poco,
105   sì come 'l sol che l'accende sortille;
          e quïetata ciascuna in suo loco,
       la testa e 'l collo d'un'aguglia vidi
108   rappresentare a quel distinto foco.
          Quei che dipinge lì, non ha chi 'l guidi;
       ma esso guida, e da lui si rammenta

cantando un inno di lode a Dio, il *ben* che le attira verso di sé con il suo amore. Il verso finale, di ritmo dolce e rapido, imprime su tutta la scena – fino ad ora attentamente descritta – un senso di religioso incanto.

100-1. come nel percuoter...: come, quando sul focolare si percuotono dei ceppi già bruciati per trarne
auspici, si solleva una miriade di faville La scena era
familiare allora, e ancora lo è dovunque si faccia del
fuoco; *ciocchi* vale «ceppi da ardere», ed è parola ancora nell'uso in Toscana. L'immagine, vivissima e domestica, avvicina d'un tratto la figura astratta e celeste ai quotidiani aspetti del vivere terreno.

102. onde li stolti...: dalle quali la gente sciocca suol
trarre presagi per il futuro: «molte volte i stolti stando presso il fuoco, fregano su l'arso de' ciocchi, per
la quale fricazione molte faville apparno, ed elli s'au-
gurano dicendo: cotanti agnelli, cotanti porcelli, co-
tante migliaia di fiorini d'oro, e così passano tempo...»
(Lana). L'inciso, come osservò il Torraca, non è sac-
centeria, ma serve a illustrare la scena, dicendo la causa di cui il *percuoter* è l'effetto, spiegandoci cioè perché la gente stia intorno al fuoco a percuotere i ciic-
chi arsi.

... *celebrando col canto, credo, il bene (Dio) che le attira verso di sé.* ◆ *Poi, come quando si percuotono dei ceppi già
bruciati si solleva una miriade di faville, dalle quali la gente sciocca suol trarre presagi per il futuro (augurarsi), così
dalla cima dell'emme (quindi) si videro risollevarsi più di
mille luci, e risalire verso l'alto, disponendosi a varie altezze, secondo che il sole che dà loro la luce (Dio) le destinò;
e quando ciascuna si fu fermata nel posto assegnatole (suo
loco), vidi rappresentati da quelle luci infuocate che spic-
cavano sul biancore del pianeta (distinto) la testa e il collo di un'aquila. Colui che dipinge lassù non ha chi diriga la
sua mano; ma lui stesso dà il modello (guida), e si riconosce come derivante da lui ...*

103-5. resurger parver quindi...: così (come le faville dai ciocchi) da quel colmo (*quindi*) si videro risollevarsi più di mille luci, e risalire verso l'alto, disponendosi a varie altezze, secondo che Dio (il sole
che dà loro la luce) assegnò loro il posto.

– **resurger**: perché tornano in alto, essendo prima
discese (v. 97).

– **sortille**: le destinò, dette loro in sorte (lo stesso
uso di *sortire* a XI 109).

106. quïetata...: quando ciascuna si fu fermata nel
posto assegnatole (cfr. v. 98).

107-8. la testa e 'l collo...: vidi rappresentati, da quel
brillare infuocato che spiccava (*distinto*) sul candore
di Giove (cfr. v. 96), la testa e il collo di un'aquila. Ma
il costrutto offertoci da Dante è inverso, ponendo per
primi – come apparvero al suo sguardo stupito – la
testa e il *collo* dell'aquila (si veda questa ulteriore trasformazione della M nella figura 3).

109-11. Quei che dipinge: il maestro che dipinge lassù non ha chi diriga la sua mano secondo un modello; ma lui stesso dà il modello a tutte le forme esistenti,
e da lui si riconosce discendere quella virtù che dà forma alle creature ancora in embrione. Che nella mente divina siano presenti gli archetipi, o modelli, di tutte le forme esistenti, è l'idea platonica, ripresa dalla
teologia cristiana, già svolta da Dante nel canto XIII,
ai vv. 52 sgg.

– **da lui si rammenta**: si riconosce come derivante
da lui.

– **quella virtù ch'è forma...**: è il principio informatore (la *virtù informante* di VII 137) per cui Dio crea,
attraverso l'azione dei cieli, tutti gli esseri del mondo
sublunare (cfr. VII 133-41).

– **per li nidi**: il nido indica il luogo dove si forma e
cresce dal seme l'essere vivente; ma in particolare, trattandosi qui di un'aquila, si viene a dire che quell'uccello che nasce nei nidi terreni deriva la sua forma da
colui che lo dipingeva nel cielo; non dunque quell'a-
quila imitava nella forma le aquile terrene, ma all'opposto queste si formano imitando il modello che Dio
lassù tracciava.

112-4. L'altra bëatitudo...: tutti gli altri beati (l'a-

111   quella virtù ch'è forma per li nidi.

L'altra bëatitudo, che contenta

pareva prima d'ingigliarsi a l'emme,

114   con poco moto seguitò la 'mprenta.

O dolce stella, quali e quante gemme

mi dimostraro che nostra giustizia

117   effetto sia del ciel che tu ingemme!

Per ch'io prego la mente in che s'inizia

tuo moto e tua virtute, che rimiri

120   ond'esce il fummo che 'l tuo raggio vizia;

sì ch'un'altra fïata omai s'adiri

del comperare e vender dentro al templo

---

stratto, puro latinismo, sta per il concreto), che prima apparivano contenti di formare un giglio nella M (si allude alla prima modificazione, vv. 97-9), con pochi movimenti assecondarono il formarsi della nuova figura; *contenta*, cioè quasi contentandosi della prima figura rappresentata.

113. ingigliarsi: farsi giglio (cfr. *indracarsi* a XVI 115; *imbestiarsi* a *Purg.* XXVI 87 ecc.). Con il primo cambiamento, che rialzava il *colmo* della M, questa era venuta ad assumere l'aspetto di un giglio araldico (si veda la nota al v. 98). Il bel verbo creato qui da Dante esprime con viva forza sintetica e grande evidenza il formarsi di questa figura.

115. O dolce stella...: mentre descrive, e quasi rivive, la grande visione che si compose nel cielo davanti ai suoi occhi (prima l'iscrizione biblica, poi la figura dell'aquila oro su argento) sorge dal cuore del poeta una preghiera per *color che sono in terra* (v. 125), per il mondo che non segue più la giustizia, gregge traviato dal cattivo esempio del pastore. Questa sequenza, che chiude con commozione il canto, si svolge su diversi registri, dal dolore all'indignazione al sarcasmo, formando uno dei passi più belli del linguaggio profetico dantesco. La *dolce stella* è il pianeta dove il poeta si trova, così chiamato perché la giustizia, premiando e punendo secondo il merito, *addolcisce*, dà dolcezza ai cuori (cfr. VI 121-3 e *Purg.* XX 94-6), ricompensandoli dell'amarezza sofferta per le ingiustizie che si compiono nel mondo terreno.

115-7. quali e quante gemme...: formando quelle parole prima, e quella figura poi, le luci dei beati (*gemme*, pietre preziose, come è detto Cacciaguida stesso a XV 22) mi fecero intendere che la nostra giustizia terrena è effetto del cielo che tu, dolce pianeta, *ingemmi*, adorni come una gemma (cfr. XV 86; ricordiamo che i pianeti si credevano fissati, come incastonati, sulla superficie sferica del loro cielo).

118. Per ch'io prego...: il movimento di preghiera sale spontaneo dall'animo dell'uomo della terra, ferito dall'ingiustizia che dilaga là dove egli vive, al ricordare lo splendore sereno della stella da cui dipende la giustizia del mondo.

– la mente...: la mente dalla quale procede il tuo movimento e la tua capacità d'influenza (*moto* e *virtute*, per dire le due azioni proprie dei cieli, anche a II 127), cioè la mente divina.

119. che rimiri: che si rivolga a guardare; il chiedere a Dio che rivolga i suoi occhi verso la terra, come ricordandosi di lei, è figura biblica; cfr. *Purg.* VI 120 e nota.

120. ond'esce il fummo...: là di dove sale quella caligine che oscura la luce del tuo raggio, cioè turba quella giustizia che da te promana; quel *fummo* è l'avarizia, la brama di denaro, e il luogo da dove esso sale (*ond'esce*) è la Curia di Roma, come s'intende dai versi che seguono.

121-2. sì ch'un'altra fïata...: così che, guardando quaggiù, torni ad indignarsi (come fece una volta in terra) del mercato che si fa nel suo tempio: «Gesù entrò poi nel tempio e scacciò tutti quelli che vi trovò *a comprare e vendere nel tempio*; e rovesciò i tavoli dei cambiavalute» (*Matth.* 21, 12). Il tempio dove avviene la scena evangelica è quello di Gerusalemme, quello di cui qui si parla è la Chiesa di Cristo, del quale il primo è figura.

■

... quella virtù che dà forma alle creature ancora in embrione (nidi). ◆ *Tutti gli altri beati, che prima apparivano contenti di formare un giglio con la lettera M, con pochi movimenti assecondarono il compiersi di quel modello. O dolce stella, quali e quante gemme preziose mi dimostrarono che la nostra giustizia terrena è effetto del cielo che tu stesso adorni come una gemma! Per cui io prego la mente dalla quale procede il tuo movimento e la tua capacità d'influenza (virtute), che rivolga il suo sguardo là di dove esce quel fumo che oscura la luce del tuo raggio; così che torni un'altra volta ad indignarsi del mercato di compere e vendite che si fa nel suo tempio (la Chiesa), ...*

123   che si murò di segni e di martìri.

O milizia del ciel cu' io contemplo,
adora per color che sono in terra
126   tutti svïati dietro al malo essemplo!

Già si solea con le spade far guerra;
ma or si fa togliendo or qui or quivi
129   lo pan che 'l pïo Padre a nessun serra.

Ma tu che sol per cancellare scrivi,
pensa che Pietro e Paulo, che moriro
132   per la vigna che guasti, ancor son vivi.

---

123. che si murò...: le cui mura furono costruite con i miracoli e il sacrificio dei martiri. Costruzione dunque non di pietra, come quella del primo tempio, ma di spirito, fondata sulla virtù dei santi. Il verso, col suo doloroso andamento, segna il profondo contrasto tra il *comperare e vender* di ora, e la santa ed eroica vita di coloro che quella Chiesa avevano edificato. Un simile confronto, con maggiore sdegno e maggior dolore, sarà fatto da Pietro a XXVII 40-2.

– **di segni e di martìri**: *segni* vale «miracoli», nell'uso biblico del termine latino (cfr. *Act. Ap.* 2, 43). Secondo la tradizione cristiana, la fede si era diffusa nel mondo grazie appunto alle due testimonianze date dai miracoli e dalla morte dei martiri.

124-6. O milizia del ciel...: una seconda preghiera, come portata dalla piena del sentimento, si leva sulla prima, perché la prima sia esaudita. Alla sua voce il poeta chiede che si unisca quella dei beati del cielo: la milizia celeste, i santi, così chiamati più volte nel paradiso con parola biblica, preghino dall'alto della loro beatitudine per coloro che sulla terra sono traviati dal cattivo esempio del pastore (perché, s'intende, il pastore sia finalmente punito, come chiede la terzina precedente).

– **cu' io contemplo**: contemplo, si deve intendere, nel ricordo; il presente si riferisce infatti al momento in cui il poeta scrive, tempo nel quale è innalzata la preghiera (*Per ch'io prego...*); ma i due tempi in questo caso sembrano di fatto sovrapporsi, come se lo scrittore – dimenticando la finzione poetica – viva al presente ciò che la sua penna scrive del passato (e che in realtà accade nella sua mente nel momento stesso in cui egli lo scrive).

125. adora per color...: il verso si leva con appassionata supplica: *color che sono in terra*, gli uomini in balìa dell'ingiustizia, sono il pensiero sempre dominante nel poeta che *contempla* la bellezza felice del paradiso.

126. malo essempio: è l'idea centrale del discorso di Marco Lombardo sul «disviarsi» del mondo in *Purg.* XVI; si vedano di quel canto i vv. 100-5.

127. con le spade: trattandosi qui del papato, s'intenderà delle guerre contro i nemici della Chiesa intesa come stato, quali i Longobardi o gli Svevi: prima i papi combattevano i loro avversari con gli eserciti, quindi in modo leale e alla pari.

128-9. ma or si fa...: ma ora si fa una ben diversa guerra, togliendo ai fedeli cristiani in modo indiscriminato (*or qui or quivi*) l'accesso ai sacramenti, e in specie all'Eucarestia, quel *pane* che il Padre celeste non nega a nessuno dei suoi figli. L'allusione è alle scomuniche (condanna che escludeva il colpito da tutti i sacramenti) usate dai papi come armi contro i loro nemici politici: quel *pane* che il pietoso Padre divino ha voluto donare a tutti viene negato con suprema prevaricazione a scopo di potere. C'è qui probabilmente un riferimento preciso alle scomuniche lanciate negli anni 1317-19 da Giovanni XXII contro i tre vicari imperiali (Cangrande, Matteo Visconti e Passerino Bonaccolsi di Mantova) per indurli a ritirare gli assedi da loro posti a Brescia, Cremona e Treviso (in tale caso infatti con le scomuniche il papa, come sopra è detto, *fa guerra*) e perché deponessero il titolo ricevuto da Arrigo VII, anche se l'espressione *or qui or quivi* dice che l'accusa non si limita a un fatto determinato, ma a un costume generalmente seguito.

130. Ma tu che sol...: il linguaggio cambia ancora, facendosi violento e duro: la preghiera e il dolore trapassano – con il *tu* che apre la terzina – nell'accusa

---

... le cui mura furono costruite con i miracoli (segni) e il sacrificio dei martiri. ◆ *O milizia del cielo che io contemplo, prega per coloro che sono in terra tutti sviati dietro ai cattivi esempi! Una volta si era soliti far guerra con le armi; ma ora la si fa togliendo in modo indiscriminato (or qui or quivi) quel pane (l'Eucarestia) che il pietoso Padre celeste non nega a nessuno. Ma tu (papa Giovanni XXII) che scrivi i tuoi atti solo per poi cancellarli, pensa che Pietro e Paolo, che morirono per quella vigna che tu stai mandando in rovina, sono ancora vivi.*

Ben puoi tu dire: «I' ho fermo 'l disiro
sì a colui che volle viver solo
e che per salti fu tratto al martiro,
136   ch'io non conosco il pescator né Polo».

diretta e poi nel sarcasmo feroce degli ultimi versi. Dante si rivolge qui direttamente a Giovanni XXII (il «Caorsino» di XXVII 58) che regnò dal 1316 al 1334 e a cui quindi è diretta certamente anche l'accusa fatta nella terzina precedente (*ma or si fa...*). Lo «scrivere per cancellare» può significare il lanciare scomuniche con facilità, per poi revocarle per denaro, come molti hanno inteso; ma dato che ciò non risponde alla verità storica, si preferisce oggi prendere la frase come allusione alla cancellazione dei benefici ecclesiastici accordati dal predecessore Clemente V, o delle elezioni dei vescovi fatte dai capitoli locali, cancellazioni eseguite allo scopo di godere di quelle rendite durante il periodo di vacanza. Il testo così come è formulato sembra tuttavia meglio corrispondere alla prima interpretazione. In ogni caso si tratta di un'accusa che riguarda l'avidità di denaro, e la conseguente simonia, come la terzina 121-3 e quella che ora segue chiaramente dichiarano.

131-2. Pietro e Paulo, che moriro...: i due versi parlano con il solenne tono del profeta: i due grandi apostoli, che hanno dato la loro vita, nel martirio, per quella Chiesa (la *vigna*, con figura evangelica: cfr. XII 86) che tu ora distruggi, *ancor son vivi*. Queste parole sono una chiara minaccia: «quasi dica: elli ti rimunereranno di tue opere, però ch'elli vivono, cioè possono» (Ottimo).

– guasti: devasti, porti a rovina; cfr. *Inf.* XIV 94 e nota.

133. Ben puoi tu dire...: Dante immagina la cinica risposta del papa da lui apostrofato al suo ammonimento profetico: tu puoi *ben* così rispondermi, egli dice, ciò non toglie che essi vivano e possano quindi punirti.

133-5. I' ho fermo 'l disiro...: io tengo così fermamente rivolto il mio desiderio a Giovanni Battista (il Battista, indicato con sprezzante perifrasi, sta qui per il fiorino, la moneta fiorentina su una faccia della quale era impressa la sua immagine: cfr. *Inf.* XXX 74) che non conosco nemmeno i due che tu mi nomini. Tutta la frase è detta con crudele sarcasmo e spregio verso i tre grandi testimoni di Cristo: Giovanni Battista, Pietro e Paolo. Il primo è presentato come un folle che *volle viver solo* e morì per i *salti* di una ballerina (così sono ricordate la sua austera vita di penitenza nel deserto e la sua morte ordinata da Erode per premiare la danza di Salomè: cfr. *Matth.* 14, 1-12); il secondo è chiamato il *pescatore*, come a dire un uomo rozzo ed ignorante; il terzo col nome popolare di *Polo*, a significare il poco conto che di lui si fa.

136. ch'io non conosco: che un papa non conosca – cioè non voglia conoscere – Pietro, di cui è successore, e Paolo, l'apostolo delle genti, i due pilastri su cui si fonda la Chiesa, è fatto anche più terribile del modo feroce con cui ciò è detto. Con tale scorcio amaro e violento termina il canto, turbando così la calma e lucente immagine prima composta nel cielo argenteo di Giove.

Tu puoi ben dire: «Io tengo così fermamente rivolto il mio desiderio a colui che volle vivere in solitudine e che per un ballo fu condotto al martirio (cioè Giovanni Battista, che sta qui per il fiorino su cui era impressa la sua immagine), che non conosco né il pescatore (Pietro) né Paolo».

approfondimenti

NOTE LINGUISTICHE

v. 45. **volando**: è il gerundio con valore di participio (*volante*, mentre vola), più volte incontrato, qui riferito all'oggetto (cfr. *Purg.* IX 38 e nota linguistica).

v. 58. **dilettanza**: diletto; provenzalismo comune nella nostra lirica duecentesca (così *amanza* a IV 118; *beninanza* a VII 143 ecc.).

v. 77. **faciensi**: si facevano, diventavano; per la forma dell'imperfetto *facieno* (come più avanti *movieno*), si cfr. *Purg.* III 59 e nota linguistica.

SUGGERIMENTI PER LA RICERCA

Temi e personaggi del canto

Beatrice, «mio conforto»

Dopo avere riletto i versi di apertura (1-18), spiega il motivo del turbamento di Dante e in che modo Beatrice lo conforti; annota poi, ripercorrendo tutto il canto, le espressioni che rivelano l'affetto del poeta per la sua donna. Completa il lavoro ricercando, con l'aiuto delle *Concordanze*, gli altri passi in cui ricorre la parola *conforto* e confrontandoli con i versi indicati sopra.

Le lettere scritte nel cielo

Per comprendere meglio l'invenzione dantesca (vv. 76-81; 88-114), leggi le fonti da cui il poeta ha tratto ispirazione, prima i passi scritturali (*Daniele* 5, 5, e *Sapienza*, 3, 7-8), poi quelli di Lucano e di Lucrezio citati nel commento, annotando quali elementi Dante ha utilizzato; quindi, con l'aiuto dell'Introduzione al canto, spiega il significato della frase e, in particolare, della trasformazione della M; infine riprendi il canto VI e illustra il rapporto tra i due canti e il valore che ha l'aquila nei due cieli. Sull'argomento consulta la voce *Emme,* a cura di E. Malato, in *Enciclopedia Dantesca* II, pp. 665-666 e il saggio di G. Iorio o quello di S. Vazzana, citati tra le *Letture consigliate*.

La forza della poesia

Come già altre volte nel poema anche in questo canto (vv. 82-87) è celebrata la poesia che dà gloria agli uomini: riprendi i passi *Inf.* II 59-60, *Purg.* XXI 85 e *Par.* XVII 98 (citati nelle note ai vv. 83-84); poi leggi nel *De vulgari eloquentia* i paragrafi II, IV, 9-10, osservando quale fondamento abbia per Dante il valore della parola poetica; infine esponi per scritto i risultati della tua ricerca.

La preghiera «per coloro che sono in terra»

Rileggi con attenzione i vv. 118 e segg. rilevando l'accorata preoccupazione del poeta nei confronti degli uomini deviati dal retto cammino e le accuse dirette alla Chiesa, riflettendo in particolare sull'uso del tempo presente; quindi spiega il collegamento tra questa preghiera e il contenuto del canto. Completa il lavoro con una ricerca su Giovanni XXII, consultando la voce relativa in *Enciclopedia Dantesca* III, pp. 189-190 a cura di R. Manselli o nel *Dizionario enciclopedico del Medioevo*, vol. II, pp. 822-823, a cura di A. M. Hayez. Per l'interpretazione dell'accusa a lui rivolta nel verso 130, leggi il saggio di A. Accame Bobbio, citato nelle *Letture consigliate*.

approfondimenti

Lingua e stile

gioviale – v. 70

Leggi la nota di commento al verso indicato in cui si dà conto dei due significati principali di *gioviale*, e indica altri aggettivi della lingua italiana che derivino dal nome dei pianeti o da quello del sole, annotandone i significati e verificando poi quali di essi siano stati usati da Dante (nella ricerca potrai avvalerti di un buon *Dizionario* di lingua italiana e dell'*Enciclopedia Dantesca* in cui troverai registrati i termini di tutte le opere dell'Alighieri).

Posizione del pronome – v. 83

Consulta la nota linguistica a *Inf.* I 67 *Rispuosemi...*, in cui si ricorda che in italiano antico le particelle pronominali si trovano regolarmente posposte al verbo, quando questo si trova in inizio di frase o di verso (cosiddetta legge di Tobler - Mussafia). Leggi il verso qui indicato e i passi elencati sotto e riconosci in quale altra situazione si verifica lo stesso fenomeno: *Inf.* XI 86, XXX 11; *Purg.* III 106, XI 66 e 76; *Par.* XX 136.

Il libro della Sapienza – vv. 91-93

Come avrai visto dal commento al testo, Dante nella *Commedia* fa continuamente ricorso alla *Sacra Scrittura*. Rileggi i canti XXIV dell'*Inferno* e XI del *Purgatorio* e individua, avvalendoti delle note esplicative, altri passi in cui vengano tradotti in volgare uno o più versetti tratti, come in questo canto, dal *Libro della Sapienza*. Consulta quindi l'*Enciclopedia Dantesca* V, pp. 29-30, alla voce *Sapienza* (*Libro della*) a cura di A. Niccoli, dove troverai le informazioni essenziali su questo particolare libro della *Bibbia*.

CANTO XIX

Introduzione

Il canto si apre con solennità e pace, senza alcuna traccia della drammatica sequenza che chiude quello precedente. L'immagine dell'aquila risplende nel cielo *con le ali aperte*, quasi occupandone tutto lo spazio, e di fronte a lei è l'uomo venuto dalla storia, con i suoi dubbi e i suoi dolori. Siamo ora nel cielo della giustizia, dove vediamo dominare lo stesso *sacrosanto segno* di cui nel canto VI è narrata la vicenda terrena, nel suo passare di mano in mano agli imperatori, fino a Carlo Magno. Il fatto che il primo segno sia uguale al secondo ha un preciso significato: l'aquila delle insegne di Roma è nella storia figura dell'altra aquila, la giustizia stessa di Dio. I due piani, celeste e terreno, sono, come sempre nel poema di Dante, in stretto rapporto fra loro. E a quella divina giustizia, di cui l'altra è solo un riflesso, sono dedicati i due canti del cielo di Giove. Il tema che vi si svolge riguarda infatti direttamente la giustizia di Dio. Alcuni critici hanno ritenuto strano che nel cielo dove abitano gli spiriti giusti, e che sembrerebbe dover essere dedicato al problema del governo civile sulla terra – come le lettere scritte in oro del canto precedente facevano pensare – Dante abbia invece voluto svolgere un grave problema teologico, dominante da sempre nel suo pensiero, e cioè quello della salvezza degli infedeli.

Ma se pensiamo che il segno che qui appare, e a cui il poeta rivolge la sua ansiosa domanda, rappresenta la stessa giustizia divina nella sua fonte prima, si rende evidente il senso di questo drammatico e inatteso dialogo, inserito nel cuore stesso del cielo dei giusti. La *nostra giustizia* (XVIII 116), la giustizia terrena, non ha altro fondamento se non quella divina. Ma come potrà giustificarsi la prima, se non potrà fare riferimento alla seconda? Se non possiamo essere sicuri della giustizia di Dio, re celeste, come potrà fondarsi quella dei re della terra?

Questo è il nodo drammatico che occupa i canti del cielo di Giove, la cui alta tensione deriva dalla interna angoscia che per tanti anni, come il testo qui dice, aveva tormentato l'uomo che ora pone la sua domanda a Dio stesso. Perché ciò che si chiede è proprio una risposta che dia la certezza di quella divina giustizia che l'uomo non riesce a vedere: se un uomo buono, ma che non conobbe Cristo, muore non battezzato ed è quindi – secondo la dottrina della Chiesa – escluso dalla salvezza, *ov'è questa giustizia che 'l condanna? / ov'è la colpa sua, se ei non crede?* La domanda – presente in tutta la grande teologia cristiana dei secoli prima di Dante, da Agostino a Tommaso – è formulata da Alberto Magno quasi con queste stesse parole, e tale si ritrova anche nella predicazione corrente del tempo. Ma il testo di Dante (che di fatto segue, anche nella risposta, il grande maestro di Colonia) porta in questo dialogo di singolare potenza espressiva l'imparagonabile forza della lunga e dolorosa esperienza personale da una parte, e della maestà solenne del divino parlare dall'altra, espresse in forme di alta poesia. E come sempre accade, la rielaborazione del concetto teologico tradizionale che Dante ripensa e rivive secondo il proprio sentimento porterà, come vedremo, a nuovi e inattesi svolgimenti.

A quella ansiosa domanda qui rivolta all'aquila (cioè a Dio) la ragione umana non sa trovare risposta, se non nella fede, era stato già detto con dolore nella *Monarchia* (si veda la citazione nella nota ai vv. 82-4). Ma i due grandi discorsi dell'aquila, in questo e nel prossimo canto, daranno in realtà una risposta anche alla ragione. E si stabilirà così il rapporto tra i due piani, tra i due regni e le due *corti* o tribunali (si veda *Purg.* XXXI 41), il divino e l'umano, che amministrano la giustizia. E si comprenderà quale sia la vera giustizia – che le lettere d'oro scrivevano nel cielo – a cui debbono ispirarsi «coloro che giudicano la terra».

Già le prime parole pronunciate dall'aquila (che parla con una sola voce, pur essendo formata da molti spiriti, significando così il suo valore universale) danno un suggerimento per intendere ciò che sarà detto in seguito: i re elevati da Dio alla gloria del cielo sono quelli che in terra furono «giusti e pii». Sono così ricordati i due attributi di Dio (le due *vie* di VII 103-10), giustizia e misericordia, quelle stesse doti che l'imperatore Traiano – non a caso uno dei due pagani qui salvati – mostra di possedere nella scena di *Purg.* X 93: *giustizia vuole e pietà mi ritene.*

A questa significante apertura segue la domanda dell'uomo, che ricorda con insistente ripetizione (il *gran digiuno*, il *digiun cotanto vecchio*) la sua lunga e sofferente attesa di una risposta, quale finora non è mai stata presentata nel poema.

E l'aquila risponde, manifestando prima la sua gioia per poter soddisfare il lungo desiderio di Dante, gioia che già lascia intendere la suprema bontà insita in ogni cosa che Dio dispone nell'universo. La risposta è poi divisa in due grandi e diverse sequenze. La prima parte dichiara l'inaccessibilità per l'uomo dei voleri e dei giudizi divini: l'infinità di Dio supera la finitezza del mondo, e quindi la misura di ogni intelletto creato. Con andamento largo e solenne si presenta il mistero che s'interpone tra Dio e l'uomo, e l'immagine della profondità marina torna a esprimere in figura quell'insondabile abisso.

Alla domanda della creatura si risponde con le parole di san Paolo: «chi sei tu, o uomo, che pretendi di giudicare le azioni di Dio?» (*Rom.* 9, 20); che è la prima risposta di tutta la tradizione cristiana, da Agostino a Tommaso.

Ma il dubbio dell'umana ragione non è tuttavia infondato, come appare dalla formulazione che l'aquila fa della domanda inespressa di Dante (vedi i vv. 82-4), e solo la fede nella assoluta bontà di Dio può acquietarlo. Proclamando quella bontà l'aquila termina il suo primo discorso, fondato sulla distanza incolmabile tra il *giudicio etterno* e la vista degli occhi dei *mortali*, e sulla certezza che la fede ripone nella bontà di quel *giudicio*. Tale concetto è espresso dall'uccello divino in un alto canto, che Dante silenziosamente ascolta, e che sembra concludere la risposta.

Ma inaspettatamente, terminato il canto, l'aquila riprende a parlare, cominciando un secondo discorso, che è di fatto una seconda risposta. Questo discorso cambia di prospettiva, e di linguaggio: dalla contemplazione teologica, che pone la premessa universale, si scende al piano della storia, considerando quel momento ultimo nel quale si manifesterà il segreto della giustizia divina. Ripetuta con forza all'inizio la verità di fede, per cui solo i credenti in Cristo potranno salvarsi, il discorso introduce un *ma* (*Ma vedi...*) che apre la nuova prospettiva: quella verità è indiscussa, ma qual è la sua realizzazione nella storia? Ciò apparirà al giudizio universale, il momento della verità, quando saranno svelati i segreti dei cuori, quelli che Dio solo conosce, e che gli uomini non possono penetrare (quando sarà aperto *quel volume*, come è detto nell'*Apocalisse*, 20, 12, dove sono scritte le azioni degli uomini).

In quel giorno si rovesceranno molti degli umani giudizi. La forte pagina dantesca, fondata direttamente sul testo evangelico (si vedano le citazioni alla nota 109), presenta il pagano – qui indicato nell'*Etiope*, cioè l'abitante dell'Africa – che sarà più vicino a Cristo di molti che ora ne vanno ripetendo il nome: *e tai Cristiani dannerà l'Etiòpe, / quando si partiranno i due collegi, / l'uno in etterno ricco e l'altro inòpe*.

Alla tormentata ragione umana si comincia a fare intravedere come alla sua domanda Dio stesso darà risposta. Quel giorno in cui finirà il tempo storico, ciò che era nascosto agli occhi mortali, e noto a Dio solo, verrà rivelato; alla conoscenza dell'uomo sarà dato di penetrare in quella divina, la storia sarà misurata con la misura eterna.

A questo punto vengono a ricongiungersi i due piani del discorso di cui si diceva all'inizio, e le due «giustizie» si rivelano come la stessa giustizia. Tutti i re della terra, i re cristiani, i *vostri regi*, come dice l'aquila, appariranno quel giorno nella loro iniquità, le loro opere grideranno contro di loro, perché non le parole, ma le opere dell'uomo, sono quelle che contano di fronte a Dio (vv. 106-8).

Sfilano così, nell'ultima parte del canto, quei principi d'Europa che portano il nome di Cristo sulle loro bandiere, segnati tutti dalle loro *opere sozze*: superbia, lussuria, ozio, avarizia. Ogni nome è accompagnato da un vizio grave, da un atto iniquo. La frase sempre uguale che li introduce nelle prime tre terzine (*Lì si vedrà*) ci riporta al momento (quando sarà aperto *quel volume*) in cui la storia sarà giudicata e tutti «vedranno» con gli occhi stessi del giudice divino.

Il discorso profetico sulla storia umana, che ci si attendeva nel cielo della giustizia, non è dunque mancato; ma esso ha avuto, in quella doppia risposta dell'aquila, il suo fondamento. S'intende ora che la giustizia di Dio non è diversa da quella comprensibile all'umana ragione; diversa è la capacità di vedere, che, quando il tempo entrerà nell'eternità, sarà concessa anche a coloro che nel tempo hanno vissuto.

Il secondo discorso dell'aquila termina dunque con la severa condanna che dei re cristiani sarà fatta nel giorno del giudizio finale. Così si conclude il canto, che si era aperto considerando il mistero insondabile all'uomo del giudizio divino, e che in questo modo risponde al *lungo digiuno* che aveva tormentato il poeta, e con lui molti cristiani, sulla giustizia di Dio. Ma in realtà non tutto è stato chiarito. Manca ancora una risposta alla domanda concreta dell'uomo della storia: che ne sarà allora di quell'infedele giusto – nato *a la riva de l'Indo* – che di Cristo non ha mai avuto notizia? La risposta sarà data, in modo inatteso, nel prossimo canto, dove ancora una volta apparirà la grande e profonda libertà dello spirito dantesco, così vicina a quella che risuona nelle pagine evangeliche.

CANTO XIX

Nel cielo di Giove: la giustizia divina

1-21 *L'aquila formata dalle luci splendenti dei beati muove il becco e inizia a parlare, usando il singolare come se fosse una persona sola. Dante apprende così che giustizia e misericordia esercitate in terra sono il motivo per cui quegli spiriti si trovano in questo cielo e per cui hanno lasciato ricordo di sé nel mondo.*

22-39 *Il poeta coglie l'occasione per chiedere che gli sia sciolto un dubbio antico, che le anime conoscono, sapendo anche con quanta ansia egli ne attenda la soluzione. L'aquila mostra il desiderio di soddisfarlo diventando più luminosa e inizia a rispondere.*

40-66 *L'infinità di Dio creatore non può essere contenuta nei limiti dell'universo creato, come dimostra la caduta di Lucifero, la più perfetta delle creature, il quale per superbia non volle aspettare che fosse la grazia a rivelargli ciò che da solo non poteva comprendere e per questo motivo fu precipitato dal cielo. L'intelletto umano non può comprendere pienamente il principio da cui ha origine; perciò esso si addentra nel mistero della giustizia di Dio come l'occhio negli abissi marini, senza riuscire a vederne il fondo. Solo la grazia è luce per l'intelletto che altrimenti è offuscato dalle limitazioni della carne.*

67-99 *Concludendo, l'aquila formula in termini concreti la domanda di Dante: perché deve essere escluso dalla salvezza chi si comporta in modo giusto, ma non ha la fede, non per sua colpa, ma per essere nato in un luogo dove non ha mai sentito parlare di Cristo? Qual è la giustizia che lo condanna? La prima risposta che l'aquila dà discende dal ragionamento precedente: ciò che viene da Dio non può che essere bene, anche se l'uomo – vista la sua limitata capacità di intendere e giudicare le azioni divine – non lo comprende.*

100-148 *Dette queste parole, l'aquila inizia a roteare cantando e aggiunge che, come per Dante sono incomprensibili le parole del suo canto, così per l'uomo è il giudizio divino. Quando le luci dei beati tacciono, l'aquila riprende a parlare, dando un'ulteriore risposta: nessuno si è mai salvato senza la fede in Cristo, venturo o venuto, ma il giorno del giudizio finale ci saranno cristiani condannati e infedeli accolti tra i salvati. All'apertura del libro della giustizia divina, infatti, si vedrà che anche molti principi cristiani hanno tradito la fede professata con le loro opere inique: l'aquila nomina uno per uno, indicandone le colpe, i sovrani degli stati d'Europa, dall'imperatore Alberto d'Asburgo a Stefano Urosio II, re della Rascia. La rassegna termina con un avvertimento, rivolto a due regni – l'Ungheria e la Navarra –, perché non cadano vittime del malgoverno.*

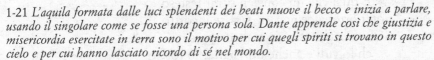

Parea dinanzi a me con l'ali aperte
la bella image che nel dolce *frui*
3   liete facevan l'anime conserte;

1. **Parea dinanzi a me...**: il canto si apre con la grande immagine dell'aquila luminosa nel cielo. È la figura che dominerà tutta la scena che si svolge nel cielo di Giove, in questo canto e nel successivo.
– **Parea**: si mostrava; il verbo staglia solennemente sul fondo del cielo la figura che si è vista formarsi, in movimento, nel canto precedente.
2. **bella**: bella è l'aquila, dice Benvenuto, per la sua vista acuta, il suo volo alto, le sue vittorie; ma bella era piuttosto la sua immagine celeste, perché dipinta da Dio, e formata da luci sante.
2-3. **che nel dolce frui...**: che le anime, insieme ordinate (*conserte*), rappresentavano liete nella dolcezza del loro godimento celeste. *Frui* (infinito del ver-

bo latino: godere) è usato per indicare un piacere non terreno, ma divino, secondo la distinzione tra «frui» e «uti» propria di Agostino, così riassunta da Benvenuto: «*frui* si dice delle cose eterne, *uti* delle cose terrene» (*Civ. Dei* XI 25).
– **conserte**: altro latinismo, da «conserere»: congiungere ordinatamente insieme.

■

Si mostrava davanti a me con le ali aperte la bella immagine che le anime, unite fra loro ordinatamente (conserte), formavano liete nella dolcezza del loro divino godimento (frui), ...

              parea ciascuna rubinetto in cui
           raggio di sole ardesse sì acceso,
6   che ne' miei occhi rifrangesse lui.

           E quel che mi convien ritrar testeso,
           non portò voce mai, né scrisse incostro,
9   né fu per fantasia già mai compreso;

           ch'io vidi e anche udi' parlar lo rostro,
           e sonar ne la voce e «io» e «mio»,
12   quand'era nel concetto e 'noi' e 'nostro'.

           E cominciò: «Per esser giusto e pio
           son io qui essaltato a quella gloria
15   che non si lascia vincere a disio;
           e in terra lasciai la mia memoria

4-6. parea ciascuna rubinetto...: ognuna di esse appariva come un rubino in cui brillasse un raggio di sole, così infuocato da riflettere nei miei occhi la luce stessa del sole: «certi corpi, per molta chiaritade di diafano avere in sé mista, tosto che 'l sole li vede, diventano tanto luminosi, che per multiplicamento di luce in quelli è lo loro aspetto [vincente], e rendono alli altri di sé grande splendore, sì come è l'oro e alcuna pietra» (*Conv.* III, VII 3). Per *rifrangere* si cfr. *Purg.* XV 22 e nota.

– **rubinetto**: il rubino era ritenuto la più fulgida tra le pietre (cfr. XXX 66); il suffisso *-etto* non indica necessariamente un diminutivo, ma può significare grazia e finezza (cfr. *Inf.* II 127 e nota).

7. quel che mi convien ritrar...: quello che or ora dovrò rappresentare (*ritrare*; cfr. *Purg.* XII 65 e XXXII 64).

– **testeso**: testé, or ora, riferito al futuro, come al presente in *Inf.* VI 69 e al passato in *Purg.* XXI 113, comune nell'antico italiano.

8-9. non portò voce...: mai voce lo disse, né penna lo scrisse, né mente se lo raffigurò, cioè non fu mai espresso dal linguaggio umano, e neppure mentalmente immaginato. – *portò*, cioè enunciò (cfr. *Purg.* XVIII 12).

– **fantasia**: virtù immaginativa, che accoglie (*comprende*, riceve) nella mente le immagini del mondo sensibile (cfr. *Purg.* XVII 25 e nota). Il poeta annuncia così qualcosa di straordinario, ignoto all'esperienza terrena.

10-2. ch'io vidi e anche udi'...: ed ecco le tre cose incredibili annunciate, una più straordinaria dell'altra: io vidi muoversi nel parlare quel becco fatto di tante luci, come fosse quello di un uccello vero; e lo udii parlare con voce umana; e infine sentii risuonare in quella voce *io* e *mio*, cioè sentii parlare al singolare, mentre nel pensiero che vi corrispondeva (nel *concetto*) si trattava di un *noi* e di un *nostro* (lo stesso rapporto tra *dire* e *concetto* a XXXIII 121-2). L'aquila parla cioè come fosse una sola persona, mentre è composta di molte anime. Le tre cose stupefacenti ne fanno una sola: quella figura formata da miriadi di spiriti all'improvviso parla come fosse una persona viva. Con questa invenzione Dante ha voluto significare che una sola è la Giustizia, che da Dio deriva, e in ogni tempo e luogo chi la esercita e parla in suo nome parla con la stessa voce.

13. Per esser...: per essere stato; infinito presente con valore di passato (cfr. *Purg.* XXVI 93). Parlano anime di re e imperatori.

– **giusto e pio**: giustizia e pietà sono le due prerogative divine, le due vie con cui Dio agisce nel mondo (VII 103), e le doti del monarca che lo rappresenta in terra: «la sua maestà [dell'imperatore] discenda dalla fonte della pietà» (*Ep.* V 7). Così Traiano, qui presente nell'occhio stesso dell'aquila (XX 43-8), è mosso, nella raffigurazione purgatoriale del suo cedere alla *vedovella* (per cui fu salvato), da *giustizia* e *pietà* (*Purg.* X 93).

15. che non si lascia...: che non si lascia superare dal desiderio, cioè che colma ogni desiderio umano. Nessun *disio* può essere così alto da non essere da lei largamente saziato. Il grande pensiero, e il bellissimo verso che lo esprime, sono così legati al profondo valore che il *disio* ha in tutta l'opera di Dante (si veda XXXIII 46-8), da far decisamente scartare l'altra interpretazione da molti sostenuta: che non si lascia conquistare solo col desiderio, ma dalle opere; interpre-

---
■

... ognuna di esse appariva come un rubino in cui brillasse un raggio di sole, così infuocato da riflettere nei miei occhi la luce stessa del sole. E quel che or ora dovrò rappresentare mai voce lo disse, né penna lo scrisse, né immaginazione lo concepì; poiché io vidi e anche udii parlare quel becco e sentii risuonare nella sua voce io e mio, mentre nel pensiero che vi corrispondeva (nel concetto) si trattava di un noi e di un nostro. ◆ E cominciò: «Per essere stato giusto e pio io sono qui elevato a quella gloria che supera (non si lascia vincere) ogni desiderio umano; e in terra lasciai un ricordo ...

        sì fatta, che le genti lì malvage

18   commendan lei, ma non seguon la storia».

          Così un sol calor di molte brage

        si fa sentir, come di molti amori

21   usciva solo un suon di quella image.

          Ond'io appresso: «O perpetüi fiori

        de l'etterna letizia, che pur uno

24   parer mi fate tutti vostri odori,

          solvetemi, spirando, il gran digiuno

        che lungamente m'ha tenuto in fame,

27   non trovandoli in terra cibo alcuno.

          Ben so io che, se 'n cielo altro reame

        la divina giustizia fa suo specchio,

---

tazione che rende banale e didascalico ciò che è espressione della intensa vita dello spirito.

16-7. la mia memoria / sì fatta: un ricordo tale di me, delle mie opere.

17-8. che le genti lì malvage...: che anche i malvagi là in terra celebrano la mia memoria, ma non seguono l'esempio che quei fatti (*la storia*) trasmettono.

19-21. Così un sol calor...: così da molte braci ardenti si riceve la sensazione di un solo flusso di calore, come lassù da molti spiriti brucianti d'amore usciva dall'immagine dell'aquila una sola voce. Alle *molte brage* corrispondono perfettamente i *molti amori* (i rubini infuocati dal sole dei vv. 4-5, le *faville* di XVIII 101), e all'unico calore della fiamma il suono caldo di carità dell'unica voce. La similitudine, che si raddoppia variando nella terzina seguente, dà infine comprensibilità e bellezza al fatto che *non portò voce mai, né scrisse incostro*, del parlare di molti con la voce di uno solo. È questa la singolare potenza della similitudine del *Paradiso* che, a differenza delle altre cantiche, deve raffigurare una realtà che non ha riscontro in terra.

22-4. O perpetüi fiori...: o fiori perenni (non destinati a sfiorire, come quelli della terra) della eterna beatitudine...; fiori sono i beati anche nelle ghirlande del cielo del sole (X 91-2 e XII 19-20).

– che pur uno...: che mi fate apparire come uno solo tutti i vostri profumi (il profumo è la voce del fiore, come il calore lo è della brace); cfr. *Purg.* VII 80-1. La nuova similitudine introduce un altro più delicato senso (prima il tatto, poi l'odorato) che rende più fine e spirituale quel trasmettersi della voce.

25. solvetemi: scioglietemi; il verbo è adoperato per il dubbio più volte nel poema, ma questa volta è il dubbio più grave, e più *vecchio* (v. 33), che stringe nel suo nodo il cuore di Dante. E l'appassionata terzina ne esprime tutta l'angosciosa tensione.

– digiuno: questo *digiuno* è la fame non saziata di risolvere il tormentoso problema che per tanto tempo (*lungamente*) ha angustiato l'animo del poeta, e al quale sulla terra nessuno poteva rispondere (v. 27).

Quale esso sia, Dante non lo dice: i beati, a cui parla, lo sanno, e a loro affiderà il compito di dichiararlo nella risposta, lasciando così alla sua domanda tutta la tensione di un'attesa, di una supplica che la formulazione del problema avrebbe allentato. Il problema è quello della salvezza dichiarata possibile solo per fede, e quindi negata agli infedeli giusti, problema già aperto nel canto IV dell'*Inferno*, formulato teoricamente in *Mon.* II, VII, e che trova qui la sua alta soluzione. Si veda su questo l'Introduzione al canto.

27. non trovandoli in terra...: non potendo trovare nessuna soluzione a quel dubbio con le forze dell'umana ragione. Si veda la drammatica pagina della *Monarchia* citata in nota alla terzina 82-4.

28-30. Ben so io...: io so bene che, se è vero che in paradiso la giustizia divina (Dio in quanto giustizia) si rispecchia nell'ordine angelico di un altro cielo (i Troni, che presiedono al cielo di Saturno), il vostro cielo tuttavia (cioè voi che lo abitate) la conosce ugualmente senza alcun velo, cioè con perfetta chiarezza. Come è stato detto a IX 61-3, la luce di *Dio giudicante*, irradiata direttamente sui Troni, si riflette da loro su tutti gli spiriti celesti. Per la comprensione del testo il *reame* va inteso come la sfera celeste nella quale, come in un regno, vivono insieme le intelligenze angeliche che la muovono e i beati che la abitano.

■

... tale di me, che anche i malvagi laggiù celebrano la mia memoria, ma non seguono l'esempio delle azioni che essa tramanda (la storia)». ◆ Così da molte braci ardenti si riceve la sensazione di un solo flusso di calore, come da molti spiriti brucianti d'amore (molti amori) usciva dall'immagine dell'aquila una sola voce. E io subito risposi: «O fiori perenni dell'eterna beatitudine, che mi fate apparire come uno solo tutti i vostri profumi, scioglietemi, con il vostro parlare, il grande dubbio (digiuno) che tanto a lungo ha tenuto affamato il mio spirito, non potendo trovare in terra nessun cibo che lo saziasse. ◆ Io so bene che, se è vero che in cielo la giustizia divina si rispecchia in un altro dei regni angelici (il cielo di Saturno, a cui presiedono i Troni), ...

30 che 'l vostro non l'apprende con velame.

Sapete come attento io m'apparecchio
ad ascoltar; sapete qual è quello

33 dubbio che m'è digiun cotanto vecchio».

Quasi falcone ch'esce del cappello,
move la testa e con l'ali si plaude,

36 voglia mostrando e faccendosi bello,

vid'io farsi quel segno, che di laude
de la divina grazia era contesto,

39 con canti quai si sa chi là sù gaude.

Poi cominciò: «Colui che volse il sesto
a lo stremo del mondo, e dentro ad esso

---

31. come attento: con quale intensità di attenzione: dopo tanta attesa, tutto il suo essere è proteso ad ascoltare finalmente la risposta.

– **m'apparecchio**: mi preparo, dispongo il mio animo (cfr. *Inf.* II 4).

33. cotanto vecchio: si ripete, con insistenza, la lunga durata di questa *fame* (v. 26), lunga quanto la sua vita.

34-6. Quasi falcone...: come un falco che, portato sul luogo della caccia, e liberato del cappuccio di pelle, felice di sentirsi libero muove qua e là la testa e si fa festa battendo le ali, manifestando la sua voglia di alzarsi in volo per cacciare la preda e *faccendosi bello*, cioè racconciandosi le penne col becco... La similitudine, precisa e viva come le molte altre tolte dalla falconeria (si veda la psicologia del falcone colta come qui nel suo aspetto quasi umano a *Inf.* XVII 127-32), vuol significare la fervida gioia dell'aquila nell'accingersi a rispondere e saziare così finalmente Dante: felice di poter parlare, come il falco è felice di poter cacciare. Il paragone con un uccello terreno, che apre e chiude (vv. 91-3) il discorso dell'aquila celeste, dà a quella figura simbolica una vita personale, con sentimenti e reazioni propri dell'individuo.

– **cappello**: al falcone portato al luogo della caccia si poneva sul capo un cappuccio di pelle, per tenerlo tranquillo fino al momento di lanciarlo in volo. L'uccello, che sapeva cosa significasse l'esserne liberato,

manifestava fremendo la sua gioia e impazienza di levarsi contro la preda.

– **con l'ali si plaude**: fa festa a se stesso battendo le ali (si veda il virgiliano «plaudere con le ali» di *Aen.* V 515-6, o il «plaudere con le penne» di *Met.* VIII 238, battere festosamente le ali).

37. quel segno: si cfr. il *sacrosanto segno* di VI 32 e, più avanti, il v. 101.

37-8. che di laude...: che era intessuto, formato, di spiriti che erano vive lodi della grazia divina (*contesto* è variazione del *conserte* del v. 3). Altri intendono *laude* nel senso di «spiriti lodanti», come sopra *amori* vale «spiriti amanti». Ma il primo significato sembra migliore definizione dei beati («l'opera loda il suo artefice»: Torraca), del resto usata anche per Beatrice a *Inf.* II 103.

39. con canti...: l'aquila si fa simile al falcone manifestando la sua gioia con canti che solo i beati lassù (*chi là sù gaude: gaude*, gode, è latinismo da «gaudere») possono intendere (cfr. X 73-5). Così interpretano i più. Ma sembra più probabile, dato il modello proprio delle similitudini dantesche, che l'aquila muova anche, come il falcone, la testa e le ali (che il «farsi quasi falcone» sia riferito cioè anche ai movimenti descritti nei vv. 34-5, non soltanto al sentimento che essi esprimono), aggiungendo il canto a quei segni di gioia, dato anche che più oltre (v. 97) essa ruoterà cantando, come un uccello vero.

40-1. Colui che volse il sesto...: colui che girò il compasso a segnare i limiti estremi dell'universo... La grande immagine biblica (*Prov.* 8, 27-9) è tradotta da Dante stesso in *Conv.* III, XV 16: «Quando Dio apparecchiava li cieli, io era presente; quando con certa legge e con certo giro vallava li abissi... quando circuiva lo suo termine al mare...». La risposta dell'aquila ha l'attacco solenne e grandioso dei più alti discorsi teologici nel poema. Essa non scioglie il dubbio in termini logici, ma spiega perché l'uomo, con la sua mente limitata, non possa penetrare quel mistero, che tale resta, e va accolto per fede. E le prime due terzine offrono il primo e fondamentale argomento: tutto l'universo creato non può contenere l'infinità divina; co-

---

... il vostro tuttavia la conosce ugualmente senza alcun velo. Voi sapete con quale intensità di attenzione io mi dispongo ad ascoltare; sapete qual è il dubbio che costituisce il mio così antico digiuno». ◆ *Simile a un falco liberato del cappuccio, che muove la testa e si fa festa battendo le ali, manifestando la sua voglia (di alzarsi in volo) e pavoneggiandosi, io vidi comportarsi quella figura simbolica, che era formata di lodi viventi della grazia divina, con canti che solo i beati lassù (chi là sù gaude) possono intendere.* ◆ *Poi cominciò: «Colui che girò il compasso a segnare i limiti estremi del mondo, e in esso pose, ...*

42   distinse tanto occulto e manifesto,
          non poté suo valor sì fare impresso
      in tutto l'universo, che 'l suo verbo
45   non rimanesse in infinito eccesso.
          E ciò fa certo che 'l primo superbo,
      che fu la somma d'ogne creatura,
48   per non aspettar lume, cadde acerbo;
          e quinci appar ch'ogne minor natura
      è corto recettacolo a quel bene
51   che non ha fine e sé con sé misura.
          Dunque vostra veduta, che convene
      esser alcun de' raggi de la mente

sì la mente umana, anch'essa creata, non potrà ricevere in sé l'infinito pensiero di Dio.

– **sesto**: compasso. Così chiamato perché l'apertura del compasso, cioè il raggio del cerchio da esso descritto, è uguale al lato dell'esagono inscritto in quel cerchio, che delimita quindi la sesta parte della circonferenza.

41-5. e dentro ad esso...: e in esso pose, distinte e ordinate, tante cose visibili e invisibili (manifeste e occulte), non poté imprimere la sua potenza nell'intero universo in modo che la sua idea divina (il *verbo*, da cui il creato prende forma) non rimanesse infinitamente eccedente ad esso. L'universo cioè non può contenere, nella sua finitezza, l'infinità divina. Si notino i due termini teologicamente precisi, *valor* e *verbo*: il primo indica la virtù creatrice del Padre, il secondo l'idea esemplare del Figlio, già usati nel definire la creazione nel passo a questo gemello di X 1-6.

– **occulto e manifesto**: si riprende qui la formula del Credo, dove Dio è dichiarato creatore «di tutte le cose visibili ed invisibili».

46-8. E ciò fa certo...: e ciò (il fatto che il verbo divino ecceda infinitamente il creato) è dimostrato (fatto certo) dal fatto che Lucifero (il primo di tutti i superbi), che fu il più perfetto tra le creature, per non aver voluto aspettare la luce di grazia che gli rivelasse ciò che egli non poteva da solo comprendere (cioè l'essenza divina), *cadde*, rovinò giù dal cielo, senza aver raggiunto la pienezza che pur Dio gli avrebbe concesso (*acerbo*, cioè per sempre imperfetto, incompiuto). Per Lucifero si cfr. XXIX 55-7 e *Purg.* XII 25-7.

– **per non aspettar lume...**: Lucifero, nel racconto biblico, volle nella sua superbia farsi simile a Dio, e non volle chiedere la luce da Dio stesso (quella luce che Dio concede a chi umilmente la domanda). È questo il peccato stesso a cui egli volle indurre l'uomo. «Il diavolo, desiderando quella similitudine di Dio che è data dalla grazia, volle averla per virtù della propria natura, non dall'aiuto divino, secondo che Dio aveva disposto; ciò s'accorda con sant'Anselmo, il quale dice che egli desiderò quello a cui sarebbe giunto, se avesse aspettato» (*S.T.* I, q. 63 a. 3). L'idea del «non

voler aspettare» è anche in *Vulg. El.* I, II 4: «nella loro perversione [gli angeli ribelli] si rifiutarono di attendere gli effetti dell'opera amorosa di Dio».

49-51. e quinci appar...: e da qui appare chiaro che ogni natura inferiore a lui (cioè tutte le altre creature) non può essere che un recipiente troppo stretto (*corto recettacolo*) per contenere *quel bene* (Dio) che è infinito e si misura solo con se stesso (non c'è altra misura, fuori di lui, che possa misurarlo). Si veda *Conv.* IV, IX 3: «... colui che da nulla è limitato, cioè la prima bontade, che è Dio, che solo colla infinita capacitade infinito comprende».

– **recettacolo**: recipiente.

52-7. Dunque vostra veduta...: alla prima conclusione generica ne segue una specifica: e dunque la vostra vista intellettuale, che necessariamente è solo un raggio della mente divina che ricolma di sé tutte le cose, non può per sua natura essere così potente da discernere il principio da cui deriva (Dio stesso) molto al di là di ciò che le è sensibilmente percepibile (*parvente*). Dio cioè è conoscibile all'uomo attraverso le cose sensibili (il creato), come insegnava la teologia, e la mente umana non può spingersi molto più in là. L'immagine che segue rende al vivo questo avanzare, *internarsi*, dell'intelletto umano nell'eternità divina, e il suo limite.

───────■───────

... distinte, tante cose visibili e invisibili, non poté imprimere la sua potenza creativa nell'intero universo in modo che la sua idea divina (il verbo) non rimanesse infinitamente eccedente ad esso. E ciò è dimostrato (fatto certo) dal fatto che il primo di tutti i superbi (Lucifero), che fu la più alta tra le creature, per non aver voluto aspettare la luce (della grazia), rovinò giù dal cielo senza aver raggiunto la sua perfezione (acerbo); e da qui appare chiaro che ogni natura inferiore a lui è un recipiente troppo stretto (corto recettacolo) per contenere quel bene (Dio) che è infinito e si misura solo con se stesso. ◆ *Dunque la vostra vista intellettuale, che necessariamente è solo un raggio della mente divina ...*

54   di che tutte le cose son ripiene,
         non pò da sua natura esser possente
      tanto, che suo principio non discerna
57   molto di là da quel che l'è parvente.
         Però ne la giustizia sempiterna
      la vista che riceve il vostro mondo,
60   com'occhio per lo mare, entro s'interna;
         che, ben che da la proda veggia il fondo,
      in pelago nol vede; e nondimeno
63   èli, ma cela lui l'esser profondo.
         Lume non è, se non vien dal sereno
      che non si turba mai; anzi è tenèbra
66   od ombra de la carne o suo veleno.

54. **di che tutte le cose...**: si cfr. l'apertura della cantica, a I 1-3; e ricordiamo i versetti citati nella nota a quel luogo di *Sap.* 1, 7: «lo spirito del Signore riempie il mondo tutto» e di *Ier.* 23, 24: «Io riempio il cielo e la terra».

57. **molto di là...**: «noi conosciamo Dio in terra per la similitudine di lui riflessa nelle creature, secondo il detto di Paolo ai Romani: "Le cose invisibili di Dio si comprendono attraverso la conoscenza delle cose create"» (*S.T.* I, q. 56 a. 3); il luogo di Paolo (*Rom.* 1, 20) è citato da Dante in *Ep.* V 8.

58-60. **Però ne la giustizia...**: ed ecco la terza ed ultima conclusione; ma questa, invece che in termini filosofici come le prime due (vv. 49-51 e vv. 52-7), è espressa in una grande immagine, che risolve in forma sensibile di profonda bellezza l'alto pensiero fin qui definito, rendendolo immediatamente comprensibile, come è proprio di tutto il linguaggio teologico dantesco. – Perciò (per questo limite insito nella mente umana) la vista concessa a chi vive nel mondo terreno (la *vostra veduta* del v. 52) si addentra nell'eterna giustizia divina come l'occhio nelle profondità marine. – **com'occhio per lo mare...**: l'immagine dell'abisso per significare il mistero imperscrutabile della mente di Dio è prediletta da Dante (cfr. VII 94-6 e XXI

94-5). In ambedue i casi l'*occhio* e la *vista* dell'uomo si spingono in avanti a scrutarlo. Il *per* indica attraversamento, quello appunto che lo sguardo qui tenta.

61-3. **che, ben che da la proda...**: che, benché dalla riva riesca a scorgerne il fondo, non può più vederlo quando avanza nell'alto mare (*in pelago*). E tuttavia il fondo lì c'è, ma la sua profondità lo nasconde alla vista. Il fondo che si vede dalla riva significa che l'uomo arriva a comprendere che la giustizia di Dio esiste, cioè che Dio non può essere che giusto; ma non può penetrare le misteriose ragioni del suo operare.

– **pelago**: alto mare. È parola di forte significato nel poema, usata anche altre due volte in senso morale: il *pelago* da cui il pellegrino esce a stento in *Inf.* I 23 e quello dove avanza sicura la nave del poeta a II 5. Ricordiamo anche che l'*alto mare aperto* è quello dove si perde Ulisse (*Inf.* XXVI 100).

63. **èli**: vi è. La precisazione di questo verso non è una semplice aggiunta. Essa ci dice che la giustizia di Dio nel premiare e nel punire, che l'uomo non riesce a vedere nei casi che ora saranno esposti (il dubbio di Dante), tuttavia c'è, ma la sua ragione è soltanto troppo profonda per la nostra vista.

64-6. **Lume non è...**: non c'è vera luce per la mente dell'uomo, se non discende (attraverso la rivelazione e la grazia) dal cielo sempre sereno e mai offuscato della mente divina; ogni altra luce – che l'uomo abbia da solo – è tenebra della mente, o ombra della carne, o velenosa cecità indotta dai sensi. La luminosa e dolce apertura si volge in tristezza: la triplice scansione – *tenèbra, ombra, veleno* – amaramente dichiara la condizione dell'uomo che fidi in se stesso, senza rivolgersi alla sola vera e limpida luce che può illuminarlo. – *sereno* è sostantivato come a XV 13.

– **tenèbra... ombra... veleno**: la tenebra è riferita allo sforzo dell'intelletto: gli uomini non illuminati da Dio procedono nelle tenebre: «e la luce risplende nelle tenebre e le tenebre non la riconobbero» (*Io.* 1, 5). L'*ombra de la carne* è quella limitazione che il corpo pone allo spirito, secondo la tradizione ebraica e cri-

... che ricolma di sé tutte le cose, non può per sua natura essere così potente da discernere il principio da cui deriva (Dio stesso) molto al di là di ciò che le è sensibilmente percepibile (parvente). Perciò la vista concessa a chi vive nel mondo terreno si addentra nell'eterna giustizia divina come l'occhio nelle profondità marine; che, benché dalla riva riesca a scorgerne il fondo, non può più vederlo quando si inoltra in alto mare (in pelago); e non di meno (il fondo) vi è, ma è celato dalla sua profondità. ◆ Non è vera luce, quella che non discende dal cielo sereno che non è offuscato mai (cioè dalla mente divina); anzi è tenebra, o annebbiamento dovuto alla carne, o velenoso errore indotto dai sensi.

Assai t'è mo aperta la latebra
che t'ascondeva la giustizia viva,
69   di che facei question cotanto crebra;
ché tu dicevi: "Un uom nasce a la riva
de l'Indo, e quivi non è chi ragioni
72   di Cristo né chi legga né chi scriva;
e tutti suoi voleri e atti buoni
sono, quanto ragione umana vede,
75   sanza peccato in vita o in sermoni.
Muore non battezzato e sanza fede:
ov'è questa giustizia che 'l condanna?
78   ov'è la colpa sua, se ei non crede?".
Or tu chi se', che vuo' sedere a scranna,

stiana: si cfr. *Sap.* 9, 15: «il corpo... rende pesante l'a-
nima» e *Conv.* IV, XXI 8: «s'elli aviene che, per la pu-
ritade dell'anima ricevente, la intellettuale vertude sia
bene astratta e assoluta da ogni ombra corporea...».
Il *veleno* infine è la seduzione dei sensi, che acceca l'uomo; si cfr. la «la cupidigia... che blandisce con vele-
nosi sussurri» di *Ep.* VI 22. Le tre condizioni di cecità sono poste in gradazione, fino alla più pesante e
degradante, con accento di tristezza e dolore. La terzina chiude il grande ragionamento dell'aquila: esso
dà la risposta prima di porre il problema, la cui acutezza è già vinta dall'alta visione della sproporzione tra
lo sguardo umano e l'infinità divina.

67. **latebra**: latinismo, vale «nascondiglio», «recesso». Ti è dunque ora aperto sufficientemente il segreto
che ti teneva nascosta la viva giustizia divina: ti è spiegata, cioè, la ragione per cui l'uomo non può arrivare a comprenderla.

69. **di che facei...**: quell'oscurità che ti era motivo
di dubbi e domande tanto frequenti (*crebra* è latinismo come *latebra*).

70. **ché tu dicevi...**: l'aquila espone ora il dubbio tormentoso di Dante, facendolo formulare in forma diretta con le parole da lui dette tante volte a se stesso;
mezzo retorico che crea una forte tensione drammatica, quasi Dante stesso ora parlasse.

– **Un uom nasce...**: il problema è posto in termini
concreti, scegliendo una situazione estrema: poniamo
che uno nasca nei luoghi più remoti del mondo (la riva dell'*Indo*, l'ultima regione nota ad Oriente), dove
nessuno ha mai parlato di Cristo, e si comporti in modo giusto secondo l'umana ragione, senza commettere peccato né in opere né in parole. Se muore senza
battesimo, fuori della fede, che giustizia è mai quella
che lo condanna, per una colpa che egli non ha? Sulla questione, formulata qui con l'immediatezza e la vivacità con cui ogni semplice fedele poteva porsela,
questione di fatto sempre presente alla coscienza cristiana fino ai nostri tempi, si veda la nota di approfondimento alla fine del canto.

71. **Indo**: nelle antiche carte, l'Indo segnava il con-

fine orientale dell'India; a XXIX 101 gli *Indi* indicano il popolo che vive nell'estremo Oriente delle terre abitate.

71-2. **non è chi ragioni... legga... scriva**: non è chi
parli, né insegni (*legga*), né scriva; «amplifica le condizioni dell'ignoranza di quell'uomo» (Torraca) det-
tate da Paolo, *Rom.* 10, 14: «come potranno credere
senza averne sentito parlare? e come potranno sentirne
parlare senza uno che lo annunzi?».

75. **in vita o in sermoni**: si cfr. *Luc.* 24, 19: «in opera o in parola ("sermone")».

77-8. **ov'è questa giustizia...**: nella domanda urgente,
ansiosa, raddoppiata, viene a terminare, come trovando
finalmente sfogo, la voce del lungo *digiuno* sofferto da
Dante.

79. **Or tu chi se'...**: all'interrogazione risponde, come riecheggiandola, un'altra interrogazione, e l'una
sembra scontrarsi con l'altra: chi sei tu mai che vuoi
farti giudice di cose che non riesci nemmeno a intravedere? Il movimento è scritturale: «O uomo, chi sei
tu per disputare con Dio?» (*Rom.* 9, 20).

– **scranna**: sedia in genere, qui «seggio di giudice».

-----

*Ora ti è sufficientemente aperto il profondo recesso (la-
tebra) che ti teneva nascosta la viva giustizia di Dio, per
cui ponevi domande tanto frequenti (crebra); poiché tu dicevi: "Un uomo nasce sulle rive dell'Indo, e qui non v'è chi
gli parli di Cristo, né chi gliene legga, o gliene scriva; eppure tutto il suo volere e il suo agire è buono, per quanto
la ragione umana possa vedere, senza peccato in atti o
in parole. Muore non battezzato e senza fede: dov'è questa giustizia che lo condannerà? dov'è la sua colpa, se egli
non crede?". ◆ Chi sei tu mai che vuoi sederti sul seggio
del giudice (scranna) ...*

per giudicar di lungi mille miglia

81 con la veduta corta d'una spanna?

Certo a colui che meco s'assottiglia,

se la Scrittura sovra voi non fosse,

84 da dubitar sarebbe a maraviglia.

Oh terreni animali! oh menti grosse!

La prima volontà, ch'è da sé buona,

87 da sé, ch'è sommo ben, mai non si mosse,

Cotanto è giusto quanto a lei consuona:

nullo creato bene a sé la tira,

90 ma essa, radïando, lui cagiona».

Quale sovresso il nido si rigira

poi c'ha pasciuti la cicogna i figli,

80-1. per giudicar...: per voler giudicare dalla distanza di mille miglia (tanto dista dall'uomo l'infinito pensiero di Dio) con una vista che arriva appena a un palmo? – *spanna*, che vale propriamente «un palmo» (cfr. *Inf.* VI 25), sta per una misura minima di lunghezza. La prima risposta all'urgente domanda è dunque la sproporzione infinita tra la mente umana e la divina.

82-4. Certo a colui...: certo, l'uomo che si affanna a sottilizzare con la sua ragione sul problema della giustizia (*meco*: intorno a me; è l'aquila che parla), se non ci fosse la Scrittura ad aiutarlo, avrebbe ben motivo di dubitare (*a maraviglia*: ampiamente; cfr. XI 90). Il dramma dell'umana ragione, che *s'assottiglia* (cfr. XX-VIII 63) nel cercar di comprendere l'incomprensibile mistero (quel *colui* è ben chiaramente Dante stesso, che per tanti anni si è tormentato con questo problema) e che si rimette infine alla parola di Dio, è lucidamente dichiarato in un passo della *Monarchia*, che serve da perfetta chiosa a questa terzina: «Vi sono poi giudizi di Dio, a conoscere i quali, sebbene la ragione umana non possa arrivare con le proprie forze, è elevata con l'aiuto della fede in quelle cose che si leggono nelle Sacre Scritture; per esempio questo: che nessuno, per quanto fornito in sommo grado delle virtù morali e di quelle intellettuali, tanto secondo l'abito quanto secondo l'atto, può salvarsi senza la fede, posto che non abbia mai avuto alcuna notizia di Cristo. Poiché la ra-

gione umana da sé non può capire come ciò sia giusto; tuttavia lo può aiutata dalla fede» (II, VII 4).

85. Oh terreni animali!...: o creature della terra, o menti rozze, offuscate dall'*ombra de la carne*! (per *grosse* si cfr. *Inf.* XXXIV 92). L'esclamazione, che misura la distanza infinita tra quella «grossezza», quella terrestrità, e il pensiero divino, torna, come un'eco che si ripete a distanza, sotto la penna di Dante, quasi testimonianza della lunga lotta sostenuta dalla sua mente. Si cfr. *Conv.* IV, V 9: «oh stoltissime e vilissime bestiuole che a guisa d'uomo voi pascete, che presummete contra nostra fede parlare e volete sapere, filando e zappando, ciò che Iddio con tanta prudenza hae ordinato!». L'espressione *terreni animali* deriva direttamente dal libro di Boezio tanto caro a Dante, il *De consolatione philosophiae*, là dove si vuol sottolineare la debole capacità dell'uomo di conoscere il *suo principio* (cfr. v. 56), che intravede quasi come in sogno: «Anche voi, creature ("animalia") terrene, intravedete come in sogno il vostro principio, sia pure attraverso un'immagine sbiadita...» (*Consolatio* III 3, 1).

86-90. La prima volontà...: ecco ora la risposta che la fede dà alla ragione; essa non asserisce infatti in forma assoluta, ma, per chi crede in Dio, dà una spiegazione razionalmente valida: la volontà divina, cioè Dio stesso, è buona per sua natura, e non può discostarsi mai da se stessa, che è sommo bene. Giusto pertanto è tutto ciò che si accorda con quella volontà in quanto essa sola è sempre perfettamente buona. Nessun bene creato può attrarla verso di sé (com'è delle volontà umane) nell'assegnare, s'intende, vantaggi o privilegi, in quanto è lei stessa che, irradiando la sua virtù nell'universo, è causa di ogni bene.

88. Cotanto è giusto...: si afferma qui il principio fondante del diritto, quale è teorizzato nella *Monarchia*: «il diritto non è altro, negli esseri creati, che una somiglianza col volere divino; da ciò deriva che quanto non s'accorda col divino volere non può costituire diritto, *quanto invece concorda col volere divino è di per se stesso diritto*» (II, II 5).

89. nullo creato bene...: questa precisazione sem-

... per giudicare dalla distanza di mille miglia con una vista che arriva appena a un palmo? Certo, l'uomo che si affanna a sottilizzare su di me (meco), se non ci fosse la Scrittura ad aiutarlo, avrebbe ben motivo di dubitare. O creature della terra, o menti rozze! La volontà divina, che è buona per sua natura, non può discostarsi mai da se stessa, che è sommo bene. Giusto è tutto ciò che si accorda con lei: nessun bene creato può attrarla (in modo particolare) verso di sé, in quanto è lei stessa che, irradiando la sua virtù nelle creature, è causa di ogni bene». ◆ Come la cicogna volteggia sul nido dopo aver pasciuto i suoi piccoli, ...

93   e come quel ch'è pasto la rimira;
            cotal si fece, e sì leväi i cigli,
        la benedetta imagine, che l'ali
96   movea sospinte da tanti consigli.
            Roteando cantava, e dicea: «Quali
        son le mie note a te, che non le 'ntendi,
99   tal è il giudicio etterno a voi mortali».
            Poi si quetaro quei lucenti incendi
        de lo Spirito Santo ancor nel segno
102   che fé i Romani al mondo reverendi,
            esso ricominciò: «A questo regno
        non salì mai chi non credette 'n Cristo,
105   né pria né poi ch'el si chiavasse al legno.

bra rispondere a una implicita ipotesi di preferenza divina contenuta nella domanda di Dante: forse alcuni popoli sono più meritevoli di altri, se a loro è data la fede e ad altri no?

91-3. Quale sovresso il nido...: come la cicogna volteggia sul nido dopo aver pasciuto i suoi piccoli – quasi indugiando nella compiacenza del suo amore materno – e come il cicognino saziato la guarda, con quello sguardo di tenero affetto con cui il figlioletto guarda la madre... La similitudine di madre-figlio affidata, con particolare verosimiglianza, a un uccello (come al falcone quella di apertura) vuol raffigurare il rapporto intenso di reciproco amore (di chi dà e di chi riceve) come è quello tra Dio e il suo fedele. Tale è sempre la relazione tra Beatrice e Dante, e tra i beati e Dante, nel *Paradiso*, qui colta con particolare tenerezza nell'atto materno di sfamare i piccoli, che risponde all'immagine del *digiuno* a lungo sofferto che domina tutta la scena. L'immagine non diminuisce la solennità della sequenza, come si è scritto da alcuni, se non per una lettura riduttivamente letteraria. Essa fa parte di quel linguaggio concreto, affidato alla realtà quotidiana dei più intensi affetti, che è proprio dei mistici di tutti i tempi, e solo in questa chiave è, crediamo, leggibile, come molti altri luoghi della terza cantica dantesca.

93. è pasto: è stato pasciuto, forma passiva latina, dal verbo «pascere», participio passato «pastus».

94. cotal si fece, e sì leväi...: tale (quale la cicogna) si comportò l'aquila, e così (*come quel ch'è pasto*) io alzai gli occhi a contemplarla. L'inciso – *e sì leväi...* – interrompe il costrutto, come a *Inf.* XXIX 16-7.

95-6. che l'ali...: che muoveva le ali dietro la spinta di tante – diverse e concordi – volontà; tanti erano gli spiriti che la componevano, ma il movimento era tuttavia mirabilmente unico.

97. Roteando cantava: volando intorno a me (come la cicogna intorno al suo nido) l'aquila cantava: i due verbi assonanti fanno udire la musica celeste.

97-9. Quali...: come inintelligibili sono per te le parole del mio canto (cfr. sopra il v. 39 e XVIII 99), ta-

le è per voi uomini l'eterno giudizio divino. Le ultime parole dell'aquila ripetono – come a suggello – l'idea svolta in tutto il suo primo discorso: l'incomprensibilità per l'uomo del pensiero di Dio.

100. Poi si quetaro: dopo che si furono taciuti.

100-1. incendi / de lo Spirito Santo: i beati sono come i fuochi accesi dallo Spirito Santo, che è l'amore divino.

101-2. ancor nel segno...: ancora ordinati a formare quel segno che rese i Romani degni di reverenza da parte di tutto il mondo; cioè il segno dell'aquila (si cfr. *Conv.* IV, v 20, dove è detto di Roma: «Certo di ferma sono oppinione che le pietre che nelle mura sue stanno siano degne di reverenza...»).

103. ricominciò: l'aquila comincia ora un secondo discorso, concreto come il primo è teorico: questo discorso darà di fatto quella risposta che nel primo è stata elusa.

103-5. A questo regno...: si ribadisce prima la verità di fede: non si è mai salvato nessuno se non coloro che hanno creduto in Cristo, prima o dopo la sua morte in croce, credenti cioè nel *Cristo venturo* (come gli Ebrei giusti dell'Antico Testamento) o nel *Cristo venuto* nella storia (cfr. XXXII 22-7). Si cfr. *Act. Ap.* 4, 12: «in nessun altro c'è salvezza [se non in Cristo], non vi è infatti altro nome dato agli uomini sotto il cielo nel quale è stabilito che possiamo essere salvati».

... e come il cicognino saziato la guarda; allo stesso modo si comportò l'immagine benedetta, che muoveva le ali sospinta da tante volontà (concordi), e così io alzai gli occhi (a contemplarla). Volando intorno a me l'aquila cantava, e diceva: «Come inintelligibili (quali) sono per te le parole del mio canto (note), tale è per voi uomini l'eterno giudizio divino». ◆ Dopo che si furono taciuti quei fuochi accesi dallo Spirito Santo ancora ordinati a formare quel segno che rese i Romani degni di reverenza da parte di tutto il mondo, esso ricominciò: «In questo regno non salì mai chi non credette in Cristo, sia prima sia dopo la sua crocefissione.

Ma vedi: molti gridan "Cristo, Cristo!",
che saranno in giudicio assai men *prope*
108   a lui, che tal che non conosce Cristo;
e tai Cristian dannerà l'Etïòpe,
quando si partiranno i due collegi,
111   l'uno in etterno ricco e l'altro inòpe.
Che poran dir li Perse a' vostri regi,
come vedranno quel volume aperto
114   nel qual si scrivon tutti suoi dispregi?
Lì si vedrà, tra l'opere d'Alberto,
quella che tosto moverà la penna,

---

106. Ma vedi...: con questo *ma* si apre improvvisamente una nuova prospettiva: fermo restando il principio della salvezza concessa solo per la fede in Cristo, cosa accadrà al giudizio universale, quando saranno svelati i segreti dei cuori? Non basterà aver professato quella fede a parole, non basterà cioè l'esteriorità, l'ufficialità della fede. Molti che non hanno mai conosciuto Cristo saranno più vicini a lui quel giorno, perché di fatto lo avranno seguito nelle loro opere, comportandosi secondo il suo spirito d'amore (cfr. *Matth*. 25, 34-40). Con questa solenne affermazione Dante risponde infine a se stesso: la giustizia divina – ch'è *da sé buona* – non potrà non riconoscere il merito reale dell'uomo e salverà – in modi che Dio solo conosce – gli infedeli di ogni regione del mondo non cristiano (l'*Etïòpe*) che abbiano seguito di fatto la sua legge. Su questa grande e ardita pagina – fondata sul Vangelo, là dove Cristo descrive il giudizio finale – si veda l'Introduzione al canto.

– **molti gridan...**: si cfr. *Matth*. 7, 21: «Non chiunque mi dice: "Signore, Signore" entrerà nel regno dei cieli, ma colui che fa la volontà del Padre mio che è nei cieli».

107. assai men prope: molto meno vicini (*prope* è latinismo puro); tutta questa sequenza deriva dalla scena del giudizio descritta in *Matth*. 25, 31 sgg., dove Cristo chiama vicino a sé («venite benedetti del Padre mio») i salvati, e caccia lontano («allontanatevi da me») i reprobi. È la scena raffigurata da Michelangelo nell'affresco della Cappella Sistina.

Ma vedi: molti gridano "Cristo, Cristo!", i quali saranno nel giudizio universale molto meno vicini a lui, di altri che non hanno conosciuto Cristo; e l'etiope potrà condannare tali cristiani, quando saranno divise le due schiere, l'una destinata ad essere eternamente ricca, e l'altra eternamente povera. ◆ *Che potranno dire i Persiani ai vostri re, quando vedranno aperto quel volume nel quale sono scritte tutte le loro azioni sprezzanti (dispregi)? Lì si vedrà, tra le opere di Alberto (d'Asburgo), quella che vi sarà scritta fra poco, ...*

---

109. e tai Cristian...: e l'etiope, cioè il pagano, l'infedele (preso dalla regione dell'Africa, come prima l'altro dalla riva dell'Indo in Asia), potrà trovarsi tra i giusti che condanneranno tali cristiani (quei molti, cioè, che a parole gridano Cristo, Cristo, e poi non lo seguono nelle loro azioni). Anche questa condanna in giudizio pronunciata dall'infedele nei confronti del popolo fedele, raffigurati in concreto (l'*Etïòpe*, i *vostri regi*), è citazione evangelica: «Quelli di Nìnive si alzeranno a giudicare questa generazione e la condanneranno» (*Matth*. 12, 41). E si veda ancora *Matth*. 8, 11-2: «molti verranno dall'oriente e dall'occidente e siederanno a mensa con Abramo, Isacco e Giacobbe nel regno dei cieli, mentre i figli del regno saranno cacciati fuori nelle tenebre».

110-1. quando si partiranno...: quando saranno divise le due schiere, l'una destinata ad essere eternamente ricca, e l'altra eternamente povera (ricco e povero, s'intende, della presenza di Dio). I versi richiamano esplicitamente la scena evangelica sopra citata, dove gli uomini tutti sono separati in due grandi gruppi, i giusti da una parte, i reprobi dall'altra (*Matth*. 25, 32-3). – *inòpe*, povero, come prima *prope*, è latinismo che conferisce dignità quasi biblica alla pagina.

112. Che poran dir li Perse...: la terzina che precede chiude il ragionamento teorico, e insieme apre la via al nuovo discorso, pratico e politico. Dal caso generale si passa all'esempio concreto. L'etiope potrà condannare i cristiani; così i persiani (altra generica indicazione di popolo infedele) potranno condannare i vostri re, i re dell'Europa cristiana battezzati e incoronati in chiesa.

113. quel volume aperto: è il libro, o registro, delle azioni degli uomini, che sarà aperto il giorno del giudizio (cfr. *Apoc*. 20, 12).

114. tutti suoi dispregi: astratto per il concreto: le loro azioni superbamente sprezzanti della legge di Dio (si cfr. gli *orribili dispregi* lasciati in terra dai *regi* di *Inf*. VIII 51).

115. Lì si vedrà...: comincia così la rassegna dei malvagi principi cristiani, racchiusa in uno schema di nove terzine le cui lettere iniziali (tre L, tre V, tre E) formano con acrostico la parola LVE (latino: *lues*), peste.

117 per che 'l regno di Praga fia diserto.
     Lì si vedrà il duol che sovra Senna
     induce, falseggiando la moneta,
120 quel che morrà di colpo di cotenna.
     Lì si vedrà la superbia ch'asseta,
     che fa lo Scotto e l'Inghilese folle,
123 sì che non può soffrir dentro a sua meta.
     Vedrassi la lussuria e 'l viver molle
     di quel di Spagna e di quel di Boemme,
126 che mai valor non conobbe né volle.
     Vedrassi al Ciotto di Ierusalemme

Il *si vedrà* dell'apertura sembra risuonare come la tromba dell'ultimo giudizio.

115-7. Alberto...: il primo ricordato è, gerarchicamente, l'imperatore, che nel 1300 era Alberto d'Asburgo (l'*Alberto tedesco* di *Purg.* VI 97 sgg.). Tra le sue opere si vedrà in quel libro (*Lì*) quella che fra poco farà muovere la penna (s'intende, di colui che scrive nel registro): l'azione di guerra per cui il regno di Boemia (di cui Praga era la capitale) sarà devastato. Nel 1304 (quindi a soli quattro anni dalla data della visione) Alberto invase la Boemia e spodestò il re Vincislao II, suo cognato, così che il regno fu distrutto. L'azione è condannata da Dante come ingiusta sopraffazione dell'imperatore verso un re suo suddito, pur essendo Vincislao biasimato in questo stesso testo (vv. 124-5) per i suoi costumi corrotti (e si cfr. *Purg.* VII 101-2).

118-20. si vedrà il duol...: il secondo chiamato in giudizio è il re di Francia, Filippo il Bello, tante volte duramente condannato nel poema: si vedrà dunque il dolore che arrecherà al popolo di Francia, coniando monete false di valore inferiore a quello dichiarato, quel re che morrà per il colpo dato al suo cavallo da un cinghiale. La spregiudicata operazione economica di Filippo, fatta allo scopo di finanziare la guerra di Fiandra (vero *dispregio* di re che così accumulava denaro a danno dei suoi sudditi), è descritta dal Villani (VIII, LVIII).

– sovra Senna: il fiume indica, come altre volte, tutta la regione da lui percorsa.

120. colpo di cotenna: «nell'anno 1314, nel mese di novembre, morì disavventuramente, ché, essendo a una caccia, uno porco salvatico gli s'attraversò tra le gambe al cavallo in su che era, e feccine cadere, e poco appresso morì» (Villani IX, LXVI). L'espressione usata da Dante sembrerebbe tuttavia indicare che la morte del re fosse dovuta a un colpo inferto dal cinghiale stesso; morte vile, dalla quale lo spregiato re è denominato. **– cotenna** è la pelle del cinghiale, che sta per il cinghiale stesso.

121-3. la superbia ch'asseta...: sostantivo e verbo in potente accostamento: quella superbia che spinge a sempre nuova brama di dominio, che rende folli nel

reciproco accanimento il re d'Inghilterra e quello di Scozia, tanto da non sopportare di restare entro i propri confini (*meta*: limite). Tra i due stati si combatté di fatto per secoli. Re d'Inghilterra era allora Edoardo I, mentre la Scozia era sotto la reggenza di Roberto Bruce. L'accusa di Dante sembra convenire storicamente solo al primo; si può pensare tuttavia che egli non avesse di quei paesi notizie in dettaglio, ma sapesse della continua guerra in corso tra i due regni.

– Scotto: è la forma antica di «scozzese» (si veda *Michele Scotto* a *Inf.* XX 116).

– Inghilese: è la forma toscana, viva nel popolo fino a poco tempo fa.

125. quel di Spagna... quel di Boemme: Ferdinando IV di Castiglia (1285-1312) e Vincislao II di Boemia, ricordato a *Purg.* VII 101-2 quasi con le stesse parole (*cui lussuria e ozio pasce*), e anche più gravemente condannato nel verso che segue.

126. né volle: il non volere rende anche più grave la colpa.

127-9. Vedrassi al Ciotto...: a Carlo II di Napoli (detto il *Ciotto*, lo zoppo; il titolo – solo onorifico – di re di Gerusalemme gli era stato lasciato dal padre, Carlo I) si vedranno nel libro di Dio registrate le opere buone con una I (che vale uno), mentre quelle cattive (il *contrario*) saranno indicate con una M (che vale mille: le lettere I e M sono considerate come cifre romane). La condanna, così enunciata, suona irrisione per il titolo sacro vanamente portato da quel re, in quanto I e M sono le due lettere che aprono e chiudono la parola *Ierusalem*. Su Carlo II d'Angiò si ve-

---

... per cui il regno di Praga sarà devastato. Lì si vedrà il dolore che arreca sulla Senna (cioè alla Francia), coniando monete false, quel re che morrà per il colpo di un cinghiale (Filippo il Bello). Lì si vedrà quella superbia che asseta (di potere), che rende folli il re d'Inghilterra e quello di Scozia, tanto da non sopportare di restare entro i propri confini (meta). ◆ *Si vedrà la lussuria e la vita dissipata del re di Spagna (Ferdinando IV) e del re di Boemia (Vincislao II), che mai non conobbe né volle seguire la virtù. Dello zoppo re di Gerusalemme (Carlo II di Napoli) ...*

segnata con un i la sua bontate,

129 quando 'l contrario segnerà un emme.

Vedrassi l'avarizia e la viltate

di quei che guarda l'isola del foco,

132 ove Anchise finì la lunga etate;

e a dare ad intender quanto è poco,

la sua scrittura fian lettere mozze,

135 che noteranno molto in parvo loco.

E parranno a ciascun l'opere sozze

del barba e del fratel, che tanto egregia

138 nazione e due corone han fatte bozze.

E quel di Portogallo e di Norvegia

---

dano le gravi accuse a lui rivolte da Dante a *Purg.* XX 79-81 e *Conv.* IV, VI 19-20.

130. l'avarizia: prima la superbia, poi la lussuria, ora l'avarizia: tutti i più gravi peccati capitali sfilano qui, come contrassegno dei re cristiani. Si noti come il vizio è denunciato sempre in apertura del verso, prima del nome del re che lo porta.

131. quei che guarda...: colui che regge la Sicilia (chiamata *isola del foco* per il suo vulcano, l'Etna, dove il dio del fuoco aveva la sua fucina: cfr. *Inf.* XIV 55-7). Questi è Federico II d'Aragona, re di Sicilia dal 1296 al 1337, già condannato a *Purg.* VII 119-20 (si veda la nota relativa), e prima in *Conv.* IV, VI 20 e *Vulg. El.* I, XII 5.

132. Anchise: il padre di Enea, portatore dell'aquila in Occidente, morì vecchio in Sicilia, presso Trapani, come narra Virgilio in *Aen.* III 707 sgg.; sigilli di nobiltà a quell'isola oggi così malamente governata.

133. quanto è poco: quanto da poco egli sia.

134-5. la sua scrittura...: lo scritto delle sue cattive azioni sarà fatto con lettere di proporzioni ridotte, che potranno così annotare molti fatti in poco spazio. Come per il *Ciotto* con la sua I e la M, anche qui si inventa un'immagine riferita alla scrittura del libro, per caratterizzare la malvagità del personaggio.

136. parranno: saranno manifestate (all'apertura del libro).

137. del barba e del fratel: dello zio e del fratello (del re prima nominato, Federico d'Aragona). Lo zio è Giacomo re di Maiorca, il fratello è Giacomo II, re di Sicilia prima di Federico, poi re di Aragona (cfr. *Purg.* VII 119). – *barba* per zio è voce ancora viva nei dialetti dell'Italia settentrionale, qui usata probabilmente con intenzione spregiativa.

138. nazione: stirpe da cui si nasce; qui la casa di Aragona.

– **due corone**: cioè quella di Maiorca e quella di Aragona.

– **fatte bozze**: disonorate: «hanno adontato e adulterato la casa di Raona e le corone di quelli due regni» (Ottimo). Il termine *bozza* sembra indicasse il marito tradito; come sopra *barba*, il termine popolare vale «disprezzo» (si cfr. l'uso di *Polo* per Paolo a XVIII 136 e nota).

139. quel di Portogallo: Dionisio l'Agricola, re del Portogallo dal 1279 al 1325. «Tutto dato ad acquistare avere, quasi come uno mercatante mena sua vita, e con tutti li grossi mercatanti del suo regno ha affare di moneta» (Ottimo); questa era la voce che probabilmente raccoglieva anche Dante, che di quel re doveva avere scarse notizie.

– **di Norvegia**: Acone V (1299-1319); di lui nulla sanno gli antichi commentatori, né sappiamo di dove Dante attingesse le sue notizie.

140. quel di Rascia: la Rascia comprendeva parte di Serbia, Bosnia, Croazia e Dalmazia; il re qui ricordato è Stefano Urosio II (re dal 1282 al 1321), che coniò una moneta la quale, per la sua somiglianza con il matapan d'argento veneziano, era ricevuta dovunque come tale. Un decreto della Serenissima del 1282 tentò di bloccarne la circolazione.

141. male ha visto: ha osservato male, cioè non l'ha

... si vedranno le opere buone segnate con una I (che vale uno), mentre quelle cattive (il contrario) saranno indicate con una M (che vale mille). ◆ *Si vedrà l'avarizia e la viltà di colui che regge l'isola del fuoco (cioè la Sicilia: Federico II d'Aragona), dove Anchise terminò la sua lunga vita; e a dare a intendere quanto da poco egli sia, lo scritto (delle sue cattive azioni) sarà fatto con lettere di proporzioni ridotte, che potranno così annotare molti fatti in poco spazio. E a ciascuno saranno manifestate le opere sconce dello zio e del fratello, che hanno disonorato una stirpe tanto eccelsa e due corone.* ◆ *E con l'apertura di quel volume il re di Portogallo e quello di Norvegia ...*

lì si conosceranno, e quel di Rascia

141 che male ha visto il conio di Vinegia.

O beata Ungheria, se non si lascia

più malmenare! e beata Navarra,

144 se s'armasse del monte che la fascia!

E creder de' ciascun che già, per arra

di questo, Niccosïa e Famagosta

per la lor bestia si lamenti e garra,

148 che dal fianco de l'altre non si scosta».

ben riprodotto; forma ironica di allusione alla con-
traffazione della moneta veneziana.

142. O beata Ungheria...: finito l'acrostico (le nove terzine formanti la parola LVE; cfr. la nota al v. 115),
la rassegna cambia movimento nelle ultime due terzine, avvertendo ora due regni che correvano il rischio
di cadere in cattive mani. Beata l'Ungheria, se non si
lascerà più malgovernare! Nel 1301, alla morte di Andrea III, l'ultimo dei suoi re, l'Ungheria spettava di
diritto a Carlo Roberto d'Angiò, figlio di Carlo Martello, il principe generoso incontrato da Dante nel cielo di Venere (cfr. VIII 64 e nota), che l'ottenne dopo
aspri contrasti soltanto nel 1308. L'esclamazione, che
si immagina pronunciata nel 1300, sembra riferirsi a
queste lotte per la successione, con l'augurio che possa vincere il legittimo erede, che Dante vedeva con evidente simpatia.

– se non si lascia: si noti che il verbo all'indicativo
si riferisce a una ipotesi che di fatto si avverò, mentre
il seguente al congiuntivo imperfetto (*se s'armasse*) è
riferito a una speranza irrealizzata.

143-4. beata Navarra...: beata la Navarra, se riuscisse
a proteggersi con la catena dei Pirenei, che la cinge a
settentrione, separandola dalla Francia! Il piccolo regno di Navarra fu retto con saggezza da Giovanna dei
conti di Champagne, figlia dell'Enrico ricordato a *Purg.*
VII 104-11 e sposa di Filippo il Bello, dal 1274 fino
al 1304; le succedette quindi il figlio Luigi, che alla
morte del padre (1314) riunì le due corone di Francia e Navarra

145-8. E creder de' ciascun...: e ognuno deve ritenere che, come anticipo, caparra (*arra*) di questo, cioè
di quello che dovrà soffrire la Navarra sotto la Francia, si levino ora i lamenti e le grida di dolore di Nicosia e Famagosta (le città principali di Cipro) contro il loro re bestia, il quale non si differenzia dagli altri re, che sono bestie come lui. Re di Cipro era allora Arrigo II di Lusignano (1285-1324), di origine francese, un sovrano crudele e dissoluto: «E bene dice bestia, però che tutto è dato alle concupiscenze ed alle
sensualitadi, le quali debbono essere di lungi dai re»
(Ottimo).

*... saranno conosciuti; e quello di Rascia che non ha saputo
ben contraffare la moneta di Venezia. O beata Ungheria,
se non si lascerà più malgovernare! e beata Navarra, se riuscisse a proteggersi con i monti (Pirenei) che la cingono! E
ognuno deve ritenere, come un anticipo (arra) di questo (cioè
delle sofferenze riservate a quei paesi), il fatto che già si levino i lamenti e le grida di protesta di Nicosia e Famagosta contro il loro re bestia, che non si differenzia dal comportamento delle altre bestie regnanti».*

approfondimenti

PROBLEMI DOTTRINALI

Ragione e fede a confronto

verso 70.   "Un uom nasce a la riva...

Il grande problema della salvezza degli infedeli giusti – salvezza che la Chiesa, fondandosi su *Hebr*. 11, 6, ammetteva solo per coloro che avessero la fede – ha sempre angustiato l'animo di Dante, non solo perché tra quei giusti esclusi dalla beatitudine egli vedeva quegli antichi spiriti – poeti e filosofi – che egli amava e venerava, ma perché tale esclusione era per la mente umana non consona alla giustizia. Il problema si rivela in tutta la sua drammaticità nel canto IV dell'*Inferno*, dove il poeta cerca di offrire a quei giusti, con una soluzione fuori da ogni tradizione teologica, una pur minima condizione di privilegio rispetto agli altri dannati, con una pena di sofferenza soltanto spirituale (*che sanza speme vivemo in disio*). Il tema ritorna, con tutta la sua tristezza, sempre per bocca di Virgilio, nel VII del *Purgatorio*. E infine la *Monarchia* (si veda il luogo citato nella nota ai vv. 82-4) pone in modo esplicito la questione della incomprensibilità per l'intelletto umano di una simile giustizia. Nel darsi un'ultima risposta qui nel *Paradiso*, in questo cielo dei giusti, Dante accoglie nella sostanza la soluzione che, fondata su Paolo (*Rom*. 9, 14-21), era quella data da Agostino e poi da Tommaso: la salvezza è un mistero di Dio, di cui l'uomo non può giudicare, perché non può comprendere. Misteriosa scelta, che il cristiano accetta, ma che la ragione senza la fede non potrebbe accettare (vv. 82-4). Tuttavia in questo mistero di giustizia (come potrà essere condannato per mancanza di fede in Cristo chi non ha mai sentito parlare di lui? cfr. vv. 70-8) la stessa riflessione teologica apriva un varco attraverso il quale la ragione umana poteva in qualche modo passare. Era questa la cosiddetta teoria della rivelazione implicita, per cui Dio stesso avrebbe trovato il modo – intervenendo di persona, con una illuminazione interiore, o attraverso angeli o con altri mezzi – di rivelare ai giusti la verità della fede. Questa teoria è sostenuta sia da Agostino (*De bono perseverantiae* 48), sia da Tommaso (*S.T.* I q. 23 a. 5). Ed è quella che lo spirito di Dante con commossa partecipazione accoglie e fa sua in questi due canti del *Paradiso*. Tali concetti sono espressi in forme quasi identiche a questa in Alberto Magno e nelle *Prediche* di Fra Giordano da Pisa, contemporaneo di Dante, e certamente la predicazione domenicana contribuiva alla loro diffusione tra il popolo cristiano. Ma quell'uomo nato in riva all'Indo prende ben altro rilievo nel testo dantesco, nelle parole pronunciate in paradiso dalla bocca dell'aquila divina, dove la sua immagine si affianca a quella evangelica dell'ultimo giorno nel quale i pagani sorgeranno in giudizio contro i cristiani corrotti (vv. 109-11). Completato dalla inaspettata salvezza dei due pagani – Traiano e Rifeo – del canto seguente, il discorso di Dante lascia intendere che Dio opera al di là e al di fuori delle umane possibilità, e delle umane istituzioni legate alla storia. L'atto gratuito di Dio – sovrano e insindacabile, e per noi misterioso – oltrepassa la necessità di adesione esplicita alla fede e di battesimo (si veda XX 127-9), concedendo l'una e l'altro per puro dono interiore. Come nel caso di Manfredi – scomunicato da un papa –, come in quello di Cunizza (che pronuncia parole ben simili a quelle qui dette per Rifeo), anche in questa presa di posizione si rivela la linea sempre seguita dall'autore della *Commedia*, che privilegia lo spirito alla lettera, la grazia alla legge, la parola evangelica ad ogni autorità umana.

NOTE AL TESTO

v. 112. **poran**: è forma arcaica, meglio testimoniata dai codici antichi del *potran* delle precedenti edizioni; si cfr. *porà* a XIV 18.

NOTE LINGUISTICHE

v. 28-30. Il secondo *che* è ripetitivo del primo, secondo un uso della sintassi antica nei casi in cui la proposizione oggettiva introdotta dal *che* viene interrotta, più comunemente da una proposizione condizionale.

v. 63. **èli**: vi è; *li* è particella atona di luogo (cfr. *Inf*. IX 106 e nota linguistica).

SUGGERIMENTI PER LA RICERCA

Temi del canto

Giustizia e misericordia

Sono queste le doti che caratterizzano l'agire di Dio e del sovrano che è suo rappresentante in terra: dopo aver cercato la definizione delle due parole nel *Dizionarietto teologico* contenuto nel volume *Strumenti*, rileggi il passo dell'*Epistola* V, 7 e quello di *Par.* VII 103-105 con le relative note, quindi riprendi la scena di Traiano e la vedova rappresentata in *Purg.* X 76-93; infine, con l'aiuto dell'Introduzione, rifletti sul significato dei due attributi e del parallelismo tra Dio e re.

Imperscrutabilità del disegno divino

Il primo argomento per risolvere il problema della salvezza degli infedeli è la sproporzione tra il pensiero divino e la capacità umana di comprendere (che è l'argomento già di san Paolo e di sant'Agostino): dopo aver riletto i versi 40-90 e 97-99 e i passi scritturali e danteschi citati nelle note, sintetizza con parole tue il contenuto della spiegazione; quindi rileva le similitudini che sottolineano il limite dell'intelletto umano rispetto alla mente divina; infine ricerca e confronta le immagini che descrivono tale sproporzione in *Purg.* VI 121-123; *Par.* XI 28-30; XX 70-72; XXI 91-102. Sul tema leggi anche il saggio di G. Fallani, citato nelle *Letture consigliate*.

Il giudizio universale

Confronta la rappresentazione dantesca del giudizio universale con la descrizione del Vangelo di Matteo 25, 31 sgg., osservando quali aspetti Dante metta in evidenza; completa il lavoro ricercando su un manuale o CD Rom di storia dell'arte una o più raffigurazioni del giorno del giudizio. Per approfondire la tua conoscenza relativamente sia alla dottrina, sia all'iconografia del tema, consulta la voce *Giudizio finale*, a cura di J. Baschet, nel *Dizionario enciclopedico del Medioevo*, vol. II, pp. 845-846.

Un acrostico

Rileggi le nove terzine che occupano i versi 115-141 cerchiando le lettere iniziali dei versi che formano l'acrostico (la parola LVE, che va letta LUE – in latino la U maiuscola si scriveva V – ossia *lues*, peste, come è detto in nota al v. 115); quindi per ognuno dei sovrani citati individua la colpa o il vizio di cui si sono macchiati. Infine, sull'uso degli acrostici nella *Commedia* e sulla riflessione critica intorno ad essi, puoi consultare la voce *Acrostico*, in *Enciclopedia Dantesca* I, p. 44, a cura di L. Baldelli.

Lingua e stile

sedere a scranna – v. 79

Distingui il significato di *scranna* nel passo qui indicato dal valore che il medesimo termine possiede ad esempio in *Vagabondaggio* di Giovanni Verga, «anche lo zio Antonio, poveretto... stava lì, sull'uscio dell'osteria inchiodato dalla paralisi sulla scranna». Consulta poi il *Grande Dizionario della Lingua Italiana* e annota i passi tratti dalle opere di altri autori in cui si sia mantenuta, per imitazione di questo passo della *Commedia*, l'espressione *sedere a scranna*.

reverendi – v. 102

Verifica il significato di *reverendo* in questo passo e annotane anche l'impiego, che puoi trovare ad esempio testimoniato nell'intestazione dell'*Epistola* I di Dante al Cardinale Niccolò da Prato, come titolo ecclesiastico di deferenza e d'onore rimasto fino ai nostri giorni. Riguardo alle forme derivate in lingua italiana, come questa, dal gerundivo latino, consulta la *Grammatica Italiana* del Serianni al cap. XV.29, dove se ne chiarisce il significato, e si portano alcuni esempi tratti dall'uso corrente (*esecrando, maturando* ecc.).

approfondimenti

CANTO XX

Introduzione

Se molte volte nel poema dantesco due o più canti costituiscono una sola unità narrativa – come per esempio nei tre dedicati all'incontro con Cacciaguida, o nei due occupati dalla scena della confessione di fronte a Beatrice (*Purg.* XXX-XXXI) –, il caso dei due canti che si svolgono nel cielo di Giove è tra tutti singolare, in quanto essi portano di fatto un solo grande discorso, pronunciato da una sola voce – quella dell'aquila – che risponde all'unica, ma essenziale domanda posta dal poeta-protagonista all'inizio del primo. E tale domanda è di quelle che stanno alla base stessa della concezione del mondo e della storia umana che regge il poema: essa riguarda infatti il mistero della giustizia divina, da cui dipende il destino dell'uomo che la *Commedia* vuole narrare.

I due canti hanno anche simile la composizione narrativa, suddivisa in due parti, l'una di carattere storico, e l'altra teologico; e l'ordine inverso seguito (nel XIX prima la teologia e poi la storia, nel XX prima la storia, poi la teologia), ordine che riporta nel finale lo stesso tema del divino mistero con cui il discorso si apre, salda anche strutturalmente in una inscindibile unità i due canti contigui.

Alla serie dei malvagi sovrani d'Europa risponde infatti qui all'inizio la più breve, esemplare serie dei grandi spiriti giusti – scelti a segnare le tappe della storia prima e dopo Cristo – e seguirà infine la risposta che il cuore di Dante aspettava. Tra le due sequenze, come accade nel XIX, sarà posta anche in questo canto prima una grande e dolce similitudine e poi un'altra, drammatica richiesta, formulata da Dante stesso. A quella richiesta l'aquila risponderà aprendo ugualmente il suo dire con una grande citazione evangelica – letterale questa volta –, cuore del canto e di tutto il discorso che vi si svolge. E il ragionamento che segue, venendo incontro alla ragione umana, cioè alle misure da lei recepibili, darà, fino a dove è possibile, soddisfazione all'antica sete dell'uomo.

Resterà tuttavia alla fine un divario incolmabile di mistero tra la vista dell'uomo e la vista divina: *O predestinazion, quanto remota / è la radice tua...* Mistero sul quale si conclude il discorso, che su quella infinita distanza era iniziato.

I due canti, che sono dunque inconcepibili separatamente, sono però profondamente diversi nella loro generale tonalità, tragica nel primo, serena e consolante nel secondo; come se quel *segno* (la grande aquila) che prima appariva come remoto e inaccessibile, si facesse vicino, nei modi di manifestarsi e di parlare, all'uomo che lo ascolta.

Già l'apertura porta una calma visione di stelle serali (simile a quelle del canto XIV), a cui seguono dolci canti, mormorio di acque, suoni di zampogna e di cetra. Attraverso queste immagini – che riportano qui nell'alto cielo l'atmosfera della terra nei suoi aspetti più soavi – l'aquila viene presentata nella sua realtà fatta di tanti singoli umani spiriti: non più un segno, un simbolo dipinto, maestoso e lontano, ma un'accolta di vive persone, i cui sentimenti vengono espressi da una sola voce.

La musicale armonia che domina questa sequenza iniziale tornerà poi nella chiusa, dove ritroveremo il suonatore di cetra che accorda il suo suono alla voce del cantore; mentre al centro esatto del canto si leverà nel cielo la melodiosa voce dell'allodola, sazia della sua stessa dolcezza. Alla dolcezza sembra veramente che Dante abbia voluto intonare questo suo canto della divina giustizia: dall'apostrofe iniziale (*O dolce amor che di riso t'ammanti...*) al canto dell'allodola che lo sigilla al suo centro, all'amorosa accettazione da parte dei beati (simile anche formalmente a quella già espressa da Piccarda) della loro insufficienza a conoscere il volere divino (*ed ènne dolce così fatto scemo...*) che conclude il grande discorso (detto, per colui che ascolta, *soave medicina*), tutto il suo svolgimento è come racchiuso, contrassegnato da questa particolare connotazione. Quasi a significare che l'antico digiuno ha trovato la sua sazietà, che tra quella trascendente giustizia e l'umana dolorosa esigenza si è gettato un ponte, si è creato un rapporto che porta infine la pace nel cuore.

L'ampia sequenza iniziale di serenità celeste, con il canto dei molti e concordi spiriti, prelude ai nomi dei giusti che ora verranno pronunciati. Siamo sul piano della storia, come già alla fine del canto precedente, ma a un diverso livello: là sfilano i nomi dei principi viventi, ancora immersi nella violenza del tempo, seguiti dalle loro turpi azioni ancora in corso, dalle loro passioni che ancora ardono sulla terra. Qui la storia è come decantata nell'eternità: i sei nomi prescelti – i nomi dei più alti spiriti (i *sommi*) che abitano quel cielo – sono come innalzati a simboli della storia vista «dalla parte di Dio», con l'occhio cioè della provvidenza che governa il mondo, pur mantenendo ognuno, non diversamente dai re malvagi prima ricordati, la propria individuale umana caratterizzazione, fatta di errori come di meriti e di grazia.

I sei personaggi sono scelti con particolare attenzione, e simmetria, riguardo al tempo, alla religione, e al periodo storico: tre sono del tempo prima di Cristo, tre del tempo successivo; due sono pagani, due ebrei, due cristiani; due appartengono alla storia biblica, due alla storia dell'Impero romano (dai suoi albori – la partenza di Enea da Troia – fino al suo massimo splendore), due a quella dell'Impero cristiano (dal suo inizio al tempo di Dante).

Ognuno è poi definito da due terzine: la prima con l'indicazione del personaggio, designato dai suoi atti, e non dal suo nome, se non nel caso degli ultimi due; la seconda con il riconoscimento che ognuno di loro fa ora (*ora conosce*), nel cielo, del valore della sua vita nella mente di Dio. Ma più importante di questa organizzazione esteriore, è la qualità della caratterizzazione che soprattutto colpisce: nella duplice identificazione che di loro è data, non c'è nessuno, fra questi grandi prescelti a simbolo della massima giustizia dei re terreni, di cui sia ricordato qualche tratto di umana potenza.

Ciò che li distingue è la loro pietà, o l'errore commesso e riconosciuto, o l'umiltà. Il primo e il più grande, Davide, da cui doveva discendere il Cristo, è ricordato come il poeta di Dio, e di lui sappiamo che si pentì amaramente del suo fallo (XXXII 11-2), mentre è portato ad esempio di umiltà nella cornice dei superbi del *Purgatorio* (X 64-6). Il secondo indicato, Traiano, è definito come colui che *consolò la vedovella*, e il suo gesto di umiltà è ricordato, sulla stessa cornice purgatoriale, accanto a quello di Davide (X 73-93). Il terzo, il re biblico Ezechia, chiese a Dio di prolungargli la vita, per far penitenza del suo peccato. Il quarto, Costantino – posto al sommo dell'arco sovrastante l'occhio dell'aquila, in quanto fondatore dell'Impero cristiano, cardine del progetto divino nella storia –, commise un grave errore (*si fece greco*; cfr. VI 1-3), ed è salvo nonostante quell'errore che rovinò il mondo. Il quinto, l'unico moderno (Guglielmo II d'Altavilla), ebbe come titolo il Buono, per il suo amore della pace e la sua giustizia verso i sudditi, che ancora lo rimpiangono. L'ultimo nome infine è oscuro, quasi a tutti ignoto, e per giunta pagano. Su questo nome – il virgiliano Rifeo – fa centro in realtà tutto il canto. Esso porta la maggiore sorpresa (*Che cose son queste?* chiederà infatti, a nome di tutti, lo stupefatto poeta) e di fatto la vera, ultima risposta.

Lo sconosciuto troiano, di cui parlano solo due versi e mezzo dell'*Eneide* («il più giusto dei Teucri», dice di lui Virgilio, che tuttavia gli dèi lasciarono morire nella notte di Troia), è in realtà quell'uomo giusto nato *a la riva de l'Indo*, senza conoscere Cristo, di cui si chiede ansiosamente il destino nel canto XIX.

Rispondendo, a distanza di più di un millennio, alle parole di Virgilio, Dante risponde così a se stesso. Al dubbio del poeta latino sull'ingiustizia degli dèi («agli dèi parve altrimenti»: *Aen.* II 428), quella stessa per cui tutti i giovani eroi dell'*Eneide* sono condannati a morire (ogni giovane muore di fatto immeritatamente), dà risposta in questi versi il poeta cristiano, che pone in alto nel cielo di Dio – dimensione sconosciuta all'autore dell'*Eneide* – l'umile e giusto compagno di Enea. Non gli dèi, ma quel Dio che a Virgilio fu ignoto, non misconobbe la giustizia del troiano, la sua fedele osservanza del bene («scrupoloso osservante della giustizia» lo dice appunto Virgilio), bensì lo ricompensò con il premio eterno. E così sarà dunque – si può pensare – dell'uomo dell'Indo, sul cui destino era imperniata la domanda del canto precedente.

Il fatto che il nome di maggior rilievo, quasi la punta di diamante del canto, sia un nome virgiliano, non può sorprendere se si riflette al tema che qui Dante affronta. Virgilio, anche se non nominato, è in questi due canti una silenziosa presenza, che il lettore della *Commedia* non può non avvertire. Il problema della salvezza degli infedeli (il *lungo digiuno* di Dante) non è infatti – come nessun altro lo è nel poema – un dubbio teorico; esso appare sempre, nel testo dantesco, legato alla sorte del grande latino: così è fin dal primo accorato accenno del canto iniziale (*Inf.* I 121-9), così è apertamente detto nel canto del Limbo (*Inf.* IV 31-42), e poi ancora nel VII e nel XXI del *Purgatorio*, fino al pianto del Paradiso terrestre, quando Dante si accorge che Virgilio non può seguirlo (*Purg.* XXX 49-54).

Il nome di Rifeo, che dà la più alta risposta alla richiesta di Dante, porta con sé – quasi dietro di sé – il nome dell'altro poeta che attraverso di lui pose al cielo una simile domanda.

E non per niente a quel nome, dopo il tacere dell'aquila, segue nel testo la più grande similitudine di questi canti: quell'allodola che si leva cantando alta nel cielo, e poi tace, saziata dal suo canto. L'*ultima dolcezza*, quella che la *sazia*, è quell'ultimo nome, che più di tutti sorprende, ma che in realtà più di tutti appaga.

L'ardita scelta fatta qui da Dante è sottolineata, oltre che dalla stupita esclamazione sopra citata – *Che cose son queste?* –, dalle parole stesse dell'aquila, non dissimili da quelle pronunciate già da Cunizza (*Par.* IX 34-36): *Chi crederebbe giù nel mondo errante / che Rifëo Troiano in questo tondo / fosse la quinta de le luci sante?*

Il *mondo errante* (il *vostro vulgo*, come disse Cunizza) sono tutti gli uomini che seguono la lettera e non lo spirito, i moralisti legati alle norme, i farisei del Vangelo, quel Vangelo che detta tutta la linea portante dei discorsi dell'aquila. Già abbiamo visto come dal testo di Matteo riprenda direttamente la scena dei pagani che sorgeranno a giudicare i giusti nell'ultimo giorno, con la quale si apre la seconda risposta del canto XIX (vv. 109-11). Così ora è con un versetto evangelico che l'aquila comincia la sua spiegazione alla meraviglia quasi incredula manifestata da Dante. E l'apertura, con le prime due parole direttamente trasposte dal testo latino, è una delle potenti impennate stilistiche di questa poesia del *Paradiso*, che riscrive a sua misura le stesse parole bibliche: Regnum celorum *violenza pate / da caldo amore e da viva speranza, / che vince la divina volontate*.

L'amore e la speranza dell'uomo (il secondo e il terzo verso sono interpretazione dantesca) possono dunque vincere Dio, cioè le sue norme, s'intende – come spiega la terzina seguente – perché egli stesso acconsente a farsi vincere da quell'amore.

La risposta sembra con queste parole evangeliche definitivamente conclusa. Ma Dante aggiunge una spiegazione – tratta dalla più alta tradizione teologica, a lui ben nota – che chiarisca al lettore come la salvezza dei due pagani possa non contraddire al principio fermamente stabilito dalla Chiesa, della necessità per quella salvezza della fede in Cristo, e del battesimo. Egli vuole così, fin dove è possibile, venire incontro all'esigenza dell'uomo comune (quello che appunto grida il suo stupore), che si domanda come quella straordinaria «vittoria» dell'uomo su Dio possa in concreto realizzarsi. E risponde con la teoria della rivelazione della redenzione fatta da Dio, direttamente o attraverso i suoi intermediari, allo spirito dei giusti (la cosiddetta «rivelazione implicita»; si vedano i testi citati nella nota di approfondimento al canto XIX), e del battesimo ottenuto per grazia (anch'esso dunque in forma implicita) mediante le tre virtù teologali (fede speranza carità).

Quel battesimo ricevuto *dinanzi al battezzar più d'un millesmo*, cioè più di mille anni prima di essere istituito, e quindi solo spirituale, oltrepassa di fatto ogni forma esteriore, sia pure sacramentale, rimettendo tutto al segreto, diretto rapporto fra l'uomo e Dio, come già nella salvezza dello scomunicato Manfredi, che in punto di morte «si rende», con un solo moto del cuore, *a quei che volontier perdona* (*Purg.* III 122-3).

Quel dono tuttavia, di rivelazione misteriosamente data da Dio ai giusti, discende, come dice l'aquila, da una così *profonda fontana* di grazia che l'occhio umano non può penetrare, e della quale non può conoscere e tanto meno comprendere, le scelte. Noi infatti – dice sempre l'aquila – che pur vediamo Dio, *non conosciamo ancor tutti li eletti*. Resta dunque un mistero di predestinazione – sul quale si soffermerà il prossimo canto – che pure, amorosamente accettato, porta con sé una particolare dolcezza, dovuta all'accordarsi perfetto della volontà con quella divina, come già disse Piccarda: *ed ènne dolce così fatto scemo, / perché il ben nostro in questo ben s'affina, / che quel che vole Iddio, e noi volemo*.

Negli ultimi versi l'armonioso accordarsi dello strumento con la voce del cantore esprime in similitudine la segreta armonia che presiede alle scelte del divino volere; a dire tali profonde realtà soccorre a Dante l'altra arte, la musica, che sola sembra poter in qualche modo sostituire la parola: allo stesso modo il godimento suscitato dalla *dolce armonia* del canto polifonico era simile, per Cacciaguida, a quello che egli provava vedendo scritto in Dio il doloroso destino di Dante.

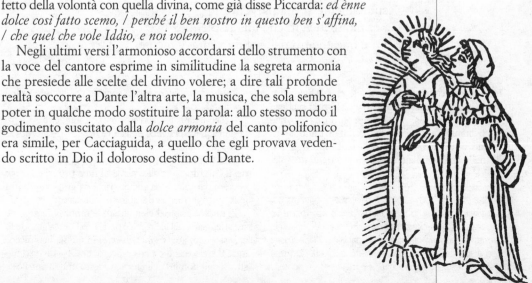

CANTO XX

Nel cielo di Giove: la giustizia divina

1-30 L'aquila ha finito di parlare e tutte le luci che la compongono cominciano a brillare e cantare, finché, cessato il canto, attraverso il suo collo risale un mormorio come di fiume e dal becco tornano a uscire le parole che il cuore del poeta aspettava.

31-87 Dante è invitato a guardare l'occhio dell'aquila perché lì risplendono gli spiriti più alti di quel cielo: i re ebrei Davide ed Ezechia; l'imperatore romano Traiano e due sovrani dell'età cristiana, Costantino e Guglielmo II di Sicilia; infine – cosa che nessuno potrebbe immaginare –, il troiano Rifeo, modesto personaggio dell'Eneide, a cui sono dedicati pochi versi nei quali tuttavia Virgilio lo proclama il più giusto tra i Troiani. Per presentarli non sono citate le grandi imprese che li hanno resi famosi in terra, ma i loro atti di pietà o di umiltà e la consapevolezza che hanno acquistato in paradiso del vero valore della loro vita. Stupito per la presenza fra loro dei due pagani, il poeta ne chiede ragione all'aquila.

88-129 Essa rivela come il regno dei cieli è vinto dall'amore e dalla speranza degli uomini, non perché queste virtù abbiano una forza superiore a Dio, ma perché Dio stesso vuol essere vinto. Non deve meravigliare la presenza in paradiso dei due pagani Traiano e Rifeo, perché morirono cristiani, il primo credendo in Cristo venuto, il secondo in Cristo venturo. Traiano tornò in vita per intercessione del papa Gregorio Magno e poté così convertirsi alla fede cristiana; Rifeo amò tanto la giustizia che ottenne di riconoscere per rivelazione divina la redenzione futura degli uomini e disprezzò quindi il paganesimo: le tre virtù, fede, speranza e carità, ottenute per grazia, furono per lui un implicito battesimo.

130-148 Misterioso è il disegno della salvezza: perciò siano prudenti i mortali nel giudicare perché neppure in paradiso si conoscono tutti gli eletti. Ma per i beati è dolce anche questo difetto nella conoscenza, perché la perfetta felicità sta nel volere ciò che Dio vuole. Il dubbio di Dante è stato ormai chiarito dalle parole dette dall'aquila, che sono state accompagnate dal concorde fiammeggiare delle due ultime luci nominate.

Quando colui che tutto 'l mondo alluma
de l'emisperio nostro sì discende,
3   che 'l giorno d'ogne parte si consuma,
lo ciel, che sol di lui prima s'accende,
subitamente si rifà parvente
6   per molte luci, in che una risplende;
e questo atto del ciel mi venne a mente,

1-6. **Quando colui...**: quando il sole, che dà luce a tutto l'universo, tramonta dal nostro emisfero, così che la luce diurna da ogni parte va scomparendo, il cielo, che prima si illuminava solo della sua luce, d'un tratto si rende di nuovo visibile (*parvente*) nelle molte luci delle sue stelle, nelle quali risplende quella unica (*una*) del sole.

Quando il sole, che illumina tutto l'universo, tramonta dal nostro emisfero, così che la luce del giorno da ogni parte va scomparendo, il cielo, che prima risplende solo del suo lume, d'un tratto si rende di nuovo visibile (parvente) nelle molte luci delle sue stelle, nelle quali si riflette quella unica (una) del sole; e questo atteggiarsi del cielo mi venne in mente, ...

– *alluma* da *allumare*, forma contratta di *alluminare* (cfr. *Conv.* III, XII 7).

– **si consuma**: il verbo esprime con singolare evidenza l'esaurirsi, lo spengersi della luce nel cielo. – *giorno* per «luce diurna» anche a *Purg.* II 55.

– **in che una risplende**: l'astronomia tolemaica riteneva che tutte le stelle, prive di luce propria, la ricevessero dal sole. Idea che favoriva il paragone, centrale in tutto il poema, del sole con Dio creatore.

7. **questo atto del ciel**: questo comportamento, questo atteggiarsi del cielo: allo sparire dell'unica grande luce, esso riappare (*si rifà parvente*) in molteplici, piccole luci. Il cielo è come personificato, nel suo diverso mostrarsi agli uomini della terra. Questo mutamento cele-

come 'l segno del mondo e de' suoi duci

9   nel benedetto rostro fu tacente;

però che tutte quelle vive luci,

vie più lucendo, cominciaron canti

12   da mia memoria labili e caduci.

O dolce amor che di riso t'ammanti,

quanto parevi ardente in que' flailli,

15   ch'avieno spirto sol di pensier santi!

Poscia che i cari e lucidi lapilli

ond'io vidi ingemmato il sesto lume

18   puoser silenzio a li angelici squilli,

udir mi parve un mormorar di fiume

---

ste, da lui tante volte contemplato nelle sere della sua vita (cfr. XIV 70-2), viene ora alla mente del pellegrino del cielo quando l'aquila tace, e si levano le mille voci delle anime che compongono la sua figura. La similitudine passa dal campo visivo a quello auditivo (dalle luci ai suoni) quasi inavvertitamente: anche le molte voci che si levano quando tace la prima salgono infatti da *vive luci*, e sembrano confondersi con quelle. Il grande e calmo paragone celeste disperde ogni residuo di amarezza e di sdegno lasciato dal finale del canto precedente, riportandoci alla situazione di apertura di questa solenne scena: l'aquila e l'uomo, l'uno di fronte all'altra, l'una immensa nella sua divina realtà, l'altro piccolo ma potente nel suo dubbio, che è l'arma della ragione.

8. **'l segno del mondo**: l'insegna dell'autorità stabilita da Dio al governo del mondo, che quindi rappresenta tutto il mondo umano nella sua realtà temporale.

– **e de' suoi duci**: e dei principi preposti a governarlo.

9. **fu tacente**: tacque.

11. **vie più lucendo**: aumentando il loro splendore (per la gioia che in loro si accresceva nel canto).

12. **labili e caduci**: coppia di sinonimi: destinati a cadere, a sparire dalla mia memoria (per la loro sublimità: cfr. I 5-9). Al terzo verso è affidato, come sempre, lo smemoramento rapito che i canti paradisiaci producono nel pellegrino (cfr. XIV 120-6).

13. **O dolce amor...**: o amore pieno di dolcezza proprio delle anime beate, che del tuo interno riso, cioè della tua letizia, ti fai manto di luce. La luce che avvolge i beati è infatti, nell'invenzione di Dante, l'espressione sensibile della loro gioia, quasi traduzione di ciò che nel volto umano è il sorriso (cfr. V 124-6).

14-5. **quanto parevi...**: come ti mostravi pieno di ardore in quegli strumenti celesti, nei quali il soffio (lo *spirto*) era prodotto solo da santi pensieri.

– **flailli**: voce unica, che è stata intesa in due modi: come «flauti» (dal lat. «flare», ant. franc. «flavel») o come «luci», «fiaccole» (ant. franc. «flael», dal tardo lat. «flacellum»). Poiché l'esclamazione nasce come commento commosso ai canti uditi, sui quali è concentrata tutta l'attenzione del passo (da *canti* del v. 11 a *squilli* del v. 18), la prima spiegazione sembra preferibile, an-

che perché dà senso migliore al verso che segue. La forma *flailli* invece di *flaelli* è da riconoscersi come esempio di rima siciliana.

16. **lapilli**: pietre preziose (lat. «lapillus», usato con questo significato anche da Orazio e da Ovidio); immagine ricorrente per le luci dei beati, espressa in continue variazioni (*gemma, topazio, rubinetto, margarita*).

17. **ond'**: dei quali; si veda lo stesso costrutto e verbo a XV 85-6.

angelici squilli: canti di angelico ardore e dolcezza (cfr. vv. 13-4), tali da non poterli ricordare.

19. **udir mi parve...**: al tacere delle molte voci dei beati, ecco lentamente si riforma, quasi il passaggio richieda tempo e fatica, l'unica voce dell'aquila che già parlò nel canto precedente. Il graduale ricostituirsi di tale prodigiosa voce (che apparve cosa mirabile al suo primo manifestarsi: XIX 7-9) è raffigurato prima nel mormorio di un fiume montano scorrente sulle pietre, poi nell'uscire del suono da due diversi strumenti – zampogna, cetra – con straordinario effetto sonoro. Alla prima similitudine visiva – il mutare del cielo al tramonto – segue questa auditiva, l'una e l'altra portanti con sé la ricchezza e la dolcezza di intense e soavi esperienze terrene.

– **un mormorar di fiume**: la voce celeste assomigliata ad acque correnti è immagine biblica («come la voce di molte acque»: *Ez.* 43, 2; *Apoc.* 1, 15), ma qui essa viene a esprimere, con singolare novità e bellezza, il confluire delle molte voci, lungo il corpo dell'aquila, nell'unica che infine uscirà dal suo becco.

∎

... quando l'insegna del mondo e dei suoi prìncipi (l'aquila) tacque nel suo becco benedetto; poiché tutte quelle vive luci, aumentando il loro splendore, cominciarono a intonare canti destinati a cancellarsi e a sparire dalla mia memoria.
◆ *O dolce amore che della tua letizia (riso) ti fai manto di luce, come ti mostravi pieno di ardore in quei flauti, nei quali il soffio (spirto) era prodotto solo da santi pensieri! Dopo che le care e splendenti pietre preziose, delle quali vidi ingioiellata la sesta stella, fecero tacere i loro canti angelici, mi parve udire un mormorio di fiume ...*

che scende chiaro giù di pietra in pietra,

21   mostrando l'ubertà del suo cacume.

E come suono al collo de la cetra

prende sua forma, e sì com'al pertugio

24   de la sampogna vento che penètra,

così, rimosso d'aspettare indugio,

quel mormorar de l'aguglia salissi

27   su per lo collo, come fosse bugio.

Fecesi voce quivi, e quindi uscissi

per lo suo becco in forma di parole,

30   quali aspettava il core ov'io le scrissi.

«La parte in me che vede e pate il sole

ne l'aguglie mortali», incominciommi,

33   «or fisamente riguardar si vole,

---

21. l'ubertà del suo cacume: l'abbondanza della sorgente posta sulla cima (*cacume*; cfr. XVII 113) del monte da cui discende.

22-4. E come suono...: due paragoni, tolti da due strumenti musicali, seguono ora il formarsi della voce attraverso il corpo dell'aquila fino al suo uscire dal becco, fatta una sola di molte e diverse voci: come il suono prende forma al collo della cetra (cioè là dove lo strumento si restringeva in alto e dove era situata la «rosetta» da cui appunto usciva il suono), e come l'aria soffiata dentro la zampogna dal suonatore (*vento che penètra*) prende forma sonora al foro d'uscita (*al pertugio*), s'intende della canna in forma di flauto che usciva in basso dall'otre di pelle che alimentava lo strumento.

25-7. così, rimosso...: così, senza indugiare nell'attesa (lasciato ogni indugio dovuto all'aspettativa: *aspettare* è genitivo di specificazione), quel mormorio di acque salì per il collo dell'aquila come se esso fosse vuoto, cavo (cioè tridimensionale, e non solo disegnato, quindi senza alcuno spessore). – *bugio* vale «bucato», aggettivo verbale da *bugiare*, perforare.

28. quivi: in quella immaginata cavità.

28-9. e quindi uscissi...: e da lì uscì attraverso il becco in forma di parole. I due strumenti scelti per la si-

militudine sembrano indicare, l'uno con la sua cassa di risonanza, l'altro con la sua sacca di pelle, il corpo dell'aquila dove «mormorando» si raccolgono le diverse voci, che escono poi, fattesi una sola, su per il collo, dal suo becco. Una simile attenzione al faticoso articolarsi di una voce che sale dalle profondità ed esce alla cima di un percorso è in *Inf.* XXVII 7-19, dove si descrive il parlare della fiamma che racchiude Guido da Montefeltro.

– **uscissi**: la forma riflessiva (come prima *salissi*) sembra sottolineare lo sforzo interno di quella voce nascente (cfr. il *si sa* di III 108 e nota).

30. quali aspettava...: parole che rispondevano all'attesa del mio cuore (sapere cioè i nomi di alcuni dei beati dell'aquila, secondo il consueto desiderio di ogni tappa del cammino nell'oltremondo), *ov'io le scrissi*, cioè le riposi, come scritte nella memoria.

31. La parte in me...: quella parte di me che nelle aquile mortali vede e sopporta (*pate*: è in grado di tollerare) la luce del sole, cioè l'occhio; si credeva allora che l'aquila potesse fissare il sole (cfr. I 48).

33. riguardar si vole: deve essere guardata (s'intende, da te).

34-6. perché d'i fuochi...: perché dei molti spiriti infuocati, dei quali io formo la mia figura, quelli per i quali risplende il mio occhio sono i più alti, cioè occupano il più alto dei diversi gradi di beatitudine che essi hanno. Le luci che formano l'occhio sono dunque gli spiriti più elevati nella dignità celeste tra tutti i giusti del cielo di Giove.

– **l'occhio**: singolare, perché la testa dell'aquila appare nel cielo disegnata di profilo, come nell'aquila araldica.

– **e'**: elli, essi; riprende il *quelli* del verso precedente.

37. per pupilla: in luogo di pupilla; ed è quindi il più alto in grado fra tutti.

38. fu il cantor...: fu in terra il poeta dello Spirito Santo: David, il grande re d'Israele ritenuto tradizionalmente autore dei *Salmi*, che Dante ricorda spesso nella sua opera (più di ogni altro personaggio dell'*Antico Testamento*) quasi sempre nominandolo da questa

---

■

... che scende limpido giù di sasso in sasso, mostrando l'abbondanza della sua sorgente sulla cima (cacume). ◆ E come il suono prende forma al collo della cetra, e come l'aria soffiata dentro la zampogna (vento che penètra) prende forma sonora al foro d'uscita (al pertugio), così, senza più indugiare nell'attesa, quel mormorare salì su per il collo dell'aquila, come se fosse vuoto. Qui si fece voce, e da lì uscì attraverso il becco in forma di parole, tali quali le attendeva il mio cuore, dove io le scrissi. ◆ «Quella parte di me che nelle aquile mortali vede e sopporta (pate) la luce del sole (cioè l'occhio)» cominciò a dire, «ora deve essere guardata fissamente, ...

perché d'i fuochi ond'io figura fommi,

quelli onde l'occhio in testa mi scintilla,

36   e' di tutti lor gradi son li sommi.

Colui che luce in mezzo per pupilla,

fu il cantor de lo Spirito Santo,

39   che l'arca traslatò di villa in villa:

ora conosce il merto del suo canto,

in quanto effetto fu del suo consiglio,

42   per lo remunerar ch'è altrettanto.

Dei cinque che mi fan cerchio per ciglio,

colui che più al becco mi s'accosta,

45   la vedovella consolò del figlio:

ora conosce quanto caro costa

non seguir Cristo, per l'esperïenza

sua qualità di poeta (il *salmista*: *Purg.* X 65), o «cantore di Dio» (cfr. XXV 72 o *Mon.* I, XVI 5). Di lui sono qui citate due imprese, quella poetica e quella politica di maggior rilievo: la traslazione dell'arca santa (la cassa contenente le tavole della legge, testimonianza del patto tra Dio e il popolo eletto) a Gerusalemme, da lui conquistata e stabilita come capitale d'Israele, intorno alla quale egli riunì sotto il suo regno tutte le tribù. Sono le stesse imprese per cui egli appare anche nella scena scolpita del *Purgatorio*, tra gli esempi di umiltà (cfr. *Purg.* X 55-69 e note). Davide, dalla cui stirpe doveva nascere il Messia, del quale egli si fa profeta nei *Salmi*, è posto qui come il più grande tra tutti i re della terra in quanto fondatore del regno che prefigurava quello del Messia e insieme suo cantore, ma anche per la sua umiltà, di cui egli è appunto esempio nel *Purgatorio*. Ricordiamo infatti che egli fu peccatore di fronte a Dio, e che umilmente si riconobbe tale e se ne pentì (*2 Sam.* 12, 13; cfr. *Par.* XXXII 11-2). La grandezza di quest'uomo, il vincitore di Golia (*Mon.* II, IX 11), l'umile re e poeta, ha sempre profondamente colpito l'animo di Dante che qui lo pone al vertice della beatitudine nel suo cielo dei giusti.

39. di villa in villa: di luogo in luogo. Davide portò l'arca dell'alleanza dalla casa di Abinadab in Gabaon alla casa di Obed a Geth, e di qui infine a Gerusalemme (*2 Sam.* 6, 1-12).

40-2. ora conosce...: ora egli conosce in Dio il merito, il valore del suo canto di poeta dei *Salmi* per quel tanto che (*in quanto*) fu effetto del suo libero volere (assecondando la divina ispirazione), valore pari alla ricompensa (*lo remunerar*) che qui gode.

– in quanto effetto fu...: i testi della Scrittura sono ritenuti ispirati da Dio, che ne è il primo autore (*2 Pet.* 1, 20-1; *2 Tim.* 3, 16), ma anche lo scrittore collabora con la sua libera volontà alla stesura, portandovi il suo stile e la sua cultura. Il premio celeste è dato dunque al canto di Davide nella misura in cui esso fu effetto della sua personale partecipazione.

43. Dei cinque...: l'aquila indica ora i nomi dei cin-

que beati che disegnano il suo ciglio, formando un arco intorno alla pupilla.

44. colui che più...: il più vicino al becco nell'arco cigliare, cioè il primo in basso a sinistra, dato che la testa dell'aquila araldica è volta verso sinistra (si veda la nota a *Par.* XVIII 98, figura 3).

45. la vedovella...: confortò la povera vedova, rendendole giustizia per la morte del figlio (*del figlio* è compl. di relazione). Questo spirito è l'imperatore Traiano che, come è narrato a *Purg.* X 73-93, fermò l'esercito in partenza cedendo alle preghiere di una *vedovella* che chiedeva giustizia. Si noti che, come David, Traiano è nei riquadri del *Purgatorio* esempio insigne di umiltà, come qui di giustizia. Sull'episodio si vedano le note al luogo citato del *Purgatorio*. La presenza del pagano fra i grandi del paradiso non ha in questi versi alcun commento; la spiegazione è rimandata ad un secondo tempo, come si vedrà.

46-8. ora conosce...: continua lo schema bipartito della presentazione: ora ben può misurare quanto costi caro il non seguire la fede in Cristo, per aver fatto esperienza e della beatitudine e della dannazione (Traiano infatti fu tratto dall'inferno e restituito alla vita per avere la possibilità di pentirsi e credere in Cristo, come poi si racconterà).

─────────────■─────────────

... perché dei molti spiriti infuocati, dei quali io formo la mia figura, quelli per i quali risplende nel mio capo l'occhio sono i più alti dei diversi gradi (di beatitudine). Colui che splende in mezzo come pupilla fu (in terra) il poeta dello Spirito Santo, che trasferì l'arca di paese in paese: ora egli conosce il valore del suo canto per quel tanto che (in quanto) fu effetto del suo libero volere (consiglio), in quanto esso è pari all'attuale ricompensa (lo remunerar). ◆ *Dei cinque che disegnano la curva del mio ciglio, il più vicino al becco confortò la povera vedova per la morte del figlio: ora ben può misurare quanto costi caro il non seguir Cristo, per aver fatto esperienza ...*

48 di questa dolce vita e de l'opposta.

E quel che segue in la circunferenza
di che ragiono, per l'arco superno,

51 mòrte indugiò per vera penitenza:

ora conosce che 'l giudicio etterno
non si trasmuta, quando degno preco

54 fa crastino là giù de l'odïerno.

L'altro che segue, con le leggi e meco,
sotto buona intenzion che fé mal frutto,

57 per cedere al pastor si fece greco:

ora conosce come il mal dedutto
dal suo bene operar non li è nocivo,

49-50. quel che segue...: colui che occupa il posto successivo, nella circonferenza (il *cerchio* del v. 43) di cui sto parlando, salendo per l'arco che si volge al di sopra dell'occhio.

51. morte indugiò...: ottenne di ritardare la morte per poter fare penitenza dei suoi peccati. Tutti gli antichi commentatori hanno riconosciuto in questo personaggio il biblico Ezechia, il giusto re di Giuda (*4 Reg.* 18, 5) al quale, gravemente ammalato, il profeta Isaia annunciò la prossima morte, e che ottenne con suppliche da Dio altri quindici anni di vita (*4 Reg.* 20, 1-11; *Is.* 38, 1-20). Nella preghiera da lui rivolta a Dio manca ogni accenno alla *penitenza* di cui parla Dante, per cui alcuni hanno dubitato di questa identificazione. Ma nelle parole di ringraziamento che nel testo di Isaia il re pronuncia dopo la guarigione c'è una profonda coscienza del proprio peccato perdonato da Dio che testimonia il suo pentimento: «tu hai preservato la mia vita dalla fossa della distruzione, perché ti sei gettato dietro le spalle tutti i miei peccati» (*Is.* 38, 17), e la sua supplica a Dio è seguita da un accorato pianto. Dante, come più volte, ritrae in un solo verso un'intera storia umana, facendo una stretta sintesi di diversi testi, di cui egli coglie lo spirito. Del resto la breve perifrasi che designa tutti questi personaggi, salvo il moderno di cui è fatto il nome (v. 62),

era destinata a un immediato riconoscimento da parte dei contemporanei, per cui la designazione degli antichi è per noi la migliore guida alla loro identificazione.

52-4. ora conosce...: ora vede con chiarezza che il giudizio divino non subisce mutamento quando la preghiera di un giusto (degna quindi di essere esaudita) ottiene che accada domani ciò che doveva accadere oggi (*crastino* e *odïerno* sono i due aggettivi derivati dal latino «cras», domani, e «hodie», oggi). La preghiera esaudita (che riguardi il tempo stabilito per un evento) non cambia la sostanza del giudizio divino, in quanto l'amore che la muove ripaga le dilazioni (o abbreviazioni) concesse. Il problema era già stato affrontato, e risolto per bocca di Virgilio, a *Purg.* VI 28-42 (si vedano le note relative).

55-7. L'altro che segue...: il terzo spirito, che occupa quindi la sommità dell'arco cigliare, è l'imperatore Costantino, colui che trasportò la capitale dell'Impero a Bisanzio (*si fece greco*), recando con sé l'insegna dell'aquila e il diritto romano (*con le leggi e meco*), per lasciare al papa la sovranità temporale su Roma (*per cedere al pastor*); cosa che egli fece mosso da *buona intenzion*, che portò tuttavia ben gravi conseguenze (quella confusione tra i due poteri, denunciata come origine di tutti i mali che affliggono la cristianità in *Purg.* XVI 82-129). La cosiddetta «donazione di Costantino» è più volte gravemente condannata nel poema (cfr. *Inf.* XIX 115-7 e *Purg.* XXXII 124-9 e note) e definita illegittima nella *Monarchia* (III, X); ma Dante riconosce all'imperatore, come già nel trattato, la «pia intenzione» (*Mon.* II, XI 8), ossia la reverenza verso il pontefice, per cui quell'azione, che pur doveva portare a distruzione il mondo intero (v. 60), non nuoce in nessun modo alla sua salvezza.

58-9. come il mal dedutto...: come il male derivato (*dedutto*: dedotto) dal suo agire con buona intenzione non gli reca alcun danno: «l'evento che consegue ad un atto non rende cattivo un atto che era buono, né buono un atto che era cattivo» (Tommaso d'Aquino, *S.T.* Iª IIae, q. 20 a. 5). Come in tutto il poema, la profonda coscienza morale di Dante guarda sempre all'intenzione del cuore, nota soltanto a Dio, an-

... e della beatitudine e della dannazione. E colui che occupa il posto successivo, nella curva di cui sto parlando, salendo per l'arco sovrastante l'occhio, ritardò la morte per poter fare penitenza (dei suoi peccati): ora vede con chiarezza che il giudizio divino non subisce mutamento quando una preghiera degna (di essere esaudita) ottiene che accada domani ciò che doveva accadere oggi. ♦ *L'altro spirito che segue (Costantino), mosso da una buona intenzione che portò tuttavia ben gravi conseguenze (frutto), trasportò la capitale dell'Impero a Bisanzio (si fece greco), recando con sé il diritto romano e l'insegna dell'aquila (con le leggi e meco), per lasciare Roma al papa (per cedere al pastor): ora capisce come il male derivato (dedutto) dal suo agire con buona intenzione non gli reca alcun danno, ...*

60   avvegna che sia 'l mondo indi distrutto.
          E quel che vedi ne l'arco declivo,
          Guiglielmo fu, cui quella terra plora
63   che piagne Carlo e Federigo vivo:
          ora conosce come s'innamora
          lo ciel del giusto rege, e al sembiante
66   del suo fulgore il fa vedere ancora.
          Chi crederebbe giù nel mondo errante
          che Rifëo Troiano in questo tondo
69   fosse la quinta de le luci sante?
          Ora conosce assai di quel che 'l mondo
          veder non può de la divina grazia,

che contro ogni apparenza. In questo caso specifico, se si pensa a quanto appassionatamente egli denunci altrove quella donazione, per lui *matre* di tanti mali (*Inf.* XIX 115-7), tale presa di posizione, con la tragica concessiva posta al terzo verso, appare forse nella sua forma più clamorosa.

61. **ne l'arco declivo**: nella parte discendente dell'arco, al di là della sommità, quindi opposta al becco. – *declivo* vale «declinante» (dal lat. «declivis»).

62. **Guiglielmo fu**: Guglielmo II d'Altavilla il Buono, re di Sicilia (1166-1189); celebrato unanimemente come principe giusto, liberale e pacifico: «amava li suoi sudditi di dilettazione regale, la quale fae differenzia dalla iniqua volontà tirannica, e teneali in tanto trastullo, pace e diletto, che si potea estimare uno paradiso terrestre» (Lana). È questo il solo principe prescelto da Dante a rappresentare il mondo moderno nell'occhio dell'aquila, certo per questa sua fama indiscussa, cosa allora e in ogni tempo ben rara, ma anche per il vivo contrasto che egli offriva con i suoi successori, denunciati nel canto precedente.

62-3. **cui quella terra plora...**: quel re che (*cui* è oggetto) ancora è rimpianto da quella terra (l'Italia meridionale) che oggi soffre sotto il regno di Carlo II d'Angiò e Federico II d'Aragona (rispettivamente re di Napoli e di Sicilia). – *plora*, piange la sua morte, lo rimpiange; mentre *piagne* per la sofferenza inflitta dai due re vivi (cfr. XIX 127-32).

64-5. **come s'innamora...**: quanto sia grande l'amore di Dio per il re giusto. Questo *giusto rege*, di cui Dio stesso *s'innamora*, è l'ideale appassionatamente perseguito da Dante in tutta la sua opera.

65-6. **e al sembiante...**: e con il mostrarsi così risplendente mostra anche agli altri questa divina predilezione (in quanto il fulgore è nei beati danteschi proporzionato alla loro gioia celeste). – *sembiante* è l'aspetto visibile, ciò che appare.

67. **Chi crederebbe giù...**: per l'ultimo abitante dell'occhio dell'aquila, la sequenza enumerativa (*E quel che segue... L'altro che segue... E quel che vedi...*) subisce un brusco cambiamento. La sua eccezionalità, verso la quale tende tutto l'arco del grande dibattito

acceso nel canto precedente, porta lo stesso solenne linguaggio del nobile uccello a questa improvvisa rottura: chi mai crederebbe in terra a quello che ora dirò?

– **nel mondo errante**: tra gli uomini della terra, la cui mente è soggetta ad errore. Quel *mondo errante* appare qui estremamente lontano, chiuso in una cecità che non riesce a cogliere l'infinità della misericordia divina. Un movimento uguale, per una ugualmente «scandalosa» salvezza, nelle parole di Cunizza a IX 36.

68. **Rifëo Troiano**: il nome, protratto dalla dieresi, campeggia sorprendente nel verso: un ignoto pagano, non principe né cristiano, occupa il quinto posto nel ciglio dell'aquila, là dove stanno i *sommi* tra tutti gli abitanti del cielo dei giusti (vv. 34-6). Rifeo, personaggio minore dell'*Eneide*, è uno dei compagni di Enea che muore nell'ultima notte di Troia: «Cade anche Rifeo – dice Virgilio – il più giusto dei Troiani (ma altrimenti parve agli dèi)...» (*Aen.* II 426-8). Quel giusto che gli dèi punirono è ora nel cielo cristiano. È questa infine la vera risposta all'angosciosa domanda posta da Dante a XIX 70-8.

70-2. **Ora conosce assai...**: egli vede ora, come beato, molto addentro nei misteri della grazia divina, dove le menti terrene non possono penetrare, per quanto la sua vista di creatura non possa scorgerne il fondo (cfr. XI 29-30), cioè conoscerne l'intera misura e le profonde ragioni. Si riprende qui non a caso, con la stessa immagine e con le stesse parole (*vista, discerna,*

∎

... sebbene il mondo ne sia stato distrutto. ◆ E quello che vedi nella parte discendente dell'arco fu Guglielmo (II d'Altavilla il Buono, re di Sicilia), che ancora è rimpianto da quella terra (l'Italia meridionale) che oggi soffre sotto Carlo (II d'Angiò) e Federico (II d'Aragona): ora vede quanto sia grande l'amore del cielo per il re giusto, e con l'apparire così risplendente lo fa comprendere anche agli altri. Chi crederebbe nel mondo dominato dall'errore che il troiano Rifeo in questo arco fosse la quinta delle sante luci? Egli vede ora nei misteri della grazia divina molto di ciò che è precluso alle menti terrene, ...

72   ben che sua vista non discerna il fondo».
        Quale allodetta che 'n aere si spazia
        prima cantando, e poi tace contenta
75   de l'ultima dolcezza che la sazia,
        tal mi sembiò l'imago de la 'mprenta
        de l'etterno piacere, al cui disio
78   ciascuna cosa qual ell'è diventa.
        E avvegna ch'io fossi al dubbiar mio
        lì quasi vetro a lo color ch'el veste,
81   tempo aspettar tacendo non patio,
        ma de la bocca, «Che cose son queste?»,
        mi pinse con la forza del suo peso:
84   per ch'io di coruscar vidi gran feste.

fondo), il discorso fatto nel canto precedente sulla impenetrabilità, per l'intelletto umano, del divino consiglio (XIX 52-63). È infatti questo il caso che, fra tutti, sconvolge i limiti raggiungibili dall'umana ragione. Si veda sulla scelta dantesca di Rifeo l'Introduzione al canto.

73-5. Quale allodetta...: come l'allodola che spazia libera per il cielo cantando, e poi tace, come soprafatta, appagata dalla dolcezza delle ultime note del suo canto... La similitudine si ispira a un noto attacco del trovatore Bernart de Ventadorn (*Lieder* 43, vv. 1-4): «Quando vedo l'allodoletta muovere di gioia le sue ali contro i raggi (del sole), e si abbandona e si lascia cadere per la dolcezza che le viene nel cuore...», che troviamo anche tradotto nei versi del toscano Bondie Dietaiuti, un guittoniano della generazione precedente a Dante. Se certo è dunque il richiamo, diversa è tuttavia l'immagine dantesca, e lo spirito che la pervade: l'allodola di Bernart si alza verso il sole, e poi si abbatte per la dolcezza che quella vista le infonde. Quella di Dante vive invece del suo libero canto, la cui dolcezza stessa finisce per vincerla e ridurla al silenzio. Il profondo senso mistico che pervade questa immagine, dove la *dolcezza* prima effusa nel canto *sazia*, appaga totalmente fino al silenzio, è cosa del tutto nuova, ignota alla naturale grazia – pur bellissima – dell'uccelletto trovadorico. Nei due verbi – *si spazia, sa-*

zia – sta la novità dell'immagine dantesca: la libertà illimitata del volgersi per il cielo, l'appagamento assoluto di ogni desiderio del cuore.

– **allodetta**: è diminutivo dal lat. «alauda».

– **si spazia**: la forma riflessiva dice l'aggirarsi libero e felice per l'ampiezza del cielo.

75. l'ultima dolcezza: nel discorso dell'aquila, le ultime parole sono quelle dedicate a Rifeo; è questa salvezza dunque l'estrema, soverchiante dolcezza che sazia infine ogni desiderio profondo, non dell'aquila, ma di Dante stesso.

76. tal mi sembiò: col suo tacersi dopo le ultime parole pronunciate, dopo essersi prima diffusa ampiamente nel parlare.

76-7. l'imago de la 'mprenta...: l'aquila, immagine della giustizia sulla terra, che è a sua volta l'impronta della volontà divina («il diritto non è altro, negli esseri creati, che una somiglianza col volere divino»: *Mon.* II, II 5). Così crediamo si debba spiegare, seguendo il Rossi, questa poco chiara espressione, prendendola come una perifrasi designante l'aquila, come del resto la intendono il Buti, Benvenuto, e quasi tutti i commentatori. Altri (tra cui il Sapegno) spiegano: «così l'immagine (dell'aquila) mi sembrò tacersi contenta del piacere da lei provato parlando, il quale era in essa un'impronta del piacere divino». Costruzione che ci sembra forzata e oscura, e lascia senza alcuna determinazione l'espressione *imago*, come non accade mai in tutto il contesto.

77-8. al cui disio...: secondo il desiderio del quale (dell'*etterno piacere*, o volontà divina) ciascuna cosa diventa quale essa è; si cfr. *Vulg. El.* I, IV 6: «Chi può dubitare che tutto ciò che esiste si pieghi docilmente al cenno di Dio, dal quale tutte le cose sono state fatte, sono conservate, e infine anche governate?». Come osserva il Vandelli, questa determinazione aggiuntiva appare suggerita da ciò che è stato appena detto di Rifeo, e da quel che seguirà sul mistero della predestinazione, per cui Dio concede la sua grazia come e quando a lui piace, e solo per la sua grazia l'uomo può accedere alla salvezza. Gli antichi citano qui la ce-

... per quanto la sua vista non possa scorgerne il fondo». ◆ *Come l'allodola che spazia libera per il cielo prima cantando, e poi tace appagata dalla dolcezza delle ultime note del suo canto, così mi sembrò l'immagine dell'impronta della volontà divina (cioè della giustizia), secondo il desiderio della quale ciascuna cosa diventa quale essa è. E benché lassù io fossi per il mio interno dubitare come un vaso di vetro per il colore che esso racchiude (cioè trasparente), quel dubbio non sopportò (patio) di aspettare tacendo neppure un minimo tempo, ma con l'urgenza di tutto il suo peso mi sospinse fuori della bocca: «Che cose sono queste?»; e allora vidi gli spiriti beati fare gran festa con il loro sfavillare.*

Poi appresso, con l'occhio più acceso,
lo benedetto segno mi rispuose

87   per non tenermi in ammirar sospeso:

«Io veggio che tu credi queste cose
perch'io le dico, ma non vedi come;

90   sì che, se son credute, sono ascose.

Fai come quei che la cosa per nome
apprende ben, ma la sua quiditate

93   veder non può se altri non la prome.

Regnum celorum vïolenza pate
da caldo amore e da viva speranza,

96   che vince la divina volontate:
non a guisa che l'omo a l'om sobranza,

---

lebre frase sulla predestinazione, attribuita ad Agostino: «Dio ci ama quali siamo divenuti per suo dono, non quali siamo per nostro merito».

79-80. E avvegna ch'io...: e benché lassù in cielo il mio interno dubitare trasparisse fuori di me come il colore in un vaso di vetro... (alla lettera: benché io fossi rispetto al mio dubbio come è un vetro per il colore che esso racchiude). In forme sempre nuove, si ripete l'idea che i beati leggono nell'animo di Dante senza che egli parli.

81-3. tempo aspettar...: quel dubbio non sopportò (*patio*, perfetto arcaico già noto) di aspettare *tacendo*, non espresso in parole, neppure un minimo tempo, ma con l'urgenza, la passione di tutto il suo peso mi sospinse fuor della bocca, come incontenibili, le parole che premevano dentro.

– **Che cose son queste?**: la frase, con il suo timbro di immediatezza popolare unico nel parlare paradisiaco – e tale che sarebbe pronunciabile, con egual senso, anche da un italiano di oggi –, significa la violenza dell'impressione provata che brucia ogni schermo retorico, lasciando uscire solo le parole che potremmo chiamare primarie, proprie dei moti incontrollati dell'animo.

84. di coruscar...: vidi gli spiriti beati far festa, manifestare gran gioia, con il loro vivo sfavillare. I beati, che sempre si rallegrano di poter rispondere alle richieste di Dante, tanto più festeggiano quanto più la richiesta è ardua e tocca, come si vedrà, i misteri dell'amore divino. – *coruscar* è verbo proprio della luce che vibra, usato a significare il sorriso interno dell'anima (cfr. V 126 e *Conv.* III, VIII 11).

85. più acceso: per l'accresciuta gioia.

87. in ammirar sospeso: sospeso in quella condizione di incredula meraviglia (*ammirar*: meravigliarsi, stupirsi; cfr. I 98).

89-90. perch'io le dico...: le credi solo sulla mia parola di beato, che non può errare; ma non vedi in che modo tali cose (la salvezza dei due pagani) siano potute accadere. Tu le credi dunque, ma esse restano oscure, inspiegabili al tuo intelletto (*ascose*, nascoste).

91-3. Fai come quei...: la terzina spiega in forma d'esempio quello che è stato detto in quella precedente, come si parla a un fanciullo: tu fai come chi conosce il nome di una cosa, ma non ne comprende l'essenza se altri non gliela rivela (*prome*, latinismo da «promere»: portare alla luce, render manifesto).

– **quiditate**: termine scolastico («quidditas») che indica l'essenza di una cosa in quanto conoscibile dall'intelletto, cioè nel suo genere e specie.

94-6. Regnum celorum...: dopo l'inizio piano, come di buon maestro ad attento scolaro, il discorso dell'aquila s'impenna qui, con vero colpo d'ala, a dare la grande e attesa risposta. E la risposta è diretta ripresa di un testo evangelico di cui sono mantenute in latino le prime due parole, di ampia e solenne scansione: «il regno dei cieli ("regnum caelorum") si lascia fare violenza, e i violenti se ne impadroniscono» (*Matth.* 11, 12; cfr. anche *Luc.* 16, 16). Grande dichiarazione dell'amore divino che Dante, con commossa ispirazione, non esita a interpretare, aggiungendo, nei due versi seguenti, alle parole di Cristo le sue. Qual è la *vïolenza* da cui il cielo si lascia sopraffare? È l'amore e la speranza dell'uomo, tanto potenti da vincere, piegare, la stessa volontà divina.

97-9. non a guisa...: non come accade tra gli uomini, dove l'uno sopraffà l'altro con la forza (*sobranza*: sopravvanza, sopraffà; dal prov. «sobransar»; cfr. XXIII 35); ma l'amore dell'uomo può vincere Dio solo in quanto egli acconsente ad esser vinto da lui, perché lo ama; *e,*

◆ *Subito dopo, con gli occhi più accesi, l'insegna benedetta mi rispose, per non tenermi più sospeso in quella condizione di meraviglia: «Vedo che tu credi queste cose per il fatto che io le dico, ma non capisci come siano possibili; così che, se sono credute, rimangono però incomprese. Fai come chi conosce il nome di una cosa, ma non ne comprende l'essenza se altri non gliela rivela (prome).* ◆ *Il regno dei cieli si lascia fare violenza dall'ardente amore e dalla viva speranza, che vincono la volontà divina; non come accade tra gli uomini, dove l'uno sopraffà l'altro (sobranza), ...*

ma vince lei perché vuole esser vinta,

99   e, vinta, vince con sua beninanza.

La prima vita del ciglio e la quinta

ti fa maravigliar, perché ne vedi

102   la regïon de li angeli dipinta.

D'i corpi suoi non uscir, come credi,

Gentili, ma Cristiani, in ferma fede

105   quel d'i passuri e quel d'i passi piedi.

Ché l'una de lo 'nferno, u' non si riede

già mai a buon voler, tornò a l'ossa;

108   e ciò di viva spene fu mercede:

di viva spene, che mise la possa

ne' prieghi fatti a Dio per suscitarla,

111   sì che potesse sua voglia esser mossa.

L'anima glorïosa onde si parla,

---

vinta, vince: e nel momento stesso in cui è vinto, è Dio che vince con la sua infinita bontà. L'appassionato fervore di queste due mirabili terzine, dove le parole si levano e si rincorrono – l'amore, la speranza, la reciproca vittoria – nella gara tra Dio e l'uomo, gara che Dio vince perdendo, per il suo maggiore amore, nasce dal profondo e lungo meditare di Dante su questo grande tema, che è tipicamente suo e che tutto il poema a più riprese sempre diversamente ripropone.

100-1. **La prima vita...**: l'aquila riprende ora, dopo l'accensione improvvisa delle due terzine precedenti, il tono dimesso dell'inizio: quello che ti fa stupire è la presenza nel mio ciglio della prima e quinta anima beata (cioè di Traiano e Rifeo); i due pagani sembrano infatti contraddire a quanto l'aquila stessa ha dichiarato nel canto precedente, ai vv. 103-5.

102. **la regïon de li angeli**: il paradiso (cfr. XXVI 10-1).

– **dipinta**: adornata.

103-5. **D'i corpi suoi...**: al momento della loro morte, dai loro corpi non uscirono due anime pagane (*Gentili*), come tu credi, ma cristiane, che credevano fermamente in Cristo crocifisso (cioè redentore), l'una (Rifeo) come evento futuro e l'altra (Traiano) come evento passato. Non è smentita dunque l'affermazione fatta prima, secondo la dottrina della Chiesa, che non si dà salvezza senza la fede in Cristo.

– **passuri... passi**: sono i participi latini, futuro e passato, di valore attivo, del verbo «patior»: che avrebbero e che avevano patito. Il loro uso permette la significazione, in un solo verso, delle due diverse fedi; e l'indicare i piedi per tutto il corpo sofferente, come altrove le palme delle mani (IX 123) o il costato (XIII 40), accresce la densità e l'evidenza del testo.

106-7. **l'una de lo 'nferno...**: l'una (quella di Traiano) tornò a riprendere il suo corpo, risuscitando, dall'inferno dove non si può mai più tornare a volere il bene; nell'inferno infatti non c'è più volontà buona, né quindi possibilità di pentimento e redenzione (cfr. *Purg.* XXIV 84).

108-11. **e ciò di viva spene...**: e questa risurrezione fu il premio (*mercede*) dato a una viva speranza, quella speranza che infuse potenza (*possa*) alle preghiere fatte a Dio da papa Gregorio per risuscitare quell'anima, in modo che la sua volontà (*sua voglia*) potesse, una volta tornata in vita, cambiare (*esser mossa*) e volgersi al bene (come non era possibile nell'inferno). Sulla leggenda di questo miracolo ottenuto da papa Gregorio Magno, commosso dalla giustizia e pietà di Traiano, si veda la nota a *Purg.* X 74-5. Anche Tommaso d'Aquino ritenne possibile un tale miracolo, che solo poteva permettere la conversione e la salvezza dell'imperatore (*S.T.* III, Suppl., q. 71 a. 5). Si osservi che tale salvezza è strappata a Dio dalla *viva speranza*, come è stato detto sopra ai vv. 94-6.

112. **L'anima glorïosa**: quella di Traiano appunto.

113. **in che fu poco**: quel breve tempo che fu suf-

... ma l'amore e la speranza dell'uomo possono vincere la volontà di Dio solo in quanto essa acconsente ad esser vinta, e nel momento stesso in cui è vinta, è lei (cioè Dio) che vince con la sua infinita bontà. Quello che ti fa stupire è la presenza nel mio ciglio della prima e quinta anima beata, perché ne vedi adornata la dimora degli angeli (cioè il paradiso). ◆ Dai loro corpi non uscirono due anime pagane (gentili), come tu credi, ma cristiane, che credevano fermamente nella crocefissione (redentrice) di Cristo, una (Rifeo) come evento futuro e una (Traiano) come evento passato. Poiché l'una (quella di Traiano) tornò a riprendere il suo corpo dall'inferno, dove non si può mai più tornare a volere il bene; e questa risurrezione fu il premio (mercede) dato a una viva speranza: quella speranza che infuse potenza (possa) alle preghiere fatte a Dio per risuscitare quell'anima, in modo che la sua volontà (sua voglia) potesse cambiare (esser mossa). L'anima gloriosa di cui si parla, ...

tornata ne la carne, in che fu poco,

114 credette in lui che potëa aiutarla;

e credendo s'accese in tanto foco

di vero amor, ch'a la morte seconda

117 fu degna di venire a questo gioco.

L'altra, per grazia che da sì profonda

fontana stilla, che mai creatura

120 non pinse l'occhio infino a la prima onda,

tutto suo amor là giù pose a drittura:

per che, di grazia in grazia, Dio li aperse

123 l'occhio a la nostra redenzion futura;

ond'ei credette in quella, e non sofferse

da indi il puzzo più del paganesmo;

126 e riprendiene le genti perverse.

Quelle tre donne li fur per battesmo

---

ficiente ad avere la fede in Cristo e accendersi d'amore per lui.

114. in lui che potëa aiutarla: in Cristo, che può redimere l'uomo dal suo peccato; è la fede nel redentore richiesta per la salvezza.

116. ch'a la morte seconda: quando morì per la seconda volta.

117. a questo gioco: al paradiso; *gioco*, gioia, diletto (cfr. XXXII 103), indica la beatitudine eterna.

118-21. L'altra, per grazia...: l'altra anima (quella di Rifeo) mise tutto il suo amore nella giustizia, per un dono di grazia che procede da una sorgente così profonda che nessuna creatura poté mai scorgerne il principio... È questo il mistero della predestinazione, ritratta qui con la stessa immagine di una profondità di acque dove invano si spinge l'occhio creato usata nel canto precedente (vv. 58-63). È per grazia divina che il pagano Rifeo prima s'innamorò della giustizia e poi, ancora per grazia, poté conoscere il mistero della futura redenzione dell'umanità. Perché tale grazia sia concessa a uno e non a un altro, questo è ciò che l'uomo non riuscirà mai a penetrare. Ma rimandando la salvezza a una scelta insindacabile di grazia, che prescinde da tempi e da luoghi, da epoche e da popoli, si viene a oltrepassare di fatto, come abbiamo osservato nel commento al canto precedente, ogni limite esteriore (Chiesa, battesimo), aprendo a tutti gli uomini di buona volontà le porte del cielo.

122-3. li aperse / l'occhio...: Dio stesso rivela dunque interiormente la verità della redenzione; è questa la dottrina della «rivelazione implicita», seguita anche da Tommaso, che salva il principio della necessità della fede alla salvezza senza escluderne tutti i giusti che non poterono o non possono avere quella esplicita (*S.T.* IIª IIªᵉ, q. 2 a. 7).

124. ond'ei credette in quella: e come Traiano anche Rifeo *credette*; «alla rivelazione séguì la fede» (Torraca). Ma mentre il primo, risuscitato in età e luogo cristiano, ebbe la rivelazione esplicita attraverso gli altri cristiani, cioè la Chiesa, seguendo per così dire la via normale (la grazia speciale fu per lui la risurrezione), per il secondo la via alla fede fu tutta interiore, e quindi più misteriosa. Il vero scandalo è dunque quest'ultimo caso, *l'ultima dolcezza* che solo risponde (lo *sazia*: v. 75) al profondo desiderio del cuore di Dante.

124-6. e non sofferse...: e non sopportò più, da quel momento, l'errore del paganesimo, e ne rimproverava quelli che ne erano sviati (*perverse*: pervertite). Un simile disprezzo per le altre credenze dopo la conversione dichiara Stazio, il salvato grazie a Virgilio (*Purg.* XXII 86-7), che tuttavia, a differenza di Rifeo, non ebbe il coraggio di professare apertamente la sua fede e scontò tale viltà nella quarta cornice del monte (ivi, vv. 90-3). Questi versi, che danno a Rifeo la parte attiva, cioè della sua libera volontà, di concorso alla propria salvezza, vogliono render ragione del fatto che egli non solo sia salvo, ma addirittura tra i *sommi* degli spiriti del cielo dei giusti.

127-9. Quelle tre donne...: per lui tennero luogo di battesimo (produssero cioè lo stesso effetto del bat-

---

... tornata nel suo corpo, nel quale rimase poco tempo, credette in colui che poteva aiutarla (cioè in Cristo); e credendo si accese di un tale fuoco di vero amore, che quando morì per la seconda volta fu degna di venire in questo luogo di gioia. ◆ *L'altra anima (quella di Rifeo) sulla terra rivolse tutto il suo amore alla giustizia, per un dono di grazia che sgorga da una sorgente così profonda che nessuna creatura poté mai scorgerne il principio; per cui, aggiungendo grazia a grazia, Dio le aprì gli occhi consentendole di vedere la nostra futura redenzione: ed egli credette in quella, e non sopportò più da quel momento l'errore del paganesimo; e ne rimproverava quelli che ne erano sviati (perverse). Costituirono il suo battesimo quelle tre donne (le virtù teologali) ...*

che tu vedesti da la destra rota,

129 dinanzi al battezzar più d'un millesmo.

O predestinazion, quanto remota

è la radice tua da quelli aspetti

132 che la prima cagion non veggion *tota*!

E voi, mortali, tenetevi stretti

a giudicar; ché noi, che Dio vedemo,

135 non conosciamo ancor tutti li eletti;

ed ènne dolce così fatto scemo,

perché il ben nostro in questo ben s'affina,

138 che quel che vole Iddio, e noi volemo».

tesimo, facendolo cristiano) le tre virtù teologali (fede speranza e carità), le tre donne che tu vedesti danzare *da la destra rota* del carro della Chiesa nel Paradiso terrestre (cfr. *Purg.* XXIX 121-6), più di un millennio prima che il battesimo fosse istituito (la guerra di Troia era posta dagli storici medievali intorno al 1200 a.C.). Nel sacramento del battesimo vengono infuse le tre virtù soprannaturali, proprie del cristiano, che a Rifeo furono date direttamente da Dio. Egli ebbe dunque anche il suo battesimo (richiesto dalla Chiesa per la salvezza), anch'esso, come la rivelazione, soltanto interiore e spirituale.

130-2. **O predestinazion...**: di fronte alla misteriosa realtà di grazia della salvezza dei due pagani ora spiegata, segue, quasi a conclusione, l'esclamazione dell'aquila, che è in realtà di Dante: quanto remota, inaccessibile è la *radice*, l'origine prima di questa divina predestinazione per quegli sguardi (tutti gli intelletti creati) che non possono vedere per intero la realtà di Dio, «universalissima cagione di tutte le cose» (*Conv.* III, VI 5). «Prima causa» è nome aristotelico di Dio, qui in particolare adatto al contesto, dove si parla della *radice*, o prima sorgente, della grazia predestinante. L'esclamazione finale riprende il tema, ricorrente con varie immagini in questo e nel canto che prece-

de, della profondità abissale, irraggiungibile alla *creata vista* (cfr. XXI 96), del consiglio divino.

– **predestinazion**: la parola, usata solo una volta, alla conclusione dei due canti, è in realtà il tema teologico che domina tutto il loro svolgimento. Sul suo significato, e sulla posizione assunta da Dante, si veda la nota di approfondimento al termine del canto XIX.

– **aspetti**: ha qui valore attivo: viste, sguardi, come a XI 29; XXXIII 81 ecc.

– **tota**: vale «tutta intera», come a VII 85.

133-5. **E voi, mortali...**: ed ecco la conclusione: voi che siete in terra, ancora soggetti alla morte, trattenetevi, non siate avventati nel giudicare; perché anche noi beati, che pure vediamo Dio, non conosciamo ancora tutti quelli che saranno eletti al cielo. Lo stesso ammonimento a XIII 130-42. Dio solo conosce l'interno dei cuori, e l'opera della sua misericordia. E tutto il poema ripete (Guido da Montefeltro, Manfredi, Cunizza) che il giudizio degli uomini, basato sull'apparenza, non corrisponde a quello divino.

– **stretti**: quasi tenendo stretto il freno, non precipitosi (cfr. *Purg.* XXV 119).

136-8. **ed ènne dolce...**: e tale mancanza, difetto (*scemo*) di conoscenza ci è dolce, perché il nostro piacere si raffina, si perfeziona in questo: che ciò che Dio vuole, anche noi lo vogliamo. In questa identità di volere sta dunque la perfetta felicità dei beati, anche quando il volere divino comporta per loro qualche diminuzione. Così disse Piccarda a III 70-84. La prima persona plurale usata qui dall'aquila è dovuta al fatto che queste ultime parole si riferiscono a tutti i beati (*noi, che Dio vedemo*), e non agli spiriti del cielo di Giove.

– **scemo**: vale «scemamento, mancanza» (cfr. *Purg.* X 14).

140. **per farmi chiara...**: è probabilmente proposizione causale: per avermi fatta chiara, ben comprensibile, la limitatezza della mia vista. Cioè col farmi capire il perché di tale limite. Dante si rifà al discorso d'apertura dell'aquila (XIX 40-69) e alla sua conclusione, che chiariscono l'impossibilità per l'uomo di intendere i segreti divini.

141. **soave medicina**: dolce conforto all'angoscia che

■

... che tu vedesti danzare alla destra del carro (nel Paradiso terrestre), più di un millennio prima che il battesimo fosse istituito. ◆ *O predestinazione, quanto è inaccessibile il motivo che sta alla tua origine (la radice tua) per quegli sguardi che non sono in grado di vedere tutta intera la prima causa delle cose (cioè Dio)! E voi mortali tenetevi prudenti nel giudicare; perché anche noi, che pure vediamo Dio, non conosciamo ancora tutti quelli che saranno eletti; e tale mancanza (scemo) ci è dolce, perché il nostro godimento si perfeziona in questo: che ciò che Dio vuole, anche noi lo vogliamo».*

Così da quella imagine divina,
per farmi chiara la mia corta vista,
141   data mi fu soave medicina.
E come a buon cantor buon citarista
fa seguitar lo guizzo de la corda,
144   in che più di piacer lo canto acquista,
sì, mentre ch'e' parlò, sì mi ricorda
ch'io vidi le due luci benedette,
pur come batter d'occhi si concorda,
148   con le parole mover le fiammette.

---

tormentava il mio cuore. Egli intende infatti che la sua domanda, il suo dubbio, erano posti da una logica limitata, in quanto creata, e che c'è una più profonda ragione, quella divina, buona per definizione (XIX 85-8), che presiede a quelle scelte che egli non può comprendere.

142-4. E come a buon cantor...: come alla voce di un buon cantore il buon citarista accompagna la vibrazione delle corde del suo strumento, e in quell'accompagnamento il canto stesso acquista maggior piacevolezza... Ritorna in chiusura il motivo dello strumento musicale (anche qui una cetra), che aveva all'inizio fatto da paragone al parlare dell'aquila (vv. 22-4). La musica sembra accompagnare questi due canti, quasi segno della misteriosa armonia che regge le sorti degli uomini nell'imperscrutabile consiglio divino.

– **fa seguitar**: fa esser compagno, accompagna.

– **guizzo**: termine usato per la vibrazione che produce il suono anche a *Inf.* XXVII 17, nel passo già citato del formarsi e uscire della voce nella fiamma che racchiude Guido da Montefeltro (cfr. la nota ai vv. 28-9).

145-8. sì, mentre ch'e' parlò...: così, per tutto il tempo che l'aquila parlò (s'intende dell'ultima risposta, quella sulle due anime pagane che avevano provoca-

to la impetuosa domanda di Dante), mi ricordo di aver visto le due luci beate di cui ella trattava muovere le loro fiammelle in accordo, quasi in accompagnamento, alle sue parole, muovendosi all'unisono, proprio come è perfettamente concorde il battere delle ciglia nei due occhi dell'uomo. Il muoversi, cioè l'oscillare delle luci, tiene qui il posto dell'accompagnamento musicale, con quello stesso scambio tra vista e udito che segna l'apertura del canto (vv. 1-12).

– **mi ricorda**: è l'uso impersonale dei verbi di memoria, già spesso notato (cfr. *Inf.* IX 98; *Purg.* XXXIII 91 ecc.).

147. pur come batter...: l'ultima immagine, paragone nel paragone, vuol significare, accanto all'accordo tra il muoversi delle luci e le parole dell'aquila, quello tra le due luci stesse, in perfetta sintonia tra loro, come il movimento più sincronico che in terra sia dato vedere (cfr. XII 26-7). Armonia nell'armonia, che Dante coglie nel più grande e nel più piccolo, com'è suo costume.

148. fiammette: come *fiammelle* (termine che Dante userà per le luci dei beati a XXI 136), indica fiamme di piccole dimensioni, come quelle accese sui candelabri della processione mistica a *Purg.* XXIX 73, o la luce stessa delle stelle nel firmamento a *Purg.* I 25.

◆ *Così da quella immagine divina, con l'avermi fatto conoscere (fatta chiara) la limitatezza della mia vista, mi fu dato un dolce conforto alla mia angoscia. E come a un buon cantore il buon citarista accompagna la vibrazione delle corde (del suo strumento), e in ciò il canto stesso acquista maggior piacevolezza, così, mentre essa parlava, mi ricordo di aver visto le due luci beate muovere le loro fiammelle in accordo con le sue parole, muovendosi all'unisono come il battere delle ciglia.*

approfondimenti

v. 145. **ch'e' parlò**: *e'*, egli, è pronome maschile, sembra dunque che sia da intendersi come riferito al *benedetto segno* del v. 86.

L'edizione del '21 invece legge *che parlò*, e questa lezione sarebbe forse preferibile, dato che l'aquila viene indicata poco sopra (v. 139), nel periodo che subito precede, come *quella imagine divina*, cioè al femminile.

SUGGERIMENTI PER LA RICERCA

Temi del canto

Similitudini
Per raffigurare l'aquila e il suo parlare Dante ricorre a similitudini di straordinaria potenza ed efficacia: ricercale in questo canto e nel precedente e osserva quali siano i termini di paragone e le qualità dell'aquila cui corrispondono. Infine prova a definire la particolarità delle similitudini del *Paradiso*, considerando che (come è stato suggerito nella nota ai vv. 19-21 del canto XIX) qui Dante assiste a prodigi per loro natura inesprimibili dalla lingua degli uomini, perché non hanno riscontro nella realtà terrena.

La salvezza degli infedeli
È questo un problema – come possa essere condannato per mancanza di fede in Cristo chi non ha sentito parlare di lui – sul quale a lungo Dante si è interrogato e che trova soluzione nei canti XIX e XX del *Paradiso*. Dopo aver riletto il passo XIX 70-78, dove il dubbio trova una formulazione in termini concreti, e la nota di approfondimento di quel canto, riassumi in forma scritta le argomentazioni e gli esempi attraverso cui si dipana la risposta che il poeta da tanto tempo aspettava. Puoi ulteriormente approfondire l'argomento leggendo, all'interno della voce *Salvezza* dell'*Enciclopedia Dantesca*, il paragrafo *Salvezza dei pagani* a cura di G. Fallani (vol. IV, pp. 1094-1096).

Personaggi del canto

David, il «cantor dello Spirito Santo»
Tra i personaggi dell'*Antico Testamento* il re David è il più citato nell'opera dantesca: rileggi i passi *Mon.* I, XVI e II, IX 11; *Purg.* X 55-69; *Par.* XXV 72 (indicati nella nota al v. 38), cercando di spiegare perché Dante lo nomini sempre come poeta. Quindi, dopo aver riletto i due episodi biblici a cui il testo si riferisce (II *Sam* 6, 1-16 e II *Sam* 12, 1-13), spiega perché David sia collocato al più alto grado nel cielo dei giusti. Completa il lavoro con la lettura del saggio di A. Frattini, citato nelle *Letture consigliate*, che analizza la rappresentazione dei sei personaggi nell'occhio dell'aquila.

«Che cose son queste?»: Rifeo Troiano
Per comprendere il significato della sorprendente collocazione tra gli spiriti giusti di Rifeo, pagano e per di più personaggio letterario e non storico, inizia col leggere la sua fine nell'*Eneide* (II, 426-428), individuando nel testo virgiliano il dubbio rispetto alla giustizia degli dèi; quindi riprendi le parole di Cunizza (*Par.* IX 34-36) e con l'aiuto dell'Introduzione a questo canto e al IX, spiega le ragioni di queste ardite scelte dantesche. Approfondisci l'argomento consultando la voce *Rifeo*, a cura di G. Padoan, in *Enciclopedia Dantesca* IV, pp. 923-924 oppure quella a cura di A. M. Chiavacci, in *Enciclopedia Virgiliana* IV, pp. 472-473.

Lingua e stile

Plurale dei termini in -co / -go – v. 12
In lingua italiana, i sostantivi e gli aggettivi che terminano in *-co* e *-go*, nel passaggio dal singolare al plurale, possono mantenere il suono duro della *c* o della *g* (ad

esempio *fuoco* > *fuochi*) oppure cambiarlo in suono dolce, come nel passo qui indicato *caduco* > *caduci* (ma in italiano moderno si ha la forma *caduchi*). Consulta in proposito la *Grammatica Italiana* del Serianni al cap. III.106-107 e annota la norma generale a cui attenersi nel formare questo variabile tipo di plurali.

I fuochi: un'altra rappresentazione di anime beate – v. 14
Ripercorri i canti del *Paradiso* dedicati alla raffigurazione dell'Aquila da parte degli spiriti del cielo di Giove (XVIII-XX), e individua tutti i sostantivi, gli aggettivi e i verbi impiegati per descriverne la dinamica lucentezza; confronta poi questa terminologia con quella impiegata nella rappresentazione del supplizio dei consiglieri fraudolenti (*Inf.* XXVI-XXVII).

villa – v. 39
Precisa i diversi significati che *villa* possiede nella *Commedia* (potrai individuare i passi necessari servendoti delle *Concordanze*), e distinguili dal valore che il termine possiede correntemente in lingua moderna; specifica poi a quale di questi significati vadano ricondotti, nel poema, i sostantivi *villania*, *villanello*, e il sostantivo e aggettivo *villano*. Cerca infine su un buon *Dizionario* di lingua italiana il significato che ha in metrica il termine *villanella*.

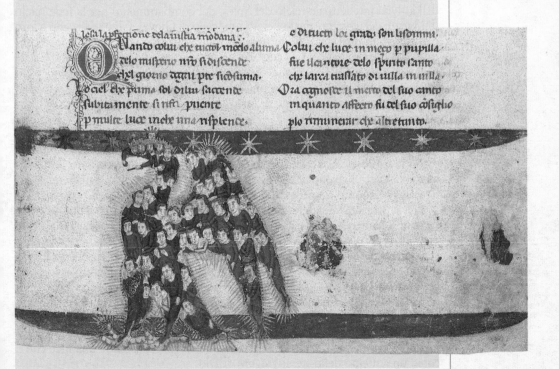

CANTO XXI

Introduzione

S i entra con questo canto nell'ultimo dei cieli dei pianeti, quelli cioè che Dante ha riserbato agli incontri con gli uomini della storia; al di sopra, nei due ultimi cieli dell'astronomia tolemaica (lo Stellato e il Cristallino) appariranno le schiere della Chiesa trionfante e le gerarchie angeliche, e infine nell'Empireo, o cielo divino, la gloria dei risorti e Dio stesso. Questo cielo segna dunque un importante momento di passaggio nella struttura del viaggio celeste del poeta; ed esso si distingue di fatto tra tutti gli altri cieli dei pianeti, sia per la sua altezza che segna la sua nobiltà e la sua vicinanza alla realtà divina (si veda *Conv.* II, XIII 28), sia per il silenzio che vi regna e per l'intensità della luce che lo invade, sia per il particolare carattere dei suoi abitanti; esso accoglie infatti gli spiriti contemplativi, di coloro cioè che hanno vissuto distaccati dal mondo per immergersi nella meditazione delle cose del cielo.

Tali caratteristiche fanno del cielo di Saturno quasi un ponte tra le due dimensioni – storica e ultraterrena – che sono proprie dei due ordini di cieli, quello dei pianeti e quello dei tre superiori, come Dante li ha configurati.

Gli spiriti apparsi nei tre cieli precedenti, pur rivolgendo la loro vita al fine ultimo, cioè a Dio, erano spiriti attivi, operanti cioè nel mondo, ai vari livelli dell'attività intellettuale (cielo del Sole), del combattimento per la fede (cielo di Marte), del governo giusto dei popoli (cielo di Giove). Gli undici canti a loro dedicati sono tutti densi di impegno storico, scientifico o civile, e al loro centro si compie la parabola profetica del destino terreno del protagonista. Gli stessi due ordini religiosi che vi sono celebrati, il francescano e il domenicano, sono quelli attivi nel mondo, con la predicazione e l'esempio: quelli appunto che, operando una vera rivoluzione rispetto agli ordini monastici, uscirono dai chiostri per agire nella vita storica.

Qui nel cielo settimo l'atmosfera cambia: è questo il cielo dei monaci – e san Benedetto, il grande fondatore del monachesimo in occidente, che apparirà nel secondo canto, ne è in qualche modo il patrono –, di coloro cioè che il mondo hanno lasciato, e vivono come sospesi fra la terra e il cielo, in quegli eremi situati in alto sui monti (il Catria, Montecassino), *contenti ne' pensier contemplativi*.

Già la prima terzina del canto ci segnala la differenza propria di questo cielo: l'atto di Dante, che guardando nel volto di Beatrice si è distaccato (*tolto*) da ogni altro pensiero che non sia la bellezza di lei, è come la raffigurazione di quel distacco dalle cose del mondo per guardare solo a Dio che sarà rappresentato nei canti del nuovo pianeta. E nelle due terzine seguenti accade una cosa nuova: Beatrice, per la prima volta, non sorride; il suo sorriso sarebbe ora insostenibile allo sguardo di Dante, come il fulgore di Giove fu per l'incauta Semele, che ne venne ridotta in cenere. Il mito, posto come altrove a simbolo del significato che è racchiuso nell'azione narrata (così quello di Fetonte all'inizio del canto XVII), ci avverte che in questo cielo risplende una luce che è come un anticipo dello stesso *fulgore* di Dio.

Qui non c'è il riso, manifestazione visibile del divino, come non ci sarà il canto, *la dolce sinfonia di paradiso* che finora ha accompagnato, e confortato, il viandante della terra. Il silenzio – segno tipico della vita claustrale – avvolge questo cielo. Tutto lo svolgimento narrativo è condotto mediante figure di luce, così che la luce – quella che Beatrice appunto nomina nel ricordo mitico – è in realtà la protagonista del canto.

Così Dante scriveva nel *Convivio* (IV, XXII 17): «la contemplazione è più piena di luce spirituale che altra cosa che qua giù sia». E in questo primo canto di Saturno la luce è profusa come forse mai altrove nella cantica, se non nei canti dell'Empireo: i verbi e i sostantivi – variando dallo *splendere* al *fervere* al *fiammeggiare*, dal *fulgore* al *cristallo* all'*oro* allo *specchio* – costruiscono un tessuto quasi continuo per più di cento versi, fino cioè al momento in cui, con il breve racconto della vita dello spirito che qui appare, comincia la parte storica del canto, chiusa dalla profezia, che occuperà meno di quaranta versi.

Nel pianeta, prima detto *splendore* (v. 13) e poi *cristallo* (v. 25), si muovono come *splendori* le anime beate, tante quante le stelle del cielo. Al centro di esso si innalza una figura, una scala – come già la croce e l'aquila nei due cieli di Marte e di Giove – che è tutta *di color d'oro in che raggio traluce*. Questa figura che, come dirà san Benedetto nel prossimo canto, è quella scala che il biblico patriarca Giacobbe vide in sogno protendersi in alto fino al trono di Dio, è simbolo, secondo la tradizione monastica, della vita contemplativa e ascetica dell'eremo. Nel suo apparire però – culmine figurativo della scena che si svolge nel pianeta – non se ne dà alcuna descrizione, se non l'aureo fulgore e la vertiginosa altezza che lo sguardo non può seguire. Il suo slancio verticale – *uno scaleo eretto in suso* – taglia in direzione di salita la circolarità dell'universo, il platonico cosmo delle sfere, proprio come fa l'uomo che dal centro della terra è giunto fino a qui, e che giungerà là dove quella figura «porge» la sua cima (XXII 71), quasi a segnargli la strada.

Interviene a questo punto l'unica similitudine dei due canti di Saturno (e anche questa singolarità – a confronto con la ricchezza profusa nei canti precedenti – sembra indicare un distacco da ogni riferimento terreno). Le anime sono paragonate a uccelli in movimento nel cielo – come già gli spiriti che formavano l'aquila nel canto XVIII – con triplice, diversa direzione di moto, che nella sua precisione pare voler significare il triplice moto del pensiero contemplativo, come è descritto nell'opera del grande mistico Dionigi l'Aeropagita (si veda la nota ai vv. 37-39).

Questi uccelli volteggianti, una delle poche immagini terrene evocate nella cantica a raffigurare i beati del cielo (ricordiamo, oltre agli uccelli, le fanciulle danzanti, i pesci nella peschiera, i fiocchi di neve), appena tracciate le linee del loro vario muoversi intorno alla scala, già si trasformano, fermandosi presso Dante, in forme di pura luce, definite solo con un verbo: uno «sfavillare». E lo spirito che si avvicina al poeta si fa, come sempre accade, straordinariamente *chiaro*, luminoso.

Comincia qui, dopo una breve pausa, la seconda parte del canto, occupata dal dialogo fra Dante e il beato. Ma anche questa scena esce dallo schema consueto, sia nelle domande poste da Dante, sia nelle risposte relative. Né Dante chiede, né l'altro dà nel rispondere, notizie del suo nome e della sua vita. Egli resta, per così dire, anonimo, senza determinazioni storiche e geografiche, fino alla terza risposta (*il terzo sermo*) quando infine – nell'ultima sequenza del canto – interverrà la storia.

Il tema centrale infatti di tutta la prima parte del dialogo non è personale, ma teologico, riprendendo, sotto diverso aspetto, l'argomento stesso svolto dall'aquila nei due canti precedenti. Sembra che Dante, avanzando le sue incalzanti domande, voglia portare sino in fondo, esaurire il problema che il suo animo da tanto tempo ormai si andava ponendo.

Le prime battute sono come un preludio a ciò che qui deve essere richiesto. Dante chiede prima con grande deferenza al beato – come avvertendo di trovarsi di fronte a spiriti privilegiati – non chi sia, ma perché gli sia venuto incontro, e subito dopo domanda la ragione del silenzio inconsueto che lo ha accolto nel nuovo pianeta. E la prima risposta elude ogni riferimento personale («sono qui perché così Dio ha voluto») e rimanda poi, per il silenzio, al motivo già dato da Beatrice per il mancato sorriso (la singolare eccellenza di quel cielo). Ma la vera domanda che Dante ha nel cuore viene posta adesso. Quando lo spirito dirà che è solo per il suo libero corrispondere al volere divino – non perché egli abbia più amore degli altri – che egli è disceso per la *scala santa*, Dante incalzerà: sì, questo mi è già chiaro, ma quel che io chiedo è perché «tu solo» fosti scelto da Dio fra tutti. Il mistero della predestinazione – questa volta non per quel che riguarda la salvezza, ma i compiti a ognuno assegnati da Dio – torna così ad occupare il campo centrale anche nel primo canto del cielo di Saturno. Questo luogo, dove sono gli spiriti che più altamente hanno levato lo sguardo a contemplare la realtà divina, è di fatto il luogo più proprio per dare l'ultima risposta. Qui infatti – con uno svolgimento tutto ancora imperniato su figure di luce – la profondità insondabile ad ogni *creata vista* dell'*etterno statuto* è dichiarata in modo definitivo.

Lo sviluppo del discorso – il secondo e il più importante – dell'anima beata (il grande contemplante san Pier Damiano, come tra poco si saprà) è condotto con singolare bellezza di immagini e di affetti, sostenuta da nuove e potenti forme linguistiche.

Esso parte da una splendente definizione del teologico *lumen gloriae* (il «lume di gloria», la luce cioè per cui Dio permette ai beati di contemplarlo) come luce che penetra dentro a quella stessa dell'anima (che in essa *s'inventra*) e le fa vedere l'essenza divina da cui deriva (è *munta*, quasi latte vivificante); procede poi indicando i più alti tra gli intelletti creati – la Vergine Maria, i Serafini – che pur non sarebbero in grado di rispondere alla domanda di Dante; termina infine, ritessendo parole e immagini del discorso già fatto dall'aquila, col dichiarare che la ragione da lui richiesta *s'innoltra* tanto nell'abisso divino, che nessun occhio di creatura (che in esso *s'interna* come nel mare, aveva detto l'aquila) potrà raggiungerla.

Tenebra e fumo, ombra e caligine, questo è la luce dell'intelletto umano in terra a confronto con quella che gli è data nel cielo (cfr. XIX 64-6). Come mai potrà scorgere *là giùe* ciò che non può neppure se elevato allo stato di beatitudine?

A queste parole Dante *umilmente* «lascia» la questione, cosa che non accade mai, se non qui, nell'intero poema. In tutto il canto, a ben guardare, egli è messo in una condizione di impotenza: non può sopportare il riso, non il canto, non può «soddisfare» la sua sete di sapere. Tale condizione è il vero segno del distacco che in lui si va operando dal mondo della terra, e che nel prossimo canto si compirà in forma sensibile con la salita al cielo Stellato; *umilmente* dunque egli chiede ora allo spirito notizie della sua vita. Chiede ciò su cui può avere risposta, chiede le cose che appartengono alla storia, lasciando quelle che sono il segreto di Dio.

Soltanto ora l'anima beata acquista un nome, diventa una persona. E il suo attacco, che delimita geograficamente il luogo della sua vita (*Tra' due liti d'Italia surgon sassi, / e non molto distanti a la tua patria,... e fanno un gibbo che si chia-*

ma Catria...), tanto simile a quello di ogni altra storia, quella di Cunizza (*In quella parte de la terra prava / italica che siede tra Rïalto / e le fontane di Brenta e di Piava...*), come quella di Francesco (*Intra Tupino e l'acqua che discende / del colle eletto dal beato Ubaldo...*), porta una singolare variazione di registro, dalle altezze vertiginose dell'abisso della mente divina ai monti petrosi d'Italia, quelli che si vedono da Ravenna, *non molto distanti* dalla città da cui l'esule era bandito.

Lo spirito che qui parla, san Pier Damiano, è scelto fra tanti grandi contemplativi per ragioni strettamente autobiografiche, come è quasi la regola del poema. Una ragione, che potremmo dire contingente, fu certamente la sua ancor viva memoria nella città di Ravenna, dove il canto fu scritto. Ma la ragione primaria di questa scelta è da ritrovarsi nella consonanza morale tra la sua personalità e quella del poeta, che tutti i lettori del canto hanno riconosciuto. Di lui si dirà più particolarmente nel commento. Qui ricordiamo il duplice aspetto della sua figura: quello di grande spirito mistico, desideroso di raccogliersi nel contemplare le supreme verità, e quello di fervente operatore apostolico nel rinnovamento della Chiesa; le due componenti essenziali, come si vede, dell'animo dantesco, quelle che costituiscono la trama del poema, tra l'appassionata denuncia profetica e il continuo sospiro (il *disio*) che lo conduce all'ultima visione.

La storia di Pier Damiano è svolta in uno spazio brevissimo (ventun versi), ricordando quasi soltanto il felice tempo della sua permanenza nell'eremo – sintetizzato in una sola terzina di suprema leggerezza, che definisce quella vita tutta raccolta in Dio – da cui fu *tratto* (contro il suo volere, come dicono i suoi scritti) all'ufficio di cardinale, e quindi all'azione nel mondo. Di questa sua azione – che pure fu ampia e importante – il santo però non parla; era l'altra, egli sembra dire, la sua vita vera. Ma da quel ricordo del suo cardinalato si crea il passaggio al discorso profetico, con il dolore per quella dignità di pastore ora così miseramente avvilita dagli uomini di curia. Ed ecco sorgere nel verso le leggere figure dei due primi apostoli, Pietro e Paolo, *magri e scalzi* (come i discepoli di Francesco: cfr. XI 80, 83) a confronto con la pesantezza corporea e il lusso dei prelati moderni (*Or voglion quinci e quindi chi i rincalzi...*). Il lessico delle due terzine che li raffigurano – corpulenti e ammantati sopra i loro ricchi palafreni – ha la qualità comica tipica del linguaggio ammonitore del *Paradiso*. Ma più forte che in altri luoghi ne è l'effetto in questo cielo di luce, di silenzio, di leggerezza, di distacco. Esso corrisponde inoltre, nella realtà storica, al linguaggio stesso degli scritti polemici del santo – probabilmente noti a Dante –, come suo è il rapito inno di lode della vita eremitica (il *Dominus vobiscum*), scritto tra i più belli che celebrino lo stato contemplativo dell'uomo.

La pesante denuncia si chiude con un'esclamazione rivolta a Dio stesso, quasi chiedendo il perché al cielo di tanta sopportazione, come altre volte il poeta stesso chiede, o si chiede, nel poema (si veda *Purg.* VI 118-123; *Par.* XXVII 57). E a queste ultime, appassionate parole, rispondono con un alto grido gli altri spiriti beati del pianeta, scesi volteggiando fino a raggiungere e circondare il santo che le ha pronunciate, come per rafforzare la sua dolente richiesta alla insondabile giustizia di Dio.

Il loro grido – così potente da sopraffare l'udito stesso di Dante, che non ne intende le parole – risuona drammaticamente nel silenzioso cielo dei contemplativi, concludendo con vivo contrasto il canto tutto immerso nella luce del mistero divino, che si era aperto col rapito guardare di Dante nel volto supremamente bello di colei che lo conduce a Dio.

CANTO XXI

Nel cielo di Saturno: san Pier Damiano

1-24 *Dante rivolge lo sguardo a Beatrice che, diversamente dal solito, non sorride e spiega che non può farlo perché la sua bellezza si è tanto accresciuta salendo di cielo in cielo che se non si moderasse egli ne sarebbe annientato, come la ninfa Semele che fu incenerita vedendo Giove in tutto il suo fulgore. Ormai sono saliti al settimo cielo, quello di Saturno: Beatrice avverte che sta per mostrarsi a loro una nuova figura.*

25-42 *Compare nel cielo una scala d'oro tanto alta che la cima si sottrae alla vista; lungo i gradini scendono innumerevoli luci che si muovono insieme fino a un certo punto: alcune poi volano via, altre risalgono in su, altre ancora sostano volteggiando, come fanno al mattino le schiere di pole per riscaldarsi.*

43-60 *La luce più vicina brilla intensamente per dimostrare il suo amore, ma Dante per parlare attende l'assenso di Beatrice, che non tarda a venire: allora chiede all'anima beata la ragione per cui si è avvicinata e perché qui tace la musica che egli ha sentito giù negli altri cieli.*

61-72 *Lo spirito risponde che la ragione del silenzio è la stessa per cui Beatrice non sorride (le facoltà umane di Dante non hanno ancora la forza di sostenere una bellezza di tale intensità). Aggiunge di aver sceso i gradini della scala solo per festeggiarlo, non per un maggior fervore di amore; altre anime ardono di un amore anche maggiore, come rivela il loro splendore, ma è l'imperscrutabile carità divina che assegna a ciascuna il suo compito.*

73-102 *Dante incalza con le domande: ormai sa che i beati del paradiso obbediscono liberamente al volere di Dio, ma ciò che gli resta difficile da capire è perché tra tutte proprio lei sia stata predestinata per accoglierlo. L'anima spiega che nemmeno gli esseri più perfetti del paradiso potrebbero rispondere alla sua domanda, perché il disegno divino è insondabile. Perciò, una volta tornato sulla terra, ammonisca i mortali perché non abbiano la presunzione di conoscere con la mente annebbiata dalle passioni terrene ciò che non si può sapere neppure in cielo.*

103-142 *Dante non insiste e umilmente domanda allo spirito chi sia. Questi inizia la sua presentazione con l'indicazione di un luogo, il monte Catria, alle cui pendici sorge un eremo dedicato al culto di Dio, un tempo fecondo di uomini santi e ormai vuoto: si tratta del monastero di Fonte Avellana, dove egli, Pier Damiano, visse dedicandosi alla contemplazione, finché fu fatto cardinale, ufficio che ormai è svolto da uomini sempre peggiori. I primi degli apostoli, Pietro e Paolo, vissero poveramente, mentre ora i pastori pretendono agi e lussi: «oh pazienza di Dio che tanto sopporti!», esclama concludendo il discorso. A queste parole scendono volteggiando altre luci: insieme elevano un grido così forte che Dante non riesce a intenderne le parole.*

Già eran li occhi miei rifissi al volto
de la mia donna, e l'animo con essi,
3   e da ogne altro intento s'era tolto.

1-3. Già eran li occhi miei...: l'avverbio indica il mutamento di situazione, come all'inizio del canto XVIII. Dante è già tutto fisso al volto di Beatrice, con gli occhi e con l'anima, ormai distolto da ogni altro

I miei occhi erano già tornati a fissare il volto della mia donna, e insieme a loro la mia anima, distaccatasi da ogni altro pensiero.

oggetto della sua attenzione (*intento*; cfr. *Purg.* XVII 48). Sparita la grande aquila che ha occupato il campo visivo per due interi canti, ora come svanita, ormai oltrepassata, la scena celeste è rimasta vuota, e solo vi restano le due figure del poeta e della sua guida. Il raccolto silenzio di questa terzina già prelude a quello che sarà il carattere dominante del nuovo cielo, abitato dagli spiriti contemplativi; cielo dove Dante entra, senza accorgersene, proprio mentre guarda con questa assoluta intensità nel volto di Beatrice.

E quella non ridea; ma «S'io ridessi»,
mi cominciò, «tu ti faresti quale
6   fu Semelè quando di cener fessi:
ché la bellezza mia, che per le scale
de l'etterno palazzo più s'accende,
9   com'hai veduto, quanto più si sale,
se non si temperasse, tanto splende,
che 'l tuo mortal podere, al suo fulgore,
12   sarebbe fronda che trono scoscende.
Noi sem levati al settimo splendore,
che sotto 'l petto del Leone ardente
15   raggia mo misto giù del suo valore.
Ficca di retro a li occhi tuoi la mente,
e fa di quelli specchi a la figura
18   che 'n questo specchio ti sarà parvente».

---

4. non ridea: come finora ha fatto, passando da un cielo all'altro, e significando nel sorriso l'accresciuta beatitudine (II 28; V 94-6; VIII 13-5; XIV 79-81; XVIII 55-7).

5-6. tu ti faresti quale...: tu diverresti come Semele, quando fu incenerita per aver voluto contemplare Giove in tutto il suo fulgore. Semele, figlia di Cadmo, amata da Giove, chiese ed ottenne da lui per istigazione di Giunone di poterlo vedere nella sua maestà celeste; ma il suo corpo mortale fu a quella vista ridotto in cenere (Ovidio, *Met.* III 307-9; Stazio, *Theb.* III 183-5).

7. per le scale: salendo di cielo in cielo, quasi gradini della scala del palazzo celeste, il paradiso.

8-9. più s'accende...: diventa sempre più fulgida, quanto più si sale.

10-2. se non si temperasse...: se ora non si moderasse (e «la modera astenendosi dal riso»: Torraca), sarebbe in questo cielo così splendente che la tua possibilità di vedere di uomo mortale sarebbe, davanti al suo fulgore, come un ramo schiantato dal fulmine; sarebbe cioè annientata, come fu incenerita Semele.

  – trono: tuono, vale qui «fulmine»: cfr. *Rime* CXVI 57.

  – scoscende: di tuono che squarcia le nubi, a *Purg.* XIV 135.

13. Noi sem levati...: il fatto è dato per accaduto, senza che in alcun modo se ne abbia percezione o descrizione, come è proprio di tutti questi passaggi che «non si sporgono» nel tempo (X 37-9).

  – settimo splendore: il settimo pianeta, Saturno.

14-5. che sotto 'l petto...: che in questo periodo dell'anno (*mo*, ora), trovandosi nella costellazione del Leone, spande i suoi raggi giù sulla terra mescolando la sua virtù a quella di lui: «Leone si è caldo e freddo; Saturno è freddo e secco. Or mischia queste due complessioni:... le qualità attive, come caldo e freddo, l'una tempera l'altra» (Lana). Con questo avvicinamento si vuol probabilmente significare l'accompagnarsi dello stato contemplativo (freddo) all'ardore apostolico (caldo), che sarà proprio dell'anima che qui apparirà.

16-8. Ficca di retro...: fa' che la tua mente segua i tuoi occhi con tutta l'attenzione, e fa' che in essi si rispecchi la figura che ti si mostrerà in questo cielo, *specchio* della luce divina. Gli occhi cioè ricevono l'immagine, e la mente deve essere pronta a percepirla. *Ficcare* è detto altrove dello sguardo, per indicare intensità quasi a penetrare l'oggetto guardato (cfr. VII 94 o *Inf.* XV 26).

  – specchi... specchio: la ripetizione raffigura la discesa della luce divina, come un raggio da uno specchio all'altro, dal cielo alla mente dell'uomo.

Ed ella non rideva, ma cominciò a dirmi: «Se io ridessi, tu diventeresti come Semele, quando fu incenerita; poiché la mia bellezza, che per le scale di questo palazzo eterno (il paradiso) diventa sempre più fulgida, come hai visto, quanto più si sale, se non si moderasse, è ora così splendente che la tua possibilità di vedere di uomo mortale sarebbe, davanti al suo fulgore, come un ramo schiantato dal fulmine. ◆ *Ci siamo elevati al settimo pianeta (Saturno), che in questo periodo dell'anno (mo, ora), trovandosi nell'infuocata costellazione del Leone, spande i suoi raggi giù (sulla terra) mescolando la sua virtù a quella di lui. Fa' che la tua mente segua attentamente i tuoi occhi, e fa' che essi siano specchio della figura che ti si mostrerà in questo cielo (specchio a sua volta della luce divina)».*

Qual savesse qual era la pastura
del viso mio ne l'aspetto beato
21   quand'io mi trasmutai ad altra cura,
conoscerebbe quanto m'era a grato
ubidire a la mia celeste scorta,
24   contrapesando l'un con l'altro lato.
Dentro al cristallo che 'l vocabol porta,
cerchiando il mondo, del suo caro duce
27   sotto cui giacque ogne malizia morta,
di color d'oro in che raggio traluce
vid'io uno scaleo eretto in suso
30   tanto, che nol seguiva la mia luce.
Vidi anche per li gradi scender giuso
tanti splendor, ch'io pensai ch'ogne lume

19-24. Qual savesse...: solo chi sapesse quanto grande era il piacere del quale si pascevano i miei occhi (*viso* vale «vista») guardando il beato volto (*aspetto*) di Beatrice quando (alla sua richiesta) mi rivolsi da lei ad un altro oggetto di attenzione (*cura*), potrebbe conoscere quanto mi era caro l'ubbidire alla mia guida, potendo misurare l'uno con l'altro il peso dei due piaceri (del contemplarla e dell'ubbidirla): «Quanta dovette essere la dolcezza nel compiacere a lei, se poté superar l'altra del vagheggiarla!» (Cesari).

– **pastura**: il forte vocabolo, che esprime con la metafora del cibo (la più corporea possibile) l'intensità del piacere provato dalla vista, tornerà, sempre per Beatrice, a XXVII 91 (la stessa metafora, per la sapienza, in *Conv.* III, VIII 5). E si veda *Purg.* XXXII 1-3, quando per la prima volta quel volto appare a Dante nel poema. Il linguaggio dei sensi, proprio dell'amore umano, è sempre stato usato dai mistici per esprimere il loro amore soprannaturale. In questa tradizione si pone Dante, ma con la straordinaria novità che la creatura celeste a cui si rivolge il suo sentimento «trasumanato» è la stessa che egli amò appassionatamente sulla terra.

25. cristallo: è così chiamato il corpo del pianeta, luminoso e trasparente come il cristallo; è variazione di *specchio* del v. 18.

◆ *Solo chi sapesse quanto grande era il piacere di cui si pascevano i miei occhi (viso) guardando il beato volto (aspetto) quando mi rivolsi a un altro oggetto di attenzione (cura), potrebbe capire quanto mi era caro l'ubbidire alla mia guida celeste, potendo misurare l'uno con l'altro il peso dei due piaceri (del contemplarla e dell'ubbidirla).* ◆ *Dentro al pianeta che, volgendosi in cerchio intorno alla terra, prende il nome del re a lei caro, sotto il governo del quale restò inoperosa l'umana malvagità, vidi una scala del colore dell'oro su cui batte il sole, tanto elevata verso l'alto che il mio occhio (la mia luce) non poteva seguirla (fino alla sua cima). Vidi anche lungo i suoi gradini scendere tanti splendenti spiriti beati, che pensai che tutte le luci ...*

25-7. che 'l vocabol porta...: che, volgendosi in cerchio intorno alla terra, prende il nome del re a lei caro, sotto il governo del quale restò inoperosa l'umana malvagità. La perifrasi indica Saturno, il re che presiedette alla favolosa età dell'oro (i «Saturnia regna» ricordati da Virgilio nella IV *Egloga*), il primo tempo innocente dell'umanità che corrisponde alla biblica vita nell'Eden (cfr. *Purg.* XXVIII 139-41). L'influsso di Saturno induceva alla contemplazione, alla sobrietà, alla vita solitaria.

28-30. di color d'oro...: la nuova figura che appare nel nuovo pianeta è una scala d'oro luminosissima, tanto elevata verso l'alto che l'occhio di Dante (*la mia luce*) non poteva seguirla fino alla sua cima. Prima di nominare la figura (lo *scaleo*) il primo verso ne anticipa l'effetto luminoso, con parole quasi materiate di luce. L'inversione presenta così allo sguardo, per prima cosa, quel *color d'oro* che riempie tutta la scena celeste del nuovo canto.

– **in che raggio traluce**: nel quale si riflette un raggio di sole (dando quindi all'oro il suo massimo splendore; cfr. XVII 123).

29. uno scaleo eretto in suso: l'espressione imprime alla scala un singolare slancio verso l'alto. – *eretto*, che si ergeva, si sollevava diritto (cfr. *Inf.* X 35 e *Purg.* XV 36). La figura della scala deriva da quella vista in sogno da Giacobbe nella *Genesi* (come si dirà a XXII 70-2), che era comunemente considerata il simbolo della vita ascetica che sale alla contemplazione di Dio per gradi, come la presenta nella sua Regola san Benedetto, il patrono, per così dire, di questo cielo (cfr. XXII 71 e nota), e come poi moltissimi trattati la presenteranno (tra i quali il più noto è l'*Itinerarium mentis in Deum* di san Bonaventura). Così anche san Pier Damiano, che apparirà in questo canto, parla della vita dell'eremo: «Tu, scala di Giacobbe, che conduci gli uomini al cielo e fai scendere gli angeli in aiuto agli uomini» (*Dominus vobiscum*, in *Epistolae* I 28, p. 274).

31-3. per li gradi scender giuso...: lungo i suoi gra-

33   che par nel ciel, quindi fosse diffuso.
       E come, per lo natural costume,
      le pole insieme, al cominciar del giorno,
36   si movono a scaldar le fredde piume;
       poi altre vanno via sanza ritorno,
      altre rivolgon sé onde son mosse,
39   e altre roteando fan soggiorno;
       tal modo parve me che quivi fosse
      in quello sfavillar che 'nsieme venne,
42   sì come in certo grado si percosse.
       E quel che presso più ci si ritenne,
      si fé sì chiaro, ch'io dicea pensando:
45   'Io veggio ben l'amor che tu m'accenne.
       Ma quella ond'io aspetto il come e 'l quando

dini vidi scendere gli splendenti spiriti beati (come gli angeli nella scala sognata da Giacobbe), ed erano tanti ch'io pensai che tutti gli astri che si vedono in cielo diffondessero da lì (*quindi*) la loro luce. Il paragone verte sulla quantità (*tanti*): sembrò a Dante che lì si fossero raccolte tutte le stelle del cielo.

34-6. E come, per lo natural costume...: ancora una similitudine tolta dagli uccelli per il vario e veloce movimento degli spiriti celesti, come a XVIII 73-5: come le pole, seguendo l'abitudine propria della loro natura, si muovono tutte insieme all'alba per riscaldarsi dal freddo notturno...

– **pole**: mulacchie, uccelli della famiglia dei corvidi che nelle mattine d'autunno si vedono volteggiare a schiera nel cielo di Toscana.

37-9. poi altre...: e dopo un primo aggirarsi in gruppo (*insieme*) si dividono in varie direzioni: alcune si allontanano per non più tornare, altre tornano all'albero di dove si sono mosse, altre infine restano, volando qua e là in cerchio, nello stesso punto del cielo (*fan soggiorno*): si fermano. Con la consueta attenzione, Dante coglie il diverso attivo muoversi delle creature alate, le sole che sulla terra potevano figurare l'aggirarsi felice degli spiriti celesti nel paradiso (ai vari moti degli uccelli – in modo simile a questo – paragona quelli degli spiriti contemplanti Riccardo di San Vittore nel *De gratia contemplationis* I 5). I tre movimenti, così precisamente descritti, sembrano tuttavia racchiudere un significato: è probabile che si vogliano adombrare le diverse operazioni dell'intelletto contemplativo, che il grande mistico Dionigi l'Areopagita, seguito da san Tommaso, assomiglia appunto ai tre diversi movimenti dei corpi (circolare, retto ed obliquo).

40-2. tal modo...: tale comportamento (*modo*: cfr. *Inf.* III 34) mi parve di vedere in quelle sfavillanti luci che erano scese insieme lungo la scala (vv. 31-2), quando si arrestarono a un dato gradino di essa. Lì giunte, si divisero dunque in tre gruppi: alcune si allontanarono in varie direzioni, altre tornarono verso l'alto (di dove erano venute), altre si fermarono pres-

so a quel gradino. Così si deve intendere, rispettando la corrispondenza stabilita con il *modo* tenuto dalle pole. Che questo gradino fosse vicino a Dante s'intende da ciò che segue: tra le luci dei beati che sostarono, la luce che si fermò più vicina a lui (v. 43) è quella destinata a parlargli. L'attenzione al vario muoversi delle anime – per cui alcune si allontanano e altre si fermano – è funzionale al problema che ora Dante porrà: perché quell'una fra tutte è stata prescelta per rivolgersi a lui.

43. quel che presso più...: quella luce che si fermò (*si ritenne*) più vicina a noi.

44. chiaro: luminoso (lat. «clarus»), come più volte.

45. Io veggio ben...: abituato ormai a riconoscere dal più vivo splendore la particolare attenzione di carità dei beati verso di lui, Dante dice fra sé (*pensando*), rivolgendosi a quello spirito: io ben vedo il particolare amore che tu mi dimostri, s'intende col farti *sì chiaro* (*m'accenne*: mi fai intendere col tuo comportamento, a cenni, cioè senza parlare).

46. quella ond'io aspetto...: Beatrice, colei dalla quale sempre aspetto di sapere il modo e il tempo (il *come* e il *quando*, avverbi sostantivati) del mio parlare o tacere.

... che si vedono in cielo diffondessero da lì (quindi) la loro luce. ◆ E come le pole, per l'abitudine propria della loro natura, si muovono tutte insieme all'alba per riscaldare le penne infreddolite; e poi alcune si allontanano per non più tornare, altre tornano all'albero di dove si sono mosse, altre infine restano, volando qua e là in cerchio, nello stesso punto del cielo (fan soggiorno); tale comportamento mi parve di vedere in quelle sfavillanti luci che erano scese insieme lungo la scala, quando si arrestarono a un dato gradino di essa. ◆ E quella luce che si fermò (si ritenne) più vicina a noi si fece così luminosa (chiaro), che io dicevo tra me: "Io ben vedo l'amore che tu mi dimostri (m'accenne: mi fai intendere). Ma colei dalla quale sempre aspetto di sapere il modo e il tempo (il come e il quando) ...

del dire e del tacer, si sta; ond'io,
48   contra 'l disio, fo ben ch'io non dimando'.
    Per ch'ella, che vedëa il tacer mio
nel veder di colui che tutto vede,
51   mi disse: «Solvi il tuo caldo disio».
    E io incominciai: «La mia mercede
non mi fa degno de la tua risposta;
54   ma per colei che 'l chieder mi concede,
    vita beata che ti stai nascosta
dentro a la tua letizia, fammi nota
57   la cagion che sì presso mi t'ha posta;
    e dì perché si tace in questa rota
la dolce sinfonia di paradiso,
60   che giù per l'altre suona sì divota».
    «Tu hai l'udir mortal sì come il viso»,
rispuose a me; «onde qui non si canta

47. **si sta**: resta ferma; non mi dà cioè alcun segno di incoraggiamento a parlare.

47-8. **ond'io...**: per cui faccio bene a tacere, pur contro il mio desiderio. Questa breve e muta scena d'intervallo – Dante che parla dentro di sé, e ansioso di interrogare guarda Beatrice; Beatrice che tace; Dante che si rassegna ad attendere – fa parte di quella serie di vive finzioni sceniche (quasi svolte sul proscenio di un teatro) che, più frequenti durante la guida di Virgilio, accompagnano con forte effetto di veridicità tutto il viaggio.

49-50. **che vedëa il tacer mio...**: che vedeva in Dio il mio forzato tacere (col desiderio di parlare e insieme di ubbidirla).

– **vedëa... veder... vede**: i tre verbi figurano – con il loro riflettersi – il gioco di specchi che si compie tra la mente di Dante, quella di Dio, e quella di Beatrice.

51. **Solvi**: sciogli, manifesta; cfr. *Purg.* XXXI 145.

52. **mercede**: merito.

54. **ma per colei...**: se io non son degno, per mio merito, di una tua risposta, te lo chiedo per colei che mi consente di domandare (e quindi rende legittima la mia domanda).

55-6. **che ti stai nascosta...**: che ti celi nella luce della tua stessa letizia; è il profondo motivo ricorrente dei beati danteschi (loro stessi producono la luce che li nasconde) instaurato nel secondo cielo (V 124-6).

57. **la cagion...**: la ragione che ti ha portato così vicino a me. Dante non chiede dunque il nome del beato – come sempre ha fatto finora – ma perché egli sia venuto verso di lui, anticipando così il tema della prima parte dell'incontro.

58-60. **perché si tace...**: ecco la seconda domanda, il secondo motivo di stupore: perché in questo cielo (*rota*) tace il dolce canto di paradiso che risuona per tutti gli altri cieli sotto di questo (*giù*). In tutti i cieli percorsi fin qui, sempre in varie forme, si sono infatti uditi dolci e armoniosi canti che ammaliavano il pellegrino. Si dà così, dentro la domanda, una seconda indicazione che distingue questo cielo da tutti gli altri: è mancato il riso di Beatrice, e manca anche la musica celeste. L'uno e l'altro perché sarebbero troppo intensi, nella loro bellezza, per essere sopportati dalle facoltà umane di Dante.

61. **l'udir... il viso**: i due sensi nobili – udito e vista – per i quali è fatto tutto il paradiso dantesco. Essi sono tuttavia *mortali*, ed hanno dunque un limite, che verrà innalzato per grazia per consentire la visione dell'ultimo cielo (XXX 55-60).

65-6. **discesi tanto...**: sono sceso così in basso (lo spirito risponde al *sì presso* di Dante: v. 57) soltanto per far festa alla tua venuta, con il parlare e con il più intenso risplendere della luce che mi avvolge nel suo manto (cfr. v. 44). Non ci sono dunque motivi personali (come era accaduto nel cielo di Marte), ma solo quello – comune a tutti i beati – di venire incontro ai desideri dell'eccezionale pellegrino, festeggiando il suo

---

... del mio parlare o tacere, resta ferma; per cui faccio bene a non fare domande, pur contro il mio desiderio". Allora ella, che vedeva il mio (forzato) tacere nella vista di colui che tutto vede (Dio), mi disse: «Manifesta il tuo ardente desiderio». ◆ E io cominciai: «Il mio merito (mercede) non mi rende degno di una tua risposta; ma per colei che mi consente di domandare, o vita beata che ti celi nella luce della tua stessa letizia, fammi conoscere la ragione che ti ha portato così vicino a me; e dimmi perché in questo cielo (rota) tace il dolce canto di paradiso che risuona così devotamente per tutti gli altri cieli sotto di questo (giù)». ◆ «Tu hai l'udito dei mortali, così come la vista» mi rispose; «per cui qui non si canta ...

63   per quel che Bëatrice non ha riso.
            Giù per li gradi de la scala santa
        discesi tanto sol per farti festa

66   col dire e con la luce che mi ammanta;
            né più amor mi fece esser più presta,
        ché più e tanto amor quinci sù ferve,

69   sì come il fiammeggiar ti manifesta.
            Ma l'alta carità, che ci fa serve
        pronte al consiglio che 'l mondo governa,

72   sorteggia qui sì come tu osserve».
            «Io veggio ben», diss'io, «sacra lucerna,
        come libero amore in questa corte

75   basta a seguir la provedenza etterna;
            ma questo è quel ch'a cerner mi par forte,
        perché predestinata fosti sola

78   a questo officio tra le tue consorte».

arrivo. Tanto più giustificata apparirà quindi la domanda di Dante (perché allora proprio tu fra tutti?),
che introduce il tema a cui si vuole arrivare.

67-9. né più amor...: né fu un maggiore amore che
mi rese più sollecito a venirti incontro; perché da qui
in su (*quinci sù*) per la scala vi sono spiriti che ardono di un amore maggiore o uguale al mio, come ti rivela l'intensità del loro splendore (che è proporzionata
appunto al loro grado di amore).

70-2. Ma l'alta carità...: ma la suprema carità (cioè
quella divina), che ci rende pronte a ubbidire alla volontà provvidenziale (il *consiglio*) che governa tutto l'u-
niverso, assegna in sorte in questo cielo i diversi compiti (e quindi a me quello di incontrarti). E tale compito assegnato è eseguito dunque con pronto e libero amore da ciascuno. La terzina vuol significare come l'insindacabile «sorteggiare» divino diventi atto di
volontario amore nelle anime che Dio stesso induce
– per amore – a tale obbedienza. È il grande mistero
del nesso d'amore tra volontà divina e libertà umana
che tante volte in vari modi ritorna sotto la penna del
poeta del paradiso.

– come tu osserve: come tu puoi vedere, dai diversi
movimenti delle anime (prima raffigurati nella similitudine delle *pole*).

73-8. Io veggio ben...: come sempre nella dialetti-
ca dei dialoghi dell'aldilà, l'esigente spirito dantesco
non si accontenta di una prima risposta generica, ma
incalza con successive, più precise richieste. Io ben capisco, egli dice, anima beata, come in questa corte celeste «non forza, ma libera corrispondenza d'amore»
(Lombardi) vi è sufficiente a seguire il volere dell'e-
terna provvidenza (e che tu sei venuta quindi solo per
ubbidire liberamente a una scelta divina). Ma c'è una
cosa a cui tu non hai risposto: ciò che mi pare diffi-
cilissimo a intendere (*cerner*, discernere) è perché tu
sola fosti predestinata a questo compito tra tutte le tue

compagne (*consorte*, compagne di sorte: cfr. I 69; per
il plur. in -e si veda *concorde* a XV 9 e relativa nota
linguistica).

77. predestinata: si riprende, ma con diversa prospettiva, il grande tema del canto precedente. Non si
tratta qui della sola predestinazione alla salvezza, cioè
di predestinazione in senso specifico, ma più generalmente di quella provvidenza divina che governa tutti gli atti dell'uomo nel tempo, secondo la definizione di Tommaso: «la predestinazione, propriamente intesa, è una certa divina preordinazione, *ab aeterno*, delle cose che, per la grazia di Dio, avverranno nel tempo» (*S.T.* III, q. 24 a. 1). Rispondendo anche questa
volta che le sue ragioni sono insondabili dalle menti
create, anche dalle più alte, si completa così il quadro
del mistero che governa il destino degli uomini, in vita e in morte, secondo l'amoroso disegno di Dio.

---

*... per lo stesso motivo per cui Beatrice non ha riso. Sono
sceso così in basso giù per i gradini della scala santa, soltanto per far festa alla tua venuta, con il parlare e con la
luce che mi avvolge nel suo manto; né fu un maggiore amore che mi rese più sollecito (degli altri), perché da qui in
su (quinci sù) per la scala vi sono spiriti che ardono di un
amore maggiore o uguale al mio, come ti rivela il loro splendore.* ♦ *Ma la suprema carità (cioè quella divina), che ci
rende pronte a ubbidire alla volontà provvidenziale (il consiglio) che governa tutto l'universo, assegna in sorte (sorteggia) in questo cielo i diversi compiti, come tu puoi vedere». «Io ben capisco», dissi, «o lume santo, come in questa corte celeste la libera corrispondenza d'amore è sufficiente a seguire il volere dell'eterna provvidenza; ma ciò
che mi pare difficile a intendere (cerner) è perché tu sola fosti predestinata a questo compito tra tutte le tue compagne (consorte)».*

Né venni prima a l'ultima parola,

che del suo mezzo fece il lume centro,

81   girando sé come veloce mola;

poi rispuose l'amor che v'era dentro:

«Luce divina sopra me s'appunta,

84   penetrando per questa in ch'io m'inventro,

la cui virtù, col mio veder congiunta,

mi leva sopra me tanto, ch'i' veggio

87   la somma essenza de la quale è munta.

Quinci vien l'allegrezza ond'io fiammeggio;

per ch'a la vista mia, quant'ella è chiara,

90   la chiarità de la fiamma pareggio.

Ma quell'alma nel ciel che più si schiara,

quel serafin che 'n Dio più l'occhio ha fisso,

93   a la dimanda tua non satisfara,

però che sì s'innoltra ne lo abisso

79-80. Né venni prima... che: e non arrivai a finir di parlare, prima che... Il costrutto esprime il sovrapporsi di un atto sull'altro, cominciando l'uno quando l'altro non è ancora terminato. Lo spirito è come impaziente di manifestare la sua gioia di poter rispondere, avendo già colto tutto il pensiero che agita la mente di Dante.

80-1. del suo mezzo...: il lume fece perno sul proprio centro, volgendosi in giro come una veloce macina di mulino. La *mola* è l'oggetto terreno che Dante assume a figurare un moto circolare intorno al proprio centro: cfr. XII 3 (e X 64-5) e *Conv.* III, v 14.

83-4. Luce divina...: la luce di Dio giunge su di me (*s'appunta*: si dirige e termina; cfr. IX 118) penetrando attraverso questa luce nella quale io mi racchiudo come in un ventre di fiamma (cfr. *Purg.* XXVII 25-6).

– m'inventro: forte neologismo (costruito come *in-luiarsi, indiarsi* ecc.) creato per quell'inabitare dell'a-

nima dentro la sua luce per cui Dante trova sempre nuove e intense espressioni.

85-7. la cui virtù...: la cui potenza, unita alla mia capacità di vedere, mi solleva tanto al di sopra delle mie possibilità, che io vedo direttamente la suprema essenza divina dalla quale essa proviene (*è munta*: si distilla, deriva). Si cfr. XXX 100-2 e nota relativa.

88-90. Quinci vien...: da questo mio vedere proviene la gioia della quale io risplendo: perché la luminosità (*chiarità*) della fiamma è in me fatta pari alla chiarezza della vista che io ho di Dio. (Si cfr. la terzina 40-2 del canto XIV, dove la stessa idea è svolta con termini simili).

91-3. Ma quell'alma...: grande dunque è la mia capacità di vedere in Dio; ma l'anima beata che più *si schiara* (cioè più è illuminata dalla divina luce), il serafino che più fissa il suo sguardo in Dio, non potrebbe soddisfare alla tua richiesta. Nessun essere creato dunque, né il più grande degli uomini, né il più alto degli angeli.

quell'alma...: l'anima umana più vicina a Dio è senza dubbio, anche se qui non è detto esplicitamente, la Vergine Maria, *umile e alta più che creatura* (XXXIII 2), che apparirà al vertice della gloria dei beati nell'Empireo (XXXI 115-29) e della quale si dirà che in Dio *non si dee creder che s'invii / per creatura l'occhio tanto chiaro* (XXXIII 44-5).

– quel serafin...: i Serafini sono la più eccelsa delle nove gerarchie angeliche.

94-6. sì s'innoltra: la risposta alla tua domanda (*quel che chiedi*) si inoltra tanto addentro nelle profondità degli eterni decreti divini che è irraggiungibile (*scisso*: separato in modo irrevocabile) da ogni mente creata. Per l'immagine cfr. VII 94-5; XIX 58-63 e *Purg.* VI 121-3 (con le stesse rime *abisso – scisso*).

– etterno statuto: ciò che da Dio è «ab aeterno», eternamente, stabilito.

◆ E non arrivai a pronunciare l'ultima parola, che il lume fece perno sul proprio centro, volgendosi in giro come una veloce macina di mulino; poi l'anima piena d'amore che era al suo interno rispose: «Una luce che proviene da Dio giunge su di me (s'appunta), penetrando attraverso questa luce nella quale io mi racchiudo, la cui potenza, unita alla mia capacità di vedere, mi solleva tanto al di sopra delle mie possibilità, che io vedo direttamente la suprema essenza dalla quale essa si sprigiona (è munta). ◆ Da questo mio vedere (quinci) proviene la gioia della quale io risplendo; perché la luminosità (chiarità) della fiamma è in me fatta pari alla chiarezza della visione (che io ho di Dio). Ma l'anima che in paradiso più è illuminata (dalla divina luce), o il serafino che più fissa il suo sguardo in Dio, non potrebbe soddisfare alla tua richiesta, perché la risposta alla tua domanda (quel che chiedi) si inoltra tanto addentro nelle profondità ...

de l'etterno statuto quel che chiedi,

96   che da ogne creata vista è scisso.

E al mondo mortal, quando tu riedi,

questo rapporta, sì che non presumma

99   a tanto segno più mover li piedi.

La mente, che qui luce, in terra fumma;

onde riguarda come può là giùe

102   quel che non pote perché 'l ciel l'assumma».

Sì mi prescrisser le parole sue,

ch'io lasciai la quistione e mi ritrassi

105   a dimandarla umilmente chi fue.

«Tra ' due liti d'Italia surgon sassi,

e non molto distanti a la tua patria,

108   tanto che ' troni assai suonan più bassi,

e fanno un gibbo che si chiama Catria,

di sotto al quale è consecrato un ermo,

---

98. rapporta: riporta, riferisci.

98-9. non presumma...: non presuma più, non abbia più la presunzione, di muoversi, dirigersi verso una meta (*segno*) così alta per lui.

100. che qui luce...: la mente umana, che qui risplende illuminata dalla luce divina (cfr. vv. 83-7), in terra è invece come coperta da caligine, annebbiata (dai sensi e dalla concupiscenza: cfr. XIX 64-6 e note). – *fumma* era proprio del toscano (cfr. *fummo* a *Inf.* VII 123 e nota linguistica).

101-2. come può là giùe...: come potrebbe riuscire a intendere, in quella condizione di oscurità, quel che non può nonostante che (*perché* concessivo) il cielo l'assuma nella sua luce.

103. mi prescrisser: mi posero un limite: «prescrivere propriamente significa assegnare termine ad alcuna cosa, il quale da essa non si possa trapassare» (Daniello). Le parole del beato chiudono la questione definitivamente: quella domanda non può avere risposta. E Dante rinuncia (*lascia*), come non accade mai altrove nel poema.

104-5. e mi ritrassi...: mi tirai indietro, mi restrinsi, alla più modesta domanda su chi egli fosse: *umilmente*, accogliendo cioè la lezione.

106-8. Tra ' due liti...: lo spirito comincia a designarsi da un luogo, come per prima fece Francesca (*Siede la terra...*: *Inf.* V 97): un monte posto tra due mari, come tra due fiumi il colle di Assisi nella storia di Francesco (*Intra Tupino e l'acqua che discende...*: XI 43 sgg.). I *due liti d'Italia* sono le due sponde, tirrenica e adriatica, tra le quali *surgon sassi*: si levano dei monti rocciosi (propaggini dell'Appennino tosco-emiliano), tanto alti che sovrastano alle nubi da cui si sprigionano i tuoni. La descrizione di Dante, sintetica e potente, fa sorgere innanzi agli occhi quei monti pietrosi, alti sulle nubi, quasi luogo che nella sua asprezza è al riparo dalle tempeste terrene. Ricordiamo che

anche la Verna, altro luogo di solitudine e preghiera, è chiamato *sasso* (il *crudo sasso*) a XI 106.

107. non molto distanti: l'accenno a Firenze sembra nascere dal cuore dell'esule che da Ravenna, guardando a quei monti, pensava alla sua patria al di là di essi, non molto lontana. Il Catria è a circa 120 km da Firenze, ma Dante indica qui l'insieme della catena appenninica da cui esso si distacca, oltre la quale era situata la sua città.

108. tanto: dipende da *surgon* del v. 106.

109. un gibbo: un rigonfiamento, una gobba. Tale appare di fatto il Catria visto da Ravenna. Questo monte, situato tra Pergola e Gubbio, si distacca dall'Appennino verso l'Adriatico, e si leva oltre l'altezza media della catena principale, a circa 1700 metri sul mare. Come sempre, la descrizione di Dante è insieme singolarmente esatta e di viva evidenza.

110-1. di sotto al quale...: sulle pendici orientali del Catria è posto un eremo che era dedicato al solo cul-

---

... degli eterni decreti divini che è irraggiungibile (scisso, separato) dalla mente di ogni essere creato. ♦ *E al mondo mortale, quando vi ritornerai, riferisci ciò che ti ho detto, affinché non abbia più la presunzione di muoversi verso una meta (segno) così alta per lui. La mente umana, che qui risplende (illuminata dalla luce divina), in terra è invece come avvolta nella nebbia; per cui considera come potrebbe intendere laggiù quello che non può nonostante che (perché) il cielo l'accolga nella sua luce».* ♦ *Le sue parole posero un limite così definitivo alle mie richieste, che abbandonai quella questione, e mi ridussi a domandare umilmente chi fosse. «Tra le due sponde d'Italia (tirrenica e adriatica) si levano dei monti rocciosi, non molto distanti dalla tua patria, tanto alti che i tuoni si sprigionano molto più in basso, e formano una gobba che si chiama Catria, sulle pendici della quale è posto un eremo ...*

111   che suole esser disposto a sola latria».
       Così ricominciommi il terzo sermo;
       e poi, continüando, disse: «Quivi
114   al servigio di Dio mi fe' sì fermo,
       che pur con cibi di liquor d'ulivi
       lievemente passava caldi e geli,
117   contento ne' pensier contemplativi.
       Render solea quel chiostro a questi cieli
       fertilemente; e ora è fatto vano,
120   sì che tosto convien che si riveli.
       In quel loco fu' io Pietro Damiano,

to divino, cioè alla preghiera e alla meditazione (*latria* è voce tardolatina, derivata dal greco «latreia», servizio, che indicava il culto dovuto a Dio). È questo l'eremo camaldolese di S. Croce di Fonte Avellana, fondato intorno all'anno 1000 nello spirito di san Romualdo, poi divenuto monastero, che ebbe il suo massimo sviluppo per opera di san Pier Damiano. Una tradizione vuole che Dante sia stato ospite di questo monastero; cosa non inverosimile, ma mancante di ogni documentazione.

112. **terzo sermo**: questo è infatti il terzo discorso del santo, dedicato alla sua vita; nei primi due ha risposto, in due riprese, alla più grave domanda di Dante, quella sulla predestinazione.

114. **mi fe' sì fermo**: mi dedicai con tanta costanza.

115. **che pur con cibi...**: che nutrendomi solo con semplici cibi conditi con olio d'oliva...: si alluderà a piatti di erbe cotte, cibo di magro che era quasi esclusivo nutrimento dei monaci di allora oltre al pane e all'acqua; la leggerezza della espressione e dei suoni stessi del verso, che non nomina alcun cibo, ma quasi lo fa sparire nel liquido velo del frutto dell'olivo, rende quel nutrimento così impalpabile da farlo più spirituale che corporeo.

116-7. **lievemente passava...**: traversavo le stagioni, estati e inverni, senza accorgermi dei loro disagi, quasi il corpo non avesse più consistenza, tutto assorbito nella contemplazione. La terzina trascorre con mirabile leggerezza, ritraendo una vita raccolta in Dio, dove ogni realtà sensibile – la fame, il freddo, il caldo – sembra annullarsi nella concentrazione dello spirito.

– **contento**: del tutto appagato, senza altri desideri (cfr. XX 74).

118-9. **Render solea...**: quel monastero soleva rendere copiosa messe di santi al paradiso. Si ricordano di fatto più di settanta monaci di Fonte Avellana illustri per santità, vissuti prima e dopo san Pier Damiano. L'immagine della comunità cristiana come orto o messe i cui frutti si raccolgono in cielo è evangelica e torna spesso nel linguaggio figurato del poema. L'attacco (*Render solea*) già preannuncia il rimpianto (e ora non più) e la denuncia che seguirà.

119. **vano**: vuoto (di uomini santi, s'intende); *vano* si diceva del terreno vuoto di germi fecondi, come è ora il campo del monastero che prima rendeva così fertilmente.

120. **sì che tosto...**: così che ben presto una punizione divina lo renderà a tutti manifesto. La profezia può essere allusione a qualche fatto a noi non noto, ma più probabilmente si tratta di avvertimento generico, fondato soltanto – come altrove (XXVII 61-3) – sulla certezza che Dio non può non intervenire – quando, non sappiamo – a punire la malvagità umana.

121. **Pietro Damiano**: il santo fa ora il suo nome, tra i più grandi e famosi del monachesimo benedettino. Sulla sua vita e le sue opere si veda la nota di approfondimento alla fine del canto.

122-3. **e Pietro Peccator...**: e come Pietro Peccatore vissi nel monastero di S. Maria in Porto, presso Ravenna sull'Adriatico (tale chiesa è denominata in molti documenti «S. Maria della riva adriatica» ["de litore *adriano*"]). Il santo vuol qui ricordare, accanto alla fase della sua vita pubblica, un diverso periodo della sua esistenza, dedicato alla penitenza e alla preghiera, nel quale umilmente il grande Pier Damiano quasi sparisce dietro il nome di Pietro Peccatore, nome col quale egli soleva firmarsi, negli scritti teologici come nei documenti. Su questo verso, per noi chiaro, c'è tuttavia una viva polemica interpretativa. Fino dagli antichi commentatori, il testo è stato inteso in due modi diversi (leggendo cioè alcuni il secondo *fu'* come terza persona, e distinguendo dunque i due Pie-

---

... che era solito essere dedicato al solo culto divino (latria)». ◆ Così ricominciò il terzo discorso, e poi continuando disse: «Lì mi dedicai con tanta costanza al servizio di Dio, che nutrendomi solo con semplici cibi conditi con olio d'oliva traversavo facilmente estati e inverni (caldi e geli), del tutto appagato dalla contemplazione. Quel monastero soleva rendere copiosa messe (di santi) a questi cieli (cioè al paradiso); e ora è diventato sterile, così che è inevitabile che ben presto ciò diventi manifesto a tutti. ◆ In quel luogo io fui Pier Damiano, ...

e Pietro Peccator fu' ne la casa

123 di Nostra Donna in sul lito adriano.

Poca vita mortal m'era rimasa,

quando fui chiesto e tratto a quel cappello,

126 che pur di male in peggio si travasa.

Venne Cefàs e venne il gran vasello

de lo Spirito Santo, magri e scalzi,

129 prendendo il cibo da qualunque ostello.

Or voglion quinci e quindi chi i rincalzi

li moderni pastori e chi li meni,

132 tanto son gravi, e chi di rietro li alzi.

---

tro). Sulla questione si veda la nota di approfondimento alla fine del canto.

124. Poca vita mortal...: mi era rimasto poco da vivere; in realtà Pier Damiano visse quindici anni dopo la nomina a cardinale. Tuttavia Dante vuol forse fargli sottolineare il fatto che egli fu costretto a tale ufficio (come dice il verso seguente) quando era già in età avanzata (50 anni erano allora considerati tali) e desiderava piuttosto dedicarsi alla contemplazione e alla preghiera, come di fatto chiese insistentemente ed ottenne, rinunciando alla carica dopo meno di un decennio, e tornando a vivere nell'eremo fino alla morte.

125. chiesto e tratto: fui richiesto e quasi trascinato: il *tratto* determina la violenza fatta al suo desiderio di solitudine, che appare chiaramente in uno scritto del santo stesso, là dove definisce il suo episcopato come «imposto con la forza» (*Epistolae* II 72).

– **quel cappello**: il cappello rosso proprio dei cardinali. Esso fu istituito in realtà molto più tardi, da Innocenzo IV, alla metà del XIII secolo; era tuttavia distintivo della dignità cardinalizia al momento in cui il santo parla, nel 1300.

126. che pur...: che ora passa – come il vino da un recipiente all'altro – da una testa indegna ad una ancora più indegna (per l'immagine cfr. *Purg.* VII 117). Questo verso introduce – con la proposizione relativa che definisce il *cappello* – il passo polemico e profetico che chiuderà il canto. Niente altro Pier Damiano dice della sua vita, pur così ricca e piena di attività pastorale e politica. Ma l'invettiva che segue esprime al vivo – in forma diretta – il senso della sua opera nella Chiesa e compie così, accanto alla figura del contemplante, il quadro della personalità del santo.

127 sgg. Venne Cefàs...: i due più grandi tra gli apostoli, Pietro e Paolo, vennero tra la gente a portare il Vangelo, poveri come Cristo aveva voluto, e i moderni pastori vivono invece nel lusso più sfrenato. Gli apostoli *magri e scalzi*, che ricordano i seguaci di Francesco a XI 79-84, sono vivamente contrapposti ai prelati appesantiti dal cibo e coperti di sfarzose vesti della terzina seguente. Torna l'idea, così cara a Dante, della Chiesa primitiva povera e umile, tanto simile al suo fondatore e tanto diversa da quella dei suoi tempi, bramosa di denaro e di potere (si confrontino con questi i versi pronunciati da Pietro stesso a XXVII 40-5).

– **Cefàs**: è il nome dato da Gesù a Pietro: «Tu sei Simone, il figlio di Giovanni; ti chiamerai Cefas, che vuol dire pietra» (*Io.* 1, 42).

– **il gran vasello...**: Paolo, detto «vaso di elezione» in *Act. Ap.* 9, 15 (cfr. *Inf.* II 28 e nota).

129. prendendo il cibo...: è citazione evangelica delle disposizioni date da Cristo ai suoi apostoli inviati a predicare: «In qualunque casa entriate... restate in quella casa, mangiando e bevendo di quello che hanno» (*Luc.* 10, 5-7). Anche *scalzi* risale a queste disposizioni: «Non possedete... monete nelle vostre cinture, né bisaccia per il viaggio, né due tuniche, né sandali...» (*Matth.* 10, 9-10). – *ostello* vale «casa», «dimora ospitale».

130-1. Or voglion quinci e quindi...: i pastori di oggi hanno bisogno di servitori che li sorreggano da entrambi i lati: i servi preposti a questo ufficio erano detti «braccieri», in quanto sostenevano le braccia del prelato.

– **e chi li meni**: e chi li porti, quasi di peso, da un luogo all'altro.

132. e chi di rietro...: infine occorre chi li sollevi da dietro, per aiutarli a salire a cavallo; questi erano gli «staffieri». Ben tre categorie di servi dunque per sostenere la «gravezza», cioè il peso dei corpulenti pastori *moderni* (mentre i due primi andavano leggeri, *magri e scalzi*, senza alcun corteggio).

■

... e col nome di Pietro Peccatore vissi nel monastero di Nostra Signora, sulle rive dell'Adriatico. Mi era rimasto poco da vivere, quando fui richiesto e quasi trascinato a portare quel cappello (cardinalizio) che ora passa da una testa indegna a una ancora peggiore (di male in peggio).
◆ *Pietro e il grande vaso dello Spirito Santo (Paolo) vennero (a portare il vangelo tra gli uomini) magri e scalzi, prendendo il cibo in qualsiasi dimora ospitale. I prelati di oggi hanno bisogno di servitori che li sorreggano da ambo i lati, e che li trasportino, tanto sono pesanti, e che li sollevino da dietro.*

Cuopron d'i manti loro i palafreni,
sì che due bestie van sott'una pelle:
135 oh pazïenza che tanto sostieni!».
A questa voce vid'io più fiammelle
di grado in grado scendere e girarsi,
138 e ogne giro le facea più belle.
Dintorno a questa vennero e fermarsi,
e fero un grido di sì alto suono,
che non potrebbe qui assomigliarsi;
142 né io lo 'ntesi, sì mi vinse il tuono.

133. **Cuopron d'i manti loro...**: infine, issati sul cavallo (il *palafreno* è il cavallo da sella), lo avvolgono col loro manto.

134. **sì che due bestie...**: il crudo verso è il finale della grottesca rappresentazione: due bestie sotto la stessa *pelle* (così è chiamata la cappa cardinalizia foderata di pelliccia, il *manto* del verso precedente). La rozza violenza del linguaggio è propria dello stile profetico usato da Dante, anche quando fa parlare Beatrice o san Pietro (cfr. XXVII 25-7 e XXIX 124-6). Essa corrisponde all'uso dei grandi autori medievali, come Bernardo o Pier Damiano stesso.

135. **oh pazïenza...**: o infinita pazienza di Dio, che tolleri (senza intervenire, s'intende) così grande offesa! Come sopraffatto dallo spettacolo descritto, il santo prorompe nell'esclamazione rivolta a Dio che sembra uscire dal cuore del poeta: egli certo non avrebbe tale pazienza! (un simile movimento è nel simile discorso di san Pietro a XXVII 57). Si cfr. un passo delle *Prediche* di Fra Giordano da Pisa, contemporaneo di Dante: «Grande misericordia di Dio, che degna di sostenerci così pazientemente!».

136. **A questa voce**: al risuonare di questo grido; quasi per acconsentire a quello.

137. **scendere e girarsi**: scendere per i gradini della scala d'oro e girare su se stesse (come aveva fatto prima il lume di Pier Damiano: v. 81), facendosi ad ogni giro più lucenti: «confermando così le parole di Piero e invocando il castigo divino» (Benvenuto).

139. **a questa**: a questa fiammella, quella che aveva parlato.

140. **un grido**: questo alto grido di cui Dante non intende le parole è, come sapremo a XXII 13 sgg., una richiesta di *vendetta* o punizione di Dio per i pastori corrotti. Qui esso rompe con il suo fragore il silenzio contemplante del cielo di Saturno, come se di fronte a tanto scempio anche il raccoglimento della preghiera non possa non esser vinto dal santo sdegno.

141. **qui assomigliarsi**: trovare qui in terra qualcosa che gli somigli: è quella similitudine terrena che sempre il poeta cerca – ma non sempre trova – per il suo mondo ultraterreno (cfr. XIV 105).

142. **sì mi vinse...**: tanto quel *tuono*, quel grido forte come un tuono, sopraffece i miei sensi. Il canto, aperto in un profondo silenzio, si chiude con questo soprannaturale *grido* – tanto più forte in questo canto taciturno – che «vince» le facoltà del pellegrino. Tale condizione di stordimento, quasi annichilimento, produce una sospensione che crea attesa per il nuovo canto (una simile chiusa è nel IV, dove a sopraffare la *virtute* di Dante è la luce colma d'amore degli occhi di Beatrice).

Coprono coi loro mantelli tutto il cavallo, cosicché due bestie vanno sotto la stessa cappa (pelle); o pazienza di Dio, che tolleri così grande offesa!». ◆ A questo grido vidi molte fiammelle scendere per i gradini della scala d'oro e girare su se stesse, facendosi ad ogni giro più lucenti. Vennero a fermarsi intorno a questa (che aveva parlato), e levarono un grido dal tono così alto, che non potrebbe trovare qui (in terra) qualcosa che gli somigli: né io ne intesi le parole, tanto quel tuono mi sopraffece.

PERSONAGGI – PROBLEMI DI INTERPRETAZIONE

Un monaco cardinale

verso 121. In quel loco fu' io Pietro Damiano...

Nato nel 1007 a Ravenna da umile famiglia, Pier Damiano fu mantenuto agli studi dal fratello Damiano, di cui prese per gratitudine il nome. Divenuto ancor giovane brillante professore (a Parma e a Padova), entrò nel 1035 nel monastero di Fonte Avellana, attratto da quella vita solitaria e contemplativa a cui il suo spirito era soprattutto inclinato. Sotto di lui, divenuto priore nel 1043, l'eremo fiorì in modo straordinario, e case filiali furono fondate per tutta l'Italia centrale. Ma accanto al mistico era in lui l'uomo d'azione, che lo portò a dedicarsi con ardore apostolico ad affiancare i papi del suo tempo nella guida della Chiesa, di cui egli vedeva con dolore e sdegno la corruzione. Fatto vescovo di Ostia, suo malgrado, nel 1057, col titolo di cardinale, fu incaricato di importanti missioni (a Milano, Cluny, Firenze, Ravenna), ottenendo in seguito, dopo insistenti richieste, nel 1066, di tornare alla pace del suo eremo. Morì a Faenza nel 1072 e fu universalmente venerato come santo fin dalla sua morte. Nominato dottore della Chiesa da Leone XII, Pier Damiano fu certamente uno dei più grandi autori del suo secolo. Nei suoi scritti, sempre animati da forte passione, si riflette la sua duplice personalità di mistico e di politico: del primo genere ricordiamo la celebre *Vita di San Romualdo* e il *Dominus vobiscum*, con l'ispirata lode della vita eremitica; del secondo il violento scritto polemico *Gomorrhianus* sui costumi corrotti del clero e la *Disceptatio synodalis* sui rapporti tra Chiesa e Impero, la cui conclusione, che sostiene la distinzione e armonia fra i due poteri, ha una singolare consonanza con la chiusa della *Monarchia* dantesca. Dante vide certamente in lui uno spirito affine al suo, proprio per quella duplice passione che contrassegnò anche la sua vita. E su un doppio registro si muove infatti il discorso del santo in questo incontro nel *Paradiso*, diviso tra il dolce ricordo dell'eremo con cui comincia e la sdegnosa, violenta denuncia del clero corrotto con la quale si conclude (su Pier Damiano si veda la voce relativa di A. Frugoni, in *Enciclopedia Dantesca* IV, pp. 490-1 e quella di P. Palazzini, in *Enciclopedia Cattolica* IX, coll. 1377-80).

Due monaci di nome Pietro

verso 122. e Pietro Peccator fu' ne la casa...

Alcuni tra gli antichi commentatori (Lana, Ottimo, Pietro di Dante) presero il secondo *fu* (apostrofato dagli editori che lo ritengono invece prima persona, come è nel nostro testo) come terza persona, intendendo che Dante volesse qui distinguere Pier Damiano da un altro Pietro, vissuto a S. Maria in Porto e chiamato Pietro Peccatore, correggendo in questo modo la confusione che tra i due si faceva al suo tempo, e spiegano così la terzina: a Fonte Avellana vissi io, Pietro Damiano, mentre Pietro Peccatore visse nella chiesa di S. Maria in Porto a Ravenna. Un altro Pietro fu in realtà il fondatore – nel 1096 – della canonica di S. Maria in Porto (costruita su una preesistente chiesa dedicata anch'essa a Maria), dove morì nel 1119; sulla sua tomba si leggeva un epitaffio con queste parole: «Qui giace Pietro detto il Peccatore...». I due Pietro furono ben presto confusi (dato che il titolo sull'epitaffio era notoriamente quello che il più noto – il Damiano – si attribuiva comunemente) e, come risulta da una lettera del Boccaccio al Petrarca, al suo tempo si credeva in Ravenna che il fondatore sepolto a S. Maria in Porto fosse il grande monaco di Fonte Avellana. L'interpretazione antica dei versi di Dante sopra riportata, ancora ritenuta accettabile da alcuni moderni, fu respinta con ampia argomentazione dal Barbi (*Con Dante e i suoi interpreti*, Firenze 1941, pp. 257-96). Anche noi la riteniamo insostenibile per due ordini di motivi, contestuali e storici: prima perché il contesto – tutto intensamente concentrato sulla vita del santo che parla, di cui si danno brevissimi dati – non sembra sopportare tale aggiunta del tutto gratuita, e anche perché la struttura sintattica della terzina, con la figura del chiasmo, mira a distinguere i due luoghi, come riferiti alla stessa persona (*In quel loco fu' io... fu' ne la casa*). Poi perché – a parte il fatto che sembra molto improbabile che a Ravenna nel 1321 fosse così chiara quella distinzione che nel 1353 (data della lettera del Boccaccio, dunque nel-

approfondimenti

l'arco di una stessa generazione) era del tutto ignota – è senz'altro insostenibile che Pier Damiano distingua da sé un altro Pietro chiamandolo proprio col nome che egli stesso aveva scelto per sé e col quale sempre si firmava, negli scritti come nei documenti (cosa ben nota a Dante, come a tutti quelli che al suo tempo potevano leggere le opere del santo). È proprio quell'umile nome che, nell'intenzione di Dante, egli tiene invece a rivendicare per sé. L'altro Pietro del resto, come è stato appurato, usò quella firma soltanto una volta. È ben più probabile che Dante abbia creduto – come poi il Petrarca (*De vita solitaria* II, VIII) – che dopo aver rinunciato al cardinalato il santo si fosse ritirato a vita di penitenza e preghiera nella casa di Ravenna. Ricordiamo anche che Benvenuto da Imola, autorevole conoscitore delle cose di Romagna, si preoccupa di smentire l'interpretazione che risale al Lana («molti si sono qui ingannati, dicendo che Pietro Peccatore fu un altro da Pietro Damiano: cosa che è del tutto falsa»), affermando che Pier Damiano fondò i due monasteri «e si chiamò col proprio nome nel primo luogo, e nel secondo per somma umiltà si chiamò Pietro Peccatore...». Segnaliamo infine una più recente diversa interpretazione dei vv. 122-3 che – pur prendendo il *fu* come prima persona – intende che Pier Damiano alluda qui a un suo soggiorno giovanile in una casa per chierici – che si trovava a S. Maria in Porto – prima di farsi monaco a Fonte Avellana. Là avrebbe condotto una vita mondana, appunto da «peccatore» (si veda G. Lucchesi, *S. Pier Damiano nel IX centenario della morte*, Cesena 1972). La proposta manca tuttavia di sicura documentazione. L'ipotesi del ritiro tardo a vita di penitenza trova del resto riscontro nella stessa lettera del santo che chiede al papa l'esonero dall'episcopato (*Epistolae* II 72, p. 327). Dal punto di vista del testo infine, come osservò il Barbi, nulla può dirci il *fu*, che può essere indifferentemente un *fu'* (*fui*, come nel verso precedente) o un *fu*. Si veda sul problema, oltre al saggio del Barbi sopra ricordato, quello del Pecoraro citato fra le *Letture consigliate*.

NOTE LINGUISTICHE

v. 93. **satisfara**: soddisferebbe; condizionale derivato dal piuccheperfetto latino. È forma siciliana, frequente nella poesia del '200. Tale è anche il comunissimo *fora*, sarebbe.

v. 98. **presumma**: è raddoppiamento dell'uso arcaico, come al v. 102 *assumma*.

v. 105. **dimandarla**: il pronome femminile è accordato con le espressioni *vita beata* (v. 55) e *sacra lucerna* (v. 73) con le quali Dante si è rivolto prima al beato, e non con le più vicine designazioni *lume* e *amor* (vv. 80 e 82), ed è riferito al pronome *lei* implicito nel possessivo: *sue*, di lei.

NOTA AL TESTO

v. 130. **chi i rincalzi**: così l'edizione del '21. Il testo del Petrocchi legge *chi rincalzi*, in quanto tale lezione sarebbe «imposta dalla maggioranza dei codici»; tuttavia il pronome è richiesto obbligatoriamente dal successivo *li*, ed è presente in codici autorevoli, per cui è opportuno mantenerlo. Del resto il Petrocchi stesso osserva nella nota al verso che si potrebbe leggere anche *chi' rincalzi*.

SUGGERIMENTI PER LA RICERCA

Temi del canto

Il «settimo splendore»
Il cielo di Saturno è caratterizzato dalla luminosità: ricerca nel canto i verbi e sostantivi che descrivono lo splendore della luce; leggi poi il passo del *Convivio* IV, XXII, 17 (commentato nell'Introduzione) e rifletti sul nesso tra luce e vita contemplativa. Spiega infine le differenze tra la presentazione di questo cielo e quella dei precedenti. Sull'argomento puoi consultare il saggio di A. Seroni citato nelle *Letture consigliate*.

La scala d'oro

La figura della scala è usata dalla tradizione cristiana come simbolo della vita ascetica che sale per gradi alla contemplazione di Dio: leggi le principali fonti a cui Dante
attinge e che trovi citate nelle note di commento (il passo biblico *Gen.* 28,12 e la *Regola*
di san Benedetto VII, 8); quindi ricostruisci la rappresentazione dantesca integrando
la descrizione dei vv. 28-33 con quella del canto successivo, vv. 68-72. Sulle diverse
interpretazioni che i commentatori hanno dato della scala, leggi il saggio di M. Pecoraro
citato nelle *Letture consigliate.*

Il mistero della predestinazione

In questo canto si completa il discorso sulla predestinazione già ampiamente affrontato nei due precedenti. Rileggi nel canto XX i vv. 130 e segg., poi, in questo, il dialogo tra Dante e Pier Damiano (vv. 73 e segg.) individuando il nuovo problema suscitato e la risposta che il poeta riceve (ti sarà d'aiuto la lettura dell'Introduzione al canto
e della nota al v. 77). Approfondisci l'argomento consultando la voce *Predestinazione*,
a cura di G. Fallani, in *Enciclopedia Dantesca* IV, pp. 638-639.

Lumen gloriae

Nei vv. 82-90 di questo canto e in altri due passi del *Paradiso* (XIV 40-42 e XXX 100-
102) Dante usa la sua arte poetica per rappresentare con immagini il teologico *lumen
gloriae*: rileggi i passi citati con le relative note di commento, poi approfondisci l'argomento leggendo la lettura critica di Ch. S. Singleton, *Le tre luci*, nel volume *Strumenti.*

Personaggi del canto

San Pier Damiano

Dopo aver letto attentamente la nota di approfondimento sulla vita del santo, ricerca ulteriori informazioni leggendo la voce relativa, a cura di A. Frugoni, in *Enciclopedia
Dantesca* IV, pp. 490-491 oppure quella del *Grande libro dei Santi* (III, pp. 1620-1625);
quindi spiega perché Dante abbia scelto proprio Pier Damiano a rappresentare gli spiriti contemplativi. Completa il lavoro ricercando immagini e notizie dell'eremo camaldolese di Fonte Avellana in un manuale o CD Rom di Storia dell'Arte o
nell'*Enciclopedia cattolica* (vol. V, coll. 1497-98).

Lingua e stile

si percosse – v. 42

Rileggi i passi sotto indicati e, servendoti delle note di commento o della parafrasi,
annota i diversi significati del verbo *percuotere* nella *Commedia*, distinguendo l'uso antico del verbo da quello oggi corrente: *Inf.* V 27; VII 112; XXX 11 e 102; XXXII 78;
Purg. XXXIII 118; *Par.* XIV 3.

Come, dove, quando – v. 46

Individua, nei canti che si indicheranno, altri passi della *Commedia* in cui i vocaboli
come, dove, quando, solitamente impiegati come congiunzioni o avverbi interrogativi,
siano usati come sostantivi (la maggior parte di essi è individuabile con il *Rimario*):
Purg. XXV, *Par.* III, XXII, XXIII, XXVII, XXIX. Consulta poi un buon *Dizionario*
di lingua italiana e annota le espressioni più comuni nel linguaggio corrente che conservano questo tipo di vocaboli sostantivati.

Stare / starsi – v. 55

Nell'italiano antico sono molti i verbi che si presentano sia in forma attiva (ad esempio *stare*), sia in forma intransitiva pronominale (*starsi*, come appunto nel passo indicato: *si sta*). Consulta le *Concordanze* della *Commedia* alle voci *essere*, *giacere* e *tacere*,
e individua le rispettive forme intransitive pronominali che si trovano nel poema.

CANTO XXII

Introduzione

Come altre coppie di canti che svolgono lo stesso argomento (quali l'XI e XII, o il XIX e XX), anche i due canti dedicati al cielo di Saturno hanno strutture narrative uguali, e uguale tonalità affettiva e stilistica. In questo secondo canto regna infatti la stessa atmosfera luminosa, di calmo distacco dalle cose terrene, che si è instaurata nel XXI, e l'incontro con lo spirito beato – un altro grande spirito contemplativo, anzi il «padre» di tutti i contemplativi dell'Occidente – si svolge in modo simmetrico a quello con Pier Damiano, ma seguendo l'ordine inverso delle sue due parti, come già abbiamo visto accadere nei due canti occupati dal discorso dell'aquila. Tuttavia c'è questa volta una novità nella trama narrativa, che segue lo schema precedente fino ad un certo punto, e poi se ne distacca, narrando la salita al nuovo cielo. Questa salita, che non è come tutte le altre, ma segna il momento del passaggio dai cieli dei pianeti ai tre cieli superiori, è in realtà l'evento al quale la sosta nel cielo di Saturno, come già osservammo, serve di preparazione; e per questo essa è situata nell'ambito di questo canto, dove la scala luminosa che vi si erge, della quale viene spiegato al poeta il significato simbolico, è la stessa che Dante percorrerà, con Beatrice, per raggiungere il cielo sovrastante. È questo dunque il momento del viaggio celeste nel quale Dante, lasciando sotto di sé i ben noti, fidati cieli dei pianeti, si innalza fino al firmamento o cielo Stellato, il primo dei tre cieli superiori, dove non s'incontreranno più beati con cui familiarmente conversare, dove cioè si è oltrepassato un limite, di spazio e di tempo, oltre il quale la storia non è più operante, ma vista come lontana, abbracciata in un solo sguardo.

L'apertura del canto ripete in forma diversa lo stesso motivo, dell'incapacità di Dante a sopportare ciò che accade in quel cielo, che segna l'inizio del precedente. Là si trattava del sorriso di Beatrice, qui del grido innalzato dai beati, che ha come annientato le sue facoltà. La similitudine usata ad indicare il ricorrere del poeta a Beatrice per averne conforto, quella del fanciullo timoroso che ricorre alla madre (in tutto simile all'altra di cui Dante si serve per il suo rivolgersi a Virgilio al momento dell'apparire di Beatrice nell'Eden in *Purg.* XXX 43-5), è stata da qualche critico ritenuta inadeguata alla grandezza del tema. Ma essa è invece la sola che possa adeguarsi a quella grandezza, di fronte alla quale l'uomo è sempre come un bambino (così appare negli scritti dei mistici, e nella stessa Scrittura). E il genio poetico di Dante se ne impadronisce con sicurezza. In questa ultima parte della cantica infatti si ripeteranno più volte le immagini del fanciullo – sempre più piccolo, fino al lattante al seno della madre – quali non accade di ritrovare, con tale frequenza, lungo tutto il poema.

A questo Dante-fanciullo dunque, rassicurato da Beatrice, appaiono ora dei nuovi splendenti spiriti, e il maggiore di tutti, Benedetto, il grande santo fondatore del monachesimo nell'Occidente cristiano, gli si avvicina e gli parla.

Il dialogo con lui si svolge in ordine inverso, come si è detto, di quello con san Pier Damiano: là prima fu posta la questione teologica, poi si venne alla storia, al nome e alla vita del santo. Ora Benedetto presenta prima se stesso e i suoi compagni (e anche nelle sue parole – come in quelle di Piero – si leverà un monte, il più famoso del monachesimo, che da solo basta a far riconoscere chi parla), e poi risponde alla domanda di Dante, o meglio al desiderio da lui espresso, di poter vedere il suo volto.

L'inversione ottiene il risultato di avvicinare la ispirata sequenza nella quale il santo, quasi seguendo con lo sguardo la scala, apre con le sue parole come un varco dove si intravede l'ultimo cielo, al passo che nella seconda parte del canto racconterà la salita che si compie per quella scala verso quel cielo. Lo spazio che Benedetto dedica alla propria presentazione è in realtà brevissimo, tre sole terzine. Non si fa qui la storia di una vita – come per Francesco o Domenico – ma si intende solamente definire, quasi far emergere nel testo, una persona che è come il simbolo stesso della santità che è ospitata in questo cielo. Il luogo – Montecassino –, a tutti noto in Occidente, resta l'unico riferimento storico (come il Catria per Pier Damiano) della breve sequenza. Ma Benedetto, a differenza di Piero, non fa nemmeno il suo nome, che nasconde dietro l'altro nome (quello di Cristo) di cui egli si fece portatore: *e quel son io che sù vi portai prima / lo nome di colui che 'n terra addusse / la verità che tanto ci sublima*. Tuttavia questa terzina basta da sola a far grandeggiare la figura del santo che fu in qualche misura l'ispiratore – attraverso il diffondersi dei suoi monasteri – dell'unità cristiana d'Europa.

Egli ricorda due nomi, anch'essi emblematici, in quanto sono quelli di due capofila del monachesimo eremitico: Macario, vissuto nel IV secolo, di quello d'Oriente, e Romualdo – il fondatore di Camaldoli, vissuto nell'XI secolo – di quello d'Occidente.

A questo punto interviene Dante, dimostrando una singolare confidenza verso il celebre santo, tanto lontano da lui negli anni. Certo il poeta, frequentatore degli eremi benedettini (come Camaldoli, S. Benedetto dell'Alpe, Fonte Avellana, tutti ricordati nel poema) e lettore assiduo degli scritti dei più grandi figli di Benedetto (come Pier Damiano o quel Bernardo che sarà la sua ultima guida), doveva sentirsi spiritualmente legato a lui, quasi da un vincolo familiare. E di fatto gli si rivolge col nome di *padre*, come a Cacciaguida, e poi a Bernardo, l'altro santo a lui vicino, e gli chiede quello che non ha ancora avuto il coraggio di chiedere a nessuno, di vedere cioè il suo volto: *s'io posso prender tanta grazia, ch'io / ti veggia con imagine scoverta*.

Questo profondo, *alto disio*, come lo chiamerà Benedetto, sempre presente nell'animo di Dante (che tenterà tra poco, ma invano, proprio nel prossimo cielo, di vedere il volto dell'apostolo Giovanni) e che egli condivide con i beati stessi – come è detto nell'ardita, commossa terzina che chiude il discorso sulla resurrezione nel cielo del Sole (XIV 64-6) – è espresso soltanto in questo cielo. Ci si è domandati perché. Ora noi crediamo che se una prima ragione – quella che diremo storica – può indicarsi nel filiale, fiducioso rapporto di cui si è detto, una seconda ragione di questa scelta, ragione insieme poetica e teologica, può essere riconosciuta, ed è quella che la risposta stessa di Benedetto ci rivela. Egli apre infatti allo sguardo, di Dante e nostro, quel cielo Empireo dove quel desiderio, come ogni altro, sarà compiuto. Fin là si protende la scala che parte dal suo cielo, e per questo *s'invola* alla vista dell'uomo.

In questi pochi, ma altissimi versi, si ha come un anticipo della visione finale. In quel cielo che *non s'impola* (che non ha quindi luogo, cioè non ha corpo) appariranno infatti i corpi risorti e gloriosi di tutti i beati del paradiso. Per questo stesso paradosso – che pure si fonda su una sicura verità teologica – proprio ora che lascia i cieli della storia, cioè dei luoghi e dei corpi, proprio nel

cielo dei monaci che dalla storia si sono separati, Dante esprime quel desiderio, che non a caso il padre del monachesimo chiamerà *alto* in quanto corrisponde alla più profonda realtà del cristianesimo, la religione del Verbo fatto
carne.

Ma la breve, folgorante e consolante visione del luogo dove i desideri *s'a-
dempion tutti* ha un melanconico seguito. Pochi, quasi nessuno, salgono ormai
per quella felice scala. Come Pier Damiano, Benedetto chiude il suo dire con
il rimpianto e il rimprovero per il suo Ordine, una volta fervente, ora fatto luogo
di mercanti, e ritorna nelle sue parole lo stesso verbo usato da Piero: *Le mura
che solieno esser badia...* (v. 76); *Render solea quel chiostro a questi cieli...* (XXI
118). Il tono dei due passi profetici è tuttavia diverso: violento e satirico quello del primo, triste e compassionevole dell'umana debolezza quello del secondo (*La carne d'i mortali è tanto blanda...*). È la doppia voce dell'ammonimento dantesco, fatta insieme di sdegno e di dolore, che sembra dividersi fra i due
grandi santi dell'Ordine contemplativo.

Anche qui torna il ricordo dei primi eroici tempi della Chiesa apostolica, con
parole (*Pier cominciò sanz'oro e sanz'argento...*) che riecheggiano le parole di
Pier Damiano (si veda XXI 127-129); ma Benedetto prosegue, dopo Pietro, indicando altre due persone, quasi segnando così tre tappe della storia della Chiesa:
Pietro appunto, Benedetto e Francesco. Il primo senza i mezzi del mondo, il
secondo ritirato nel chiostro (*con orazione e con digiuno*), il terzo nel mondo
con la sola forza della sua umiltà (*umilmente*).

Ora non resta che la speranza nel certo *soccorso* di Dio che, come san Pietro
stesso dirà con parola uguale nel discorso profetico pronunciato nel cielo Stellato
(*soccorrà tosto*: XXVII 63), non potrà mancare alla storia.

Senza alcuna pausa, alle ultime parole del santo tutti gli spiriti del cielo si
raccolgono insieme e come un turbine si avvolgono su se stessi e spariscono in
alto lungo la scala. Alla potente immagine segue il veloce salire di Dante che
si ritrova, d'un tratto, nel cielo delle stelle, accolto in quella costellazione sotto
la quale era nato.

È questo un momento solenne in cui il distacco dal mondo, preannunciato
e prefigurato nell'ultimo pianeta, si è infine compiuto. E lo stesso distacco, come
sempre accade in tutto il poema, deve compiere la poesia, l'arte che lo racconta
(si veda a confronto l'entrata nell'ultimo cerchio infernale: *Inf.* XXXIV 1-12).
Con movimento commosso, il poeta rivolge una preghiera alle sue stelle, perché lo aiutino nel difficile compito. Preghiera che potrebbe dirsi l'equivalente
di una invocazione alle Muse, prima di affrontare il nuovo tema. Non più Urania,
né Apollo, ma le costellazioni stesse del cielo, quegli astri di cui la provvidenza si serve come mezzi per dotare variamente le indoli degli uomini e che a lui,
Dante, dettero in sorte l'ingegno, come già egli riconobbe nel canto che di quel-
l'ingegno rivela il mortale pericolo (*Inf.* XXVI 19-24).

Il *passo forte* che lo attende e al quale qui accenna è insieme *passo* di attività
poetica e di esperienza interiore, l'una e l'altra chiamate ad affrontare realtà
sovraumane e divine. In questa prospettiva va vista la sequenza finale del canto,
quello sguardo rivolto dall'alto del cielo all'intero mondo, della terra e dei pianeti, che si è ora lasciato.

Il motivo di origine stoica – il contemplare dal cielo, come fanno gli spiriti
dei due grandi Scipioni (l'Africano e l'Emiliano) nel celebre *Sogno di Scipione*
di Cicerone, l'universo sottostante e la piccolezza della terra – motivo diffuso
nel Medioevo cristiano attraverso la mediazione di Boezio, come tanta parte
della tradizione culturale antica, viene ripreso, singolarmente, proprio nella *Vita*
di san Benedetto scritta da Gregorio Magno. È dunque con lo stesso spirito di

Benedetto (e di Gregorio) che Dante qui ripete l'atto degli antichi Scipioni; quello spirito cristiano per cui il distacco dal mondo non è disprezzo, o superiorità, ma riconoscimento della insufficienza del creato a soddisfare il cuore dell'uomo, che cerca la sua pace in Dio, elevandosi verso di lui.

È infatti al momento della salita verso il mondo divino che il mondo terreno viene guardato nella sua piccolezza, e spiritualmente lasciato. C'è nella *Commedia* un cielo più alto del firmamento dove sostano i due grandi romani.

Ciò dà alle brevi terzine che presentano allo sguardo il veloce volgersi dei pianeti, e al loro centro la piccola terra, e in essa la ancor più piccola parte abitata dagli uomini (l'*aiuola*, come Dante scrive riprendendo una parola boeziana), una singolare potenza figurativa ed emotiva. I pianeti nella loro maestà – *quanto son grandi e quanto son veloci* –, la terra abitata dagli uomini nella sua limitatezza – *da' colli a le foci* – sono come abbracciati e insieme lasciati dall'occhio dell'uomo che appartiene ormai a un'altra dimensione.

Ma se il tema ciceroniano è già cristianamente svolto dai due grandi scrittori sopra ricordati (Boezio e Gregorio), nel testo dantesco c'è tuttavia qualcosa di nuovo: sono soltanto cinque parole, ma fortemente significative, che non si trovano negli altri tre celebri luoghi. In quelle parole, aggiunte quasi a definire il termine che indica la terra (*che ci fa tanto feroci*), è riconoscibile come il sigillo dello spirito dantesco, della sua lunga sofferenza – che gli inflissero gli uomini nella loro «ferocia» – e della sua pietà per la crudele, reciproca «guerra» che essi si fanno (cfr. *Purg.* VI 82-84). Quella stessa parola – *aiuola* – che nel libro di Boezio sta ad indicare il minimo spazio dell'universo dove vivono i mortali (sottolineando quindi la loro piccolezza e la loro vana superbia) dichiara qui amaramente quanta misura di odio essi siano capaci di accumulare – in così angusti limiti – gli uni contro gli altri.

CANTO XXII

Nel cielo di Saturno: san Benedetto

1-21 Dante, spaventato dal grido appena udito cerca conforto in Beatrice che lo rassicura, ricordandogli che in paradiso tutto è opera dell'amore: le parole che egli non ha potuto distinguere in quel grido annunciavano la punizione divina della cattiva condotta dei pastori, che giungerà prima che egli muoia. Quindi lo invita a guardare di nuovo le luci sfolgoranti sulla scala d'oro.

22-51 La più luminosa si fa avanti e, ardente di carità, risponde alla domanda che legge nella mente del poeta: si presenta, senza bisogno di dire il suo nome, come il fondatore dell'abbazia di Montecassino (san Benedetto), colui che convertì le popolazioni del luogo dedite al culto degli idoli. Le luci che sono con lui durante la loro esistenza terrena si dedicarono alla vita contemplativa: tra loro ci sono Macario e Romualdo (rappresentanti dei due rami del monachesimo, orientale e occidentale) e gli altri frati che al suo Ordine restarono fedeli.

52-99 Confortato dall'affetto dimostratogli, Dante prende coraggio e chiede allo spirito di poter vedere il suo volto, ma Benedetto gli risponde che ciò sarà possibile solo nell'Empireo, dove trovano compimento tutti i desideri. Anch'egli lamenta il declino delle vocazioni alla vita contemplativa e la turpe avidità dei monaci che hanno trasformato i monasteri in spelonche di ladri. La carne mortale è tanto fragile che non basta un buon inizio a garantire lo sviluppo successivo: Pietro, Benedetto stesso, Francesco cominciarono la loro missione poveri e umili, ma i loro successori hanno capovolto l'ispirazione iniziale. Tuttavia – assicura lo spirito – non mancherà il soccorso di Dio alla sua Chiesa. Finito di parlare, l'anima si ricongiunge ai compagni e insieme volano verso l'alto.

100-123 Beatrice, vincendo col suo potere la forza di gravità, spinge Dante su per la scala, dietro le anime: il passaggio al cielo successivo è subitaneo. I due si trovano nel cielo delle Stelle fisse, fermandosi proprio nella costellazione dei Gemelli sotto il cui segno il poeta è nato; a queste stelle Dante si rivolge per chiedere la forza necessaria a compiere l'ultimo, difficile passo che lo attende.

124-154 Beatrice invita Dante a guardare in basso per vedere il cammino che ha ormai percorso, così che il suo cuore si presenti pieno di gioia davanti agli spiriti trionfanti. Lo sguardo del poeta percorre i sette cieli dei pianeti fino al globo terrestre, che lo fa sorridere per la sua piccolezza; vede la Luna, il Sole, Venere e Mercurio, Giove tra Saturno e Marte e i loro movimenti, infine la parte abitata della Terra, che tanto rende feroci gli uomini; quindi torna a guardare la sua donna.

> Oppresso di stupore, a la mia guida
> mi volsi, come parvol che ricorre
> 3   sempre colà dove più si confida;
> e quella, come madre che soccorre

---

1. Oppresso di stupore...: il grido forte come tuono che si è levato alla fine del canto precedente è ancora nell'aria; lo stupore «opprime» Dante, che cerca conforto in Beatrice. Il verbo è di Boezio (così parla la Filosofia all'ammutolito discepolo): «... vedo che lo stupore ti ha oppresso ("stupor oppressit")»: *Cons.* I 2, 3), e indica una compressione dell'animo dovuta ad arcano timore per qualcosa che supera le sue facoltà.

2-3. come parvol...: come il bambino che ricorre a colei nella quale ha la maggior fiducia, la madre. La condizione infantile del figlio (qui verso la madre, come nelle due prime cantiche verso il «padre» Virgilio) è propria del personaggio Dante nel rapporto con le sue guide, come più volte si è osservato: fanciullo timoroso, confortato, istruito, rimproverato, secondo la figura cristiana dell'umile assunta dal poe~~...~~

Oppresso dalla meraviglia, mi r~~ ~~   uida, come il bambino che ricorre sempre a col~~e~~ nella quale ha la maggior fiducia (cioè la madre); ed ella, come una madre che soccorre ...

sùbito al figlio palido e anelo

6   con la sua voce, che 'l suol ben disporre,

mi disse: «Non sai tu che tu se' in cielo?

e non sai tu che 'l cielo è tutto santo,

9   e ciò che ci si fa vien da buon zelo?

Come t'avrebbe trasmutato il canto,

e io ridendo, mo pensar lo puoi,

12   poscia che 'l grido t'ha mosso cotanto;

nel qual, se 'nteso avessi i prieghi suoi,

già ti sarebbe nota la vendetta

15   che tu vedrai innanzi che tu muoi.

La spada di qua sù non taglia in fretta

né tardo, ma' ch'al parer di colui

18   che disïando o temendo l'aspetta.

Ma rivolgiti omai inverso altrui;

ch'assai illustri spiriti vedrai,

21   se com'io dico l'aspetto redui».

Come a lei piacque, li occhi ritornai,

---

suo viaggio. In questo passo la sceneggiatura dà particolare rilievo all'affettuosa umanità di Beatrice.

5. palido e anelo: pallore e affanno (*anelo* vale «anelante», «ansimante») indicano la paura che la madre interviene a placare; *sùbito*, perché il suo amore non può attendere.

6. che 'l suol...: che sempre, da sola, basta a portare calma (*ben disporre*) nel cuore del figlio; la sola voce materna ha infatti il potere, fin dai primi giorni di vita (questo significa *suol*), di rassicurare il fanciullo.

7. in cielo: in paradiso, dove, come dopo è detto, il male non può aver luogo.

9. vien da buon zelo: non può venire se non da passione, ardore per il bene. Per il senso di *zelo*, si cfr. *dritto zelo* a *Purg.* VIII 83 e nota.

10-2. Come t'avrebbe trasmutato...: ora puoi ben renderti conto di come ti avrebbero sconvolto il canto dei beati e il mio riso – che sono mancati in questo cielo – dato che il grido ti ha così fortemente commosso.

13. se 'nteso avessi...: se tu avessi potuto intendere le sue parole di preghiera, di invocazione a Dio... Quella preghiera, s'intende, rispondeva all'esclamazione angosciata di Pier Damiano (*oh pazïenza che tanto sostieni!*: XXI 135), invocando la punizione (*vendetta*) divina sui pastori corrotti.

15. che tu vedrai: che ti sarà dato vedere prima di morire. È probabile che ci sia qui un'allusione precisa all'umiliazione subìta da Bonifacio VIII con lo schiaffo di Anagni e alla sua successiva morte (cfr. *Purg.* XX 86). Altri pensano a una indicazione generica. Ma quell'*innanzi che tu muoi* sembra piuttosto richiedere un fatto concreto, che del resto ci fu (cfr. XVII 53-4 e nota).

16-8. La spada di qua sù: la spada della divina vendetta non colpisce né troppo presto né troppo tardi (cioè si muove sempre al momento giusto), se non (*ma' ch'*: cfr. *Inf.* IV 26 e nota) nel giudizio di chi l'aspetta con desiderio (per cui essa arriva sempre tardi) o con timore (per cui essa arriva sempre troppo presto). Si noti la forza sintetica della terzina, stretta nella struttura a chiasmo (*in fretta, tardo – disïando, temendo*), che così acutamente scruta gli interni moti dell'animo umano.

19. inverso altrui: verso gli altri spiriti.

21. l'aspetto redui: riduci, riconduci lo sguardo. – *redui* da *redure* (lat. «reducere»), forma usata nell'antico toscano (cfr. *ridure* a XXVII 89).

22. ritornai: ricondussi (dal suo volto alle anime intorno a me, dove guardavo prima).

... subito il figlio pallido e ansimante con la sua voce, che sempre basta a portare in lui la calma (ben disporre), mi disse: «Non sai che sei in cielo? e non sai che il cielo è tutto santo, e che ciò che vi si fa non può venire se non da passione per il bene (buon zelo)? ◆ *Ora puoi ben renderti conto di come ti avrebbero sconvolto il canto dei beati e il mio riso, dato che il grido ti ha così fortemente commosso; nel quale grido, se tu avessi potuto intendere le sue parole di preghiera, avresti già conosciuto la giusta punizione che ti sarà dato vedere prima di morire. La spada celeste non colpisce né troppo presto né troppo tardi, se non (ma' ch') nel giudizio di chi l'aspetta con desiderio o con timore. Ma ormai rivolgiti verso gli altri spiriti; che ne vedrai di assai illustri, se riconduci lo sguardo verso di loro come io ti dico».* ◆ *Secondo il suo desiderio, rivolsi gli occhi ...*

e vidi cento sperule che 'nsieme
24   più s'abbellivan con mutüi rai.
        Io stava come quei che 'n sé repreme
        la punta del disio, e non s'attenta
27   di domandar, sì del troppo si teme;
        e la maggiore e la più luculenta
        di quelle margherite innanzi fessi,
30   per far di sé la mia voglia contenta.
        Poi dentro a lei udi': «Se tu vedessi
        com'io la carità che tra noi arde,
33   li tuoi concetti sarebbero espressi.
        Ma perché tu, aspettando, non tarde
        a l'alto fine, io ti farò risposta
36   pur al pensier, da che sì ti riguarde.

23-4. e vidi cento sperule...: e vidi un gran numero di piccole sfere lucenti (*cento* sta per numero grande e indefinito), che acquistavano maggior bellezza nello scambiarsi i raggi della loro luce. Il vicendevole ardore di carità accresce lo splendore proprio di ciascuna. L'idea è svolta già in *Purg.* XV 73-5, dove gli spiriti celesti si rimandano l'un l'altro l'amore come specchi...: *e come specchio l'uno a l'altro rende*. Così *le due ghirlande* del cielo del Sole si fiammeggiano *luce con luce* (XII 19-24).

– **sperule**: diminutivo di *spere*, ha valore insieme diminutivo e affettivo, come già *rubinetto* a XIX 4, *fiammelle* a XXI 136 ecc.

25-7. come quei...: come chi reprime dentro di sé l'acutezza del desiderio, e non s'arrischia a chiedere, perché teme *del troppo*, cioè di far richiesta eccessiva, oltre la convenienza. È questo il consueto pseudoparagone psicologico, che descrive un atteggiamento dell'animo in forma di similitudine (cfr. *Inf.* II 37-40). Viva è l'immagine di quel desiderio pungente, che l'uomo trattiene, come reprimendo in sé la punta di un ago.

28-9. e la maggiore...: ecco farsi avanti un secondo spirito, questa volta il più grande e splendente fra tutti, e il verso gli dà ampio e solenne rilievo. – *luculenta*

vale «luminosa» (cfr. IX 37), ma ha suono e accento ben più marcati. – *margherite* vale «gemme preziose», come spesso è detto dei beati nel *Paradiso* (cfr. XX 16-7).

30. per far di sé...: per soddisfare (*far contento*) il mio desiderio (quel *disio* trattenuto, non detto) dicendomi chi era (*di sé* è complemento di relazione: riguardo a sé; cfr. VIII 42).

31. dentro a lei udi': udii dire all'interno della sua luce: si ripete il motivo dell'anima invisibile, che parla *nascosta* dentro la sua stessa letizia (XXI 55-6). Chi parla è san Benedetto da Norcia (480-550), il fondatore dell'ordine monastico che tuttora porta il suo nome. Nato da nobile famiglia, si ritirò giovanetto a vita eremitica in un luogo solitario presso Subiaco, dove presto si radunarono intorno a lui numerosi discepoli. Fondò quindi i monasteri di Subiaco e di Montecassino, e scrisse una Regola che divenne, a partire dal IX secolo, quella più praticata dal monachesimo europeo. I suoi monasteri sorsero in ogni parte dell'Europa, e vi conservarono la cultura antica, classica e cristiana. Per questo egli è giustamente considerato uno dei padri dell'Europa.

31-3. Se tu vedessi...: se tu potessi vedere, come io vedo, la carità che ferve in noi beati – e che ci fa felici di contentare ogni richiesta – tu avresti espresso liberamente i tuoi pensieri (senza temere, cioè, di chiedere *troppo*: v. 27).

34-5. aspettando, non tarde...: non debba tardare, *aspettando* la risposta, a raggiungere il tuo *alto fine*, cioè la sublime meta del tuo viaggio, la visione di Dio.

36. pur al pensier...: risponderò alla richiesta che è solo nel tuo pensiero, che tanto ti fai riguardo ad esprimere in parole. Le due terzine sono un prologo un po' lungo, che ripete motivi già noti, senza la consueta forza di sintesi, quasi lento avvio all'attacco con cui lo spirito infine si presenterà.

37-9. Quel monte...: quel monte sul cui fianco è situato il villaggio di Cassino fu un tempo frequentato sulla sua cima dalle genti pagane (*gente ingannata* da-

---

... *e vidi un gran numero di piccole sfere luminose che acquistavano maggior bellezza nello scambiarsi i raggi (della loro luce). Io stavo come chi reprime dentro di sé l'acutezza del desiderio, e non s'arrischia a chiedere, perché teme di fare richieste eccessive (del troppo); e la più grande e luminosa di quelle gemme si fece avanti, per soddisfare (far contento) il mio desiderio di sapere chi era (di sé).* ◆ *Poi udii dire all'interno della sua luce: «Se tu potessi vedere, come io vedo, la carità che ferve in noi beati, avresti espresso liberamente i tuoi pensieri. Ma affinché tu non debba tardare, aspettando la risposta, a raggiungere il tuo alto fine, risponderò alla richiesta da te formulata solo nel pensiero, che tanto ti fai riguardo (ad esprimere in parole).*

Quel monte a cui Cassino è ne la costa

fu frequentato già in su la cima

39 da la gente ingannata e mal disposta;

e quel son io che sù vi portai prima

lo nome di colui che 'n terra addusse

42 la verità che tanto ci soblima;

e tanta grazia sopra me relusse,

ch'io ritrassi le ville circunstanti

45 da l'empio cólto che 'l mondo sedusse.

Questi altri fuochi tutti contemplanti

uomini fuoro, accesi di quel caldo

48 che fa nascere i fiori e ' frutti santi.

Qui è Maccario, qui è Romoaldo,

qui son li frati miei che dentro ai chiostri

---

gli *dèi falsi e bugiardi*: *Inf.* I 72; *mal disposta* nel suo cuore a ricevere la fede di Cristo). L'attacco con cui il grande santo che ora parla si presenta non ricorda, come di solito accade per gli altri spiriti, il luogo della sua nascita, ma il luogo che è rimasto come il simbolo della sua opera in Europa: Montecassino, dove ancora oggi sorge la celebre abbazia da lui fondata. Dante si è ispirato qui alla vita di Benedetto scritta da Gregorio Magno, di cui i suoi versi sembrano voler portare il ricordo: «Quella fortezza che si chiama Cassino è posta sul fianco di un alto monte... sulla cima c'era un antichissimo tempio, dove era venerato Apollo dallo stesso popolo dei contadini pagani...» (*Dialoghi* II, VIII 10).

40. e quel son io: il luogo ha già detto il suo nome: io sono colui che per primo vi portò la fede cristiana, che di là doveva irraggiarsi per tutto l'Occidente.

41-2. colui che 'n terra addusse...: Gesù Cristo, che portò in terra quella vera fede che innalza noi uomini fino a Dio, «per la quale campiamo da etternale morte e acquistiamo etternale vita» (*Conv.* III, VII 15).

43-5. e tanta grazia...: e tanta luce di grazia splendette su di me, ch'io potei distogliere tutti i paesi (*le ville*: cfr. *Purg.* IV 21) della campagna circostante dal culto degli idoli, che già sedusse il mondo. – *cólto* per «culto» (cfr. V 72) e *soblima* per «sublima» sono forme della lingua antica, portate dalla maggioranza della tradizione. Si veda ancora Gregorio: «e giunto là l'uomo di Dio, abbatté gli idoli, rovesciò le are... e con la sua continua predicazione portò alla fede la moltitudine delle genti che abitavano in quei dintorni» (*Dialoghi* II, VIII 11).

46. Questi altri fuochi...: Benedetto si volge ora intorno a indicare i suoi compagni, *tutti contemplanti*: tali sono dunque tutti gli abitanti di questo cielo, la schiera innumerevole di coloro che in tanti secoli seguirono la via della contemplazione, dai primi eremiti d'Oriente ai seguaci di Benedetto in Occidente.

47-8. quel caldo: quell'ardore di carità che fa nascere *fiori e frutti santi*, cioè santi pensieri e sante opere.

49. Maccario... Romoaldo: ed ecco i nomi, enumerati con quell'andamento quasi di leggenda già usato per i seguaci di Francesco: *Scalzasi Egidio, scalzasi Silvestro* (XI 83). I nomi sono scelti a rappresentare i due rami del monachesimo, d'Oriente e d'Occidente. *Maccario* è quasi certamente san Macario alessandrino, discepolo di sant'Antonio, promotore del monachesimo in Oriente, vissuto nei deserti presso il Mar Rosso e morto nel 404 (altri pensano a Macario l'egiziano, vissuto nei deserti della Libia e morto nel 391; i due erano forse confusi, ma certamente è il primo quello che, come Romualdo, può avere la funzione rappresentativa di iniziatore che Dante gli assegna). *Romoaldo*, della famiglia degli Onesti, ravennate, fondò nel 1012 l'eremo di Camaldoli (cfr. *Purg.* V 96) e l'Ordine, che da esso prese il nome, dei camaldolesi – sempre della famiglia benedettina –, al quale apparteneva anche l'eremo di Fonte Avellana. Morì nel 1027. Romualdo rappresenta la riforma del monachesimo benedettino in senso più strettamente eremitico e contemplativo avviata nell'XI secolo Di lui Pier Damiani scrisse una celebre *Vita*.

50-1. li frati miei...: detto con affettuosa lode: tutti quelli, tra i miei frati, che seppero star saldi e fermi nei chiostri non solo coi *piedi*, fisicamente, ma anche

---

◆ *Quel monte sul cui fianco è situato Cassino fu un tempo frequentato sulla sua cima dalle genti ingannate (da falsi dèi) e mal disposte alla conversione (cioè dai pagani); e io sono quello che per primo vi portò il nome di colui (Gesù Cristo) che si recò in terra quella vera fede che tanto innalza noi uomini (fino a Dio); e tanta luce di grazia splendette su di me, ch'io potei distogliere tutti i paesi (le ville) della campagna circostante dal culto empio (degli idoli) che già sedusse il mondo.* ◆ *Queste altre fiamme furono tutte uomini dediti alla contemplazione, brucianti di quell'ardore di carità che fa nascere fiori e frutti santi (cioè santi pensieri e sante opere). Qui c'è Maccario, qui c'è Romoaldo, qui ci sono tutti quelli, tra i miei frati, che seppero restare fermi nei chiostri ...*

51   fermar li piedi e tennero il cor saldo».

E io a lui: «L'affetto che dimostri
meco parlando, e la buona sembianza

54   ch'io veggio e noto in tutti li ardor vostri,

così m'ha dilatata mia fidanza,
come 'l sol fa la rosa quando aperta

57   tanto divien quant'ell'ha di possanza.

Però ti priego, e tu, padre, m'accerta
s'io posso prender tanta grazia, ch'io

60   ti veggia con imagine scoverta».

Ond'elli: «Frate, il tuo alto disio
s'adempierà in su l'ultima spera,

63   ove s'adempion tutti li altri e 'l mio.

---

col cuore; non uscirono cioè nel mondo, sedotti da ricchezze e da onori. Nella Regola di Benedetto è sottolineata a più riprese l'importanza della stabilità («sta-
bilitas»): l'officina dove il monaco lavora per la salvezza, egli scrive, «è il chiostro del monastero, e la stabilità nella comunità monastica» (IV 78).

52. L'affetto...: quella carità premurosa che si rivela nei vv. 31-6.

53-4. e la buona sembianza...: e l'aspetto benevolo
ch'io riconosco nelle vostre luci così vivamente splendenti (*veggio* è degli occhi, osserva il Torraca, *noto* è della mente). Il volto dei beati, sempre nascosto, si rivela
a Dante attraverso lo sfavillare della luce che li circonda, che quasi trasmette il suo atteggiarsi (il brillare degli occhi, il sorriso: cfr. V 124-6). Ma in questo ultimo
cielo, Dante sembra non sopportare più di dover soltanto dedurre *la buona sembianza* che sempre più fervida di affetto gli si dimostra, e che lo spinge infine a
porre la domanda che egli osa fare nei versi seguenti.

55-7. m'ha dilatata...: ha dilatato la fiducia che riempie il mio cuore, come il calore del sole dilata la rosa,
quando apre la sua corolla (*aperta divien*) al massimo
che è possibile alla sua natura (si cfr. per l'immagine
Conv. IV, XXVII 4: «convienesi aprire l'uomo quasi
com'una rosa che più chiusa stare non puote, e l'o-
dore che dentro generato è spande»). Sono dunque
l'affetto e la benevolenza mostrati dai beati che, come il calore del sole apre i fiori, aprono l'animo di Dan-

te a tanta fiducia da chiedere quello che così ardentemente desidera: vedere i loro volti. Su questo tema,
così importante nel *Paradiso*, si cfr. XIV 61-6 e note,
e l'Introduzione al canto.

58-60. Però ti priego...: ed ecco la richiesta: perciò,
per questa dilatata fiducia, io ti prego, e tu, padre, dimmi s'io posso ottenere tanta grazia ch'io ti possa vedere nella tua sembianza d'uomo, non più coperta, velata dalla luce (per *imagine*, volto, si cfr. *Inf.* XV 83).

– **m'accerta**: dimostrami, dammi la certezza.

61. alto disio: il desiderio espresso da Dante è detto *alto* (non dunque minore, quasi dovuto a umana debolezza) in quanto il vedere il corpo glorioso dell'uomo
è parte della gloria del giorno del giudizio finale, cioè
del perfetto compimento della beatitudine, come diranno i versi seguenti.

62. l'ultima spera: l'Empireo, il luogo proprio della beatitudine, cioè della visione diretta di Dio e dei
suoi santi.

63. ove s'adempion...: là dove si compiono tutti i
desideri, e anche *il mio*, quello cioè di rispondere al
tuo e soddisfarlo. La terzina si svolge con alta solennità, toccando come in anticipo di quel cielo a cui ormai ci si avvicina e di quel compiersi di ogni desiderio (si veda la ripetizione: *s'adempierà – s'adempion*)
che è così urgente aspirazione dell'animo di Dante (cfr.
XXXIII 46-8).

64. perfetta, matura e intera: i tre predicati danno
la misura assoluta di quell'«adempiersi»: *perfetta* (participio latino di «perficere»: cfr. VIII 111 e *Purg.* XXV
69), cioè portata al suo compimento; *matura*, cioè giunta al suo massimo sviluppo nel bene (cfr. XXV 35-6);
intera, cioè senza alcuna mancanza: niente mancherà
ad ogni umano desiderio. Le tre determinazioni non
sono poste a caso: tra il compimento (*perfetta*) e la sua
completezza (*intera*) sta la matura pienezza del desiderio che solo in cielo può raggiungersi; tutta l'e-
spressione richiama l'immagine di poco prima, della
rosa aperta al suo massimo, quale era la fiducia di Dante di ottenere ciò che il suo cuore desiderava, ma che
solo nell'Empireo potrà essere contentata.

---

*... mantenendo saldi i loro propositi». ◆ E io gli dissi: «L'af-
fetto che dimostri parlando con me, e l'aspetto benevolo che
io vedo e riconosco in tutte le vostre luci vivamente splendenti, ha dilatato la mia fiducia come il calore del sole fa
con la rosa, quando apre la sua corolla (aperta divien) al
massimo possibile. Perciò ti prego, e tu, padre, confermami
se io posso ottenere tanta grazia da poterti vedere nella
tua sembianza d'uomo non più velata dalla luce». ◆ E lui
rispose: «Fratello, il tuo alto desiderio sarà esaudito nell'ultimo cielo (l'Empireo), là dove si compiono tutti i desideri, e
anche il mio.*

Ivi è perfetta, matura e intera

ciascuna disïanza; in quella sola

66   è ogne parte là ove sempr'era,

perché non è in loco e non s'impola;

e nostra scala infino ad essa varca,

69   onde così dal viso ti s'invola.

Infin là sù la vide il patriarca

Iacobbe porger la superna parte,

72   quando li apparve d'angeli sì carca.

Ma, per salirla, mo nessun diparte

da terra i piedi, e la regola mia

75   rimasa è per danno de le carte.

Le mura che solieno esser badia

65-6. in quella sola...: solo in quell'*ultima spera* ogni parte sta, è fissa, dove era da sempre; cioè non vi è moto, perché non vi è più desiderio: «Tutto ciò che si muove si muove per mancanza di qualcosa e non ha in sé tutto il suo essere. Dunque quel cielo che da nessun altro è mosso ha in sé, in ciascuna sua parte, ciò che è possibile che abbia in modo perfetto, come dimostra il fatto che non ha bisogno del movimento per raggiungere una sua perfezione» (*Ep.* XIII 71-2).

67. non è in loco: quell'ultimo cielo, l'Empireo, «non è in luogo, ma formato fu solo nella Prima Mente», mentre esso racchiude in sé tutto l'universo (*Conv.* II, III 11). L'universo ha dunque il suo «luogo» nell'Empireo, mentre questo risiede nella mente divina, cioè in una realtà non fisica, che non può dirsi, aristotelicamente, «luogo». L'Empireo serve così da «anello di congiunzione» tra il corporeo e lo spirituale, risolvendo il difficile problema del «luogo del mondo».

– non s'impola: non s'impernia su due poli, come tutte le altre sfere celesti che girano su se stesse: «Ed è da sapere che ciascuno cielo di sotto dal Cristallino ha due poli fermi quanto a sé; e lo nono li ha fermi e fissi e non mutabili secondo alcuno respetto» (*Conv.* II, III 13).

68-9. e nostra scala...: e questa nostra scala si protende, valicando gli altri cieli, fino a quella sfera suprema; per questo la sua sommità si cela, quasi fugge lontano dal tuo sguardo (cfr. XXI 29-30). I due verbi, *varca* e *s'invola*, creano un'infinita lontananza di spazio dove invano si spinge lo sguardo dell'uomo (per *varca*, valica, oltrepassa, usato con valore assoluto e con analogo significato poetico di traversare immensità di spazi, si cfr. II 3).

71. Iacobbe: si cfr. *Gen.* 28, 12: «vide in sogno una scala che poggiava sulla terra, mentre la sua cima raggiungeva il cielo; ed ecco gli angeli di Dio salivano e scendevano su di essa»; il riferimento biblico dichiara apertamente il significato di questa figura. È questa la scala di Giacobbe, che Benedetto stesso cita nella sua Regola facendone immagine della vita ascetica del monaco (VII 8). Cfr. XXI 29 e nota.

– porger...: protendere la sua cima (la parte *superna*, cioè la parte più alta; nel testo biblico «cacumen»).

73-5. Ma, per salirla...: contemplando la sua scala di santità, e ricordando il sogno profetico di Giacobbe, Benedetto non può non provare un amaro e dolente rammarico per la decadenza dei suoi monaci, che quella scala non salgono più. Il motivo terreno, di denuncia e condanna, sempre presente nella contemplazione del *Paradiso*, entra questa volta nel tessuto del canto con un accento più di dolore che di sdegno, nella triste considerazione del grande fondatore: nessuno più alza (*diparte*: distacca) i piedi da terra (distaccandosi cioè dalle cure terrene) per salire quella scala: la santa Regola ormai serve solo a sciupare la carta dove viene inutilmente trascritta.

76-7. Le mura...: prosegue il tono dolente della terzina che precede, col ricordo del passato che fa più amaro il presente: quegli edifici che erano luoghi di preghiera sono divenuti spelonche di ladri. Benedetto parla con le stesse parole di Cristo: «ma voi ne fate [della mia casa] una spelonca di ladri» (*Matth.* 21, 13).

– solieno: solevano; ora non più. Il verbo, che stabilisce il doloroso confronto tra il passato e il presente, è usato più volte nel poema con questo valore (in questo stesso cielo da Pier Damiano in una terzina ben simile a questa: XXI 118-20; inoltre a XVIII 127; *Purg.* XVI 106 e 116).

———————— ■ ————————

Là è perfetto, giunto a pienezza e senza alcuna mancanza ogni desiderio umano; solo in quell'ultimo cielo ogni parte sta dove era da sempre (cioè non vi è moto), perché esso non è in un luogo (in quanto è un cielo spirituale), e non s'impernia su due poli; e questa nostra scala valica (gli altri cieli) fino a raggiungere quello, e per questo la sua sommità si cela così lontano dal tuo sguardo. Fino a lassù la vide il patriarca Giacobbe protendere la sua cima, quando gli apparve così affollata di angeli. ● *Ma per salirla, adesso nessuno più alza (diparte) i piedi da terra, e la mia Regola ormai serve solo a sciupare la carta (dove viene inutilmente trascritta). Quelle costruzioni che erano abbazie ...*

fatte sono spelonche, e le cocolle
78   sacca son piene di farina ria.

        Ma grave usura tanto non si tolle
        contra 'l piacer di Dio, quanto quel frutto
81   che fa il cor de' monaci sì folle;

        ché quantunque la Chiesa guarda, tutto
        è de la gente che per Dio dimanda;
84   non di parenti né d'altro più brutto.

        La carne d'i mortali è tanto blanda,
        che giù non basta buon cominciamento
87   dal nascer de la quercia al far la ghianda.

        Pier cominciò sanz'oro e sanz'argento,
        e io con orazione e con digiuno,

77-8. e le cocolle...: e le vesti monacali (che dovrebbero ricoprire uomini santi) sono come sacchi pieni di farina guasta, ugualmente ingannevoli a chi le guarda. Il senso dell'immagine è spiegato dalla chiosa del Buti: «come della mala farina esce malo pane, così de le male voluntadi, che sono nei monaci, esceno male operazioni». Dopo il sospiro di rimpianto, il linguaggio si fa più pesante, ricordando la chiusa del discorso di Pier Damiano (XXI 133-4), al quale questo di Benedetto corre del resto in parallelo, come si è detto nell'Introduzione al canto.

79-81. Ma grave usura...: ma anche la più pesante tassa di usura non è presa, tolta agli altri, con tanta offesa del volere divino, quanto *quel frutto* (cioè le rendite della Chiesa) che rende così folle di desiderio il cuore dei monaci da indurli a toglierlo ai poveri a cui è destinato, come dirà la terzina seguente. Quanto grave colpa sia l'usura agli occhi di Dio, è detto a *Inf.* XI 94 sgg.
– **si tolle**: è tolta, è sottratta: è predicato sia di *usura* sia di *frutto*. Seguiamo per questo passo l'interpretazione data e bene illustrata dal Buti. Il senso di «si erge», «si eleva», che altri danno al verbo, non può convenirsi a *frutto*, al quale ben conviene invece l'altro senso di «tolto ai poveri» (si vedano la terzina seguente, la nota relativa, e il passo ivi citato della *Mo-*

narchia). L'uso del verbo *togliere* e derivati nel senso di «esigere denaro o altro ingiustamente» è del resto comune nel poema (cfr. V 33 e anche XVIII 128; *Inf.* XI 36; XIX 94 e 98), mentre non è mai documentato il senso di *togliersi* per «elevarsi», «ergersi».

82-4. quantunque...: tutto ciò che la Chiesa tiene in custodia (cioè i beni materiali) appartiene ai poveri (la gente che chiede la carità per amor di Dio), e non ai parenti dei chierici, o altri anche peggiori destinatari (concubine, o figli naturali). Tale dottrina (che il verbo *guarda* – «custodisce», quindi non «possiede» – definisce) è affermata nella *Monarchia*: tutti i beni temporali il papa può riceverli «non come possessore, ma come dispensatore dei proventi, per la Chiesa, e per i poveri di Cristo» (*Mon.* III, X 17). Cfr. anche XII 93.

85-7. La carne d'i mortali: il discorso volge, dal severo ammonimento, alla mesta considerazione della debolezza umana: la carne dell'uomo è così piena di lusinghe, blandizie, che giù sulla terra un buon inizio non dura (*basta*: cfr. *Purg.* XXV 136) nemmeno quel tempo che passa dal *nascere* della quercia al momento in cui essa produce le ghiande; quel tempo è di circa vent'anni, come ci dice il Lana, ma qui vuol essere indicazione generica di periodo breve, tolta dal tempo di produzione di un frutto per significare che la natura corrotta dell'uomo non riesce a compiere ciò che ogni albero fa. La breve durata dei buoni inizi nelle cose umane sarà lamentata, con simili accenti, da Beatrice a XXVII 121 sgg.
– **blanda**: lusingatrice: cfr. XII 24 e *Mon.* III, XV 11: «sedati i flutti della blanda cupidigia».

88-90. Pier cominciò...: ecco il *buon cominciamento*: Pietro, Benedetto, Francesco, i tre grandi iniziatori della vicenda della Chiesa nella storia, erano poveri e umili. Ma ciò che essi hanno iniziato è ora guasto e corrotto. Si osservi anche qui il parallelismo con il discorso di Pier Damiano (XXI 127 sgg.).
– **sanz'oro...**: sono qui citate le parole di Pietro stesso in *Act. Ap.* 3, 6: «Non ho né oro né argento» che dipendono da quelle a lui dette da Cristo: «Non possedete oro né argento» (*Matth.* 10, 9), parole a cui Dan-

---

... sono divenute spelonche di ladri, e le vesti monacali sono come sacchi pieni di farina guasta. Ma anche la più pesante tassa di usura non è tolta agli altri con tanta offesa del volere divino, quanto quel frutto (cioè le rendite della Chiesa) che rende così folle di desiderio il cuore dei monaci; poiché tutto ciò che la Chiesa tiene in custodia (guarda; cioè tutti i beni materiali) appartiene a quelli che chiedono la carità per amor di Dio (cioè ai poveri), e non ai parenti (dei chierici) o ad altri anche peggiori destinatari. ◆ La carne dei mortali è così piena di lusinghe (blanda), che giù sulla terra un buon inizio non dura (basta) nemmeno quel tempo che passa dalla nascita della quercia al momento in cui essa produce le ghiande. Pietro cominciò senza oro e argento, e io con la preghiera e il digiuno, ...

90   e Francesco umilmente il suo convento;
      e se guardi 'l principio di ciascuno,
      poscia riguardi là dov'è trascorso,
93   tu vederai del bianco fatto bruno.
      Veramente Iordan vòlto retrorso
      più fu, e 'l mar fuggir, quando Dio volse,
96   mirabile a veder che qui 'l soccorso».
      Così mi disse, e indi si raccolse
      al suo collegio, e 'l collegio si strinse;
99   poi, come turbo, in sù tutto s'avvolse.
      La dolce donna dietro a lor mi pinse
      con un sol cenno su per quella scala,
102   sì sua virtù la mia natura vinse;

te si appella anche in *Mon.* III, X 14 per sostenere l'impossibilità della Chiesa a possedere beni materiali. Cfr. anche *Inf.* XIX 94-5.

89. con orazione...: preghiera e digiuno erano le caratteristiche della vita monastica (cfr. XXI 115-7).

90. umilmente: il *farsi pusillo* è il contrassegno di Francesco anche a XI 111.

– **il suo convento**: la propria comunità; è l'oggetto di *cominciò*, in tutti e tre i versi: per Pietro la comunità apostolica, per Benedetto l'ordine benedettino, per Francesco la famiglia francescana. La terzina ha l'andamento ripetitivo e paratattico proprio delle sacre leggende; quegli umili fondatori risplendono nella loro santa povertà in quei versi semplici e spogli.

91. di ciascuno: di quei tre «conventi».

92. là dov'è trascorso: a che punto è ora arrivato, nei successori, quel santo principio.

93. del bianco fatto bruno: le virtù degli iniziatori trascorse nei vizi ad esse contrari: «Qui mostra li buoni principii e li mali seguiti, dicendo: S. Pietro, primo papa, cominciò senza oro; li successori sono tesaurizzanti in terra. Io Benedetto con orazioni e con digiuno; voi monaci seguitate con ozio e con ghiottonerie e dilettazioni mondane. S. Francesco con umiltade; li successori con superbia» (Ottimo).

94-6. Veramente Iordan...: il discorso di Benedetto ha qui un ultimo brusco mutamento di tono, annunciando l'intervento divino in soccorso della Chiesa corrotta e avvilita dagli uomini: e tuttavia (*Veramente*: cfr. I 10), cioè nonostante tale grave rovina, a Dio non sarà impossibile porvi riparo, dato che ha fatto miracoli ben più grandi: che il corso del Giordano fosse volto a ritroso, e che il Mar Rosso fuggisse, ritraesse le sue acque, furono fatti ben più meravigliosi a vedere di quel che sarà ora l'intervento soccorritore di Dio per la sua Chiesa e per gli ordini decaduti. L'annuncio profetico è del tutto indeterminato, come ormai accade nel *Paradiso* (si cfr. XXVII 61-3, e note relative, dove ritorna anche l'idea del *soccorso*); ma sempre certo, come vuole l'incrollabile fiduciosa speranza del poeta. Questa certezza sembra rispondere all'invocazione di Pier Damiano, e al grido che chiude il canto precedente (XXI 135 sgg.).

– **Iordan...**: le acque del Giordano si divisero, e parte fecero muraglia, parte rifluirono all'indietro, per far passare Giosuè e il suo esercito (*Ios.* 3, 14-7); il Mar Rosso si ritrasse da una parte e dall'altra, lasciando una pista asciutta per gli Ebrei in fuga dall'Egitto (*Ex.* 14, 21-9). Dante cita qui dal *Salmo* 113, 3: «Il mare vide e fuggì, il Giordano si volse a ritroso», mantenendo, come spia della citazione, le due parole del testo latino (*fuggì* e *retrorso*).

97-9. Così mi disse...: concluso il suo dire con queste parole di speranza, Benedetto si riavvicinò (*si raccolse*: cfr. *s'accolse* a *Inf.* XXIX 100) da lì dov'era (*indi*), cioè vicino a me, al gruppo dei suoi compagni (*collegio*), ed essi tutti si strinsero gli uni agli altri, e *s'avvolsero* salendo verso l'alto con un movimento a spirale, come un turbine, sparendo così al mio sguardo. La potente immagine, creata dal verbo *s'avvolse* e dal paragone col turbine, suggella la profezia di Benedetto, come altrove i canti e lo sfavillio delle anime fanno da chiusa corale alle parole ammonitrici di altri beati.

100. mi pinse: mi sospinse.

102. sì sua virtù...: tanto la sua virtù divina, trasmessa *con un sol cenno*, fu più potente della naturale gravità del mio corpo, che mi tratteneva in basso.

■

... e Francesco con umiltà avviò la propria comunità; e se consideri l'inizio di ciascuna delle tre e poi consideri a che punto è ora arrivata, vedrai che si è passati dal bianco al nero. Tuttavia il Giordano rivolto all'indietro e il ritrarsi del Mar Rosso quando Dio lo volle, furono fatti anche più meravigliosi a vedersi di quanto non sarà il rimedio di Dio (il soccorso) a questa situazione». ◆ Così mi disse, e si riavvicinò (si raccolse) da dove si trovava (indi) al gruppo dei suoi compagni (collegio), ed essi tutti si strinsero insieme; poi s'avvolsero salendo verso l'alto con un movimento a spirale, come un turbine. La dolce donna mi sospinse dietro a loro con un solo cenno su per quella scala, tanto la sua virtù divina fu più potente della mia natura umana; ...

né mai qua giù dove si monta e cala
naturalmente, fu sì ratto moto
105   ch'agguagliar si potesse a la mia ala.

S'io torni mai, lettore, a quel divoto
trïunfo per lo quale io piango spesso
108   le mie peccata e 'l petto mi percuoto,

tu non avresti in tanto tratto e messo
nel foco il dito, in quant'io vidi 'l segno
111   che segue il Tauro e fui dentro da esso.

O glorïose stelle, o lume pregno
di gran virtù, dal quale io riconosco
114   tutto, qual che si sia, il mio ingegno,

con voi nasceva e s'ascondeva vosco

103-5. né mai qua giù...: e qui in terra, dove si sale e si scende con le forze della natura, non vi fu mai un movimento così rapido da potersi *agguagliare* in velocità a quel mio volo. Quel volo non è dunque compiuto *naturalmente*, ma per virtù soprannaturale. È questo l'unico caso in cui la salita di Dante da un cielo all'altro col suo corpo è sia pur fugacemente descritta. Altrove egli si accorge del passaggio solo per l'accresciuta bellezza di Beatrice, o per il diverso aspetto del nuovo cielo. Questo passo viene così a confermare la presenza del corpo di Dante nella sua salita al paradiso proprio nel momento in cui si lasciano i cieli dei pianeti e si entra nell'ultima regione, quella dei due cieli, lo Stellato e il Cristallino, non più abitati dalle anime degli uomini, dove la scena cambierà del tutto.

106. S'io torni mai...: è il *se* augurativo (cfr. *Inf*. X 82 e nota), che in questo caso serve a dare garanzia di verità a un'affermazione: così possa io tornare, come è vero ciò che dirò. Questo appello al lettore, l'ultimo dei sedici sparsi per il poema, dimostra, come il passo che precede, la solennità che Dante vuol conferire a questo momento.

106-8. a quel divoto / trïunfo...: a quel trionfo di anime oranti (il paradiso, dove abita la «Chiesa trionfante») per raggiungere il quale io cerco di espiare i miei peccati con lacrime e atti di penitenza.

109-11. tu non avresti...: tu, o lettore, non avresti impiegato tanto poco tempo a mettere il tuo dito nel fuoco e subito ritrarlo, quanto ne misi io tra il vedere, salendo verso il cielo Stellato, la costellazione dei Gemelli e il trovarmici dentro. La subitaneità con cui si compie questo passaggio, così fortemente sottolineata, vuol raffigurare la sua qualità soprannaturale (messa già a confronto con ciò che si fa *naturalmente*).

– **tratto e messo**: inversione della successione logica dei tempi (figura retorica definita in greco «hysteron proteron»), che fa apparire come accaduto prima, per la grande velocità con cui si compie, l'atto che in realtà deve seguire (la stessa figura a II 23-4).

– **'l segno / che segue il Tauro**: la costellazione dei Gemelli, che segue quella del Toro nello Zodiaco.

112-3. O glorïose stelle...: l'invocazione che segna l'entrata nel nuovo cielo rivela l'importanza che Dante attribuisce al passaggio dai cieli dei pianeti al cielo Stellato, vera cerniera nella struttura della cantica, a cui è dedicata tutta l'ultima parte del canto. L'accento della invocazione è insieme solenne e commosso: quelle stelle sotto le quali è nato gli hanno dato in sorte l'ingegno, ed egli, ora che vi è giunto, chiede aiuto per l'ardua impresa poetica che sta per affrontare.

– **pregno / di gran virtù**: la *virtù* dei corpi celesti è la loro capacità di influenza sui corpi terrestri, a cui Dante credeva, come appare più volte nel poema (cfr. *Purg.* XVI 73-8, XXX 109-11). Per la virtù propria dei Gemelli, si legga l'Ottimo: «Gemini è casa di Mercurio che si è significatore, secondo li astrolaghi, di scrittura e di scienza e di conoscibilitade, e così dispone quelli che nascono sotto esso ascendente, e maggiormente quando il sole vi si truova».

114. tutto, qual che si sia...: che Dante riconosca dagli astri la sua naturale dote d'ingegno è detto anche in *Inf*. XXVI 23-4 e *Purg.* XXX 109-11. Ma ricordiamo che egli riconduce sempre tali influenze stellari alla disposizione della provvidenza divina, da cui esse dipendono (cfr. VIII 97-105). L'inciso – *qual che si sia* – vuol essere attenuazione di modestia.

115-7. con voi nasceva...: con voi sorgeva e tramon-

... e qui in terra, dove si sale e si scende con le sole forze della natura, non vi fu mai un movimento così rapido da potersi uguagliare in velocità a quel mio volo. ◆ Così possa io tornare, o lettore, a quel trionfo di anime dovete, per raggiungere il quale io cerco di espiare i miei peccati piangendo e battendomi il petto, (come è vero che) tu non avresti impiegato tanto poco tempo (in tanto) a mettere il dito nel fuoco e subito ritrarlo, quanto ne impiegai io tra il vedere la costellazione che segue quella del Toro (cioè quella dei Gemelli), e il trovarmici dentro. O glorïose stelle, o costellazione ricolma di grande potere di influenza, alla quale io riconosco di dovere tutto il mio ingegno, quale che esso sia, con voi sorgeva e tramontava ...

quelli ch'è padre d'ogne mortal vita,

117   quand'io senti' di prima l'aere tosco;

e poi, quando mi fu grazia largita

d'entrar ne l'alta rota che vi gira,

120   la vostra regïon mi fu sortita.

A voi divotamente ora sospira

l'anima mia, per acquistar virtute

123   al passo forte che a sé la tira.

«Tu se' sì presso a l'ultima salute»,

cominciò Bëatrice, «che tu dei

126   aver le luci tue chiare e acute;

e però, prima che tu più t'inlei,

rimira in giù, e vedi quanto mondo

---

tava, cioè era congiunto con il vostro segno, il padre di tutti gli esseri viventi sulla terra, il sole, quando io respirai per la prima volta l'aria di Toscana (ciò accadde dunque tra il 21 maggio e il 21 giugno, periodo dell'anno in cui il sole è nella costellazione dei Gemelli).

– **quelli ch'è padre...**: «Lo sole tutte le cose col suo calore vivifica» (*Conv.* III, XII 8).

– **l'aere tosco**: ecco il parlare dell'esule, col cuore fisso alla patria lontana: per dire «io nacqui», non altra perifrasi egli può trovare se non questa: il nascere al mondo si identifica per lui con il *sentire* la dolce aria di Toscana.

118-20. quando mi fu...: quando poi da Dio mi fu data la grazia di entrare nella sfera celeste che vi trasporta nel suo ruotare – cioè nel cielo Stellato – mi fu dato in sorte di sostare nella plaga del cielo da voi occupata.

– **sortita**: nei cieli dei pianeti Dante sosta con Beatrice sul corpo stesso del pianeta, unico luogo solido che vi si trovi; nel cielo Stellato, dove i corpi stellari sono innumerevoli, quello su cui si ferma gli è *sortito*, cioè assegnato dalla provvidenza divina (XXI 72).

121-2. A voi divotamente...: a voi ora si rivolge con appassionata preghiera la mia anima per ottenere la virtù necessaria. La terzina conclude l'ardente e commossa invocazione, che tocca il cuore del lettore per l'intensità personale che tutta la pervade.

123. al passo forte...: all'ardua prova che ora assorbe, attrae a sé (*tira*) tutte le facoltà del mio animo. Questo difficile *passo*, luogo decisivo di cimento (cfr. *Inf.* II 12 e XXVI 132), è certamente l'impresa, che ora attende il poeta, di descrivere le ultime mirabili cose viste nel paradiso. Il Barbi sostiene trattarsi qui della vicina morte, ma l'invocazione ai Gemelli, da cui gli deriva l'*ingegno*, non può chiedere se non un aiuto a quell'ingegno. Inoltre, l'influenza astrale agisce sulle capacità naturali, mentre la disposizione alla buona morte è dello spirito, e appartiene solo a Dio. Tutto il passo del resto prelude all'entrata negli ultimi cieli, e della morte del poeta non è qui questione.

124. l'ultima salute: Dio, suprema salvezza e beatitudine dell'uomo (cfr. XXXIII 27).

125-6. che tu dei...: che ormai tu devi avere gli occhi (*le luci*) non più appannati dalle ombre terrene (*chiare*), e capaci di vedere molto lontano (*acute*). Nel salire verso Dio la vista del pellegrino si fa via via più forte, oltre le sue umane capacità. – *dei*, devi, più volte incontrato.

127. e però...: e dato che i tuoi occhi sono ormai così potenti

– **che tu più t'inlei**: che tu t'immerga, ti addentri ancor più in quella *salute*, cioè nell'essenza stessa di Dio. – *inleiarsi* è tipico verbo di conio dantesco, costruito con il prefisso *in-*, come già molti altri (*m'inventro, s'insempra, s'impola*); in particolare, formati con il pronome personale come qui, si vedano *inluiarsi, intuarsi, inmiarsi* a IX 73 e 81.

128-9. rimira in giù...: ecco a che tendeva il preambolo di Beatrice: guarda sotto di te, quanta parte dell'universo hai già sotto i tuoi piedi. Questo sguardo dall'alto, che quasi riassume il viaggio compiuto e dà la misura della distanza superata, è il segno della divisione che Dante vuol porre tra i cieli dei pianeti e gli altri due. Si entra ora come in un altro mondo, e quello di prima (dei pianeti, cioè della storia) viene, con questo sguardo, definitivamente lasciato. La scena è suggerita a Dante dal *Somnium Scipionis* di Cicerone (*Rep.* VI), dove Scipione l'Africano mostra dall'alto al giovane Scipione l'Emiliano le sfere celesti e

---

■

... colui che è il padre di tutti gli esseri viventi sulla terra (cioè il sole), quando io respirai per la prima volta l'aria di Toscana; e quando poi da Dio mi fu data la grazia di entrare nella sfera celeste che vi trasporta nel suo ruotare (cioè nel cielo Stellato), mi fu dato in sorte di sostare nella zona da voi occupata. ◆ *A voi ora si rivolge con devozione la mia anima per ottenere la virtù necessaria alla dura prova che ora la attrae a sé (tira). «Tu sei così vicino alla suprema beatitudine», cominciò Beatrice, «che devi (ormai) avere la vista (le luci) limpida e acuta; e quindi, prima che tu t'immerga ancor più in lei, guarda sotto di te, e osserva quanta parte dell'universo ...*

129 sotto li piedi già esser ti fei;

sì che 'l tuo cor, quantunque può, giocondo

s'appresenti a la turba trïunfante

132 che lieta vien per questo etera tondo».

Col viso ritornai per tutte quante

le sette spere, e vidi questo globo

135 tal, ch'io sorrisi del suo vil sembiante;

e quel consiglio per migliore approbo

che l'ha per meno; e chi ad altro pensa

138 chiamar si puote veramente probo.

Vidi la figlia di Latona incensa

sanza quell'ombra che mi fu cagione

141 per che già la credetti rara e densa.

---

la piccola terra, ma il senso di questo passo, quale noi lo abbiamo indicato, è diverso da quello del testo latino (si veda anche l'Introduzione al canto). Il motivo ciceroniano era diffuso nella letteratura medievale, e il Petrarca stesso lo riprende nell'*Africa*. Ma la sua trascrizione più interessante, per quel che riguarda il nostro passo, è nei *Dialoghi* di Gregorio Magno (II, XXXV 3-6), dove si narra come a Benedetto – il protagonista di questo canto – fosse mostrato in visione tutto il mondo di cui poté, alla luce di Dio, misurare la piccolezza. Il motivo pagano è dunque, come tanti altri, ripreso e quasi riplasmato dalla cultura cristiana.

130. **quantunque può, giocondo**: con quanta più gioia gli è possibile, gioia per aver misurato l'ascesa compiuta.

131. **s'appresenti...**: si presenti, si mostri, alla grande schiera degli spiriti trionfanti che gioiosi stanno avvicinandosi attraverso questo cielo. – *trïunfante*, come si è detto, è l'appellativo proprio della Chiesa del cielo (derivato dal «trionfo» celebrato dagli eserciti romani vincitori) in quanto festeggia la sua vittoria nella guerra combattuta in terra come *militante* (cfr. XXV 52).

132. **etera tondo**: è il corpo celeste, di forma sferica, formato come tutti i cieli di una materia incorruttibile e diafana detta «etere», o «quinta essenza», perché diversa dai quattro elementi che compongono il mondo sublunare (cfr. XXVII 70 e nota relativa).

■

... hai già grazie a me sotto i tuoi piedi; così che il tuo cuore si presenti con quanta più gioia gli è possibile alla schiera degli spiriti trionfanti che gioiosi stanno avvicinandosi attraverso questo rotondo corpo celeste». ◆ *Con lo sguardo ripercorsi tutte quante le sette sfere dei pianeti, e vidi questo globo terrestre così piccolo (tal) che sorrisi del suo misero aspetto; e approvo come migliore tra tutte quell'opinione che lo tiene in minor conto (per meno); e si può dire veramente di forte animo (probo) colui che rivolge i suoi pensieri ad altro (cioè al cielo). Vidi la figlia di Latona (cioè la luna) illuminata dal sole senza quelle macchie (quell'ombra) che già mi fecero pensare che essa fosse di diversa densità (rara e densa).*

133. **Col viso ritornai...**: con lo sguardo ripercorsi le sette sfere dei pianeti.

134-5. **vidi questo globo...**: vidi il globo terrestre *tal*, così piccolo, ch'io sorrisi del suo misero aspetto: «La stessa terra mi parve così piccola, ch'io mi vergognai del nostro impero» (*Somnium Scipionis* 3, 16).

136-8. **e quel consiglio...**: e approvo come migliore tra tutte quell'opinione che lo tiene in minor conto; e si può dire veramente di forte animo colui che rivolge i suoi pensieri *ad altro*, cioè al cielo. Anche questa riflessione segue da vicino il testo ciceroniano dove così dice l'Africano all'altro Scipione: «Se la dimora degli uomini ti sembra così piccola, come in effetti è, rivolgiti sempre a questi luoghi celesti, e trascura le cose umane» (*Somnium Scipionis* 6, 20).

– **probo**: «probus» nel latino medievale fu usato per tradurre il termine cavalleresco *prode*: valente, animoso (non dunque nel senso proprio del latino classico: onesto, retto); tuttavia il vocabolo mantiene il suo primitivo valore etico, significando valentia morale.

139-41. **Vidi la figlia di Latona...**: ed ecco, racchiuso in tre dense terzine, il veloce passare davanti allo sguardo dei sette pianeti già percorsi: per prima la luna, figlia di Latona e di Giove (cfr. X 67), che appare ora, dall'alto, senza le macchie (*quell'ombra*: *li segni bui* di II 49) che già gli fecero pensare che essa fosse di diversa densità. Si ricorda qui la questione delle macchie lunari dibattuta nel canto II. Ora Dante non le vede, perché si riteneva allora che solo la faccia della luna rivolta verso la terra fosse cosparsa di tali ombre (cfr. la nota ai vv. 147-8 del canto II).

– **incensa**: tutta illuminata, come incendiata dal sole.

142-4. **L'aspetto del tuo nato...**: la seconda terzina comprende in un solo sguardo i tre pianeti seguenti: al centro il sole, il figlio (*nato*) di Iperione, e intorno (*circa*) a lui Venere (figlia di Dione) e Mercurio (figlio di Maia). Dante riesce a sopportare (*sostenni*) la vista (*aspetto*) del sole, per la acuita facoltà del vedere che già Beatrice ha ricordato (v. 126).

– **vicino a lui**: Venere e Mercurio sono i due pianeti più vicini al sole.

L'aspetto del tuo nato, Iperïone,

quivi sostenni, e vidi com'si move

144   circa e vicino a lui Maia e Dïone.

Quindi m'apparve il temperar di Giove

tra 'l padre e 'l figlio; e quindi mi fu chiaro

147   il varïar che fanno di lor dove;

e tutti e sette mi si dimostraro

quanto son grandi e quanto son veloci

150   e come sono in distante riparo.

L'aiuola che ci fa tanto feroci,

volgendom'io con li etterni Gemelli,

tutta m'apparve da' colli a le foci;

154   poscia rivolsi li occhi a li occhi belli.

---

145. **Quindi**: di lassù.

– **il temperar di Giove**: «Giove è stella di temperata complessione in mezzo della freddura di Saturno e dello calore di Marte» (*Conv.* II, XIII 25), che sono rispettivamente suo padre e suo figlio; *temprata stella* è detto Giove anche a XVIII 68.

147. **il varïar che fanno...**: il mutare, ai nostri occhi, delle loro posizioni (*lor dove*). Dante comprende cioè, abbracciando in un solo sguardo dall'alto il volgersi dei sette pianeti, quelle variazioni delle loro posizioni non deducibili dal semplice moto diurno, che si spiegavano allora con la teoria degli epicicli (cfr. VIII 3 e nota).

148-50. **e tutti e sette...**: la terzina riepiloga con forte evidenza il muoversi simultaneo dei sette corpi celesti visti dall'alto, nella loro triplice diversità, di grandezza, di velocità e di posizione: essi mostrarono ognuno la sua specifica grandezza, la sua velocità di corso, e la distanza della sua sede celeste da quella degli altri. – *riparo* (prov. «repaire») vale «dimora», e indica quello che gli astronomi chiamano ancora casa, cioè la sede degli astri nel cielo.

151-3. **L'aiuola...**: ed ecco infine, nel punto più lontano alla vista, quel luogo che più di ogni altro preme all'uomo che guarda: quel breve spazio di terra (*l'aiuola*) abitato dagli uomini, che ci fa così feroci gli uni contro gli altri, mi apparve tutto, nella sua intera (e così piccola) estensione, via via che io mi volgevo intorno nell'eterna costellazione dei Gemelli. Il contrasto – tra l'alta e libera condizione del luogo eterno, e i miseri tumulti terreni – è lo stesso che apre, in forma diversa, il canto XI (cfr. vv. 1-12 e nota).

– **aiuola**: piccola area, spazio circoscritto: la parola è in Boezio («angustissima area») che la usa per indicare appunto la parte abitabile della terra, così piccola zona di un piccolissimo corpo dell'universo, quasi punto di un punto (*Cons.* II 7, 5), e Dante la riprende come qui al diminutivo anche nella *Monarchia*: «in questa aiuola (lat. *areola*) dei mortali»: III, XVI 11. Dal testo boeziano la parola si diffuse variamente nella letteratura medievale, ma in questo luogo dantesco essa assume ben diversa potenza, qui dove il viandante cele-

ste contempla sotto di sé il mondo dei pianeti, dopo aver percorso quei sette cieli a uno a uno, al momento di salire verso l'Empireo: la misura della distanza, di luogo e di spirito, e il profondo distacco interiore che la condizione dell'animo di chi guarda comporta in questo testo, lo differenziano da tutti gli altri luoghi topici, improntati a generico stupore per quella piccolezza dovuta alla lontananza.

153. **da' colli a le foci**: alcuni commentatoti intendono genericamente ma, come suggerì il Torraca, più probabilmente Dante, sempre concreto, si ispirò anche qui al *Somnium Scipionis*, intendendo indicare l'estensione limitata di quell'aiuola in cui vivono gli uomini: i *colli* saranno le sommità, le cime più alte dei monti, e le *foci* quelle del Gange e di Cadice (la *foce stretta* di *Inf.* XXVI 107), che limitano la terra abitata a Oriente e a Occidente, come nel testo ciceroniano l'Oceano («tutta la terra che voi abitate è come una piccola isola circondata da quel mare che voi chiamate Oceano»: *Somnium Scipionis* 6, 21). Si veda del resto l'ultimo sguardo alla terra, confrontato con questo, a XXVII 82-4.

154. **poscia rivolsi...**: quella piccola aiuola, tanto amata, è in un sol punto vista e lasciata dallo sguardo. L'occhio ritorna, come sempre ad ogni passaggio di cielo, a Beatrice. Ma questa volta il distacco è diverso: qui si lascia il mondo della storia per quello dell'eternità.

■

◆ O Iperione, qui potei sostenere la vista di tuo figlio (tuo nato; cioè il sole), e vidi come si muovono intorno e vicino a lui Mercurio (figlio di Maia) e Venere (figlia di Dione). Di lassù (quindi) mi apparve la luce temperata di Giove tra il padre (Saturno) e il figlio (Marte); e da lì mi fu chiaro il mutare delle loro posizioni (lor dove); e tutti e sètte i pianeti mi mostrarono la loro specifica grandezza, la loro velocità, e la distanza della sede celeste (riparo) di ognuno da quella degli altri. ◆ Il breve spazio di terra (l'aiuola) che ci rende così feroci gli uni contro gli altri mi apparve tutto, dai suoi monti alle sue estreme rive, via via che io mi volgevo col cielo stando nell'eterna costellazione dei Gemelli; poi rivolsi i miei occhi agli occhi belli di Beatrice.

NOTE LINGUISTICHE

v. 15. **muoi**: muoia; per la desinenza in -*i* della 2ª pers. del cong. presente (che coesiste con quella in -*a*; cfr. IX 39 e XIV 25), cfr. *vadi* e *dichi* a *Purg.* III 115 e 117 e note linguistiche.

v. 95. **volse**: volle, perfetto arcaico già incontrato (cfr. *Inf.* II 118 e nota linguistica).

v. 132. **etera**: la forma in -*a* deriva dall'accusativo latino alla greca «aethera» (cfr. *orizzonta* di *Inf.* XI 113 e nota linguistica).

SUGGERIMENTI PER LA RICERCA

Temi del canto

«come parvol»

Rileggi la similitudine che apre il canto e confrontala con quella in *Purg.* XXX 43-45; quindi, con l'aiuto dell'Introduzione al canto, spiega perché sia stata giudicata inadeguata da alcuni critici e perché invece Dante l'abbia utilizzata. Ricorda che frequentemente nella *Commedia* il rapporto tra Dante e la sua guida (prima Virgilio e poi Beatrice) è paragonato a quello tra madre e figlio: riprendi e confronta i passi *Inf.* XXIII 37-42; *Purg.* XXX 79-81; *Par.* I 100-102, quindi esprimi le tue osservazioni in proposito.

Il desiderio di vedere le sembianze umane dei beati

Già nel XIV canto Dante ha parlato, in termini profondamente umani, del desiderio che hanno gli spiriti del paradiso di poter tornare a vedere sensibilmente, cioè nel corpo, i loro cari: confronta i vv. 52-63 di questo canto con il passo XIV 61-66 ed esprimi in proposito una tua riflessione personale (puoi aiutarti con le Introduzioni ai due canti e le note di commento).

Il distacco dalla terra

Confronta la prima, stupita descrizione che Dante dà del regno celeste (vv. 134-154) con quella del *Somnium Scipionis* di Cicerone (capp. IV e V), cui si è ispirato: rileva analogie e differenze tra i due testi, riflettendo sugli elementi di novità del testo dantesco e sul diverso significato che il racconto assume nella tradizione pagana e in quella cristiana (puoi anche estendere la ricerca comparando la trascrizione di Gregorio Magno, nei *Dialoghi,* II, XXXV 3-6 e di Boezio, nella *Consolazione della filosofia*, II, 7,5). Sul confronto tra il passo dantesco e il *Somnium* può esserti utile leggere il commento a questo versi di G. Varanini, nel saggio citato tra le *Letture consigliate.*

Personaggi del canto

San Benedetto

Leggi con attenzione le notizie sul santo nella nota al v. 31 e i passi citati nelle note 37-9 e 43-5 dei *Dialoghi* di Gregorio Magno; quindi fai una ricerca sulla sua vita e la sua opera consultando la voce relativa nel *Grande Libro dei Santi*, vol. I, pp. 282-287, a cura di C. Leonardi e quella *Benedetto e la Regola benedettina*, a cura di A.

Vauchez, nel *Dizionario enciclopedico del Medioevo*, pp. 221-223. Infine, con l'aiuto dell'Introduzione al canto, spiega il significato dell'appellativo *padre* con cui Dante gli si rivolge e perché proprio a lui chieda di vedere il suo volto. Per il rapporto tra Dante e i Benedettini consulta la voce relativa, a cura di V. Truijen, in *Enciclopedia Dantesca* I, 576-577.

Lingua e stile

sacca – v. 78

Alcuni nomi maschili in *-o* (come *sacco*) hanno, in lingua italiana, un doppio plurale in *-i* e in *-a* (ad esempio *bracci/braccia, calcagni/calcagna* ecc.). Verifica, utilizzando le *Concordanze*, il tipo di plurale attestato nella *Commedia* per i seguenti sostantivi (oltre che per i due già segnalati): *ciglio, dito, grido, labbro, osso,* e *prato*. Consulta poi la *Grammatica Italiana* del Serianni al cap. III. 177 sgg., e annota in quali di questi casi al diverso esito del plurale corrisponde in lingua moderna anche una differenza di significato.

retrorso – v. 94

L'avverbio *retrorso* in questo passo, come si spiega nella nota di commento, è un calco dal latino che Dante non riutilizzerà altrove in questa forma. Individua, servendoti delle *Concordanze*, i passi del poema in cui compaia il vocabolo *ritroso* (che è la continuazione, in lingua italiana, di «retrorsus») annotandone il significato come aggettivo e nell'espressione avverbiale *a ritroso*. Consulta infine un buon *Dizionario* di lingua italiana per conoscere in quale ambito specialistico sia tuttora in uso la forma *retrorso*.

aiuola – v. 151

Cerca su un buon *Dizionario* di lingua italiana l'etimologia dei termini *aia* e *aiuola* e indica di ciascuno il più specifico significato assunto nell'uso moderno; ripeti la stessa ricerca per il sostantivo *aiuolo* che trovi attestato in *Fiore* CLXVII, 11. Sul *Grande Dizionario della lingua italiana* individua infine, alla voce *aiuola*, passi tratti dalle opere di altri autori che derivino, per imitazione, da questo famoso passo della *Commedia*.

CANTO XXIII

Introduzione

L o sguardo rivolto, alla fine del canto XXII, ai pianeti sottostanti e alla piccola terra al centro di essi, segna il distacco, quasi un addio, del pellegrino del cielo dal mondo della storia. Siamo ora in quel cielo ottavo, detto cielo Stellato, o Firmamento, l'ultimo che sia raggiungibile, secondo l'astronomia tolemaica, dall'occhio umano, e che è quindi quasi l'estrema frontiera, il «vallo divisorio» dei confini romani, come lo chiamò un critico, tra il visibile e l'invisibile, tra l'umano e il divino. Al di sopra di esso, si trovano il cielo Cristallino (l'ultimo di Tolomeo) e l'Empireo, ideato dalla teologia cristiana, abitati l'uno dagli angeli, l'altro da Dio stesso; da realtà quindi puramente spirituali. Per questo si può dire che lo Stellato è come la riva del tempo, e della storia: come è stato spiegato nel canto II (vv. 112-20) è infatti in questo cielo che si compie, nelle sue molteplici, diverse stelle, la differenziazione dell'universo, e quindi la determinazione degli individui; mentre nel Cristallino la natura è ancora indifferenziata, e quel cielo è infatti uniforme in tutte le sue parti.

Con questo canto il viaggio paradisiaco entra dunque in una nuova dimensione, nuova sia strutturalmente, sia nelle sue forme poetiche, che sarà quella in cui si muoverà tutta l'ultima sequenza di canti. Della novità che qui si instaura, ci ha avvertito il solenne finale del canto precedente, con la salita per quella stessa scala che Giacobbe vide protendersi fino al trono di Dio, l'invocazione alle stelle, infine lo sguardo di commiato al mondo dei pianeti.

A questo cielo di frontiera Dante ha dedicato la più lunga serie di canti che nel *Paradiso* sia destinata alla sosta in una stessa sfera. Tale ampiezza e solennità di svolgimento fa della scena che vi si svolge il nucleo centrale della struttura compositiva della cantica, quasi quel cielo fosse il suo spartiacque, quale esso era di fatto sia nella scienza astronomica sia nella comune esperienza degli uomini, che vi scorgevano l'ultimo limite della visibilità. In esso Dante ha immaginato, prima di salire dall'una dimensione all'altra, una sosta dove la storia umana ha come il suo epilogo, la sua «rappresentazione». Si tratta qui naturalmente della storia considerata dal punto di vista cristiano e biblico, cioè della storia dell'uomo secondo il progetto divino, la storia della salvezza.

Di tale storia è segno visibile in terra la Chiesa di Cristo, che avrà in questo cielo appunto il suo trionfo. Del resto gli antichi Padri, commentando la *Genesi*, avevano visto simboleggiata nel firmamento – sole, luna, stelle – proprio la Chiesa, nel modo in cui Dante in questo canto la rappresenterà: «La luce maggiore è Cristo, … la luce minore è la beata Maria… le Stelle sono gli altri santi, il Firmamento tutto è la Chiesa» (Ugo da San Caro, *Postille alla Bibbia* I, II).

Dell'articolazione dei cinque canti, dedicati tutti alla Chiesa come corpo dei credenti in Cristo, con la protezione di Maria e la guida di Pietro, si dirà nella Introduzione al canto XXIV. Qui sottolineiamo la caratteristica di quello d'apertura, questo XXIII, che è tutto dedicato alla pura visione, il primo dove si tenti la rappresentazione diretta della realtà divina per l'estensione di un intero canto. Qui si raffigura l'apparire allo sguardo di Dante, dopo tanta attesa, di quella beatitudine celeste verso la quale è diretto tutto il suo viaggio.

L'intero canto è in realtà come un anticipo, un pregustamento, della visione ultima, quella del cielo Empireo, ma in una forma ancora velata – sotto il velo delle molte, celebri similitudini tratte dal mondo terreno – che ha un suo irresistibile incanto.

Ciò che Dante vede ora è tuttavia diverso da quello che vedrà allora: nell'Empireo si rivelerà la gloria dell'ultimo giorno e la luce di Dio stesso nella misteriosa Trinità, fuori del tempo e dello spazio. Il *bel giardino* che appare nel cielo Stellato, sotto il sole di Cristo, tra la rosa e i gigli che raffigurano Maria e gli apostoli, e sotto la giurisdizione di Pietro, è invece il trionfo della Chiesa nella sua visibilità storica.

Questo aspetto, per così dire terreno, che ha qui la visione del mondo celeste – Cristo e Maria, gli apostoli, i santi, le figure familiari della fede e della liturgia cristiana nel tempo storico –, dà al canto XXIII quel suo carattere specifico di dolcezza che le soavi similitudini, e gli umani affetti che vi traspaiono, con trama continua, dall'apertura alla chiusa, diffondono per tutta la modulazione dei suoi melodiosi versi.

I mezzi per esprimere la grandezza della realtà contemplata rispetto alla possibilità dell'umano linguaggio sono gli stessi che saranno usati nell'ultimo canto, e che sono stati già sperimentati, per brevi tratti, nei canti precedenti: l'esclamazione, o invocazione, il dichiarare l'ineffabilità del tema che sopraffà il poeta, e il venir meno della memoria che ritiene soltanto, come dopo un sogno, un'impressione, un'ombra di ciò che vide.

La struttura del canto è fatta di pochissimi eventi, anche se di grande intensità emotiva. Ciò che ne riempie la trama è da una parte l'ardore e tremore di colui che guarda, dall'altra l'inesprimibile, dolcissima bellezza di ciò che è guardato. Nasce così quell'alternarsi di visione e impressione, di ampi richiami alla terra (l'aurora, il plenilunio, il prato di fiori illuminato dal sole filtrante dalle nubi) e di stato di smemoramento (*Io era come quei che si risente / di visione oblita...*) che ne costituisce il tessuto espressivo, simile come si è detto a quello dell'ultimo canto. Ma la visione divina, ancora temperata dalla presenza di immagini e sentimenti propri del nostro mondo, si dispiega in questo – uno dei più belli della cantica e del poema – con un suo fascino unico e diverso che, a differenza di quello proprio dell'ultima visione, è a tutti accessibile.

La similitudine d'apertura, dell'uccello sul ramo che aspetta ansioso l'alba per rivedere i suoi piccoli, segna già tutta l'atmosfera del canto: l'immagine affettuosa, ma in ardente tensione, dell'attesa del sole, riferita al sospeso guardare di Beatrice verso il prossimo apparire di Cristo, è insieme carica di significato mistico – la speranza dell'uomo nella notte del mondo – e di umana, materna tenerezza. Ad essa risponderà alla fine il protendersi delle luci beate verso quella di Maria, come il lattante dopo aver preso il latte tende le braccia alla madre.

Le altre due similitudini – del plenilunio sereno dove la luna *ride* tra le eterne ninfe del cielo, e più avanti del prato di fiori sotto il sole tra le nubi – aprono allo sguardo due tra i più puri e amabili aspetti del mondo terreno, ma sublimati dall'arcana presenza che in essi si cela, quella di Cristo e dei santi che da lui ricevono la luce.

La similitudine non basta tuttavia, per quanto al massimo grado analoga alla realtà, ad esprimerne la soprannaturale bellezza.

Interviene allora il *topos* dell'ineffabilità, motivo ricorrente per tutta la cantica, ma che in questo canto ha un'ampiezza, una durata di svolgimento non ritrovabile altrove. E accade che qui – e questo rientra nel carattere che abbiamo indicato come peculiare del canto – il poeta scopra quasi il segreto della sua quotidiana fatica di artefice in strenua gara con la sua ardua materia: *e così, figurando il paradiso, / convien saltare lo sacrato poema, / come chi trova suo cammin riciso. / Ma chi pensasse il ponderoso tema / e l'omero mortal che se ne carca, / nol biasmerebbe se sott'esso trema.*

Il peso di quel lavoro, troppo grande per le spalle mortali, non era ancora stato rivelato così apertamente: di quell'umano tremito siamo ora messi a parte; questi versi preparano da lontano il grande attacco del canto XXV – rivelatore di un altro profondo e intimo sentimento, il dolore dell'esule – in questo stesso cielo: *Se mai continga che 'l poema sacro / al quale ha posto mano e cielo e terra, / sì che m'ha fatto per molti anni macro...*

In questa ardente e commossa trama, difficilmente raccontabile, di visioni, esclamazioni, rinunce, che conduce il canto, c'è tuttavia una sosta. Quando la fortissima luce, in cui si è intravista la figura di Cristo, si è allontanata allo sguardo innalzandosi nel cielo, restano di fronte a Dante, come un fiorito giardino, i beati e in mezzo a loro Maria; su di lei si ferma il canto, come l'attento, affettuoso sguardo del poeta. Cristo è la luce della Chiesa – che di fatto egli qui irraggia non visto dall'alto – ma Maria è il suo conforto e soccorso in terra: a lei sono affidate nel tempo le sorti degli uomini, suoi figli. Per questo ella resta ora tra i beati, quando Cristo scompare alla vista, come restò tra gli apostoli dopo l'ascensione del Figlio. L'apparizione dell'angelo che le rende omaggio con il canto e la danza ricorda nelle parole pronunciate l'evento centrale della vita di lei e della storia umana, l'annunciazione di Nazaret, quasi con le stesse espressioni usate da san Bernardo nell'ultima preghiera: *Io sono amore angelico, che giro / l'alta letizia che spira del ventre / che fu albergo del nostro disiro.*

Tutta la scena è pervasa di dolcezza, ma nulla vi si trova che sia in qualche modo riconducibile a una sensibilità puramente terrena: i termini astratti (*amore angelico, letizia, disiro, circulata melodia*) creano un insieme di realtà soprannaturale, quasi non racchiudibile in forme corporee, pur nella profonda affettuosità che la ispira (*l'alto affetto*, dirà ora Dante, *ch'elli* – i beati – *avieno a Maria mi fu palese*).

Infine anche Maria s'innalza verso l'alto, seguita dalle fiamme dei santi protese verso di lei, come le braccia dei bambini verso la madre. Il motivo dell'inizio, madre-bambino, cioè il rapporto Dio-uomo visto nella forma più umanamente dolce che si conosca, incornicia così il canto dove la terra si mescola al cielo e il divino si nutre dei più cari affetti terreni. Questa scena finale, della Madre che sale a raggiungere il Figlio, viene del resto ad adombrare l'evento dell'Assunzione di Maria, che seguendo all'Ascensione concluse il periodo della presenza di Cristo sulla terra mostrandone già il frutto: l'entrare della creatura umana, anima e corpo, nel seno della divinità. Ciò accade in colei nel cui seno, come dirà san Bernardo (*Par.* XXXIII 7-9), fu posto il germe di tutta la fioritura di santi che ora si contempla nel cielo.

CANTO XXIII

Nel cielo delle Stelle fisse

1-24 *Come l'uccello che aspetta con impazienza il sorgere del sole per rivedere i suoi piccoli e procurare loro il cibo, così Beatrice sta in attesa, assorta e rivolta verso la parte più alta della volta celeste: guardandola anche Dante partecipa della sua attesa. È trascorso solo poco tempo quando Beatrice, con volto e occhi tanto gioiosi da non potersi descrivere, annuncia la venuta delle schiere delle anime salvate da Cristo.*

25-39 *Come quando nelle notti serene la luna piena risplende tra le stelle, così tra migliaia di luci ne appare una più intensa che le illumina tutte; in quel chiarore trasparisce una* lucente sustanza, *di cui Dante non riesce a sostenere la vista. Beatrice gli spiega che che quello splendore insopportabile al suo sguardo proviene dal corpo glorioso di Cristo.*

40-54 *Come la folgore squarcia la nube da cui non può più essere contenuta, così la mente del poeta, in un vero rapimento mistico, esce da se stessa e in seguito non ha memoria dell'esperienza fatta. Beatrice lo invita ad aprire gli occhi perché egli ha ormai potenziato le sue doti umane e può sostenere la vista del suo sorriso. Dante, pieno di gratitudine, si sente come chi si sia appena risvegliato da una visione che invano cerca di ricordare.*

55-69 *L'aspetto di Beatrice è tale da non potersi descrivere neppure con l'aiuto di tutti i maggiori poeti del mondo: più volte nel rappresentare il paradiso Dante deve rinunciare a riferire quanto ha visto; ma chi riflettesse sulla difficoltà della materia e sulla natura mortale di chi l'affronta, non lo biasimerebbe se talvolta deve darsi per vinto.*

70-87 *Beatrice esorta Dante a volgere lo sguardo da lei al giardino illuminato dalla luce di Cristo, i cui fiori sono le anime beate: tra loro ci sono la rosa, Maria, e i gigli, gli apostoli. Dante ubbidisce e riesce a vedere innumerevoli schiere investite dall'alto da raggi di cui non si può scorgere la provenienza.*

88-120 *L'attenzione del poeta è attirata dalla luce più fulgida, quella della Vergine, da lui ogni giorno invocata; essa viene cinta da un'altra luce che le ruota intorno, cantando: è un angelo pieno d'amore che accompagnerà la Madre di Dio fino all'Empireo. Concluso il canto, tutte le anime ripetono il nome di Maria e la Vergine segue il Figlio, salendo in alto fino a sottrarsi alla vista.*

121-139 *Le luci dei beati si protendono verso di lei, come le braccia di un bambino verso la madre; intonano poi il* Regina coeli, *con tanta dolcezza che mai il poeta ne ha potuto dimenticare il godimento. Infine Dante prorompe in una esclamazione che celebra la felicità di quelle anime beate nel regno dei cieli, acquistata con le sofferenze dell'esilio terreno.*

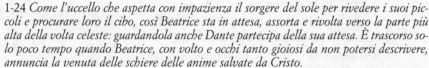

Come l'augello, intra l'amate fronde,
posato al nido de' suoi dolci nati

1-12. La dolce e grande similitudine che apre il canto segna il distacco tra i cieli della storia e i cieli dell'eterno che avviene in questo luogo della cantica. Dopo lo sguardo verso il basso rivolto alla fine del canto precedente, questo ardente guardare verso l'alto, dove spunti l'aurora divina, indica con silenziosa evidenza il cambio di dimensione. Con profonda intuizione poetica e teologica, Dante affida questo compito a una figura umile, senza appariscenza, un piccolo uccello tra i rami dell'albero, che con amore materno attende il sole per poter sfamare i suoi piccoli. Ma quell'immagine familiare, affettuosa, racchiude nel suo alto lirismo un intenso significato mistico che solo dà ragione di ogni suo tratto, come il paragone con Beatrice dichiara.

1-3. Come l'augello...: come l'uccello, che durante la notte è stato accanto al nido dei suoi figlioletti racchiuso tra le fronde dell'albero... – *amate*, perché ospitano il suo nido.

– **posato:** alcuni spiegano: «avendo riposato», ma il complemento che segue ci fa preferire per questo verbo il senso di «stare», «star presso» (come a XXXII 130), che più conviene all'affettuosa premura materna di questo uccello.

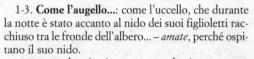

Come l'uccello, racchiuso tra le fronde dell'albero accanto al nido dei suoi figlioletti ...

3   la notte che le cose ci nasconde,
        che, per veder li aspetti disïati
    e per trovar lo cibo onde li pasca,

6   in che gravi labor li sono aggrati,
        previene il tempo in su aperta frasca,
    e con ardente affetto il sole aspetta,

9   fiso guardando pur che l'alba nasca;
        così la donna mïa stava eretta
    e attenta, rivolta inver' la plaga

12   sotto la quale il sol mostra men fretta:
        sì che, veggendola io sospesa e vaga,
    fecimi qual è quei che disïando

15   altro vorria, e sperando s'appaga.
        Ma poco fu tra uno e altro quando,

– la notte...: è compl. di tempo dipendente da *posato*: la determinazione che segue non ha carattere ornamentale, come in Virgilio («la nera notte elimina i colori»: *Aen*. VI 272), ma è in funzione di quel che segue: di notte l'uccello non può vedere i suoi piccoli, e per questo sospira l'alba che gli scoprirà di nuovo i loro *aspetti*. Si noti l'assoluta semplicità di questo terzo verso, il suo spoglio candore, che ritrova l'accento delle originarie definizioni omeriche, quali «il mare che molto risuona», o «l'aurora dalle dita rosate», e simili.

4-9. che, per veder...: che, per poter vedere le sospirate sembianze dei suoi figlioletti e poter procurare il cibo di cui nutrirli – lavoro nel quale le più gravi fatiche gli riescono gradite –, *previene*, anticipa *il tempo* (del sorgere del giorno), recandosi su un ramo *aperto* (cioè dove le foglie non impediscano la vista) ancor prima che albeggi, e aspetta il sole tutto ardente di amore, guardando fisso, continuando a guardare (è il *pur* continuativo) che spunti finalmente l'alba... Tutti gli atti del piccolo uccello sono trasfigurati, portando in sé l'intensità affettiva propria dell'animo umano: gli *aspetti disïati*, l'*ardente affetto*, il *fiso guardando*, sono espressioni che evidentemente oltrepassano la realtà a cui sono riferite. In quell'uccello in attesa è in realtà figurato il sentimento dell'uomo, che dalla notte del mondo guarda pieno di speranza alla luce divina. Nulla di questo è ritrovabile nella simile immagine di Lattanzio (*De ave Phoenice* 39-41) qui comunemente citata.

6. gravi labor: il latinismo *labor* per «fatica» (anche a *Purg*. XXII 8) sembra qui suggerito da Virgilio: «gravi fatiche ("labores")» (*Aen*. VI 56).

– aggrati: graditi; aggettivo derivato dalla locuzione avverbiale *a grato* (cfr. XXI 22). Si veda Agostino, *De bono viduitatis*, p. 338: «in ciò che si ama, o non si prova fatica, o si ama anche la fatica».

10-2. così la donna mïa: con lo stesso ardore di attesa Beatrice stava *eretta* e *attenta* (il primo termine indica l'atto esteriore, il secondo quello interiore), rivolta verso quella parte del cielo dove il sole sembra muoversi più lentamente, cioè verso lo zenit. Essa guarda dunque verso l'alto, con una concentrata tensione.

13. sospesa e vaga: tutta assorta e desiderosa. La nuova coppia di aggettivi esprime il senso intimo dell'atteggiamento di Beatrice, che già pervadeva la figura iniziale dell'uccello in attesa. C'è come un ripercuotersi, un riecheggiarsi di tale sentimento dalla seconda terzina (*per veder, per trovar*) alla terza (*con ardente affetto, fiso guardando*) alle ultime due (*eretta / e attenta, sospesa e vaga*), quasi un'onda di attesa che si placa nell'ultimo emistichio: *e sperando s'appaga*.

14-5. qual è quei...: come colui che vorrebbe col desiderio qualcosa di altro da ciò che ha e *s'appaga*, si accontenta, con la sola speranza di averla. Il vedere Beatrice in tale fervente attesa gli fa insieme desiderare l'evento che lei aspetta e rallegrarsi nella certezza di essere presto esaudito.

16. Ma poco fu...: ma poco tempo intercorse tra l'uno e l'altro momento (*quando* è avverbio sostantivato e sta per «tempo», come *dove* o *ubi* per «luogo» e *come* per «modo», secondo l'uso del latino scolastico; cfr. XXI 46; XXIX 12 ecc.).

17. del mio attender...: tra il momento in cui attendevo e il momento in cui vidi; appena si era messo in attesa, che già vide

---

... durante la notte che ci nasconde allo sguardo tutte le cose, il quale, per poter vedere le sospirate sembianze (dei suoi piccoli) e poter procurare il cibo di cui nutrirli – lavoro nel quale le più gravi fatiche (labor) gli riescono gradite –, anticipa il momento (del sorgere del giorno) stando su un ramo rivolto verso l'esterno (aperto) e aspetta il sole tutto ardente di amore, guardando fisso che spunti finalmente l'alba; così la donna mia stava dritta e attenta, rivolta verso quella parte del cielo (plaga) dove il sole sembra muoversi più lentamente (cioè verso lo zenit): tanto che, vedendola io tutta assorta e desiderosa, divenni come colui che col desiderio vorrebbe qualcosa d'altro (da ciò che ha), e si accontenta con la sola speranza di averlo. ◆ Ma poco tempo intercorse tra l'uno e l'altro momento, ...

                    del mio attender, dico, e del vedere
18   lo ciel venir più e più rischiarando;
                    e Bëatrice disse: «Ecco le schiere
              del trïunfo di Cristo e tutto 'l frutto
21   ricolto del girar di queste spere!».
                    Pariemi che 'l suo viso ardesse tutto,
              e li occhi avea di letizia sì pieni,
24   che passarmen convien sanza costrutto.
                    Quale ne' plenilunïi sereni
              Trivïa ride tra le ninfe etterne
27   che dipingon lo ciel per tutti i seni,
                    vid'i' sopra migliaia di lucerne
              un sol che tutte quante l'accendea,
30   come fa 'l nostro le viste superne;

18. **più e più rischiarando**: il cielo si rischiara progressivamente, proprio come accade all'alba, quell'alba che l'uccello attendeva sul ramo.

19-20. **Ecco le schiere...**: ecco stanno arrivando le schiere dei salvati da Cristo, l'esercito del suo vittorioso trionfo. Cristo è presentato come un generale vittorioso preceduto dal suo esercito, secondo il costume del trionfo romano (cfr. VI 52; *Purg.* XXVI 77). L'idea della guerra e della vittoria, racchiusa nell'espressione tradizionale di «Chiesa trionfante» (cfr. i vv. 106-7 e 131 del canto precedente), si fa qui figura concreta.

20-1. **e tutto 'l frutto...**: ed ecco tutto il frutto che è stato raccolto dal girare dei cieli (che con le loro influenze hanno come seminato le buone disposizioni negli animi). Le influenze celesti sono infatti sempre indirizzate provvidenzialmente al bene (cfr. VIII 97-105); sta al libero arbitrio dell'uomo accoglierle o rifiutarle, e i beati sono quelli che le hanno appunto sapute coltivare. E poiché il cielo ottavo, dove ora ci troviamo, è quello che distribuisce a tutti i cieli inferiori le diverse influenze (cfr. II 115-20), al vedere i beati qui riuniti Beatrice riconosce in loro il buon frutto del perenne girare delle sfere celesti che di qui attingono le loro virtù.

22. **ardesse tutto**: il volto di Beatrice appare come infuocato, ardente di amore, mentre finalmente guarda ciò che attendeva (si ricordi l'*ardente affetto* con cui l'uccello aspetta l'aurora).

24. **passarmen convien...**: sono costretto a passarvi sopra (*ne*: su questo) senza dirne parola (*costrutto* vale «parola», «frase»; cfr. XII 67 e *Purg.* XXVIII 147). La rinuncia del poeta, tema ricorrente nella cantica di fronte alla bellezza di Beatrice, qui è parte integrante di un crescendo di attesa, gioia e ardore che verrà a culminare nel v. 34, verso che chiude il mirabile preludio del canto.

25-7. **Quale ne' plenilunïi sereni**: come nelle notti serene di plenilunio la luna (Trivia, altro nome latino della dea Diana con la quale la luna era identificata)

risplende luminosa tra le stelle (le ninfe che corteggiano la dea) che illuminano il cielo in ogni sua contrada... La similitudine si dispiega dolce e serena, nello scorrere dei delicati suoni liquidi e delle ridenti vocali dominanti *i* ed *e*, creando un profondo incanto, il secondo incanto terreno (dopo la scena d'apertura) che dà forma visibile a quello che va creandosi nel cielo. Ma se lo spettacolo terrestre offre la figura a quello celeste, questo a sua volta imprime su quello la sua intensità spirituale e mistica, per cui quel plenilunio non è più che la trasparente visibilità della bellezza divina.

– **Trivïa**: la denominazione mitica degli astri ne fa quasi persone (si vedano i verbi *ride*, *dipingon*), preparando così la visione della realtà che essi raffigurano, nella quale il *sole* e le *lucerne* saranno appunto le persone di Cristo e dei beati.

– **seni**: plaghe celesti; cfr. XIII 7-8.

28. **lucerne**: lampade, detto anche altrove per le ardenti fiamme dei beati (VIII 19; XXI 73).

29. **un sol**: una luce più intensa di tutte.

30. **come fa 'l nostro...**: come il nostro sole accende, dà la luce alle stelle, finestre del cielo (*viste* o *vedute* detto delle stelle anche a II 115 e XXX 9). Per questa teoria allora prevalente si cfr. XX 4-6 e la nota relativa.

■

... cioè tra il momento in cui attendevo e il momento in cui vidi il cielo che via via si rischiarava; e Beatrice disse: «Ecco le schiere del trionfo di Cristo, ed ecco tutto il frutto che è stato raccolto dalle influenze (del girar) di questi cieli». Mi pareva che il suo viso ardesse tutto, e aveva gli occhi così ricolmi di letizia, che sono costretto a passarvi sopra senza dirne parola (costrutto). ◆ *Come nelle notti serene di plenilunio la luna (Trivia) risplende tra le stelle (le ninfe etterne) che illuminano il cielo in ogni sua zona, io vidi sopra migliaia di lampade un sole che le accendeva tutte quante, come quello nostro illumina le finestre del cielo (cioè le stelle); ...*

> e per la viva luce trasparea
> la lucente sustanza tanto chiara
> 33 nel viso mio, che non la sostenea.
> Oh Bëatrice, dolce guida e cara!
> Ella mi disse: «Quel che ti sobranza
> 36 è virtù da cui nulla si ripara.
> Quivi è la sapïenza e la possanza
> ch'aprì le strade tra 'l cielo e la terra,
> 39 onde fu già sì lunga disïanza».
> Come foco di nube si diserra
> per dilatarsi sì che non vi cape,
> 42 e fuor di sua natura in giù s'atterra,
> la mente mia così, tra quelle dape
> fatta più grande, di sé stessa uscìo,

31. e per la viva luce: e attraverso quella intensa luce si vedeva trasparire la splendente realtà che la irradiava, cioè la persona di Cristo nella sua umanità gloriosa. Come nei primi due cieli s'intravedono vagamente le sembianze dei beati avvolti nella loro luce, così accade qui, ma con ben diversa potenza: perché Cristo è presente nel cielo con il suo corpo risorto, il cui splendore è più forte di quello stesso da lui irradiato, come è detto a XIV 52-7.

32. la lucente sustanza: Cristo nel suo corpo glorioso: straordinaria invenzione linguistica, per indicare nel modo insieme più perfetto e meno concreto quella indicibile realtà.

32-3. tanto chiara...: di così forte luminosità per la mia vista, che non potevo sopportarla. Egli ne ha quindi appena la visione di un istante, e ne è subito sopraffatto, come Beatrice dirà.

34. Oh Bëatrice...: all'altissima visione non vi è commento, la narrazione si interrompe, il poeta che scrive non ha altro modo se non questo, semplicissimo e grande, di esprimere il sentimento profondo dell'animo. L'assoluta naturalezza, diremmo il candore, di questo verso – unico nel suo genere nel poema – ne fa un vertice di quella poesia che solo nella terza cantica, dove pure si raggiunge la massima complessità e rarità

di linguaggio, riesce a trovare la casta semplicità che è propria del più alto sentire.

35. ti sobranza: ti supera, ti vince (cfr. XX 97 e nota); cioè oltrepassa la tua possibilità di vedere (v. 33).

36. è virtù da cui nulla...: è una potenza tale da cui nessun'altra può difendersi, cioè resisterle.

37. Quivi: in quella *lucente sustanza*.

– **la sapïenza e la possanza**: i due termini indicano il Cristo, così chiamato da san Paolo: «Cristo, potenza e sapienza di Dio» (*1 Cor.* 1, 24).

38. ch'aprì le strade...: colui che con la sua morte riaprì agli uomini la strada del cielo.

39. onde fu già...: cosa che per lungo tempo fu attesa e sospirata.

– **sì lunga disïanza**: su questo desiderio, durato tanti secoli, Dante torna più volte nel poema (cfr. XXVI 119-20; *Purg.* X 35-6), sempre con singolare forza espressiva.

40-2. Come foco di nube...: della visione, appena balenata ai suoi occhi, della umanità gloriosa di Cristo, Dante non ha memoria. Essa è descritta, con la similitudine della folgore, come un vero e proprio rapimento mistico, quello che in teologia era detto «excessus mentis», o «uscita della mente da se stessa»: come la folgore si sprigiona con violenza (*si diserra*) dalla nube quando il vapore infiammato si dilata tanto da non potervi più essere contenuto (per *capere* si cfr. III 76) e si dirige verso la terra, contrariamente al suo movimento naturale (che è di salire verso l'alto; cfr. *Purg.* XVIII 28-30) Sulla teoria della folgore come vapore di fuoco imprigionato nella nube dalla quale esce con subitanea violenza si cfr. I 133-5 e note; *Inf.* XXIV 145-50.

– **per dilatarsi**: proposizione causale formata da *per* seguito dall'infinito, già incontrata.

43-5. la mente mia così...: così la mia mente, dilatata oltre la sua misura nel gustare di quel cibo celeste (*dape*, vivande, lat. «dapes»), uscì da se stessa – oltrepassò cioè le sue capacità naturali – e non sa, non può ricordare quale allora divenne. Sul processo mistico – e la conseguente dimenticanza – qui espressa-

---

■

... e attraverso quella viva luce si vedeva trasparire la splendente persona di Cristo (sustanza) che irradiava così forte luminosità (chiara) nei miei occhi, che non potevo sopportarla. ♦ *Oh Beatrice, guida dolce e cara! Ella mi disse: «Ciò che ti vince è una virtù così potente a cui nessun'altra può resistere. In essa c'è la sapienza e la potenza che aprì la via tra il cielo e la terra, quell'evento che per così lungo tempo fu desiderato».* ♦ *Come la folgore si sprigiona con violenza (si diserra) dalla nube quando si dilata tanto da non potervi più essere contenuto (cape), e si dirige verso la terra contro la sua inclinazione naturale, così la mia mente, dilatata oltre la sua misura nel gustare quelle sublimi vivande (dape), uscì da se stessa, ...*

45   e che si fesse rimembrar non sape.

        «Apri li occhi e riguarda qual son io;

    tu hai vedute cose, che possente

48   se' fatto a sostener lo riso mio».

        Io era come quei che si risente

    di visïone oblita e che s'ingegna

51   indarno di ridurlasi a la mente,

        quand'io udi' questa proferta, degna

    di tanto grato, che mai non si stingue

54   del libro che 'l preterito rassegna.

        Se mo sonasser tutte quelle lingue

    che Polimnïa con le suore fero

57   del latte lor dolcissimo più pingue,

        per aiutarmi, al millesmo del vero

---

mente citato per la visione che, pur brevissima, Dante dichiara di aver avuto dell'umanità gloriosa di Cristo, si veda il testo di Riccardo di San Vittore citato in nota a I 7-9, dove si parla della visione dell'Empireo. Di tale visione ultima c'è qui come un anticipo – che tutto il canto del resto offre in figura – confermato anche dai vv. 49-51.

– **e che si fesse...**: si noti l'andamento incantato del terzo verso, al quale è affidato, come altrove, lo smemoramento che chiude le troppo alte sensazioni del *Paradiso* (cfr. XIV 126; XX 12).

46. Apri li occhi: s'intende che Dante li aveva chiusi non potendo «sostenere» la «chiarezza» della *lucente sustanza*.

– **qual son io**: quale ora sono, nella mia bellezza e nel mio sorriso; quel sorriso che prima, già nel cielo di Saturno, Dante non avrebbe potuto sopportare (XXI 4-12). Ma la visione appena avuta ha reso la sua vista capace (*possente*) di contemplarlo, elevandola cioè al di sopra delle sue possibilità naturali.

49-51. come quei...: come uno che lentamente torna in se stesso, riprende i sensi (*si risente*), da una visione già dimenticata (già svanita dalla sua mente nel momento in cui egli si ridesta), e che invano s'industria di richiamarla alla memoria I tre lenti versi figurano con singolare evidenza la condizione confusa di chi si risveglia come da un sogno, e ancora tutto preso dalla profonda sensazione provata tenta di ricordare ciò che vide. Con maggiore ampiezza e incanto, la stessa situazione si ripeterà nell'ultimo canto (cfr. i vv. 58-66), di cui questo è per molti aspetti come una prefigurazione.

– **ridurlasi**: ridursela. Per questa posizione dei due pronomi atoni, diversa da quella dell'uso moderno, si cfr. *Inf.* III 45 e nota linguistica.

52. proferta: offerta; quella di guardare il volto e il riso di Beatrice.

53-4. di tanto grato...: di tanta gratitudine, che non sarà mai cancellata (*stinguere*, estinguere, cancellare; cfr. *Purg.* I 96) dal libro che annota (*rassegna*) il pas-

sato (*preterito*, latinismo), cioè il libro della memoria (cfr. *Vita Nuova* I 1).

55-60. Se mo sonasser: se ora mi venissero in aiuto tutte le lingue dei più grandi poeti del mondo (quelle che le Muse fecero più ricche – *pingue* – nutrendole con il loro latte: cfr. *Purg.* XXII 102) non si arriverebbe alla millesima parte del vero *cantando*, dicendo in versi, il santo riso di Beatrice quale allora mi apparve, e quanto esso faceva rifulgere di puro splendore il santo volto di lei. Il movimento retorico è classico («Se avessi cento lingue e cento bocche, non potrei»: Virgilio, *Aen.* VI 625; e si veda anche Ovidio, *Met.* VIII 533 sgg.), anche se qui rinnovato dal chiamare in causa i poeti fratelli. Ma la forza del passo, che si sviluppa fino al v. 69, è interamente nuova. È questo il momento in cui una volta per tutte si dichiara la suprema difficoltà dell'impresa tentata dal poeta nella terza cantica, e si dà ragione delle molte volte in cui egli deve rinunciare a descrivere ciò che ha visto. C'è qui la giustificazione cioè, quanto mai commossa e mai data altrove, del cosiddetto «topos» dell'ineffabile, che è tanta parte della poesia del *Paradiso* dantesco.

56. Polimnïa: è la musa della poesia lirica, alla quale spetterebbe cantare quel sorriso. – *le suore* sono le sue sorelle, le altre Muse.

  ■

... e non sa ricordare quale allora divenne. «Apri gli occhi e guarda quale ora sono: tu hai visto tali cose, che sei diventato capace di sostenere il mio riso». ◆ *Io ero come uno che riprende i sensi (si risente) da una visione già dimenticata e che invano s'industria di richiamarla alla memoria, quando udii questa offerta, degna di tanta gratitudine, che non sarà mai cancellata (stingue) dal libro che annota il passato (il preterito; cioè la memoria). Se ora risuonassero per aiutarmi tutte quelle voci che Polimnia con le sue sorelle (cioè le Muse) fecero più ricche (pingue) nutrendole con il loro latte (cioè quelle dei maggiori poeti), non si arriverebbe alla millesima parte del vero, ...*

non si verria, cantando il santo riso

60   e quanto il santo aspetto facea mero;

e così, figurando il paradiso,

convien saltar lo sacrato poema,

63   come chi trova suo cammin riciso.

Ma chi pensasse il ponderoso tema

e l'omero mortal che se ne carca,

66   nol biasmerebbe se sott'esso trema:

non è pareggio da picciola barca

quel che fendendo va l'ardita prora,

69   né da nocchier ch'a sé medesmo parca.

«Perché la faccia mia sì t'innamora,

che tu non ti rivolgi al bel giardino

72   che sotto i raggi di Cristo s'infiora?

---

60. facea mero: sulla diversa lezione (*il facea mero*) portata da alcune edizioni e preferita anche dal Sapegno, si veda la nota al testo alla fine del canto.

61-3. figurando il paradiso...: nel rappresentare in figura il paradiso, il mio sacro poema è costretto a volte a fare un salto (cioè a passare oltre a qualcosa senza raccontarlo), come accade a chi trova il cammino attraversato (*riciso*, tagliato) da qualche ostacolo. Questa terzina insieme orgogliosa e modesta (si veda l'alta coscienza del poeta che *figura il paradiso*, e il nome dato qui per la prima volta alla sua opera di *sacrato poema* – nome che sarà ripreso a XXV 1: '*l poema sacro* – mentre si riconosce che talvolta non si può che rinunciare a descrivere – *saltare* – la grande visione) è, con le due che seguono, la più aperta e intensa dichiarazione del Dante artefice fatta all'interno della *Commedia*.

– **convien saltar...**: *lo sacrato poema* è il soggetto della proposizione infinitiva, costruita alla latina: conviene che il sacro poema salti, rinunci.

64-6. Ma chi pensasse...: ecco la giustificazione che il poeta avanza al suo lettore: ma chi riflettesse su quanto sia pesante, grave, la materia che qui si tratta, e che sono spalle mortali quelle che se ne fanno carico, certo non avrebbe da rimproverarle se a volte tremano sotto quel peso. La metafora deriva da un ben noto luo-

go dell'*Ars poetica* di Orazio (vv. 38-40), dove l'autore esorta gli scrittori a scegliere argomenti pari alle proprie forze e a ben valutare «che cosa le loro spalle possano sopportare, e che cosa no», ma assume qui una straordinaria potenza, trasformandosi da trattazione tecnica a commossa esperienza personale. Si veda quell'*omero mortal* che porta il peso di un *tema* divino, e soprattutto quel verbo *trema*, in cui prende figura l'interno tremito dell'animo.

67-9. non è pareggio...: non è percorso da piccola imbarcazione quello che l'ardita prua della mia nave va fendendo, né da nocchiero che risparmi le sue forze. Qui è necessaria, s'intende, una nave forte, cioè grande di animo e mente, e una coraggiosa volontà che sia pronta a spendersi fino all'ultimo. Torna nel verso, dopo la lunga fatica di più di venti canti, la grande immagine della nave che *cantando varca* un'*acqua* che *già mai non si corse*, offerta all'inizio della cantica (II 1-9).

– **pareggio**: termine raro, di difficile spiegazione, e che appare in diverse forme nei manoscritti. Noi accettiamo la scelta del Petrocchi e il significato ad essa corrispondente di «tratto di mare». Si veda sulla questione la nota al testo alla fine del canto.

70. t'innamora: ti tiene avvinto a sé, ti seduce col suo incanto (lo stesso verbo a XIV 127, per la dolce melodia del cielo di Marte). Si ripete qui la situazione del canto XVIII 19-21, ma con altra intensità: Dante è così rapito nel contemplare il *santo riso* (v. 59), da non poter distoglierne gli occhi se non dietro esplicito invito.

71-2. al bel giardino...: il *giardino* è l'assemblea dei beati ora apparsi (*le schiere / del triünfo di Cristo*) che si illuminano, come fiori sotto il sole, ai raggi che su di loro discendono dalla luce sovrastante di Cristo (cfr. vv. 28-30).

– **s'infiora**: sembra quasi che il giardino fiorisca, aprendo le sue corolle, sotto quei raggi. Ma è questo un linguaggio che è quasi impossibile tradurre: luci e fiori trapassano le une negli altri, scambiandosi termini e immagini.

73-5. la rosa... li gigli...: sono queste metafore correnti,

■

... dicendo in versi (*cantando*) il santo riso (di Beatrice), e quanto esso rendeva luminosamente puro il santo volto di lei; ◆ e così, nel rappresentare in figura il paradiso, il sacro poema è costretto a fare dei salti, come accade a chi trova il cammino sbarrato (*riciso*). Ma chi considerasse quanto sia grave l'argomento e che sono spalle mortali quelle che se ne fanno carico, non le rimprovererebbe se tremano sotto quel peso: non è un tratto di mare (*pareggio*) adatto a una piccola imbarcazione quello che l'ardita prua (della mia nave) va fendendo, né da nocchiero che risparmi le sue forze. ◆ «Perché il mio volto ti innamora a tal punto, che tu non ti rivolgi al bel giardino (l'assemblea dei santi) che fiorisce sotto i raggi di Cristo?

Quivi è la rosa in che 'l verbo divino
carne si fece; quivi son li gigli
75   al cui odor si prese il buon cammino».
Così Beatrice; e io, che a' suoi consigli
tutto era pronto, ancora mi rendei
78   a la battaglia de' debili cigli.
Come a raggio di sol, che puro mei
per fratta nube, già prato di fiori
81   vider, coverti d'ombra, li occhi miei;
vid'io così più turbe di splendori,
folgorate di sù da raggi ardenti,
84   sanza veder principio di folgóri.
O benigna vertù che sì li 'mprenti,
sù t'essaltasti per largirmi loco

derivate dall'uso biblico, e liturgico e degli autori cristiani per indicare Maria e i santi. Qui Dante se ne serve per creare una scena dove non sono visibili persone, ma solo figure – quali le luci o i fiori – che rendano sensibile la presenza di creature spirituali.

– **la rosa in che 'l verbo...**: Maria, nella quale il Verbo si fece carne (traduzione letterale del testo evangelico «Il Verbo si fece carne»: *Io.* 1, 14). – *rosa* è detta Maria in molti autori cristiani (tra cui san Bernardo) e nelle più antiche litanie in onore della Madonna.

– **li gigli...**: gli apostoli, al cui odore, cioè al profumo sparso dalle loro parole e opere, gli uomini presero il cammino che porta al cielo. «Siamo il buon odore di Cristo», scriveva Paolo (2 *Cor.* 2, 15); e si cfr. *Eccli.* 39, 19, dove è detto dei sapienti: «Sbocciate come fiori di giglio, spandete profumo...». A questo linguaggio già codificato si rifà dunque Dante, usando parole che tutti i suoi lettori intendevano, per creare un mondo totalmente nuovo, insieme spirituale e sensibile, del quale la letteratura non ha altri esempi.

77. **tutto era pronto**: ero interamente, totalmente pronto ad obbedire.

– **ancora**: dice lo sforzo di affrontare un'altra volta quella vista che lo aveva sopraffatto.

78. **a la battaglia**: al combattimento, che i miei deboli occhi dovevano sostenere.

79-81. **Come a raggio di sol...**: come talvolta (*già*, in passato) i miei occhi videro, protetti dall'ombra (in luogo cioè dove il sole non li colpisse direttamente), un prato di fiori sotto un raggio di sole che filtrasse *puro*, non offuscato da vapori, attraverso lo squarcio di una nube La terza, purissima e dolce similitudine che scandisce il canto – dopo l'uccello sul ramo e la luna tra le stelle – continua il processo di avvicinamento a quanto sulla terra è più bello e soave a vedersi di quel mondo dell'eterna beatitudine che un poeta tenta di raffigurare; ma gli aspetti terreni sono a loro volta quasi inavvertitamente sollevati a una dimensione ultraterrena, nell'assoluta purezza e vaghezza che li qualifica.

– **mei**: trapassi, latinismo (cfr. XIII 55; XV 55).

– **fratta**: spezzata, infranta: alto latinismo, da *frangere* (cfr. *Purg.* XVII 42); i termini rari ed eleganti fanno leggera e quasi immateriale l'immagine terrena. Si noti anche la totale mancanza di articoli (salvo *li* al v. 81) in ambedue le terzine (vv. 79-84).

82-4. **vid'io così...**: così io vidi lassù innumerevoli schiere di luci folgorate dall'alto da raggi ardenti, senza che potessi scorgere la fonte da cui quei raggi provenivano. La similitudine porta in sé lo scambio tra l'immagine delle stelle nel plenilunio e quella del prato di fiori sotto il sole – cielo stellato, prato fiorito – che passano inavvertitamente l'una nell'altra, attraverso il ponte già creato dalle parole di Beatrice (il *bel giardino*, la *rosa*, *li gigli*).

85. **O benigna vertù...**: si rivolge qui a Cristo, il *sole* che illuminava dall'alto i beati: virtù detta *benigna* per la sua condiscendenza verso la debolezza mortale della vista di Dante (cfr. XXXIII 16).

– **li 'mprenti**: improntri, quasi imprimendovi il tuo sigillo, i beati con la tua luce.

86-7. **sù t'essaltasti...**: tu ti innalzasti (nascondendoti alla mia vista) per dare spazio di vedere ai miei occhi che non avevano la possibilità, la capacità di sostenerti (non erano «possenti a te», costrutto ricalcato sul latino) e non avrebbero quindi, abbagliati, neppure potuto distinguere le luci dei beati.

Qui c'è la rosa (Maria) nella quale il Verbo di Dio si fece carne; qui ci sono i gigli (gli apostoli) al cui profumo gli uomini presero il giusto cammino». Così disse Beatrice; e io, che ero totalmente pronto ad obbedire ai suoi consigli, mi disposi di nuovo al combattimento che i miei deboli occhi dovevano sostenere. ◆ Come talvolta (già) i miei occhi videro, protetti dall'ombra, un prato di fiori sotto un raggio di sole che filtrasse puro attraverso lo squarcio di una nube; così io vidi lassù molte schiere di luci folgorate dall'alto da raggi ardenti, senza vedere la fonte da cui quei raggi provenivano. O benigna virtù divina che imprimi così su di loro la tua luce, tu ti innalzasti per lasciare libero lo spazio ...

87   a li occhi lì che non t'eran possenti.

Il nome del bel fior ch'io sempre invoco

e mane e sera, tutto mi ristrinse

90   l'animo ad avvisar lo maggior foco;

e come ambo le luci mi dipinse

il quale e il quanto de la viva stella

93   che là sù vince come qua giù vinse,

per entro il cielo scese una facella,

formata in cerchio a guisa di corona,

96   e cinsela e girossi intorno ad ella.

Qualunque melodia più dolce suona

qua giù e più a sé l'anima tira,

99   parrebbe nube che squarciata tona,

88-90. del bel fior...: della rosa, nominata da Beatrice al v. 73, che, con la relativa determinante che segue (vv. 73-4), è stata esplicitamente indicata come la Vergine Maria. Il nome dunque di colei che io invoco ogni giorno, mattina e sera, raccolse tutto il mio spirito a guardare lo splendore più vivo di tutti (che, resosi invisibile Cristo, era certamente quello di Maria). La semplice confessione che Dante fa a questo punto – unica nel poema e in tutta la sua opera – del suo quotidiano pregare è un altro dei singolari incanti di questa scena del *Paradiso*, dove i più cari affetti umani invadono il cielo dell'inaccessibile eternità divina, con un profondo e quasi inavvertibile scambio.

– **tutto mi ristrinse**: l'espressione dice l'intensità di quel guardare. Si apre qui come un inno di lode tributato a colei che, fin dall'inizio del poema, è ricordata come la prima ispiratrice dell'azione di grazia che ha salvato il poeta e lo ha condotto allo straordinario viaggio (*Inf.* II 94-6), e che come dispensatrice di misericordia sarà invocata nella solenne chiusa dell'ultimo canto (XXXIII 13-21). Non a caso tale tributo viene offerto in questa scena del paradiso dove, come si è visto, predominano i semplici affetti dell'uomo. Maria rappresenta infatti, sia nella più alta tradizione teologica cristiana, sia nella devozione popolare, il tramite tra l'uomo e il divino. Si veda su questo quanto è detto nell'Introduzione al canto.

91-3. e come ambo le luci mi dipinse...: e non appena si rispecchiò nei miei occhi (quasi *dipingendovi* la sua immagine) *il quale e il quanto* («la qualità, cioè lo splendore, e la quantità, cioè la grandezza»: Lombardi) di quella fulgente stella che lassù in cielo *vince*, supera in gloria ogni altro beato, come quaggiù in terra superò in virtù ogni altra creatura...

92. stella: è appellativo liturgico tradizionale di Maria (*stella matutina*), appellativo presente, come *rosa*, nelle litanie lauretane e nel notissimo inno attribuito a Venanzio Fortunato, *Ave maris stella*.

94. una facella: una luce infuocata: *face*, fiaccola, è usato per i beati anche a XXVII 10. Questa luce, come si dirà più avanti, è un angelo (anzi un *amore angelico*, secondo il linguaggio astraente proprio di questo canto), e la maggior parte dei critici vi riconoscono l'arcangelo Gabriele, il messaggero dell'Annunciazione.

95. formata in cerchio...: in forma di cerchio, a modo di corona, o diadema. C'è qui il ricordo dell'immagine dell'*Apocalisse* (12, 1) che presenta una donna incoronata di stelle (interpretata dalla tradizione esegetica come simbolo di Maria).

97-102. Qualunque melodia...: come altre volte accade di dire al poeta del *Paradiso*, non c'è cosa terrena che possa reggere il confronto con queste luci o musiche celesti (è una variazione della stessa figura retorica usata ai vv. 55 sgg.). Ogni più dolce melodia della terra, che più attragga, rapisca l'anima con la sua bellezza (si ricordi l'incanto che la musica produce negli animi a *Purg.* II 115-7), sembrerebbe fragore di tuono (quando il fulmine apre con violenza la nube: cfr. vv. 40-2) se paragonata al canto di quella celeste lira (la fiamma che cingeva Maria) di cui si faceva corona quell'azzurra gemma che illumina d'azzurro il cielo più fulgidamente di ogni altra (*più chiaro* è forma avverbiale dipendente da *s'inzaffira*). Altri intendono: *il ciel più chiaro*, cioè l'Empireo. Ma dire che di quello zaffiro si adorna l'Empireo non lo determina in alcun modo; la sua prerogativa è di essere la più fulgida tra le gemme del cielo.

101. zaffiro: questa denominazione appartiene, co-

... per vedere ai miei occhi che non avevano la capacità di sostenere la tua vista. ◆ Il nome del bel fiore (la rosa, figura della Vergine) che sempre invoco, mattina e sera, raccolse tutto il mio spirito a cercare di vedere la luce maggiore; e non appena si rispecchiò nei miei occhi (luci) la qualità e la quantità di quella fulgente stella che lassù in cielo è superiore a tutte le altre (vince), come fu quaggiù (su tutte le creature), dal cielo scese una luce infuocata in forma di cerchio, a modo di corona, e la cinse e si volse girando intorno ad essa. ◆ Ogni più dolce melodia che risuoni sulla terra, e che più attragga l'anima a sé, sembrerebbe fragore di tuono tra le nubi ...

>   comparata al sonar di quella lira
>   onde si coronava il bel zaffiro
> 102   del quale il ciel più chiaro s'inzaffira.
>   «Io sono amore angelico, che giro
>   l'alta letizia che spira del ventre
> 105   che fu albergo del nostro disiro;
>   e girerommi, donna del ciel, mentre
>   che seguirai tuo figlio, e farai dia
> 108   più la spera supprema perché li entre».
>   Così la circulata melodia
>   si sigillava, e tutti li altri lumi
> 111   facean sonare il nome di Maria.
>   Lo real manto di tutti i volumi

me la *rosa* e la *stella*, alla comune devozione mariana. Potrebbe trattarsi di generica variazione nel consueto uso di designare i beati come pietre preziose (*topazio* è Cacciaguida, *margarite* i beati del cielo di Saturno, *rubini* quelli del cielo di Giove), ma sembra probabile che per Maria ci sia stata una precisa ragione di scelta, dovuta forse, come pensano gli antichi, alle specifiche proprietà della pietra. Il Torraca ricorda quello che dello zaffiro è detto nel *Libro di Sidrach*, p. 458: «Tutti [zaffiri] sono dalla parte di Dio virtudiosi e pieni di grazia chi zaffiro isguarda tutto bene gli avviene». Tuttavia non si può non pensare, data la generale atmosfera di questo canto, che sulla scelta abbia influito la *dolcezza* di quel colore, come è celebrato nell'apertura della seconda cantica (*Purg.* I 13-5): *dolce* la melodia che la circonda (v. 97), *dolce* il canto che segue alla sua partenza (v. 128), dolce è il colore che la distingue.

103. **amore angelico**: non un angelo, ma l'amore dell'angelo: dunque la sua realtà spirituale. Sono queste le singolari invenzioni del linguaggio del *Paradiso*, che sembra estrarre da ogni cosa visibile la sua essenza invisibile. Si vedano i versi seguenti: l'amore angelico circonda non il ventre, ma *l'alta letizia* che ne spira: ventre che ospitò non Cristo, ma il *disiro* dell'umanità.

– **giro**: giro intorno, circondo (per quest'uso transitivo di girare si veda XV 93; XXV 12 ecc.).

104-5. **l'alta letizia...**: la profonda gioia che si effonde dal grembo che ospitò Cristo, detto *nostro disiro*, in quanto desiderato per secoli come redentore. Qui traspaiono le parole della preghiera mariana per eccellenza, l'*Ave Maria*: «benedetto il frutto del ventre tuo».

– **del ventre...**: Maria è nominata dalla sua principale prerogativa, con la quale si identifica: la sua maternità divina. La stessa idea, la stessa parola, torneranno nella grande preghiera dell'ultimo canto (XXXIII 7-9).

106-8. **e girerommi...**: e continuerò il mio girare fino a che (*mentre* / *che*) seguirai tuo figlio su nell'Empireo, e farai così più luminosa (*dia*: cfr. XIV 34) l'ultima sfera solo per il tuo rientrarvi.

109. **la circulata melodia**: *circulata* è participio passivo, quasi intraducibile: una melodia cantata in giro,

in cerchio: ulteriore rarefazione dell'*amore angelico*, ora divenuto soltanto musica.

110. **si sigillava**: concludeva insieme il suo giro e la sua frase musicale.

111. **il nome di Maria**: esce infine, in chiusura di verso, di terzina, e di scena, il nome nascosto ma presente per tutta la sequenza di ben otto terzine. Quel nome, invocato dal morente nel canto V del *Purgatorio* (*nel nome di Maria finì*'...: v. 101) e dall'autore ogni giorno della sua vita (cfr. sopra ai vv. 88-9), nome citato in apertura e in chiusura di questo passo, ha qui la sua più alta celebrazione.

112-4. **Lo real manto...**: il manto regale di tutti i corpi ruotanti dell'universo, cioè il Primo Mobile, che più di ogni altro ferve d'amore e prende vita dall'afflato stesso e dal modo di operare proprio di Dio... L'ampiezza sontuosa dell'immagine, e degli stessi suoni (*manto, volumi, mondo*) che sembrano dilatare il verso, dà straordinario rilievo e bellezza a quel nono cielo che già nel *Convivio* Dante celebrava con ardenti parole: «ché per lo ferventissimo appetito ch'è ['n] ciascuna parte di quello nono cielo d'essere congiunta con ciascuna parte di quello divinissimo ciel quieto, in quello si rivolve con tanto desiderio, che la sua velocitade è quasi incomprensibile» (II, III 9).

– **volumi**: i cieli, che si volgono intorno al mondo con moto perenne; dal lat. «volumen», ogni cosa che si volge in giro.

■

... se paragonata al canto di quella lira di cui si faceva corona quella splendida gemma (zaffiro) che illumina d'azzurro il cielo più fulgidamente di ogni altra. «Io sono l'amore angelico, che circondo la profonda gioia che si effonde dal grembo che ospitò il nostro desiderio (cioè Cristo); e continuerò il mio girare, o signora del cielo, fino a che (mentre / che) seguirai tuo figlio (su nell'Empireo), e farai così più luminosa (dia) l'ultima sfera solo per il tuo rientrarvi». ◆ *Così la melodia cantata in cerchio (circulata) si concludeva, e tutte le altre luci facevano risuonare il nome di Maria. Il manto regale di tutti i corpi ruotanti (volumi) ...*

del mondo, che più ferve e più s'avviva

114   ne l'alito di Dio e nei costumi,

avea sopra di noi l'interna riva

tanto distante, che la sua parvenza,

117   là dov'io era, ancor non appariva:

però non ebber li occhi miei potenza

di seguitar la coronata fiamma

120   che si levò appresso sua semenza.

E come fantolin che 'nver' la mamma

tende le braccia, poi che 'l latte prese,

123   per l'animo che 'nfin di fuor s'infiamma;

ciascun di quei candori in sù si stese

con la sua cima, sì che l'alto affetto

126   ch'elli avieno a Maria mi fu palese.

– **più s'avviva**: essendo il più vicino all'Empireo, e quindi a Dio, riceve come dal suo stesso spirito la vita e la norma dell'agire, che trasmette alle sfere sottostanti. Tocca in queste terzine uno dei suoi punti più alti la lunga contemplazione e meditazione di Dante sui cieli e i loro moti, portatori di vita al mondo terreno, che esercitavano su di lui un fascino singolare.

115. **l'interna riva**: la sua fascia interna, concava, confinante col cielo stellato: quasi luogo di approdo, *riva*, per il navigatore del cielo, che giunge e sosta via via da una sfera all'altra, traversandone l'etereo spessore.

116-7. **tanto distante...**: quella *riva* era così lontana, alta su di lui, che il suo aspetto (*parvenza*: cfr. XIV 54) non era visibile dal luogo dove egli era. L'immensa distanza accresce maestà alla già solenne figurazione del nono cielo.

118. **però**: perciò, per tale lontananza.

119. **di seguitar...**: a seguire fino al suo arrivo lassù la fiamma di Maria cinta dalla corona di luce, che s'innalzò dietro al suo figliolo. Quella fiamma che si perde alla vista nell'infinita profondità del cielo, là dove è già salito il figlio, mentre lo sguardo dell'uomo cerca invano di seguirla, richiama in modo evidente la scena dell'ascensione di Cristo al cielo come è narrata negli *Atti degli Apostoli*: «fu elevato in alto sotto i loro oc-

chi e una nube lo sottrasse al loro sguardo. E poiché essi stavano fissando il cielo mentre egli se ne andava, ecco due uomini in bianche vesti si presentarono a loro e dissero: "Uomini di Galilea, perché state a guardare il cielo?..."» (1, 9-11). In questa figurazione sembrano così adombrati i due misteri dell'ascensione di Cristo e dell'assunzione di Maria, quell'assunzione di cui Dante parlerà esplicitamente a XXV 127-9.

121-3. **E come fantolin...**: è l'ultima similitudine di questo canto, che porta alla massima espressione la dolcezza di umani affetti trasferiti nel mondo divino che lo caratterizza. Come all'apertura, così nella chiusa si canta il rapporto d'amore tra la madre e il figlio: figlio piccolo, lattante, in tutto dipendente dalla madre. La prima similitudine fa centro sulla madre, la seconda sul fanciullo, quasi chiudendo un cerchio di tensione d'amore. E l'attento realismo con cui è ritratta la scena – si vedano le braccia tese del lattante verso la madre – aumenta l'intensità del suo significato mistico. Dio e l'uomo, madre e bambino; il rapporto terreno non è che figura dell'altro, come già la Scrittura suggeriva «Può una donna dimenticare il suo bambino?... anche se lo dimenticasse, io non ti dimenticherò» (*Is.* 49, 15).

123. **per l'animo...**: per il forte sentimento interno che come un fuoco incontenibile prorompe anche negli atti e nelle espressioni del volto della piccola creatura.

124. **quei candori**: le luci incandescenti dei beati.

124-6. **in sù si stese...**: si protese verso l'alto con la punta della propria fiamma – come le braccia del bambino – dimostrando così il suo affetto verso Maria.

127. **Indi rimaser...**: scomparsa dopo Cristo anche la luce di Maria, restano sulla scena soltanto gli spiriti beati e, come a concludere con una pausa di dolcezza la grande raffigurazione, intonano un canto, esprimendo in esso il loro sentimento di amore. La scena ricorda, per raccoglimento e soavità, l'inno *Salve Regina* cantato nella valletta dei principi nel *Purgatorio* (VII 82-4).

128. **Regina celi**: è questo l'inizio dell'antifona mariana del tempo pasquale: «Rallegrati, Regina del cielo / poiché colui che tu meritasti di portare nel tuo grembo / è

... dell'universo (cioè il Primo Mobile), che più di ogni altro ferve d'amore e prende vita dall'afflato e dal modo di operare proprio di Dio, avea la sua faccia (riva) interna così lontana, alta su di noi, che il suo aspetto (parvenza) non era ancora visibile dal luogo dove io ero: e perciò i miei occhi non ebbero la capacità di seguire la fiamma incoronata (di Maria), che s'innalzò dietro al suo figliolo. ◆ E come il bambino che tende le braccia verso la mamma, dopo aver preso il latte, per l'ardore dell'animo che come un fuoco prorompe anche nel comportamento esteriore (di fuor); ciascuna di quelle luci incandescenti (candori) si protese verso l'alto con la punta della propria fiamma, così che mi fu evidente il profondo affetto che avevano verso Maria.

Indi rimaser lì nel mio cospetto,
'*Regina celi*' cantando sì dolce,
129 che mai da me non si partì 'l diletto.
Oh quanta è l'ubertà che si soffolce
in quelle arche ricchissime che fuoro
132 a seminar qua giù buone bobolce!
Quivi si vive e gode del tesoro
che s'acquistò piangendo ne lo essilio
135 di Babillòn, ove si lasciò l'oro.
Quivi trïunfa, sotto l'alto Filio
di Dio e di Maria, di sua vittoria,
e con l'antico e col novo concilio,
139 colui che tien le chiavi di tal gloria.

risorto, come disse». La scelta dell'inno è intonata al trionfo qui celebrato: l'inno di gloria e di resurrezione è il solo cantabile in paradiso (si vedano nel canto XIV il *Resurgi e Vinci*, v. 125, e il *Gloria* intonato nel XXVII, vv. 1-3), come la *Salve Regina*, canto dell'esilio, è propria del purgatorio. Inoltre la salita verso l'Empireo, prima di Cristo e poi di Maria, avvenuta in questo canto, adombra, come si è detto, la resurrezione e l'ascensione, significato che questo inno finale quasi suggerisce.

130-2. **Oh quanta è l'ubertà...**: oh quanto grande è l'abbondanza che si raccoglie, si accumula, in quei ricchi granai (le anime beate) che furono in terra terreni ben disposti alla semina! – *si soffolce* è latinismo da «suffulcire», sostenere (cfr. *Inf.* XXIX 5).

132. **a seminar**: con valore passivo: a esser seminate. Per tale uso si veda XII 37-8.

– **bobolce**: il raro termine fu inteso dagli antichi commentatori come una derivazione al femminile dal lat. «bubulcus», bifolco, quindi: che furono in terra buone seminatrici della parola di Dio. E così intendono ancora molti moderni. Ma altri autorevoli critici hanno sostenuto il significato di «terreno da coltivare», l'unico che si ritrovi del resto in un nostro antico scrittore (si veda la nota linguistica alla fine del canto). Tale valore ci appare senz'altro preferibile, per il chiaro riferimento del testo alla nota parabola evangelica del seminatore, dove si parla appunto del buon terreno, che rende frutto in abbondanza (*Matth.* 13, 3-23). La figura del seminatore (Cristo nella parabola) si converrebbe ai soli apostoli, non a tutti i beati dell'*antico* e *novo concilio* qui raccolti, ai quali è invece riferita questa esclamazione che si leva quasi a commento del loro dolce canto. Miglior convenienza prende così anche l'immagine delle *arche ricchissime*: le arche e i seminatori sono infatti due figure in stridente contrasto, mentre quella del terreno che accolse il buon seme in terra ben si affianca a quella delle arche piene di grano in cielo.

133-5. **Quivi si vive e gode...**: qua in cielo si vive e si gode di quel *tesoro* spirituale acquistato con le sofferenze patite in terra, luogo d'*essilio* dalla patria (di cui

è figura l'esilio babilonese del popolo ebreo), dove si rinunziò all'*oro*, cioè alle ricchezze materiali. Il *tesoro* celeste contrapposto all'*oro* terrestre è tema evangelico (cfr. *Matth.* 19, 21) particolarmente caro a Dante, che per tutto il poema denuncia il male primario dell'avarizia, o attaccamento al denaro, come corruttore della Chiesa di Dio. E in questo cielo dove si celebra il trionfo di quella Chiesa, non poteva mancare il ricordo di quella rinuncia agli agi e alle ricchezze, che sola conduce all'*ubertà* inestinguibile della beatitudine eterna.

136-9. **Quivi trïunfa...**: qui, *sotto* il figlio di Dio e di Maria, Gesù Cristo, trionfa della sua vittoria nella milizia terrena (cfr. *Purg.* XXIV 14-5), insieme all'assemblea dei santi dell'Antico e Nuovo Testamento, *colui*, Pietro, che tiene le chiavi della gloria celeste, a lui affidate da Gesù prima di lasciare la terra (cfr. *Matth.* 16, 19 e *Inf.* XIX 92). Appare così, alla chiusa del canto, l'apostolo che sarà il protagonista di quello successivo. Ma la proclamata presenza di Pietro, capo visibile della Chiesa in terra, quel Pietro che non possedette né oro né argento (cfr. XXII 88), ha soprattutto la funzione di suggerire che il grande *concilio* di anime riunito in questo cielo raffigura il corpo storico dei credenti nella sua visibilità terrena (prima rappresentata dal popolo ebraico, poi dal popolo cristiano). Si veda a questo proposito l'interpretazione proposta nell'Introduzione al canto.

■

Poi rimasero lì alla mia vista, cantando Regina coeli così dolcemente, che la gioia provata non mi abbandonò mai più.
◆ *Oh quanto grande è l'abbondanza (ubertà) che si raccoglie in quei ricchissimi granai (le anime beate), che furono quaggiù terreni ben disposti alla semina! Qua in cielo si vive e si gode di quel tesoro (spirituale) acquistato con le sofferenze patite durante la vita terrena (ne lo essilio di Babillòn), dove si rinunziò alla ricchezza (oro). Qui, sotto il grande figlio di Dio e di Maria (Gesù Cristo), trionfa della sua vittoria, insieme all'assemblea dei santi dell'Antico e Nuovo Testamento, colui che tiene le chiavi della gloria celeste (cioè san Pietro).*

approfondimenti

NOTE AL TESTO

v. 60. facea mero: alcune edizioni moderne, come anche alcuni commenti antichi, portano *il facea mero*, lezione preferita anche dal Sapegno, intendendo per *il santo aspetto* quello di Cristo. Ma, a parte il fatto che *il* non si ritrova nella più antica tradizione manoscritta, anche il contesto sembra chiaramente escludere questa lezione: qui non si parla più dell'aspetto di Cristo, ma tutta l'attenzione è concentrata sulla bellezza del volto di Beatrice. È quello il volto che incanta Dante (cfr. v. 70), quel volto che il *santo riso* illumina e fa risplendere in modo irripetibile. Poco accettabile sarebbe anche, come osserva il Petrocchi, il «bisticcio» creato tra *santo aspetto* di Cristo e *santo riso* di Beatrice.

v. 67. pareggio: il raro termine marinaresco ci è giunto in varie forme; gli altri editori hanno preferito *pileggio*, che dagli scarsissimi esempi antichi sembra valere «rotta», «cammino», mentre *pareggio* (che deriva dal basso latino «parigium», vocabolo ben noto) vale piuttosto «tratto di mare» e così lo intende un antico commentatore. Ambedue i termini hanno comunque rare attestazioni in antico prima di Dante (anche se *pereggio* si ritrova nel rimatore duecentesco Bacciarone da Pisa). Il Petrocchi ha preferito la lezione più solidamente testimoniata dalla tradizione e che dà senso secondo lui migliore; si tratta in ogni caso di termine più diffuso e di più lunga vita, presente anche nei racconti di viaggi marinari del '500. Il valore del vocabolo nel nostro contesto resta comunque chiaro, ed uguale, con l'una o l'altra lezione, mentre sembra possibile che i due termini siano varianti della stessa parola.

v. 125. cima: le precedenti edizioni moderne leggono *fiamma*. Ma oltre al fatto che *cima* è testimoniato più autorevolmente dalla tradizione, e che *fiamma* appare sei versi prima, già ripetuto da *s'infiamma* al v. 123 (cosa che può avere indotto il copista per attrazione a scrivere *fiamma*, come annota il Petrocchi), *cima* ci appare più proprio nel contesto, in quanto i *candori* non sono in fondo niente altro che fiamme e qui si vuol dire che essi protendono verso l'alto la loro lingua o punta più alta, come già nell'*Inferno* la fiamma di Ulisse fa ondeggiare la sua *cima* per farne uscire la voce (*Inf.* XXVI 85-90). *cima* si trova del resto nelle due edizioni della Crusca e nel Foscolo.

NOTE LINGUISTICHE

108. li entre: *li* è particella avverbiale atona di luogo (cfr. *Inf.* IX 106 e nota linguistica). Il Petrocchi legge *lì*; si vedano le ragioni della nostra scelta nella nota linguistica a *Purg.* I 62. – *entre*, entri; forma già incontrata.

132. bobolce: di questo vocabolo non esiste un solo esempio attestato in italiano antico nel senso di «contadino», «bifolco», né al maschile né al femminile. Invece sia nel basso latino, sia nel nostro Trecento, il termine femminile è usato con un preciso significato agricolo di misura terriera: «una bubulca, cioè il lavorio che fa un paio di buoi, ovvero certa misura di terra, che così si chiama» (Crescenzi, *Agricoltura* I, p. 267). In questo senso il termine si ritrova fino all'800 nei nostri dialetti settentrionali (*bibulca, bubulca*, da cui *biolca*, ancora nell'uso) come appare dai vocabolari dialettali. Sembra dunque certo che Dante, così propenso a usare vocaboli tecnici propri di arti e mestieri, si sia servito per la sua rara rima in *-olce* di questo preciso termine che perfettamente rispondeva alla parabola da lui evocata.

SUGGERIMENTI PER LA RICERCA

Temi del canto

Similitudini

Rileggi con attenzione le similitudini del canto (quella dell'uccello, vv. 1-12; del plenilunio, vv. 25-30; del fulmine, vv. 40-45; del prato, vv. 79-84; del lattante, vv. 121-126), osservando innanzitutto i termini del paragone; quindi, a partire dalle osservazioni fatte nell'Introduzione al canto, spiegane il senso e la funzione. Sulle prime tre similitudini puoi leggere anche l'analisi di M. Picone nel saggio citato tra le *Letture consigliate*.

Il topos dell'ineffabile

Più volte nel corso della cantica il poeta dichiara l'impossibilità di descrivere o di ricordare quanto ha visto, tanto l'esperienza vissuta oltrepassa i limiti umani: rileggi innanzitutto i vv. 55-69 di questo canto, quindi leggi a confronto i passi I 4-9 e 70-72; X 43-48 e 70-75; XIV 80-81 e 103-108; XVIII 7-12 (e nota); XXIV 22-27. Su questo tema consulta anche l'*Introduzione* alla cantica, poi in un breve testo esponi i risultati della tua ricerca e le tue riflessioni in proposito.

Il «libro che 'l preterito rassegna»

L'immagine della memoria come libro in cui si scrive è diffusa in tutto il Medioevo e cara a Dante: leggi dalla *Vita nuova* i passi I 1 e II 10, dalle *Rime* LXVII 59, dalla *Commedia Inf.* II 8 e *Par.* XX 30; quindi approfondisci l'argomento consultando la voce *Memoria*, a cura di A. Maierù, in *Enciclopedia Dantesca* III, pp. 888-892.

La rosa e i gigli

Per descrivere Maria e le anime beate Dante ricorre di frequente a metafore floreali attinte dalla tradizione biblica e cristiana: rivedi innanzitutto i passi X 91-92; XII 19-20; XIX 22-24, poi leggi a confronto i passi scritturali *Ecclesiaste* 39,19 e *2 Cor.* 2,15. Sull'argomento puoi consultare anche il saggio di G. Getto, *Aspetti della poesia di Dante,* Firenze, 1966, pp. 204-211.

Lingua e stile

in su – v. 7

Leggi i passi sotto indicati e cerca, con l'aiuto della parafrasi e delle note di commento, di chiarire i diversi significati e usi della preposizione *su* quando sia preceduta da *in*: *Inf.* XI 65; XII 97; XXVIII 8 e 45; *Purg.* XII 40; XIII 124; *Par.* XXV 8. Consulta poi la *Grammatica Italiana* del Serianni al cap. VIII.106, dove troverai altre testimonianze dell'uso letterario (fino all'800) della locuzione *in su*.

sustanza – v. 32

Consulta la nota al v. 29 del III canto del *Paradiso*, in cui si spiega il significato filosofico di *sustanza*, e chiarisci, aiutandoti con le note di commento per quale motivo e a chi il termine sia riferito nel passo qui indicato e in quelli di *Purg.* III 36; XXX 101; *Par.* VII 5; XXVI 39; XXVIII 75. Servendoti di un buon *Dizionario* di lingua italiana distingui poi l'accezione filosofica del termine dal significato che puoi invece trovare in *Monarchia* II V 25 e che si è mantenuto in lingua moderna.

Il verbo «triunfare» – vv. 20 e 136

Individua, utilizzando le *Concordanze*, i passi della *Commedia* in cui siano utilizzati il verbo *triunfare* e il sostantivo *triunfo*, distinguendo i casi in cui si riferiscano alla celebrazione romana di vittoria in guerra da quelli in cui indichino il godimento della beatitudine del Paradiso. Per il significato delle espressioni «chiesa militante» (*Par.* XXV 52) e «chiesa triunfante», (*Par.* XXII 131) usate anche oggi nel linguaggio della Chiesa cattolica, leggi le note di commento a *Par.* V 115-17 e XXV 52-54 e consulta poi un buon *Dizionario di lingua italiana* alle voci *militante* e *trionfante*.

CANTO XXIV

Introduzione

*L'*articolazione della lunga sequenza dei canti dedicati al cielo Stellato ha un suo sapiente ordinamento. In essi, come si è visto, la protagonista è la Chiesa in quanto comunità storica affidata a Pietro. Ed essa si mostra nel primo in tutto lo splendore e la bellezza che ha nella patria celeste – giardino fiorito sotto i raggi di Cristo – mentre nell'ultimo verrà denunciata, da Pietro stesso, la corruzione che la degrada ora sulla terra. I tre canti centrali (XXIV-XXV-XXVI) celebrano invece le tre virtù teologali – fede speranza e carità – che sono il suo segno di riconoscimento nel mondo (le altre virtù, dette virtù morali, sono infatti proprie anche degli altri uomini). Il primo canto è dunque di carattere mistico, tutto dedicato alla visione celeste (la Chiesa nella sua patria), l'ultimo è di impianto profetico, e gli altri, che possono essere definiti in senso lato teologici, sono dedicati a quelle forze, o armi, come le chiamò san Paolo, dalle quali essa è sorretta nel cammino che compie nella storia. Sono queste – la vita nella patria, e la vita in cammino («in patria» e «in via», come dicevano i primi Padri) le due condizioni del cristiano, che nel mondo è un esule, prima e dopo la morte, al di qua e al di là del tempo.

L'argomento è per un verso di carattere teologico – si tratta infatti di definire quelle virtù che non sono proprie dell'uomo per natura, ma solo per grazia –, per l'altro è legato al vivere nel tempo, che è tema specifico di questo cielo.

Di qui il singolare carattere dei tre canti, comunemente detti, non del tutto propriamente, «canti dottrinali». In essi Dante ha creato infatti una nuova forma di canto teologico, una teologia *sui generis* rispetto a quella che si dispiega nel resto della cantica. Non c'è qui discorso espositivo, o narrativo, con il conseguente ampio periodare nello svolgersi dell'argomentazione che tratta e definisce la «questione» proposta. Con geniale variazione Dante ha svolto nei tre canti il tema teologico in forma drammatica, cioè di dialogo, e fra persone ben precisamente connotate.

La virtù riguarda infatti la persona, il suo comportamento nel tempo. E la determinazione teologica delle tre grandi virtù viene condotta in modo fortemente personale, dove la realtà storica di chi interroga e di chi risponde è sempre presente, e prende largo spazio la prima persona (il pronome *io* e l'aggettivo *mio* dominano di fatto in tutti e tre i canti).

La connotazione drammatica è di fatto la caratteristica più importante dei tre canti delle virtù, che hanno al centro la persona di Dante – unico soggetto storico, e quindi potenzialmente drammatico, di tutta la cantica –, proprio come i tre canti di Marte dove si svolge il dialogo con Cacciaguida.

Là si trattava del doloroso destino terreno del protagonista, qui di quello eterno, come il secondo dei tre canti chiaramente manifesterà.

La novità dei canti delle virtù sta in questa invenzione, per cui la teologia non è più esposta, da Beatrice, o da altri al suo posto, ma diventa fatto personale, la ragione stessa della vita del poeta che qui parla.

Il tema guida del cielo Stellato, visto come luogo della Chiesa, e della storia, costruisce le sue forme narrative: qui, dove è figurata la Chiesa trionfante, Dante, uomo del tempo, assume su di sé la rappresentanza del cristiano (*Dì, buon Cristiano...*, lo apostroferà Pietro) che ancora vive, come Beatrice dirà, nella Chiesa militante, che cioè «milita», combatte nella storia.

La situazione drammatica è impostata fin dall'apertura, con la solenne apostrofe di Beatrice ai beati che fa da preludio anche agli altri due canti: *O sodalizio eletto a la gran cena / del benedetto Agnello...*

In quell'apostrofe è già racchiuso un contrasto: essi si cibano a sazietà del nutrimento celeste, l'uomo che è giunto fin qui non può avere che briciole della loro mensa. Essi godono per sempre, egli pregusta qualcosa per breve tempo mentre è ancora soggetto alla morte (*prima che morte tempo li prescriba*).

Lo stesso contrappunto fra l'eterno e lo storico ritorna subito dopo, quando in risposta si avvicina Pietro, e Beatrice parla direttamente a lui. Pietro infatti, che con Dante si *affronta*, come si dirà nel canto XXV (vv. 40-2), appare nella sua gloria presente (*O luce etterna del gran viro...*), ma l'ultimo verso della richiesta di Beatrice ricorda, con improvviso mutamento di prospettiva, un preciso momento della sua vita terrena: interroga costui, ella dice, su quella fede *per la qual tu su per lo mare andavi*. Il *gran viro* che tiene le chiavi del cielo è lo stesso uomo che un giorno lontano, per la forza della sua fede, camminò sulle acque del mare di Tiberiade (cfr. *Matth.* 14, 28-29). L'apparire, in questa scena di gloria, di quel gesto compiuto nella terra di Palestina, riporta il grande apostolo alla sua vicenda storica, avvicinandolo a colui che gli è davanti. La fede, virtù propria della vita nel tempo, si rimanda così dall'uno all'altro uomo, in un rapporto ben più vivamente stabilito che quello, posto più avanti come similitudine, tra maestro e scolaro, figura che ha qui un ruolo del tutto secondario.

Così alla fine del dialogo, quasi a chiudere un cerchio, Dante stesso riprenderà l'argomento di Beatrice: *O santo padre, spirito che vedi / ciò che credesti sì, che tu vincesti / ver' lo sepulcro più giovani piedi...* Si rivolgerà cioè a Pietro in nome di quella fede che gli fece precedere Giovanni nell'entrare nel sepolcro vuoto (*Giov.* 20, 3-8).

Sono tratti brevissimi – diremmo barlumi storici –, ma che nella loro intensità stabiliscono la natura del canto, costruito in modo drammatico intorno a due persone, e non in modo discorsivo intorno a una dottrina.

La similitudine docente-discente – su cui tanto ha insistito la letteratura critica di questi canti – svanisce alle prime battute. Dante «leva la fronte» nella luce dalla quale «spira» la voce dell'apostolo (il verbo – segno dello spirito – tornerà più volte in questo e nei prossimi canti). E appena egli parla, ci si rende conto che ciò di cui si parla non è una questione scolastica, ma la motivazione profonda della sua stessa vita.

Quando escono nel verso le grandi parole che traducono alla lettera il testo di san Paolo (*fede è sustanza di cose sperate / e argomento de le non parventi...*) il cielo intorno sembra tacere.

Sono parole queste che hanno per Dante una particolare significazione: questa fede che fa realtà di ciò che si spera, e ci è sicura prova (*argomento*) di ciò che non si vede, è a ben guardare la sostanza stessa della poesia del suo *Paradiso*. Che cos'altro è l'ultima cantica se non una realtà di «cose sperate», fondata sulla fede del suo autore?

Dietro a questa scena del cielo Stellato c'è tutta la lunga storia del meditare dantesco sulla conoscenza umana, con i suoi desideri infiniti e i suoi limiti, che si legge nelle appassionate pagine del *Convivio*, dove ci si interroga sulla possibilità dell'uomo di intendere le ultime realtà (III, XV 7) e si dichiara che solo la fede vede «perfettamente» ciò che la ragione riesce appena a intravedere «con ombra di oscuritade» (II, VIII 15).

Quelle realtà solo vagamente intraviste dall'intelletto, che la fede rivela all'uomo, sono riconoscibili, a distanza di tanti anni, nelle ispirate parole con cui Dante spiega – su richiesta di Pietro – la definizione paolina: *Le profonde cose / che mi largiscon qui la lor parvenza, / a li occhi di là giù son sì ascose, / che l'esser loro v'è in sola credenza...*

Quelle *profonde cose*, che soltanto lassù in cielo sono *parventi*, mentre agli occhi dei mortali sono *ascose*, filtrate come la luce attraverso le palpebre del pipistrello (come è detto in *Conv.* II, IV 17), sono visibili in terra in un modo solo: *che l'esser loro v'è in sola credenza*, cioè nella fede. Ora su questa realtà in qualche modo irreale si basa tutta la speranza che regge la vita dell'uomo, e dell'uomo che parla in particolare: *sopra la qual si fonda l'alta spene*.

Di quell'*alta* speranza parlerà il prossimo canto. Qui è importante osservare come sia stabilito in questi versi l'indissolubile nesso tra le due virtù, tanto che sembra impossibile distinguerle.

Così dunque l'interrogato ha risposto alla prima domanda (su che cosa sia la fede), e ha dato spiegazione della sua risposta. Ma comincia ora una seconda parte del dialogo, con una serie incalzante di altre brevi domande, con corrispondenti brevi risposte (una o due terzine), che apre una diversa prospettiva: questa fede così preziosa (*sopra la quale ogne virtù si fonda*) di dove viene all'uomo?

Da questo momento tutto lo svolgimento del canto si impernia in modo improvviso, e in certo senso sorprendente, sulla Scrittura, che ne diviene la protagonista, abbandonando quasi totalmente l'argomentazione di carattere razionale. Le umane *dimostrazioni*, di cui Dante sempre si serve altrove, appaiono inadeguate, *ottuse*, al suo confronto: l'abbondante pioggia (la *larga ploia*) dello Spirito, che discende dal testo sacro, quasi sommerge il debole ragionare dell'umano intelletto, sostituendosi, con la sua, alla certezza stessa del *silogismo* (vv. 91-6).

La figura dell'acqua, che ritorna dall'apertura del canto (*voi bevete / sempre del fonte onde vien quel ch'ei pensa*), si ripeterà più avanti nella sua ultima parte, ugualmente usata per la verità divina che scende dall'alto sull'uomo (*la verità che quinci piove / per Moisè, per profeti e per salmi...*), e tornerà ancora nel canto successivo (con l'insistere dei verbi: *distillare, stillare, repluere*).

Quel gratuito fluire sostituisce qui il faticoso dimostrare proprio di altre pagine teologiche del poema. Può sembrare strano che il grande ragionatore, che non esita nemmeno a spiegare, seguendo sant'Anselmo, la misteriosa scelta che portò all'incarnazione (è il tema svolto nel canto VII), non si soffermi sulle ben note *prove fisiche e metafisiche* –, cioè ritrovabili dalla ragione (le cinque vie indicate da san Tommaso) – dell'esistenza di Dio, ma tutto fondi, con totale fiducia, sulla parola gratuitamente diffusa per i due *Testamenti*.

Ma al fondo di questa scelta c'è una precisa coerenza: se le *profonde cose* del cielo sono «nascoste» agli occhi dell'umano intelletto, se il loro esistere si fonda, su questa terra, solo sulla fede (v. 73), come si potrà dimostrare ciò che è per sua natura indimostrabile?

C'è un abisso, tra le due rive, che non può colmarsi per via di ragione, ma solo per grazia, cioè per pura gratuità, come Dante sapeva – lo abbiamo visto – fin dai tempi del filosofico *Convivio*. Per la stessa ragione, all'incalzare di Pietro che gli chiede che cosa gli dia la certezza che quelle Scritture in cui egli confida siano opera divina, egli risponderà con il solo argomento dei miracoli (*l'opere seguite*). Essi sono l'ultimo *silogismo* – senza alcuna riprova razionale se non il celebre argomento, anch'esso miracolistico, di sant'Agostino (si vedano i vv. 106-8) – di questa straordinaria sequenza. Lo stesso andamento insistente, quasi provocatorio delle domande, e liberatorio delle veloci e trionfanti risposte, sembra significare il vittorioso resistere, alla petulante richiesta della ragione, della «irrazionale» certezza fondata sulla fede. Da questo stringente duello si leva con ampio respiro l'ultimo tratto del canto, la lunga risposta – che si estende, quasi libera ormai da impacci, per ben otto terzine – nella quale Dante proclama il contenuto della sua fede: *O santo padre, spirito che vedi / ciò che credesti sì, che tu vincesti / ver' lo sepulcro più giovani piedi...*

Il solenne attacco chiama in causa – come già fece Beatrice – il Pietro storico, come se l'uomo mortale che parla si appellasse qui all'altro uomo che come lui credette senza vedere.

E la proclamazione di fede che ora si leva è – nella forma come nel contenuto – il sigillo, la conclusione del canto. Il suo ritmo di assoluta certezza, quasi scandito, sillabato, esprime il senso profondo della virtù che qui si celebra, virtù che, come il nome dell'apostolo appunto, ha carattere di solida roccia, di pietra angolare (*sopra la quale ogne virtù si fonda*):

> *E io rispondo: Io credo in uno Dio*
> *solo ed etterno, che tutto 'l ciel move,*
> *non moto, con amore e con disio.*

A prima vista il lettore riconosce qui le parole cardine (*move, amore, disio*) con le quali – non casualmente – Dante apre e chiude la cantica (I 1; XXXIII 143-5), parole nelle quali al greco tema filosofico del motore dell'universo si unisce quello tipicamente cristiano dell'*amore* (di Dio) che crea e del *disio* (della creatura) che gli risponde.

A questa prima terzina se ne affianca poi un'altra, uguale per timbro e solennità, quasi un secondo pilastro posto alla chiusa del canto, che proclama una seconda verità – fondata esclusivamente sulla fede –, quella del mistero della Trinità:

> *e credo in tre persone etterne, e queste*
> *credo una essenza sì una e sì trina,*
> *che soffera congiunto 'sono' ed 'este'.*

Questo tema altissimo è di quelli che più attraggono la fantasia di Dante, e molte volte, in forme sempre diverse – di musica, danza, inno –, è cantato nel *Paradiso*, fino all'ultima visione (l'ultima figura del poema) dei tre arcobaleni *di tre colori e d'una contenenza* (XXXIII 117). Ma qui il mistero è enunciato in forma nudamente razionale: né la musica, né la geometria vengono in aiuto, ma soltanto la grammatica, la più elementare delle scienze, che non offre figure se non di tipo logico, come il plurale e il singolare ('*sono*' ed '*este*'). Tali affermazioni sono inattaccabili e disadorne, sono solo se stesse. Il commento è affidato a ciò che precede, o a ciò che segue. A questa ultima proclamazione seguirà infatti, a chiusura del canto, una terzina che fa sprigionare, da quella spoglia affermazione, una fiamma, anzi una stella, che occupa, come un astro al centro del cielo, l'animo di colui che scrive: *Quest'è 'l principio, quest'è la favilla / che si dilata in fiamma poi vivace, / e come stella in cielo in me scintilla.*

Il fuoco che così divampa da quella astratta definizione sembra crescere ad ogni verso (da *favilla*, a *fiamma*, a *stella*), fino a risplendere in quell'ultima parola, *stella*, nella quale è figurata la luce stessa della verità, come sarà detto nel cielo degli angeli: *e come stella in cielo il ver si vide* (XXVIII 87).

Tale luce sigilla il canto della fede, che meglio si direbbe il canto della fede di Dante. L'incoronazione del poeta per mano di Pietro con la quale esso si conclude sembra infatti la risposta del cielo alle sue parole, quel cielo che si apre ad accogliere l'uomo che la patria terrena crudelmente respinge (*Par.* XXV 1 sgg.).

CANTO XXIV

Nel cielo delle Stelle fisse: san Pietro, la fede

1-18 Ormai scomparse dalla vista le luci di Cristo e di Maria, nel cielo risplendono le anime dei beati: ad esse si rivolge Beatrice perché diano sollievo allo sconfinato deside-rio di conoscere del poeta. Le luci brillano per la letizia e danzano, ruotando in cerchio, a diverse velocità.

19-45 Dal cerchio che appare più pregiato una fiamma si distacca, la più luminosa: gi-ra per tre volte intorno a Beatrice cantando, in un modo straordinario che il poeta non può ricordare, poi dichiara che sono state le preghiere ardenti di Beatrice a farlo venire avanti tra gli altri. La donna si rivolge a lui, Pietro, il gran viro che tiene le chiavi del paradiso, pregandolo di esaminare Dante sulla fede, non tanto per accertare se la pos-siede, cosa che Pietro può vedere direttamente in Dio, ma perché il parlarne significa renderle gloria.

46-81 Dante si prepara a rispondere come uno studente di teologia in procinto di so-stenere l'esame con il maestro. La prima domanda riguarda la definizione di fede: a un cenno di Beatrice il poeta dà la sua risposta citando e spiegando le parole di san Paolo secondo cui la fede dà realtà alle cose che si sperano ed è la prova di ciò che non si può conoscere per evidenza.

82-114 San Pietro, soddisfatto della risposta, gli domanda se questa fede egli la possie-da. Prontamente Dante ne dichiara il possesso fermo e sicuro. L'apostolo allora chiede di sapere come l'abbia acquistata. Dalla Sacra Scrittura, risponde il poeta, e, incalzato dalle domande, afferma che la prova della verità della Scrittura sono i miracoli e che la verità dei miracoli è provata a sua volta dal fatto che se il mondo si fosse convertito sen-za di essi ciò sarebbe un miracolo ben più grande, data la povertà e l'ignoranza degli apostoli. La corte celeste intona un inno di lode a Dio.

115-154 Pietro pone al poeta un'ultima domanda: quale sia l'oggetto della sua fede. Dan-te, parafrasando le parole del Credo cristiano, dichiara di credere in Dio, unico, eterno, motore dell'universo, e nella Trinità, verità che gli sono proposte in parte anche dalla ragione, ma soprattutto dalla Sacra Scrittura. Esse sono le scintille da cui si sprigiona la fiamma della sua fede. Pietro lo benedice cantando e compiendo tre giri intorno a lui.

«O sodalizio eletto a la gran cena
    del benedetto Agnello, il qual vi ciba
3   sì, che la vostra voglia è sempre piena,

1-2. **O sodalizio...**: oh assemblea di amici invitati al-la grande cena dell'Agnello... Scomparsi verso l'Em-pireo Cristo e Maria, è rimasta nel cielo stellato la gran-de assemblea dei beati (l'*antico* e *novo concilio* di XXIII 138). A loro si rivolge ora Beatrice, quasi presentan-do il pellegrino della terra e intercedendo per lui. Le solenni parole aprono la nuova scena drammatica che si svolgerà per tre canti, mettendo a fronte i più gran-di signori del cielo – gli apostoli – col semplice cri-stiano ancora sottoposto al tempo e alla morte. L'im-magine della cena per la beatitudine celeste è biblica,

e ben nota; ricordiamo *Apoc.* 19, 9: «Beati gli invita-ti al banchetto di nozze dell'agnello»; ma si veda an-che l'inizio della parabola di *Luc.* 14, 16-24: «Un uo-mo diede una grande cena...». – *sodalizio* è più che ge-nerica compagnia, in quanto i «sodales» in latino so-no gli amici, i compagni di vita e di mensa.

2-3. **il qual vi ciba...**: continua l'immagine della men-sa: Cristo – l'Agnello – sazia in cielo in modo perfet-to ogni umana fame, o desiderio di verità, che è *sem-pre*, eternamente appagata (*piena*: cfr. IX 109): «Ge-sù rispose:... chi viene a me non avrà più fame» (*Io.* 6, 35). La metafora del cibo che sazia, dell'acqua che disseta, per fame e sete della mente e del cuore, è ca-rissima a Dante, l'uomo dei desideri, come spesso si è notato. In questo luogo essa trova la più alta cele-brazione.

«Oh assemblea di amici invitati alla grande cena dell'Agnello benedetto, il quale vi nutre in modo tale che la vostra fame è sempre sazia, ...

se per grazia di Dio questi preliba
di quel che cade de la vostra mensa,
6   prima che morte tempo li prescriba,
ponete mente a l'affezione immensa
e roratelo alquanto: voi bevete
9   sempre del fonte onde vien quel ch'ei pensa».
Così Beatrice; e quelle anime liete
si fero spere sopra fissi poli,
12   fiammando, volte, a guisa di comete.
E come cerchi in tempra d'orïuoli
si giran sì, che 'l primo a chi pon mente
15   quïeto pare, e l'ultimo che voli;
così quelle carole, differentemente danzando, de la sua ricchezza
18   mi faciено stimar, veloci e lente.

4-5. preliba...: può gustare, assaggiare in anticipo, delle briciole che cadono dalla vostra mensa... L'immagine, anch'essa di origine biblica (*Matth.* 15, 27), è già nell'apertura del *Convivio*: «E io adunque, che non seggio alla beata mensa, ma, fuggito della pastura del vulgo, a' piedi di coloro che seggiono ricolgo di quello che da loro cade...» (I, 1 10).

6. prima che morte...: prima che la morte ponga termine al tempo della sua vita. *Prescribere* vale «assegnare un limite» (cfr. XXI 103) e nello stesso senso sarà ripreso a XXV 57, dove Beatrice fa quasi eco a se stessa: *anzi che 'l militar li sia prescritto*. Questo verso dà singolare risalto a quell'uomo mortale – a cui sono concesse poche briciole di beatitudine – posto di fronte a coloro che eternamente fruiscono della sazietà piena ed assoluta, seduti alla mensa celeste.

7. a l'affezione immensa: al suo sconfinato desiderio (*immenso*, non misurabile, è aggettivo usato un'altra sola volta nel poema per gli spazi celesti a *Purg.* XXVII 70).

8. e roratelo alquanto: e irroratelo un poco della rugiada celeste (*rorare*, dal latino «ros», rugiada, indica un bagnare che dà sollievo all'arsura, come la rugiada alle piante).

8-9. voi bevete...: e dargli questo sollievo è facile per voi, in quanto voi attingete eternamente a quella fonte – la divina sapienza – da cui discendono quelle verità che egli ora rivolge nella sua mente, e desidera conoscere.

11-2. si fero spere...: si disposero in cerchi ruotanti come sfere intorno al proprio asse fiammeggiando, mentre si volgevano (*volte*: essendo volte), come fanno le comete: «sì come le comete mandano le fiamme fuori di sé in forma di coda, così questi beati, per la letitia mandavano il suo splendore fuori di loro» (Vellutello).

– **sopra fissi poli**: cioè senza spostarsi da dov'erano, restando ferme le estremità dell'asse.

13-5. E come cerchi...: e come le ruote nel coordinato movimento degli orioli girano in modo che la pri-

ma (la più piccola) sembra ferma a chi la osserva, e l'ultima sembra volare... – *tempra* vale «armonia», «contemperamento di suoni» (cfr. X 146; *Purg.* XXX 94).

– **quïeto pare**: «par fermo, perché ha piccola circonferenza, al contrario di quel cerchio che, *ultimo*, ha la massima circonferenza, e *par che voli*» (Venturi). Negli orologi antichi il movimento si trasmetteva attraverso successive ruote dentate di sempre maggiore circonferenza che aumentavano via via la loro velocità. Il meccanismo di trasmissione dell'orologio è portato da Dante a similitudine anche a X 139 sgg. (si veda ivi il v. 142 e la relativa nota). Qui serve a significare il contemporaneo muoversi di diversi cerchi o ruote a differenti velocità.

16. carole: indica danza in cerchio: «carola è ballo tondo» (Buti); cfr. XXV 99.

16-7. differente- / mente: la spezzatura dell'avverbio sembra riprodurre il ritmico volgersi della danza circolare.

17-8. de la sua ricchezza...: con la loro diversa velocità di danza (*veloci e lente*) mi facevano misurare la loro diversa ricchezza, cioè pienezza di gloria e di beatitudine (cfr. VIII 19-21).

∎

... se per grazia di Dio quest'uomo gusta in anticipo (*preliba*) le briciole che cadono dalla vostra mensa, prima che la morte ponga termine al tempo della sua vita, considerate il suo immenso desiderio, e irroratelo un poco (di quell'acqua che può saziare la sua sete): voi bevete sempre dalla sorgente da cui deriva ciò che occupa la sua mente». ◆ Così disse Beatrice; e quelle anime felici si disposero in cerchi ruotanti come sfere intorno al proprio asse fiammeggiando, mentre si volgevano, come fanno le comete. E come le ruote nel coordinato movimento degli orologi girano in modo che a chi la osserva la prima sembra ferma (*quïeto*), e l'ultima sembra volare; così quei cerchi di anime danzanti, con la loro diversa velocità (*veloci e lente*), mi facevano misurare il loro grado di beatitudine (*ricchezza*).

Di quella ch'io notai di più carezza
vid'ïo uscire un foco sì felice,
21 che nullo vi lasciò di più chiarezza;
e tre fïate intorno di Beatrice
si volse con un canto tanto divo,
24 che la mia fantasia nol mi ridice.
Però salta la penna e non lo scrivo:
ché l'imagine nostra a cotai pieghe,
27 non che 'l parlare, è troppo color vivo.
«O santa suora mia che sì ne prieghe
divota, per lo tuo ardente affetto
30 da quella bella spera mi disleghe».
Poscia fermato, il foco benedetto
a la mia donna dirizzò lo spiro,
33 che favellò così com'i' ho detto.

---

19. Di quella: s'intende *carola*. – *di più carezza*, cioè preziosità: è quella, come s'intende poi, che comprende gli apostoli di Cristo.

20. uscire: distaccarsi e venire presso di noi.

21. che nullo vi lasciò...: che non lasciò, in quella corona di spiriti, nessuno che fosse più luminoso di lui. È infatti questo lo spirito di Pietro, il principe degli apostoli.

22-3. tre fïate...: si aggirò (*si volse*) per tre volte intorno a Beatrice.

– **divo**: divino, nelle parole e nell'armonia.

24. nol mi ridice: non me lo riporta alla memoria. È il consueto tema dell'eccessiva altezza dell'esperienza paradisiaca, che la memoria non riesce a ritenere, e quindi la parola ad esprimere.

25. Però salta la penna...: salta, cioè tralascia di scriverlo; è lo stesso verbo di XXIII 62, che vuol quindi riappellarsi alla giustificazione là data. Ma in questo passo non c'è nessuna interna ragione che dia vera forza e valore a questo enunciato, che resta, ci sembra, soltanto una formula topica.

26-7. l'imagine nostra...: non solo la parola, ma la stessa fantasia (*imagine*: cfr. I 53) ha colori troppo vivi per ritrarre tali delicatezze (il pittore, spiega il Lana, deve usare per le pieghe, perché si vedano, colore meno vivo che per la veste).

28-30. che sì ne prieghe...: che ci preghi con tanta devozione, tu mi induci a disciogliermi dalla mia bella corona (*spera*) per l'amore che vibra nelle tue parole. L'*ardente affetto* con cui parla Beatrice corrisponde all'*affezione immensa* (v. 7) che è nel cuore di Dante.

31. Poscia fermato: dopo che si fu fermato (compiuti cioè i tre giri intorno a Beatrice: v. 22): per il costrutto, si cfr. *Inf.* XXIV 118.

32. dirizzò lo spiro: rivolse la parola; *spirare*, che indica effusione più spirituale che sensibile, è detto del parlare dei beati anche a XIX 25. La didascalia è posta dopo il discorso diretto, che acquista così maggiore risalto e vivezza.

34. del gran viro: di quel grande uomo: la forma latina («vir»), con il suo valore di eccellenza, dà rilievo eroico alla figura dell'apostolo, che tutta la terzina solennemente glorifica.

35-6. lasciò le chiavi...: come alla fine del canto XXIII, Pietro è designato da ciò che fu la sua principale prerogativa e che gli dà il suo singolare primato nella storia: Cristo lasciò a lui le chiavi del regno dei cieli (*questo gaudio miro*: questo mirabile luogo di gioia).

37. tenta: esamina, metti alla prova; *lievi e gravi* («levia et gravia») per dire questioni secondarie o importanti è formula scolastica.

38-9. intorno de la fede...: riguardo a quella fede per la quale tu un giorno camminasti sul mare. Narra il Vangelo di Matteo che, fidando ciecamente nella parola di Cristo apparsogli sul lago di Tiberiade, Pietro scese dalla barca e camminò sulle acque verso di lui: «"Signore, se sei tu, comanda che io venga da te sul-

---

♦ *Da quello che io avevo valutato di maggiore preziosità (carezza) vidi uscire una fiamma così felice, che non ve ne lasciò nessun'altra che fosse più luminosa di lei; e si aggirò (si volse) per tre volte intorno a Beatrice con un canto così divino, che la mia immaginazione non me lo riporta alla memoria. Perciò la penna fa un salto, e non lo descrivo: poiché non solo la parola ('l parlare), ma la nostra stessa capacità di immaginare (imagine) ha colori troppo vivi per ritrarre tali sfumature.* ♦ *«O santa mia sorella, che ci preghi con tanta devozione, tu mi induci a disciogliermi (disleghe) dalla mia bella corona (spera) per il tuo ardente amore». Dopo che si fu fermato, il fuoco benedetto rivolse la parola alla mia donna, parlando così come ho riferito.*

Ed ella: «O luce etterna del gran viro

a cui Nostro Segnor lasciò le chiavi,

36 ch'ei portò giù, di questo gaudio miro,

tenta costui di punti lievi e gravi,

come ti piace, intorno de la fede,

39 per la qual tu su per lo mare andavi.

S'elli ama bene e bene spera e crede,

non t'è occulto, perché 'l viso hai quivi

42 dov'ogne cosa dipinta si vede;

ma perché questo regno ha fatto civi

per la verace fede, a glorïarla,

45 di lei parlare è ben ch'a lui arrivi».

Sì come il baccialier s'arma e non parla

fin che 'l maestro la question propone,

48 per approvarla, non per terminarla,

---

le acque". Ed egli disse: "Vieni". E Pietro, scendendo dalla barca, si mise a camminare sulle acque e andò verso Gesù» (*Matth.* 14, 28-9). Il verso di Dante riporta improvvisamente nell'alto paradiso la scena di quel lontano giorno in Palestina: nel *gran viro* riappare quello che egli era un tempo, il pescatore del lago, l'uomo storico, come è ora l'uomo che gli sta di fronte. Per quel gesto di allora – non per la sua gloria di ora – egli ha titolo a interrogarlo. La grande intuizione poetica e teologica di Dante crea questa singolare compresenza dell'eterno e dello storico – la lontananza e insieme la vicinanza tra i due uomini – sulla quale si fonda tutta la forza e la drammaticità della scena.

40-2. S'elli ama bene...: si citano qui le tre virtù teologali – carità, speranza, fede – proprie del cristiano, sulle quali si svolgerà l'esame di Dante in questo cielo. Dice Beatrice: tu sai bene (anche senza chiederglielo) che egli le possiede, perché la tua vista (*viso*) è fissa in Dio, dove tutto si vede come dipinto in un quadro. – per *dipinta*, si cfr. XVII 37-9.

43-5. ma perché...: ma perché questo regno ha acquistato i suoi cittadini proprio in virtù della loro vera fede (solo con la fede si entra infatti in paradiso: cfr. XIX 103-5 e note) è giusto, per renderle gloria, che gli sia data possibilità (*arrivi*: accada) di parlarne. La parola espressa ad alta voce appare ancora una volta nel suo ruolo insopprimibile di testimonianza (essa infatti «rende gloria» alla fede), ruolo s'intende storico, che vale per chi vive ancora nel tempo, dove non è sufficiente la diretta conoscenza attraverso lo spirito che regna nell'eternità (cfr. XV 67-9 e note).

46-8. Sì come il baccialier...: la similitudine è presa dalle scuole di teologia. Quello di baccelliere era il primo grado del corso universitario per accedere poi al dottorato. Alla fine del corso di studi, i baccellieri si sottoponevano a una specie di esame («disputatio tentativa», cioè discussione di prova) davanti al maestro, che proponeva una questione sulla quale essi dovevano presentare i diversi argomenti di prova (*approvarla*), cioè gli argomenti a sostegno delle diverse tesi; il giorno dopo il maestro risolveva la questione (la *terminava*). Dante si presenta qui, con il consueto realismo, come il baccelliere che prepara in silenzio nella sua mente (*s'arma*) i diversi argomenti, nell'attesa che il maestro presenti la questione.

47. fin che: fino al momento in cui; il baccelliere conosceva prima l'argomento della questione che sarebbe stata proposta per avere il modo di prepararsi, proprio come qui Dante, che si *arma* già prima che Pietro formuli la domanda.

48. per approvarla...: alcuni intendono il verso come dipendente da *s'arma*, altri da *propone*, riferendo cioè le due finali gli uni al baccelliere, gli altri al maestro. Noi preferiamo la prima interpretazione, dato che tutta la similitudine è concentrata sul baccelliere, che si prepara a ben *approvare* la questione proposta, e anche per la corrispondenza sintattica nella terzina seguente, che presenta l'altro termine del paragone: *così m'armava io... per esser presto...*

Ed ella rispose: «O luce eterna di quel grande uomo (viro) a cui Nostro Signore lasciò le chiavi che egli aveva portato giù in terra di questo mirabile luogo di gioia, esamina costui su punti facili e difficili, secondo il tuo desiderio, riguardo a quella fede per la quale tu camminasti sul mare. ◆ *Non ti è ignoto se egli possiede la carità, la speranza e la fede, perché la tua vista (viso) è fissa in quel luogo (Dio) dove tutto si vede come dipinto in un quadro; ma perché questo regno ha acquistato i suoi cittadini (civi) proprio per la loro vera fede, è giusto, per renderle gloria, che gli sia data possibilità (arrivi: accada) di parlarne». Così come il baccelliere si prepara gli argomenti da esporre (s'arma) e non parla, fino al momento in cui il maestro non propone la questione, per dare le prove delle diverse ipotesi (approvarla), non per risolverla, ...*

così m'armava io d'ogne ragione
mentre ch'ella dicea, per esser presto
51   a tal querente e a tal professione.

«Dì, buon Cristiano, fatti manifesto:
fede che è?». Ond'io levai la fronte
54   in quella luce onde spirava questo;

poi mi volsi a Beatrice, ed essa pronte
sembianze femmi perch'ïo spandessi
57   l'acqua di fuor del mio interno fonte.

«La Grazia che mi dà ch'io mi confessi»,
comincia' io, «da l'alto primipilo,
60   faccia li miei concetti bene espressi».

E seguitai: «Come 'l verace stilo
ne scrisse, padre, del tuo caro frate

---

49. m'armava io: armarsi di qualcosa, provvedersi, anche a *Inf.* XXVIII 55-8.

– **d'ogne ragione**: di ogni valido argomento.

50-1. per esser presto...: per esser pronto a rispondere a un tale interrogante (il grande apostolo) e a fare una così alta professione (qual è quella della fede).

52. Dì, buon Cristiano: l'attacco di Pietro riconosce in Dante il *buon Cristiano*, che egli vede tale in Dio, come disse Beatrice (vv. 40-2). Con questa designazione, Dante viene ad assumere in questa scena la rappresentanza, oltre che di se stesso, di ogni fedele cristiano che vive nel tempo.

– **fatti manifesto**: manifestati come tale.

53. fede che è?: la prima domanda vuol definire l'essenza stessa della fede, prima di chiederne i contenuti.

– **levai la fronte**: s'intende forse che egli tenesse il volto chinato, mentre si *armava* per rispondere; ma questo gesto solenne vuole esprimere la gloriosa sicurezza – egli alza la fronte infatti nella *luce* stessa che promana da Pietro – di chi sente profondamente la propria fede. Dante è qui come innalzato nella luce divina, e l'immagine della scuola – che ha servito da cornice, da paragone – scompare.

54. onde spirava questo: dalla quale uscivano queste parole: per il verbo *spirare* si cfr. v. 32.

55-7. pronte / sembianze femmi...: mi mostrò prontamente, con l'espressione del volto, ch'io potevo esprimere i pensieri che sorgevano nella mia mente, come l'acqua sgorga da una sorgente. La metafora dell'acqua e del fonte ritorna dai vv. 8-9.

58-60. La Grazia...: quella stessa grazia divina, che mi ha concesso il privilegio di poter confessare la mia fede davanti al suo primo campione, mi conceda ora di esprimere in modo adeguato i miei pensieri. – *primipilo* è parola latina che indicava il centurione della prima fila (nello schieramento di battaglia proprio della legione romana) che per primo lanciava il giavellotto («pilum») contro il nemico. Così Pietro è il primo combattente per la fede, quasi il capofila dello schieramento cristiano. Prima di parlare, Dante chiede aiuto a Dio, sottolineando ancora una volta la solennità della situazione.

61-3. Come 'l verace stilo...: come ci ha lasciato scritto la penna veridica di colui che fu tuo fratello nel portare i Romani sul buon cammino (cioè nel convertirli alla vera fede). La perifrasi indica san Paolo, che Pietro stesso in una sua lettera chiama «il carissimo nostro fratello Paolo» (*2 Pet.* 3, 15).

– **nel buon filo**: nella giusta direzione (il *filo* è la linea lungo la quale si svolge un movimento: così «filo del discorso», «filo della corrente» ecc.). Serve da chiosa a questo verso un passo di Dante stesso: «quella Roma... che Pietro e Paolo, apostolo delle genti, consacrarono come sede apostolica con l'effusione del proprio sangue» (*Ep.* XI 3).

64-6. fede è sustanza...: le grandi parole tratte dal *Nuovo Testamento* escono con alta solennità nella ferma e lenta scansione del verso; sembra che, al loro risuonare nel cielo, si faccia silenzio tutto intorno. In questa proclamazione culmina in realtà tutta la storia dell'animo dell'autore, che su quella fede e su quella speranza ha fondato la sua vita, e la sua opera. E per

---

... così io mi procuravo ogni motivazione, mentre lei parlava, per esser pronto a rispondere a un tale esaminatore e a fare una così alta professione (quella della fede). ◆ *«Dì, o buon cristiano, manifestati come tale: che cos'è la fede?». Allora io alzai il viso verso quella luce dalla quale provenivano queste parole; poi mi rivolsi a Beatrice, ed ella mi fece subito capire con l'espressione del volto che io potevo far uscire in parole i pensieri (l'acqua) chiusi nella mia mente (del mio interno fonte).* ◆ *«La grazia divina, che mi ha concesso di poter confessare la mia fede davanti al suo primo campione», cominciai io, «faccia sì che io possa esprimere adeguatamente i miei pensieri». E continuai: «Come ha scritto la penna veritiera, o padre, di colui che fu tuo fratello ...*

63   che mise teco Roma nel buon filo,
            fede è sustanza di cose sperate
        e argomento de le non parventi;

66   e questa pare a me sua quiditate».
            Allora udi': «Dirittamente senti,
        se bene intendi perché la ripuose

69   tra le sustanze, e poi tra li argomenti».
            E io appresso: «Le profonde cose
        che mi largiscon qui la lor parvenza,

72   a li occhi di là giù son sì ascose,
            che l'esser loro v'è in sola credenza,
        sopra la qual si fonda l'alta spene;

75   e però di sustanza prende intenza.
            E da questa credenza ci convene

---

uno di quei singolari miracoli propri della poesia dantesca, le parole passano dal testo latino al verso italiano senza alcuna scossa, come se per quello fossero state scritte (così accade anche al testo di Virgilio, nei grandi momenti: si cfr. *Purg.* XXX 48). Dante traduce dunque dalla *Lettera agli Ebrei* (11, 1): «La fede è la sostanza delle cose che si sperano, e prova ("argumentum") di quelle che non si vedono ("non parentum")», e lui stesso spiegherà più oltre il significato che dà a queste parole: la fede è in terra la realtà stessa, il solo modo di essere, delle cose che noi speriamo (cioè l'esistenza di Dio e della vita eterna), ed è per noi prova dell'esistenza di ciò che non si vede.

– **sustanza di cose sperate**: i più intendono *sustanza* come «fondamento», «principio fondante» della nostra speranza. Ma i versi successivi (70-3) spiegano diversamente, cioè nel modo che noi abbiamo proposto, che è poi quello del padre greco Giovanni Crisostomo (uno degli spiriti del cielo del Sole; si veda XII 137 e nota), già citato da autorevoli commentatori come il Daniello e il Lombardi: «Poiché le cose che speriamo non sembra possano avere consistenza, la fede dà ad esse sostanza, o piuttosto non gliela dà, ma essa stessa costituisce la loro essenza» (*Commento alla Lettera agli Ebrei* X, PL 63, col. 451). Si veda la nota relativa ai vv. 70-5 e l'Introduzione al canto.

65. **argomento**: termine filosofico: prova razionale che convince di una realtà di cui si dubita.

66. **sua quiditate**: la sua essenza (cfr. XX 92), cioè quello che filosoficamente la definisce. Il testo biblico non offre veramente una definizione filosofica della fede, come osserva anche san Tommaso (*S.T.* II^a II^{ae}, q. 4 a. 1), ma piuttosto una descrizione dei suoi effetti nell'animo dell'uomo, che è ciò che preme a Dante.

67-9. **Dirittamente senti...**: tu intendi in modo giusto se comprendi bene perché Paolo la chiamò in due diversi modi: prima *sustanza*, e poi *argomento*. Cioè se hai ben inteso il senso di quelle due parole.

70-5. **Le profonde cose...**: le realtà divine (*profon-* de, inaccessibili allo sguardo umano: cfr. XX 118-20), che qui mi si mostrano, sono così nascoste agli occhi di chi vive sulla terra, che il loro *esser*, la loro realtà, laggiù sussiste solo nella fede (è questa dunque la spiegazione che Dante ci dà – dandola a Pietro – della parola *sustanza* come lui la intende: si veda sopra la nota ai vv. 64-6); sulla quale fede si fonda la nostra sublime speranza, e perciò la fede può assumere il valore di *sustanza* (*intenza*, intenzione, vale «significato» in senso filosofico: ciò che per quella parola s'intende). Solo la fede dunque, non la ragione, ci può rivelare le *profonde cose* che la mente umana intravede e sospira di conoscere, non avendone però le forze. Si legga questo passo del *Convivio*, dove già è fortemente presente il grande problema: «certe cose... certissimamente si veggiono e con tutta fede si credono essere, e pur quello che sono intender noi non potemo, se non cose negando si può apressare alla sua conoscenza, e non altrimenti» (III, XV 6).

76-8. **E da questa credenza...**: e da questa fede ci è necessario dedurre per via di sillogismo – come si fa dai principi razionalmente dimostrati – la realtà delle cose che non vediamo (le *non parventi*) senza avere *altra vista*, cioè alcuna altra prova visibile. Per questo la fede assume anche il valore di *argomento*: il termine vale infatti «prova», «motivo di persuasione per

---

... nell'indirizzare il popolo di Roma nella giusta direzione (filo), la fede è sostanza delle cose sperate, e prova di quelle che non si vedono; e questa mi pare la sua essenza».
◆ Allora sentii dire: «Tu intendi in modo giusto se comprendi bene perché egli la inserì prima tra le sostanze e poi tra le prove». E io continuai: «Le profonde verità che qui mi si mostrano, sono così nascoste agli occhi di chi vive sulla terra, che la loro realtà laggiù sussiste solo nella fede (credenza), sulla quale si fonda la sublime virtù della speranza; e perciò la fede può assumere il valore di sostanza. E da questa fede ci è necessario ...

silogizzar, sanz'avere altra vista:

78   però intenza d'argomento tene».

Allora udi': «Se quantunque s'acquista

giù per dottrina, fosse così 'nteso,

81   non li avria loco ingegno di sofista».

Così spirò di quello amore acceso;

indi soggiunse: «Assai bene è trascorsa

84   d'esta moneta già la lega e 'l peso;

ma dimmi se tu l'hai ne la tua borsa».

Ond'io: «Sì ho, sì lucida e sì tonda,

87   che nel suo conio nulla mi s'inforsa».

Appresso uscì de la luce profonda

che lì splendeva: «Questa cara gioia

90   sopra la quale ogne virtù si fonda,

onde ti venne?». E io: «La larga ploia

---

l'intelletto». In questo caso la fede è la sola «prova» che si possa avere delle realtà invisibili.

79-81. Se quantunque...: se tutto ciò che in terra *s'acquista*, si apprende attraverso lo studio, fosse così ben compreso, non vi sarebbe posto per l'ingannevole abilità propria dei sofisti nell'argomentare. Per «argomento sofistico» o «sofisma» s'intendeva quello che, apparentemente ineccepibile, partiva tuttavia da premesse senza alcun fondamento, ed era perciò falso. Nel senso di argomenti intenzionalmente ingannevoli Dante usa *sofismi* a XI 6; e si cfr. *Conv.* II, XIV 19, dove si afferma che «la divina scienza... non soffera lite alcuna d'oppinioni o di sofistici argomenti». – *li* vale «ivi», particella avverbiale atona. Il testo del Petrocchi porta *lì*. Per il criterio da noi seguito, si cfr. la nota linguistica a *Purg.* I 62.

82. spirò di: venne voce da (cfr. v. 54); per *di* con valore di moto da luogo, d'uso corrente, si cfr. v. 19.

83. è trascorsa: è stata esaminata, esposta; *trascorrere* si diceva di un libro, di una questione ecc. per «esaminarli», «discuterli» (cfr. XXIX 95).

84. d'esta moneta: la moneta è metafora usata per la fede, in quanto cosa preziosa, tesoro da custodire (cfr. *cara gioia* al v. 89). Di questa moneta dunque, cioè della fede, sono stati ben esposti sia la definizione (la *lega*), sia il significato (il *peso*).

85. se tu l'hai...: tu l'hai ben definita; ma ora devi dichiarare se la possiedi, che è cosa diversa.

86-7. Sì ho...: la risposta è piena di orgogliosa fermezza: sì, la possiedo, e così perfetta nella sua brillantezza (per la bontà della lega) e nella sua forma rotonda (cioè con contorno netto) che non può sorgermi alcun dubbio sulla sua autenticità (il *conio*, cioè lo stampo che si imprime sulla moneta e che le dà corso legale, può essere infatti falso: cfr. *Inf.* XXX 115).
– **nulla mi s'inforsa**: non c'è nulla che possa farmi dubitare. – *s'inforsa*, quasi faccia nascere un *forse* nella mente: verbo formato da *in-* più avverbio, come *insempra* (X 148), *indova* (XXXIII 138) ecc.

88. uscì de la luce...: è variazione del v. 82. La nuova domanda apre un nuovo problema: di dove nasce la fede, come sorge nell'animo dell'uomo?

89. cara gioia: gemma preziosa (cfr. IX 37); la metafora della moneta trapassa quasi insensibilmente a quella della pietra preziosa; la fede è il bene più prezioso per l'uomo, come è detto in *Conv.* III, VII 15: «da nostra fede, la quale più che tutte l'altre cose è utile a tutta l'umana generazione, sì come quella per la quale campiamo da etternale morte e acquistiamo etternale vita».

90. sopra la quale...: tutte le virtù si fondano sulla fede, per la quale soltanto conosciamo Dio, verso cui tendono la speranza e la carità (cfr. *S.T.* IIª IIᵃᵉ, q. 3 a. 5).

91-6. La larga ploia...: l'abbondante pioggia dello Spirito diffusa nelle ispirate parole delle pagine (*cuoia*, pergamene) dell'*Antico* e *Nuovo Testamento* è stata per me l'argomentazione che mi ha dimostrato la verità della fede in modo così efficace, che al suo confronto ogni dimostrazione razionale mi pare debole, quasi senza punta (*ottusa*, come l'altra dimostrazione, quella della Scrittura, era *acuta*). La risposta di Dante dice dun-

---

... dedurre *(ciò che non vediamo), senza avere alcuna altra prova visibile; perciò la fede può assumere il valore di prova».* ◆ *Allora sentii dire: «Se tutto ciò che in terra si apprende attraverso lo studio, fosse così ben compreso, non vi sarebbe posto per l'abilità ingannatrice dei sofisti». Così parlò la voce da quell'amore ardente; poi soggiunse: «Di questa moneta (cioè della fede) sono stati assai ben esposti sia la definizione (lega), sia il significato (peso); ma dimmi se tu la possiedi». Allora io dissi: «Sì, la possiedo, e così perfetta per brillantezza e rotondità che non può sorgermi alcun dubbio (inforsa) sulla sua autenticità (conio)».* ◆ *Poi dall'alta luce che lì splendeva uscirono queste parole: «Questa gemma preziosa, sulla quale si fonda ogni virtù, da dove l'hai ricevuta?». E io risposi: «L'abbondante pioggia ...*

de lo Spirito Santo, ch'è diffusa

93   in su le vecchie e 'n su le nuove cuoia,

è silogismo che la m'ha conchiusa

acutamente sì, che 'nverso d'ella

96   ogne dimostrazion mi pare ottusa».

Io udi' poi: «L'antica e la novella

proposizion che così ti conchiude,

99   perché l'hai tu per divina favella?».

E io: «La prova che 'l ver mi dischiude,

son l'opere seguite, a che natura

102   non scalda ferro mai né batte incude».

Risposto fummi: «Dì, chi t'assicura

che quell'opere fosser? Quel medesmo

105   che vuol provarsi, non altri, il ti giura».

que che dalla rivelazione divina, cioè dalla Sacra Scrittura, e non dalle dimostrazioni razionali, è nata la sua fede. Egli lascia così in disparte, come povere e *ottuse* al confronto, le prove filosofiche che pur erano date dai teologi, seguendo Aristotele, di un Dio unico e motore dell'universo (si vedano i vv. 133 sgg.).

– **ploia**: raro provenzalismo. La metafora dice il generoso fluire della parola divina, che come la pioggia scende dal cielo a dissetare e fecondare le menti degli uomini, ed ha origine biblica («stilli come pioggia la mia dottrina, scenda come rugiada il mio dire, come scroscio sull'erba del prato»: *Deut.* 32, 2). Si cfr. XIV 27, dove la pioggia ha lo stesso valore di abbondante, benefica elargizione.

94. **conchiusa**: «concludere» è il verbo tecnico relativo alla terza parte del silogismo, quella appunto che portava la conclusione derivante dalle due premesse. Si vedano oltre i vv. 97-9 e nota.

97. **Io udi' poi**: come alla precedente risposta, Pietro non fa alcun commento, ma incalza senza intervallo. Si crea così un dialogo serrato, di botta e risposta, che sale come in crescendo verso il culmine finale del canto dei beati e della proclamazione delle verità credute da Dante.

97-9. **L'antica e la novella / proposizion...**: le affermazioni dell'*Antico* e del *Nuovo Testamento* che – come dici – ti sostituiscono la dimostrazione sillogistica per la fede, su che basi le ritieni parola divina, ispirate cioè da Dio stesso? Pietro stringe sempre più da vicino il suo ardito interlocutore: tu credi in base alla Scrittura; ma chi ti assicura che la Scrittura venga da Dio?

– **proposizion**: Pietro riprende la metafora usata da Dante al v. 94, chiamando le due Scritture, *antica* e *novella* (*le vecchie* e *le nuove cuoia*), *proposizion*, cioè premesse di un silogismo, che portano come conclusione («conchiudono») alla fede. Il silogismo consta infatti di due premesse (la maggiore e la minore) e di una conclusione.

100. **'l ver mi dischiude**: apre ai miei occhi, mi fa vedere con chiarezza la verità (cioè che la Scrittura è di ispirazione divina).

101. **son l'opere seguite**: sono i fatti, le opere dei seguaci di Cristo che a quegli scritti seguirono, fatti che la natura non può compiere con i suoi mezzi (che trascendono cioè le leggi della natura), vale a dire i miracoli. L'origine divina della Scrittura – e quindi la verità di ciò che essa rivela, che è l'oggetto della fede – è dimostrata dai miracoli, di Cristo e degli apostoli, secondo la tradizione cristiana (cfr. *Somma contro i Gentili* I 6 e *Conv.* III, VII 16).

102. **non scalda ferro...**: la natura è vista come un fabbro che lavora il ferro sull'incudine, un artigiano limitato dalle possibilità dei suoi mezzi.

103-5. **chi t'assicura...**: ma chi ti assicura che quei miracoli avvenissero veramente? Lo afferma solo quel medesimo libro che si vuol dimostrare ispirato proprio in base ai miracoli stessi. Dante cade dunque in quella che in logica si chiama «petizione di principio», cioè l'assumere a premessa di un ragionamento quella che dovrebbe esserne la conclusione.

∎

... dello Spirito Santo, che è diffusa nelle pagine (cuoia) dell'Antico e Nuovo Testamento, è stata per me l'argomentazione che mi ha dimostrato la verità della fede in modo così efficace (acutamente), che al suo confronto ogni dimostrazione mi pare debole (ottusa)». ◆ Poi sentii dire: «Le affermazioni dell'Antico e del Nuovo Testamento che ti servono da dimostrazione, perché le ritieni parola divina?». E io risposi: «La prova che fa vedere la verità alla mia mente sono le opere che a quegli scritti seguirono, che la natura non può forgiare come un fabbro che scalda il ferro e batte l'incudine (cioè i miracoli)». Mi fu risposto: «Dì', chi ti assicura che quelle opere avvenissero veramente? Lo afferma solo quel medesimo libro di cui si vuol dimostrare la veridicità, non altro».

«Se 'l mondo si rivolse al cristianesimo»,
diss'io, «sanza miracoli, quest'uno

108 è tal, che li altri non sono il centesmo:

ché tu intrasti povero e digiuno
in campo, a seminar la buona pianta

111 che fu già vite e ora è fatta pruno».

Finito questo, l'alta corte santa
risonò per le spere un 'Dio laudamo'

114 ne la melode che là sù si canta.

E quel baron che sì di ramo in ramo,
essaminando, già tratto m'avea,

117 che a l'ultime fronde appressavamo,

ricominciò: «La Grazia, che donnea

106-8. Se 'l mondo...: ed ecco la decisiva risposta, quella che il genio di Agostino aveva formulato per chi metteva in dubbio l'autenticità dei miracoli su cui si fondava la fede: se l'intero mondo pagano si è convertito al cristianesimo senza che coloro che lo predicavano compissero miracoli, questo solo è un tale miracolo, che tutti gli altri insieme non ne costituirebbero nemmeno la centesima parte (cfr. *Civ. Dei* XXII 5). Lo stesso argomento sarà ripreso, quasi con le stesse parole, da san Tommaso nel passo citato alla nota 101.

109. ché tu intrasti...: straordinario miracolo, quel convertirsi del mondo al cristianesimo, se si pensa che Pietro e gli altri apostoli cominciarono la loro opera di evangelizzazione senza alcun mezzo umano (*povero*, senza denaro, e *digiuno*, senza cultura). Così ancora sant'Agostino, nel luogo citato alla nota precedente: «è incredibile che degli uomini di bassa condizione, tra gli ultimi della scala sociale, pochi, e incolti, abbiano potuto convincere il mondo con tanta efficacia di una cosa tanto incredibile».

110-1. in campo, a seminar...: la predicazione apostolica è figurata con la metafora evangelica del seminatore, che sparge il buon seme (*Matth.* 13, 3-23); la pianta già fruttifera (*vite*) e ora sterile (*pruno*) riprende, con il consueto rimpianto per il passato e la

deplorazione del presente, l'immagine già usata a XII 86-7.

112-3. Finito questo...: con l'ultima risposta, Dante ha superato felicemente la prova. Per questo tutta la corte celeste intona nelle varie *spere*, o corone danzanti in cui è distribuita, il glorioso inno del *Te Deum*, dedicato al ringraziamento.

114. ne la melode...: con quella melodia, a noi ignota, che solo in cielo si canta.

115. baron: *baroni* e *conti* (cfr. XXV 17 e 42) sono detti i grandi santi del *Paradiso*, raffigurato come una corte feudale (cfr. v. 112) della quale Dio è l'*imperatore*, o *il sire* (cfr. XXV 41 e XIII 54). È questa la figura politica nota alla civiltà medievale, con la quale si poteva parlare al popolo, come era quella del regno al tempo dei Vangeli.

115-7. sì di ramo in ramo...: mi aveva condotto, di argomento in argomento, in modo tale (*sì*) che eravamo ormai vicini alla conclusione dell'esame (come chi sale verso la cima di un albero, *di ramo in ramo*, fino alle *ultime fronde*).

118-20. La Grazia, che donnea...: la grazia divina, che è come in rapporto di amore con la tua mente, ti ha fin qui spinto a parlare (ad aprire la bocca) nel modo dovuto, giusto. – *donneare*, verbo diffuso nella lirica cortese (dal prov. «domnejar»), significa «vagheggiare», «amoreggiare» (cfr. XXVII 88; *Rime* LXXXIII 52); qui indica l'intima comunione di amore che la grazia stabilisce con la mente dell'uomo fedele, rivelandogli le verità divine.

121. fuori emerse: s'intende, dalla tua bocca.

122-3. ma or convien...: ma ora è necessario che tu esprima, dichiari, l'oggetto, il contenuto, di questa tua fede (tu hai finora dichiarato infatti che credi: ma ora devi dire «che cosa» credi, cioè le verità che costituiscono il tuo credo); e che tu dica infine di dove (*onde*) tali verità si presentarono a te perché le credessi (*a la credenza tua*). Il verbo *credere* equivale, come ancor oggi nel linguaggio religioso, ad «aver fede»; così *credenza* equivale a «fede» (cfr. v. 73). Verbo e sostantivo (*credi – credenza*) sono qui volutamente av-

---

«Se l'intero mondo (pagano) si è convertito al cristianesimo» dissi io «senza miracoli, questo solo fatto è un tale miracolo, che tutti gli altri insieme non ne costituirebbero nemmeno la centesima parte; poiché tu entrasti nel campo (cioè nel mondo) senza denaro e senza cultura (digiuno) per seminare la buona pianta, che un tempo era vite e ora è diventata cespuglio spinoso». ◆ Conclusa la mia risposta, la santa corte celeste fece risuonare attraverso le corone danzanti (spere) un "lodiamo Dio" con quella melodia che si canta in cielo. E quel principe celeste che mi aveva condotto nell'esame, di argomento in argomento (ramo), in modo tale (sì) che stavamo ormai per giungere alle conclusioni (l'ultime fronde), ricominciò a dire: «La Grazia, che amoreggia ...

       con la tua mente, la bocca t'aperse
120   infino a qui come aprir si dovea,
       sì ch'io approvo ciò che fuori emerse;
       ma or convien espremer quel che credi,
123   e onde a la credenza tua s'offerse».
       «O santo padre, spirito che vedi
       ciò che credesti sì, che tu vincesti
126   ver' lo sepulcro più giovani piedi»,
       comincia' io, «tu vuo' ch'io manifesti
       la forma qui del pronto creder mio,
129   e anche la cagion di lui chiedesti.
       E io rispondo: Io credo in uno Dio
       solo ed etterno, che tutto 'l ciel move,

vicinati, come a ribadire la saldezza di quella fede.

124-6. O santo padre...: all'ultima risposta, che non è rapida e concisa come le altre, ma ampia e distesa, Dante premette una solenne apostrofe al padre della fede, che lo definisce (come già fece Beatrice) dal gesto da lui compiuto un giorno a Gerusalemme.

– spirito che vedi...: tu che ora, fatto puro spirito, vedi ciò che credesti senza vedere (cioè la divinità di Cristo; per *vedi / ciò che credesti* cfr. II 43), con tanta sicurezza (*sì*) da superare, nella corsa al sepolcro di Cristo, il più giovane discepolo Giovanni... Si ricorda qui, come già nell'apostrofe di Beatrice al v. 39, un episodio evangelico dove appare l'ardente fede propria di Pietro, episodio citato anch'esso nella *Monarchia*, come il primo, a definizione del carattere schietto e impetuoso dell'apostolo: «Uscì allora Simon Pietro insieme all'altro discepolo, e si recarono al sepolcro. Correvano insieme tutti e due, ma l'altro discepolo corse più veloce di Pietro e giunse per primo al sepolcro... ma non entrò. Giunse intanto anche Simon Pietro che lo seguiva ed entrò nel sepolcro e vide le bende per terra... Allora entrò anche l'altro discepolo, che era giunto per primo al sepolcro, e vide e credette» (*Io.* 20, 3-8).

125. vincesti: in realtà Giovanni, come molti qui osservano, giunse prima all'ingresso del sepolcro. Ma Dante non si sbaglia, non «forza il racconto», come è stato detto: Pietro vinse di fatto la gara per la sua fede perché, arrivato dopo, entrò nel sepolcro per primo mentre l'altro – come commenta Dante nella *Monarchia* – esitava sulla porta (cfr. *Mon.* III, IX 16).

128. la forma: la sostanza, secondo il senso scolastico del termine.

– pronto: che aderisce con immediatezza alla parola divina, senza bisogno di dimostrazioni razionali (l'aggettivo si riferisce a quanto Dante ha dichiarato sopra, nei vv. 91-6.)

129. la cagion di lui: il principio da cui questo mio credere deriva (v. 123).

130. E io rispondo: le tre parole sono fieramente pronunciate, a dare singolare rilievo a quanto sarà detto.

130-2. Io credo in uno Dio...: l'alta proclamazione che Dante qui fa della sua fede, nel silenzio del cielo Stellato – silenzio creato dal suo testo, s'intende –, ha una scansione di assoluta, incrollabile certezza. Le parole sono quelle stesse del Credo, o Simbolo Apostolico, ma il ritmo dell'endecasillabo, e della terzina, dà loro un'autorità che nessun altro contesto può conferire. Riconosciamo qui lo stesso fermo ardore di colui che, a proposito dell'immortalità dell'anima, così scriveva nel *Convivio*: «e io così credo, così affermo e così certo sono, ad altra vita migliore dopo questa passare, là dove quella gloriosa donna vive della quale fue l'anima mia innamorata...» (II, VIII 16).

– uno Dio / solo ed etterno...: un Dio unico, eterno, creatore dell'universo; sono i tre caratteri del Dio ebraico-cristiano proclamati nel *Credo*, di cui l'ultimo si vale della formulazione aristotelica (*move, / non moto*) accolta dalla teologia. Ma a questi caratteri si aggiunge, nel terzo verso, la qualità che di quel motore primo fa una persona: egli dà vita all'universo per amore, e l'universo a sua volta è mosso solo dal desiderio – che è anch'esso d'amore – di ritornare a lui (cfr. I 76-7 e nota). Quelle due parole – l'*amore* (di Dio), il *disio* (del creato) –, che sostanziano tutto il *Paradiso* dantesco, si introducono nella formulazione del primo articolo di fede trasformandone il carattere filosofico in una realtà vivente.

... con la tua mente, ti ha fin qui spinto a parlare come si deve, tanto che io approvo ciò che è uscito dalla tua bocca; ma ora è necessario che tu dichiari il contenuto di questa tua fede, e di dove (onde) tali verità si presentarono a te perché tu le credessi (a la credenza tua)». ◆ «O santo padre, spirito che vedi ciò che credesti con tanta sicurezza (sì) da superare, nella corsa al sepolcro (di Cristo), i più giovani piedi (di Giovanni)», cominciai a dire, «tu vuoi che io dichiari qui la sostanza della mia fede che non chiede dimostrazioni (pronto), e hai chiesto anche il principio da cui questa mia fede deriva (la cagion di lui). E io rispondo: Io credo in un Dio solo e eterno, che muove tutto il cielo ...

132   non moto, con amore e con disio;

        e a tal creder non ho io pur prove

    fisice e metafisice, ma dalmi

135   anche la verità che quinci piove

        per Moïsè, per profeti e per salmi,

    per l'Evangelio e per voi che scriveste

138   poi che l'ardente Spirto vi fé almi;

        e credo in tre persone etterne, e queste

    credo una essenza sì una e sì trina,

141   che soffera congiunto 'sono' ed 'este'.

        De la profonda condizion divina

    ch'io tocco mo, la mente mi sigilla

144   più volte l'evangelica dottrina.

133-4. non ho io pur prove...: Dante risponde ora alla seconda domanda di Pietro: a credere questo non ho soltanto prove che la ragione umana può darmi, di ordine fisico e metafisico. Sono le ben note prove (cinque per Tommaso) dell'esistenza di Dio, portate dalla teologia sul fondamento soprattutto dei testi aristotelici (cfr. *S.T.* I, q. 2 a. 3). Su queste prove razionali, pur citate, Dante tuttavia sorvola; sono queste le *dimostrazioni* che prima ha dichiarato *ottuse* a confronto con la rivelazione divina, alla quale infatti viene dedicato l'ampio spazio di quattro versi.

134-5. ma dalmi...: ma me lo dà (tale credere), me lo dona, quasi senza mia fatica, la verità rivelata da Dio, che scende come una pioggia dal cielo (*quinci*: da qui) sui libri sacri (*piove per* indica lo spargersi, il diffondersi della pioggia sulle carte, come è detto ai vv. 91-3).

136. per Moïsè...: sono qui elencati, quasi in un appello nominale, tutti i libri della Scrittura: *Mosè*, i *Profeti* e i *Salmi* sono i tre gruppi nei quali la tradizione ebraica divideva la Scrittura (cfr. *Luc.* 24, 44), e indicano quindi tutto l'*Antico Testamento*; per *Mosè* s'intendono i cinque libri del *Pentateuco*, di cui Mosè era considerato l'autore; i *Profeti* comprendevano parte dei libri storici e quelli propriamente profetici; nei *Salmi* (così chiamati dal nome del primo libro del gruppo) erano riuniti i testi poetici e sapienziali e gli altri libri storici. Sono poi nominati l'*Evangelio*, cioè i quattro Vangeli, e gli scritti apostolici (*Atti*, *Epistole*, *Apocalisse*), che costituiscono la raccolta completa dei testi del *Nuovo Testamento*.

137. voi che scriveste...: i testi che nel *Nuovo Testamento* seguono i Vangeli sono tutti scritti dagli apostoli, e il loro insieme era detto anche l'*Apostolus*.

138. poi che l'ardente Spirto...: dopo che lo Spirito divino vi ebbe resi *almi*, cioè santi: nel giorno della Pentecoste lo Spirito Santo, discendendo sugli apostoli riuniti nel cenacolo, illuminò le loro menti e i loro cuori rendendoli capaci di parlare con divina sapienza (*Act. Ap.* 2, 1 sgg.). Tutta la Scrittura dunque, l'*antica* e la *novella*, rende testimonianza al primo articolo della fede.

139-41. in tre persone etterne...: dopo il Dio unico ed eterno, affermato anche dalla filosofia, Dante proclama ora la verità che è propria soltanto della fede cristiana, cioè il mistero della Trinità: in Dio sono tre persone, che sono contemporaneamente uno e tre, così che di loro si può parlare col verbo alla terza persona sia plurale (*sono*), sia singolare (*este*).

– **una essenza... una e... trina**: il dogma della Trinità, ripetutamente ricordato e celebrato nel *Paradiso*, è così definito dal concilio Lateranense IV del 1215: «il vero Dio è uno solo, eterno e incommensurabile... Padre e Figlio e Spirito Santo, tre persone ma una sola essenza, cioè sostanza o natura».

– **soffera**: sopporta, ammette (nel parlarne). – *este* (è), dal latino «est», è forma ricorrente nella poesia del '200.

... senza essere mosso, con l'amore e con il desiderio; e a credere questo non ho soltanto prove di ordine fisico e metafisico, ma me lo dà (tale credere) anche la verità (rivelata) che scende come una pioggia dal cielo (quinci: da qui) per il tramite di Mosè, dei profeti e dei salmi, del Vangelo e di voi che scriveste i sacri testi dopo che lo Spirito infuocato di Dio vi ebbe resi santi (almi); ● *e credo in tre persone eterne, e credo che esse abbiano un'essenza insieme una e trina, che tollera allo stesso tempo il plurale (sono) e il singolare (este). Di questa misteriosa condizione dell'essere divino di cui ora parlo (tocco) mi imprime l'idea nella mente, più di una volta, la dottrina esposta nei Vangeli.*

Quest'è 'l principio, quest'è la favilla
che si dilata in fiamma poi vivace,
147   e come stella in cielo in me scintilla».
Come 'l segnor ch'ascolta quel che i piace,
da indi abbraccia il servo, gratulando
150   per la novella, tosto ch'el si tace;
così, benedicendomi cantando,
tre volte cinse me, sì com'io tacqui,
l'appostolico lume al cui comando
154   io avea detto: sì nel dir li piacqui!

142-4. De la profonda...: di questa misteriosa condizione dell'essere divino di cui ora parlo (per *toccare*, cfr. I 108 e relativa nota) mi imprime, come un sigillo, la verità nella mente la dottrina contenuta in più luoghi del Vangelo. – *profonda* riprende le *profonde cose* del v. 70: sono i misteri di Dio insondabili all'uomo.

– **mi sigilla**: l'immagine del sigillo, che si imprime a fuoco sulla cera, significa la forza e la certezza con cui la dottrina del Vangelo si stampa nella mente dell'uomo (cfr. *Purg.* XXXIII 79-81).

144. l'evangelica dottrina: il *Nuovo Testamento* parla a più riprese delle tre persone divine (cfr. *Matth.* 3, 16-7; 28, 19; *Io.* 15, 26; 16, 7-15; *Gal.* 4, 4-6; *1 Pet.* 1, 2; *1 Io.* 5, 7-8); in *Matth.* 28, 19 esse sono apertamente dichiarate. Si noti che mentre per il primo articolo della fede vi sono anche prove razionali, e tutta la Scrittura ne offre testimonianza, della Trinità solo la rivelazione, e di essa solo il *Nuovo Testamento*, parla esplicitamente. Si cfr. *S.T.* I, q. 32 a. 1: «Con la ragione naturale si può conoscere di Dio ciò che pertiene all'unità della sua essenza, non ciò che pertiene alla distinzione delle Persone».

145-7. principio... favilla...: queste due verità sono come la sorgente, la scintilla da cui nasce la viva fiamma di tutta la mia fede, e brilla dentro di me come una stella in mezzo al cielo. La terzina conclusiva di tutto il dialogo, e in particolare della proclamazione fatta nell'ultima, solenne sequenza, fa brillare con l'ardore di un fuoco d'incendio (da *favilla* a *fiamma*) e con la stabilità incrollabile degli astri quella fede che vive nel cuore dell'autore protagonista. Non a caso il terzo verso sarà ripreso, quasi con un'autocitazione, a quattro canti di distanza, per dire lo splendore della verità contemplata con assoluta certezza (XXVIII 87).

148-50. Come 'l segnor...: come il signore che ascolta dal servo una notizia gradita, e poi lo abbraccia rallegrandosene con lui, quando egli ha finito di parlare... Il rapporto non è più quello, distaccato e dottrinale, da maestro a scolaro, posto nella similitudine di apertura (vv. 46-51), ma quello più familiare tra signore

e servo, che porta infatti all'abbraccio. Lo svolgimento appassionato del dialogo ha rivelato che non si tratta di una questione di dottrina, ma di vita.

152. tre volte cinse me: mi girò intorno per tre volte (come già aveva fatto con Beatrice: vv. 22-4), a significare, più che l'approvazione, quasi un solenne riconoscimento della provata fede.

153. l'appostolico lume: la luce dell'apostolo. Lo spirito di Pietro che incorona Dante benedicendolo è la più alta testimonianza possibile resa alla sua fede, e sarà citata all'inizio del canto seguente (vv. 11-2), quasi corona data al cristiano come si darà (si spera che sarà data) la corona al poeta (vv. 7-9).

■

Queste due verità (Questo) sono il principio, la scintilla che si diffonde poi in una viva fiamma, e brilla dentro di me come una stella in mezzo al cielo». ◆ *Come il signore che ascolta un messaggio gradito, e poi abbraccia il servo rallegrandosi della buona notizia, quando egli tace; così, benedicendomi cantando, mi girò intorno per tre volte, non appena io tacqui, la luce dell'apostolo, alle cui richieste io avevo risposto; tanto gli piacquero le mie parole!*

approfondimenti

NOTE AL TESTO

v. 19. **carezza**: preziosità, pregio (da *caro, prezioso, pregiato*: cfr. IX 37; X 71; *Purg.* IX 124 ecc.), è lezione di pochi manoscritti ma molto autorevoli. Le edizioni precedenti a quella del '21 hanno *bellezza*, lezione più diffusa e seguita dagli antichi commentatori. Ma il Petrocchi mantiene *carezza*, per due ragioni che condividiamo: la rarità del vocabolo, che ne fa una lezione sicuramente più difficile, e la migliore corrispondenza del significato al contesto: le *carole* infatti si distinguono non per la bellezza, ma proprio per il diverso pregio, significato dalla diversa velocità, che Dante appunto osserva e misura.

v. 122. **espremer**: l'edizione del '21 e le precedenti edizioni hanno *esprimer*, che appare lezione evidentemente più facile; *espremer* è comunque forma dell'uso italiano antico.

v. 124. **O santo padre, spirito...**: la maggioranza degli antichi manoscritti presenta la lezione adottata dal Petrocchi (*e spirito*), che la preferisce anche per il suo «efficace valore rafforzativo». In questo caso però non si tratta di rafforzare, ma di definire il primo termine della invocazione; *spirito che vedi / ciò che credesti* ecc. è di fatto una apposizione che serve a meglio determinare la persona indicata da *santo padre* (il santo che ora si invoca come spirito beato in cielo è colui che in terra così fortemente credette ecc.); non è un suo sinonimo, o una variante «rafforzativa», come nelle altre più comuni invocazioni (cfr. XXII 112; *Purg.* III 73 ecc.) e non può quindi essere preceduta dalla congiunzione *e*. Per questo, anche se la lezione adottata è in minoranza nella tradizione, riteniamo di doverla ripristinare, seguendo l'edizione del '21 e gli altri editori moderni.

SUGGERIMENTI PER LA RICERCA

Temi del canto

Io

Dante è il soggetto protagonista dei tre canti delle virtù (XXIV-XXV-XXVI), come rivela la frequenza con cui ricorre la parola *io* (oppure *mio*). Verifica tale frequenza ricercando e sottolineando sul testo il pronome e l'aggettivo di prima persona singolare, quindi rileggi nell'Introduzione al canto il confronto tra questi tre canti e quelli dell'esilio (XV-XVI-XVII).

«Quella cara gioia...»: la fede

La fede è la prima delle virtù teologali sulle quali Dante viene esaminato. Dopo aver letto la definizione di *virtù* che trovi nel *Dizionarietto teologico* all'interno del volume *Strumenti*, riprendi il versetto della *Lettera agli Ebrei* 11,1 e i vv. 64-81 del canto con le note di commento, quindi confronta questa definizione di *fede* col significato che la parola ha nella lingua moderna (ti sarà d'aiuto consultare un buon *Dizionario* d'italiano) ed esprimi le tue osservazioni in proposito.

Il baccelliere

Fai una ricerca sull'organizzazione degli studi universitari nel Medioevo fino ai tempi di Dante consultando nel *Dizionario enciclopedico del Medioevo* le voci *Università*, a cura di C. Frova, vol. III, pp. 1991-93, e *Gradi accademici*, vol. II a cura di O. Weijers, p. 873. In conclusione, puoi leggere i saggi critici sul canto di A. Jenni e M. Marcazzan (citati tra le *Letture consigliate*), che analizzano l'atmosfera scolastica dei tre canti delle virtù.

Personaggi del canto

Pietro, uomo di Palestina

Il *gran viro* che tiene le chiavi del paradiso (vedi la descrizione in XXXII 124-126) è lo stesso uomo storico che un giorno in Palestina incontrò Gesù Cristo. Rileggi nel Vangelo gli episodi più significativi della vita di san Pietro (oltre ai due citati nel testo, *Matth.* 14, 28-29 e *Gv.* 20, 3-8, vedi anche il racconto del primo incontro con Gesù in *Gv.* 1, 35-42 e l'ultimo capitolo del Vangelo di Giovanni, *Gv.* 21); ricercane quindi il ritratto che ne fa Dante in *Mon.* III, IX, 9-16; in conclusione prova a spiegare perché proprio questo apostolo interroghi Dante sulla fede. Approfondisci infine l'argomento consultando la voce relativa, a cura di P. Brezzi, in *Enciclopedia Dantesca* IV, pp. 502-505.

Lingua e stile

differente- | *mente* – vv. 16-17

È questo un caso di rima detta in tmesi (dal lat. «tmesis», divisione), ottenuta cioè spezzando una parola in fine di verso. Individua, con una piccola ricerca in biblioteca, esempi di questo tipo di rima nelle opere di altri poeti anche di età moderna, leggendo L. Ariosto, *Orlando furioso* XLI 32, A. Manzoni, *La Passione* (dagli *Inni Sacri*), G. Pascoli, *La via ferrata* e *Colloquio* (da *Myricae*). Consulta poi la *Grammatica Italiana* del Serianni al cap. XII.7-8b, e annota il motivo per cui in questa particolare posizione di rima stanno non di rado gli avverbi con il suffisso -*mente*.

ne – v. 28

Distingui, nei passi della *Commedia* qui indicati (*Inf.* IV 22; XIII 89; XVII 54 e 62; XXV 19; *Purg.* III 3; VI 102; *Par.* II 30), i casi in cui *ne* sia, secondo l'uso antico, pronome atono di prima persona plurale («ci», «a noi»), dai casi in cui abbia uno dei significati ancora correnti in lingua italiana, che puoi trovare indicati in un buon *Dizionario* oppure nella *Grammatica Italiana* del Serianni al cap. VIII 52-53.

almi – v. 138

Cerca, su un buon *Dizionario* di lingua italiana, l'etimologia e i significati principali di *almo*, e spiega perché alcuni commentatori (come il Tommaseo o lo Scartazzini) abbiano così parafrasato l'aggettivo in questo passo: «nutritori della fede nel mondo».

CANTO XXV

Introduzione

Il secondo canto dedicato alle virtù teologali, che celebra la speranza, ha fra i tre un rilievo particolare. Già l'apertura, che giunge del tutto inaspettata interrompendo lo svolgersi delle «interrogazioni» fatte a Dante dai tre apostoli sulle virtù, lo distingue da ogni altro nel poema per il diretto intervenire dell'autore che parla della sua vita, e non come altrove della sua opera in atto. Essa ci appare, nel tono di riepilogo e di inizio insieme che la distingue, quasi un secondo prologo, che introduca l'ultima e più alta parte della cantica, oltre il tempo, oltre la faticosa storia umana: *Se mai continga che 'l poema sacro / al quale ha posto mano e cielo e terra, / sì che m'ha fatto per molti anni macro, / vinca la crudeltà che fuor mi serra...*

Se ciò mai accada, Dante potrà tornare in patria, e ricevere la corona di poeta nel Battistero dove «entrò nella fede», quella fede per cui ora è stato incoronato in cielo.

Questo attacco del canto XXV è dei più grandi, per intensità tematica e poetica, dell'intero poema. Esso si caratterizza in particolare per l'estensione dei significati che racchiude: dalla terra al cielo, dalla vita mortale a quella immortale del suo autore. In questi versi infatti è presente – in un'altissima forma d'arte – quel doppio livello di prospettiva su cui si fonda la *Commedia* e che, non casualmente, viene qui anche espressamente dichiarato: *'l poema sacro / al quale ha posto mano e cielo e terra*.

Se ricordiamo altri due famosi inizi di canto, quello del canto VIII del *Purgatorio* (*Era già l'ora che volge il disio...*) e del I del *Paradiso* (*La gloria di colui che tutto move...*), vedremo che essi ci offrono, al grado più alto, le due dimensioni del racconto dantesco: il dolore dell'esilio terreno, la sua umana nostalgia, e la gloria della patria celeste verso la quale è diretto il cammino, sorretto da una sicura speranza. Ora nella prima sequenza di questo nostro canto le due vicende appaiono compresenti; sulla prima, quella storica, già si riflette la luce dell'altra. Il poeta che, avanti ormai nella vita, sospira l'improbabile ritorno nella patria terrena, porta come titolo a quel rientro un *poema sacro* a cui collabora il cielo, e l'auspicio dell'incoronazione d'alloro nel luogo del suo battesimo si fonda su quella di luce divina ricevuta dall'apostolo Pietro in paradiso (vv. 7-12).

Traspare qui, accanto all'umana, dolente speranza dell'esule, la profonda coscienza di un altro destino, sul quale si innesta l'altra, celeste speranza di cui tra poco si dirà.

Questa apertura sull'interno della propria anima – unica per estensione e intensità in tutto il poema – condotta con commozione e insieme riserbo, e che nel lungo periodo – quattro terzine – sembra misurare la lunghezza degli anni vissuti nel doloroso esilio, non senza ragione compare in questo luogo del racconto: nei canti del cielo Stellato, limite tra storia ed eterno, si celebra il trionfo in cielo della Chiesa che milita sulla terra, e la loro sequenza è caratterizzata –

come vedemmo – dalla presenza attiva di Dante sulla scena. Ora, nel momento in cui la sua vicenda personale e terrena penetra nella diversa dimensione ultraterrena, questo scorrere di versi è come uno sguardo rivolto all'indietro (all'interno di sé, come nel canto XXII ai pianeti e alla terra) per guardare poi soltanto in avanti, verso il nuovo orizzonte, la nuova patria che lo attende.

E in questa grande partitura, il canto prescelto ha anch'esso una sua ben evidente motivazione. Si è visto che le tre virtù appaiono in questo cielo non come astratte realtà teologiche, ma nella persona stessa dei tre apostoli – come li presentava la tradizione dei commenti biblici –, e di fronte a loro, nell'uomo Dante che le definisce in riferimento alla propria vita. Egli rappresenta non solo genericamente il cristiano che ancora milita nel mondo, ma anche se stesso come persona storica; e ciò accade in modo aperto nel secondo dei tre canti, quello che può dirsi proprio di Dante, e che domina sugli altri per rilievo tematico e qualità d'arte.

Se le altre due virtù sono del poeta protagonista come di tutti i cristiani, questa è la sua propria. Su quanto profondamente essa abiti in lui, egli stesso non potrà infatti rispondere per sé, ma per lui dovrà parlare Beatrice: *La Chiesa militante alcun figliuolo / non ha con più speranza...*

La speranza è in realtà il motivo guida di tutta la sequenza del cielo ottavo: essa apre il canto XXIII con la similitudine dell'uccello in attesa dell'alba divina nell'oscura notte del mondo, si accampa nella definizione della fede nel XXIV (v. 64) e nelle motivazioni della carità nel XXVI (v. 60) e infine chiude la profezia finale del canto XXVII con la certa fiducia nell'intervento divino nella storia (vv. 61-3).

Giustamente la speranza tiene il primo posto – e occupa il canto centrale – in questa figurazione del cielo dedicato alla vita della Chiesa nel tempo: essa è la virtù che conforta chi cammina nell'esilio d'Egitto – cioè vive sulla terra – e non ancora trionfa nella celeste Gerusalemme, come Dante dice di se stesso per bocca di Beatrice. Per questo essa è specifica dell'uomo che, solo per uno speciale privilegio, si trova tra coloro che già sono in patria, ma appartiene ancora al mondo degli esuli. Esule, lui stesso, nei due sensi: proprio e figurato. La condizione spirituale del cristiano secondo san Paolo («finché siamo nel corpo, siamo come esuli lontano da Dio»: 2 *Cor.* 5, 6) fu data in sorte a Dante nella storia. E questa realtà sostanzia tutto il canto XXV, quasi intitolato da quella sequenza di apertura dove parla, con dolore uguale alla speranza, la nostalgia dell'esule per la patria.

Quel dolore che qui prende voce, e che fu il retaggio del Dante storico, fa questo canto più grande degli altri due dedicati alle tre virtù. E solo grazie a quel dolore Beatrice può pronunciare le solenni parole prima citate, in quanto ciò che Dante spera nell'eterno è speculare a ciò che egli soffre nel tempo. È questo infatti l'unico titolo che Dante si riconosce – in tutto il poema – per il privilegio che gli è concesso.

Egli non viene da se stesso, per la propria *altezza d'ingegno* (*Inf.* X 58-61). Solo la pietà e l'amore altrui lo hanno tratto in salvo dalla rovina (*Inf.* II 70-2 e 94-6). Ma a questa altezza del *Paradiso*, sulla fine ormai della vita, egli crede di potersi riconoscere questo solo merito. Perché tutto il resto (affetti, patria, gloria di poeta) – come i primi versi hanno lasciato intendere – è andato perduto.

Con questa affermazione si conclude la prima parte del canto, dedicata alla vita terrena di Dante.

Dal lungo sospiro dell'apertura, fino alla solenne risposta che, in nome di Dante, Beatrice dà all'apostolo che qui appare, si svolge infatti e si chiude come in un cerchio tutto il senso della sua vita, il suo dolore e la sua speranza di uomo, legati alla sua suprema fatica di poeta. Qui viene proclamato il nuovo nome del poema – il *poema sacro* – che accompagna di anno in anno la sua vicenda mortale, da esso inseparabile, quel poema dal quale soltanto egli potrebbe sperare – *Se mai* ciò possa accadere – il ritorno in patria.

Ma segue ora la sequenza che, come vuole la partitura, svolge l'argomento proprio di questo canto, cioè il dialogo sulla virtù teologale della speranza tra Dante e l'apostolo che nel Vangelo la raffigura, san Giacomo. Di lui, non potendo citare gesti specifici come per gli altri due, Beatrice ricorda infatti (situandolo così, come accade per Pietro e Giovanni, nel definito ambito della sua esistenza storica) che egli fu dei tre prescelti da Cristo, come prediletti, a essere testimoni dei due momenti – quello della trasfigurazione sul monte Tabor e quello dell'agonia nell'orto di Getsemani – della sua gloria e della sua sofferenza, e come tali considerati poi simboli delle tre grandi virtù.

Il dialogo teologico, come lo abbiamo chiamato, si svolge questa volta in modo più snello e veloce, riunendo le varie domande e variandone la presentazione. I quesiti sono gli stessi, ma qui ne sono scelti tre sui quali il testo si ferma con particolare rilievo: il primo nell'ordine – che è in realtà la seconda domanda posta – è quello affidato appunto a Beatrice (in che misura Dante possieda questa virtù), di cui già abbiamo parlato. Esso è come prelevato dalla serie e posto all'inizio, quasi titolo a ciò che seguirà.

Il secondo è la definizione stessa della virtù, anche questa volta tradotta – come travasata nel verso – da un testo autorevole, *Il libro delle Sentenze* di Pietro Lombardo. Si tratta di una sola terzina, ma quelle poche parole acquistano, dopo la dolorosa sequenza iniziale, una concentrata forza drammatica che il testo teologico – pur uguale nella forma – ignora: «*Spene*», diss'io, «*è uno attender certo / de la gloria futura*... Un *attender certo* («*certa expectatio*»): certa è questa attesa, così altamente proclamata, come l'altra era improbabile e dolorosa (*Se mai continga...*).

Tutto il canto si stringe fortemente in unità, condotto da quei primi e sempre presenti versi.

Ciò appare in modo eminente nel terzo e decisivo punto su cui si ferma il dialogo (che la virtù discenda, come benefico *stillare*, dalla Scrittura – cioè la risposta alla domanda sulla sua origine –, è infatti tema già svolto, e ripreso dal canto precedente): quale sia la promessa che questa speranza certa fa all'uomo, cioè a Dante (*quello che la speranza ti 'mpromette*).

Nella risposta Dante ricorre a due luoghi della Scrittura – non comunemente ricordati a questo proposito – che non parlano genericamente della beatitudine, oggetto proprio (secondo la definizione teologica sopra data) della speranza. Quei due luoghi – di Isaia e di san Giovanni nell'*Apocalisse* – ci parlano di una *doppia vesta*, di due *bianche stole*, delle quali ciascun beato sarà rivestito quando rientrerà *ne la sua terra*.

Sull'interpretazione di questi due testi – messi in relazione tra loro già dai padri della Chiesa – si dirà nel commento. Qui ricordiamo che quella *doppia vesta* che distingue i beati significa la doppia gloria dell'anima e del corpo, segno della resurrezione della carne alla fine dei tempi.

Sulla figura della veste per il corpo risorto, Dante ritorna più volte nel poema; basterà ricordare le parole di Pier delle Vigne in *Inf.* XIII 103-5, o quelle di Virgilio a Catone in *Purg.* I 73-5. Il tema della resurrezione, svolto nel canto XIV, è centrale per tutta l'ispirazione del poema, come si è osservato nella *Introduzione* alla cantica. Ora in questo canto appare – quasi preludendo (con quelle due parole, *bianche stole*) alla visione dell'Empireo (cfr. XXX 129) – per dirci che esso esprime nella sua pienezza la speranza dell'animo di Dante.

Con quella *doppia vesta* – come dice il testo di Isaia – egli entrerà *ne la sua terra*, cioè in patria.

La *terra*, nell'antico italiano, indica la città. È nella città, «nella sua città», che l'esule dunque rientra rivestito di doppia gloria. Se la città terrena lo *serra*, lo chiude, fuori da sé, l'altra lo accoglie con supremo onore.

Appare qui il raccordo di questo canto con il XVII, i due canti propri di Dante nel *Paradiso*. Di quello era oggetto il suo doloroso destino storico, di questo il glorioso destino eterno. Il primo già in atto, il secondo soltanto sperato, ma con una speranza tale che ne fa un'altra, non meno certa realtà: qui l'esule costretto al servizio dei potenti – di cui scende e sale le scale – è introdotto gloriosamente nella patria dove la vita è perennemente *dolce*, senza amarezza alcuna.

I due esilii presenti nel poema prendono così voce nei due nuclei drammatici del *Paradiso*, dove Dante è protagonista. I due canti si muovono con direzione inversa, componendo una figura di chiasmo: nel primo la dimensione celeste ed eterna del destino umano è ricordata all'inizio, quasi un breve preludio, nelle ispirate parole di Cacciaguida (XVII 37-45); nel secondo l'attacco si sofferma invece – anche qui brevemente – sulla dolorosa realtà terrena di quello stesso destino, mentre il seguito del canto si volge a contemplare il suo compimento divino e glorioso.

Su questa visione termina l'incontro con l'apostolo della speranza, suggellato dal canto del salmo di David che a quella virtù s'intitola (*Sperent in te...*), e comincia la terza e ultima sequenza, dove entra in scena il terzo apostolo, Giovanni, con cui si parlerà della carità. Ma anche questo incontro, sceneggiato in modo del tutto singolare, come si vedrà nel commento, è, per il tratto che si svolge all'interno del canto XXV, strettamente connesso al tema primario fin qui svolto.

In questa ultima scena il Dante personaggio cerca infatti – secondo la tradizionale credenza che l'apostolo fosse stato assunto in cielo con il corpo – di vederne il volto attraverso la fiamma (come già desiderò, nel cielo di Saturno, di poter scorgere quello di Benedetto). E san Giovanni (cioè il Dante poeta) risponderà che il suo corpo è sepolto in terra (*In terra è terra il mio corpo...*), e tale sarà fino al giorno della resurrezione. *Con le due stole*, egli dice (ripetendo le sue stesse parole, prima da Dante citate, scritte nell'*Apocalisse*), sono qui soltanto Cristo e Maria. Il tema del corpo sepolto e risorto, della morte a cui l'uomo è destinato nel tempo e della vita che lo attende nell'eterno, prosegue così senza interruzione dalla dichiarazione sulla speranza all'incontro con l'apostolo della carità.

Anche la conclusione del canto è legata al tema della visibilità del corpo umano, tema che sembra prolungare la sua forza drammatica fino all'ultima terzina. Dante infatti, accecato dalla luce dell'apostolo, non riesce più, volgendosi come sempre a Beatrice, a vederne il volto, e prorompe in una esclamazione, per esser stato tanto turbato e commosso da quella privazione, nonostante egli fosse nel regno della felicità. Anche la gioia del paradiso, dunque, non è completa se manca quella così sospirata visibilità, come già era stato detto nel grande canto XIV.

CANTO XXV

Nel cielo delle Stelle fisse: san Giacomo, la speranza

1-12 *All'apertura del canto Dante interrompe la narrazione per esprimere la propria no-stalgia di esule e la speranza che il* poema sacro *al quale sta lavorando da anni con gran fatica gli ottenga il sospirato ritorno in patria, dove riceverà la corona di poeta nel luo-go in cui fu battezzato.*

13-27 *Dal cerchio di luci da cui era uscito san Pietro si stacca un altro spirito che Bea-trice presenta come colui che è venerato in Galizia (san Giacomo). I due apostoli, dopo essersi festeggiati a vicenda, si fermano davanti al poeta che deve abbassare gli occhi per il grande splendore.*

28-48 *Beatrice chiede a Giacomo di esaminare Dante sulla speranza, la virtù che l'apo-stolo simboleggia negli episodi evangelici in cui è scelto da Gesù fra i suoi tre prediletti. Giacomo pone al poeta tre domande: che cosa sia la speranza, in qual misura egli la possieda e da dove gli sia venuta.*

49-63 *Alla seconda domanda risponde Beatrice: la Chiesa non ha nessun figlio che ab-bia più speranza di Dante, perciò gli è stato concesso il viaggio ultramondano. Lascia quindi che sia lui stesso a rispondere alle altre due domande, perché né gli appariranno difficili, né saranno per lui motivo di vanto.*

64-78 *Come un discepolo sollecito nel soddisfare la richiesta del maestro, Dante inizia con la definizione di speranza:* uno attender certo de la gloria futura. *Tale virtù in lui è stata accesa innanzitutto dal salmo di David «Sperino in te coloro che sanno il tuo no-me», poi dall'Epistola di Giacomo stesso, e da lui ora si riversa su altri uomini.*

79-99 *La luce dell'apostolo brilla manifestando la sua soddisfazione, poi domanda qua-le sia la promessa della speranza. Citando l'Antico e il Nuovo Testamento, Dante in-dica come oggetto della promessa la doppia gloria dell'anima e del corpo che è il desti-no ultimo dei beati. Si ode intonare dall'alto il versetto del salmo di David prima men-zionato, a cui rispondono tutte le anime.*

100-117 *Una luce sfavilla tra le altre del cerchio e si avvicina ai due apostoli, unendosi al loro canto e alla loro danza. Beatrice indica quell'ultimo splendore come l'apostolo Giovanni.*

118-139 *Dante cerca di penetrare con lo sguardo la fiamma di luce (per vedere l'aposto-lo che – come affermava la leggenda – era stato assunto in cielo con il corpo), ma ne ri-mane abbagliato, e Giovanni lo rimprovera ricordandogli che solo Gesù e Maria sono in paradiso con la veste corporea, mentre gli altri beati la rivestiranno al tempo fissato: que-sto dovrà riferire agli uomini sulla terra. Cessati il canto e la danza, Dante si volge a Bea-trice ma rimane turbato perché, accecato dalla luce dell'apostolo, non riesce a vederla.*

Se mai continga che 'l poema sacro

1-12. **Se mai continga...**: se mai possa accadere un giorno... Nell'alta e dolente apertura del canto dedica-to alla speranza – una delle più grandi aperture del-l'intero poema – prende voce il profondo dolore del-l'esule che, ormai al tempo estremo della vita, ancora sospira il ritorno alla patria, e sa che quel ritorno non ci sarà per lui. La grande e sacra opera che egli sta com-piendo non basterà a vincere la *crudeltà* dei suoi con-cittadini e ad ottenergli la corona di poeta in patria. Ma

su quel ritorno e quella ricompensa sperata – e impos-sibile – si riflette, già da questi primi versi, la speranza dell'altro ritorno e dell'altro premio – quello divino – che non gli saranno negati. Tale raddoppio di signifi-cati e di speranze fonda l'ineguagliabile densità affetti-va e poetica del lungo arco ritmico di questo attacco.

– **continga**: il verbo del possibile, sperato accadere, è verbo virgiliano, detto da Enea che spera di rivede-re nell'aldilà il caro padre («... vorrei che mi accadesse ["contingat"] di giungere al cospetto del mio caro ge-nitore»: *Aen.* VI 108-9), come Dante la sua cara città.

– **poema sacro**: tale è ormai per Dante la sua ope-

al quale ha posto mano e cielo e terra,

3   sì che m'ha fatto per molti anni macro,
vinca la crudeltà che fuor mi serra

del bello ovile ov'io dormi' agnello,

6   nimico ai lupi che li danno guerra;
con altra voce omai, con altro vello

ritornerò poeta, e in sul fonte

---

ra (già detta *sacrato poema* a XXIII 62; ma l'aggettivo posposto e in fine di verso dà qui ben altra solennità all'espressione); *sacro* perché parla di realtà divine, e perché per compierlo alle forze umane si sono affiancate quelle del cielo, come dirà il verso seguente. A tale opera è affidata ormai la speranza del ritorno. Ma quella divina grandezza non sarà sufficiente a vincere l'umana crudeltà.

2. **e cielo e terra**: si dichiara in questo verso – come tante altre cose dette per la prima ed unica volta in questo straordinario passo – non solo il confluire nel poema della storia terrena e delle realtà celesti (le une compimento e senso dell'altra), ma anche il collaborare alla sua stesura (questo significa «por mano») dell'ingegno dell'uomo e della grazia divina. Si ricordi l'invocazione del primo canto – di cui questi versi sono come una più consapevole e commossa ripresa – dove ugualmente si sogna una incoronazione poetica, per la quale si chiede l'ispirazione divina (I 22-7).

3. **macro**: magro, quasi consumato dall'estenuante fatica durata tanti anni. La fatica – fisica e morale – del poeta (che tralascia anche di mangiare e di dormire preso dal suo lavoro: cfr. *Purg.* XXIX 37-8) viene qui in primo piano accanto al dolore dell'esule, offrendoci quasi il ritratto – in questa singolare apertura sul suo sentimento privato di cui non si hanno altri esempi – del Dante degli ultimi anni, tutto teso a comporre il suo *Paradiso*, ma con Firenze sempre dolorosamente nel cuore.

4. **vinca la crudeltà**: il verso, che porta la frase principale del periodo dopo la lunga sospensione della proposizione ipotetica iniziale, è anche quello che esprime nel modo più intenso la sofferenza dell'esule durata ormai tanti anni.

– **che fuor mi serra**: che mi tiene fuori, quasi serrandomi le sue porte. La clausola del verso ritorna, non casualmente, dalla grande canzone scritta durante l'esilio *Amor, da che convien pur ch'io mi doglia* (*Rime* CXVI 77-9: «forse vedrai Fiorenza, la mia terra, / che fuor di sé mi serra, / vota d'amore e nuda di pietate»).

5. **del bello ovile...**: l'ovile è il luogo del riposo e del rifugio, come con nostalgia è chiamata Firenze anche a XVI 25: *ditemi de l'ovil di San Giovanni*; la metafora porta con sé l'altra, dell'*agnello*, che vale a rappresentare Dante giovane e senza colpa, di fronte ai *lupi*, i fiorentini che si accanirono contro di lui.

6. **nimico ai lupi**: nemico, nella sua buona volontà e innocenza civile, per i cittadini che con la loro malvagità portano a rovina la città. Per la contrapposizione

tra Dante e i fiorentini, tra il solo giusto e i malvagi, di origine biblica e valore profetico, si cfr. XVII 61-9; 97-9 e note e *Inf.* XV 61-78.

7. **con altra voce...**: con ben altra voce e maturità di poeta. La *voce* e il *vello* mutati sono riferiti sintatticamente al *poeta*, e metaforicamente all'*agnello*. Non si può spiegare quindi *altro vello* come «capelli bianchi», intendendo dell'età ormai avanzata dell'uomo («invecchiato ormai e canuto»: Sapegno); *vello* andrà inteso piuttosto come «mantello» (tale è del resto il senso del vocabolo) dell'animale ormai adulto. L'uomo che torna non è più il poeta d'amore della giovinezza fiorentina. Egli ha voce e maturità ben diverse, dopo i lunghi anni dedicati al poema sacro, ed è degno ormai di ricevere la corona di poeta. Si veda l'andamento fiero del verso che sottolinea il mutamento (*altra*, *altro*), e l'appoggiare della voce sulla parola *poeta* del verso successivo: quel nuovo poeta è l'autore del *Paradiso*, l'*acqua* che *già mai non si corse* da parte di un umano ingegno (II 7).

8-9. **e in sul fonte...**: e otterrò la corona di poeta nel luogo stesso (il Battistero fiorentino) dove fui battezzato. Il rapporto tra i due fatti non è esteriore, e Dante lo dirà nei versi immediatamente seguenti; quella fede che egli ricevette nel battesimo è infatti la stessa su cui si fonda il poema: «meritamente, avendo cantato della fede, si vuol fare poeta in quel luogo dove prese la fede cristiana» (Landino). E, come presto si dirà, la stessa speranza di quel ritorno si trasfigurerà nella speranza della patria celeste. Il *cappello* è la corona di poeta; *capello* vale «ghirlanda» (ant. franc. «chapel», prov. «capel»); cfr. *s'incappelli* a XXXII 72. Tutto questo passo ha una precisa, dolente eco, in alcuni versi della prima *Egloga* dantesca, scritta probabilmente nello stesso arco di tempo, dove risuonano lo stesso orgoglio di poeta, la stessa speranza del ritorno e della possibile incoronazione, e la stessa inconfessata certezza che ciò non potrà accadere: «Non è forse meglio pettinare per il trionfo i capelli e, se mai io ritorni in patria sulle rive dell'Arno, lì nasconderli canuti sotto la fronda intrecciata, dove ero solito avere florida chioma?... Quando

---

... al quale hanno messo mano il cielo e la terra, tanto che mi ha logorato per molti anni, sconfigga la crudeltà che mi tiene fuori dalla bella città nella quale io dormii da giovane, come un agnello nell'ovile, nemico per i cittadini che come lupi la portano a rovina, con ben altra voce e con altre vesti ritornerò da poeta, e nel luogo stesso ...

9   del mio battesmo prenderò 'l cappello;
       però che ne la fede, che fa conte
       l'anime a Dio, quivi intra' io, e poi
12   Pietro per lei sì mi girò la fronte.
       Indi si mosse un lume verso noi
       di quella spera ond'uscì la primizia
15   che lasciò Cristo d'i vicari suoi;
       e la mia donna, piena di letizia,
       mi disse: «Mira, mira: ecco il barone
18   per cui là giù si vicita Galizia».
       Sì come quando il colombo si pone
       presso al compagno, l'uno a l'altro pande,
21   girando e mormorando, l'affezione;
       così vid'ïo l'un da l'altro grande

i corpi rotanti intorno all'universo e gli abitatori del cielo saranno, come i regni inferi, fatti palesi nel mio canto, mi piacerà cingermi il capo d'edera e d'alloro» (vv. 42-4, 48-50).

10-2. però che ne la fede...: solo nel luogo del suo battesimo egli pensa di poter ricevere la corona di poeta, perché là egli entrò in quella fede per la quale ora in cielo Pietro lo ha incoronato come testimone nel modo detto alla fine del canto precedente. Il rapporto tra la sua poesia e la sua fede – l'una quasi voce dell'altra – è stabilito qui da Dante in modo che più chiaro non si potrebbe: le due corone – del poeta e del cristiano – appaiono quasi come la stessa corona.

– **che fa conte...**: che rende note, quasi familiari e amiche, le anime a Dio: «per la fede siamo conosciuti da Dio onnipotente» (Gregorio Magno, *In Ezechiele*, I 3). Per *conte*, cognite, conosciute, si cfr. *Inf*. III 76.

13. Indi si mosse...: dopo il grande preludio, riprende ora il racconto dal punto in cui era stato interrotto: *indi*, cioè dopo che Pietro ebbe cinto per tre volte la fronte di Dante, venne verso di noi la luce di un altro spirito.

14-5. di quella spera...: da quello stesso cerchio di luci (*spera*: cfr. XXIV 10-2) dal quale era uscito colui che Cristo lasciò come primo, quasi capostipite (cfr. XVI 22), dei suoi vicari in terra.

--- ■ ---

... dove fui battezzato (il Battistero fiorentino) otterrò la corona (cappello); perché là io entrai in quella fede che rende amiche le anime a Dio, e per la quale in seguito Pietro mi cinse la fronte in quel modo. ◆ Poi si mosse verso di noi una luce da quello stesso cerchio (spera) dal quale era uscito colui che Cristo lasciò come primo (primizia) dei suoi vicari in terra; e la mia donna, piena di letizia, mi disse: «Guarda, guarda: ecco il principe celeste (il barone) per il quale laggiù sulla terra si visita la Galizia». ◆ Così come quando un colombo si avvicina a un compagno, e l'uno manifesta (pande) all'altro il suo affetto, girandogli intorno e tubando; così io vidi che uno di quei due ...

17. il barone: cfr. XXIV 115 e nota. Il grande santo che ora appare è l'apostolo Giacomo, il cui sepolcro in Galizia era la principale meta dei pellegrinaggi medievali dopo la Terra Santa: «in modo stretto non s'intende peregrino se non chi va verso la casa di sa' Iacopo o riede» (*Vita Nuova* XL 6). La città che ospita il santuario (oggi Santiago de Compostela) è ancora ai nostri giorni frequentata in gran numero da pellegrini di tutto il mondo cristiano.

18. vicita: visita; la forma con la *c* si ritrova in molti testi antichi.

19-21. Sì come quando...: l'incontro festoso e affettuoso tra i due apostoli è paragonato al modo che tengono due colombi quando l'uno va a posarsi vicino all'altro, e girandosi intorno e tubando si manifestano il reciproco affetto. Dovendo rappresentare due luci che si festeggiano – non due persone – Dante cerca e trova la figura del mondo terreno che più si avvicini – nell'aspetto e nel sentimento che esprime – a quella del suo mondo celeste. La dolce semplicità del colombo è poi significante del sentire proprio degli spiriti beati, come già di quello dei salvati sulla spiaggia del purgatorio (cfr. *Purg*. II 124-33). – *si pone* è detto anche del falcone a *Inf*. XVII 131. – *pande* è latinismo per «manifesta» (cfr. XV 63).

22-3. grande / principe glorïoso: le tre parole sottolineano il contrasto tra la «grandezza» di quegli spiriti e la modestia dei loro atti, assomigliati a quelli dell'umile colombo.

24. laudando...: rendendo lode al cibo divino che lassù nel cielo li nutre e sazia (si riprende qui la metafora della mensa paradisiaca usata da Beatrice in apertura del canto XXIV).

– **prande**: latinismo puro, come *pande*: il verbo, in latino intransitivo (pascersi, nutrirsi: cfr. *Purg*. XXVII 78), è usato qui con valore transitivo.

25. poi che 'l gratular...: dopo che fu compiuto il mutuo congratularsi (*gratulare* è lo stesso verbo già usato per l'atto di Pietro verso Dante alla fine del canto precedente, v. 149).

principe glorïoso essere accolto,

24   laudando il cibo che là sù li prande.

Ma poi che 'l gratular si fu assolto,

tacito *coram me* ciascun s'affisse,

27   ignito sì che vincëa 'l mio volto.

Ridendo allora Bëatrice disse:

«Inclita vita per cui la larghezza

30   de la nostra basilica si scrisse,

fa risonar la spene in questa altezza:

tu sai, che tante fiate la figuri,

33   quante Iesù ai tre fé più carezza».

«Leva la testa e fa che t'assicuri:

ché ciò che vien qua sù del mortal mondo,

36   convien ch'ai nostri raggi si maturi».

---

26. coram me: di fronte a me (cfr. XI 62); l'espressione latina è omaggio alla grandezza dei due apostoli, che fa nobile ogni loro atto.

– **s'affisse**: si fermò. Tutto il verso esprime la solennità dell'azione che si sta compiendo.

27. ignito: infuocato, latinismo biblico (*Ps.* 118, 140; *Apoc.* 3, 18 ecc.); così ardente che sopraffaceva la mia capacità visiva.

29-30. Inclita vita...: oh nobile anima, da cui fu scritta (celebrata negli scritti) la liberalità generosa della reggia celeste... – *si scrisse* è forma passiva; *basilica* vale «reggia», detta *nostra* da Beatrice, come altrove *nostra corte* (*Purg.* XXXI 41), per indicare quella del paradiso, che ha altre misure da quelle terrene.

– **larghezza**: dell'abbondante generosità divina così scrive l'*Epistola* di Giacomo (attribuita oggi a Giacomo il Minore, ma allora creduta dell'altro Giacomo, il fratello di Giovanni, detto il Maggiore, che è il personaggio sulla scena: cfr. vv. 32-3): «se qualcuno di voi manca di sapienza, la chieda a Dio, che dà a tutti in abbondanza, e non mortifica nessuno... e gli sarà concessa... Ogni cosa buona che è data e ogni dono perfetto viene dall'alto» (*Iac.* 1, 5-17).

31. fa risonar...: fa' che in questo alto cielo sia celebrata la speranza (con le tue domande e le risposte di Dante, che la faranno apparire in tutta la sua grandezza); *risonar* non va inteso solo del «nome» della speranza, come molti annotano, ma del significato e valore della grande virtù, così importante per Dante, che egli vuol cantare in questo luogo del suo poema.

32-3. tu sai...: tu puoi farlo, sai farlo meglio di ogni altro, proprio perché tu la simboleggi (*la figuri*) in quegli episodi del Vangelo nei quali Gesù mostrò ai tre maggiori apostoli la sua predilezione (*far carezza* vale «fare onore», detto di re a suddito; cfr. *carezza*, pregio, a XXIV 19).

– **tante fiate... quante**: tutte le volte che; cioè tre volte. In tre occasioni infatti Gesù prese con sé soltanto tre degli apostoli (Pietro, Giacomo e Giovanni): nella risurrezione della figlia di Giairo (*Luc.* 8, 40-56), nel-

la trasfigurazione sul Tabor (*Matth.* 17, 1-9) e nella preghiera del Getsemani (*Matth.* 26, 36-46). La tradizione vedeva simboleggiate nei tre apostoli le tre virtù teologali, come appare per esempio da questo commento alla trasfigurazione (in *Marc.* 9, 2-9) di Ugo da San Caro (forse il più diffuso tra i commentatori biblici al tempo di Dante), nelle sue *Postille alla Bibbia* :«Tre parlano, Mosè, Elia, Gesù, cioè la legge, i profeti, il vangelo. E tre ascoltano, Pietro, Giacomo, Giovanni, cioè la fede, la speranza e la carità».

34. Leva la testa: Dante l'aveva chinata per l'eccessiva luce (cfr. v. 39). L'atto di levare il capo, già compiuto di fronte a Pietro (XXIV 53), indica la certezza e la fiducia con cui le virtù sono qui da lui proclamate.

– **e fa che t'assicuri**: prendi sicurezza, non aver più timore (*fa che* introduce l'imperativo: cfr. *Inf.* XVII 93; *Purg.* XXXII 105 ecc.).

35-6. ché ciò che vien...: che tutto ciò che arriva qui in cielo dal mondo terreno (in questo caso la facoltà visiva di Dante) *si matura*, si perfeziona e rafforza, sotto l'azione dei nostri raggi. Quella stessa luce cioè, che in un primo momento abbaglia la vista, la rende poi capace di sostenerla (cfr. XXIII 46-8).

■

... principi gloriosi era accolto dall'altro, rendendo lode al cibo divino che lassù (nel cielo) li sazia (li pande). Ma dopo che fu così compiuto il mutuo congratularsi, entrambi si fermarono silenziosi di fronte a me, accesi di un tale splendore che la mia vista ne era sopraffatta. ◆ Ridendo allora Beatrice disse: «Oh nobile anima, da cui fu proclamata negli scritti la liberalità della nostra reggia celeste, fa' che in questo alto cielo sia celebrata la speranza: tu sai come farlo, perché tu la simboleggi (la figuri) tutte le volte che (nel Vangelo) Gesù mostrò ai tre maggiori apostoli la sua predilezione». «Alza la testa, e rassicurati; li lascio a lui; perché non saranno per lui né difficili (forti), né motivo di vanagloria (iattanza); poiché tutto ciò che arriva quassù in cielo dal mondo dei mortali necessariamente si perfeziona sotto l'azione dei nostri raggi».

Questo conforto del foco secondo
mi venne; ond'io leväi li occhi a' monti
39   che li 'ncurvaron pria col troppo pondo.

«Poi che per grazia vuol che tu t'affronti
lo nostro Imperadore, anzi la morte,
42   ne l'aula più secreta co' suoi conti,

sì che, veduto il ver di questa corte,
la spene, che là giù bene innamora,
45   in te e in altrui di ciò conforte,

dì quel ch'ell'è, dì come se ne 'nfiora
la mente tua, e dì onde a te venne».
48   Così seguì 'l secondo lume ancora.

E quella pïa che guidò le penne
de le mie ali a così alto volo,

37. **del foco secondo**: dal secondo lume venutomi incontro, cioè dall'apostolo Giacomo.

38-9. **leväi li occhi...**: sollevai lo sguardo verso quei grandi spiriti luminosi, che prima me lo avevano fatto abbassare con il peso della loro troppa luce.

– **a' monti**: l'immagine dei monti, che è stata criticata come barocca, o spiegata con valore di paesaggio alpestre, è in realtà una precisa citazione biblica: «Alzo gli occhi verso i monti: da dove mi verrà l'aiuto?» (*Ps.* 120, 1; e si cfr. anche *Ps.* 86, 1: «Le sue fondamenta [di Sion] sono sui monti santi»). E quei «monti» erano interpretati dai Padri come i santi intercessori nel primo caso, come gli apostoli nel secondo.

40-2. **Poi che per grazia...**: dato che il re del cielo, per sua speciale grazia, vuole che tu, ancora nella tua vita mortale, venga di fronte ai grandi della sua corte (*conti*, come prima *baroni*: cfr. XXIV 115; XXV 17).

– **l'aula più secreta**: è la sala più appartata, quindi più vicina alla residenza del sovrano stesso, dove stanno i massimi dignitari (*aula* è termine usato comunemente nella Bibbia per indicare la stanza del re). Si continua la metafora del paradiso come corte feudale (cfr. i vv. 17, 23, 30), già usata da Dante nell'*Epistola* scritta nel 1304 per la morte di Alessandro conte di Romena: «e chi era in Toscana conte palatino della corte ("aule") romana, ora cortigiano ("aulicus") della reggia sempiterna nella celeste Gerusalemme si gloria coi principi dei beati» (*Ep.* II 5).

43-5. **sì che, veduto il ver...**: così che, dopo aver visto con i tuoi occhi la realtà della reggia celeste, tu fortifichi in te stesso e negli altri la virtù della speranza, che in terra induce all'amore del vero bene: «imperò che dalla speranza nasce la carità, come dalla fede la speranza» (Buti).

– **bene innamora**: fa innamorare nel modo giusto, cioè di ciò che è buono (per questo uso di *bene*, si cfr. XXIV 40 e *Purg.* V 71).

– **conforte**: così *per recarne conforto* alla fede fu concesso a Paolo di visitare il cielo: *Inf.* II 28-30.

46-7. **dì quel ch'ell'è...**: san Giacomo pone ora tutte insieme, sulla speranza, le tre domande che Pietro aveva fatto separatamente sulla fede: di' che cosa essa è (*fede che è?*: XXIV 53); *come*, cioè in qual misura, la tua anima se ne abbellisce (*dimmi se tu l'hai ne la tua borsa*: XXIV 85); e di dove ti venne, cioè quale ne è stata per te la fonte (*onde ti venne?*: XXIV 91).

48. **seguì**: seguitò il suo parlare.

49. **E quella pïa...**: quella creatura pietosa che mi guidò al cielo, Beatrice. – *pïa* esprime il soccorrevole, premuroso atteggiamento di Beatrice verso Dante, fin dal suo muoversi dal cielo per venire a salvarlo narrato nel II canto dell'*Inferno* (cfr. il v. 133).

49-50. **che guidò le penne...**: è variazione di XV 54: *ch'a l'alto volo ti vestì le piume*.

51. **a la risposta...**: anticipò così la mia risposta alla seconda domanda: risposta che, come lei stessa dirà (vv. 58-63), sarebbe stata per lui motivo di immode-

♦ *Questo incoraggiamento mi venne dal secondo lume (cioè dall'apostolo Giacomo); per cui io sollevai lo sguardo verso quegli eccelsi spiriti (a' monti), che prima me lo avevano fatto abbassare (l'incurvaron) con il peso eccessivo (della loro luce). «Dato che il nostro Imperatore, per sua grazia, vuole che prima della tua morte tu venga a confronto (t'affronti), nella sala più appartata, con i grandi della sua corte (conti), così che, dopo aver visto la vera condizione di questa corte celeste, tu fortifichi in te stesso e negli altri, riguardo a ciò (di ciò), la speranza, che laggiù in terra fa innamorare del vero bene (bene innamora), di' che cosa essa è, e in qual misura (come) la tua anima se ne abbellisce ('nfiora), e di dove ti venne». Così proseguì la seconda luce. ♦ E quella creatura pietosa che guidò le penne delle mie ali a un volo così alto (cioè Beatrice), ...*

51 a la risposta così mi prevenne:
    «La Chiesa militante alcun figliuolo
    non ha con più speranza, com'è scritto
54 nel Sol che raggia tutto nostro stuolo:
    però li è conceduto che d'Egitto
    vegna in Ierusalemme per vedere,
57 anzi che 'l militar li sia prescritto.
    Li altri due punti, che non per sapere
    son dimandati, ma perch'ei rapporti
60 quanto questa virtù t'è in piacere,
    a lui lasc'io, ché non li saran forti
    né di iattanza; ed elli a ciò risponda,
63 e la grazia di Dio ciò li comporti».
    Come discente ch'a dottor seconda

stia; *pïa* dunque anche in questo, perché pronta a intervenire in aiuto in ogni situazione di difficoltà.

52-4. La Chiesa militante...: queste parole si levano, con grande forza di commozione, come scandite nel silenzio del cielo. Qui l'esule umanamente sconfitto in ogni sua aspirazione (familiare, politica, letteraria) proclama per bocca di Beatrice la sua incrollabile, ardente speranza – che è speranza in Dio, cioè nel bene – la cui grandezza si misura appunto sulla sua infelicità: la Chiesa che combatte nella storia (*Chiesa militante* erano detti tutti i cristiani viventi nel mondo, *trionfante* i beati del cielo; cfr. V 116-7 e nota; XXII 131) non ha nessun figlio che abbia più speranza di lui.

– **com'è scritto...**: come è scritto in Dio, il sole che tutti ci illumina, e in cui anche tu puoi leggere questa sua condizione. Il verso ribadisce la verità dell'ardita affermazione: ciò è scritto nella stessa mente divina.

55-7. però li è conceduto...: ed ecco l'unico titolo che Dante si riconosce per aver meritato lo straordinario viaggio: perciò, per questa sua immensa speranza, gli è stato concesso di venire dall'esilio terreno (l'*Egitto*) alla patria celeste (*Ierusalemme*) prima che sia posto termine alla sua milizia, cioè alla sua vita mortale.

– **Egitto... Ierusalemme**: i due luoghi cardine della storia degli Ebrei figurano, in tutta l'esegesi biblica e nella tradizione cristiana, la terra dove l'uomo soffre e muore (il luogo dell'esilio) e il cielo (la patria, la terra promessa). Dante presenta questa allegoria nell'*Epistola a Cangrande*, dove illustra il senso allegorico del poema (*Ep.* XIII 21), e su quella fonda la scena di apertura del *Purgatorio* (cfr. *Purg.* II 46-8 e relativa nota). Con questa metafora torna nel verso il motivo profondo dell'esilio (quello che apre il canto), visto ora nell'altra prospettiva, non più terrena, ma ultraterrena.

57. anzi che 'l militar...: il verso riecheggia quello dell'attacco del canto precedente (XXIV 6), ripetendo lo stesso verbo (*prescrivere*, fissare un termine), quasi a sottolineare la rottura di una ferrea legge: il fati-

coso vivere e combattere nell'esilio si è improvvisamente interrotto con l'*alto volo* nella patria.

58. Li altri due punti: cioè l'essenza della speranza e di dove essa sia nata in lui.

58-60. che non per sapere...: che non gli sono stati chiesti da te allo scopo di sapere veramente che cosa egli pensa (perché tu già lo leggi in Dio), ma solo perché egli riferisca in terra – avendola così celebrata al tuo cospetto – quanto tu ami questa virtù (*t'è in piacere*: ti piace); e quindi *conforti* gli altri e se stesso a esercitarla (vv. 43-5).

61-2. a lui lasc'io...: li lascio a lui, perché non saranno per lui né difficili a dire, né motivo di vanagloria (come questo secondo punto sarebbe stato).

– **iattanza**: presunzione, vanto. «... secondo la malizia dell'anima, tre orribili infermitadi nella mente delli uomini ho vedute. L'una è di naturale jattanza causata: ché sono molti tanto presuntuosi, che si credono tutto sapere...» (*Conv.* IV, xv 12).

63. li comporti: gli consenta di farlo.

64. Come discente...: come uno scolaro che risponde (*seconda*: tien dietro, con la risposta; cfr. I 34 e *Purg.* XXIX 91) alla domanda del maestro...

■

... anticipò così la mia risposta: «La Chiesa che combatte nella storia (Chiesa militante) non ha nessun figlio che abbia più speranza di lui, come è scritto nel Sole che illumina tutta la nostra schiera (cioè in Dio): perciò gli è stato concesso di venire dall'esilio terreno (l'Egitto) alla patria celeste (Jerusalemme) prima che sia posto termine alla sua milizia (cioè alla sua vita mortale). ◆ *Gli altri due punti, che non gli sono stati chiesti allo scopo di sapere (che cosa egli pensi), ma solo perché egli riferisca in terra quanto tu ami (t'è in piacere) questa virtù, ed egli risponda dunque, e la grazia di Dio gli consenta di farlo».* ◆ *Come uno scolaro che risponde (seconda) alla domanda del maestro, ...*

pronto e libente in quel ch'elli è esperto,

66   perché la sua bontà si disasconda,

«Spene», diss'io, «è uno attender certo

de la gloria futura, il qual produce

69   grazia divina e precedente merto.

Da molte stelle mi vien questa luce;

ma quei la distillò nel mio cor pria

72   che fu sommo cantor del sommo duce.

'Sperino in te', ne la sua tëodia

dice, 'color che sanno il nome tuo':

75   e chi nol sa, s'elli ha la fede mia?

Tu mi stillasti, con lo stillar suo,

ne la pistola poi; sì ch'io son pieno,

---

65. pronto e libente...: «sollecito e volenteroso» (Buti) in quegli argomenti in cui è ben preparato (e in questo argomento Dante era ben *esperto*!). – *discente*, *dottor*, *libente* sono tutti latinismi portati dalla similitudine ambientata nella scuola, che riprende quella del baccelliere usata nel canto precedente, ma in forma più leggera e rapida.

66. perché la sua bontà...: affinché si riveli (*si disasconda*: venga allo scoperto) la sua bravura (*bontà* nel senso di «valore», come a II 148; XIX 128 ecc.).

67-9. «Spene», diss'io...: la speranza è aspettazione certa (cioè non toccata da dubbio) della futura beatitudine, che è prodotta nel nostro animo dalla grazia divina e dai nostri precedenti meriti. La definizione traduce alla lettera anche questa volta un testo canonico, le *Sentenze* di Pietro Lombardo, il manuale di teologia usato in tutte le scuole: «La speranza è infatti aspettazione certa della futura beatitudine, derivata dalla grazia di Dio e dai meriti acquisiti ("praecedentibus")» (*Sent.* III, XXVI 1). Si veda come anche qui il testo latino passi con assoluta naturalezza nell'endecasillabo dantesco, questa volta addirittura nella misura perfetta di una terzina.

– **il qual**: è compl. ogg. di *produce*, del quale sono soggetti *grazia* e *merto*.

– **grazia divina e precedente merto**: le tre virtù teologali sono tutte donate dalla grazia divina, in quanto non sono proprie dell'uomo per natura (come lo sono quelle morali); ma tale dono è attuabile solo in virtù dei meriti acquisiti dall'individuo (questo significa *precedente*: l'uomo non può di fatto sperare la gloria eterna se non sa di avere compiuto il bene: cfr. *S.T.* II^a II^{ae}, q. 17 a. 1, *ad* 2). Il concorrere della grazia col merito è più volte sottolineato dal poeta nel *Paradiso*: cfr. XIV 41-2; XXVIII 112-3; XXIX 62.

70. Da molte stelle...: le *stelle* sono i testi della Scrittura e anche dei padri e dottori della Chiesa (qui s'intende di quelli che celebrano la speranza): «I sapienti risplenderanno come lo splendore del firmamento, e quelli che avranno reso giusti molti uomini come le stelle nell'eternità, per sempre» (*Dan.* 12, 3). La metafora della luce si scambia con quella della pioggia (l'una e l'altra discendenti dal cielo), usata per la fede a XXIV 91 sgg. Il verbo che segue – *distillò* – ritorna infatti dall'una all'altra, in quanto può dirsi della luce solo per traslato dall'acqua.

71-2. ma quei la distillò...: ma per primo la infuse nell'animo mio il sommo cantore di Dio: David, il re biblico autore dei *Salmi* – il più grande libro di poesia dell'*Antico Testamento* e uno dei più grandi della letteratura universale –, è così ricordato da Dante anche a XX 38 (*il cantor de lo Spirito Santo*; cfr. la nota relativa).

73-4. 'Sperino in te'...: «Sperino in te quanti conoscono il tuo nome» (*Ps.* 9, 11); così dice David nel suo canto in lode di Dio (*tëodia* è voce formata da «theós», dio, e «odé», canto, parole greche ben note per i molti derivati latini come teologia, salmodia ecc.). Il versetto biblico riafferma il nascere della speranza dalla fede, già dichiarato a XXIV 73-4. – *sanno il nome tuo* significa infatti «ti conoscono come Dio», per fede.

75. e chi nol sa...: il verso prorompe con l'impeto del linguaggio familiare che spezza lo stile aulico e scolastico fin qui tenuto. L'intensità del sentire sopraffà la compostezza del *discente* che risponde al maestro. È superfluo chiedere a me della speranza – sembra di-

---

... sollecito e volenteroso in quegli argomenti in cui è ben preparato (esperto), affinché si riveli (si disasconda) la sua bravura, «La speranza», dissi io, «un'aspettazione certa della futura gloria, che è prodotta dalla grazia divina e dai meriti da noi prima acquisiti (precedente). Da molti santi autori (stelle) mi proviene questa luce; ma per primo la infuse nel mio cuore colui che fu il sommo cantore (David) del sommo imperatore (cioè di Dio). ◆ *Nel suo canto di lode (teodia) egli dice "Sperino in te coloro che conoscono il tuo nome": e chi non lo conosce, se ha la stessa mia fede? Insieme al suo influsso (con lo stillar suo) tu stesso infondesti poi in me (la speranza) con la tua Epistola; cosicché io ne sono ricolmo, ...*

78   e in altrui vostra pioggia repluo».

     Mentr'io diceva, dentro al vivo seno
     di quello incendio tremolava un lampo
81   sùbito e spesso a guisa di baleno.

     Indi spirò: «L'amore ond'ïo avvampo
     ancor ver' la virtù che mi seguette
84   infin la palma e a l'uscir del campo,

     vuol ch'io respiri a te che ti dilette
     di lei; ed emmi a grato che tu diche
87   quello che la speranza ti 'mpromette».

     E io: «Le nove e le scritture antiche
     pongon lo segno, ed esso lo mi addita,
90   de l'anime che Dio s'ha fatte amiche.

re l'interrogato – a me che ho una fede così incrollabile e assoluta.

76-7. Tu mi stillasti...: insieme all'influsso esercitato da David (*con lo stillar suo*), anche tu infondesti poi
in me la speranza con la tua *Epistola*. Due fonti dunque, una dell'*Antico* e una del *Nuovo Testamento*. Nel-
l'*Epistola* di Giacomo, anche se la speranza non è esplicitamente trattata, molti luoghi tendono a suscitarla
nei cuori dei fedeli, parlando del premio che Dio dà
a chi soffre con pazienza confidando in lui (cfr. *Iac.*
1, 12 e 5, 7-8).

77-8. sì ch'io son pieno...: la metafora dell'acqua riprende il sopravvento su quella della luce: il mio cuore è pieno di questa virtù da voi così abbondantemente
riversata su di me, tanto che esso trabocca, e io la faccio ricadere, come pioggia, sugli altri (*repluo*, ripiovo,
latinismo puro). Questa benefica pioggia, che trabocca
dal cuore di Dante sugli uomini, è il suo poema, a cui
affidava il compito di ispirare negli altri quella fede e
quella speranza di cui egli viveva. Pioggia di cui, dopo sette secoli, ancora noi beneficiamo.

79. dentro al vivo seno: nell'interno di quel fuoco
dove viveva l'apostolo; *seno* vale «grembo».

80-1. tremolava un lampo...: brillava una luce con
lampeggiamenti improvvisi e frequenti, come un balenare: l'immagine esprime l'intensa gioia dell'apostolo
che ascolta quelle parole, quasi annuendo, con quel
battito di luce, all'appassionato dire di Dante. Nei beati del *Paradiso* la luce trasmette infatti quella che è l'e-
spressione del loro volto (cfr. V 124-6).

82. spirò: disse; è il verbo già usato per Pietro nel
canto XXIV (v. 54; cfr. inoltre la nota al v. 32).

82-4. ond'ïo avvampo...: del quale ancora io sono
acceso verso quella virtù che mi accompagnò fino al
martirio (la *palma*, corona dei martiri) e al momento
in cui lasciai la milizia terrena.

– ancor: la speranza non c'è più nel cielo, dove si è
raggiunto il suo oggetto, ma resta nell'apostolo l'amore
e la gratitudine per la virtù che lo ha sostenuto nella
sua battaglia in terra, fino ad affrontare serenamente
il martirio.

85. ch'io respiri: che io parli di nuovo (cfr. *spirò* al
v. 82).

85-6. che ti dilette / di lei: che tanto dimostri di
amarla.

86-7. emmi a grato...: mi è gradito (cfr. XXI 22), desidero, che tu ora dica qual è l'oggetto della tua speranza, quella promessa in cui tu confidi.

88-90. Le nove e... antiche...: il *Nuovo Testamento*
e l'*Antico* (cioè tutta la Scrittura concorde; cfr. XXIV
93: *le vecchie* e *le nuove cuoia*) stabiliscono il segno di
riconoscimento delle anime beate, ed esso mi indica,
mi dichiara (*mi addita*) ciò che tu mi chiedi (*lo*), cioè
quello che la speranza mi promette.

– lo segno: la maggior parte dei commentatori intende *segno* come «meta, termine a cui giungere», che
sarebbe in questo caso la beatitudine eterna. Ma le due
citazioni che seguono, da Isaia e Giovanni, indicano
un'altra cosa: la *doppia vesta* e le *bianche stole* che con-
traddistinguono i beati del cielo e ne significano, come si vedrà, la doppia gloria di anima e corpo a loro
destinata. Inoltre l'espressione *l'anime che Dio s'ha fatte amiche* meglio conviene (dato il tempo del verbo)
a quelle già beate, che a quelle ancora in terra.

... e la faccio ricadere come pioggia (repluo) sugli altri».
◆ *Mentre parlavo, nel grembo vivo di quel fuoco brillava
una luce lampeggiante, in modo improvviso e frequente
(sùbito e spesso), come un balenare. Poi disse: «L'amore
del quale ancora io ardo (avvampo) verso quella virtù che
mi accompagnò fino al martirio (palma) e al momento in
cui lasciai il campo di battaglia (cioè la vita), vuole che io
parli di nuovo (respiri) a te che tanto ti compiaci di lei; e
mi è gradito che tu dica che cosa la tua speranza ti promette di ottenere».* ◆ *E io dissi: «Il Nuovo Testamento e
l'Antico stabiliscono il segno di riconoscimento delle anime che Dio ha reso beate, ed esso mi indica (mi addita)
ciò che tu mi chiedi.*

Dice Isaia che ciascuna vestita
ne la sua terra fia di doppia vesta:
93   e la sua terra è questa dolce vita;
    e 'l tuo fratello assai vie più digesta,
là dove tratta de le bianche stole,
96   questa revelazion ci manifesta».
    E prima, appresso al fin d'este parole,
'*Sperent in te*' di sopr'a noi s'udì;
99   a che rispuoser tutte le carole.
    Poscia tra esse un lume si schiarì
sì che, se 'l Cancro avesse un tal cristallo,
102   l'inverno avrebbe un mese d'un sol dì.
    E come surge e va ed entra in ballo

91-3. Dice Isaia...: così scrive Isaia (61, 7): «possiederanno il doppio nel loro paese», intendendo che gli Ebrei tornati in patria dall'esilio avrebbero riavuto il doppio di quel che avevano perduto. L'espressione «il doppio» fu intesa dai padri come riferita alla doppia gloria, di anima e corpo, destinata all'uomo nel paradiso (*la sua terra*, cioè la patria dove sarebbe giunto dall'esilio terreno), simboleggiata dalle *stole* di cui parla l'*Apocalisse*. A questa tradizione interpretativa, ampiamente testimoniata, si ricollega Dante, come appare dalla citazione dell'*Apocalisse* nella terzina seguente e dai vv. 127-9.

94-6. e 'l tuo fratello...: e l'apostolo Giovanni (fratello di Giacomo, a cui Dante parla) rende anche più chiara questa rivelazione là dove ci parla delle *bianche stole*, cioè nell'*Apocalisse*, dove descrive la moltitudine dei beati avvolti in bianche vesti: «vidi una moltitudine immensa... di ogni nazione, razza, popolo e lingua, che stava in piedi davanti al trono e davanti all'Agnello, *avvolti in vesti candide* ("stolas albas")...» (7, 9). E si veda anche la citazione riportata in nota ai vv. 124-6.

– **digesta**: letteralmente «digerita» (cfr. XVII 132). L'accenno di Isaia («duplicia») è dunque spiegato – come intesero i padri della Chiesa – dal testo di Giovanni. Le *bianche stole* sono i corpi gloriosi che rivestono l'anima, così che l'uomo avrà *doppia vesta*, come Isaia aveva detto sinteticamente.

97. prima: è correlativo al *Poscia* del v. 100.

98. 'Sperent in te': è il versetto del *Salmo* 9 citato da Dante ai vv. 73-4, che ora viene intonato dall'alto, quasi rispondendo con una conferma alle sue parole, e poi cantato per intero da tutti i beati del cielo.

– **s'udì**: fu udito; la forma passiva lascia indeterminato il soggetto che intona il salmo. Questo canto, che chiude solennemente l'esame sulla speranza, corrisponde alla incoronazione di Dante fatta da Pietro al termine dell'esame sulla fede.

100. tra esse...: tra quelle *carole*, corone danzanti in cerchio, un lume si accese di maggior luce (*si schiarì*: si fece più chiaro, cioè più luminoso).

101-2. sì che, se 'l Cancro...: si schiarì tanto che, se la costellazione del Cancro avesse una stella (*cristallo*) di tale luce, nell'inverno ci sarebbe un mese in cui non sarebbe mai notte. Nel mese in cui il sole si trova nel Capricorno (dal 21 dicembre al 21 gennaio), che nello Zodiaco è in posizione diametralmente opposta al Cancro, quando il sole tramonta il Cancro sorge sull'orizzonte e viceversa. Se il Cancro avesse dunque una stella come quella che ora si è presentata, essa illuminerebbe la notte come un secondo sole, e per tutto quel mese vi sarebbe quindi sulla terra sempre luce come di giorno. Come all'apertura del canto XIII, Dante immagina una situazione astronomica irreale per offrire una similitudine (il lume di quel beato brillava come un sole) che appare faticosa nella struttura e, nella sua astrazione, difficilmente comprensibile. Tuttavia, una volta afferrato il senso dell'immagine proposta, quella stella che illumina la notte a giorno come un altro sole rivela una singolare forza fantastica che ricrea, facendola concreta, la comunissima immagine di una luce forte come il sole.

103-5. E come surge...: e come si leva in piedi, si fa avanti ed entra nella danza una fanciulla, lietamente, solo per rendere onore alla novella sposa, non per qualche sentimento colpevole (come vanità o immodestia)...

Dice Isaia che ciascuna di esse nella sua patria (terra) sarà rivestita di una duplice veste: e la sua patria è questa dolce vita (del paradiso); e tuo fratello (cioè l'apostolo Giovanni) rende anche più chiara (digesta) questa rivelazione, là dove parla delle bianche vesti». ◆ *E dopo che furono terminate queste parole, prima fu udito cantare sopra di noi "Sperino in te"; e a questo canto risposero tutte le corone danzanti (carole). Poi tra di loro un lume si fece più chiaro, tanto che, se la costellazione del Cancro avesse una stella (cristallo) di tale luce, l'inverno avrebbe un mese in cui sarebbe sempre giorno. E come si alza in piedi, si fa avanti ed entra nella danza ...*

vergine lieta, sol per fare onore

105   a la novizia, non per alcun fallo,

così vid'io lo schiarato splendore

venire a' due che si volgieno a nota

108   qual conveniesi al loro ardente amore.

Misesi lì nel canto e ne la rota;

e la mia donna in lor tenea l'aspetto,

111   pur come sposa tacita e immota.

«Questi è colui che giacque sopra 'l petto

del nostro pellicano, e questi fue

114   di su la croce al grande officio eletto».

La donna mia così; né però piùe

mosser la vista sua di stare attenta

Il leggero movimento del primo verso – con i suoi tre tempi successivi – e le delicate sottolineature degli altri due – la letizia e l'innocenza di quell'atto – creano una figura di grazia e pudore che sembra superare quella delle altre fanciulle, sorelle di questa, da Dante già delineate nell'atto della danza (si veda *Purg.* XXVIII 52-4 e XXIX 121-9).

106-8. così vid'io...: allo stesso modo io vidi il lume che si era così ravvivato (*schiarato*) avvicinarsi e unirsi agli altri due (i due apostoli già vicini a Dante) che danzavano in cerchio al ritmo del loro canto, un canto tale quale conveniva, cioè corrispondeva, al loro amore. Luci, canti e danze sono le forme di espressione dei sentimenti dei beati danteschi, tanto più ardenti, o melodiosi, o veloci, quanto più alto è il loro grado di amore (cfr. XXIV 10-2).

– a nota: accordando il movimento alla melodia; cfr. VII 4 e XVIII 79.

109. Misesi lì...: il nuovo spirito si immise, si introdusse con lo stesso ritmo, nel loro canto e nella loro danza (cfr. XII 6: *e moto a moto e canto a canto colse*).

111. pur come sposa...: l'atto di Beatrice completa il quadro della fanciulla che entra nella danza per onorare la sposa: essa guarda i tre apostoli danzanti, composta e silenziosa come sta la sposa durante la festa (il comportamento conveniente alla sposa è così descritto in un poemetto didattico del tempo di Dante, il *Reggimento e costumi di donna* di Francesco da Barberino, V 12). La scena ricorda quella di *Purg.* XXXI 130-2, dove le tre virtù teologali danzano davanti a Beatrice: qui non più le tre donne allegoriche, ma gli apostoli che le simboleggiano.

112-4. Questi è colui che giacque...: l'apostolo che nell'ultima cena riposò sul petto di Gesù, e che fu da lui scelto dall'alto della croce al grande compito di custodire Maria come sua madre. Giovanni è definito, come già Pietro, da due episodi del Vangelo che riconoscono, come i primi a Pietro l'eccellenza nella fede, così questi a lui quella nell'amore. Anche questa volta le scene di quel lontano tempo in Palestina si fan-

no presenti nell'alto del cielo, ricordando che solo sul gesto compiuto nel tempo si fonda la vita dell'eternità.

– sopra 'l petto: «Ora uno dei discepoli, quello che Gesù amava, era appoggiato sul petto di Gesù» (*Io.* 13, 23; cfr. inoltre 21, 20).

113. pellicano: il pellicano era considerato figura di Gesù, per il costume che la leggenda attribuiva a questo uccello di risuscitare i suoi piccoli morti col sangue del proprio petto. Tale interpretazione simbolica era fondata su un versetto dei *Salmi*: «Sono simile al pellicano del deserto» (101, 7), inteso come se il salmista parlasse profeticamente in persona di Cristo.

114. di su la croce: «Gesù allora, vedendo la madre e lì accanto a lei il discepolo che egli amava, disse a sua madre: "Donna, ecco tuo figlio". Poi disse al discepolo: "Ecco tua madre". E da quel momento il discepolo la prese nella sua casa» (*Io.* 19, 26-7).

115-7. né però piùe...: la sintetica frase va così ordinata: né tuttavia le sue parole distolsero il suo sguardo dallo stare attento ai tre apostoli più di quanto fosse distolto prima che ella parlasse; vale a dire che dopo che ebbe cominciato a parlare, e dopo aver parlato, essa non fu meno profondamente attenta di prima nel contemplarli. La fissità con cui Beatrice guarda i tre apostoli (le tre virtù) vuole probabilmente si-

---

... una fanciulla, lietamente, solo per rendere onore alla novella sposa (novizia), non per qualche sentimento riprovevole (fallo), allo stesso modo io vidi il lume che si era così ravvivato (schiarato) avvicinarsi agli altri due che giravano al ritmo del loro canto (a nota), tale che corrispondeva al loro ardente amore. ◆ Si introdusse nel loro canto e nella loro danza; e la mia donna teneva lo sguardo rivolto verso di loro, come una sposa silenziosa e immobile. «Questo è colui che riposò sul petto del nostro pellicano (Gesù), e che fu da lui scelto dall'alto della croce per il grande compito». Così disse la mia donna; né tuttavia le sue parole distolsero il suo sguardo dallo stare attento (ai tre apostoli) ...

117   poscia che prima le parole sue.
       Qual è colui ch'adocchia e s'argomenta
       di vedere eclissar lo sole un poco,
120   che, per veder, non vedente diventa;
       tal mi fec'ïo a quell'ultimo foco
       mentre che detto fu: «Perché t'abbagli
123   per veder cosa che qui non ha loco?
       In terra è terra il mio corpo, e saragli
       tanto con li altri, che 'l numero nostro
126   con l'etterno proposito s'agguagli.
       Con le due stole nel beato chiostro
       son le due luci sole che saliro;
129   e questo apporterai nel mondo vostro».

gnificare lo stretto rapporto (quasi un legame matri-moniale) che lega la sapienza delle cose divine con le tre virtù teologali nella vita del credente (cfr. *Purg.* XXXI 109-11 e note).

118-21. **Qual è colui...**: come uno che aguzza lo sguardo (*adocchia*; cfr. *Inf.* XV 22) e si sforza (*s'argomenta*; cfr. *Inf.* XXII 21) di vedere un'eclissi parziale di sole e, per cercar di vedere, diventa cieco (restando abbagliato), così divenni io nel tentare di guardare quel lume che era apparso per ultimo.

– **per veder...**: non appena Dante comprende, dalle parole di Beatrice, di aver davanti l'apostolo Giovanni, tenta di guardare attraverso la fiamma pensando, come si capirà dalle parole che seguono, di poterne scorgere il corpo, che una credenza popolare, nata da una frase di Gesù, riteneva non morto, ma assunto in cielo, come è detto nel Vangelo (*Io.* 21, 21-3). Anche Giotto, negli affreschi di Santa Croce in Firenze, raffigura l'evangelista mentre è assunto in cielo subito dopo la morte. Dante si finge qui partecipe di questa credenza (come molti dei semplici fedeli che il suo personaggio rappresenta) per poterla decisamente con-

dannare, con l'autorità di chi ha visto con i suoi occhi: io sono stato in paradiso, egli dice, e ho visto che Giovanni non aveva il corpo, come si crede. Se si pensa che a quel tempo lo stesso san Tommaso riteneva la cosa non impossibile, tanto più significativa appare la presa di posizione di Dante. Si veda la nota ai vv. 127-8.

122. **mentre che...**: finché mi fu detto; dall'apostolo stesso, come le parole seguenti dichiarano.

122-3. **Perché t'abbagli...**: perché ti fai così abbagliare, per vedere una cosa che non è qui?

124. **In terra è terra...**: il mio corpo è terra nella terra. Con accento simile a quello di Virgilio in *Purg.* III 25-6, Giovanni ricorda il suo corpo sepolto in terra, rimpianto comune ai personaggi dell'aldilà dantesco (si ricordi Manfredi in *Purg.* III 127-32). Il desiderio dei beati di riprendere il proprio corpo, già espresso a XIV 61-3, risale al testo dell'*Apocalisse* che i versi seguenti sembrano citare.

124-6. **e saragli...**: e là resterà insieme a tutti gli altri, fino a che (*tanto... che*) il numero di noi beati diventi pari a quello fissato dall'eterno decreto divino (cioè fino alla fine dei tempi). Così è detto nell'*Apocalisse*: «venne data a ciascuno di essi una veste candida ("stolae albae"), e fu detto loro di pazientare ancora un poco, finché fosse completo il numero dei loro compagni di servizio e dei loro fratelli» (6, 11).

– **'l numero...**: si riteneva da alcuni autori cristiani che il numero dei beati dovesse pareggiare quello degli angeli ribelli cacciati dal paradiso, in modo da creare come un decimo coro angelico (opinione seguita da Dante in *Conv.* II, V 12).

127-8. **Con le due stole...**: con l'anima e il corpo (la *doppia vesta* del v. 92) nel paradiso (*chiostro*: cfr. *Purg.* XV 57 e XXVI 128) sono soltanto le due luci che poco fa sono salite da qui verso l'alto, verso l'Empireo, cioè Cristo e la Vergine Maria (cfr. XXIII 85-7 e 118-20). Con queste decise parole Dante non solo respinge la credenza popolare che riguardava l'assunzione di Giovanni (e altre simili che circolavano allora sull'assunzione dei profeti Enoch e Elia), ma afferma con au-

---

... più di quanto fosse distolto prima (che ella parlasse). ◆ *Come uno che aguzza lo sguardo (adocchia) e si sforza (s'argomenta) di vedere un'eclissi parziale di sole e, per cercar di vedere, diventa non vedente; così divenni io di fronte al lume apparso per ultimo, finché mi fu detto: «Perché ti fai così abbagliare, per vedere una cosa che qui non c'è? Il mio corpo è terra nella terra, e là resterà insieme a tutti gli altri, fino a che (tanto che) il numero di noi beati diventi pari (s'agguagli) a quello fissato dall'eterno decreto divino (cioè fino alla fine dei tempi). Con le due vesti (l'anima e il corpo) nel beato chiostro (cioè in paradiso) si trovano soltanto le due luci che poco fa sono salite verso l'alto (Cristo e la Vergine Maria); e questo riferirai nel vostro mondo».*

> A questa voce l'infiammato giro
> si quïetò con esso il dolce mischio
> 132   che si facea nel suon del trino spiro,
> sì come, per cessar fatica o rischio,
> li remi, pria ne l'acqua ripercossi,
> 135   tutti si posano al sonar d'un fischio.
> Ahi quanto ne la mente mi commossi,
> quando mi volsi per veder Beatrice,
> per non poter veder, benché io fossi
> 139   presso di lei, e nel mondo felice!

torità quella di Maria, distinguendo nettamente il suo caso dagli altri, mentre ancora san Tommaso li poneva sullo stesso piano di «possibilità». Egli segue qui la dottrina sostenuta dalla scuola francescana, di cui il massimo rappresentante era stato san Bonaventura. L'assunzione di Maria in cielo – da sempre creduta dal popolo cristiano – è stata proclamata dogma dalla Chiesa cattolica soltanto nel 1950.

130. **l'infiammato giro**: l'infuocato cerchio danzante dei tre apostoli.

131-2. **si quïetò...**: si fermò insieme al dolce accordo polifonico che si formava nel canto delle loro tre voci (il *trino spiro*). – *mischio*, mescolanza, indica la diversità armoniosa propria del canto a più voci, detto *dolce* come sempre nel poema.

133-5. **sì come, per cessar...**: come si fermano tutti insieme i remi al fischio del timoniere, allo scopo di evitare o la troppa fatica, o un improvviso rischio per la nave. Il paragone vuole significare la simultaneità repentina con cui le tre voci tacquero, insieme al cessare della danza, all'ultima parola detta da Giovanni (così i remi si arrestano, tacendo insieme il suono dell'acqua da essi percossa). La scena sembra riecheggiare – con vivaci varianti – un passo di Stazio: «Così quando una lunga navigazione ha fiaccato i marinai che mai non hanno potuto arrestarsi, e viene dato finalmente dalla poppa un segnale, subito lasciano cadere le braccia...» (*Theb.* VI 799-801). Per quanto perfetto nella rispondenza dei termini, il paragone non sembra tuttavia bene convenire al tacito fermarsi dei tre grandi apostoli dopo le solenni parole del terzo di loro.

136-9. **Ahi quanto ne la mente...**: come profondamente mi turbai, quando mi rivolsi a guardare Beatrice, per non poterla vedere, benché le fossi vicino, e nel regno della felicità! Il primo *per* è finale, il secondo è causale, dipendente da *mi commossi*.

138-9. **benché io fossi...**: la maggior parte dei commentatori intende questa proposizione concessiva come dipendente da *non poter veder*, e spiegano: nonostante che fossi in cielo, e quindi avessi la facoltà visiva esaltata, come tutte le altre. Noi crediamo inve-

ce che il *benché* dipenda da *mi commossi*, verbo su cui si fonda tutta la terzina: a non poter vedere Beatrice io fui fortemente turbato nonostante che le fossi vicino, e in paradiso. Non gli bastava l'esserle accanto, e in cielo, se non poteva vederla! Soltanto così prende vero senso quel *mi commossi*, e la vista del volto umano acquista tutto il suo valore. La chiusa risponde di fatto alla sequenza che precede (e a quella speranza della *doppia vesta* che tutto il canto celebra): come prima egli ha tentato invano di vedere il volto di Giovanni, così egli cerca ora conforto nell'unico volto a lui visibile lassù, e il non poterlo scorgere offusca la stessa felicità del paradiso.

◆ A queste parole l'infuocato cerchio danzante si fermò insieme al dolce accordo (*mìschio*) che si formava nel canto delle tre voci, così come, per evitare o la troppa fatica o un rischio (per la nave), si fermano tutti insieme i remi che prima erano battuti ritmicamente nell'acqua, al fischio del timoniere. Ahi come fui turbato nel profondo dell'animo, quando mi rivolsi a guardare Beatrice, per non poterla vedere, benché le fossi vicino, e nel regno della felicità!

approfondimenti

SUGGERIMENTI PER LA RICERCA

Temi del canto

E cielo e terra

Nei versi di apertura si intrecciano le tonalità su cui si modula il racconto dantesco: la nostalgia dolente dell'esule, la coscienza dell'alto destino e la certezza del fine. Rileggi *Purg.* VIII 1-6, *Par.* I 1-36, e XVII 106-142 ricercando ciò che accomuna quei famosi passi con i versi in esame; quindi, dopo aver ripreso i vv. 52-57 e 77-78 con le relative note, traccia un ritratto di questo Dante degli ultimi anni, campione della speranza.

La speranza, «uno attender certo»

La speranza costituisce il filo rosso dei canti del cielo Stellato: dopo aver annotato i passi in cui se ne fa menzione (la similitudine di apertura del canto XXIII 1-15; XXIV 64; XXVI 60; XXVII 61-63) e aver riletto l'Introduzione al canto, spiega perché le sia attribuito questo ruolo di primo piano. Per una interpretazione complessiva del motivo della speranza nella *Commedia* e, in particolare, nei canti XXIII-XXVII, puoi leggere il saggio di A. M. Chiavacci citato tra le *Letture consigliate*.

Il pellicano

Nella tradizione cristiana il pellicano è simbolo di Cristo: spiegane l'origine e il significato, partendo dalla nota al v. 113 e consultando la voce relativa del *Dizionario enciclopedico del Medioevo*, III, p. 1436, a cura di P. Kerbarat, o nella enciclopedia «Garzantina» *Simboli* (Milano 1999, p. 384) quindi ricerca la raffigurazione del pellicano come figura di Cristo nelle immagini dell'arte medievale a tua disposizione.

Personaggi del canto

Giacomo

Ricostruisci la vita dell'apostolo attraverso la lettura di alcuni brani del *Vangelo* (*Mt.* 4, 21-22: l'incontro con Gesù; *Lc.* 8, 40-56; *Mt.* 17, 1-9; *Mt.* 26, 36-46: i tre episodi in cui Gesù prende con sé solo Pietro, Giacomo e Giovanni) e consultando la voce relativa, a cura di G. Sarolli, in *Enciclopedia Dantesca* III, pp. 147-149. Completa il lavoro con una ricerca sul pellegrinaggio a Santiago di Compostela, a partire dalla nota al v. 17 e dalla lettura del passo della *Vita Nuova* XL, 7 che ne testimonia l'importanza. In proposito puoi leggere nel *Dizionario enciclopedico del Medioevo* la voce *Pellegrino. Pellegrinaggio*, a cura di P. A. Sigal (vol. III, pp. 1434-1435), e alla voce *Compostela*, il paragrafo *Il culto di san Giacomo e i pellegrinaggi*, a cura di M. C. Buschi (vol. I, pp. 443-445).

Lingua e stile

altrui – v. 45

Cerca sul *Dizionario* di lingua italiana il significato di *altrui* come aggettivo e come pronome. Distingui poi, nei seguenti passi, i casi in cui il termine abbia valore generico e impersonale da quando serva ad indicare una persona ben precisa: *Inf.* XVI 80; XXI 84; XXVI 141; *Purg.* I 133; X 89; XVI 62; *Par.* XVII 59; XXXI 50. Per una più completa analisi riguardo al doppio uso del pronome *altri* leggi la nota linguistica a *Inf.* XXII 63, e consulta infine quanto osservato a riguardo dal Serianni in *Grammatica Italiana*, cap. VII.173-174.

digesta – v. 94

Individua, utilizzando le *Concordanze*, i luoghi della *Commedia* in cui compaia il participio *digesto*, e annotane l'etimologia e i diversi usi figurati; riconduci quindi al corretto significato il termine nel seguente passo di *Decameron* IV x 23 «Ruggieri... già aveva digesto il beveraggio». Annota infine, consultando un *Dizionario* della lingua italiana, il significato di *digesto* nel diritto romano.

CANTO XXVI

Introduzione

È questo il canto che celebra la terza e massima delle virtù teologali, la carità. Diversamente dagli altri due, esso ospita, oltre alla consueta sequenza dialogata fra Dante e l'apostolo interrogante, un secondo inaspettato incontro, con il quale si conclude la parte attiva di Dante personaggio sulla scena del cielo ottavo. Il rapporto tematico fra le due diverse sequenze si fonda, come cercheremo di indicare, sulla figura di Dante – uomo e poeta – in funzione della investitura che gli sarà conferita nel prossimo canto.

Ma il canto appare diverso anche per un altro aspetto: al dialogo che vi si svolge – che pur segue il modello dei due precedenti – Dante ha dato un taglio particolare, sottolineando così l'altezza sublime della virtù dalla quale si definisce Dio stesso, secondo le parole dell'apostolo che qui pone le sue domande («Dio è carità»: 1 *Io*. 4, 8 e 16). Per tutta la durata di esso, egli si rappresenta infatti accecato dalla potente luce emanata da Giovanni, che lo abbagliò come per nessun altro spirito è finora accaduto. Alla persona stessa dell'apostolo è poi dato un singolare risalto – oltre che nell'ampio spazio a lui dedicato nella presentazione del canto precedente – nello stesso modo con il quale è definito (*l'aguglia di Cristo*), o i suoi scritti sono ricordati (*l'alto preconio che grida l'arcano / di qui là giù sovra ogne altro bando*).

Il senso di quell'accecamento è di valore apertamente mistico, in quanto l'apostolo, figurando la carità, è figura di Dio stesso. Ed esso sembra di fatto anticipare il momento del diretto incontro con la luce divina che si compirà nell'ultimo canto, nel quale ritorneranno gli stessi termini qui usati (*la vista che haï in me* consunta: v. 5 – *tanto che la veduta vi* consunsi: XXXIII, v. 84). A quel verbo così forte – *consumare* – risponde il *disonna* che segna il risveglio della vista (*E come a lume acuto si disonna*: v. 70), verbo anche questo corrispondente a quello usato per la visione dell'Empireo: *Ma perché 'l tempo fugge che t'assonna...* (XXXII, v. 139).

Ma a questo evento Dante attribuisce qui un secondo significato, rivelato, in forma di allusione, dalle parole di Giovanni: il suo accecamento somiglia a quello di Paolo al momento del suo incontro con Cristo sulla via di Damasco, risanato da Anania come qui Dante – dice l'apostolo – lo sarà da Beatrice (vv. 10-2; 76-8). Con questi versi dunque il poeta risponde, per la seconda volta (la prima è all'apertura della cantica, a I 73-5, come si osservò nel commento), alla dubbiosa frase di *Inf*. II 32, quando ancora esitava a entrare nel difficile cammino: *Io non Enëa, io non Paulo sono...* Alla fine del *Paradiso*, in questo cielo dove si compie la parabola del suo destino umano, Dante si riconosce portatore di una missione simile a quella di Paolo, di «recare conforto alla fede» (cfr. *Inf*. II 29) nel mondo cristiano traviato e corrotto.

Tra questi due eventi – abbagliamento e risveglio –, il primo espresso dal verso con timoroso sgomento (*Mentr'io dubbiava per lo viso spento...*), il secondo con vittoriosa esultanza (*così de li occhi miei ogne quisquilia / fugò Beatrice col raggio d'i suoi...*), si svolge la sequenza del dialogo sulla carità, che è condotto anch'esso in forma diversa da quelli sulle altre due virtù. Essa consta essenzialmente di due parti: nella prima si danno le motivazioni offerte dalla ragione (i *filosofici argomenti*) e si ricordano le autorità scritturali che portano a questa virtù (definita dal suo oggetto, cioè come amore di Dio). In questa trattazione non si esce dalla forma ragionativa e scolastica, che appaga cioè l'intelletto. Ma la seconda parte ha una ben diversa qualificazione. Giovanni, udito il perfetto sillogismo esposto da Dante per motivare l'amore dell'uomo verso Dio, sommo bene, e le autorità scritturali da lui citate a sostegno, chiede infatti qualcosa di più. Le ragioni che può offrire l'intelletto, e la stessa parola dei testi sacri, sono state dette. Ma non è questo infine che muove il cuore dell'uomo, o meglio, per usare le parole di Dante, che può *far lo cor volgere a Dio*.

Qui appare tutta la forza inventiva di questo testo, che trasforma in battute di dialogo ciò che l'autore dice a se stesso: *Non fu latente la santa intenzione / de l'aguglia di Cristo, anzi m'accorsi / dove volea menar mia professione*.

Rinasce ora quel linguaggio vivamente personale, di cui si son viste le prove nei canti precedenti, per cui la virtù teologale non è definita teoricamente, ma appare come fatto concreto della vita di chi parla: *ché l'essere del mondo e l'esser mio, / la morte ch'el sostenne perch'io viva, / e quel che spera ogne fedel com'io...* Con queste parole si ricordano infatti i tre eventi della storia della salvezza voluti dall'amore divino (creazione – redenzione – resurrezione) che risultano incardinati, attraverso l'aggettivo possessivo e il pronome personale (*mio, io*), nella vicenda stessa dell'uomo che definisce la virtù: sono quelli, non i *filosofici argomenti*, e neppure le autorità sacre, che lo portano, lo trascinano come *corde* traenti, lo incalzano con i loro *morsi*, verso la *riva* del mare del vero amore. Il riferimento ben evidente a quel mare dove egli stava per fare naufragio porta qui l'eco delle prime battute del poema (*uscito fuor del pelago a la riva*: *Inf.* I 23), come quell'*amor torto* ricorda il dialogo con Beatrice sulla cima del purgatorio (*e volse i passi suoi per via non vera...*: *Purg.* XXX 130).

Da questi lontani accordi si costituisce la forza del testo che qui leggiamo, dove in quell'amore, o carità teologale, vediamo riassumersi il senso di tutta la vicenda umana dell'autore, e del suo poema. Non casualmente infatti Dante si fa restituire qui la vista dallo sguardo rifulgente di Beatrice, ricordando come attraverso quegli stessi occhi egli fu un giorno preso da amore, che è quell'amore – viene precisato – di cui ancora egli *arde*. Sublimato nel cielo, è dunque lo stesso amore di allora quello di cui qui si parla, la stessa *antica rete*, come fu detto chiaramente già nella scena dell'Eden (*Purg.* XXXII 4-6).

Nella sequenza finale del canto – che chiude anche i tre canti delle virtù – appare inatteso un quarto lume, quello del primo degli uomini, Adamo. La sua presenza in questo cielo, avvolta da un'aura di lontananza velata, come lontano è il tempo della sua vita nel mondo, ha la sua motivazione nel fatto che il *padre antico* è quasi il termine di riferimento di tutta la storia che qui è figurata. Egli è infatti l'origine stessa della storia dell'uomo, che uscì perfetto dalle mani di Dio e poi per sua colpa decadde, e visse lunghi anni di dolore in attesa della redenzione. Con lui si aprirono i tempi dell'esilio – quei lunghi tempi enumerati nel verso – chiusi infine dalla morte di Cristo. Da lui fino al tempo dei tre apostoli scorrono le età umane prive delle tre virtù, prive della grazia che illumina e salva.

La sua presenza compie dunque, con un rapido scorcio all'indietro, la storia della salvezza raffigurata in questo cielo. E le quattro risposte che egli dà a Dante hanno questo preciso significato, di riepilogo, in forma di ricordo, del tempo trascorso dagli albori del mondo alla venuta di Cristo.

Vorremmo qui osservare la grande suggestione con cui Dante presenta il padre dell'umanità. Adamo appare, come lo indica Beatrice, raccolto nel «vagheggiare» il suo creatore, nel modo stesso con cui, in *Purg.* XVI 85-6, Marco Lombardo disse che il creatore «vagheggiava» l'anima da lui creata. E Dante si rivolge a lui con profonda venerazione, inchinandosi come la fronda sotto il vento e rialzandosi poi per porre con umiltà le sue ansiose domande: *divoto quanto posso a te supplìco...*

Adamo è quindi avvolto dalla maestà della sua origine antica e divina, ma le sue parole sono tutte contrassegnate dalla tristezza: il tempo d'esilio dell'umanità nei tanti secoli susseguitisi fino a Cristo è contato infatti sulla sua lunga attesa – lui solo l'ha vissuta per intero, nella sua estenuante durata – prima in vita, sulla terra, cacciato dal paradiso terrestre, poi nella sospensione del Limbo. Lunghezza che il verso di Dante anche altrove misura, con simile accento di dolore (cfr. VII 28-9), ma che in questo luogo è narrata da colui stesso che la causò e la soffrì.

Le parole su cui è costruito il suo discorso sono piene di allusioni: nel *trapassar del segno*, causa di quell'esilio, è come rispecchiata la storia di Ulisse (*Inf.* XXVI 106-9); *l'ovra inconsummabile* di Nembròt, la torre della confusione delle lingue, porta il ricordo del canto XXXI dell'*Inferno* (vv. 67-81) e del XII del *Purgatorio* (vv. 34-6); il mutevole *uso d'i mortali*, che è *come fronda in ramo* che presto cade e trapassa, richiama *Purg.* XI 115-6: *La vostra nominanza è color d'erba, / che viene e va...* Allusioni tutte riferite allo stesso motivo: quello dell'umana superbia (Ulisse, Nembròt) e dell'umana mortalità (quelle foglie che cadono, come già in *Inf.* III 115 il *mal seme d'Adamo*). Per il peccato infatti – quel *superbir* che fu, come per Lucifero, l'origine vera della grande caduta – entrò nel mondo la morte, e quindi la caducità delle cose umane.

Ma delle quattro risposte – ragione della caduta, tempo passato dall'umanità nell'esilio, mutevolezza della lingua come di ogni cosa umana, tempo vissuto da Adamo nell'Eden (tempo brevissimo, meno di sette ore, quasi un'ora per ogni millennio fino allora trascorso) – ce n'è una sulla quale Dante si sofferma più a lungo.

Si tratta di una questione – quella della lingua – che tocca direttamente il suo poema, e quindi la ragione stessa della sua vita, quel poema che lo ha fatto *macro* e da cui ancora potrebbe sperare il ritorno in patria (cfr. XXV 1-12), ma soprattutto quel poema nel quale egli compie la missione profetica che – come a Paolo – gli è in questo cielo affidata da Pietro stesso. Per questo *poema sacro* egli ha scelto la lingua volgare, quella cioè che tutti parlano, con consapevole ardimento. Molti (quelli che oggi chiamiamo i preumanisti) gli rimproveravano di non avere usato il latino. Per un poema in latino poteva esser pronto per lui l'alloro, come lo aveva ricevuto Albertino Mussato nel 1315 per la sua *Ecerinis*. (Di questa situazione è chiara testimonianza la prima *Egloga* dantesca, contemporanea a questi canti, e che ha così precisi riscontri, come vedemmo, con l'inizio del canto XXV).

Ma qui Dante, che pur aveva nel *De vulgari eloquentia* accettato ancora la tradizionale opinione che la lingua adamitica si fosse conservata, sola tra tutte, come data da Dio, fin oltre la confusione seguita alla torre di Babele, afferma decisamente la mutevolezza e caducità di ogni lingua, anche della prima, come di ogni cosa umana (non Dio infatti, ma Adamo la «fece», come è detto al verso 114). Nessuna ha una particolare dignità, tutte periscono (così perì quella di Adamo, così, dunque, si può dedurre, perirà anche il latino). Egli giustifica in questo modo, come osservò il Contini, la sua scelta di una «lingua peritura» per il *poema sacro*. Ora al fondo di questa scelta – che fu decisiva per la storia della nostra lingua e della nostra letteratura – stanno due concorrenti e inscindibili ragioni: il poema di Dio era per il suo autore opera di profezia e opera di poesia (le due cose erano per lui la stessa cosa); e come il profeta deve parlare agli uomini nella loro lingua, se vuole essere inteso, così il poeta può usare soltanto una lingua che sia viva, quale allora era il nascente volgare, come Dante in modo commosso e profetico scriveva nel *Convivio*: «Questo sarà luce nuova, sole nuovo, lo quale surgerà là dove l'usato tramonterà...» (I, XIII 12).

Solo con questa lingua – viva e da tutti intesa, anche dalle «donnicciole» (*mulierculae*, come è detto nell'*Epistola a Cangrande*, 31) egli poteva cantare sia il mondo concreto della storia degli uomini, umili e potenti senza distinzione, sia il mondo della fede e dell'eterno, (il *cielo* e la *terra*), che il poema vuole abbracciare. Se l'umano destino di morte è contrassegnato dalla tristezza – tristezza che appare come simboleggiata in Adamo, che di quel destino fu la causa – e di esso la lingua, legata al tempo storico, è forse la massima espressione (essa infatti, come è detto sempre nel *De vulgari eloquentia*, non è più necessaria in paradiso), tale tristezza non è tuttavia, come nel mondo antico, senza speranza (ricordiamo le virgiliane foglie cadute del III canto dell'*Inferno*). In essa si innesta la profonda certezza che nella stessa mortalità propria del tempo storico è stato posto – come nella carne dell'uomo – un germe di immortalità. Così anche la caduca lingua umana può essere – non perché data da Dio (come si credette dell'ebraico) o perché fermata da regole (come il latino) – portatrice di valori eterni, come lo è ogni umano gesto circoscritto nel tempo. Questa è la vera ragione per cui ad essa potrà essere affidato dall'apostolo Pietro, nel prossimo canto, quel compito profetico di cui Dante si credette investito per l'umanità del suo tempo.

CANTO XXVI

Nel cielo delle Stelle fisse: san Giovanni, la carità

1-18 *Mentre Dante è ancora accecato dalla sua luce, san Giovanni lo rassicura sul fatto che riacquisterà la vista grazie a Beatrice e inizia a esaminarlo sulla carità chiedendogli quale sia l'oggetto del suo amore. Il poeta risponde che è Dio il principio e il fine di ogni suo amore.*

19-45 *Alla seconda domanda – da chi o da che cosa sia stato indotto all'amore verso Dio – Dante replica dicendo che a far ciò sono state le argomentazioni della ragione umana e l'autorità della Scrittura; poi in forma di sillogismo Dante spiega perché l'uomo ama Dio: l'amore è suscitato dal bene perciò l'animo è portato di necessità ad amare il bene supremo, da cui tutti gli altri beni nascono. Che Dio sia il sommo bene è affermato sia dalla filosofia che dalla Sacra Scrittura (lo dice Dio stesso a Mosè e l'inizio del Vangelo di Giovanni).*

46-66 *San Giovanni non si accontenta, Dante allora indica altre quattro cose che lo hanno spinto ad amare Dio: la creazione del mondo e di lui stesso, la morte di Cristo per la sua salvezza e la resurrezione che è oggetto della speranza. Per questi motivi il suo affetto si è rivolto a Dio e investe anche le creature in proporzione a quanto bene è a loro da Dio concesso.*

67-81 *Al tacere di Dante risuona un dolcissimo canto in cui si distingue "Santo, santo, santo". Beatrice con la virtù propria del suo sguardo risana la vista del poeta che ritorna più potente di prima. Subito egli si accorge della presenza di una quarta luce e domanda chi sia.*

82-102 *Beatrice rivela che si tratta del primo uomo, Adamo. Sopraffatto dall'emozione Dante abbassa la testa in segno di riverenza, poi, preso coraggio, chiede a lui di rispondere agli interrogativi che ha in cuore. Adamo attraverso il manto di luce che lo riveste manifesta la gioia di poterlo soddisfare e inizia a parlare.*

103-142 *Quattro sono le domande che egli legge nella mente di Dante: quando egli fu posto nel paradiso terrestre e per quanto tempo vi è rimasto; quale è stato il motivo dell'ira divina e quale lingua abbia usato. La causa della cacciata dal paradiso – è la prima risposta – fu l'aver superato il limite segnato da Dio, non tanto l'aver mangiato il frutto dell'albero; quattromilatrecentodue anni egli è stato nel Limbo, dopo aver vissuto per novecentotrenta anni sulla terra; la lingua da lui parlata era già morta al tempo della costruzione della torre di Babele: il linguaggio, infatti, è mutevole, d'altra parte niente di ciò che è prodotto dagli uomini può durare. Infine il tempo della sua permanenza nell'Eden non è durato più di sette ore.*

Mentr'io dubbiava per lo viso spento,
de la fulgida fiamma che lo spense
3   uscì un spiro che mi fece attento,

1. **Mentr'io dubbiava...**: mentre io stavo nel timore per la facoltà visiva che era in me spenta... Ero cioè in dubbio se l'avrei potuta riavere, e perciò temevo. Per questo duplice senso di *dubbiare* (timore dovuto a incertezza), si cfr. *Inf.* IV 18 e *Purg.* XX 135. Questo canto non ha un alto preludio come i due precedenti, ma comincia direttamente, in modo sommesso, continuando l'azione narrata negli ultimi versi del canto XXV. L'inizio è tutto raccolto, concentrato sulla condizione di accecamento in cui Dante si trova, e che sembra intensificare la sua interna «attenzione» (v. 3).

2. **de la fulgida...**: dalla stessa ardente fiamma che lo aveva spento, abbagliato col suo fulgore.

3. **un spiro**: una voce (cfr. XXIV 32).

―――――――――――― ■ ――――――――――――

Mentre io stavo nel timore per la facoltà visiva che era in me spenta, dalla stessa ardente fiamma che l'aveva spenta uscì una voce che richiamò la mia attenzione, ...

dicendo: «Intanto che tu ti risense
de la vista che haï in me consunta,
6   ben è che ragionando la compense.
Comincia dunque; e dì ove s'appunta
l'anima tua, e fa ragion che sia
9   la vista in te smarrita e non defunta:
perché la donna che per questa dia
region ti conduce, ha ne lo sguardo
12   la virtù ch'ebbe la man d'Anania».
Io dissi: «Al suo piacere e tosto e tardo
vegna remedio a li occhi, che fuor porte
15   quand'ella entrò col foco ond'io sempr'ardo.
Lo ben che fa contenta questa corte,

4-6. Intanto che tu ti risense...: intanto che tu riacquisti il senso della vista che hai consumato (quasi tutta spesa, esaurita) aguzzandola nel guardarmi, è bene
che tu compensi la sua mancanza col ragionare (quasi compensando la vista degli occhi con quella della
mente). La stessa idea di *compenso* col ragionamento
perché il tempo non sia perduto a *Inf.* XI 13-5.

— **ti risense**: *risensare* e *risensarsi* per «riprendere i
sensi» sono usati nella lingua letteraria fino all'800 e
oltre.

— **consunta**: lo stesso verbo sarà usato nell'ultimo
canto, quando Dante «presumerà» fissare lo sguardo
nella luce stessa di Dio (XXXIII 84). Questo riscontro ci dice che l'accecamento di fronte alla luce del-
l'apostolo dell'amore ha un significato mistico, quasi
una prima prova del prossimo ingresso all'Empireo
(cfr. v. 79 e nota).

7. Comincia dunque: l'apostolo introduce così, senza espressamente dichiararlo come era accaduto per
le altre due virtù, l'esame sulla carità.

— **ove s'appunta**: dove si protende col desiderio, come a suo termine. Il verbo indica insieme la tensione
e l'acutezza del desiderio, quale Dante sempre lo rappresenta (cfr. *Purg.* XV 49: *s'appuntano i vostri disiri*), e tutta l'espressione equivale a dire: qual è l'oggetto del tuo amore (si veda la definizione di amore
a *Purg.* XVIII 19-33). Tale domanda si identifica con

la richiesta di definizione avanzata per le altre due
virtù. Definire l'oggetto dell'amore è infatti definire
l'amore stesso, secondo il concetto cristiano di *chari-
tas*: «carità è amore di Dio con il quale egli è amato
in quanto oggetto della beatitudine, a cui siamo ordinati per fede e speranza» (san Tommaso, *S.T.* Iᵃ IIᵃᵉ,
q. 65 a. 5).

8-9. e fa ragion...: e fai conto che la tua vista sia soltanto *smarrita*, cioè temporaneamente offuscata, e non
estinta: *smarrita* non vuol dire «perduta», come in genere qui si annota, ma «confusa», «offuscata» dal-
l'abbagliamento. Si cfr. *Purg.* VIII 35-6 e *Conv.* II, *Voi
che 'ntendendo* 40-1: «Tu non se' morta, ma se' ismar-
rita, / anima nostra...», parole che Dante stesso così
commenta: «Non è vero che tu sie morta; ma la cagione per che morta ti pare essere, sì è uno smarrimento nel quale se' caduta...» (*Conv.* II, X 3).

10-2. perché la donna...: perché colei che ti guida
per questa regione di luce (*dia*: cfr. XXIII 107) ha negli occhi la stessa virtù risanatrice che ebbe la mano
di Anania per la vista di Paolo. Narrano gli *Atti degli
Apostoli* (9, 17-8) che a Paolo, accecato dalla visione
di Cristo sulla via di Damasco, fu resa la vista da Anania, uno dei primi seguaci di Cristo, con l'imposizio-
ne delle mani. Il riferimento a Paolo – già stabilito nel
secondo canto del poema (*Inf.* II 32) – allude in modo esplicito alla missione profetica che Dante si attribuisce, e che tra poco gli sarà conferita da Pietro.

13-5. Al suo piacere...: quando a lei piacerà, presto
o tardi che sia, guariscano per il suo intervento quegli occhi attraverso i quali un giorno ella entrò nel mio
cuore, accendendovi quell'amore che non si è mai
spento da allora. Come dire: posso ben affidare al suo
beneplacito la guarigione di quegli occhi per i quali
ella ha acceso in me l'amore che ha guidato la mia vita. La citazione di quell'evento giovanile, di cui è documento la *Vita Nuova*, e di quell'amore che, si noti,
è sempre lo stesso anche qui nell'alto paradiso, è introduzione voluta, e non casuale ricordo, alla definizione dell'amore che gli è stata chiesta e che ora darà.

16-8. Lo ben che fa contenta...: quello stesso bene

---

*... dicendo: «Intanto che tu riacquisti il senso della vista che
ti si è consumata nel guardarmi, è bene che tu compensi
la sua mancanza col ragionare. Comincia dunque: e di' dove la tua anima rivolge il suo desiderio, e fai conto che la
tua vista sia soltanto temporaneamente perduta, e non estinta; perché la donna che ti guida per questa regione di luce
(dia) ha negli occhi la stessa virtù (risanatrice) che ebbe la
mano di Anania». ◆ Io dissi: «Quando a lei piacerà, presto
o tardi che sia, guariscano quegli occhi che furono le porte
attraverso le quali un giorno ella entrò (nel mio cuore) con
quel fuoco d'amore del quale io sempre ardo da allora. Il
bene che appaga questa corte celeste (cioè Dio), ...*

Alfa e O è di quanta scrittura
18   mi legge Amore o lievemente o forte».
Quella medesma voce che paura
tolta m'avea del sùbito abbarbaglio,
21   di ragionare ancor mi mise in cura;
e disse: «Certo a più angusto vaglio
ti conviene schiarar: dicer convienti
24   chi drizzò l'arco tuo a tal berzaglio».
E io: «Per filosofici argomenti
e per autorità che quinci scende
27   cotale amor convien che in me si 'mprenti:
ché 'l bene, in quanto ben, come s'intende,
così accende amore, e tanto maggio

che appaga i beati qui in cielo, cioè Dio, è principio
e fine di ogni affetto, piccolo e grande, che Amore mi
ispira in terra. In Dio dunque *s'appunta* (v. 7) ogni desiderio della mia anima. L'interpretazione dei vv. 17-8 non è pacifica, tuttavia la metafora della scrittura, introdotta da quella biblica delle due lettere alfa e omega per dire «principio e fine» (*Apoc.* 1, 8: «Io sono l'alfa e l'omega, il principio e la fine»; luogo citato anche in *Ep.* XIII 90), sembra portare a questa spiegazione, che è in perfetto accordo con tutto il contesto: Dio è la prima e l'ultima lettera, quindi principio e fine, di ogni scritto che Amore mi fa leggere, mi insegna, con maggiore o minore intensità; cioè di ogni affetto che egli mi detta, che egli suscita nel mio cuore (cfr. *Purg.* XXIV 52-4). Altri intendono *scrittura* come soggetto: Dio è principio e fine di ogni scritto – di ogni cosa – che mi porta, mi insegna ad amare. Ma il contesto vuole che si definisca il principio e il fine dell'amore, non di ciò che ad esso induce. Inoltre la metafora dell'Amore maestro e dettatore è così tipicamente dantesca da imporre – ci sembra – la prima spiegazione.

19-20. **Quella medesma voce...**: cioè quella di Giovanni, che mi aveva tolto il timore in cui ero per l'improvviso abbagliamento.

– **paura**: questa parola conferma il senso di *dubbiava*, stavo in timore, nel primo verso del canto.

21. **mi mise in cura**: mi dette nuovo desiderio, nuova sollecitudine a parlare.

22-3. **a più angusto vaglio...**: devi ora chiarirti, cioè spiegare il tuo pensiero, passando per un *vaglio*, un setaccio, dai fori più angusti, più piccoli; cioè rispondendo a domande più specifiche. La metafora del *vaglio*, strumento usato per purificare il grano dalle scorie, è rimasta nella nostra lingua, nel verbo «vagliare», per le azioni proprie del giudizio intellettuale.

24. **chi drizzò...**: chi rivolse l'arco del tuo amore a un *tal*, così sublime, *berzaglio*, cioè a Dio. La seconda domanda corrisponde a quelle già rivolte da Pietro e Giacomo sulle prime due virtù (cfr. XXIV 91: *onde ti venne?* e XXV 47: *onde a te venne*).

25-7. **Per filosofici argomenti...**: un tale amore – tale, cioè rivolto al bene supremo – è impresso in me necessariamente sia da argomenti di ragione, sia dall'autorità della rivelazione divina, che discende dal cielo (*quinci*: da qui) per mezzo della Sacra Scrittura. L'accordo tra ragione e rivelazione – tra l'argomento umano e l'argomento di fede – porta necessariamente al consenso (*convien* ha qui, come spesso, il senso preciso di necessità): è questo sempre il procedimento del ragionare dantesco (cfr. XXIX 37-45 e note).

– **si 'mprenti**: si stampi, come un sigillo sulla cera, secondo una metafora spesso usata altrove (cfr. *Purg.* XXXIII 79-81).

28-36. **ché 'l bene, in quanto ben...**: si espone qui, in forma di sillogismo, la premessa filosofica per cui l'uomo è portato ad amare Dio più di tutto. Questo in sintesi il sillogismo: il bene suscita sempre l'amore nell'uomo, e tale amore è proporzionato alla sua «bontà». Ma Dio è il massimo dei beni. Dunque chi riconosce questa verità amerà Dio sopra ogni altra cosa. Data per scontata la prima proposizione, o «premessa maggiore», da tutti accolta (ma se ne veda la spiegazione a *Purg.* XVI 85-90), resta da dimostrare la seconda, o «minore». Ed è questo *vero* (che Dio sia il bene supremo) che filosofia e Scrittura concordemente proclamano (vv. 37-45). Il bene dunque, non

■

... è alfa e omega (cioè principio e fine) di ogni scritto che Amore mi detta (cioè di ogni affetto che egli mi ispira), con maggiore o minore intensità». Quella stessa voce (cioè quella di Giovanni) che mi aveva tolto la paura per l'improvviso abbagliamento, mi dette nuovo desiderio (cura) di parlare; e disse: «Certo ora devi dare spiegazioni passando per un setaccio dai fori più piccoli: devi dire chi rivolse l'arco (del tuo amore) a un tale bersaglio (cioè a Dio)».

◆ *E io risposi: «Un tale amore è impresso in me in modo necessario sia da argomenti filosofici, sia dall'autorità che discende da qui (cioè dal cielo); poiché il bene, in quanto bene, non appena (come) è inteso come tale, subito suscita amore, e un amore tanto maggiore ...*

30   quanto più di bontate in sé comprende.
      Dunque a l'essenza ov'è tanto avvantaggio,
      che ciascun ben che fuor di lei si trova
33   altro non è ch'un lume di suo raggio,
      più che in altra convien che si mova
      la mente, amando, di ciascun che cerne
36   il vero in che si fonda questa prova.
      Tal vero a l'intelletto mïo sterne
      colui che mi dimostra il primo amore
39   di tutte le sustanze sempiterne.
      Sternel la voce del verace autore,
      che dice a Moïsè, di sé parlando:
42   'Io ti farò vedere ogne valore'.
      Sternilmi tu ancora, incominciando

appena (*come*) è inteso come tale, subito suscita amore, e un amore tanto maggiore quanto più ha in sé di bontà (*maggio*, maggiore, è di uso corrente; cfr. VI 120; XIV 97 ecc.).

31-6. Dunque a l'essenza...: e dunque verso quell'essenza che si avvantaggia, supera di tanto in bontà tutte le altre, che ogni bene che esiste fuori di lei non è altro che un riflesso della luce che da lei s'irraggia, necessariamente si volgerà, più che ad ogni altra, l'animo di ogni uomo che riconosca la verità su cui si fonda questo ragionamento (cioè l'affermazione fatta nella premessa minore, ai vv. 31-3). – *prova* vale «argomentazione probante» a dimostrazione di una verità.

37-9. Tal vero...: di dove attinge dunque Dante la conoscenza di questo *vero* che porta necessariamente l'uomo, come ora si è detto, ad amare Dio sopra ogni altra cosa? Egli ha parlato di due fonti concordi, la filosofia e la Scrittura. E in tre terzine presenta ora prima la fonte filosofica e poi quella biblica, nei due rami, come ha fatto per le altre due virtù, dell'*Antico* e *Nuovo Testamento*. *Tal vero* (compl. oggetto) offre dunque (*sterne*: appiana, rende evidente; cfr. XI 24) alla mia mente quel grande filosofo che mi di-

mostra come tutte le sostanze eterne siano mosse da amore verso un essere – il primo motore – che è il bene supremo. Si tratta certamente di Aristotele – per Dante il filosofo per eccellenza – che nel libro XII della *Metafisica* sostiene appunto che i cieli, mossi dalle intelligenze motrici, sono volti perennemente, per amore, dal primo motore immobile (cfr. I 76-7 e nota). Del resto Dante stesso nel *Convivio* (III, II 4-7) cita il *Liber de Causis*, allora creduto opera di Aristotele, per la dottrina secondo la quale «ciascuna forma sustanziale procede dalla sua prima cagione, la quale è Iddio... e però che 'l suo essere dipende da Dio e per quello si conserva, naturalmente disia e vuole a Dio essere unita». Altri pensano a Dionigi l'Areopagita, citato da san Tommaso per questo stesso concetto (*S.T.* I, q. 6 a. 1), ma la precisa corrispondenza dei testi, e soprattutto l'importanza che la figura di Aristotele ha nel pensiero di Dante, quasi incarnazione della filosofia, sembra non lascino dubbi sull'identità del filosofo di cui qui s'intende parlare.

40-2. Sternel la voce...: me lo mostra poi la voce di Dio stesso, l'infallibile autore della Scrittura, quando, riferendosi a se stesso, dice a Mosè che gli chiedeva di vedere la sua gloria: «Ti mostrerò il bene nella sua totalità («omne bonum»)»: *Ex.* 33, 19). Dante traduce «bonum» con *valore* nel senso estensivo di «bene» (ciò che vale), termine che egli usa per indicare Dio anche altrove (cfr. X 3: *lo primo e ineffabile Valore*; I 107). Ma non si può non sentire in questa traduzione l'eco del verso di Guido Cavalcanti che apre il sonetto di risposta al primo sonetto della *Vita Nuova* («Vedeste, al mio parere, onne valore»: PD II, p. 544), dove *valore* ha l'uguale senso estensivo; ancora un omaggio del Dante del supremo *Paradiso* al ricordo del «primo amico».

43-5. Sternilmi tu ancora...: e tu stesso, Giovanni, mi mostri tale verità, all'apertura del tuo sublime annuncio che proclama in terra, più altamente di ogni altro bando, il mistero della divinità.

– **l'alto preconio**: il termine latino «praeconium» in-

■

... quanto più ha in sé di bontà. Dunque verso quell'essenza che è tanto superiore a tutte le altre (ov'è tanto avvantaggio), che ogni bene che esiste fuori di lei non è altro che un riflesso della luce che da lei s'irraggia, necessariamente si rivolgerà (conven che si mova), più che ad ogni altra, nell'amare (amando), l'animo di ogni uomo che riconosca la verità su cui si fonda questo ragionamento. ♦ Tale verità offre dunque (sterne) alla mia mente colui (Aristotele) che mi dimostra l'esistenza di un bene supremo (primo amore) verso il quale sono mosse tutte le sostanze eterne. Me lo mostra poi la voce dell'infallibile autore (della Scrittura, cioè Dio stesso), quando, parlando di se stesso, dice a Mosè "Io ti farò vedere tutto il bene". E tu stesso (Giovanni) me la mostri, all'apertura (incominciando) ...

l'alto preconio che grida l'arcano
45   di qui là giù sovra ogne altro bando».

       E io udi': «Per intelletto umano
e per autoritadi a lui concorde
48   d'i tuoi amori a Dio guarda il sovrano.

       Ma dì ancor se tu senti altre corde
tirarti verso lui, sì che tu suone
51   con quanti denti questo amor ti morde».

       Non fu latente la santa intenzione
de l'aguglia di Cristo, anzi m'accorsi
54   dove volea menar mia professione.

       Però ricominciai: «Tutti quei morsi
che posson far lo cor volgere a Dio,
57   a la mia caritate son concorsi:

dicava il proclama fatto dal banditore, ed era passato nell'uso degli autori cristiani per significare l'annuncio della parola di Dio fatto nei testi profetici ed evangelici. Di fatto il termine corrisponde al greco «angelía» (annuncio), da cui si forma la parola «evangelium»: lieto annuncio, buona novella. In questo contesto la maggior parte degli antichi commentatori, e molti fra i moderni, lo riferiscono all'*Apocalisse*, che porta all'inizio la frase sopra citata: «Io sono l'alfa e l'omega, il principio e la fine». Tuttavia sembra più proprio che *l'alto preconio* di Giovanni sia il suo Vangelo, che più degli altri *bandi* (gli altri tre Vangeli) manifesta (*grida*) il mistero di Dio, come scrive Agostino (*In Io.* XXXVI 1). Del resto il grande inizio del quarto Vangelo, il celebre prologo che annuncia il mistero del Verbo per cui l'universo è stato creato e che si è fatto carne venendo ad abitare tra gli uomini, sembra convenire meglio a quel solenne verbo *incominciando* che Dante distende con forte accentuazione in chiusura del primo verso.

46-8. **Per intelletto umano...**: l'apostolo riepiloga, per andare oltre, quanto Dante ha detto: per le ragioni a cui giunge l'intelletto con le sue capacità naturali (*umano*) e per l'autorità della Scrittura che con lui si accorda, il massimo (*il sovrano*: il più alto) dei tuoi amori è rivolto (*guarda*, come a suo fine) verso Dio.

– **concorde**: è plurale femminile della 3ª decl. come a XV 9.

49-51. **Ma dì ancor...**: Giovanni non si accontenta dell'enunciazione teorica di Dante. Essa può convincere la mente; ma il cuore, cioè il sentimento, ha bisogno di una spinta, di una attrazione particolare per *volgersi*, cioè muoversi col desiderio verso un oggetto di amore. Questo è il significato della metafora delle *altre corde* che tirano, attraggono, e dei *denti* che mordono. E Dante ben la comprenderà.

– **suone**: è 2ª persona del pres. cong. in *-e*, spesso incontrata, e vale «dichiari ad alta voce», «manifesti»; cfr. XV 68.

52. **Non fu latente...**: non mi rimase nascosta (for-

ma di litote per dire: mi fu chiarissima) l'intenzione racchiusa in quella domanda: cioè che Dante dicesse ciò che aveva mosso il suo cuore (si vedano i vv. 55-7).

53. **l'aguglia di Cristo**: nell'aquila, uno dei quattro animali rappresentati nell'*Apocalisse* (4, 7) e interpretati come simboli dei quattro evangelisti (cfr. *Purg.* XXIX 92 sgg. e note), i padri della Chiesa riconoscevano Giovanni stesso: «aquila: è Giovanni, il più sublime tra i predicatori» (Agostino, *In Io.* XXXVI 5).

55-7. **Tutti quei morsi...**: la risposta asseconda l'*intenzione* implicita nella domanda dell'apostolo: tutti quegli stimoli che hanno il potere di volgere a Dio il cuore dell'uomo hanno concorso a suscitare in me la virtù della carità (i *morsi*, riprendendo la metafora usata dall'apostolo, indicano la violenza, quasi la costrizione, che quei fatti – dimostranti l'amore di Dio – esercitano sul cuore umano, portandolo a corrispondervi).

– **lo cor volgere a Dio**: ricordiamo che su questo verbo (che indica il libero atto con cui il cuore si dona a Dio) Dante fonda la salvezza dell'uomo nel poema: cfr. *Purg.* III 123; XI 90.

■

... del tuo sublime annuncio (cioè del tuo Vangelo) che proclama laggiù in terra, più altamente di ogni altro bando, il mistero del cielo (di qui)». ◆ *E io udii: «Per le ragioni dell'intelletto umano e per l'autorità (della Scrittura) che con lui si accorda, il massimo (il sovrano) dei tuoi amori è rivolto (guarda) verso Dio. Ma dimmi ancora se tu senti altri motivi di attrazione che ti attirino verso di lui, in modo che tu dichiari tutte quelle motivazioni (denti) con le quali questo amore fa muovere il tuo cuore (ti morde)».* Non mi rimase nascosta la santa intenzione dell'aquila di Cristo, anzi mi accorsi dove voleva portare il mio discorso. ◆ *Perciò ricominciai: «Tutti quegli stimoli che possono far volgere a Dio il cuore dell'uomo hanno concorso a suscitare in me la carità; ...*

ché l'essere del mondo e l'esser mio,
la morte ch'el sostenne perch'io viva,
60 e quel che spera ogne fedel com'io,
con la predetta conoscenza viva,
tratto m'hanno del mar de l'amor torto,
63 e del diritto m'han posto a la riva.
Le fronde onde s'infronda tutto l'orto
de l'ortolano etterno, am'io cotanto
66 quanto da lui a lor di bene è porto».
Sì com'io tacqui, un dolcissimo canto
risonò per lo cielo, e la mia donna
69 dicea con li altri: «Santo, santo, santo!».
E come a lume acuto si disonna
per lo spirto visivo che ricorre

58-63. ché l'essere del mondo...: ecco infine i *morsi* – atti d'amore, non ragionamenti – che inducono Dante ad amare a sua volta: la creazione del mondo, e di lui in particolare; la redenzione operata da Cristo a prezzo della sua morte, perché lui potesse avere la vita eterna; la beatitudine, cioè la partecipazione alla vita divina, che egli, come ogni fedele cristiano, ha il diritto di sperare. Posti nel loro ordine cronologico – creazione, redenzione, gloria – sono questi i tre doni di Dio che manifestano il suo immenso amore per l'uomo e che, insieme alla *predetta conoscenza*, cioè alla convinzione razionale che Dio sia il sommo bene, hanno portato Dante in salvo, dall'*amor torto* a quello *diritto*, dal suo smarrimento dietro i falsi beni al ritorno all'amore del bene vero e supremo. Si noti in tutta la prima terzina l'insistenza sul fatto personale: *l'esser mio, perch'io viva, ogne fedel com'io*. Quest'amore non è generico, non è cioè un concetto filosofico; ma è un amore concreto, rivolto ad una singola persona, ad ogni uomo, uno per uno. E per questo può coinvolgere e costringere alla risposta d'amore.

62. del mar de l'amor torto: è il mare tempestoso dell'amore diretto verso i beni non veri dove Dante rischiò di perdersi, e di dove fu tratto in salvo all'inizio del poema. La *selva oscura* è infatti là paragonata al *pelago* di dove scampa a fatica il naufrago, salvandosi sulla *riva*

(*Inf.* I 22-7). Il richiamo evidente porta il discorso sulla carità tutta la storia personale di cui è fatto il poema. L'amore *torto* o *diritto*, secondo che *si torce* al male o si rivolge al bene, è quello teorizzato a *Purg.* XVII 91 sgg.

63. la riva: indica il luogo sicuro, la terraferma, dove giunge chi si salva dalla tempesta del mare.

64-6. Le fronde...: io amo tutte le creature che crescono nel grande campo del divino agricoltore in proporzione al bene che egli comunica loro, cioè alla loro maggiore o minore bontà. La virtù cristiana della carità comprende insieme l'amore di Dio e quello del prossimo (*Matth.* 22, 37-9). Con questa terzina Dante tocca il secondo di essi, dopo avere ampiamente svolto il primo, usando la metafora di origine evangelica dell'*orto* e dell'*ortolano* (come già la *vigna* e il *vignaio* a XII 86-7).

66. quanto da lui...: questa limitazione discende dal principio che l'uomo ama sempre il bene, e tanto più quanto esso è maggiore (cfr. vv. 28-30). Dio solo dunque è da amarsi senza riserve, per se stesso, in quanto bene assoluto. Le creature saranno amate in proporzione della loro bontà, che deriva dalla loro partecipazione a quella divina (cfr. vv. 32-3). Si veda san Tommaso, *S.T.* IIª IIae, q. 26 a. 6: «Non tutto il prossimo è uguale riguardo a Dio: alcuni sono più vicini a lui, per la loro maggiore bontà. Ed essi devono essere amati più degli altri, che sono a lui meno vicini».

67. un dolcissimo canto: il canto che segue alle ultime parole di Dante, come accade nelle altre due prove (XXIV 112-4; XXV 97-9), dice lode e ringraziamento a Dio che gli ha dato la grazia di sostenerle, e questa volta a quella dei beati si unisce la voce di Beatrice.

69. Santo, santo, santo!: è la triplice acclamazione che i Serafini in *Isaia* (6, 3), e i quattro animali nell'*Apocalisse* (4, 8), innalzano davanti al trono di Dio. Il testo di Isaia è quello ripreso nel *Sanctus* della messa: «Santo, santo, santo è il Signore degli eserciti, tutta la terra è piena della sua gloria».

70-2. E come a lume acuto...: e come a una luce acuta ci si desta dal sonno, perché lo spirito visivo corre

---

... poiché l'esistenza del mondo e la mia, la morte che Cristo patì per darmi la vita eterna, e ciò che spera ogni fedele come me (cioè la beatitudine), insieme alla suddetta convinzione razionale, mi hanno salvato dal mare dell'amore mal diretto, e mi hanno fatto giungere alla riva dell'amore indirizzato al vero bene. Io amo tutte le piante che crescono nel grande campo del divino agricoltore tanto quanto è il bene che egli comunica loro». ◆ *Non appena io tacqui, un dolcissimo canto risuonò attraverso il cielo, e la mia donna cantava insieme agli altri: «Santo, santo, santo!». E come a una luce acuta ci si sveglia dal sonno (si disonna), perché lo spirito visivo corre incontro ...*

72   a lo splendor che va di gonna in gonna,
            e lo svegliato ciò che vede aborre,
        sì nescïa è la sùbita vigilia

75   fin che la stimativa non soccorre;
            così de li occhi miei ogne quisquilia
        fugò Beatrice col raggio d'i suoi,

78   che rifulgea da più di mille milia:
            onde mei che dinanzi vidi poi;
        e quasi stupefatto domandai

81   d'un quarto lume ch'io vidi tra noi.
            E la mia donna: «Dentro da quei rai
        vagheggia il suo fattor l'anima prima

84   che la prima virtù creasse mai».
            Come la fronda che flette la cima

incontro (lungo il nervo che va dal cervello alla pupilla) allo splendore che traversa le differenti membrane dell'occhio (questo processo è descritto in *Conv.*
II, IX 4-5 e III, IX 7-9). – *gonna* vale «rivestimento».
Così il Buti: «dicono i naturalisti che l'occhio è composto di più sode toniche, come foglie». Cfr. «la tu-
nica della pupilla» a *Conv.* III, IX 13.
– **si disonna**: forma riflessiva impersonale (cfr. *s'af-*
fanna a XII 82 e nota).
73-5. **e lo svegliato...**: e colui che è così repentina-
mente svegliato confonde, non distingue bene ciò che
vede (Lana) – tanto è inconsapevole, confuso, il suo
improvviso stato di veglia – finché non giunge in aiuto la facoltà estimativa (quella che identifica gli oggetti
percepiti dai sensi), finché cioè non riprende pienamente coscienza. Per il valore di *aborre* (dal lat. «abhor-
rere a veritate») si cfr. *Inf.* XXXI 24 che sembra assi-
curarne il senso, del resto chiarito dal fatto che la *sti-*
mativa soccorre, cioè risolve la situazione.
74. **nescïa**: dal latino «nescius», ignaro; incapace a
discernere.
75. **stimativa**: la virtù estimativa, o cogitativa, secondo
la dottrina scolastica derivata da Aristotele, è quella facoltà dell'anima, o senso interno, che riconosce l'oggetto
percepito dai sensi esterni nella sua essenza (come l'*i-*
maginativa ne apprende la forma: *Purg.* XVII 13); è la
stessa facoltà che Dante altrove chiama *la virtù ch'a ra-*
gion discorso ammanna (cfr. *Purg.* XXIX 49 e nota).
76-8. **così de li occhi miei...**: così Beatrice, col vivo raggio dei suoi occhi che rifulgeva talmente da esser visibile da oltre mille miglia di distanza, fugò ogni
minimo appannamento dai miei («cioè li sgombrò fin
dalla più piccola ombra o "caligine" che impediva loro di vedere»: Ottimo). La forza vittoriosa di quello
sguardo è vivamente messa in rilievo dalla splendente terzina; l'accecamento di Dante è dunque vinto
(*fugò*: mise in fuga, è termine militare che evoca una
facile vittoria) dalla virtù simile a quella che risanò Paolo. – *quisquilia* è voce latina che vale «piccolezza»,
«bazzecola», ancora in uso.

79. **onde mei che dinanzi...**: così che poi vidi anche
meglio di prima. La vista cioè, dopo l'abbagliamento
subito, ritorna più potente, più capace di vedere. Segno del valore mistico di quell'accecamento, di cui già
si è detto. Così accadrà – con ben più ampio sviluppo – all'entrata nell'Empireo (XXX 46-60), di cui questo luogo sembra un'anticipazione. Si veda l'Introduzione al canto.
80. **quasi stupefatto**: per l'apparizione inattesa di un
quarto lume, che prima non c'era («imperò che prima ve n'erano tre»: Buti).
82-4. **Dentro da quei rai...**: dentro quella luce contempla amorosamente il suo creatore la prima anima
che Dio aveva creata, cioè quella di Adamo (*anima pri-*
ma anche a *Purg.* XXXIII 62). Nei due versi è espresso quasi lo stupore riconoscente e amoroso dell'anima – la prima del mondo! – verso colui che l'ha creata, ancora immutato. Come osserva il Torraca, a *Purg.*
XVI 85 Dio *vagheggia* l'anima umana appena creata,
qui l'anima *vagheggia* il suo creatore.
– **la prima virtù**: come altrove *primo Valore*, l'espressione indica Dio padre, o creatore (cfr. X 3; XIII 80).
85-7. **Come la fronda...**: come il ramo si flette prima al veloce passare del vento, e poi si risolleva per
la sua naturale virtù che tende a portarlo verso l'al-

... allo splendore che traversa le differenti membrane del-
l'occhio (va di gonna in gonna), e colui che è così (im-
provvisamente) svegliato confonde ciò che vede, tanto è
inconsapevole il suo subitaneo stato di veglia, fino a che
non giunge in aiuto la facoltà estimativa; così Beatrice, col
raggio dei suoi occhi il cui fulgore era visibile da oltre mil-
le miglia, fugò ogni minimo appannamento dai miei: per
cui poi vidi anche meglio di prima; e quasi stupefatto do-
mandai chi fosse una quarta luce che vidi tra di noi. ◆ *E*
la mia donna rispose: «Dentro quei raggi contempla amo-
rosamente (vagheggia) il suo creatore la prima anima che
la prima virtù (cioè Dio) avesse mai creata (cioè quella
di Adamo)». Come il ramo, che flette la sua cima ...

nel transito del vento, e poi si leva

87   per la propria virtù che la soblima,

fec'io in tanto in quant'ella diceva,

stupendo, e poi mi rifece sicuro

90   un disio di parlare ond'ïo ardeva.

E cominciai: «O pomo che maturo

solo prodotto fosti, o padre antico

93   a cui ciascuna sposa è figlia e nuro,

divoto quanto posso a te supplìco

perché mi parli: tu vedi mia voglia,

96   e per udirti tosto non la dico».

Talvolta un animal coverto broglia,

sì che l'affetto convien che si paia

99   per lo seguir che face a lui la 'nvoglia;

---

to... (per l'immagine si cfr. Stazio, *Theb.* VI 854-7; Virgilio, *Aen.* II 626-9). La terzina rappresenta con la straordinaria precisione ed evidenza proprie della figurazione dantesca del reale (*flette*: piega con elasticità, pronta a risollevarsi; *transito*: passaggio istantaneo, che dura un attimo; *soblima*: spinge verso l'alto: cfr. XXII 42) il breve momento in cui Dante resta come soggiogato dalla reverenza all'apparire del progenitore della specie umana, e poi si riprende per l'ardente desiderio di sapere, che lo caratterizza.

88-90. **fec'io in tanto...**: così feci io, restando preso da stupore per il tempo nel quale ella parlava, e poi ripresi sicurezza per il desiderio di parlare (di domandare) che mi bruciava. La similitudine sembra suggerire che Dante prima china il capo, preso da reverenza (*stupore* ha un valore religioso, di sgomento di fronte al sacro), e poi lo rialza per domandare. La *propria virtù* che *soblima* il ramo ben corrisponde all'innato ardore di sapere che sollecita e incalza Dante a porre le sue insaziabili domande.

91-2. **O pomo che maturo...**: Dante si rivolge ad Adamo denominandolo dalla sua prerogativa unica di essere stato creato, *solo* fra tutti, già adulto, nella piena maturità. Caratteristica che è ricordata anche in altri luoghi in cui Adamo è citato, quasi singolarmente stimolante per la fantasia del poeta. Si veda VII 26 (*quell'uom che non nacque*) e *Vulg. El.* I, VI 1: «d'uomo che non ebbe madre e non ricevette latte, che non conobbe età infantile né crescita».

93. **a cui ciascuna sposa...**: altra singolarità di Adamo fra tutti gli uomini: ogni sposa gli è insieme figlia (in quanto discende da lui) e nuora (*nuro* è latinismo da «nurus») in quanto moglie di un suo discendente. Giro di parole per significare che tutti gli esseri umani sono suoi figli (infatti è chiamato *padre*). Le due solenni apostrofi (*O pomo... o padre antico*), condotte con andamento retoricamente alto, esprimono la reverenza e la commozione di Dante nel trovarsi di fronte il padre della stirpe umana.

94. **a te supplìco**: costrutto latino, già incontrato (cfr. XV 85 e nota). L'accento spostato è richiesto dalla rima, come in *replìco* a VI 91 (anche là in rima con *dico* e *antico*), ma ottiene l'effetto di dare maggiore forza al verbo. Il verso continua l'andamento commosso della terzina precedente.

95-6. **tu vedi...**: tu già conosci, vedendolo in Dio, ciò che io desidero sapere, e quindi non lo dico per poter udir presto la tua risposta (*per udirti tosto*). Il tacere la domanda, che altrove è sempre espressa nonostante i beati già la conoscano, indica l'urgenza di quel desiderio: poter sapere finalmente, da Adamo stesso, quello che tanti grandi teologi si erano chiesti.

97-102. **Talvolta un animal...**: a volte un animale, coperto da un panno o altro, si agita in modo che il suo sentimento (forse il desiderio di liberarsi, o l'affetto verso il padrone) appare ben chiaramente perché l'involucro (*la 'nvoglia*) segue, asseconda i suoi movimenti. Allo stesso modo l'anima di Adamo (*l'anima prima*: v. 83) mi faceva trasparire, attraverso il tremolio del

---

... al passare del vento, e poi si risolleva per la sua naturale virtù che tende a portarlo verso l'alto (la sublima), così feci io, restando preso da stupore (stupendo), durante il tempo nel quale ella parlava, e poi ripresi sicurezza per il desiderio di parlare (cioè di domandare) che mi bruciava.

◆ E cominciai: «O creatura che, sola fra tutte, fosti creata già adulta, o padre antico per cui ogni sposa è insieme figlia e nuora, con tutta la mia devozione ti supplico che tu mi parli: tu già conosci il mio desiderio, e quindi non lo esprimo per poter udir presto la tua risposta (per udirti tosto)». A volte un animale coperto si agita (broglia) in modo che il suo sentimento appare ben chiaramente perché l'involucro che lo copre (la 'nvoglia) segue i suoi movimenti; ...

          e similmente l'anima primaia
          mi facea trasparer per la coverta
102   quant'ella a compiacermi venìa gaia.
          Indi spirò: «Sanz'essermi proferta
          da te, la voglia tua discerno meglio
105   che tu qualunque cosa t'è più certa;
          perch'io la veggio nel verace speglio
          che fa di sé pareglio a l'altre cose,
108   e nulla face lui di sé pareglio.
          Tu vuogli udir quant'è che Dio mi puose
          ne l'eccelso giardino, ove costei
111   a così lunga scala ti dispuose,
          e quanto fu diletto a li occhi miei,
          e la propria cagion del gran disdegno,

suo manto di luce, quanto era felice di compiacermi. Su questo paragone si è molto discusso, chiedendosi di che animale si tratti, di che cosa sia «coperto», e contestandone la convenienza al contesto. Sul suo significato si veda la nota di approfondimento alla fine del canto.

– **broglia**: si agita; il verbo (forse dal franc. ant. «broillier», oggi «brouiller», rimescolare), comune nel senso di «tessere intrighi, imbrogli», è usato qui nel senso riflessivo di «agitarsi», come lo intendono gli antichi commentatori (Benvenuto, Serravalle) e come conviene al contesto, ma i vocabolari non attestano altri esempi di questo uso, se non quello dantesco.

– **convien che si paia**: si manifesta necessariamente, non può non vedersi.

– **quant'ella... venìa gaia**: con quanta gioia si accingeva.

103. **spirò**: è il verbo usato anche per gli apostoli in questo cielo (cfr. XXIV 82; XXV 82 e qui al v. 3: *uscì un spiro*).

103-5. **Sanz'essermi proferta...**: senza che mi sia stato espresso da te (*proferta* vale «proferita», «pronunciata»), io conosco il tuo desiderio meglio di quanto tu conosca le cose che sono per te più certe.

106-8. **nel verace speglio...**: in quello specchio veritiero (la mente di Dio) che offre l'immagine esemplare a tutte le cose e quindi le trae a sua similitudine (cfr. *Conv.* III, XIV 2-3), mentre nessuna cosa può, inversamente, servire di esemplare o modello a lui (*lui*, compl. di termine). – *pareglio* (franc. «pareil», somigliante) vale qui come sostantivo: somiglianza, similitudine. Si cfr. *S.T.* I, q. 57 a. 2: «Dio dunque, per la sua essenza, per la quale è causa di tutte le cose, è similitudine di tutte le cose, e per essa tutte le conosce...».

109 sgg. **quant'è che Dio mi puose...**: Adamo elenca ora le quattro domande che Dante vorrebbe porgli: quanto tempo è passato dalla sua creazione, quanto tempo egli restò nel Paradiso terrestre, quale fu la vera essenza del peccato originale, e quale fu la lingua che egli parlò. Questioni tutte discusse dai commentatori della *Genesi*, e delle quali è chiaro che sono le ultime due a porre un vero problema dottrinale, che ha di fatto rilevanza nell'opera di Dante, come si dirà.

110-1. **ne l'eccelso giardino...**: nell'Eden, posto sulla cima altissima del purgatorio (*eccelso*), dove Beatrice (*costei*) dispuose, rese Dante capace di affrontare l'ardua salita al paradiso.

112. **quanto fu diletto...**: per quanto tempo il Paradiso terrestre fu gioia per i miei occhi, cioè per quanto tempo io potei goderne.

113. **la propria cagion...**: la vera causa dell'ira divina, che portò alla cacciata dell'uomo dal Paradiso terrestre: non il semplice mangiare un frutto, s'intende, avrebbe potuto portare a così grave punizione.

––––– ■ –––––

... allo stesso modo la prima anima (quella di Adamo) mi faceva trasparire, attraverso il suo rivestimento di luce (coverta), con quanta gioia si accingeva compiacermi. ◆ Poi disse: «Senza che mi sia stato espresso da te, io conosco il tuo desiderio meglio di quanto tu conosca le cose che sono per te più certe; poiché io lo vedo in quello specchio veritiero (la mente di Dio) che offre l'immagine esemplare (pareglio) a tutte le cose, mentre nessuna cosa può, inversamente, servire di esemplare a lui. Tu vuoi sapere quanto tempo è che Dio mi pose nell'alto giardino (l'Eden), dove costei (Beatrice) ti rese capace di affrontare una scala così lunga, e per quanto tempo esso (il paradiso terrestre) fu gioia per i miei occhi, e la vera causa della grande ira divina, ...

114   e l'idïoma ch'usai e che fei.
        Or, figliuol mio, non il gustar del legno
    fu per sé la cagion di tanto essilio,
117   ma solamente il trapassar del segno.
        Quindi onde mosse tua donna Virgilio,
    quattromilia trecento e due volumi
120   di sol desiderai questo concilio;
        e vidi lui tornare a tutt'i lumi
    de la sua strada novecento trenta
123   fïate, mentre ch'ïo in terra fu'mi.
        La lingua ch'io parlai fu tutta spenta

114. e che fei: e che io stesso creai. Questa breve frase già anticipa la risposta alla questione che tanto aveva occupato la mente di Dante. Se la lingua infatti fu opera di Adamo, e non di Dio stesso, la sua qualità cambia, e la sua durata anche. Si vedano le note ai vv. 124 sgg.

115-7. non il gustar del legno...: la causa di così lungo esilio per tutta l'umanità non fu il mangiare il frutto di per sé, ma la violazione del limite (*il trapassar del segno*) posto da Dio che quel mangiare significava. Fu cioè un atto di superbia, per non voler sottostare a un qualsiasi limite. Allo stesso modo è definito il peccato originale in *Purg.* XXIX 27: *non sofferse di star sotto alcun velo.* L'espressione usata qui da Dante non può non ricordarci il gesto di colui che nel poema consapevolmente «oltrepassa un segno» stabilito dalla divinità, varcando quello stretto *dov'Ercule segnò li suoi riguardi / acciò che l'uom più oltre non si metta* (*Inf.* XXVI 108-9). Questo dramma proprio dell'uomo secondo la più grande tradizione cristiana – e sperimentato da Dante in se stesso – è di fatto presente in tutta la struttura del poema.

– **tanto essilio**: la lunghezza secolare di quella dolorosa esclusione, misurata ai vv. 119-20, è ricordata, con uguale commosso accento, a VII 28-9.

118-23. Quindi onde mosse...: Adamo risponde ora alla prima domanda (vv. 109-10). Ma non lo fa con una semplice cifra. Egli conta il tempo in funzione della sua vita, una vita di attesa, prima e dopo la morte, e di questa ci dà le date: quanti lunghi anni ha sospirato nel Limbo, quanti anni di dolore ha vissuto sulla

terra. La durata del tempo successivo, dalla sua liberazione al momento presente, è ben nota a Dante, uomo del tempo, che potrà fare facilmente il conto. Per Adamo, già nell'eternità, quel tempo non è esistito.

– **onde...**: cioè dal Limbo, da dove Beatrice fece uscire Virgilio per salvare Dante, e dove Adamo restò, dopo la sua morte, fino alla discesa di Cristo agli inferi (cfr. *Inf.* IV 55), sospirando il paradiso (*questo concilio*). Il numero degli anni trascorsi fra questi due momenti (morte di Adamo – morte di Cristo) è calcolato secondo la cronologia della celebre *Chronica* di Eusebio di Cesarea (il più importante storico cristiano dell'antichità, vissuto ai tempi di Costantino), per la quale dalla creazione di Adamo alla nascita del Salvatore si contano 5198 anni. Togliendo da questi i 930 anni della vita di Adamo (vv. 121-3) e aggiungendo i 34 anni della vita di Cristo (cfr. *Conv.* IV, XXIII 10-1) si ottiene appunto il numero 4302. Dando, nella terzina seguente, il numero degli anni della sua vita (che è quello riferito dalla Bibbia in *Gen.* 5, 5), Adamo risponde di fatto alla domanda di Dante; basta infatti sommare a quei due numeri gli anni che corrono dalla morte di Cristo al 1300, anno della visione (cioè 1266; cfr. *Inf.* XXI 112-4), per avere il tempo trascorso dalla creazione del primo uomo al momento in cui si svolge questo dialogo (4302 + 930 + 1266 = 6498).

119. quattromilia...: il verso sembra prolungarsi, nel contare quel lunghissimo numero di anni passati in attesa. – *volumi* sono i rivolgimenti, le rivoluzioni; *volumi di sol* vale dunque «anni».

121-3. e vidi lui...: e vidi il sole tornare a visitare tutte le costellazioni che segnano il suo cammino (quelle dello Zodiaco) per ben 930 volte, finché io vissi. Questo contare lunghi tempi sulla rivoluzione del sole, prima sulla terra e poi nel Limbo, sembra contrassegnare il tempo di Adamo, prima e dopo la morte.

124-6. La lingua ch'io parlai...: Adamo risponde ora all'ultima domanda di Dante, che è poi quella che più preme non tanto al personaggio pellegrino, ma al poeta scrittore, come si vedrà. La lingua da me parlata – egli dice – era già del tutto spenta, morta, prima che il popolo retto da Nembrot – i babilonesi – si dedi-

---

■

... e la lingua che usai e che io stesso creai. ◆ Ora, figlio mio, la causa di così lungo esilio non fu di per sé il mangiare il frutto, ma soltanto la violazione del limite (il trapassar del segno). Da quel luogo (il Limbo) da dove la tua donna fece uscire Virgilio desiderai di raggiungere questa assemblea (cioè il paradiso) per 4302 rivoluzioni (volumi) del sole; e vidi il sole tornare in tutte le costellazioni che segnano il suo cammino (quelle dello Zodiaco) per ben 930 volte, finché fui vivo in terra. ◆ La lingua da me parlata era già del tutto morta (spenta) ...

innanzi che a l'ovra inconsummabile
126 fosse la gente di Nembròt attenta:
     ché nullo effetto mai razïonabile,
     per lo piacere uman che rinovella
129 seguendo il cielo, sempre fu durabile.
     Opera naturale è ch'uom favella;
     ma così o così, natura lascia
132 poi fare a voi secondo che v'abbella.
     Pria ch'i' scendessi a l'infernale ambascia,
     I s'appellava in terra il sommo bene
135 onde vien la letizia che mi fascia;

casse a quell'opera che non poteva essere compiuta, cioè alla costruzione della torre di Babele. Per la terza volta nel poema (cfr. *Inf.* XXXI 77-8; *Purg.* XII 34-6) ritorna il mito dell'umana superbia che così profondamente aveva colpito la mente e la fantasia di Dante (si vedano le note ai due luoghi citati). Qui il senso della storia è affidato all'aggettivo *inconsummabile* (che mai poteva esser consumata, cioè portata a compimento), dove è espressa l'impotenza della presunzione umana di farsi uguale a Dio.

127-9. **ché nullo effetto...**: giacché nessun prodotto (*effetto*: risultato) dell'umana ragione durò mai per sempre, a causa del gusto (*piacere*) degli uomini che sempre si rinnova, cambia, con il succedersi del tempo. Il concetto – già aristotelico – della mutabilità delle lingue dovuta ai diversi tempi e alle diverse condizioni storiche (vedi nota seguente) si inserisce in quello più generale della caducità di tutte le cose prodotte dall'uomo (*nullo effetto mai razïonabile... sempre fu durabile*). Questa terzina dà ragione dell'affermazione fatta in quella precedente, cioè che la lingua di Adamo si era estinta già prima della confusione babelica, affermazione contraria a quanto Dante aveva sostenuto nel *De vulgari eloquentia*. Tutta l'argomentazione è di fatto qui introdotta e svolta per correggere quell'opinione. Si veda sul problema la nota di approfondimento alla fine del canto.

129. **seguendo il cielo**: l'espressione non si riferisce all'influsso degli astri, come alcuni intendono, ma allo scorrere del tempo, che è regolato dal moto del cielo. Infatti il gusto, e quindi il linguaggio, degli uomini si muta col procedere del tempo, come è chiaramente detto in *Vulg. El.* I, IX, dove è ampiamente svolto il concetto esposto in questa terzina: «ogni nostro linguaggio... come tutte le altre cose che ci appartengono, quali abitudini e costumi, deve necessariamente variare in rapporto alle distanze di spazio e di tempo» (6). E più oltre: «la lingua muta, come s'è detto, via via nel corso dei tempi» (10). Concetto che Dante trovava già nei suoi classici (si veda la citazione di Orazio in nota ai vv. 136-8).

130-2. **Opera naturale...**: che l'uomo usi la parola per esprimersi è un fatto di natura; ma che egli parli poi in questo o quel modo, cioè in questa o quella lingua, la natura lascia libero l'uomo di scegliere secondo il suo beneplacito. Le forme cioè in cui concretamente si configura una lingua (s'intende qui in particolare dei diversi nomi dati alle cose: cfr. vv. 133-5) non sono opera della natura, ma scelta storica dell'uomo. Questa teoria, di derivazione aristotelica, era accolta comunemente dagli scolastici, e in particolare da san Tommaso. Molto vicino al testo dantesco appare in particolare un passo del teologo contemporaneo Egidio Romano (*De regimine principum* III, II 24): «È naturale per l'uomo parlare... ma che parliamo questa lingua o quest'altra, non è naturale, ma dipende dal nostro beneplacito».

132. **v'abbella**: vi piace (cfr. *Purg.* XXVI 140), provenzalismo che ha altri esempi nella nostra lirica duecentesca.

133-6. **Pria ch'i' scendessi...**: Adamo esemplifica quanto ha detto prima: prima ch'io scendessi nell'angoscia infernale (in quel Limbo dove si sospira invano la visione di Dio), cioè prima della mia morte, Dio si chiamava *I*, e poi si chiamò *El*. L'esempio non è scelto a caso. *El* è infatti vocabolo ebraico («il primo nome di Dio per gli Ebrei», spiegava Isidoro di Siviglia nel suo ben noto libro delle *Etimologie* VII, I), cioè di quella lingua che Dante nel *De vulgari eloquentia* identificava con quella adamitica, ispirata da Dio (*El* sarebbe stato il primo vocabolo pronunciato

────────────────────────■────────────────────────

... prima che il popolo retto da Nembrot (i Babilonesi) si dedicasse all'opera che non poteva essere compiuta (inconsummabile; cioè la torre di Babele); giacché nessun prodotto (effetto) della ragione umana durò mai per sempre, a causa del gusto (piacere) degli uomini che sempre si rinnova con il procedere del tempo (seguendo il cielo). Opera della natura è il fatto che l'uomo parli; ma un modo o l'altro di parlare (così o così), la natura lo lascia poi scegliere a voi, secondo ciò che vi piace (v'abbella). ◆ Prima che io scendessi nell'angoscia infernale (cioè prima della mia morte), il sommo bene (Dio) da cui deriva la gioia che mi avvolge in forma di luce (mi fascia) in terra si chiamava I; ...

    e *El* si chiamò poi: e ciò convene,
    ché l'uso d'i mortali è come fronda
138 in ramo, che sen va e altra vene.
     Nel monte che si leva più da l'onda,
    fu' io, con vita pura e disonesta,
    da la prim'ora a quella che seconda,
142   come 'l sol muta quadra, l'ora sesta».

dall'uomo: *Vulg. El.* I, IV 4), e che ora ammette si sia formata invece, per la storica mutabilità, dopo la morte del primo uomo. Quanto al nome *I*, i commentatori pensano sia stato scelto per la sua massima semplicità, paragonabile a quella divina, oppure – leggendo *I* come numero – per l'analogia con l'unità divina. Ma sembra migliore ipotesi, in questo contesto (cfr. vv. 127-9 e nota), che Dante si riferisca a uno dei nomi di Dio indicati da san Girolamo (*Epistola* XXV) cioè a *Ia*, inteso dai vocabolari del tempo come *I* consonantica pronunciata *Ia* (e scritta solo *I*).

– **onde vien...**: quel bene da cui deriva la gioia che mi avvolge in forma di luce; *fasciare* è detto dell'involucro di luce anche a VIII 54.

136-8. e ciò convene...: e tale mutamento avviene di necessità, perché le usanze degli uomini sono come le fronde sui rami, che si avvicendano ad ogni stagione. La similitudine risale a Orazio: «Come nei boschi, al finire di ogni anno, le foglie si mutano e le vecchie cadono, similmente muore la vecchia generazione delle parole e quelle or ora nate fioriscono giovani e vigorose» (*Ars poetica* 60-2). Il luogo è citato anche in *Conv.* II, XIII 10.

138. che sen va e altra vene: con le stesse parole a *Purg.* XI 115-6 si parla della gloria umana (*La vostra nominanza è color d'erba, / che viene e va...*), dove tuttavia la fonte di riferimento è biblica (*Is.* 40, 6-7). Ancora una volta le due diverse tradizioni culturali e letterarie di cui si alimenta il poema mostrano la loro singolare coincidenza.

139-42. Nel monte che si leva...: Adamo risponde infine alla seconda domanda: io restai nel Paradiso terrestre (su quella montagna che s'innalza più alta di tutte sulla superficie del mare: *Purg.* III 14-5) in stato di innocenza e di colpa (cioè compreso il tempo trascorso prima e dopo il peccato) dalla prima ora del giorno a quella che segue la sesta (cioè fino all'inizio della settima), quando il sole entra nel secondo quadrante del suo giro (dopo aver percorso quindi 90 gradi, un quarto di circonferenza, la quarta parte del giorno). Adamo rimase dunque nell'Eden non più di sette ore. Sulla durata di quel soggiorno Dante segue qui fra le tante l'opinione riferita da Pietro Comestore (sul quale si veda la nota a XII, 134) nella sua *Historia scholastica*, fondata su una osservazione di Beda per la quale l'ora del peccato originale avrebbe corrisposto a quella della morte di Cristo, che quel peccato redimeva. Per l'ora della morte di Cristo, si cfr. *Inf.* XXI 112 e *Conv.* IV, XXIII 11.

– **l'ora sesta**: poiché la creazione si riteneva avvenuta nell'equinozio di primavera (cfr. *Inf.* I 38-40 e nota), *l'ora sesta* coincideva con il mezzogiorno, proprio come al momento della crocifissione del Redentore. Per questo, crediamo, Dante pone quell'ora in così forte risalto, in fine di verso e di canto, come ultima parola pronunciata da colui che commise il peccato riscattato da quella morte (i due momenti della storia del mondo già datati ai vv. 118-20).

... e poi si chiamò El: e tale mutamento avviene di necessità (convene), perché le usanze degli uomini sono come le fronde sui rami, che vanno e vengono. Su quella montagna che s'innalza più alta di tutte sulle onde del mare (cioè nel Paradiso terrestre) io restai in stato prima di innocenza e poi di colpa, dalla prima ora del giorno (le sei del mattino) a quella che segue la sesta (cioè un'ora dopo il mezzogiorno), quando il sole entra nel secondo quadrante del suo giro (muta quadra)».

PROBLEMI DI INTERPRETAZIONE

Una discussa similitudine

verso 97.   Talvolta un animal coverto broglia

Questo paragone è stato variamente inteso. Gli antichi commentatori intendevano che la coperta fosse la pelle stessa dell'animale, ma è spiegazione da escludersi, sia per il *Talvolta*, sia per l'immagine stessa del *seguir che face a lui*. Si deve intendere dunque una coperta vera e propria. Di quale animale può trattarsi? Alcuni pensano al falco sotto il suo cappuccio, altri al cavallo da battaglia sotto la gualdrappa lucente, altri ad un animale domestico (un gatto, un cane) casualmente coperto. Ma se Dante intendeva un determinato animale, lo avrebbe certamente detto. Il paragone è secondo noi volutamente indeterminato, e ognuno degli esempi citati può corrispondere all'idea: come un animale coperto non ha altro modo di esprimersi se non agitandosi sotto il suo involucro, così l'anima dei beati non ha altro mezzo sensibile (se non appunto il linguaggio) per comunicare il suo sentimento. E l'involucro di luce *segue*, col suo vario brillare, gli affetti dell'anima, come la coperta col suo muoversi quelli dell'animale. Si cfr. del resto V 124-6 e VIII 52-4. Non si tratta dunque di una «similitudine bizzarra» (Sapegno), ma della più precisa possibile, come osserva il Poletto. Come abbiamo altre volte osservato, Dante non si tira mai indietro, quando si tratta di rappresentare in modo esatto un moto, un atto o un sentimento, di fronte a oggetti del reale che a noi moderni sembrano non convenienti. Ogni aspetto del mondo sensibile – sia albero, animale, stella o pietra – ha per lui la stessa dignità, e si tratta solo di scegliere quello che meglio conviene al suo scopo.

La lingua opera dell'uomo

verso 124-7.   La lingua ch'io parlai...

L'opinione qui sostenuta sulla mutabilità della lingua di Adamo contraddice, e di fatto corregge, come si è detto sopra, quella sostenuta nel *De vulgari eloquentia*. Nel trattato (*Vulg. El.* I, VI 4-7) si era detto che la lingua adamitica era di origine divina («*concreata* da Dio insieme all'anima del primo uomo»), e quindi non era soggetta a corruzione; rimasta immutata in tutta l'umanità fino al tempo della torre di Babele, era poi sopravvissuta, dopo la confusione delle lingue, soltanto nel popolo ebreo, che non aveva partecipato all'impresa (con questa teoria si poteva concludere – come si voleva – che il Cristo, nato nel popolo ebreo, aveva parlato la lingua stessa data da Dio agli uomini). Era questa – della prima lingua rimasta agli Ebrei dopo la confusione – un'opinione corrente, ritrovabile nel *De Civitate Dei* di Agostino e in altri autori di larga diffusione. Ma Dante è ora giunto a una diversa opinione, che cioè fin dall'inizio la lingua sia creazione dell'uomo, e non di Dio, che aveva dato all'uomo soltanto il dono della parola, e non una lingua già strutturata. Come opera umana, anche quella di Adamo era dunque soggetta a estinzione. Dante viene a giustificare così la sua scelta dell'uso del volgare per il *poema sacro*, quasi rispondendo a quanti gli rimproveravano di non avere usato il latino (si veda su questo quanto si è detto nella Introduzione al canto).

NOTE AL TESTO

v. 17. **Alfa e O**: così nell'antica tradizione manoscritta e così sono trascritte nei testi del tempo di Dante la prima e l'ultima lettera dell'alfabeto greco citate nell'*Apocalisse* di Giovanni. Per questo così leggono il verso gli editori moderni (come il passo dell'*Ep.* XIII citato in nota ai vv. 16-8), mentre le antiche edizioni trascrivevano *Alfa e Omega è* ecc.

SUGGERIMENTI PER LA RICERCA

Temi del canto

Dante e san Paolo

All'inizio del suo viaggio nell'aldilà Dante ricorda quello di san Paolo (vedi *Inf.* II 32) dichiarando la sua indegnità ad affrontare una impresa uguale a quella concessa

(margine sinistro verticale) approfondimenti

al grande apostolo; giunto a questo punto, invece, si riconosce investito da una missione simile a quella del suo predecessore. Ripercorrendo le note al testo individua i passi che stabiliscono la somiglianza tra i due; quindi esponi in un breve scritto le tue osservazioni su questa mutata prospettiva, ricordando gli episodi del viaggio che a tuo giudizio hanno fatto maturare nel poeta la consapevolezza del proprio compito. Per un ulteriore approfondimento puoi leggere, alla voce *San Paolo* dell'*Enciclopedia Dantesca*, il paragrafo *San Paolo e Dante* (IV, pp. 273-274), a cura di G. Fallani.

La carità

Dopo aver riletto il dialogo sulla carità (vv. 7-66) con le note di commento, precisa il senso che Dante, secondo la terminologia cristiana, attribuisce alla parola, le ragioni da cui tale virtù è motivata e il valore che ha nella sua vita personale; quindi rileva la differenza del significato del termine con quello dell'uso moderno ed esprimi le tue riflessioni in proposito. Sul tema come qui è svolto da Dante, leggi l'Introduzione al canto e il saggio di F. Figurelli citato tra le *Letture consigliate*.

La questione della lingua

La questione della lingua investe direttamente l'attività del poeta: leggi con attenzione la nota di approfondimento che la riguarda, quindi esponi con parole tue la tradizionale opinione da Dante accolta nel *De vulgari eloquentia* (I, VI 4-7) e ciò che invece egli fa dire a Adamo in questo canto; infine con l'aiuto dell'Introduzione cerca di spiegare la scelta del volgare per la *Commedia*. Puoi approfondire l'argomento leggendo il contributo di P. V. Mengaldo *La lingua di Adamo*, in *Enciclopedia Dantesca* I, pp. 47-48, e il saggio di lettura del canto di B. Nardi, citato tra le *Letture consigliate*.

Personaggi del canto

«L'aguglia di Cristo»: san Giovanni

Per completare il ritratto dantesco dell'apostolo, vai a cercare la sua apparizione nella rosa dei beati (XXXII 127-130), poi ricostruisci la vita di Giovanni leggendo almeno qualche episodio evangelico (il primo incontro: *Gv.* 1, 35-39; Gesù gli affida la madre *Gv.* 19, 26-27; la tomba vuota *Gv.* 2, 1-10; la conclusione *Gv.* 21, 20-25) e consultando le voci relative nel *Grande libro dei Santi* (III, 847-855, a cura di R. Vignolo) e nel *Dizionario enciclopedico del Medioevo* (II, 835-836, a cura di G. Berceveille).

Adamo

Approfondisci la figura del progenitore dell'umanità leggendone prima la storia nella Bibbia, *Genesi*, 1-5 e poi la voce *Adamo* dell'*Enciclopedia Italiana Treccani*, vol. I, pp. 470-471; quindi, ripercorrendo il testo dantesco con l'aiuto delle note di commento, rileva gli elementi che fanno del *padre antico* il segno della tristezza da cui è contrassegnato l'umano destino, come è detto a conclusione dell'Introduzione al canto.

Lingua e stile

quanta scrittura / mi legge Amore – vv. 17-18

Riconosci, aiutandoti con le note di commento, i diversi usi e significati del vocabolo *scrittura* in questo e nei seguenti passi, *Purg.* VI 34; *Par.* IV 43; XIII 128; ripeti quindi lo stesso tipo di ricerca anche a proposito del verbo *leggere*, di cui verificherai il significato nel passo qui indicato e in *Inf.* V 127; *Par.* X 137; XII 123; XXIX 71. Precisa infine, sulla base di quanto sinora annotato, il significato dei termini *scrittura* e *lettore* nel famoso passo di *Convivio* II, I 2 sgg.

si disonna – v. 70

Consulta le *Concordanze* alle voci *affannare, immegliare, impinguare, scolpare* e *vestire* e riconosci, aiutandoti con le note di commento, altri casi, oltre a quello qui indicato, in cui il verbo riflessivo sia usato alla terza persona singolare come impersonale.

L'ILLUSTRAZIONE DELLA *DIVINA COMMEDIA*

La *"poesia muta"* delle immagini nei codici danteschi del Paradiso

Illustrare la terza cantica del poema è per gli artisti una vera e propria sfida. Dante stesso dichiara la propria difficoltà a descrivere l'esperienza mistica, in cui la materia si dissolve e le percezioni più acute sono variazioni di luce, movimento e suono; se il linguaggio verbale è inadeguato, tanto più ha motivo d'esserlo quello visivo, che deve tralasciare tutti gli elementi che sfuggono all'occhio (da qui la definizione della pittura come "poesia muta" data dagli antichi Greci). A questo svantaggio originario si aggiungeva per i primi illustratori la mancanza nella cultura classica di modelli figurativi per il Paradiso; inoltre la tecnica pittorica del tempo non favoriva la rappresentazione dello spazio. Perciò i codici più antichi (e anche alcuni dei più tardi) non hanno illustrazioni per la terza cantica. Nonostante gli ostacoli si può affermare però che la sfida è stata vinta dai miniatori più arditi, che hanno saputo inventare una varietà di soluzioni, e il prezioso campionario presentato in queste pagine lo testimonia.

Il testo non descrive l'ascesa di Dante se non con il cambiamento dei personaggi intorno a lui e delle configurazioni delle anime. Gli illustratori, per marcare le differenze tra i cieli, rappresentano le divinità pagane che danno nome ai pianeti e le figure delle costellazioni seguendo l'immaginario astronomico di Michele Scoto (secoli XII-XIII), con la sua mescolanza di elementi egizi, arabici e classici. Nel secolo XV l'evolversi dello stile pittorico rinascimentale consente una visualizzazione più articolata delle immagini.

Per quanto riguarda i personaggi, accanto a Dante è costantemente Beatrice, che appare, a seconda dell'interpretazione dei commentatori, come una figura storica di gentildonna o una figura allegorica, santa aureolata o Virtù ; le anime, a differenza dalle altre due cantiche, sono prevalentemente rivestite da tuniche oppure da abiti che ne indicano il ruolo sociale e il rango (anche se non mancano rappresentazioni di corpi nudi) e sono caratterizzate da gesti quieti e volti sereni.

Rispetto al testo è poco sviluppato il tema del movimento, che non fa parte delle potenzialità espressive della pittura del tempo: le figure più che in volo sembrano sospese in una magica assenza di gravità; animano le composizioni le linee diagonali e le asimmetrie. Il tema della luce, essenziale alla poesia del Paradiso, è risolto con l'abbondanza delle dorature (fondali, raggi, astri, aureole) e la modulazione delle tinte, più delicate e preziose che nelle miniature delle precedenti cantiche.

La pagina di apertura ha come sempre un particolare risalto: la scelta del soggetto per l'iniziale "L" non è però scontata, perché il testo non offre suggerimenti decisi; le immagini prevalenti sono Il trionfo di Cristo e la Vergine in trono, oltre alle raffigurazioni delle Virtù o delle Arti Liberali, nelle edizioni più prestigiose (si veda l'immagine della copertina, dal codice della Biblioteca Laurenziana di Firenze Temp.1, 62r).

Codice 1080, 70r, sec. XIV, Milano, Biblioteca Trivulziana.
Iniziale "L" con l'incoronazione della Vergine, cui corrisponde, nel fregio in basso, Dante incoronato d'alloro da Beatrice. La decorazione del codice (di cui è presentata la pagina iniziale del *Purgatorio* nel nostro secondo volume), è un pregevole esempio della scuola fiorentina.

CANTO I
 Codice Egerton 943, 130 r, metà sec. XIV, Londra, British Library.

Nelle miniature di questo codice, già presentato nel *Purgatorio*, un segmento di cerchio ad archi colorati racchiude le immagini celesti. Dante e Beatrice sono generalmente rappresentati al di fuori. Qui Beatrice (vestita di rosso con manto verde e velo, secondo la descrizione data dall'autore nel *Purgatorio*), indica a Dante il sole, dal volto umano, iniziando la sua lezione sull'ordine dell'universo (vv,100-101).

CANTO I
 Codice Holkham Hall 48, 113, terzo quarto del sec. XIV, Oxford, Bodleian Library.

L'illustrazione è, come al solito in questo codice già presentato nel *Purgatorio*, collocata nel margine basso; le figure sono inserite in uno spazio orizzontale, che fa percepire il tempo della narrazione, tra due strisce di cui la superiore raffigura il cielo stellato. In questa prima immagine si realizza un effetto di volo delle figure verso il sole, mediante la posizione asimmetrica dell'astro e le diagonali dei raggi. Dante, a differenza della vignetta precedente, è vestito di blu, mentre Beatrice mantiene l'abbigliamento che rispecchia le indicazioni del testo.

CANTO II **Holkham Hall 48, 115.**
Beatrice, di nuovo in atteggiamento didattico, con la mano alzata, conduce Dante attraverso il cielo della Luna, che sembra contenere una figura umana, quella di Caino, lì tenuto prigioniero secondo la credenza popolare (vv.49-51); sullo sfondo di stelle è raffigurato il simbolo della costellazione del Cancro.

CANTO III **Codice Yates Thompson 36, 133 r, metà sec. XV, Londra, British Library.**
In questo codice (già presentato nel *Purgatorio*) le miniature sono incorniciate e poste nel margine inferiore; l'illustratore del Paradiso è Giovanni di Paolo, artista senese che unisce il gusto tardogotico (attenzione per i particolari, figure allungate) alla complessità spaziale e figurativa dello stile rinascimentale. Le visioni celesti sono inserite in dischi piatti sospesi sul fondo azzurro, mentre la storia terrena dei personaggi è descritta con particolari realistici e ambientata in paesaggi rurali e urbani dai delicati colori. Nella illustrazione del Canto III Piccarda e Costanza appaiono nella bianca luminosità del cerchio lunare nei loro abiti monastici; Beatrice è una figuretta volante, mentre le figure in basso che contemplano la propria immagine riflessa si riferiscono al mito di Narciso (vv.10-18).

CANTO VI **Holkham Hall 48, 124.**
Nel cielo di Mercurio, è rappresentato Giustiniano, una figura solenne rivestita del manto regale rosso bordato di pelliccia e con una fulgida corona; ai lati due gruppi di anime in abito medievale, tra cui si distingue per il volto espressivo incorniciato dalla barba Romeo di Villanova, indicato dal nome.

CANTO VII **Yates Thompson 36, 141 r.**
Nel disco, che raffigura il cielo di Mercurio, Giustiniano appare inginocchiato in preghiera, mentre Dante e Beatrice contemplano, a mezz'aria, le scene della storia sacra che si allineano nel riquadro: il peccato originale, l'annunciazione, la crocifissione, su sfondi naturali e architettonici. Il contenuto teologico del canto, che di per sé sfugge alla rappresentazione, è dunque risolto in forma narrativa, cogliendo gli spunti del testo. Beatrice è vestita di un prezioso abito con disegni dorati, cuffia e velo.

CANTO VIII **Holkham Hall 48, 126.**
Nel cielo di Venere (in alto), la dea è rappresentata come una regina, incoronata e con manto, in posa frontale, ieratica, tra le figure delle costellazioni corrispondenti, Toro e Bilancia.

CANTO VIII **Codice Italico IX. 276, 58 r, tardo secolo XIV, Venezia, Biblioteca Marciana.**
Le miniature di questo codice (già presentato nel *Purgatorio*) sono diverse una dall'altra per formato e posizione nella pagina, ricche di particolari e di tonalità di colore. In questa pagina l'illustrazione occupa le due colonne del testo presentando, oltre a Venere tra le due costellazioni, gli spiriti amanti, condotto da Carlo Martello; al centro è Beatrice, di profilo, raffigurata come una gentildonna in abito e acconciatura del tempo.

CANTO IX **Yates Thompson 36, 145 r.**
Nel cerchio luminoso del cielo di Venere Cunizza da Romano è affiancata da Folco da Marsiglia, raffigurato come un monaco cistercense, con mitra e pastorale, e non come il famoso trovatore che fu nella giovinezza. Nella parte inferiore è riconoscibile Firenze, col Palazzo Vecchio, il Campanile e la Cattedrale, dominata dal diavolo che versa denaro nelle mani del papa e dei cardinali: viene così illustrata l'invettiva di Folco contro l'avidità della Chiesa.

CANTO X **Italico IX. 276, 59 v.**
L'immagine è costituita da due strisce sovrapposte: nella parte superiore Dante e Beatrice contemplano il cielo del Sole, con la costellazione dell'Ariete, poi incontrano San Tommaso e Alberto Magno; nella inferiore gli altri spiriti sapienti si danno la mano (nel testo compongono una "ghirlanda" luminosa).

CANTO **XI Yates Thompson 36, 149 r.**
La miniatura (in alto) sintetizza il racconto della vita di San Francesco fatto da San Tommaso: il Santo, nudo in segno di spoliazione dai beni terreni, si inginocchia di fronte al pontefice, in atto benedicente; sullo sfondo, a sinistra Assisi, alle falde del monte Subasio, a destra, oltre il fiume Tupino, Perugia.

CANTO **XII Yates Thompson 36, 151 r.**
Per rappresentare il cielo del Sole, il miniatore del codice ne accentua l'irradiazione luminosa, che in questa vignetta occupa quasi tutto lo spazio. I personaggi nominati da Bonaventura da Bagnoregio sono disposti in semicerchio, maestosamente seduti, e alcuni sono riconoscibili per l'abito e i particolari attributi, mentre altri non sembrano corrispondere al testo dantesco. I tre personaggi con la mitra e l'aureola sono Anselmo d'Aosta, Robano Mauro e Giovanni Crisostomo. I tre con il copricapo da "maestro" sono Ugo da San Vittore, Donato e Pietro Mangiadore; San Bonaventura, Dante e Beatrice appaiono sospesi sotto l'arco dorato.

CANTO **XIII Egerton 943, 149r.**
In questa immagine è raffigurata la similitudine dei versi 1-6: all'interno del segmento di cerchio colorato appaiono le quindici stelle di prima grandezza catalogate nell'Almagesto di Tolomeo, opera che Dante conosceva attraverso una traduzione.

CANTO XIV **Italico IX. 276, 63 r.**

Nella prima illustrazione della pagina è raffigurato Salomone, in abito regale, accompagnato da altri dignitosi personaggi, mentre risponde a una domanda di Dante riguardante la resurrezione dei corpi; il sole splende al centro, con il consueto volto umano. Il tema della luce del discorso di Salomone (vv. 37-60) è reso, in questo caso come in altri, dall'accensione dei colori. Nella seconda illustrazione Dante e Beatrice si trovano già nel cielo di Marte, che è rappresentato come una figuretta rossa a cavallo dell'Ariete; viene raffigurata la croce formata da raggi lucenti (vv. 91-117) entro cui si muovono le anime dei beati: figure chiare di uomini, donne e fanciulli.

CANTO XVII **Yates Thompson 36, 159 r.**

Questa illustrazione rappresenta la profezia di Cacciaguida sull'esilio di Dante in due episodi; la cacciata da Firenze, identificata dallo scorcio della cattedrale e dal giglio sulla porta delle mura, e il soggiorno a Verona, alla corte degli Scaligeri, dove il poeta si dedica alla scrittura. Si offre all'artista l'occasione di ritrarre la vita terrena, con ambienti suggeriti da intelaiature architettoniche e osservazioni naturalistiche.

**CANTO XIX Codice Banco Rari 39, 393 r,
1400 ca., Firenze, Biblioteca Nazionale.**
Questo codice lombardo, con una sola colonna di testo e il commento di Francesco
da Buti, è miniato da un seguace di Gio-
vannino de' Grassi, in stile Gotico Internazionale, con immagini preziose ricche di particolari inserite nei capolettera delle strofe,
anche più di una per Canto.
Nei canti XVIII-XIX-XX la figura simbolica dell'aquila, formata dagli spiriti danzanti nel cielo di Giove, suscita l'interesse degli illustratori, che la interpretano secondo
la loro fantasia e i loro canoni formali. In
questo codice la forma stilizzata dell'aquila,
che ricorda le immagini araldiche, si inserisce tra elementi grafici riprendendo la lettera "M" che è all'origine delle trasforma-
zioni narrate nel testo.

CANTO XX Holkham Hall 48, 137.
Tra le due bande colorate ricorrenti è inserita la figura dell'aquila, qui di profilo e non
di fronte come nella precedente illustrazione; la testa coronata di re David sporge al
di sopra di altre cinque teste coronate: dovrebbero rappresentare la pupilla e il ciglio
della testa dell'aquila, secondo le indicazioni del testo (vv. 37-45).

CANTO XXI **Yates Thompson 36, 145 r.**
Saturno è raffigurato al centro del consueto disco, qui rimpicciolito, come un vecchio che impugna una falce; gli angeli affiancano la scala dorata, versione molto semplificata e rudimentale di quella descritta nel testo (vv. 28-30). A sinistra in basso è raffigurata Semele avvolta di fiamme, immagine del mito di Ovidio ripreso nel discorso di Beatrice (vv. 4-6).

CANTO XXII **Holkham Hall 48, 141.**
Questa illustrazione si riferisce ai versi 133-154, in cui Dante si volta ad osservare il cammino percorso, e contempla sotto di sé il sole, la luna e cinque pianeti con l'aspetto di stelle; in alto è raffigurata la costellazione dei Gemelli; la striscia colorata segue un'ampia curva per dare l'idea della salita; a destra sono ripetute le figure di Dante e Beatrice rivolte l'una verso l'altra.

CANTO **XXII Banco Rari 39, 407 r.**
All'interno dell'iniziale "M" (v.73) lo spazio
è suddiviso in due zone sovrapposte, unite
dalla scala dorata, con una molteplicità di
momenti narrativi: le figure ripetute di Dante e Beatrice salgono al cielo delle stelle fisse, contemplano i cieli già percorsi (come
nella illustrazione precedente), si inginoc-
chiano di fronte ai Gemelli, incontrano in volo San Benedetto; nella zona sottostante, che
si riferisce alla realtà terrena, un monaco parla con un uomo e una donna, di fronte a una
chiesa (probabilmente l'illustratore vuole
rappresentare la mondanizzazione dell'Ordine, di cui riferisce il discorso del Santo).

CANTO **XXIII Banco Rari 39, 410 r.**
Nel capolettera "C" del canto è raffigurata la
suggestiva similitudine iniziale, con l'uccello
che bada ai suoi piccoli
nel nido e si leva in volo
in cerca di cibo; al di sopra, su fondo dorato, è
raffigurato il trionfo di
Cristo, circondato dagli
angeli, con accanto la
Vergine incoronata e le
schiere dei beati adoran-
ti. La freschezza dei particolari naturalistici, i colori smaglianti e le raffi-
nate decorazioni esem-
plificano pienamente lo
stile del Gotico Interna-
zionale.

CANTO XXIV **Holkham Hall 48, 143.**
Beatrice, con gesto premuroso, introduce Dante al colloquio con San Pietro, rappresentato convenzionalmente come un vecchio dal nobile aspetto, leggermente staccato dal gruppo degli apostoli, indicati dai nomi scritti, tra cui appare anche San Paolo.

CANTO XXIV **Yates Thompson 36, 173 r.**
In questa illustrazione Dante, accompagnato dallo sguardo e dal gesto di intercessione di Beatrice, si inginocchia di fronte a San Pietro, che lo cinge con una corda bianca (interpretazione del verso 152?) all'interno di una corona di stelle; otto figure prive di tonaca assistono in atteggiamento di preghiera; a destra la Virtù della Fede è raffigurata come una donna alata che porta la croce.

CANTO XXVI **Codice Laurenziano Plutei 40.1, 302 v, sec. XV (1456), Firenze, Biblioteca Laurenziana.**
In questo codice di area settentrionale (di cui si trovano due riproduzioni nel *Purgatorio*) le miniature sono poste all'inizio di ogni canto, all'interno di una delle due colonne di testo; lo stile è di scuola bolognese o veneta con influenze bolognesi, e riprende i modelli del codice 67 della Biblioteca del Seminario di Padova (presentato nell'*Inferno*).
La illustrazione rappresenta il colloquio di Dante con Adamo, il cui corpo è avvolto dai fluenti capelli e dalla barba; Beatrice non ha l'aureola ma un velo e una corona d'ulivo, secondo la descrizione data dallo stesso Dante nel Purgatorio.

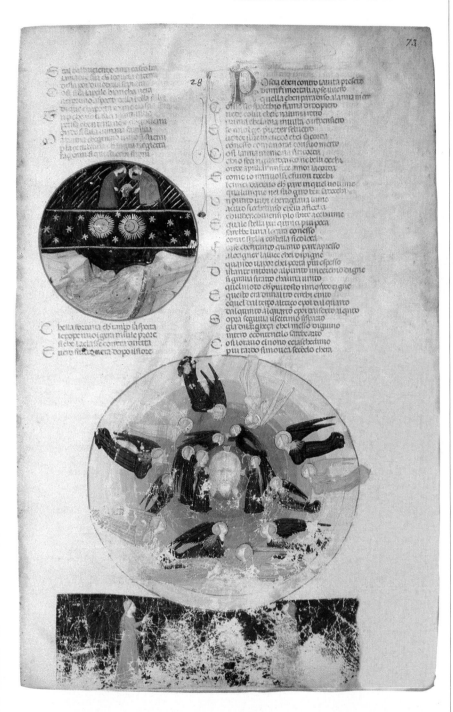

CANTI **XXVII-XXVIII Italico IX. 276, 73 r.**
In una sola pagina si trovano due miniature. La prima, di forma circolare, illustra i versi 76-87 del Canto XXVII, in cui Beatrice invita Dante a guardare in giù, per verificare l'arco percorso nel cielo rispetto al momento della precedente osservazione (Canto XXII); nella sezione inferiore è rappresentato lo stretto di Gibilterra, con il mare ondeggiante fra le rocce. Nella seconda miniatura Dante e Beatrice contemplano la sfera dei cori angelici, rappresentata con molta semplicità in confronto alla complessa visione descritta nel testo; il punto luminosissimo al centro, diventa nell'immagine il volto di Cristo, più facilmente raffigurabile.

CANTO XXVIII **Plutei 40.1, 312 v.**
La prima visione di Dio è qui risolta secondo schemi convenzionali, in forma statica: Beatrice con l'indice alzato spiega a Dante la composizione dei cori angelici, rappresentati da un gruppo di angeli indifferenziati, in ginocchio, e da sei figure di cui si vedono solo i volti e le ali, quattro per ciascuna, (riconoscibili quindi come i Serafini); al centro, Dio è rappresentato come un vecchio saggio e sapiente, inserito in una mandorla, come in tante rappresentazioni della pittura Medievale.

CANTO XXX **Egerton 943, 179 v.**
In questo canto il testo favorisce gli illustratori, presentando nei versi 64-69 una immagine molto suggestiva; la "fiumana" di luce e gli altri elementi metaforici vengono interpretati come un paesaggio terrestre trasfigurato. In questa vignetta Dante e Beatrice (col capo cinto da un'aureola) sono inclusi nel semicerchio che solitamente delimita le visioni soprannaturali; intorno a loro alberi e fiori sulle rive di un fiume; sopra al centro fluttuano forme rotonde luminose.

CANTO XXXI **Italico IX. 276, 75 r.**

La rappresentazione della rosa celeste, per dimensione e struttura, pone non poche difficoltà agli illustratori, che ne danno necessariamente una versione minimale. In questa miniatura la rosa è geometrizzata: i petali formano anelli concentrici attorno alla testa di Cristo; gli angeli, vestiti di bianco con ali dorate, si prendono cura delle anime; Beatrice appare in piedi in uno dei petali, ma anche all'esterno della rosa, a sinistra, accanto a Dante, mentre a destra è stata sostituita come guida da San Bernardo.

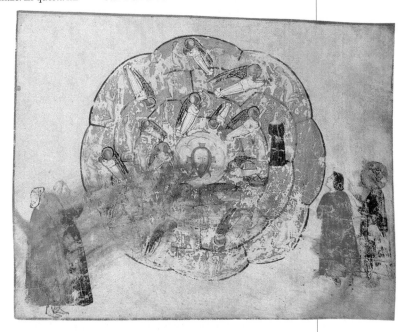

CANTO XXXII **Holkham Hall 48, 145.**

L'illustratore segue fedelmente – per quanto può – il testo rappresentando a mezza figura nei petali i personaggi nominati da San Bernardo, distinti dalle iniziali dei nomi. La Vergine è al centro; Lucia e Beatrice sono a destra, Sant'Anna a sinistra e a destra si riconoscono inoltre Adamo e Mosé; ai Santi del Nuovo Testamento, San Pietro, San Giovanni Evangelista, San Giovanni Battista San Francesco, San Benedetto e Sant'Agostino, tutti sulla sinistra, è aggiunto San Domenico, vicino a San Francesco; ai due lati gli angeli e, a sinistra, un gruppo di fanciulli è raffigurato vicino all'Angelo Gabriele; si notano anche i seggi vuoti di cui si parla nei versi 25-26.

che cio chio dico eun simplici lume.
La forma uniusal diquesto nodo
creodo chio udi pche piu dilargo
dicendo questo misento chio godo.
Vn puito solo me maggior letingho
che · xxv · secoli allampsa
che se neptuno admirar lobza dagho

et intendente te ami q amici ·
Quella circulactione che si concepta
parena inte come lume reflexo
daglocchi miei alquanto circufpecti.
Dentro dase dei su coloze stesso
miparue pinta della nostra effigie
perchello mio uiso ile intuero eiu messo.

CANTO XXXIII **Holkham Hall 48, 147.**
La particolarità di questa immagine è la rappresentazione della Trinità (diversamente dal testo) come una figura a tre facce, all'interno dei cerchi dorati. Dante e San Bernardo sono sulla sinistra, in atteggiamento di adorazione, come gli angeli in volo.

CANTO XXXIII **Egerton 943, 186 r.**
L'ultima visione di Dante è, secondo il poeta stesso, inesprimibile a parole; gli illustratori si limitano a ribadire le proprie scelte rappresentative, come in questo caso, dove l'immagine di Cristo appare nel semicerchio, dove Dante è ora solo e assorto nella contemplazione e nella preghiera. Alla intensità dei colori è affidato il compito di animare la elementare composizione.

CANTO XXVII

Introduzione

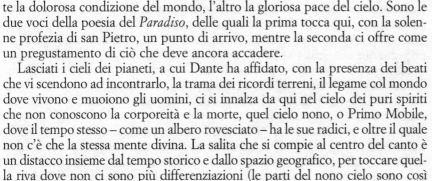

Questo canto è l'ultimo dei cinque dedicati al cielo Stellato, cielo che segna come un confine, nel viaggio celeste, tra la zona dove ancora parla la storia umana, con le sue alterne vicende, e quella in cui si entra nella dimensione dell'eterno, dove si troveranno le creature angeliche e l'umanità glorificata oltre la fine dei tempi.

Il canto, quasi crocevia tra i due diversi cammini, svolge due temi in vivo contrasto fra loro, l'uno riguardante la dolorosa condizione del mondo, l'altro la gloriosa pace del cielo. Sono le due voci della poesia del *Paradiso*, delle quali la prima tocca qui, con la solenne profezia di san Pietro, un punto di arrivo, mentre la seconda ci offre come un pregustamento di ciò che deve ancora accadere.

Lasciati i cieli dei pianeti, a cui Dante ha affidato, con la presenza dei beati che vi scendono ad incontrarlo, la trama dei ricordi terreni, il legame col mondo dove vivono e muoiono gli uomini, ci si innalza da qui nel cielo dei puri spiriti che non conoscono la corporeità e la morte, quel cielo nono, o Primo Mobile, dove il tempo stesso – come un albero rovesciato – ha le sue radici, e oltre il quale non c'è che la stessa mente divina. La salita che si compie al centro del canto è un distacco insieme dal tempo storico e dallo spazio geografico, per toccare quella riva dove non ci sono più differenziazioni (le parti del nono cielo sono così *uniformi* che Dante *non sa dire* in quale di essa egli si sia fermato con Beatrice), quelle differenziazioni dalle quali hanno origine tutte le umane vicende.

Nel cielo Stellato abbiamo visto trionfare la Chiesa, con il suo capo, Pietro, a cui qui sarà data solenne voce. Ma la stessa Chiesa – nata per essere guida della storia umana verso la patria celeste (cfr. *Mon.* III, XV 10) – non ha più una funzione nella dimensione eterna, dove ogni evento ha raggiunto il suo compimento in Dio.

Così la grande invettiva pronunciata da Pietro nella sequenza di apertura ha ruolo di conclusione di tutto il discorso sulla Chiesa fatto lungo il poema. Con essa la storia invade il canto, nella forma del discorso profetico, che Beatrice riprenderà alla fine. Ma con uguale potenza vi si accampa poi il richiamo ardente al mondo divino che già si intravede, e risplende lontano ma ormai raggiungibile.

Il canto è costruito su due soli eventi: l'invettiva di Pietro e la salita al cielo Cristallino. Al suo centro, una breve sequenza di quattro terzine ne rivela il significato: Dante rivolge da quell'ultimo cielo storico un estremo sguardo alla terra, vista tra le sue due rive, d'Occidente e d'Oriente, geograficamente e moralmente definite. È questo il nucleo inventivo generatore del canto, canto nel quale appunto si lascia il mondo degli uomini.

La struttura tematica dell'intero svolgimento, anche se gli eventi, e gli argomenti, sono di fatto due, non è tuttavia bipartita, ma alternata. Il canto si articola infatti in quattro ben definiti tempi: nella prima parte il coro solenne e glorioso dell'apertura e la violenta invettiva pronunciata da Pietro in mezzo al trascolorare del cielo; nella seconda la salita al Cristallino con la sua luminosa descrizione e il lamento di Beatrice sull'umanità disviata. Al centro, lo sguardo alla terra di cui si è detto.

L'aperto contrasto tra i due temi proposti è espresso nel loro diverso tono poetico: i due linguaggi propri della cantica – quello contemplativo e quello profetico – sembrano qui contendersi il campo, creando una forte tensione drammatica; oltre all'oggettiva contrapposizione tra le due realtà (pace e guerra, felicità e dolore), il dramma si riflette infatti nell'animo dell'uomo che «giù tornerà», che quella pace ora pregusta e quella guerra dovrà ancora soffrire.

L'inno trinitario del *Gloria* intonato da tutto il paradiso che apre il canto, è uno dei due grandi cori della terza cantica (l'altro è all'inizio del canto VII), e certo il più solenne. Esso celebra il trionfo della Chiesa presente in questo cielo, e risuona con alti accenti, quasi faro della realtà certa ed eterna verso la quale cammina la storia. In questi versi risplende la gloria paradisiaca, attraverso i due nobili sensi – vista e udito – dai quali si crea tutta la poesia della realtà celeste «figurata» nella terza cantica. La musica (il *dolce canto*) riempie la prima terzina, la bellezza (il *riso dell'universo*) la seconda; nella terza, con ritmo ternario, una commossa esclamazione conclude il grande movimento e ogni sua parola è, come si vedrà nel commento, portatrice di un pregnante significato: tutto ciò che gli uomini sospirano, e non hanno, in terra, è abbondantemente presente quassù, nella vita perfettamente appagata (*intègra*) del cielo.

Ma a questo momento di rapita contemplazione ecco seguire un brusco cambiamento, espresso nel cambiarsi del colore – da argento a rosso scuro – prima della luce di Pietro e di tutti i beati, poi dell'intero spazio del cielo, e infine del volto di Beatrice.

In mezzo a questa infuocata cornice Pietro pronuncia la sua invettiva contro il papato corrotto. Quel colore oscuro che invade il cielo (l'evento è assomigliato all'eclissi di sole avvenuta alla morte di Cristo) è una delle grandi invenzioni di questo canto: essa crea lo sfondo a quelle drammatiche parole, nelle quali viene a terminare, con solennità, tutta la linea profetica del poema (dal I e XIX canto dell'*Inferno*, al XXXI del *Purgatorio*, ai numerosi luoghi del *Paradiso*), di grave rimprovero alla Chiesa e ai suoi pastori fatti lupi, e di annuncio di una prossima restaurazione dell'ordine, con un intervento divino.

L'invettiva è condotta nelle forme retoriche proprie della Scrittura, che sono consuete in tale genere, tra cui la principale è l'anafora, o ripetizione, che ricalca in questo caso un passo di Geremia (si vedano i vv. 22-3), ma la passione personale dell'apostolo che parla le riscatta da ogni esteriorità.

Si trovano qui anche i caratteristici modi del linguaggio plebeo, come l'immagine della *cloaca*, e della sua *puzza* (già incontrati nella descrizione dei *moderni pastori* a XXI 130-35 e che torneranno in bocca a Beatrice stessa a XXIX 123-25), modi ai quali fa vivo contrasto – come già nei simili interventi di Folchetto da Marsiglia, di Pier Damiano, di Benedetto – la pura leggerezza, la santità fino al martirio dei primi tempi apostolici (*ma per acquisto d'esto viver lieto / e Sisto e Pìo e Calisto e Urbano / sparser lo sangue dopo molto fleto*). Contrasto da cui si leva – altra costante di questi brani profetici – l'invocazione a Dio che sembra troppo tardare: *o difesa di Dio, perché pur giaci?* Così la chiusa, annunciando il sicuro *soccorso* divino, ripropone per l'ultima volta la certa speranza – contro ogni credibilità – in quella *difesa*, che non potrà mancare.

Tutto il grande discorso si chiude con una terzina che nella sua brevità porta un significato fondamentale: Pietro affida a Dante – con le stesse parole che la Scrittura usa per i profeti – il compito di ripetere nel mondo ciò che qui ha udito. Il discorso di Pietro diventa così il discorso stesso di Dante, che in questo cielo dedicato alla Chiesa porta a conclusione gli annunci già a lui fatti lungo il poema – da Beatrice prima (*Purg.* XXXII 103-5), da Cacciaguida poi (XVII 124-42), e che in forma implicita, con l'allusione a Paolo, sono stati confermati da Giovanni nel canto precedente – del ruolo a lui affidato da Dio nella storia, ruolo che egli adempie attraverso la sua poesia.

A questa solenne conclusione segue – significativamente – lo sguardo verso la terra, il secondo di questo cielo (cfr. XXII 133-54), in modo che tutta la scena che si svolge in esso resta quasi racchiusa tra questi due sguardi. Il primo ha carattere cosmico, questo invece etico: Dante non vede più qui i sette pianeti ruotanti, ma solo quelle due *foci* – il *varco* di Ulisse e il *lido* dove fu rapita Europa – tra le quali è compresa la terra, e la storia degli uomini.

Ma si apre ora la seconda parte del canto, che quasi sembra lasciarsi alle spalle quel mondo così noto e già così lontano.

Dalla terra Dante risolleva lo sguardo, con uno slancio di amore, verso il volto di Beatrice. Quel volto umano risplende di un *piacere divino*; come già era da viva, Beatrice è il ponte tra le due rive, tra i due mondi: la fame e la sete dell'uomo – figura massima del desiderio – trovano nel contemplare il suo volto la loro *pastura*. Anche questo passo è parallelo a un altro che si trova all'inizio della scena di questo cielo, nel canto XXIII (vv. 55-60). Là si dichiarava l'insufficienza dell'arte a ridire quella bellezza, qui non più solo l'arte, ma anche la natura, non può offrire nulla di simile. E di fatto quel volto e quel riso sono oltre la natura, sono trasumanati in Dio (questo è il segreto racchiuso in Beatrice, per cui è così difficile afferrare in pieno la sua misteriosa figura).

Ed ecco che quel volto – quasi preludio – ci introduce nel nuovo cielo, l'ultimo cielo corporeo, quel cielo senza distinzioni, come si disse, che prefigura l'ultimo, tutto spirituale, che lo racchiude, e del quale già si delineano i tratti: *Luce e amor d'un cerchio lui comprende...* In questi alti e luminosi versi si viene con suprema bellezza e semplicità risolvendo l'antico – e in certo senso ancora nuovo – problema del «luogo dell'universo»: il *manto di tutti i volumi / del mondo* (XXIII 112-3), cioè il cielo che come un manto avvolge tutto il cosmo, *non ha altro dove* se non la stessa *mente divina*. I due ordini – fisico e metafisico – si compenetrano senza confondersi, fanno tutt'uno in una figurazione che non è tanto filosofica, quanto poetica, forse la sola forma che possa esprimere una simile realtà.

Toccata questa acme, il verso si volge a definire il nuovo cielo, dove sono le origini simultanee del moto e del tempo (il cielo nono, nella astronomia nota a Dante, non aveva infine altra ragione di esistere se non quella di dare l'avvio al moto degli altri, e con quello al tempo: cfr. *Conv.* II, III 5), tempo per il quale Dante crea la bellissima figura dell'albero rovesciato, che qui tiene le sue radici, e apre le sue fronde nei cieli sottostanti.

Ma da queste rarefatte altezze, una nuova esclamazione riporta il discorso ancora verso la terra. Il confronto tra quegli splendori e la miseria degli uomini che, affondati nelle loro brame, non riescono a sollevare lo sguardo verso quel cielo che pure continuamente li invita (cfr. *Purg.* XIV 148-50), introduce la seconda sequenza profetica del canto, pronunciata da Beatrice, compiendo la doppia struttura parallela – dalla contemplazione celeste alla denuncia del dramma dei mortali – che lo caratterizza.

Questo secondo intervento, tuttavia, è diverso dal primo. Quello di Pietro è di carattere pubblico e denunziatore; riguarda infatti l'istituzione della Chiesa, la cui corruzione è la causa del traviamento del mondo (*Purg.* XVI 103-4); è affidato quindi a una autorità, la più alta in questo campo, ed è intonato sullo sdegno, sulla santa ira propria del profeta. Questo invece riguarda le tristi conseguenze nei singoli di quella corruzione; affidato a Beatrice, che non riveste alcuna carica pubblica, è tutto intonato sulla commiserazione, fin dalla prima, mesta esclamazione (*Oh cupidigia, che i mortali affonde / sì sotto te...*), per l'umanità «sviata».

La violenta indignazione dell'apertura si smorza così nel finale pietoso: *onde sì svïa l'umana famiglia.*

Sono le due voci – di sdegno e di dolore – sempre compresenti nei passi del *Paradiso* dedicati all'ammonimento profetico, che qui trovano quasi la loro massima e conclusiva espressione.

La chiusa tuttavia, pur ripetendo la forma correttiva che introduce la coraggiosa affermazione di speranza nell'intervento divino (*Ma prima che gennaio tutto si sverni...*), propria di altri simili passi profetici della cantica (si veda IX 139-42, XXII 94-96), riporta questa volta allo sguardo quel tempo lontano nel quale doveva realizzarsi il sogno di pace per l'umanità sulla terra fisso nell'animo del poeta del cielo, che molti anni prima egli già figurava nel *Convivio* con la stessa immagine della nave: «E però [che] pace universale era per tutto, che mai più non fu né fia, la nave dell'umana compagnia dirittamente per dolce cammino a debito porto correa» (IV, V 8). Ora come allora, egli sa che tale felice tempo non sarebbe tornato (*mai più non fu né fia*) se non con la fine di ogni tempo.

CANTO XXVII

Dal cielo delle Stelle fisse al Primo Mobile

1-18 Tutte le anime intonano il Gloria: Dante è inebriato dalla dolcezza del canto e dallo spettacolo che ha di fronte agli occhi. Davanti a lui stanno le quattro fiamme degli apostoli e di Adamo: quella di san Pietro diventa più luminosa e si colora di rosso, quindi, nel silenzio che si è creato, inizia a parlare.

19-36 Il cambiamento del suo colore – spiega l'apostolo – non deve meravigliare perché anche gli altri spiriti ascoltando lo cambieranno: infatti l'usurpatore che in terra occupa il posto di Pietro ha trasformato in fogna il suo sepolcro. A queste parole tutto il cielo si tinge di rosso e anche Beatrice arrossisce: così la volta celeste si oscurò alla morte di Cristo.

37-66 L'apostolo riprende a parlare affermando che la Chiesa non è stata nutrita dal sangue dei primi papi perché procurasse ricchezze, ma perché permettesse di ottenere la vita beata, e che i pastori non avrebbero dovuto contribuire alla divisione del popolo di Dio favorendo una parte contro l'altra e combattendo contro dei cristiani, né usare il sigillo di Pietro per vendere privilegi. Ormai essi si aggirano come lupi rapaci, ma presto la provvidenza divina verrà in soccorso. Terminata la sua requisitoria, l'apostolo affida a Dante il compito di riferire in terra ciò che gli ha manifestato.

67-87 Le quattro luci salgono verso l'alto fino a scomparire. Dante le segue con lo sguardo finché Beatrice lo esorta a guardare in basso: lo aveva già fatto appena giunto nel cielo ottavo, ma ora, da quel diverso punto di osservazione, può vedere la terra dalle colonne d'Ercole fino alla Fenicia: oltre non gli è possibile perché il sole là è già tramontato.

88-99 Il poeta torna a guardare la donna amata, la cui bellezza è tanto accresciuta che niente di ciò che la natura o l'arte creano le è paragonabile. La prodigiosa virtù dello sguardo di lei lo sospinge nel cielo superiore, il Primo Mobile.

100-120 Dante non sa dire in quale parte del cielo si siano fermati perché esso appare uniforme; Beatrice ne spiega la singolarità. Il cielo in cui si trovano è quello da cui ha origine il movimento di tutto l'universo e ha il suo luogo nella mente stessa di Dio. Luce e amore lo avvolgono ed esso a sua volta comprende gli altri cieli nel suo cerchio; al suo movimento è commisurato ogni altro moto, perciò anche il tempo ha qui la sua origine.

121-148 Le parole di Beatrice si caricano di amarezza constatando che la cupidigia impedisce agli uomini di sollevare lo sguardo al cielo: l'innata disposizione al bene presto si guasta, così che si trovano segni di virtù solo nei bambini. Non c'è da meravigliarsi della corruzione degli uomini dal momento che manca loro una guida: ma – conclude Beatrice – verrà il tempo di quel mutamento tanto atteso che riporterà le cose al loro ordine.

> 'Al Padre, al Figlio, a lo Spirito Santo',
> cominciò, 'gloria!', tutto 'l paradiso,

1. **Al Padre, al Figlio...**: con solennità e potenza si dispiega in apertura il grande inno di gloria proprio della liturgia cristiana. Posponendo il *gloria* al centro del secondo verso, dove ha, come inciso, il massimo risalto musicale, Dante schiera così nel primo le tre persone della Trinità (due straordinari risultati di una sola geniale invenzione), e affida al terzo, come è suo solito, il rapimento mistico dell'uomo che quella grandezza è chiamato a contemplare. La terzina d'attacco distanzia fortemente questo canto dai precedenti; la vicenda degli incontri e dei dialoghi dei celesti abitanti col pellegrino della terra è conclusa. Ora si apre una diversa vicenda, non più personale, ma universale.

2. **tutto 'l paradiso**: tutti i beati, *le schiere / del trïunfo di Cristo* che si erano radunate nel cielo Stellato facendosi incontro a Dante al suo arrivo (XXIII 19-20) e rimaste finora nell'ombra, mentre agivano i quattro grandi personaggi. Le tre parole fortemente ritmate le riportano sulla scena, riempiendo tutto il campo visivo.

■

"Sia Gloria al Padre, al Figlio e allo Spirito Santo!", cominciarono a cantare tutti i beati, ...

3   sì che m'inebrïava il dolce canto.
    Ciò ch'io vedeva mi sembiava un riso
    de l'universo; per che mia ebbrezza
6   intrava per l'udire e per lo viso.
    Oh gioia! oh ineffabile allegrezza!
    oh vita intègra d'amore e di pace!
9   oh sanza brama sicura ricchezza!
    Dinanzi a li occhi miei le quattro face
    stavano accese, e quella che pria venne
12 incominciò a farsi più vivace,

3. m'inebrïava: il verbo biblico («s'inebrieranno dell'abbondanza della tua casa»: *Ps*. 35, 9) indica il rapimento dei sensi sopraffatti da quella dolcezza che, come il vino, fa perdere la coscienza. Così il dolce canto degli spiriti «rapisce» il poeta nell'entrare nel cielo di Marte (XIV 118-23).

4. Ciò ch'io vedeva: a quel canto inebriante, che incanta l'udito, si unisce lo spettacolo offerto alla vista da *tutto 'l paradiso* acclamante a Dio: ciò non è descritto, ma con straordinario effetto poetico è soltanto assomigliato a *un riso / de l'universo*, espressione a cui le parole di Dante stesso servono qui da commento (si cfr. il passo di *Conv*. III, VIII 11, citato in nota a V 125-6).

per che: per la qual cosa; al canto che lo inebriava attraverso l'udito, si accompagnava quello spettacolo mirabile alla vista (il *riso / de l'universo*), per cui l'ebbrezza penetrava in lui per mezzo di ambedue i sensi, quelli attraverso i quali è descritto (con musica e luce) tutto il paradiso dantesco.

7. Oh gioia!: l'esclamazione prorompe, come spesso accade nel poema, di fronte alla forte emozione subita. Ma questa volta la sua estensione, che occupa l'intera terzina, ha un rilievo tutto particolare. Essa compie musicalmente la triplice scansione ritmica dell'attacco (che corrisponde all'inno per la Trinità), ma nell'onda del suo andamento melodico ogni parola assume tuttavia un preciso significato definitorio del regno che qui appare in tutta la sua bellezza. Caso tra i più significativi di quello sposarsi dell'attenzione intellettuale con lo slancio appassionato dell'animo, che è forse la caratteristica primaria dello stile dantesco.

– ineffabile allegrezza: «cioè indicibile, a differenza di questa del nostro mondo, la quale è breve e mista con amaritudine» (Landino). Per tale motivo, come ci dice questa acutissima chiosa, essa resta *ineffa-*

bile a un poeta della terra. Come osserva il Tommaseo, *gioia* indica l'intimità del sentimento, *allegrezza* il suo manifestarsi all'esterno.

8. intègra: cioè senza che nulla le manchi: senza le mancanze, distacchi e perdite, retaggio della vita terrena; si cfr. XXII 64-5: *Ivi è perfetta, matura e intera / ciascuna disïanza*. È questa la prima definizione della beatitudine: una totale pienezza, vissuta nell'amore e nella pace, nei quali soltanto l'uomo trova la sua felicità, e che così dolorosamente mancano alla vita di quaggiù.

9. oh sanza brama...: ed ecco l'altro segno distintivo del cielo, che è ignoto alla terra: il possesso di una ricchezza che nessuno potrà togliere, e che non lascia spazio a desiderio, perché non può essere maggiore. Si veda come l'accento batte su ogni parola del verso (*sanza brama sicura*): senza il tormento quotidiano dell'uomo che sempre sospira qualcosa che possa appagarlo e sempre teme di perdere ciò che ha acquistato. Così già scriveva Dante in *Conv*. III, XV 3: «lo quale (il desiderio) essere non può colla beatitudine, acciò che la beatitudine sia perfetta cosa, e lo desiderio sia cosa defettiva».

– sicura ricchezza: dietro queste parole c'è una lunga storia della meditazione dantesca, da quelle ricchezze «false traditrici» che mai mantengono ciò che promettono (*Conv*. IV, XII 3-7) alla *sicura* povertà di *Par*. XI 67 (e ancora, in quel canto, al v. 82: *Oh ignota ricchezza!*), fino al *sicuro e gaudïoso regno* che definirà l'Empireo nel canto XXXI al v. 25.

10. Dinanzi a li occhi miei...: concluso il grande prologo, l'azione riprende nel luogo dove si trova Dante, a beneficio del quale tutto qui accade: «davanti ai suoi occhi». I personaggi sono gli stessi, le quattro *face* (fiamme) dei tre apostoli e di Adamo, ma essi sembrano cambiati, tutti assorti in una nuova solenne atmosfera. Dalla vicenda personale del pellegrino si passa ora – come si è detto – alla universale vicenda della Chiesa.

11. che pria venne: che prima mi si avvicinò: Pietro, che sarà il protagonista della scena che sta per svolgersi.

12. a farsi più vivace: a divenire più luminosa; *vivace*, detto di luce, indica (come altrove *viva*) l'intensità (cfr. II 110).

... tanto che quel dolce canto mi inebriava. Ciò che vedevo mi sembrava come un ridere di tutto l'universo; per cui la mia ebbrezza penetrava in me sia dall'udito sia dalla vista. Oh gioia! oh indicibile letizia! oh vita perfetta d'amore e di pace! oh ricchezza certa, senza più desiderio! ◆ *Davanti ai miei occhi stavano accese le quattro fiaccole, e quella che prima mi si avvicinò cominciò a divenire più luminosa, ...*

e tal ne la sembianza sua divenne,
qual diverrebbe Iove, s'elli e Marte
15   fossero augelli e cambiassersi penne.
La provedenza, che quivi comparte
vice e officio, nel beato coro
18   silenzio posto avea da ogne parte,
quand'ïo udï': «Se io mi trascoloro,
non ti maravigliar, ché, dicend'io,
21   vedrai trascolorar tutti costoro.
Quelli ch'usurpa in terra il luogo mio,

13-5. e tal ne la sembianza...: e divenne tale, nell'aspetto, quale diverrebbe Giove, il pianeta argenteo, se egli e il rosso Marte fossero due uccelli e si scambiassero le penne; diventò quindi di color rosso fuoco («si trascolorò»: v. 19). La similitudine è apparsa strana e forzata a molti critici moderni. Ma immaginare gli astri come uccelli, e i loro raggi come penne, è di tradizione antica, anche biblica (cfr. *Mal.* 4, 2), e ritrovabile in figurazioni di antichi bassorilievi orientali (così il dio egiziano Oro era visto come un sole-falco). In questa tradizione si inserisce la vivissima immagine dantesca, che rientra nella consuetudine di considerare gli astri quasi esseri viventi propria del suo tempo e di tutto il poema. Vista in questa luce, la similitudine riacquista la sua originaria bellezza e novità, e quegli astri-uccelli con raggi-penne che abitavano gli antichi cieli ci riappaiono in tutta la loro suggestione.

16-7. che quivi comparte...: che là in cielo assegna a ciascuno (*comparte*: distribuisce; cfr. *Inf.* XIX 12) il suo compito e l'avvicendarsi in esso (in questo caso quello del parlare e del tacere).

– vice: avvicendamento (cfr. *vicenda* a *Inf.* VII 90).

18. silenzio posto avea...: aveva imposto il silenzio al coro dei beati – il solenne coro che apre il canto – in ogni sua parte, cioè in ogni gruppo, vicino o lontano. Il silenzio occupa così tutta la scena. Al cambiamento del colore, che colpisce la vista, segue l'altro cambiamento, che tocca l'udito.

19. quand'ïo udï': nel silenzio assoluto, si levano ora le parole per cui quel silenzio è stato fatto, perché l'uomo mortale le oda. Si veda l'insistere del testo sulla persona del pellegrino testimone, per gli occhi e gli orecchi del quale tutto accade: *Dinanzi a li occhi miei; quand'ïo udï'*.

19-21. Se io mi trascoloro...: non stupirti se io cambio così di colore, perché tra poco, mentre io parlerò (*dicend'io*, forma di ablativo assoluto col gerundio participiale), anche tutti gli altri spiriti qui intorno trascoloreranno allo stesso modo. Come dire: riserba il tuo stupore, perché ben altra meraviglia vedrai tra poco. Pietro anticipa così l'aspetto che presto invaderà tutto il cielo, aumentando l'attesa di Dante (e del lettore) e dando solennità universale alle sue parole. – *mi trascoloro* è verbo creato da Dante (passo da un co-

lore a un altro) che riempie il verso, e quasi distende davanti allo sguardo quell'intenso rossore; esso ha la forza inventiva propria di altri verbi della terza cantica (come *trasumanare*, *inventrarsi* ecc.), testo creatore di linguaggio come pochi altri nella letteratura del mondo.

22 sgg. Quelli...: colui che in terra *usurpa* – occupa ingiustamente – il mio posto di vicario di Cristo, posto che oggi è vacante al cospetto del Figlio di Dio... Con un periodo svolto in due sole potenti terzine (nella prima il soggetto: *Quelli ch'usurpa...*, nella seconda il predicato: *fatt'ha... cloaca*) Pietro dichiara la causa del suo sdegno, che ha come incendiato il suo aspetto, e che ora incendierà tutto il cielo. È come la proposizione del tema – l'usurpazione della sede di Cristo – che poi sarà svolto nell'invettiva che segue.

– ch'usurpa: Bonifacio VIII – è lui che nel 1300 occupava il trono papale –, più volte condannato nel poema, è in questi versi colpito dall'ultima e più grave condanna, per bocca dello stesso Pietro. Che egli tenesse quel posto «per inganno» è stato detto nel canto dei simoniaci (*Inf.* XIX 56). Ma l'*usurpare* si riferisce qui non tanto al modo giuridico con cui il posto è stato occupato, quanto all'indegnità con cui è tenuto, come dicono i versi seguenti.

– il luogo mio: la triplice anafora richiama, con forte effetto di commozione, un modello biblico: «tempio del Signore, tempio del Signore, tempio del Signore è questo!» (*Ier.* 7, 4).

... e divenne tale, nell'aspetto, quale diverrebbe Giove, se esso e il rosso Marte fossero due uccelli e si scambiassero le penne (quindi apparve di color rosso). La provvidenza, che qui in cielo assegna a ciascuno (comparte) il suo compito e l'avvicendarsi in esso (vice), aveva imposto il silenzio al coro dei beati in ogni sua parte, quando udii: «Non ti meravigliare se io cambio così di colore, perché mentre io parlerò (dicend'io), vedrai trascolorare anche tutti gli altri qui intorno. ◆ Colui (Bonifacio VIII) che in terra usurpa il mio posto, ...

il luogo mio, il luogo mio che vaca

24   ne la presenza del Figliuol di Dio,

fatt'ha del cimitero mio cloaca

del sangue e de la puzza; onde 'l perverso

27   che cadde di qua sù, là giù si placa».

Di quel color che per lo sole avverso

nube dipigne da sera e da mane,

30   vid'ïo allora tutto 'l ciel cosperso.

E come donna onesta che permane

di sé sicura, e per l'altrui fallanza,

33   pur ascoltando, timida si fane,

così Beatrice trasmutò sembianza;

---

23. che vaca: che di fatto è vacante al cospetto di Cristo; ciò significa che Cristo non guida misticamente la sua Chiesa attraverso di lui, non riconoscendolo come suo vicario. Il posto è formalmente occupato, ma spiritualmente vacante. La distinzione posta in questo verso – tra l'ufficio e la persona – è quella già altrove chiaramente rispettata da Dante, che considera l'offesa a Bonifacio fatta da Filippo il Bello (facendolo prendere prigioniero nel suo palazzo di Anagni) un'offesa al *vicario* di Cristo (si veda *Purg*. XX 86-87), come in *Inf*. XIX 101 modera le sue parole per *la reverenza de le somme chiavi*.

25-6. fatt'ha...: ha fatto, del luogo sacro del mio sepolcro (la sede apostolica, stabilita sulla tomba di Pietro), una fogna di sangue e di turpitudini (il *sangue* è quello versato in Roma nelle lotte intestine suscitate dalla brama di potere del papa: cfr. *Inf*. XXVII 85-8; la *puzza* è il fetore che si leva dai vizi). Le pesanti parole (*cloaca, puzza*) sono tra le più forti di quelle proprie del linguaggio profetico biblico che Dante riprende nel poema. Su di esse fa centro questo primo breve discorso, sul quale si accende lo sdegno di tutto il cielo. Il contrasto qui creato – tra quel *luogo mio*, quel *cimitero*, e quella *cloaca* – costituirà il filo conduttore di tutto il secondo discorso di Pietro.

26-7. onde 'l perverso...: per cui Satana, che fu precipitato dal cielo (*di qua sù*) per la sua ribellione a Dio, ora *là giù*, al centro della terra dove è confitto, *si pla-*

ca, quasi si appaga (nel suo desiderio di vendetta), compensato dalla profanazione di quel *luogo* che è il segno in terra della sua sconfitta. La terzina, che culmina in quel verbo così intensamente pregnante, presenta la terribilità di ciò che accade attraverso la sua ripercussione in Lucifero (*onde 'l perverso...*). Al dolore del *Figliuol di Dio* nel cielo, risponde così il placarsi del suo nemico nel fondo dell'inferno.

28-30. Di quel color...: di quel colore purpureo che tinge le nubi all'alba e al tramonto per l'effetto del sole che le investe di contro (*avverso*), basso sull'orizzonte, dalla parte opposta del cielo... Si cfr. *Met*. III 183-5: «Quel colore purpureo che prendono le nuvole contro cui si rifrange il sole ("adversi solis"), o che ha l'aurora, quel colore apparve sul volto di Diana sorpresa senza veste». Il ricordo di Ovidio si potenzia qui nella grandiosa immagine apocalittica, per cui *tutto 'l ciel* è invaso (*cosperso*, dal lat. «cospergere») da quel cupo colore.

31-3. E come donna onesta...: come «una casta donna, la quale, benché sia sicura di sé, perché sa che è fuora di ogni colpa, nientedimeno si vergogna e sta timida udendo dire [*pur ascoltando*: solo al sentirlo raccontare] qualche cosa disonesta d'un'altra» (Landino). – *l'altrui fallanza* è il fallo commesso da un altro. – *si fane* è forma epitetica (cfr. *vane* a *Purg*. XXV 42 e nota).

34. così Beatrice...: così Beatrice cambiò anch'essa d'aspetto (*trasmutò* riprende lo stesso prefisso del verbo usato per Pietro: *trascolorare*). La delicatissima immagine che, come già quella della sposa a XXV 110-1, coglie il fine sentimento dell'animo verginale (e ci ricorda le fanciulle di *Conv*. IV, XXV 7), offre quasi un secondo volto all'effetto delle gravi parole pronunciate dall'apostolo: lo sdegno appare nell'arrossarsi violento del volto maschile, lo sgomento nel delicato rossore di quello femminile. Anche Beatrice, crediamo infatti, arrossisce, e non «si fa pallida», come altri hanno proposto ritenendo che il contesto tenda a distinguerla dalla reazione di Pietro e degli altri beati. Il colore che Dante ha così potentemente diffuso per tutto il cielo, e che domina la scena, non può non esse-

---

... il mio posto, il mio posto (di vicario di Cristo), che oggi è vacante al cospetto del Figlio di Dio, ha fatto del mio sepolcro una fogna di sangue e di puzzo; per cui quello spirito perverso (Satana) che fu precipitato dal cielo (di qua sù), laggiù nel centro della terra si sente appagato». ◆ Di quel colore (purpureo) che tinge le nubi al tramonto e all'alba per l'effetto del sole che si trova di fronte a loro sull'orizzonte (avverso), io vidi allora cosparso tutto il cielo. E come una casta donna che resta sicura di se stessa, e tuttavia diventa timida (dalla vergogna) per la disonestà di un'altra, solo al sentirne parlare (pur ascoltando), così Beatrice cambiò anch'essa d'aspetto; ...

e tale eclissi credo che 'n ciel fue,

36   quando patì la supprema possanza.

Poi procedetter le parole sue

con voce tanto da sé trasmutata,

39   che la sembianza non si mutò piùe:

«Non fu la sposa di Cristo allevata

del sangue mio, di Lin, di quel di Cleto,

42   per essere ad acquisto d'oro usata;

ma per acquisto d'esto viver lieto

e Sisto e Pïo e Calisto e Urbano

45   sparser lo sangue dopo molto fleto.

---

re lo stesso anche per Beatrice, la quale risponde a Pietro impersonando la Chiesa celeste che partecipa allo sdegno di quella storica; se avesse voluto introdurre un diverso colore, Dante lo avrebbe detto espressamente. Del resto il confronto che segue (*e tale eclissi...*) tra i due cieli – terreno e celeste – sembra non lasciar dubbi in proposito. Si veda la nota successiva.

35-6. e tale eclissi...: e un simile oscuramento del cielo vi fu all'ora dell'agonia e morte di Cristo (detto *supprema possanza*, in quanto Dio, e così qui chiamato perché è per la morte del suo creatore che il cielo si coprì di tenebra); si cfr. *Luc.* 23, 44-5: «si fece buio su tutta la terra... e il sole si oscurò» (così anche *Matth.* 27, 45 e *Marc.* 15, 33). Il ricordo evangelico vuole stabilire un parallelo: come il cielo terreno si oscurò alla morte del Cristo storico, così di fronte all'uccisione del Cristo mistico – perpetrata nella persona del papa – si oscura il cielo spirituale, il paradiso con i suoi abitanti. Per questo noi crediamo che l'*eclissi* di cui qui si parla non riguardi solo il volto di Beatrice – anche se esso ne è il centro – ma tutto il cambiamento di colore di cui il cielo è *cosperso* (infatti tale eclissi '*n ciel fue*). Per un simile confronto tra la morte del Cristo storico e lo scempio fatto della sua Chiesa riflesso sul volto di Beatrice si veda *Purg.* XXXIII 4-6 e note.

37-9. Poi procedetter...: le sue parole (di Pietro) proseguirono con voce tanto mutata, che l'aspetto non lo era di più. Anche la voce dunque cambia; come il volto s'infuoca, la voce si alza di tono. Così Dante dà al discorso che segue anche il timbro con cui fu pronunciato.

40-2. Non fu la sposa...: il secondo discorso di Pietro dichiara i vizi per cui il posto del vicario di Cristo è ora «usurpato», e lo fa per via di negazioni, con un forte crescendo. Questa forma retorica (*non fu – ma*) porta con sé un tono di amaro dolore, stabilendo il confronto tra ciò che la Chiesa fu un tempo, e ciò che è ora; tanto più profonda l'amarezza, in quanto chi parla è colui che col suo sangue fondò quella primitiva purezza. La Chiesa (*sposa di Cristo*: cfr. XI 32-3) non fu nutrita dal sangue dei suoi primi papi perché poi fosse usata per l'accumulo di ricchezze (*ad acquisto d'oro*): è questo il tema principale dello sdegno di Dante in tutto il poema, come del resto nella *Monarchia* (cfr. XXI 127-35 o *Inf.* XIX 90-117). La Chiesa, e per primo il suo capo, deve esser povera come colui che la fondò, e come furono i primi discepoli (si cfr. XXII 88: *Pier cominciò sanz'oro e sanz'argento*; *Inf.* XIX 94-5: *Né Pier né li altri tolsero a Matia / oro od argento...*

– del sangue mio, di Lin...: sono qui posti in fila (vv. 41 e 44), come una silenziosa schiera, i nomi dei papi dei primi secoli, tutti morti martiri per la fede: Lino e Anacleto seguirono direttamente a Pietro nel I secolo, morti il primo sotto Vespasiano, il secondo sotto Domiziano. Sisto e Pio sono papi del II secolo, del tempo di Adriano e di Antonino Pio. Callisto e Urbano vissero nel III secolo e morirono entrambi sotto Alessandro Severo. Non tutti oggi sono riconosciuti come martiri, ma tali li considerava l'antica tradizione nota a Dante.

43. ma per acquisto...: non per acquisto d'oro, ma per l'acquisto del regno celeste (*esto viver lieto*) è stata fondata la Chiesa di Dio. Al cielo, e non alla terra, essa deve essere rivolta e guidare i suoi fedeli. (cfr. *Mon.* III, XV 7-10).

45. sparser lo sangue...: il verso chiude con accento di profondo dolore le due terzine, costruite a chiasmo: prima il sangue, i primi nomi dei papi, l'*acquisto d'oro*; poi (in immediato contrasto) l'*acquisto* del *viver lieto*, gli altri nomi, infine ancora il sangue, che racchiude così in sé tutto il dolente discorso.

...e un simile oscuramento (eclissi) del cielo credo che vi fu quando morì la potenza suprema (cioè Cristo). ◆ *Poi le sue parole (di Pietro) proseguirono con voce tanto mutata da quella di prima (da sé), che l'aspetto non lo era di più: «La Chiesa (sposa di Cristo) non fu nutrita dal sangue mio, di Lino, di Cleto (cioè dei suoi primi papi martiri) perché poi fosse usata per l'accumulo di ricchezze (ad acquisto d'oro); ma per l'acquisto di questa vita felice (cioè del regno celeste) Sisto, Pio, Callisto e Urbano sparsero il loro sangue dopo molte sofferenze.*

Non fu nostra intenzion ch'a destra mano
d'i nostri successor parte sedesse,
48 parte da l'altra del popol cristiano;
né che le chiavi che mi fuor concesse,
divenisser signaculo in vessillo
51 che contra battezzati combattesse;
né ch'io fossi figura di sigillo
a privilegi venduti e mendaci,
54 ond'io sovente arrosso e disfavillo.
In vesta di pastor lupi rapaci
si veggion di qua sù per tutti i paschi:

46-8. Non fu nostra intenzion...: ecco la seconda grave colpa dei *moderni pastori* (XXI 131). Essi dividono il popolo cristiano, facendosi fautori di una parte politica contro l'altra (le due *parti* sono, s'intende, guelfi e ghibellini).

– a destra mano: il riferimento è al giudizio universale narrato in *Matth.* 25, 31-3 dove il Cristo pone alla sua destra gli eletti, alla sinistra i reprobi (cfr. XIX 110-1). Come Cristo un giorno giudicherà gli uomini secondo la carità, così oggi i papi si credono autorizzati a farsi giudici in terra secondo il loro criterio politico. Il confronto qui sottinteso è di durissima condanna.

49-51. né che le chiavi...: e non fu nostra intenzione che le chiavi a me date da Cristo (per aprire ai fedeli il regno dei cieli) divenissero insegne su bandiere che combattessero contro i cristiani (cfr. *Inf.* XXVII 85-90). Quelle chiavi dunque, date per la salvezza di tutti, servono ora per far guerra a una parte. Questa seconda terzina rappresenta un crescendo rispetto alla prima: non solo i papi favoriscono gli uni contro gli altri, ma arrivano a fare direttamente guerra ai cristiani, essi che portano sulle loro bandiere l'insegna della celeste salvezza.

52-3. né ch'io fossi...: ed ecco l'ultimo scempio compiuto sulla sacra eredità di Pietro: il suo volto è impresso nel sigillo che sigla i privilegi venduti per simonia. L'immagine di Pietro è infatti nel sigillo papale, con il quale si bollavano tutti i documenti della curia romana. I *privilegi venduti e mendaci* (che occupano con tre violente parole un intero verso) sono i privilegi pontifici concessi non per merito o altri giusti motivi, ma per denaro. Il *privilegio* è un istituto giuridi-

co per cui l'autorità può concedere particolari condizioni di favore in deroga alle leggi generali. Dante non contesta l'istituto, ma il suo uso simoniaco: *privilegi venduti*, e quindi *mendaci*, cioè falsi, invalidi, in quanto non giustamente motivati.

54. ond'io sovente...: per la quale empietà (*onde*) io ben di frequente divento rosso e mando faville (come ora mi accade) per la vergogna e l'ira. La potente dittologia raffigura Pietro non nel suo aspetto umano, ma in quello di fiamma luminosa, quale egli appare a Dante (*disfavillo* non può dirsi di un volto, ma solo di una fiamma). Il beato non ha infatti ancora un corpo, e ogni suo sentimento può esprimersi solo attraverso la luce che lo fascia. I due verbi rimandano così all'aspetto iniziale dell'apostolo, quasi un pianeta infuocato e sprigionante faville.

55-6. In vesta di pastor...: finita l'accusa, portata avanti con l'incalzare delle negazioni, si leva ora, nelle dolorose parole di Pietro, la tragica conclusione: dal cielo guardando alla terra, si scorgono ovunque, per tutti i pascoli, cioè per tutte le regioni del mondo dove abita il gregge di Cristo, lupi famelici sotto la veste di pastori. L'immagine evangelica («vengono a voi in veste di pecore, ma dentro sono *lupi rapaci*»: *Matth.* 7, 15), che nel testo sacro è riferita ai falsi profeti, ben si addice qui ai pastori simoniaci che ingannano il gregge loro affidato per brama di denaro. La metafora era comune negli autori cristiani del tempo. Ricordiamo infine che Cristo, affidando a Pietro la Chiesa, gli aveva detto: «pasci le mie pecorelle» (*Io.* 21, 17).

57. o difesa di Dio...: o soccorso di Dio, perché continui a restare inoperoso (*pur giaci*), cioè indugi a venire a noi? L'ardito e quasi disperato appello dell'uomo all'apparente indifferenza della giustizia divina è motivo biblico (cfr. *Ps.* 43, 23: «Alzati, perché dormi, Signore?») che più volte ritorna nel verso appassionato di Dante: cfr. XXI 135; *Purg.* VI 118-20; XX 94-6. Ma all'angosciosa domanda sempre segue la certa affermazione di sicura speranza in quell'aiuto che non potrà mancare (vv. 61-3).

58-9. Del sangue nostro...: ritorna in chiusura, nelle parole dell'apostolo, il ricordo di quel sangue versato che ha aperto il suo discorso: uomini venuti di Caorsa e di Guascogna già si preparano a bere del no-

Non fu nostra intenzione che i nostri successori facessero sedere parte del popolo cristiano alla loro destra, e parte alla loro sinistra; né che le chiavi che mi furono consegnate (da Cristo) divenissero insegne su bandiere che combattessero contro i cristiani (battezzati); né che la mia immagine servisse da sigillo su privilegi concessi per denaro e falsificati, per cui io di frequente mi faccio rosso e sprigiono faville (per la vergogna e la collera). ◆ *Sotto le vesti di pastori si vedono da quassù in tutti i pascoli dei lupi rapaci: ...*

57   o difesa di Dio, perché pur giaci?
       Del sangue nostro Caorsini e Guaschi
       s'apparecchian di bere: o buon principio,
60   a che vil fine convien che tu caschi!
       Ma l'alta provedenza, che con Scipio
       difese a Roma la gloria del mondo,
63   soccorrà tosto, sì com'io concipio;
       e tu, figliuol, che per lo mortal pondo
       ancor giù tornerai, apri la bocca,
66   e non asconder quel ch'io non ascondo».
       Sì come di vapor gelati fiocca

stro sangue, cioè ad acquistare ricchezza e potenza usando di quel sacro ufficio da noi fondato e fatto grande col nostro martirio. L'allusione è a papa Giovanni XXII di Cahors e a Clemente V di Guascogna (*'l Guasco* di XVII 82), il primo accusato di simonia (cfr. XVIII 130-6), il secondo di brama di potere, per la quale si oppose ad Arrigo VII (XVII 82 e XXX 142-4).

– **Caorsini e Guaschi**: ricordiamo che caorsino era nell'opinione corrente sinonimo di usuraio (cfr. *Inf.* XI 50 e nota) e che gli abitanti della Guascogna erano noti per la loro avidità.

59-60. o buon principio...: o inizi puri e santi della Chiesa di Dio, nata nella povertà e nel martirio, a quale misera fine dovete precipitare! Si veda questo stesso contrasto nelle parole di Pier Damiano a XXII 88-96, dove ugualmente si annuncia un vicino *soccorso* da parte di Dio.

61-3. Ma l'alta provedenza...: ed ecco il *Ma* correttivo, che porta l'incrollabile speranza del poeta nella provvidenza guida della storia. Quella stessa provvidenza divina (*alta*) che salvò il futuro Impero del mondo inviando Scipione a difendere Roma da Annibale, presto verrà in soccorso della sua Chiesa, come io già intendo (vedendolo nella mente di Dio). – *concipio* è latinismo per «concepisco», «percepisco con la mente».

– **con Scipio**: il nome di Scipione fa intendere quale sia il soccorso auspicato da Dante. Coerentemente a tutto il suo pensiero politico, il restauratore dell'ordine – il *veltro* dell'*Inferno* (I 101), il *cinquecento diece e cinque* del *Purgatorio* (XXXIII 43) – non può essere che un imperatore, che riprenda in mano il governo della terra a lui affidato da Dio, quel governo che ora indebitamente occupano i pontefici, bramosi d'oro e di potere (si vedano le note ai luoghi sopra citati).

63. soccorrà tosto: questo «soccorso» vicino, come quello di IX 139-42 (*... tosto libere fien*) o di XXII 94-6, non ha alcuna determinazione, a differenza delle profezie del *Purgatorio*, quando ancora Dante poteva sperare in una restaurazione prossima dell'Impero. Ma quando ogni possibilità umana sembra svanita, resta nel cuore dell'uomo della speranza (cfr. XXV 52-4) la sicura fiducia in Dio, tanto più commovente quanto più priva di ogni storico fondamento.

64-6. e tu, figliuol...: e tu che tornerai in terra, per il peso (*pondo*) del tuo corpo mortale – corpo che dunque è ancora una volta solennemente dichiarato presente e partecipe della visione –, parla e non tenere celato (cioè rendi manifesto agli uomini) ciò che io non ho celato a te. Dopo quelle di Beatrice (*Purg.* XXXII 103-5; XXXIII 52-4) e di Cacciaguida (XVII 124 sgg.) quella di Pietro è l'ultima e più autorevole investitura che Dante si fa dare a profeta presso gli uomini del suo tempo. Le parole sono simili (Beatrice: *ritornato di là, fa che tu scrive*; Cacciaguida: *tutta tua visïon fa manifesta*) e di origine biblica (*Apoc.* 1, 11; *Ier.* 1, 17: «di loro tutto ciò che ti ordinerò»). Avviandosi alla conclusione del poema, prima di lasciare l'ultimo cielo «storico» per entrare nel mondo dei puri spiriti, Dante si assume solennemente questo compito, che egli credette suo nella storia. Si veda l'Introduzione al canto.

67-72. Sì come...: come la nostra atmosfera fiocca verso la terra con i vapori acquei condensati dal gelo (i fiocchi di neve) quando la costellazione del Capricorno (*la capra del ciel*) si congiunge col sole (cioè nel più freddo tempo invernale, dal 21 dicembre al 21 gennaio), così io vidi l'etere celeste adornarsi e fioccare verso l'alto con quei vapori che lassù trionfavano (le luci delle anime beate) e che avevano prima soggiornato con noi in quel cielo. La straordinaria nevicata a rovescio, verso l'alto, degli spiriti luminosi – che prendono così l'andamento maestoso e lento e l'aspetto candido dei fiocchi di neve – risale alla canzone già scrit-

---

... o soccorso di Dio, perché continui a restare inoperoso (pur giaci)? Uomini di Caorsa e di Guascogna già si preparano a bere del nostro sangue: o buon inizio (della Chiesa di Dio), a quale misera fine ti tocca precipitare! ◆ *Ma quella stessa provvidenza divina (alta), che salvò (difese) la futura gloria del mondo (l'Impero romano) inviando Scipione a difendere Roma (da Annibale), presto verrà in soccorso (della sua Chiesa), come io già intendo; e tu, figliolo, che tornerai ancora giù sulla terra per il peso (pondo) del tuo corpo mortale, apri la bocca (per parlare), e non tenere celato ciò che io non ho celato a te».* ◆ *Come con i vapori acquei gelati (i fiocchi di neve) fiocca ...*

in giuso l'aere nostro, quando 'l corno
69 de la capra del ciel col sol si tocca,
in sù vid'io così l'etera addorno
farsi e fioccar di vapor trïunfanti
72 che fatto avien con noi quivi soggiorno.
Lo viso mio seguiva i suoi sembianti,
e seguì fin che 'l mezzo, per lo molto,
75 li tolse il trapassar del più avanti.
Onde la donna, che mi vide assolto
de l'attendere in sù, mi disse: «Adima
78 il viso e guarda come tu se' vòlto».
Da l'ora ch'ïo avea guardato prima

ta in morte di Beatrice (dove gli angeli vestiti di bianco avevano suggerito la *pioggia di manna*): «e vedea, che parean pioggia di manna, / li angeli che tornavan suso in cielo» (*Vita Nuova* XXIII 25) e conclude con solenne bellezza la grande scena svoltasi nel cielo Stellato. – *fioccare* è usato intransitivamente (come *piovere*, *nevicare*), ma non impersonalmente, avendo per soggetto *aere* e *etera*, e come compl. di mezzo, introdotto da *di*, i *vapori*. – *l'aere* è l'aria, l'elemento che circonda la terra, mentre *l'etera* è quella diversa sostanza, o «quinta essenza», di cui sono fatti i cieli.

73-5. **Lo viso mio seguiva...**: il mio sguardo seguiva le loro forme visibili (*suoi*, loro, degli spiriti luminosi che salivano verso l'alto); e le seguì finché lo spazio d'aria che s'interponeva fra i miei occhi e loro (il *mezzo*) non gli impedì – per essere diventato ormai troppo esteso – di passare oltre, nello spazio successivo (il *più avanti*). Per il ricordo evangelico si veda XXIII 118-20 e nota.

– 'l mezzo: così era detto ciò che s'interpone tra i sensi e il loro oggetto; in questo caso l'aria: cfr. *Purg.* XXIX 45 e nota.

– il trapassar del più avanti: l'infinito e l'avverbio sono usati come sostantivi.

76-7. **assolto / de l'attendere in sù**: sciolto, liberato, dal volgere l'attenzione verso l'alto. – *attendere* vale «essere teso, attento» a qualcosa: cfr. I 77; *Inf.* XIII 109.

--- *verso il basso l'atmosfera terrestre (l'aere nostro) quando la costellazione del Capricorno (la capra del ciel) si congiunge col sole, così io vidi l'aria celeste (l'etera) adornarsi e fioccare verso l'alto con quei vapori che lassù trionfavano (le luci delle anime) e che avevano prima soggiornato con noi in quel cielo. ◆ Il mio sguardo seguiva le loro forme visibili, e le seguì finché il tratto d'aria che lo separava da loro (il mezzo) non gli impedì, perché era ormai troppo esteso (per lo molto), di passare oltre, nello spazio successivo. Allora la donna, che mi vide liberato dal volgere l'attenzione verso l'alto, mi disse: «Rivolgi in giù (adima) lo sguardo, e vedi quale arco hai compiuto seguendo il movimento del cielo». ◆ Dal momento in cui avevo prima guardato, ...*

77-8. **Adima / il viso...**: rivolgi in giù lo sguardo (verso l'*imo*, il luogo più basso; il verbo è di conio dantesco: cfr. *Purg.* XIX 100) e vedi quanto spazio hai percorso volgendoti col cielo Stellato. – *come tu se' vòlto* si riferisce all'arco percorso dal momento in cui Dante aveva *guardato prima*, come ora dirà. Il violento mutamento di direzione dello sguardo – dalla massima altezza, su verso l'Empireo, alla massima bassezza, giù verso la terra –, quasi a misurare quella distanza, segna l'inizio del nuovo grande evento di questo canto, la salita al Primo Mobile.

79. **Da l'ora**: cioè da quando era appena giunto nei Gemelli e si preparava allo spettacolo celeste che lo attendeva nel cielo Stellato (XXII 124 sgg.). Ora, conclusa quella scena, rivolge in basso un secondo sguardo prima di salire al Cristallino. I due sguardi racchiudono dunque gli eventi – esami sulle virtù, invettiva di Pietro – che hanno predisposto Dante alla nuova ascesa, presentata come singolarmente solenne.

80-1. **i' vidi mosso me...**: mi accorsi che mi ero spostato per tutta la lunghezza dell'arco celeste che corrisponde, sulla superficie terrestre, a quello che misura, dal suo centro alla sua estremità, il *primo clima*, cioè la prima delle sette zone in cui era suddiviso orizzontalmente dai geografi l'emisfero della terra abitata, a partire dall'equatore verso nord. Tale arco, estendendosi la terra abitata per 180 gradi in longitudine, sarà dunque di 90 gradi; Dante ha percorso nei Gemelli lo spazio di un quadrante, che corrisponde a un tempo di sei ore (cfr. XXVI 142 e nota).

– dal mezzo al fine: il *primo clima* si estendeva dal meridiano del Gange a Oriente a quello di Gade (o Cadice) a Occidente e aveva al suo centro (il *mezzo*) il meridiano di Gerusalemme. Dante dice qui dunque che quando aveva guardato alla terra la prima volta si trovava sul meridiano di Gerusalemme, mentre ora si trova su quello di Cadice (volgendosi il cielo Stellato da Oriente verso Occidente).

82-4. **sì ch'io vedea...**: dal diverso punto di vista, nell'alto cielo, egli abbraccia ora con l'occhio una diversa porzione della terra. Prima, dal meridiano centrale di Gerusalemme, egli vedeva l'intera terra abitata

i' vidi mosso me per tutto l'arco

81 che fa dal mezzo al fine il primo clima;

sì ch'io vedea di là da Gade il varco

folle d'Ulisse, e di qua presso il lito

84 nel qual si fece Europa dolce carco.

E più mi fora discoverto il sito

di questa aiuola; ma 'l sol procedea

87 sotto i mie' piedi un segno e più partito.

La mente innamorata, che donnea

con la mia donna sempre, di ridure

90 ad essa li occhi più che mai ardea;

e se natura o arte fé pasture

(XXII 151-3). Trovandosi ora sopra Cadice, il suo sguardo spazia a Occidente (*di là da Gade*) sull'immenso oceano dove follemente si avventurò Ulisse, mentre verso Oriente (*di qua*, s'intende da Gade) giunge vicino alla sponda (*presso il lito*) della Fenicia (cioè alle coste dell'Asia Minore) dove Giove, mutatosi in toro, prese sul dorso la ninfa Europa, di cui si era invaghito, portandola nella terra che da lei prese il nome (Ovidio, *Met.* II 832-75). La solenne terzina, di ampio e suggestivo movimento ritmico, richiama non a caso – non per «dotto rinvio geografico», come annota il Quaglio – i due grandi miti (uno classico e l'altro creato dallo stesso Dante, e fatto così pari all'altro): il primo ricorda la presunzione dell'intelletto umano (il *varco folle* è il *folle volo* di *Inf.* XXVI 125); il secondo la concupiscenza della carne. Cioè le due più gravi tentazioni che sembrano chiudere la terra come in una morsa.

83. **presso il lito**: i solerti astronomi hanno osservato che da quella posizione celeste Dante non poteva vedere la sponda fenicia, perché il sole (data la sua situazione: vv. 86-7) era tramontato laggiù da un pezzo (si veda la nota seguente). Ma, proprio per quel che si è detto nella nota precedente, sembra inutile discuterne. Certo egli non poteva vedere quel lito investito dai raggi del sole, ma la luce del crepuscolo dura a lungo dopo il tramonto, e Dante scrive appunto *presso*, in quella direzione; il suo sguardo poetico «vuole» vedere, e riesce a intravedere, la riva da cui Europa partì, come vede quella da cui partì Ulisse per non più tornare.

85-7. **E più mi fora...**: e anche più (s'intende verso Oriente) si sarebbe rivelato al mio sguardo lo spazio della nostra piccola area abitabile (*questa aiuola*; cfr. XXII 151 e nota); ma il sole procedeva nel suo corso – verso Occidente – lontano da me (*partito*: distanziato) più di *un segno* zodiacale (che si estende per 30 gradi). Il sole era infatti nell'Ariete, e tra l'Ariete e i Gemelli, dove è Dante, si trova il segno del Toro. Tra Dante e il sole intercorre dunque una distanza di più di 30 gradi (ricordiamo che 30 gradi corrispondono a un tempo di due ore). E poiché Dante è sopra Ca-

dice, e Cadice dista a sua volta dalla sponda fenicia (prossima a Gerusalemme) circa 90 gradi, ne deriva che il sole era tramontato laggiù da più di due ore (quando infatti il sole è sul meridiano di Cadice, a Gerusalemme lo vedono tramontare). Per questo Dante dice che la sua vista non poteva spingersi più in là. Fin *presso* a quella riva, con l'ultima luce del crepuscolo, ancora riusciva a vedere...

88. **La mente innamorata**: con improvviso slancio, lo sguardo rivolto alla terra si rivolge di nuovo, come per irresistibile attrazione, verso Beatrice. Quello sguardo sarà l'ultimo che Dante si concede verso il mondo terreno. Si sta infatti per uscire dal tempo storico, segnato dai pianeti; e il canto giunge qui al suo punto di svolta, la salita al Primo Mobile.

88-9. **che donnea...**: che sempre vagheggia, come fa l'innamorato, il volto della sua amata; *donneare*, verbo proprio dell'amor cortese, è usato per il rapporto di amore tra l'uomo e Dio a XXIV 118.

89-90. **di ridure...**: più che mai (dopo aver visto quell'aiola così piena di miserie) ardeva dal desiderio di ricondurre lo sguardo verso di lei (per *ridure*, cfr. *redui* a XXII 21 e nota).

91-3. **e se natura...**: e se mai la natura o l'arte crearono forme tanto belle, l'una nei corpi umani, l'altra

---

... io mi accorsi che mi ero spostato per tutta la lunghezza dell'arco celeste che sulla terra misura, dal suo centro alla sua estremità, la prima zona climatica (primo clima); così che io potevo vedere al di là di Gade il mare follemente varcato da Ulisse, e al di qua fin presso alla sponda (presso il lito) dove Europa divenne un dolce peso (per Giove). E anche più si sarebbe rivelato al mio sguardo lo spazio della nostra piccola area abitabile (questa aiuola); ma sotto i miei piedi il sole procedeva nel suo corso lontano da me (partito) più di un segno zodiacale. ◆ *La mente innamorata, che sempre vagheggia la mia amata, più che mai ardeva dal desiderio di ricondurre lo sguardo verso di lei; e se mai la natura o l'arte, l'una nei corpi umani, l'altra nelle pitture, crearono un tale pascolo per la vista (pasture, cioè forme tanto belle) ...*

da pigliare occhi, per aver la mente,

93 in carne umana o ne le sue pitture,

tutte adunate, parrebber nïente

ver' lo piacer divin che mi refulse,

96 quando mi volsi al suo viso ridente.

E la virtù che lo sguardo m'indulse,

del bel nido di Leda mi divelse,

99 e nel ciel velocissimo m'impulse.

Le parti sue vicinissime e eccelse

sì uniforme son, ch'i' non so dire

102 qual Bëatrice per loco mi scelse. ·

Ma ella, che vedëa 'l mio disire,

nelle pitture, da pascere gli occhi degli uomini (attraendoli, come il cibo attrae l'affamato), per conquistare attraverso gli occhi i loro cuori... Che la bellezza – in particolare del corpo umano – possa essere prodotta dalla natura o dall'arte è stato già affermato a *Purg.* XXXI 49-51, anche là per esaltare sopra tutte quella di Beatrice. E che il volto di lei sia per l'occhio di Dante *pastura* che attrae più di ogni altra cosa è detto a XXI 19-21 (e si veda anche, per una simile metafora, *Purg.* XXXII 1-2). Questa terzina, per la singolare forza concreta del suo linguaggio (le *pasture*, il *pigliare occhi*, la *carne umana*), forse supera tutte le altre nell'esprimere il potere di attrazione e di appagamento proprio di quel volto.

94. **tutte adunate...**: tutte quelle bellezze, di natura e d'arte insieme, non sarebbero niente al confronto... È il consueto «topos» classico dell'impossibile, già usato per la bellezza di Beatrice ma in forma diversa a XXIII 55 sgg. (si veda anche *Inf.* XXVIII 7 sgg., dove compare lo stesso verbo «adunare»).

95-6. **ver' lo piacer...**: verso, cioè a confronto della divina bellezza che risplendette ai miei occhi quando mi volsi a guardare il suo viso ridente. I due versi splendono di luce – il *refulse* in fine di verso chiama il *ridente* – dando come sempre al riso il ruolo primario di espressione della bellezza interiore. L'accresciuta bellezza di Beatrice segna, fin dai primi canti, il passaggio al nuovo cielo.

97-9. **E la virtù...**: e la forza che il suo sguardo mi concesse, mi donò (*m'indulse*, da *indulgere*, concedere benignamente), mi sradicò con violenza dalla costellazione dei Gemelli e mi sospinse di slancio nel cielo più veloce di tutti, il Primo Mobile (quel cielo che, secondo la fisica per essere il più lontano dal centro, secondo la metafisica per essere il più vicino all'Empireo, col quale desidera ardentemente di essere congiunto – cfr. *Conv.* II, III 9 –, ha «velocissimo movimento»). I due forti verbi, *divelse* e *impulse* (dal latino «impellere»), con i due opposti prefissi (*dis-* e *in-*) di distacco e di ingresso, esprimono la violenza di quel passaggio, che è di fatto lo sradicamento del viandante del cielo dal tempo storico.

98. **nido di Leda**: i due gemelli Castore e Polluce, nati dalle uova di Leda fecondate da Giove tramutato in cigno (per questo la loro sede è detta *nido di Leda*), si amarono tanto in vita, che dopo la morte il padre non li divise e li lasciò congiunti in una costellazione dello Zodiaco (Ovidio, *Her.* XVII 55 sgg.; Orazio, *Ars poetica* 147).

100-2. **Le parti sue vicinissime...**: le parti del nono cielo, le più vicine come le più lontane, sono così uniformi, eguali tra loro, che io non potrei dire quale di esse Beatrice scelse per farmi sostare. Mentre nei cieli sottostanti Dante ha sostato sempre nel corpo solido del pianeta che vi è come infisso, il cielo Cristallino è tutto diafano e perfettamente uguale in ogni sua parte; in esso non si è infatti ancora compiuta alcuna distinzione (cfr. II 112-7 e note) e Dante non sa dunque dove si sia fermato. È la consueta, ma non per questo meno straordinaria, precisione scientifica dei particolari di un viaggio in un mondo tutto fantastico, che è quella che ha creato l'apparente veridicità del racconto dantesco, creduto vero nell'immaginario popolare, dai suoi tempi ai nostri.

– **vicinissime**: la lezione di questa parola è incerta: si vedano le ragioni della nostra scelta nella nota al testo alla fine del canto.

103. **che vedëa...**: che leggeva in Dio il mio desiderio inespresso (di sapere dove ero giunto, e le qualità di quel cielo).

... da catturare gli occhi degli uomini per conquistarne i cuori, tutte quelle bellezze insieme non sarebbero niente al confronto della divina bellezza che risplendette ai miei occhi quando mi volsi a guardare il suo volto ridente. ◆ *E la forza che il suo sguardo mi concesse (m'indulse), mi sradicò dal bel nido di Leda (cioè dalla costellazione dei Gemelli), e mi sospinse di slancio nel cielo più veloce di tutti (il Primo Mobile). Le sue parti, le più vicine come le più lontane, sono così uniformi tra loro, che io non potrei dire quale di esse Beatrice scelse per farmi sostare. Ma lei che vedeva il mio desiderio inespresso, ...*

incominciò, ridendo tanto lieta,

105   che Dio parea nel suo volto gioire:

«La natura del mondo, che quïeta

il mezzo e tutto l'altro intorno move,

108   quinci comincia come da sua meta;

e questo cielo non ha altro dove

che la mente divina, in che s'accende

111   l'amor che 'l volge e la virtù ch'ei piove.

Luce e amor d'un cerchio lui comprende,

sì come questo li altri; e quel precinto

114   colui che 'l cinge solamente intende.

Non è suo moto per altro distinto,

---

105. che Dio parea...: che Dio stesso pareva gioisse nel volto di lei: la gioia che splende nel volto di Beatrice – un volto umano – è dunque la stessa gioia divina. Più alta dichiarazione della divinizzazione dell'uomo non è possibile dare, forse neppure con il linguaggio della teologia.

106-8. La natura del mondo...: la natura stessa dell'universo creato, che tiene il suo centro immobile, e fa ruotare tutto il resto intorno ad esso, ha origine da questo cielo (*quinci*) come dal suo principio. Il nono cielo infatti «ordina col suo movimento la cotidiana revoluzione di tutti li altri» (*Conv.* II, XIV 15); da esso parte quindi quel moto circolare intorno al suo centro che è la struttura stessa del mondo. – *natura* è qui preso nel senso aristotelico di «principio intrinseco» di ogni cosa.

– **che quïeta...**: «ciascuno cielo mobile si volge intorno al suo centro, lo quale, quanto per lo suo movimento, non si muove» (*Conv.* II, XIII 3).

109-10. e questo cielo...: la prima terzina del grande discorso sul Cristallino si è mossa con serena calma, offrendo un dato scientifico. Ma già la seconda s'impenna verso un'altra realtà, varcando di slancio il confine tra la fisica e la metafisica: questo cielo che contiene e muove il mondo non ha a sua volta altro luogo che la mente di Dio, dalla quale trae il suo movimento. È il grande e antico problema del «luogo dell'universo», così risolto (attraverso la dottrina dell'Empireo, di derivazione neoplatonica) dalla teologia cristiana; idea che in questi mirabili versi – cioè nel linguaggio della poesia – trova la sua perfetta espressione.

110-1. in che s'accende...: nella quale, come a una fiamma ardente, si accende quell'amore che lo fa volgere e quella virtù che esso fa discendere (*piove*) su tutti gli altri cieli.

112-4. Luce e amor...: una realtà di sola luce e amore lo contiene, avvolgendolo in un cerchio, come esso contiene nel suo cerchio tutti gli altri. E tale *precinto* (cioè cintura, cerchio che circonda), è inteso solo da colui che lo cinge intorno agli altri. Il discorso poetico cresce su se stesso, di terzina in terzina, e giunge qui

ad anticipare quella che sarà la definizione dell'Empireo nel canto XXX: *luce intellettüal, piena d'amore* (v. 40).Non luce fisica, ma *intellettüal*, e *piena d'amore*, cioè intelletto amante. Per ora soltanto *luce e amor*, come un rapido preannuncio, come se il poeta cercasse e trovasse via via, parola dopo parola, la perfetta espressione della grande idea che lo attrae e quasi lo sfida a ridirla nel *nostro sermone* (*Inf.* XXVIII 5). – *precinto* è participio passivo sostantivato di *precingere*, cingere intorno (cfr. *quel frustato* a *Inf.* XVIII 46).

115-7. Non è suo moto...: il suo movimento non è regolato da un altro (esso è infatti il primo corpo che si muova); bensì tutti gli altri prendono da lui la loro misura (cioè il tempo del loro moto), come il dieci è misurato dal suo mezzo e dal suo quinto (il cinque e il due, il cui prodotto è appunto il dieci). Per capire il senso di queste parole, cioè che cosa s'intenda per *distinto* e *mensurato* detto di un movimento, si cfr. il testo aristotelico citato da Dante stesso: «Lo tempo, secondo che dice Aristotile nel quarto della *Fisica*, è "numero di movimento secondo prima e poi"» (*Conv.* IV, II 6). La «distinzione» e la «misura» sono dunque il numero, cioè il tempo assegnato al movimento.

... incominciò a dire, ridendo tanto lieta che Dio stesso pareva gioisse nel volto di lei: ◆ *«La natura dell'universo creato, che tiene il suo centro immobile, e fa ruotare tutto il resto intorno ad esso, ha origine da questo cielo (quinci) come dal suo principio; e questo cielo non ha altro luogo (che lo contenga) se non la mente di Dio, nella quale si accende quell'amore che lo fa volgere e quella virtù che esso fa discendere su tutti gli altri cieli (piove). Luce e amore lo contengono, avvolgendolo in un cerchio, come esso contiene nel suo cerchio tutti gli altri; e quella cintura (precinto) è intesa solo da colui che la cinge (intorno agli altri).* ◆ *Il suo movimento non è determinato da un altro, ...*

ma li altri son mensurati da questo,

117 sì come diece da mezzo e da quinto;

e come il tempo tegna in cotal testo

le sue radici e ne li altri le fronde,

120 omai a te può esser manifesto.

Oh cupidigia, che i mortali affonde

sì sotto te, che nessuno ha podere

123 di trarre li occhi fuor de le tue onde!

Ben fiorisce ne li uomini il volere;

ma la pioggia contìnüa converte

126 in bozzacchioni le sosine vere.

Fede e innocenza son reperte

solo ne' parvoletti; poi ciascuna

129 pria fugge che le guance sian coperte.

---

117. sì come diece…: per questo paragone tra misura del movimento e del numero, si cfr. san Tommaso, *S.T.* Iª IIᵃᵉ, q. 90 a. 1: «In ogni genere, quello che è il principio è la misura e la regola di quel genere, come l'unità lo è del genere del numero, e il primo moto del genere dei moti». Lo stesso concetto è espresso in *Vulg. El.* I, XVI 2. Nell'esempio del dieci, il due e il cinque sono i numeri primi, cioè semplici, che lo compongono, dai quali soltanto esso può essere misurato (cinque volte il due, o due volte il cinque). Allo stesso modo tutti i moti si misurano sul più semplice di tutti, che è il primo, come è detto nella *Fisica* di Aristotele (IV, XIV 223b; cfr. *S.T.* I, q. 10 a. 4).

118-20. e come il tempo…: ed ecco configurarsi – con una nuova e sorprendente immagine – l'identità moto-tempo che governa il mondo. Da quello che si è appena detto – cioè che ogni moto è misurato dal nono cielo – deve essere ormai evidente a Dante che anche il tempo che si definisce «numero di movimento secondo prima e poi» (cfr. la nota ai vv. 115-7) ha le sue radici in quel cielo e, come un grande albero rovesciato, apre le sue fronde – anni, stagioni, mesi, giorni, ore – nel volgersi di tutti gli altri; cfr. *Conv.* II, XIV 16-7: «Onde, pognamo che possibile fosse questo nono cielo non muovere... notte non sarebbe né die, né

settimana né mese né anno, ma tutto l'universo sarebbe disordinato». Si chiude così, con l'albero grandioso del tempo che si protende dai cieli sul mondo, la sequenza di cinque terzine, la più alta del canto, dedicata al cielo Cristallino.

121-3. Oh cupidigia…: dalla sublime contemplazione dell'amoroso ordine dell'universo sorge sulle labbra di Beatrice – dal cuore di Dante – l'amaro e dolente compianto sulla cecità degli uomini, immersi, «affondati» sotto le onde della loro cupidigia che, come l'onda pesante sulla testa del naufrago, impedisce loro di sollevare lo sguardo e guardare il cielo.

124-6. Ben fiorisce…: negli uomini, per innata disposizione, la volontà si volge all'inizio verso il bene (come in un albero la fioritura promette buoni frutti). Ma quel buon volere iniziale presto si guasta, come la fioritura del susino per eccesso di pioggia non dà frutti buoni, ma *bozzacchioni*, cioè susine mancate, abortite.

– bozzacchioni: la parola indica il frutto gonfio e marcito. Così ancora un proverbio toscano: «Quando piove la domenica di Passione, ogni susina va in bozzacchione». Il termine è parso a molti sconvenire al parlare di Beatrice. Ma, come i termini *cloaca* e *puzza* in bocca a san Pietro (vv. 25 e 26), così questo forte vocabolo esprime, secondo il modello biblico, il peso del male che il profeta denuncia. Si cfr. *Is.* 5, 2: «aspettò che producesse uva, ma essa fece uva selvatica».

127-8. Fede e innocenza…: fede e innocenza si trovano (*son reperte*, forma passiva, dal latino «reperire») ormai soltanto nei fanciulli.

128-9. ciascuna / pria fugge…: l'una e l'altra scompare prima che le guance comincino a coprirsi di peluria (già prima dell'adolescenza: cfr. *Purg.* XXIII 110-1).

130-2. Tale, balbuziendo ancor…: quel bambino che, quando ancora non sa parlare, osserva il digiuno, poi, fatto adulto, divora sfrenatamente, con quella stessa lingua che parla ormai senza impacci, qualunque specie di cibo in qualunque periodo dell'anno (cioè an-

---

… bensì tutti gli altri movimenti prendono da lui la loro misura (cioè il tempo secondo il quale si muovono), come il dieci è misurato dalla sua metà e dal suo quinto (il cinque e il due); e ormai ti può essere chiaro come il tempo affondi le sue radici in quel vaso celeste, e apra le sue fronde negli altri cieli. Oh cupidigia, che sommergi gli uomini mortali a tal punto sotto il tuo potere, che nessuno ha la forza di sollevare lo sguardo fuori dalle tue acque! Negli uomini la volontà si volge all'inizio verso il bene; ma la pioggia continua trasforma le susine mature in susine marce (bozzacchioni). Fede e innocenza si trovano (son reperte) ormai soltanto nei fanciulli; poi l'una e l'altra scompare prima che le guance comincino a coprirsi di peluria.

Tale, balbuzïendo ancor, digiuna,
che poi divora, con la lingua sciolta,
132   qualunque cibo per qualunque luna;
e tal, balbuzïendo, ama e ascolta
la madre sua, che, con loquela intera,
135   disïa poi di vederla sepolta.
Così si fa la pelle bianca nera
nel primo aspetto de la bella figlia
138   di quel ch'apporta mane e lascia sera.
Tu, perché non ti facci maraviglia,
pensa che 'n terra non è chi governi;
141   onde sì svïa l'umana famiglia.
Ma prima che gennaio tutto si sverni
per la centesma ch'è là giù negletta,

che i cibi proibiti nella quaresima e in altri tempi penitenziali).

133-5. e tal, balbuzïendo...: e così quello che, ancora infante, ama e rispetta la madre, quando è padrone del linguaggio vorrebbe vederla morta (perché non tollera i suoi ammonimenti e brama di impadronirsi dei suoi beni). Dopo la fede e l'innocenza, spariscono dunque temperanza e obbedienza, pietà e rispetto filiale, tutte le virtù giovanili che preparano una perfetta maturità, e che la cupidigia travolge e uccide sul nascere.

136-8. Così si fa la pelle bianca...: così (in questo modo) la pelle bianca della bella figlia del sole – la luna, secondo i Padri figura della Chiesa militante che è figlia della Chiesa trionfante (il sole) – si fa nera, si oscura nella sua visibilità, nella sua apparenza esteriore (*nel primo aspetto*); cioè la Chiesa di Cristo oscura la sua bellezza originaria nella corruzione che deturpa il suo volto. Questa terzina è di difficile comprensione, ed è stata oggetto di lunghe discussioni. Che *quel ch'apporta mane e lascia sera* non possa essere che il sole, sembra chiaro a tutti. Ma chi sia la sua *bella figlia*, la cui pelle si fa da bianca nera, è stato sempre un enigma difficile da sciogliere. Delle due interpretazioni che tra le molte avanzate sono a nostro avviso le sole che abbiano plausibilità, diamo quella che riteniamo più consona al contesto e con miglior fondamento nelle sue fonti, la tradizione patristica e il biblico *Cantico dei Cantici* (1, 5-6), dove la sposa appare appunto con la pelle annerita. Si vedano le due proposte discusse nella nota di approfondimento alla fine del canto.

139. perché non ti facci...: perché tu non ti debba stupire di questo traviamento, oscuramento dell'umanità.

140. 'n terra...: sulla terra manca la guida, essendo vacanti la Chiesa (cfr. qui sopra, vv. 22-4) e l'Impero (*Purg.* VI 76 sgg.), i *due soli* preposti da Dio al governo del mondo; e senza guida gli uomini non sono capaci di riconoscere e seguire il bene (cfr. *Mon.* I, xv 9; III, xv 9-10 e *Purg.* XVI 85-114).

142-3. Ma prima che gennaio...: prima che il mese di gennaio esca tutto fuori dall'inverno, per l'accumularsi di quella frazione di giorno (circa un centesimo) che non è calcolata (è *negletta*) nel calendario della terra... Nel calendario allora in vigore l'anno durava infatti 365 giorni e 6 ore, con un errore di circa 12 minuti in eccesso (errore corretto dal calendario gregoriano nel 1582) che col passare dei secoli avrebbe portato indietro l'equinozio (quello reale, già al tempo di Dante arretrato al 13 marzo) dal 21 marzo alla fine di dicembre, e quindi il mese di gennaio in primavera. Per arrivare a tanto sarebbero tuttavia dovuti passare, secondo i calcoli degli astronomi del tempo, 7300 anni. Si intende abitualmente l'espressione come in senso rovesciato, perché sembra ai più evidente che Dante vuol qui indicare un tempo breve: «noi similmente, quando vogliam mostrare ad alcuno la cosa inaspettata dover tosto avvenire, molte volte diciamo cosa simile, come: ma prima che passino cento o mille anni, tu lo vedrai» (Vellutello). Ma il riferimento astronomico (*prima che gennaio tutto si sverni*), mai generico in Dante, sembra piuttosto voler dire che solo tra moltissimi anni l'intervento divino po-

---

Quel bambino che, quando ancora balbetta, osserva il digiuno, poi divora, con quella stessa lingua che parla ormai senza impacci (sciolta), qualunque specie di cibo in qualunque periodo dell'anno; e così quello che, quando ancora balbetta, ama e rispetta la madre, quando è completamente padrone del linguaggio vorrebbe vederla morta. Così la pelle bianca della bella figlia di colui che porta il mattino e lascia la sera (cioè del sole) diventa nera nella sua apparenza esteriore (nel primo aspetto). ◆ Tu, perché non ti debba meravigliare di questo, rifletti al fatto che sulla terra manca chi governi; per tale motivo la comunità umana è traviata. Ma prima che gennaio esca tutto fuori dall'inverno, per l'accumularsi di quella centesima frazione di giorno (la centesma) che laggiù sulla terra non è calcolata (è negletta), ...

144   raggeran sì questi cerchi superni,
              che la fortuna che tanto s'aspetta,
          le poppe volgerà u' son le prore,
          sì che la classe correrà diretta;
148   e vero frutto verrà dopo 'l fiore».

trà portare sulla retta via l'umanità. In questo caso l'espressione si riferirebbe chiaramente agli ultimi giorni (cfr. l'eco evidente del passo del *Convivio* citato nella nota ai vv. 145-7). Il problema del calendario, ben noto agli scienziati medievali, era discusso nei principali trattati di astronomia, scienza nella quale Dante si dimostra qui come sempre bene informato.

144. raggeran sì...: questi cieli irradieranno il mondo (con la loro influenza) in modo tale...

145-7. che la fortuna...: che il fortunale, la tempesta, cioè il mutamento tanto atteso, rivolgerà la nave dell'umano cammino nella direzione opposta a quella ora seguita, così che la flotta (*classe*, lat. «classis») correrà infine verso la sua meta (si cfr. *Conv.* IV, V 8,

dove si celebra il felice tempo dell'impero di Augusto: «la nave dell'umana compagnia dirittamente per dolce cammino a debito porto correa»). – *fortuna* può valere in antico anche «buona fortuna», «tempo felice», come alcuni commentatori intendono, ma dato l'uso della metafora navale, e la violenza che sembra dover essere propria di questo evento futuro (si vedano l'accenno a Scipione, i vv. 43-5 di *Purg.* XXXIII e i vv. 101-2 di *Inf.* I), sembra sia da preferirsi l'altro significato.

148. e vero frutto...: Beatrice riprende la metafora della buona fioritura che porta cattivi frutti: dopo quella *fortuna*, non nasceranno più *bozzacchioni*, ma *sosine vere*.

... *questi cieli superiori irradieranno il mondo (con la loro influenza) in modo tale che la tempesta (fortuna) tanto attesa rivolgerà la poppa (della nave dell'umanità) dove ora è la prua, così che la flotta (classe) correrà nella direzione giusta; e al fiore seguirà il vero frutto».*

PROBLEMI DI INTERPRETAZIONE

La figlia del sole

versi 136-8.   *Così si fa... de la bella figlia*

L'interpretazione da noi accolta della difficile terzina si fonda sul paragone sopra ricordato tra la luna («filia solis») e la Chiesa militante, comune nella tradizione patristica e ampiamente illustrato anche da san Bonaventura, paragone che dipende a sua volta dalla interpretazione in questo senso di passi scritturali, come l'epistola di san Paolo ai Galati (4) e il *Cantico dei cantici* (1 e 7) (e in realtà la pelle che si fa da *bianca* a *nera* nel nostro testo sembra richiamare *Cant.* 1, 5-6). Che Dante alluda qui alla Chiesa ritennero già sulla base del *Cantico* il Lana, lo Scartazzini e lo stesso Auerbach (*Studi*, pp. 261-6), senza tuttavia poter indicare sicure fonti. Ma si veda ora l'ampia documentazione offerta da G. Pierotti, in LI, XXXIII (1981), pp. 216-21. Una diversa interpretazione (cfr. Barbi, *Problemi* I, pp. 292-3), accolta oggi dalla maggioranza dei commentatori, intende la figlia del sole per Circe (così chiamata in *Aen.* VII 11 e *Met.* XIV 346) e spiega: così l'anima innocente (*la pelle bianca*) si fa nera per il peccato, al primo apparire (*aspetto*, vista: cfr. I 67) delle tentazioni del mondo (di cui è simbolo Circe, la maga seduttrice). La prima interpretazione è tuttavia più convincente, in quanto meglio aderente al contesto dell'intero canto (la precedente deplorazione di san Pietro sulla Chiesa corrotta, le seguenti parole di Beatrice: *non è chi governi*) e fondata su testi biblici e patristici, meglio convenienti e più comunemente usati di quelli classici a questa altezza del *Paradiso* come fonti di riferimento (e si veda anche la metafora del *bianco fatto bruno* usata per il degenerare degli Ordini a XXII 91-3). La seconda interpretazione può apparire più semplice e chiara, ma ciò che è tale per noi moderni non lo era per i lettori medievali, che vivevano in un ambiente di riferimenti culturali del tutto diverso dal nostro.

NOTE LINGUISTICHE

v. 10. **face**: fiaccole, dal lat. «faces» (come al v. 17 *vice* da «vices»), è un caso di plurale femminile della 3ª decl. in *-e*, per cui si veda *concorde* a XV 9 e relativa nota linguistica.

NOTE AL TESTO

v. 5. **per che**: la lezione *perché* preferita dal Sapegno («in quanto fonde la dolcezza del canto e la festa delle luci in unico *riso*») non corrisponde al senso logico del testo, che tende proprio a distinguere i due sensi (il *riso* è percepito solo dalla vista, come il *canto* dall'udito) per dire lo straordinario effetto che si produce simultaneamente.

v. 100. **vicinissime e eccelse**: la tradizione manoscritta di questo luogo assai discusso si divide tra due lezioni: *vicissime* (parola incomprensibile) e *vivissime*, questa ultima accolta dal Petrocchi, come da tutti i precedenti editori prima dell'ediz. del '21. Il testo del Petrocchi presuppone tuttavia un fatto filologicamente inaccettabile, che cioè un termine comune (*vivissime*) sia stato sostituito da più copisti con un termine privo di senso e sconosciuto alla lingua italiana qua-

le è *vicissime*; è invece naturale che *vivissime* sia un tentativo di dare un senso all'incomprensibile *vicissime*. Ora questa forma evidentemente erronea è ben naturalmente spiegabile come corruzione da un originale *vicinissime*, scritto in forma normalmente abbreviata con un trattino sopra la *-i-* ad indicare la *-n-* tralasciata. Accogliamo quindi la congettura *vicinissime*, dell'edizione del '21, anche perché più consona al contesto: la coppia *vivissime ed eccelse* viene di fatto ad avere valore di definizione del Cristallino (il cielo più vivo e più alto di tutti), definizione già data (cfr. XXIII 112-7) che sembra qui superflua, mentre la coppia dei termini opposti *vicinissime e eccelse* appare logica premessa dell'affermazione di uniformità fatta nel verso successivo (le più vicine come le più lontane *sì uniforme son...*).

v. 144. **raggeran**: le edizioni precedenti a quella del '21 leggevano *ruggeran*, verbo spesso usato per l'ira divina nei testi profetici della Bibbia. Ma la lezione qui accolta (del Vandelli e del Petrocchi) sembra meglio corrispondere all'idea dantesca dell'intervento dei cieli come azione della provvidenza nella storia, specie a confronto con la profezia analoga fatta da Beatrice a *Purg.* XXXIII 40-5 (e si veda anche *Purg.* XX 13-5).

approfondimenti

SUGGERIMENTI PER LA RICERCA

Temi del canto

La condanna del papato e della Chiesa
Nelle parole di Pietro trova espressione definitiva il rimprovero alla corruzione del papato e della Chiesa, riecheggiato più volte nella *Commedia*: analizza la lunga invettiva in *Inf.* XIX 90-117, poi i luoghi del *Paradiso* IX 127-142; XVIII 118-136; XXI 127-135; XXII 85-96, annotando gli aspetti stilistici e lessicali tipici del linguaggio profetico e rilevando le allusioni ad un prossimo intervento divino. Per comprendere perché proprio con questa invettiva si chiudono i canti del Cielo Stellato puoi leggere tra le *Letture consigliate* il saggio di A. M. Chiavacci Leonardi.

Lo sguardo verso la terra
Rileggi e metti a confronto le due descrizioni che Dante fa della terra vista dall'alto in questo canto (vv. 79-87) e in XII 133-138 e 151-153: rileva affinità e differenze, spiega la collocazione dei due episodi e rifletti sul loro significato nel contesto del viaggio compiuto dal poeta in paradiso, aiutandoti con le note di commento. Perché ti siano chiare le indicazioni dantesche circa il punto di osservazione, puoi vedere la figura relativa riportata alla pag. VII.

«'n terra non è chi governi»
Gli uomini sulla terra sono «sviati» perché Chiesa e Impero mancano di una guida: su questo argomento, di notevole importanza nel pensiero dantesco, leggi i passi *Mon.* I, xv 9 e III, xv 9-10; *Purg.* XVI 106-114 (con i relativi commenti), quindi riprendi e approfondisci la concezione politica di Dante leggendo il testo di E. Gilson *L'impero universale*, riportato tra le letture critiche del volume *Strumenti* (pp. 65-67).

Il calendario
L'indicazione temporale contenuta nei vv. 142-143 fa riferimento al calendario giuliano in vigore ai tempi di Dante. Fai una ricerca sull'origine del calendario e le riforme che nel tempo si sono susseguite fino a quello attualmente in vigore: puoi trovare informazioni alla voce *Calendario* dell'*Enciclopedia Italiana Treccani* (vol. VIII, pp. 392-407) oppure a quella dell'*Enciclopedia europea Garzanti* (vol. II, pp. 720-722).

Lingua e stile

Il gerundio assoluto – v. 20
Riconosci altri simili esempi di gerundio con valore assoluto nei canti XV, XVII e XXXII dell'*Inferno* e nel XXII del *Paradiso*. Consulta quindi in proposito quanto osservato da F. B. Ageno in *Enciclopedia Dantesca* VI, sotto la voce *gerundio*, n. 38, p. 302.

Uso antico della preposizione di – v. 41
In italiano antico la preposizione *di* era anche impiegata, diversamente dall'uso moderno, per indicare il complemento d'agente e causa efficiente e per quello di moto da luogo (cfr. la *Grammatica Italiana* del Serianni al cap. VIII.31). Distingui, nei passi sotto indicati, questo valore antico della preposizione dagli usi ancora oggi comuni, riconoscendo per ogni luogo di quale complemento si tratta: *Inf.* I 53 e 74; III 112; XVIII 106; *Purg.* I 4; III 118-119; *Par.* XXVI, 1-2.

testo – v. 118
Individua, servendoti del *Rimario*, gli altri passi della *Commedia* in cui compaia il termine *testo* annotandone, rispetto al verso qui indicato, il diverso significato e la diversa etimologia che troverai indicata in un buon *Dizionario* di lingua italiana. Cerca quindi di spiegare il significato del participio *texta* nella canzone di Petrarca, *Standomi un giorno solo a la fenestra*, 65-66: «et avea indosso sì candida gonna / sì texta, ch'oro et neve parea insieme» (*Canzoniere* CCCXXV).

CANTO XXVIII

Introduzione

*I*n questo canto ci troviamo al confine del mondo, in quel cielo – il Cristallino – che, secondo l'immagine dantesca, avvolge come un manto tutte le sfere celesti, e non ha un luogo che a sua volta lo accolga, se non la mente stessa di Dio.

Già conoscevamo, dal canto precedente, le qualità peculiari di questo singolare cielo, vuoto e uniforme in ogni sua parte, che misura il tempo del cosmo senza essere misurato. Ora l'attenzione – del poeta e nostra – può

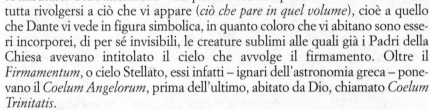

tutta rivolgersi a ciò che vi appare (*ciò che pare in quel volume*), cioè a quello che Dante vi vede in figura simbolica, in quanto coloro che vi abitano sono esseri incorporei, di per sé invisibili, le creature sublimi alle quali già i Padri della Chiesa avevano intitolato il cielo che avvolge il firmamento. Oltre il *Firmamentum*, o cielo Stellato, essi infatti – ignari dell'astronomia greca – ponevano il *Coelum Angelorum*, prima dell'ultimo, abitato da Dio, chiamato *Coelum Trinitatis*.

Il fatto che Dante abbia dedicato a questo cielo, o meglio agli angeli che lo abitano, due interi canti, già indica la grande importanza che nel suo universo avevano quelle creature: da una parte come mediatrici tra l'eternità divina e la storia umana attraverso le influenze dei cieli che essi governano, dall'altra come immediatamente attigue, nella scala degli esseri, all'uomo stesso (in quanto ugualmente dotate di *intelletto e amore*), tanto da poter dire, come è scritto nel *Convivio*, che «tra l'angelica natura, che è cosa intellettuale, e l'anima umana non sia grado alcuno, ma sia quasi l'uno all'altro continuo per li ordini delli gradi... e così è da porre e da credere fermamente che sia alcuno [uomo] tanto nobile e di sì alta condizione che quasi non sia altro che angelo» (*Conv*. III, VII 6).

Nel canto XXVIII si lascia dunque definitivamente il mondo dei *miseri mortali*, nominati e insieme oltrepassati, anche sintatticamente (con la proposizione temporale al passato: *Poscia che...*) nella prima terzina, e cambia, con l'oggetto, anche il modo stesso della raffigurazione poetica. La visione degli angeli sarà infatti ben diversa da quella fin qui avuta degli uomini. Non si potrà parlare con loro, né si potrà stabilire alcun'altra forma di rapporto. La loro inaccessibile realtà apparirà allo sguardo dell'uomo in una figura fatta soltanto di geometria e di luce, cioè nella forma più astratta che sia possibile nell'ambito delle cose percepibili dai sensi.

Dei due canti dedicati agli angeli, Dante ha destinato questo primo alla visione sensibile, in forma simbolica, della loro misteriosa realtà – i nove cerchi di luce osannanti intorno a Dio – e alla descrizione del loro ordinamento gerarchico e dei loro nomi; il secondo – il XXIX – alla riflessione teologica: la loro creazione, la libera scelta che portò alla caduta di parte di essi, le loro facoltà. Tutti problemi, come si vede, strettamente connessi a quelli degli uomini, legati cioè a quella seconda e non minore ragione di interesse di Dante per l'angelo che abbiamo sopra indicato.

Sarà questa l'ultima sosta di riflessione teologica della cantica, dove i due grandi problemi del cosmo e delle creature intelligenti che lo abitano – quello della creazione (se sia avvenuta nel tempo o fuori di esso, se sia stata necessaria o volontaria) e quello della libertà (cioè del rapporto tra grazia divina e merito della creatura) – saranno definitivamente conclusi; oltre il Cristallino, ultimo dei corpi, tacerà il ragionamento, e ci sarà soltanto, nello spirituale Empireo, la contemplazione della realtà divina.

Questo canto ospita dunque, come tema principale, la raffigurazione dei cori angelici: tale raffigurazione è coerente alla concezione del Cristallino, cielo che, come si disse, non ospita alcun corpo nella sua diafana uniformità. Siamo in un cielo abitato da puri spiriti e ciò che vi si vede è solo una rappresentazione simbolica della loro realtà. Non a caso Dante pone all'inizio l'immagine dello specchio: negli occhi di Beatrice dove, come sempre, tiene fisso lo sguardo, egli vede specchiata una immagine della cui realtà non è certo, tanto che si volge indietro per assicurarsene.

Essa risulta vera (all'inverso di ciò che accade nel cielo della Luna; cfr. *Par.* III, vv. 16-24), ma gli giunge come attraverso la mediazione degli occhi di lei, quegli stessi occhi, come egli ricorda, per mezzo dei quali fu in terra conquistato da Amore (*onde a pigliarmi fece Amor la corda*). Questo veloce, ma preciso ricordo, che riprende e quasi riecheggia l'altro, posto a non più di due canti di distanza nel cielo precedente (si veda XXVI 14-5), vuol confermare ancora una volta che si tratta sempre dello stesso amore, cioè che quello del cielo continua quello che nacque sulla terra.

Come allora, arriva dunque a Dante per quello splendente mezzo l'immagine della realtà celeste: nove cerchi di fuoco che girano veloci intorno ad un punto di insostenibile luce, Dio stesso, che non a caso appare per la prima volta nella cantica in questo cielo di puri spiriti.

Solo la geometria e la luce sono qui chiamate infatti a dare figura a ciò che non ha corpo, in questo spazio vuoto di corpi. La qualità eminentemente simbolica di questa apparizione, che la diversifica da ogni altra fin qui veduta, non impedisce tuttavia, né diminuisce, la sua bellezza. Il poeta del paradiso trae da queste forme quasi astratte – il punto, il cerchio, la luce – una serie ardente, crescente ritmicamente nel verso, di corone di fuoco inseguentisi, l'una accerchiando l'altra, con veloce movimento, intorno allo sfavillante punto centrale, e porta ad esempio solo due veloci riscontri a due fenomeni noti, quello dell'alone intorno ad un astro e quello del cerchio dell'arcobaleno.

Della pregnante significanza del *punto* nel poema – da quello che *vinse* Paolo e Francesca (*Inf.* V 132) a quello dell'estrema visione che nell'ultimo canto indurrà Dante al sonno mistico (*Par.* XXXIII, v. 94) – ha scritto magistralmente il Contini. Qui vogliamo ricordare che punto e cerchio – la composta figura dei quali che qui appare deriva a Dante dal ben noto libro di Boezio, *La consolazione della filosofia* – sono nel *Convivio* (II, XIII 26-7) indicati come i due termini estremi tra i quali si muove la scienza della geometria, entrambi «repugnanti a essa», cioè alla sua certezza, in quanto l'uno e l'altro non misurabili.

Questa loro qualità è appunto figura del non corporeo, degli esseri spirituali che qui essi rappresentano. Ma ecco che una tale immagine di sublime e incorporea bellezza suscita nell'uomo che guarda una domanda, un preciso problema (secondo quel nascere del discorso della ragione dalla visione degli occhi, come della seconda dal primo, che è ritmo costante della terza cantica dantesca): nel *mondo sensibile* l'ordine che noi vediamo è il rovescio di questo: quanto più le *volte*, cioè le sfere celesti, sono lontane dal centro, e quindi più grandi, tanto più sono *divine*, cioè più ricche di virtù, mentre qui si vede il contrario. L'*essemplo* e l'*essemplare*, cioè, *non vanno d'un modo*.

La risposta di Beatrice, che spiega come ciò che conta nel misurare il valore di ogni cerchio non sia la sua grandezza, ma la sua intrinseca virtù, riguardo alla quale appunto il più grande del mondo sensibile corrisponde al più piccolo del mondo intelligibile, non soddisfa in realtà la domanda: perché questo rovesciamento dell'ordine?

La doppia figura inversa, come a specchio, di *essemplo* ed *essemplare* (cioè dell'universo e del suo modello o archetipo esistente nella mente divina, quel duplice cosmo – delle idee e dei corpi – ideato da Platone), vuol significare, crediamo, che il *mondo sensibile* o corporeo, dove l'eccellenza non può misurarsi che in grandezze (*Li cerchi corporai sono ampi e arti...*), è analogo, ma non identico, alla realtà divina (che resta quindi da esso distinta), nella quale appunto la massima realtà è figurata da un punto.

Con questa invenzione di singolare profondità teologica Dante distingue, senza separarlo, il nuovo mondo, quello degli spiriti, dall'altro, quello dei corpi, fin qui raffigurato nel poema.

Se ricordiamo a confronto la dottrina cosmica svolta nel canto II, il discorso ora fatto apparirà nella sua evidenza: là si vedono le sfere degradanti dei cieli, dalla più ampia alla più piccola, intorno alla terra, contenendo la più ampia appunto (come qui è detto) il massimo della virtù potenziale: è l'ordine del *mondo sensibile*. Qui si vedono i cerchi delle gerarchie angeliche ruotanti intorno a Dio (cioè non più i corpi, ma le intelligenze che li muovono), tanto più piccoli quanto più a lui vicini.

Nel II canto l'attenzione era rivolta all'azione degli angeli come mediatrice – attraverso le influenze celesti – della provvidenza divina nella storia, cioè all'ordine del cosmo; in questo invece è rivolta alla loro propria, personale realtà di contemplazione e di lode di Dio.

Tale carattere qualificante della vita angelica è quello che pervade tutto il canto, con le sue immagini di fuochi e di cori inneggianti, e con l'insistito ritornare della parola *vero* – individuata dal Contini come chiave interpretativa del canto stesso – quel *vero* che fa la beatitudine delle creature dette appunto *intelligenze* (il *vero*, come scrive qui Dante, *in che si queta ogne intelletto*).

A conclusione dell'ardua spiegazione, come accade altre volte nella cantica, un'ampia similitudine si distende nel verso, quella di un cielo liberato di ogni minima nebbia (come la mente da ogni caligine di dubbio), *splendido e sereno* nella sua intatta bellezza; al centro del quale, come *stella*, brilla la luce del vero. Ad essa segue senza intervallo una seconda, diversa figurazione delle corone angeliche, che sfavillano come ferro bollente nel fuoco, e cantano un *Osanna* che si propaga di coro in coro.

La similitudine del limpido cielo spazzato dal vento e la veloce, sfavillante e osannante visione dei cerchi infuocati, sono poste al centro, quasi interludio tra le due spiegazioni date nel canto, come la prima rappresentazione, del punto e dei cerchi, è introduzione a tutto il suo svolgimento. La struttura del canto appare in tal modo quadripartita, tra visione e spiegazione, ma con così strette connessioni che l'una illumina l'altra, creando un'unità di figure e di linguaggio – tra il vedere, la luce, il vero, il volgersi in giro e il canto – quale è riscontrabile solo nei più ispirati canti del poema.

All'ultima parte è riservata la definizione delle tre gerarchie, con i loro specifici nomi, poste in graduatoria, dalla più alta e vicina a Dio – i Serafini – all'ultima, la più vicina agli uomini e designata alla loro custodia – gli Angeli.

All'interno di questa descrizione, Dante già anticipa due gravi problemi che saranno svolti nel discorso di carattere teologico destinato, come si è detto, al secondo canto dedicato agli angeli: il primo problema riguarda l'essenza della beatitudine – che si dichiara fondata, come afferma san Tommaso, sull'atto del-l'intelletto (l'*atto che vede*) e non su quello della volontà; il secondo riguarda il rapporto tra la grazia divina e il merito proprio della creatura, che stabilisce la diversa misura della beatitudine di ciascuna.

I due problemi – qui posti per gli angeli – sono gli stessi che riguardano gli uomini (le creature dotate ugualmente di *intelletto e amore*: cfr. I, v. 120), così che Dante, dando risposta per i primi, la dà anche per i secondi, che è ciò che a lui soprattutto preme.

Più modesta questione è quella posta per ultima, a chiusura del canto, sul-l'ordine in cui siano poste le gerarchie angeliche, ordine che aveva avuto diver-se sistemazioni da parte dei teologi. Dante, che nel *Convivio* aveva seguito l'or-dinamento dato da Gregorio Magno, preferisce ora tenersi a quello di Dionigi l'Areopagita (si vedano i precisi riferimenti nelle note al testo). La ragione del cambiamento è dovuta all'autorità di san Paolo, del quale Dionigi era allora ritenuto discepolo, e che da lui quindi avrebbe avuto informazioni per così dire «dirette», essendo stato l'Apostolo – unico caso nella storia – personalmente in paradiso.

Come sempre, Dante cerca di dare al suo lettore risposte sicure sui proble-mi allora discussi – attraverso la finzione poetica del suo stesso viaggio nel regno celeste – e lo fa normalmente fondandosi sull'autorità della Sacra Scrittura. In questo caso l'effetto raggiunto è il più forte e insieme il più singolare, quando viene ricordato il momento in cui Gregorio Magno, giungendo in paradiso, e aprendo gli occhi in quel cielo, riconosce il suo errore e ne ride.

Così Paolo aveva visto con i suoi occhi la verità che aveva raccontato, e allo stesso modo ora Dante può raccontarla, avendola vista con i suoi occhi di poeta.

CANTO XXVIII

Nel Primo Mobile: le intelligenze angeliche

1-12 *Beatrice ha appena pronunciato la sua amara denuncia della corruzione che regna in terra, quando negli occhi di lei Dante vede un bagliore d'insolita lucentezza, simile a quello della fiamma di un candeliere riflessa in uno specchio; perciò si volta a guardare da dove provenga quella luce.*

13-39 *Scorge allora un punto luminosissimo, tanto da non poterne sostenere la vista, e circondato da nove cerchi di fuoco concentrici. Ciascun cerchio ruota tanto più lentamente quanto maggiore è la distanza dal punto così come la luminosità delle fiamme è più intensa quanto più sono vicine al centro.*

40-57 *Beatrice spiega che da quel punto dipende tutto l'universo e che la velocità del movimento di ogni cerchio deriva dall'amore che lo spinge. Dante però obietta che l'ordine del mondo sensibile è inverso: le sfere celesti, infatti, quanto più distano dal centro (cioè sono lontane dalla terra) tanto più sono divine; perciò ha bisogno di capire come mai la copia, che è l'universo visibile agli uomini, non è uguale al modello, che è il mondo intelligibile.*

58-78 *Nelle sfere del mondo sensibile – risponde Beatrice – la grandezza è direttamente proporzionale alla virtù: perciò il cielo più grande, che è il Primo Mobile, è quello che ha più amore e sapienza; ma se si prende per misura la quantità di virtù, non le dimensioni apparenti, si scopre un'esatta corrispondenza tra ogni cielo e l'intelligenza angelica che lo governa.*

79-96 *La chiara spiegazione ha liberato la mente di Dante dai dubbi, come il cielo quando è spazzato da Borea e si mostra in tutto il suo splendore. Al tacere della donna, i cerchi ignei cominciano a sfavillare e innumerevoli scintille accompagnano il ruotare della fiamma. Da ogni cerchio si innalza un coro di voci che intona un canto di Osanna verso il punto che in eterno è fisso al loro centro.*

97-129 *Beatrice, vedendo ancora dubbioso il poeta, prosegue enumerando le gerarchie angeliche che si sono a loro presentate in forma di cerchi: il primo e il secondo hanno mostrato Serafini e Cherubini; intorno a loro girano i Troni, che chiudono la prima terna. Il grado di beatitudine di cui godono le gerarchie angeliche è proporzionale alla loro visione della verità (cioè di Dio); perciò la felicità del paradiso si fonda sulla conoscenza, non sull'amore che ne è una conseguenza, e il conoscere è commisurato al merito che a sua volta dipende insieme dalla grazia e dalla volontà della creatura. La seconda terna che canta eternamente Osanna è costituita da Dominazioni, Virtù e Potestà; quindi seguono Principati, Arcangeli e per ultimi gli Angeli. Tutti gli ordini sono attirati verso Dio e allo stesso tempo tutti attirano a Lui.*

130-139 *Tale descrizione è quella che ne ha fatto Dionigi (lo pseudo-Areopagita), mentre scrisse diversamente Gregorio (Magno); ma quando giunse in questo cielo lo stesso Gregorio sorrise del suo errore. Che un uomo mortale abbia potuto conoscere una verità così lontana per l'umana ragione non deve meravigliare perché gli fu rivelata, insieme ad altre verità, da san Paolo che potè contemplarla direttamente.*

Poscia che 'ncontro a la vita presente

1-3. **Poscia che 'ncontro...**: dopo che Beatrice – colei che porta la mia mente nella gloria e nel gaudio del paradiso – mi ebbe resa manifesta (*aperse*: cfr. *Inf.* X 44) la verità condannando la realtà storica degli uomini di questo tempo... L'apertura del canto dà solenne conclusione al discorso profetico ammonitore bruscamente chiuso alla fine del precedente – discorso ancora legato al tema svolto nel cielo Stellato con l'invettiva pronunciata da Pietro – e dà inizio a quella che sarà la scena propria del cielo Cristallino, la visione

---

Dopo che, condannando la situazione storica (la vita presente) ...

d'i miseri mortali aperse 'l vero

3 quella che 'mparadisa la mia mente,
come in lo specchio fiamma di doppiero

vede colui che se n'alluma retro,

6 prima che l'abbia in vista o in pensiero,
e sé rivolge per veder se 'l vetro
li dice il vero, e vede ch'el s'accorda

9 con esso come nota con suo metro;
così la mia memoria si ricorda
ch'io feci riguardando ne' belli occhi

12 onde a pigliarmi fece Amor la corda.
E com'io mi rivolsi e furon tocchi
li miei da ciò che pare in quel volume,

15 quandunque nel suo giro ben s'adocchi,
un punto vidi che raggiava lume

delle gerarchie angeliche, e la riflessione sulla loro funzione nell'ordine del mondo.

– **'ncontro**: parlando contro.

– **miseri mortali**: espressione propria dei classici, e di Virgilio in particolare (*Aen.* XI 182; *Georg.* III 66), che piange la comune dolorosa sorte degli uomini; in Dante cristiano essa commisera non più la morte, ma il traviamento dell'uomo dal suo fine divino.

– **'mparadisa**: verbo dantesco, di quelli tipici della terza cantica (come *inciela* a III 97), del suo nuovo e intenso linguaggio. Si noti il presente, contrapposto al perfetto storico *aperse*: quel compito Beatrice lo adempie ancora, nella vita del Dante che scrive il *Paradiso*.

4-9. come in lo specchio...: come colui che, senza averla vista prima e senza aspettarsela (v. 6), vede d'un tratto nello specchio la fiamma di un doppio candeliere che splende alle sue spalle, e si volge indietro per accertarsi se il vetro gli presenta una cosa reale, e vede che la realtà coincide perfettamente con quel che appare nello specchio, allo stesso modo che il canto si accorda con la misura, il tempo, della melodia che

lo accompagna... Per *nota*, canto, si cfr. VII 4; *Purg.* XXXII 33 ecc.; per *metro*, *Inf.* VII 33 e nota.

10-2. così...: così feci io guardando negli occhi di Beatrice. Cioè io vidi rispecchiata nei suoi occhi, improvvisamente, una vivissima luce, e mi volsi ad accertarmi se ad essa corrispondesse una luce reale. Il secondo termine del paragone non è dichiarato per esteso (è implicito nel verbo *fare*: *così... io feci*), ma in virtù del primo gli occhi di Beatrice diventano radiosi specchi della realtà divina, come già a *Purg.* XXXI 115-23 (si vedano le note a quel luogo); quegli occhi di cui non a caso qui Dante ricorda che furono il laccio a cui fu preso il suo cuore fin dalla prima giovinezza (cfr. *Purg.* XXX 40-2). Fin da allora infatti essi erano stati per lui specchi del divino (*Purg.* XXX 122-3).

13-5. E com'io mi rivolsi...: e quando mi fui voltato indietro (come fa l'uomo del paragone: v. 7) e i miei occhi furono toccati, raggiunti, da ciò che appare in quel cielo (*volume*: cfr. XXIII 112) ogni volta che attentamente si guardi nello spazio circolare (*giro*) che esso racchiude...

– **quandunque**: questa terzina – e soprattutto questa parola – ha sempre costituito un problema per gli interpreti: la figura simbolica che Dante vede in questo cielo appare evidentemente qui per lui soltanto; come può dire allora che ciò *pare* in quel cielo «ogni volta che» si guardi al suo interno, come se quel punto e quei cerchi vi dimorassero stabilmente? Alla difficile domanda si può rispondere soltanto, crediamo, rimandando a luoghi analoghi già incontrati (cfr. XIV 108 e nota).

16. un punto...: questo punto che irradia una luce così acuta da abbagliare chi lo guardi è la prima manifestazione diretta – anche se simbolica – che si offre a Dante di Dio. Egli sceglie per questo una figura geometrica (e la geometria tornerà negli ultimi versi del poema per significare sensibilmente il massimo dei misteri: cfr. XXXIII 133-5), la sola che in qualche modo

... dei miseri mortali, colei che porta la mia mente in paradiso (Beatrice) mi ebbe svelato (aperse) la verità, come colui che, senza averla vista prima e senza aspettarsela (in pensiero), vede d'un tratto nello specchio la fiamma di un doppio candelabro che splende alle sue spalle (retro), e si volge indietro per vedere se il vetro gli dice la verità, e vede che la realtà coincide perfettamente con quel che appare nello specchio, come il canto si accorda con il tempo (metro) della musica che lo accompagna; così la mia memoria si ricorda che feci io guardando nei begli occhi (di Beatrice) di cui Amore aveva fatto il laccio per prendermi. ◆ E quando mi fui voltato indietro e i miei occhi furono raggiunti da ciò che appare in quel cielo (volume), ogni volta che attentamente si guardi nel suo spazio circolare (giro), vidi un punto che irradiava una luce ...

> acuto sì, che 'l viso ch'elli affoca
> 18   chiuder conviensi per lo forte acume;
>   e quale stella par quinci più poca,
>   parrebbe luna, locata con esso
> 21   come stella con stella si collòca.
>   Forse cotanto quanto pare appresso
>   alo cigner la luce che 'l dipigne
> 24   quando 'l vapor che 'l porta più è spesso,
>   distante intorno al punto un cerchio d'igne
>   si girava sì ratto, ch'avria vinto
> 27   quel moto che più tosto il mondo cigne;
>   e questo era d'un altro circumcinto,
>   e quel dal terzo, e 'l terzo poi dal quarto,
> 30   dal quinto il quarto, e poi dal sesto il quinto.
>   Sopra seguiva il settimo sì sparto

possa convenire a quella realtà: il punto, che non ha estensione sensibile, astratto e immisurabile, e che pure tutto misura. Tale figura, per la sua convenienza, è del resto ritrovabile nella tradizione filosofica a Dante nota (si veda lo stesso san Tommaso in *C.G.* I 66). Ma in modo singolarmente simile a questo luogo di Dante, l'immagine del punto circondato da cerchi concentrici è usata da Boezio – che si rivela ancora una volta il maggior ispiratore delle immagini cosmiche del *Paradiso* dantesco – per indicare la maggiore o minore libertà delle creature dal fato secondo quanto più o meno distano da Dio (*Cons.* IV 6, 14-7).

17. acuto sì...: l'acutezza – immagine ripetuta da *acuto* in apertura del verso ad *acume* in chiusura del verso seguente – corrisponde sul piano sensibile all'intensità sul piano spirituale. Come *acuto* è il raggio divino, *acuto* è anche il desiderio dell'uomo (I 83-4).

17-8. che 'l viso...: che gli occhi (il *viso*: la vista) che esso brucia con la sua luce sono costretti a chiudersi per la sua intensità penetrante.

19-21. e quale stella...: e quella stella che appare dalla terra (*quinci*) più piccola (*poca*: cfr. *Inf.* XX 115) sembrerebbe una luna se posta vicino ad esso come sta una stella accanto a un'altra stella nel cielo. Quel punto era dunque infinitamente piccolo. Il punto geometrico – che Dante qui rappresenta – è infatti definito indivisibile e dunque immisurabile, ed è quindi l'unica figura concepita dall'uomo conveniente a rappresentare Dio, senza dimensioni spaziali né temporali (figura a cui corrisponde, nell'aritmetica, l'uno, notoriamente usato per definire Dio nella filosofia neoplatonica).

22-7. Forse cotanto...: il *cotanto* è attributo del *distante* del v. 25: forse a una distanza non minore di quanto vicino si vede l'alone (*alo*, forma nominativale dal latino «halos») cingere l'astro (sole o luna) che con la sua luce lo colora intorno a sé quando il vapore (la nebulosità dell'aria) che lo produce è più fitto

(poiché quanto più è fitto il vapore tanto più vicino appare l'alone, la vicinanza indicata è quindi massima), a una tale distanza dunque intorno a quel punto un cerchio di fuoco girava così velocemente, che avrebbe superato in velocità il movimento che recinge il mondo (cioè il moto del nono cielo, che tutti gli altri avvolge *velocissimo*, più veloce tra tutti: cfr. XXVII 99 e 112-3).

28-30. e questo...: e questo cerchio era a sua volta circondato da un altro, e questo da un terzo... La terzina procede con movimento incalzante e veloce, come seguendo l'occhio che rapidamente passa dall'un cerchio all'altro, e insieme significando l'immediato inseguirsi dei giri infuocati, quasi in un vortice di luce.

– **circumcinto**: cinto tutto intorno; l'efficace latinismo (lat. «circumcinctus») riprende il verbo *cignere* usato sopra, più preciso e più forte del semplice circondare.

31-3. Sopra seguiva...: il ritmo rallenta, rallentandosi il moto dei tre ultimi giri. Il settimo era così esteso in larghezza, così ampio (*sparto* vale «dilatato», «al-

------

... così intensa, che gli occhi (il viso: la vista) che esso brucia sono costretti a chiudersi per la sua intensità penetrante; e quella stella che appare da qui in terra (quinci) più piccola (poca) sembrerebbe una luna, se posta vicino ad esso come sta una stella accanto a un'altra stella (nel cielo). ◆ Forse non meno distante di quanto appare vicino (appresso) l'alone (alo) che cinge l'astro che lo irradia (dipigne) intorno a sé quando il vapore che lo produce è più fitto, a una tale distanza intorno a quel punto un cerchio di fuoco girava così velocemente (ratto), che avrebbe superato in velocità il movimento (di quel cielo) che recinge il mondo con moto più rapido di ogni altro; e questo cerchio era a sua volta circondato da un altro, e questo da un terzo e il terzo poi da un quarto, il quarto da un quinto, e il quinto da un sesto. ◆ Sopra di essi seguiva il settimo, ...

già di larghezza, che 'l messo di Iuno

33   intero a contenerlo sarebbe arto.

Così l'ottavo e 'l nono; e chiascheduno

più tardo si movea, secondo ch'era

36   in numero distante più da l'uno;

e quello avea la fiamma più sincera

cui men distava la favilla pura,

39   credo, però che più di lei s'invera.

La donna mia, che mi vedëa in cura

forte sospeso, disse: «Da quel punto

42   depende il cielo e tutta la natura.

Mira quel cerchio che più li è congiunto;

e sappi che 'l suo muovere è sì tosto

45   per l'affocato amore ond'elli è punto».

E io a lei: «Se 'l mondo fosse posto

---

largato», come a XXXI 130 e *Purg.* I 124), che l'arcobaleno (nella mitologia greca Iride, messaggera di Giunone: cfr. XII 12) nel suo cerchio intero sarebbe stretto per contenerlo.

– **intero**: dice così perché noi sulla terra vediamo soltanto una metà della sua circonferenza. – **arto**, stretto, latinismo dantesco; cfr. *Inf.* XIX 42 e *Purg.* XXVII 132.

34-6. e ciascheduno...: e ciascuno dei nove si muoveva via via più lentamente, secondo che il suo numero d'ordine era più distante dall'uno: «sicché l'ultimo si movea più tardo di tutti... secondo che era più lungi dall'uno, cioè dal primo ordine che era più presso al punto della Divinità» (Buti).

37-9. e quello...: e, inversamente, quel cerchio che era meno distante dalla *favilla pura* (cioè dal punto di pura luce) aveva la fiamma più limpida (*sincera*: pura; cfr. XIV 139 e XXXIII 52), credo perché, essendole più vicino, più si sostanzia del vero di lei, che è la verità per essenza. Velocità e luminosità dei cerchi sono dunque ambedue proporzionali alla loro posizione rispetto al punto di luce intorno al quale ruotano. Ma la prima proporzione è misurata sulla di-

stanza, la seconda sulla vicinanza, ottenendo così un effetto di andata e ritorno, dell'occhio e della mente, dall'ultimo al primo e viceversa.

39. di lei s'invera: alcuni intendono: «s'immerge nel vero di lei», ma il costrutto non sembra prestarsi a questo significato. L'interpretazione qui accolta (si riveste, quasi per riflesso, del vero di lei) ha un riscontro a XXXII 107: *di colui ch'abbelliva di Maria* (si faceva bello, si adornava, della bellezza di Maria). Inoltre la *fiamma più sincera* corrisponde con miglior precisione a maggior ricchezza di verità posseduta.

40-1. in cura / forte sospeso: tutto preso da un dubbio che mi angustiava.

41-2. Da quel punto...: la breve e sintetica frase è tolta alla lettera dalla *Metafisica* di Aristotele: «da questo principio dipende il cielo e la natura» (XII 7). Si veda Tommaso d'Aquino nel commento: «Da questo principio, che è il primo motore, dipende il cielo sia quanto alla perpetuità della sua sostanza, sia quanto alla perpetuità del suo movimento. E di conseguenza da tale principio dipende tutta la natura, in quanto tutte le cose naturali dipendono dal cielo e dal suo movimento». Dante, osservò il Torraca, trasformando il primo principio del filosofo in un punto luminoso, e ponendovi accanto «così immensi effetti», «consegue un effetto poetico stupendo». Con questa citazione Beatrice ha indicato la realtà che quel punto rappresenta, cioè Dio stesso.

43-5. che più li è congiunto...: che gli è più vicino (e quindi più veloce); e sappi che il suo movimento è così rapido per l'amore ardente che lo sprona. È infatti l'amore che, per il desiderio di essere unito al suo oggetto in ogni sua parte, imprime la velocità a quel cerchio (e quindi il moto all'universo. Si veda quanto è detto della velocità del Primo Mobile a XXVII 97-9 in nota). Beatrice indica solo il primo dei cerchi, intendendo che lo stesso amore, degradando di intensità, muove tutti gli altri, e suggerendo così a Dan-

---

... così esteso in larghezza (sparto) che il messaggero di Giunone (la dea Iride, cioè l'arcobaleno) sarebbe stretto per contenerlo. Così anche l'ottavo e il nono; e ciascuno si muoveva più lentamente, secondo che il suo numero d'ordine era più distante dall'uno; e quel cerchio che era meno distante dalla luce pura aveva la fiamma più limpida (sincera), credo perché più si sostanzia del vero che è in lei. ◆ *La mia donna, che mi vedeva tutto assorto in un dubbio angoscioso (cura), disse: «Da quel punto dipende il cielo e tutta la natura creata. Guarda quel cerchio che gli è più vicino; e sappi che il suo movimento è così rapido (tosto) per l'amore ardente che lo sprona».* ◆ *E io le risposi: «Se il mondo fosse disposto ...*

con l'ordine ch'io veggio in quelle rote,
48 sazio m'avrebbe ciò che m'è proposto;
ma nel mondo sensibile si puote
veder le volte tanto più divine,
51 quant'elle son dal centro più remote.
Onde, se 'l mio disir dee aver fine
in questo miro e angelico templo
54 che solo amore e luce ha per confine,
udir convienmi ancor come l'essemplo
e l'essemplare non vanno d'un modo,
57 ché io per me indarno a ciò contemplo».
«Se li tuoi diti non sono a tal nodo
sufficïenti, non è maraviglia:
60 tanto, per non tentare, è fatto sodo!».
Così la donna mia; poi disse: «Piglia

te che si tratta dei nove ordini angelici, che presiedono al moto dei nove cieli.

46-8. Se 'l mondo fosse posto...: dato che il punto raffigura Dio, e i nove cerchi gli si volgono intorno per amore, è chiaro a Dante che quei cerchi ignei rappresentano le nove gerarchie angeliche che muovono i cieli, e che dunque quella figurazione geometrica è un'immagine dell'universo. Ma egli la vede «posta» nell'ordine inverso di come gli appare di fatto il *mondo sensibile*, dove le sfere *più divine* sono quelle più lontane (*remote*) dal centro. Di qui la sua domanda: se il mondo che io vedo dalla terra fosse disposto nello stesso ordine di quello che vedo qui in quei cerchi rotanti, la tua risposta mi avrebbe del tutto soddisfatto.

49-51. ma nel mondo...: ma nel mondo sensibile (mentre quella figura, s'intende, è un'astrazione intellettuale, anche se visibile, in quanto simbolica) si vedono le sfere celesti tanto più vicine a Dio (e più veloci) quanto più sono lontane dal loro centro (la terra, immobile al centro dell'universo) e quindi più ampie, mentre qui avviene l'inverso (i cerchi sono tanto più divini quanto più vicini al centro, e di diametro minore).

52-3. se 'l mio disir...: se il mio desiderio deve essere in tutto saziato in questo mirabile cielo degli angeli... La determinazione dei vv. 53-4 vuol significare che il compimento del desiderio è relativo a questo cielo (e riguarda la conoscenza del rapporto tra il mondo ideale e il mondo fisico), in quanto il compimento assoluto potrà aversi solo nell'Empireo, alla presenza di Dio (cfr. XXXIII 46-8).

54. che solo amore...: il cielo Cristallino non ha infatti limite corporeo, ma il suo luogo è la stessa *mente divina*, figurata nell'Empireo, cielo spirituale di *luce e amor* (XXVII 109-12). I due mirabili versi che definiscono il nono cielo si dilatano in luminosa ampiezza, come aprendo allo sguardo quello spazio immenso e pure raccolto nella luce divina; l'uso di *templo* per «cielo», comune nella Sacra Scrittura per il luo-

go dove abita Dio (cfr. *Ps.* 10, 5; *Apoc.* 7, 15), è il semplicissimo mezzo che crea tutta l'immagine.

55-6. udir convienmi...: mi è necessario ancora sapere (dato ciò che è detto ai vv. 46-51) come mai la copia e il modello (*l'essemplo* e *l'essemplare*), cioè il *mondo sensibile* e quello intelligibile (il cui ordine mi appare qui in figura), non concordano fra loro. Ricordiamo che l'universo è immaginato come copia dell'esemplare eterno che è nella mente divina (cfr. XIII 52-4 e nota).

57. ché io per me...: perché io, con le mie forze, inutilmente cerco di vedere questa concordia.

58-60. Se li tuoi diti...: se le tue capacità intellettuali non sono sufficienti a sciogliere questo dubbio (le dita e il nodo sono ben evidenti metafore) non c'è da stupirsi: tanto quel nodo si è indurito per non aver nessuno finora tentato di allentarlo.

– per non tentare: per non esser stato tentato, infinito causale passivo. (Il senso passivo è di uso normale in questo costrutto dopo negazione; cfr. anche *Tre donne* 62 e *Purg.* VI 135: *sanza chiamare*.)

61. Piglia: accogli nella mente.

... nello stesso ordine che vedo qui in quei cerchi rotanti (rote), la tua spiegazione mi avrebbe del tutto soddisfatto (sazio); ma nel mondo sensibile si vedono le sfere celesti (volte) tanto più vicine a Dio (divine) quanto più sono lontane dal loro centro (la terra). Per cui, se il mio desiderio deve essere saziato in questo mirabile tempio degli angeli, che ha per confine solo l'amore e la luce, mi è necessario ancora sapere come mai la copia e il modello (l'essemplo e l'essemplare) non concordano fra loro, perché io, con le mie forze, inutilmente cerco di vedere (contemplo) questa corrispondenza». ◆ «Se le tue dita non sono sufficienti a sciogliere questo nodo, non c'è da meravigliarsi: tanto quel nodo si è indurito per non aver nessuno finora tentato di allentarlo!». Così disse la mia donna; poi continuò: «Accogli ...

quel ch'io ti dicerò, se vuo' saziarti;

63   e intorno da esso t'assottiglia.

Li cerchi corporai sono ampi e arti

secondo il più e 'l men de la virtute

66   che si distende per tutte lor parti.

Maggior bontà vuol far maggior salute;

maggior salute maggior corpo cape,

69   s'elli ha le parti igualmente compiute.

Dunque costui che tutto quanto rape

l'altro universo seco, corrisponde

72   al cerchio che più ama e che più sape:

per che, se tu a la virtù circonde

la tua misura, non a la parvenza

75   de le sustanze che t'appaion tonde,

tu vederai mirabil consequenza

---

63. e intorno...: e usa tutto il tuo ingegno nel riflettere sulle mie parole (per *t'assottiglia*, si cfr. XIX 82).

64-6. Li cerchi corporai...: le sfere corporee, cioè quelle del *mondo sensibile*, i cieli, sono più grandi o più piccole (*arti*: cfr. v. 33) secondo la maggiore o minore virtù diffusa per tutte le loro parti (per cui essi girando la riversano sul mondo sottostante).

67-72. Maggior bontà...: il ragionamento è svolto in forma di sillogismo: una bontà (cioè *virtù*: lo stesso scambio a II 136-9) maggiore deve necessariamente produrre una maggiore influenza di bene (*maggior salute*); ma un corpo più grande, se perfetto in ogni sua parte, può contenere (*cape*) più grandi quantità di tali benefici influssi; quindi il più grande dei cieli (quello che tutti li avvolge) corrisponderà al cerchio angelico che è più vicino a Dio (quello che ha più amore e più sapienza). S'intende cioè che essendo i cieli degli strumenti corporei, la loro efficacia potenziale è determinata dalla loro estensione o grandezza (il più po-

tente sarà il più grande). Cosa che non accade nel mondo delle essenze incorporee. Sul rovesciamento speculare delle figure dei due mondi, si veda quanto si è detto nella Introduzione al canto.

70. costui: codesto cielo, che vedi intorno a te: è il Primo Mobile, dove Beatrice e Dante si trovano, e che trascina (*rape*, rapisce) con il suo movimento tutto il resto dell'universo.

73-8. se tu a la virtù...: se tu applichi dunque la tua unità di misura alla virtù, e non alla grandezza apparente (*la parvenza*) di quei cerchi nei quali ti si mostrano le sostanze angeliche, tu vedrai una mirabile corrispondenza di quantità, di maggiore a maggiore e di minore a minore, tra ogni cielo e la gerarchia angelica (l'*intelligenza*) che gli corrisponde: cioè al cielo più ricco di virtù (il più grande) corrisponde esattamente il cerchio angelico che ha la virtù maggiore (anche se la sua *parvenza* ha l'estensione minore), e così via via degradando.

– circonde / la tua misura: quasi poni tutto intorno il tuo strumento per misurare; *misura* si diceva la striscia di carta usata dai sarti per prendere le misure addosso alle persone, come ancora oggi si fa con il metro.

79-81. Come rimane...: dopo la rigorosa spiegazione logica, si leva liberatoria la grande similitudine celeste: come la metà della volta aerea (quella che sola noi possiamo vedere dalla terra) resta luminosa e nitida quando soffia il vento di tramontana dalla direzione dove è più mite... Nelle antiche carte i quattro venti principali erano raffigurati come volti umani soffianti con le due guance rigonfie (così appare anche Zefiro nella *Primavera* del Botticelli). Le due guance rappresentavano le direzioni intermedie del vento. In questo caso la guancia da dove Borea, cioè il vento del nord, soffia *più leno* è quella destra, che indica il vento di nord-ovest o maestrale, il più mite dei venti di tramontana, almeno nella regione in cui Dante scri-

---

... quello che ti dirò, se vuoi soddisfare il tuo desiderio; e usa tutto il tuo ingegno (t'assottiglia) nel riflettere sulle mie parole. ◆ Le sfere corporee (cioè i cieli) sono più grandi o più piccole (arti) secondo la maggiore o minore virtù diffusa per tutte le loro parti. Una bontà maggiore deve necessariamente produrre una maggiore influenza di bene (maggior salute); ma un corpo più grande, se perfetto in ogni sua parte, può contenere (cape) più grandi quantità di tali benefici influssi (salute). Quindi questo cielo che trascina col suo moto (rape seco) tutto il resto dell'universo corrisponderà al cerchio (angelico) che ha più amore e più sapienza; per cui, se tu applichi la tua unità di misura alla virtù, e non alla grandezza apparente (la parvenza) delle sostanze angeliche che ti si mostrano in forma circolare (tonde), tu vedrai una mirabile corrispondenza di quantità, ...

di maggio a più e di minore a meno,
78   in ciascun cielo, a süa intelligenza».
      Come rimane splendido e sereno
      l'emisperio de l'aere, quando soffia
81   Borea da quella guancia ond'è più leno,
      per che si purga e risolve la roffia
      che pria turbava, sì che 'l ciel ne ride
84   con le bellezze d'ogne sua paroffia;
      così fec'ïo, poi che mi provide
      la donna mia del suo risponder chiaro,
87   e come stella in cielo il ver si vide.
      E poi che le parole sue restaro,
      non altrimenti ferro disfavilla
90   che bolle, come i cerchi sfavillaro.
      L'incendio suo seguiva ogne scintilla;

veva questi ultimi canti del *Paradiso*, la Romagna. Si noti la potente coppia di aggettivi (*splendido e sereno*), che dispiegandosi nel verso esprime già da sola tutto il senso della lunga e dettagliata similitudine.

82-4. per che si purga...: per la quale azione (il soffiare di Borea) si purifica e dissolve ogni incrostazione di impurità che prima la turbava, così che il cielo, liberato e deterso, brilla in tutta la bellezza d'ogni sua parte, o regione (*paroffia*). Una seconda coppia (*purga e risolve*), quasi rispondendo alla prima, ritrae lo sgombrarsi del cielo, che *ride*, cioè si mostra in tutto il suo luminoso splendore (sempre il riso è metafora di luce e bellezza nel *Paradiso*: si ricordi che anche *Trivïa ride* nella similitudine analoga di XXIII 25-7).
  – **roffia**: termine raro, probabilmente dall'ant. franc. «roife», crosta, desquamazione della lebbra: il vento del maestrale spazza la «lebbra» del cielo.
  – **paroffia**: forma antica di «parrocchia», termine che indica una suddivisione territoriale: oggi diremmo circoscrizione, o distretto. Anche altrove Dante, per significare la totalità della volta celeste, come fosse troppo grande per uno sguardo solo, usa dire «tutte le sue parti», quasi percorrendole una a una con l'occhio. Si cfr. *per tutti i seni* della già ricordata similitudine a XXIII 27, o *tutte le sue parti immense* di *Purg.* XXVII 70. La voce *paroffia*, che disturba – per nostra ignoranza – l'orecchio di noi moderni, non è che una variazione di tale figura; lo stesso valore giuridico-amministrativo del termine è del resto in *dispense* di *Purg.* XXVII 72 (cfr. la nota relativa).

85-6. così fec'ïo...: allo stesso modo la mia mente rimase sgombra di ogni perplessità, dopo che Beatrice mi fece dono (*mi provide*) della sua chiara risposta.

87. e come stella...: il fulgido verso segue il paragone della mente col cielo sgombro di nubi: in quel cielo così liberato, brillò *il ver*, come una vivida stella nel sereno. Si ripete, con leggera variazione, il verso che chiude l'esame sulla fede a XXIV 147. Là il

fede, qui la verità, l'una e l'altra come stelle scintillanti nel cielo della mente.

88. restaro: si fermarono.

89-90. non altrimenti...: i cerchi angelici sprigionarono scintille come un ferro incandescente (la stessa immagine, del ferro bollente appena tratto dal fuoco, a I 60). L'improvviso sfavillare dei cerchi luminosi – che rivela le innumerevoli e distinte creature abitanti in ognuno di essi – corrisponde al consueto accendersi delle anime dei beati nei cieli sottostanti per festeggiare l'arrivo del pellegrino della terra. Si noti in questa mirabile sequenza di terzine (vv. 79-96) l'incalzare ardente – senza pause – di un'immagine e di un evento l'uno sull'altro.

91. L'incendio suo...: ogni scintilla seguiva, nel suo muoversi in giro, la fiamma da cui si era distaccata (l'*incendio suo*, compl. oggetto), cioè l'andamento circolare del *cerchio d'igne* (v. 25) di cui era parte. S'intende che come innumerevoli angeli si erano sollevati sfavillando dal cerchio, altrettanti vi erano rimasti.

■

... *di maggiore a maggiore e di minore a minore, tra ogni cielo e la gerarchia angelica (l'intelligenza) che gli corrisponde».* ◆ *Come la metà della volta celeste (a noi visibile dalla terra) rimane luminosa e serena quando soffia il vento di tramontana (Borea) dalla direzione dalla quale spira più mitemente, per cui si purifica e dissolve ogni incrostazione che prima la offuscava, così che il cielo brilla (ride) in tutta la bellezza d'ogni sua regione (paroffia); allo stesso modo feci io, dopo che la mia donna mi fece dono (mi provide) della sua chiara risposta, e la verità si vide come una stella nel cielo sereno.* ◆ *E quando le sue parole si fermarono (restaro), i cerchi angelici sprigionarono faville non diversamente da come fa un ferro incandescente (che bolle). Ogni scintilla seguiva (nel suo moto circolare) il cerchio infuocato da cui si era distaccata (l'incendio suo); ...*

ed eran tante, che 'l numero loro

93   più che 'l doppiar de li scacchi s'inmilla.

Io sentiva osannar di coro in coro

al punto fisso che li tiene a li *ubi*,

96   e terrà sempre, ne' quai sempre fuoro.

E quella che vedëa i pensier dubi

ne la mia mente, disse: «I cerchi primi

99   t'hanno mostrato Serafi e Cherubi.

Così veloci seguono i suoi vimi,

per somigliarsi al punto quanto ponno;

102   e posson quanto a veder son soblimi.

Quelli altri amori che 'ntorno li vonno,

92-3. che 'l numero loro...: che il loro numero s'inoltra nelle migliaia più dello stesso immenso numero che risulta dal raddoppiare in progressione, partendo da uno, una cifra dopo l'altra tante volte quante sono le caselle degli scacchi, cioè 64. Il che porta a un numero di ben 20 cifre. Il *doppiar de li scacchi* è allusione a una nota storiella di origine araba, per la quale l'inventore del gioco chiese in cambio al re di Persia tanti chicchi di grano quanti appunto se ne sarebbero ottenuti raddoppiando il loro numero ad ogni casella; il re incautamente acconsentì, ma si accorse alla fine di non avere abbastanza grano per pagare il suo debito. L'allusione era comune, per dire «numero grandissimo», nella poesia provenzale, dalla quale la riprese Dante, come cosa ben nota ai suoi lettori.

93. s'inmilla: si moltiplica per mille; formato come *s'intrea* e *s'incinqua*, il neologismo è in questo finale di verso particolarmente efficace. L'incommensurabile numero degli angeli è dichiarato nella Scrittura, e affermato dalla teologia cristiana. Si veda *Dan.* 7, 10: «mille migliaia lo servivano, e diecimila miriadi lo assistevano» e *Apoc.* 5, 11: «il loro numero era migliaia di migliaia»; e così Tommaso d'Aquino, citando Dionigi pseudo-Areopagita, in *S.T.* I, q. 112 a. 4: «Dionigi dice che la moltitudine degli angeli oltrepassa ogni moltitudine terrena».

94. Io sentiva osannar...: ed ecco sullo sfavillio di luci innestarsi il coro delle voci: *di coro in coro*, quasi propagandosi dall'uno all'altro cerchio, si leva questo solenne osanna, che lo stesso suono del verso sembra riecheggiare.

95-6. al punto fisso...: li udivo cantare osanna, cioè innalzare lodi, a quel punto che, immobile al loro centro, li tiene e li terrà in eterno nei luoghi (*ubi*), cioè in quelle sedi celesti, dove sempre furono fin dall'inizio del mondo.

– li tiene: con la forza dell'amore che essi hanno per lui, e quindi per ciò che egli stabilisce e vuole.

– ubi: dove, vale «luoghi», secondo il consueto uso dell'avverbio sostantivato proprio del linguaggio filosofico scolastico (cfr. *ogne ubi e ogne quando* a XXIX 12; *ogne dove* a III 88 ecc.). Il verso presenta con potenza l'immagine dei cerchi angelici i quali per la virtù sprigionata da Dio, che suscita il loro immutabile amore, ruotano e ruoteranno in eterno nelle orbite a loro assegnate.

97. i pensier dubi: i miei dubbiosi pensieri: s'intende l'incertezza su come fossero ordinate le gerarchie celesti, argomento sul quale diverse erano le opinioni dei teologi, e sul quale Dante correggerà qui se stesso, come si vedrà.

98-9. I cerchi primi...: i primi due cerchi, cioè i più vicini al punto divino, ti hanno mostrato, col loro sfavillare, i Serafini e i Cherubini, che li costituiscono. Su questi due primi nomi della gerarchia angelica (spesso ricordati nell'*Antico Testamento*) tutta la tradizione era concorde: cfr. XI 22 sgg. e note, e *S.T.* I, q. 108 a. 5.

100. Così veloci...: essi seguono così velocemente il cerchio a cui sono avvinti per sempre (*i suoi* «vimi»: *vime*, voce latina, vale «legame», «vincolo»).

101-2. per somigliarsi...: per l'ardente desiderio di somigliare a Dio quanto possono: e possono in proporzione di quanto elevati essi sono nella capacità di vedere. E poiché essi sono i più elevati di tutti, e quindi più di tutti possono avvicinarsi alla somiglianza con Dio, per questo il loro movimento, che esprime il desiderio di tale somiglianza, è il più veloce di tutti. Al

---

... ed erano tante, che il loro numero s'inoltra nelle migliaia (s'inmilla) più del numero che risulta dal raddoppiare in progressione il numero delle caselle degli scacchi. Io sentivo cantare osanna, da un coro all'altro, a quel punto immobile (Dio) che li tiene, e li terrà in eterno, nei luoghi (ubi) dove sempre furono (fin dall'inizio del mondo). ◆ *E colei che vedeva i dubbiosi pensieri nella mia mente, disse: «I primi due cerchi ti hanno mostrato i Serafini e i Cherubini. Essi seguono così velocemente il cerchio a cui sono avvinti (i suoi vimi), per somigliare a Dio quanto possono; e possono in proporzione a quanto sono elevati (sublimi) nella capacità di vedere. Quegli altri spiriti beati che li circondano,...*

> si chiaman Troni del divino aspetto,
>
> 105   per che 'l primo ternaro terminonno;
>
> e dei saper che tutti hanno diletto
>
> quanto la sua veduta si profonda
>
> 108   nel vero in che si queta ogne intelletto.
>
> Quinci si può veder come si fonda
>
> l'esser beato ne l'atto che vede,
>
> 111   non in quel ch'ama, che poscia seconda;
>
> e del vedere è misura mercede,
>
> che grazia partorisce e buona voglia:
>
> 114   così di grado in grado si procede.
>
> L'altro ternaro, che così germoglia

v. 101 altri interpreti intendono il *per* come causale. Sulla questione si veda la nota di approfondimento alla fine del canto.

103-4. **Quelli altri amori...**: gli spiriti beati che circondano i primi due ordini, cioè quelli che formano il terzo ordine della gerarchia, si chiamano Troni, quasi seggi o cattedre da cui si mostra il volto divino (il *divino aspetto*). L'espressione sembra sintetizzare il verso che definisce i Troni nel canto IX, v. 62: *onde refulge a noi Dio giudicante* (si veda nella nota al v. 61 la citazione relativa da Gregorio Magno).

105. **per che...**: per il quale motivo – cioè per essere essi quasi i troni da cui la maestà di Dio si manifesta agli uomini – essi furono posti a chiudere la prima terna angelica.

106-8. **tutti hanno diletto...**: tutti gli ordini angelici hanno una misura di beatitudine (*diletto*) proporzionale a quanto profondamente il loro sguardo si immerge in Dio, quel vero nel quale trova pace, appagamento, ogni intelletto creato (di angelo o di uomo). Questa idea, dell'ansia della mente che può placarsi solo in Dio, è dominante nell'opera di Dante, come fu nella sua vita. Si cfr. IV 124-6 o *Conv.* II, XIV 20: «il vero... nel quale si cheta l'anima nostra».

109-11. **Quinci si può veder...**: se la beatitudine degli angeli è proporzionata alla loro visione del vero, se ne deduce che *l'esser beato* (di angeli o uomini) si fonda sull'atto della mente che intende, e non sull'atto della volontà che ama, che ne consegue (*seconda*). Dante prende qui posizione, seguendo Tommaso d'Aquino, contro la tesi volontaristica propria della scuola francescana, che poneva il fondamento della beatitudine nell'amore. Come sostiene Tommaso, l'amore non può che seguire (*poscia seconda*) alla conoscenza (si cfr. *S.T.* I^a II^ae, q. 3 a. 4). Per il «seguire» dell'amore alla conoscenza, si cfr. XIV 40-1.

112-3. **e del vedere...**: e la profondità della visione di Dio (il *vedere*) è a sua volta commisurata al merito (*mercede*), merito prodotto insieme dalla grazia divina (che suscita, ispira ogni sentimento buono) e dalla buona volontà della creatura (che quella ispirazione accoglie e segue). Anche l'idea espressa in questi due versi (la visione corrisponde al merito, il merito è frutto della duplice azione della grazia e della libertà della creatura) si ritrova (come il «seguire» dell'amore al vedere) nel grande discorso di Salomone nel canto XIV (vv. 40-2). Dottrina, questa, molto importante per Dante, che altre due volte vi si sofferma, quasi con insistenza (XXV 68-9 e XXIX 61-2): si trattava infatti di riconoscere il concorrere del libero volere dell'uomo all'azione della grazia, contro quei teologi che sostenevano che ogni atto buono – anche il consentire a quell'azione – era prodotto dalla sola ispirazione divina.

114. **di grado in grado...**: dalla grazia alla buona voglia, da queste al merito, dal merito alla visione, dalla visione all'amore: la beatitudine è il risultato finale di questo procedimento per gradi successivi.

115-7. **L'altro ternaro...**: la seconda terna di ordini angelici, che fiorisce in questa eterna primavera del paradiso che non conosce autunno.

■

... si chiamano Troni della maestà divina (divino aspetto), per cui essi furono posti a chiudere la prima terna angelica; ◆ e devi sapere che tutti (gli ordini angelici) hanno una beatitudine (diletto) proporzionale a quanto profondamente il loro sguardo si immerge in quel vero nel quale trova pace ogni intelletto creato (cioè in Dio). Da ciò si può dedurre che l'essere beato (di angeli o uomini) si fonda sull'atto del vedere (cioè del conoscere), e non sull'atto dell'amare, che ne è conseguenza (seconda); e la conoscenza di Dio (il vedere) è commisurata al merito (mercede), prodotto insieme dalla grazia divina e dalla buona volontà della creatura: così si avanza di grado in grado (verso la beatitudine). ◆ La seconda terna (di ordini angelici), che fiorisce ...

in questa primavera sempiterna

117 che notturno Arïete non dispoglia,

perpetüalemente '*Osanna*' sberna

con tre melode, che suonano in tree

120 ordini di letizia onde s'interna.

In essa gerarcia son l'altre dee:

prima Dominazioni, e poi Virtudi;

123 l'ordine terzo di Podestadi èe.

Poscia ne' due penultimi tripudi

Principati e Arcangeli si girano;

126 l'ultimo è tutto d'Angelici ludi.

Questi ordini di sù tutti s'ammirano,

– **notturno Arïete**: l'Ariete, che è congiunto col sole in primavera, è invece *notturno*, cioè visibile di notte, nella stagione opposta, ossia in autunno; ma l'autunno, che *dispoglia* tutte le piante sulla terra, non sopraggiunge mai per quella fioritura celeste, perennemente germogliante nella immutabile stagione del paradiso. La terzina, una delle più grandi aperture liriche del *Paradiso*, sorge come all'improvviso, quasi «germogliando» anch'essa al centro della sequenza che descrive le gerarchie angeliche. Essa deve il suo incanto, oltre che a quel primo verbo di dolce e nuovo stupore e al distendersi ampio e sereno del verso centrale, soprattutto alla forza inventiva dell'ultimo: quel *notturno Arïete* riesce infatti ad esprimere – a contrasto con la primavera eterna – la triste oscurità che avvolge il mondo degli uomini, dove ogni cosa è soggetta alla morte, come ogni foglia è destinata a cadere.

118. **perpetüalemente...**: l'invenzione lirica si prolunga nella seconda terzina (e il lungo avverbio riprende l'aggettivo *sempiterna* della prima): come la fioritura non sfiorisce mai, così il suo canto primaverile sempre si leva a Dio. Quel canto è assomigliato al cantare degli uccelli «quando escono dal verno» (Vellutello). Quella terna angelica che eternamente fiorisce nel cielo, eternamente canta il suo *Osanna* a Dio, come un coro di uccelli che eternamente saluta l'avvento della primavera.

119-20. **con tre melode...**: con tre diverse melodie che risuonano nei tre ordini di spiriti felici (*letizia*: astratto per il concreto) nei quali (*onde*) quel secondo *ternaro* si struttura in tre gradi (*s'interna*: si fa in tre; cfr. *s'intrea* a XIII 57). Si noti come la terzina insiste tutta sulla tripartizione: *tre, tree, s'interna* (*tree* è forma epitetica, come *èe* al v. 123; cfr. *Inf.* XXIV 90 e nota linguistica).

121. **l'altre dee**: le altre intelligenze angeliche, dette *dèi* anche a *Inf.* VII 87. Si veda *Conv.* II, IV 5-6 dove è detto delle «Intelligenze dei cieli» che «li Gentili le chiama[va]no Dei e Dee».

122-3. **Dominazioni... Virtudi... Podestadi**: è questo l'ordine indicato da Dionigi pseudo-Areopagita; nel *Convivio* Dante, seguendo Gregorio, aveva ordinato nella seconda terna più in alto i Principati, poi le Virtù, per ultime le Dominazioni (II, V 6).

124. **ne' due penultimi tripudi**: i *due penultimi* sono «i due prima dell'ultimo», cioè terzultimo e penultimo; *tripudi* vale «ordini di creature tripudianti», come sopra *letizia* vale «creature liete» e al v. 126 *Angelici ludi*, feste angeliche, sta per «angeli festanti». La parola *tripudio*, già usata a XII 22, vale propriamente «danza», ed è termine biblico. Il ripetersi degli astratti sembra quasi voler spiritualizzare al massimo quelle creature, togliendo loro ogni traccia di corporeità.

125-6. **Principati e Arcangeli...**: anche l'ultima gerarchia è diversamente disposta dall'ordine del *Convivio*: là più in alto erano i Troni, poi Arcangeli e Angeli. Qui al posto dei Troni sono i Principati.

127-9. **Questi ordini di sù...**: questi ordini angelici guardano tutti con ammirato ardore verso l'alto, cioè verso il grado a loro superiore, mentre verso il basso superano in virtù (*vincon*) gli ordini a loro inferiori, esercitando su di essi la loro influenza, così che tutti sono attratti verso Dio (che si trova appunto in alto, al sommo della scala) e contemporaneamente esercitano una forza di attrazione verso di lui. L'ultimo sintetico verso esprime potentemente quella violenta spinta verso l'alto – insieme subita e esercitata – che stringe in unità tutto l'universo.

– **di sù**: i più intendono «verso Dio», ma come già osservò il Chimenz qui si descrive (con le espressioni *di sù* e *di giù*) la catena delle influenze (ogni ordine è

■

... in questa eterna primavera del paradiso che non è mai spogliata dall'Ariete notturno (cioè dall'autunno), canta eternamente «Osanna» con tre diverse melodie che risuonano nei tre ordini di spiriti felici (letizia) nei quali (onde) essa si struttura in tre gradi (s'interna). In questa gerarchia si trovano le altre intelligenze angeliche (dee): prima le Dominazioni, poi le Virtù; il terzo ordine sono le Potestà. Poi nei due penultimi cerchi danzanti (tripudi) girano i Principati e gli Arcangeli; l'ultimo è tutto occupato dalle festose danze (ludi) degli Angeli. ◆ Questi ordini angelici guardano tutti con ammirazione amorosa verso l'alto (di su), ...

>   e di giù vincon sì, che verso Dio
>
> 129   tutti tirati sono e tutti tirano.
>
>   E Dïonisio con tanto disio
>
>   a contemplar questi ordini si mise,
>
> 132   che li nomò e distinse com'io.
>
>   Ma Gregorio da lui poi si divise;
>
>   onde, sì tosto come li occhi aperse
>
> 135   in questo ciel, di sé medesmo rise.
>
>   E se tanto secreto ver proferse
>
>   mortale in terra, non voglio ch'ammiri:
>
>   ché chi 'l vide qua sù gliel discoperse
>
> 139   con altro assai del ver di questi giri».

tirato dal superiore e *tira* l'inferiore): l'universale attrazione *verso Dio* ne è la conseguenza, come infatti è detto dopo (mentre con la interpretazione corrente si avrebbe quasi una inutile ripetizione: verso Dio *tutti s'ammirano* così che verso Dio *tutti tirati sono*).

130. Dïonisio: Dionigi pseudo-Areopagita, già ricordato nel cielo del Sole come colui che più di ogni altro in terra comprese la natura e il compito degli angeli (cfr. X 115-7 e nota relativa). Nel *De coelesti Hierarchia* egli descrive l'ordine dei cori angelici nel modo poi seguito dai maggiori scolastici. Dionigi, dice Beatrice, si dedicò a contemplare le gerarchie celesti con tanto fervore (*disio*: desiderio del vero) che assegnò loro i nomi e la suddivisione che ora io ti ho detto. Sembra strano che dalla terra un uomo abbia potuto conoscere quell'ordinamento come Beatrice, che può vederlo davanti a sé. Ma la risposta sarà data ai vv. 136-9.

133. Gregorio: san Gregorio Magno non seguì Dionigi (*da lui... si divise*) nel descrivere le gerarchie celesti. Nei *Moralia* (XXXII, XXIII 41-3) egli le dispone così: Serafini, Cherubini, Potestà; Principati, Virtù, Dominazioni; Troni, Arcangeli, Angeli. Che è l'ordine, come si è detto, già seguito da Dante nel *Convivio* (II, v 6). Ora Dante, che in seguito ha ritenuto più certa l'opinione di Dionigi per la ragione che subito dirà (vv. 138-9), immagina con viva invenzione poetica che lo stesso Gregorio abbia sorriso del suo errore quando, dopo la morte, giunse nel Cristallino. Bisogna tuttavia aggiungere che Gregorio, in un altro suo scritto probabilmente non noto a Dante (*Homil. in Evang.* II 34, 7), aveva proposto un diverso ordine, quasi identico a quello di Dionigi. Sulla suddivisione delle gerarchie angeliche molto varie erano del resto le opinioni di padri e teologi. Per questo Dante intende qui dirimere la questione, appellandosi all'autorità indiscutibile dell'Apostolo (vv. 138-9).

136-7. E se tanto secreto ver...: e se un uomo mortale poté manifestare, rivelare una verità così nascosta (*secreto*: appartato, celato all'umana ragione), non devi stupirtene.

– **proferse**: *proferere* vale propriamente «esprime-

re ad alta voce» (cfr. III 6 e XXVI 103), quindi «rendere pubblico», «far conoscere».

138-9. chi 'l vide qua sù: colui che la vide quassù con i suoi occhi gliela rivelò insieme a molte altre verità riguardanti questi cerchi angelici. Dionigi stesso nel suo trattato afferma di aver avuto tali insegnamenti da chi aveva contemplato in visione quelle realtà. E dalla tradizione medievale, l'autore del *De coelesti Hierarchia* era stato identificato con il Dionigi Areopagita convertito da san Paolo di cui si parla negli *Atti degli Apostoli* 17, 34. L'apostolo stesso dunque che era stato rapito fino al cielo di Dio – cfr. *Inf.* II 28 e nota – lo avrebbe direttamente istruito; di qui l'autorità altissima della sua opera. Questo finale perentorio vuol suggerire la descrizione delle gerarchie angeliche quasi con un marchio di verità che nessuno poteva revocare in dubbio. Gregorio che apre gli occhi nel cielo Cristallino e ride di se stesso; Paolo che giunge fin lassù e vede di persona l'ordine delle celesti gerarchie: le due figure umane che si delineano nel cielo angelico danno a questa chiusa del canto – tra i più astratti e immateriali del poema – un singolare carattere di veridicità e concretezza, quasi portando quei misteriosi cerchi di luce al livello dell'umana comprensibilità.

... mentre verso il basso attirano a sé (vincon) gli ordini a loro inferiori, così che tutti sono attratti verso Dio e contemporaneamente attraggono verso di lui. E Dionigi si dedicò a contemplare questi ordini con tanto fervore (disio) che assegnò loro i nomi e la suddivisione che ora io ti ho detto. Ma Gregorio Magno poi si allontanò da quell'ordinamento; per cui, non appena aprì gli occhi (quando giunse) in questo cielo, rise di se stesso. E se un uomo mortale in terra poté rivelare una verità così nascosta (secreto), non voglio che tu te ne stupisca: poiché gliela rivelò colui che la vide quassù (san Paolo) insieme a molte altre verità riguardanti questi cerchi angelici».

approfondimenti

PROBLEMI DI INTERPRETAZIONE

Un'infinitiva con valore finale   *verso 101. Per somigliarsi al punto quanto ponno*

L'interpretazione qui accolta del v. 101, propria degli antichi commentatori e ripresa e ben argomentata dal Nardi, intende il *per* con valore finale. Altri invece lo intendono come causale («per il fatto che assomigliano»), in quanto il grado di «somiglianza», cioè di beatitudine, è stabilito per sempre e non può accrescersi, né angeli né beati possono desiderare di averne uno maggiore, e spiegano così: poiché dunque essi più di tutti sono simili a Dio, avendo il grado più alto di visione beatifica, per questo il loro moto è più veloce, significando il massimo dell'amore e della gioia: «il girarsi conseguita dal somigliarsi, non lo produce» (Cesari). Ma osserviamo prima di tutto che, se è vero che il grado per così dire gerarchico della beatitudine di ciascuno è stabilito una volta per sempre, per gli angeli come per gli uomini (che in esso, qualunque esso sia, sono felici per il loro perfetto accordarsi col volere di Dio: cfr. III 82-4), questo non significa che angeli e beati non continuino ad alimentare in sé per l'eternità l'amore verso Dio, di cui il movimento è appunto figura (si vedano le parole di Beatrice ai vv. 43-5). Che il ruotare dei cieli – mossi dalle intelligenze angeliche – sia dovuto al desiderio di assimilazione, cioè all'amore per Dio, è idea centrale della cosmologia dantesca, fondata sul principio aristotelico per cui il primo motore «muove in quanto è amato» (cfr. I 76-7 e nota), e d'altra parte l'espressione *quanto ponno* (quanto possono) conviene molto meglio al senso finale che non a quello causale del verbo che lo regge. Del resto la citazione di Averroè è riportata dal Nardi sembra quasi offrirci la traduzione del verso dantesco: «Il primo cielo è mosso da questo [primo] motore per il desiderio di assimilarsi a lui quanto esso può, come l'amante si muove per assimilarsi al suo amato» (*Commento alla Metafisica di Aristotele* XII 37). Questa citazione (per non dire dell'autorità stessa del Nardi, forse il miglior interprete della teologia dantesca in riferimento alle sue fonti) ci sembra tolga ogni dubbio sul significato del verso che la traduce.

NOTE LINGUISTICHE

v. 119. **melode**: è usato al singolare a XIV 122 e XXIV 114; per il plurale si comporta come gli altri nomi della 1ª decl. latina.

SUGGERIMENTI PER LA RICERCA

Temi del canto

Il punto e il cerchio
Rileggi con attenzione i vv. 13-39, e le relative note di commento: per comprendere adeguatamente l'invenzione dantesca parti dalla lettura del passo del *Convivio* II, XIII 26-27 e di Boezio, *Consolazione,* IV, 6, 14-17; quindi vedi l'interpretazione che ne dà il Contini nel saggio citato nelle *Letture consigliate.*

La vita degli angeli
Ricerca nel canto tutte le informazioni sulle intelligenze angeliche e organizzale in una descrizione della loro natura, del compito loro affidato, del loro ordinamento. Approfondisci l'argomento consultando il saggio di R. Guardini, indicato nelle *Letture consigliate* (pp. 89-95) e la voce *Gerarchie angeliche* in *Enciclopedia Dantesca* III, p. 122, a cura di A. Mellone.

Il «vero in che si queta ogne intelletto»

La ricerca della verità è un problema fondamentale nel pensiero di Dante: osserva come il tema è svolto nell'opera dantesca leggendo innanzitutto i passi di *Convivio*, II, XIV 20; *Purg.* XXI 1-3; e *Par.* IV 124-126; poi rileggi questo canto rilevando quali aspetti del problema siano qui messi in rilievo. Infine ti suggeriamo di leggere il saggio di G. Contini citato nelle *Letture consigliate*.

Borea e gli altri venti

Metti a confronto le credenze antiche circa i venti, e Borea in particolare, con le attuali conoscenze scientifiche: puoi trovare materiale per la ricerca nella Enciclopedia «Garzantina» *Antichità classica* (Milano, 2000) alla voce *Venti*, p. 1452, e *Borea*, p. 192, oppure alla voce *Vento* dell'*Enciclopedia Europea Garzanti* (vol. XI, pp. 822-823).

Personaggi del canto

Dionigi pseudo-Areopagita

Fai una breve ricerca su questo personaggio, consultando innanzitutto il *Dizionario della Commedia* di A. Merlante, che riporta i luoghi della cantica in cui è ricordato, e leggendo poi la voce relativa in *Enciclopedia Dantesca* II, pp. 460-462, a cura di M. Cristiani.

Lingua e stile

fece Amor la corda – v. 12

Dante deriva l'immagine venatoria della corda, cioè del laccio che Amore usa per catturare gli amanti, dal repertorio poetico dei rimatori cortesi della sua epoca. Individuane un altro caso in *Fiore* XLVII, e trovane altri esempi nella nostra letteratura consultando il *Grande Dizionario della lingua italiana* alla voce *laccio*.

cura – v. 40

Prendi nota, leggendo i passi sotto elencati e aiutandoti con la parafrasi, dei significati principali del sostantivo *cura* nel poema, e cerca di riconoscere le accezioni e le espressioni tuttora in uso nell'italiano moderno: *Inf.* IX 102; XXIII 41; *Purg.* VI 107; XXI 120; XXIII 67; XXV 138; XXXIII 124; *Par.* XI 1. In un *Dizionario* di lingua italiana cerca infine il significato dei sostantivi *cura* e *curato*, quali puoi trovare nel I capitolo dei *Promessi Sposi*: «Per una di queste stradicciole, tornava bel bello... don Abbondio, curato d'una delle terre accennate di sopra... La strada... si divideva in due viottole...: quella a destra saliva verso il monte, e menava alla cura...».

Verbi, forme antiche dialettali – vv. 101-105

Fai una piccola ricerca a proposito delle forme verbali antiche e dialettali che trovi in questo passo della *Commedia* (*ponno*, *vonno* e *terminonno*), consultando, riguardo alle prime due, quanto rispettivamente annotato nella nota linguistica a *Inf.* XXI 10 e in *Enciclopedia Dantesca* VI, p. 217; leggi quindi, quanto a *terminonno*, il passo di *De vulgari eloquentia* I, XIII 2 e la relativa nota di commento di P. V. Mengaldo nell'edizione delle *Opere di Dante* segnalata nel volume *Strumenti*.

CANTO XXIX

Introduzione

D opo averci presentato in forma sensibile la vita delle creature angeliche nella loro eterna realtà di lode, contemplazione e amore verso il Creatore, Dante svolge in questo secondo canto a loro dedicato la riflessione teologica su quegli esseri – i più alti in nobiltà dell'intera creazione – la cui storia stava come a fondamento della storia stessa dell'universo.

Proponendo dunque alla fine del poema, con questa ampia riflessione, l'immagine del mondo creato da Dio quale nel poema stesso viene cantato, Dante offre la conclusione teologica alla grande raffigurazione – del cosmo e dell'uomo – da lui immaginata e descritta nella finzione poetica del viaggio nell'aldilà.

Non a caso gli argomenti qui svolti sono quelli stessi elencati nel libro di testo, si potrebbe dire, di tutte le scuole di teologia di allora, *Il Libro delle Sentenze* di Pietro Lombardo, nella lezione sugli angeli: dove, quando e come essi furono creati; come avvenne la caduta di parte di loro, e l'elevazione alla gloria degli altri.

Questo grande tema, che coinvolge tutta la storia dell'universo e dell'uomo, è l'ultimo che sia trattato in forma dottrinale nella cantica, nell'ultimo discorso teologico che vi si trovi. Posto nel più alto dei cieli, dove dimorano le più alte tra le creature (i due vertici della realtà creata, corporeo e spirituale), questo discorso chiude la meditazione sulla origine e struttura del mondo – sensibile e intelligibile – che percorre tutto il *Paradiso* (si vedano in particolare i canti II, VII, XIII), meditazione che affaticò e appassionò la mente di Dante, e che è alla base della costruzione insieme razionale e fantastica del suo mondo ultraterreno.

Tutto il discorso, di ampio e solenne respiro ritmico e figurativo, occupa la prima parte del canto. La seconda, con improvviso mutamento di tono, svolge invece un diverso tema, di carattere ammonitore e profetico.

Molti critici hanno rimproverato a Dante la forte disparità tra il linguaggio usato nelle due diverse sequenze. Ma si tratta di una scelta stilistica voluta: lo splendore del cielo e dell'intero universo come Dio lo ha creato fa stridente contrasto con il misero e vano comportamento degli uomini che cercano solo le povere cose della terra. Dal più alto livello di stile – dove i rari latinismi, le potenti immagini e l'ampiezza del periodo cercano di eguagliare la profondità e immensità dell'oggetto raffigurato – si discende all'infima forma comica, forse la più plebea usata nella cantica, della terzina che chiude questo amaro rimprovero.

Come il discorso teologico, anche quello ammonitore sarà l'ultimo della cantica, quasi sigillato da quelle così rozze parole: *Di questo ingrassa il porco sant'Antonio / e altri assai che sono ancor più porci...* La differenziazione massima dello stile sembra misurare la distanza fra le due dimensioni, celeste e terrestre, ambedue proprie dell'uomo, creatura che ha le stesse doti naturali dell'angelo e del bruto, come già è scritto nel *Convivio*.

Tuttavia Dante non chiude su queste parole di così basso livello i suoi due grandi canti degli angeli. Rialzando lo sguardo, Beatrice riporterà il discorso alla contemplazione delle creature celesti, svolgendo l'ultimo tema, quello del loro numero, non casualmente lasciato alla conclusione: in quella incommensurabile quantità, nella quale tuttavia ognuna di esse ha la sua personale, individuale qualificazione, si specchia (vv. 142-4) – è questa la stessa immagine con cui ha inizio il canto precedente – l'unico essere divino, che per puro amore creò la molteplicità dei *nuovi amor*, come l'apertura di questo canto ci ha detto.

Quell'attacco del grande discorso teologico iniziale (vv. 13-21) resta nel ricordo tra le più alte pagine di poesia di tutta la cantica. Un breve intervallo di silenzio la introduce, nel quale Beatrice tace e sorride guardando nel punto luminoso dove si nasconde Dio stesso. Per misurare questo intervallo, Dante ricorre a una figura astronomica: il breve momento in cui sole e luna stanno come in equilibrio, ai due lati opposti dell'orizzonte, finché l'uno sorge e l'altra tramonta alla vista. In questa figura – di geometria e insieme di sospeso mistero – è forse adombrato (secondo una suggestiva ipotesi critica) l'ascendere e il precipitare delle due diverse schiere angeliche all'inizio del mondo, dopo un tempo ugualmente breve (come sarà detto poco oltre), che portarono così nell'universo appena nato la doppia presenza del bene e del male, della luce e dell'ombra, frutto della libertà donata dal suo stesso creatore.

Ma l'intervallo è, come si è detto, infinitamente breve. Quando Beatrice riprende a parlare, tono e ritmo appaiono subito molto diversi da quelli tenuti nel canto precedente. E si apre allo sguardo, nell'ampio svolgersi dei versi, quel momento dell'eternità – *di tempo fore* – nel quale, solo perché la sua stessa luce potesse risplendere fuori di lui, nell'autocoscienza di altri esseri capaci come lui di amore, l'amore eterno compì l'atto che dette vita ad altri esseri amanti; e il sublime evento appare nel verso quasi come un aprirsi di fiori nello spazio: *s'aperse in nuovi amor l'etterno amore.*

In poche terzine, con un linguaggio teologicamente preciso e insieme di potente capacità di suggestione, si dirimono i principali problemi sorti sull'argomento, si sciolgono difficili nodi con assoluta semplicità: la creazione del mondo avvenuta nel tempo – che lo dichiara dunque non coeterno a Dio, come volevano gli aristotelici e gli averroisti –, la motivazione stessa della creazione (*Non per aver a sé di bene acquisto...*, come già fu detto nel canto VII, ai vv. 130-138), la dignità uguale a quella divina data alle più alte creature (*perché suo splendore / potesse, risplendendo, dir "Subsisto"*), lo stesso nascere del tempo insieme allo spazio (le *acque* del cielo Cristallino).

A questa prima sequenza di tre terzine, dove assistiamo stupiti al sorgere dell'universo dalle profondità eterne, ne segue una seconda, anch'essa ternaria, che presenta il simultaneo «venire all'essere» delle tre realtà create direttamente da Dio: gli angeli, la materia prima, i cieli (come già fu detto nel canto VII). Con una singolare e potente immagine – quella dell'*arco tricordo*, fratello dell'*arco* del canto I, che porta ogni creatura al suo segno (vv. 118-26) –, si scioglie anche in questo caso un problema a lungo dibattuto, se gli angeli cioè fossero stati creati prima o contemporaneamente al mondo sensibile.

Infine le due terzine che seguono, serrate ed evidenti, definiscono con perfetta conclusione la struttura stessa del mondo così creato, su tre piani o livelli; la *cima* (il luogo – l'Empireo – dove abitano i puri spiriti); il *mezzo* (costituito dai cieli incorruttibili); la *parte ima* (il luogo più basso, la terra, formato dalla materia prima, regno del mutevole e del caduco).

Tutto il potente discorso, grande esempio di quel narrare teologico che è una delle strutture portanti della poesia del *Paradiso*, discorso che si affida, nelle soluzioni indicate, principalmente ad Agostino, contiene due profondi ordini di significati, che sono la ragione della sua singolare intensità e bellezza. Il primo è il valore altissimo dato alle *prime creature* (*Inf.* VII 95), nelle quali risplende la coscienza stessa di Dio (vv. 14-15) e che è quello stesso valore – secondo il cristianesimo – che il creatore dette anche all'uomo, fatto a sua immagine, dotato, come l'angelo, di *intelletto e amore* (I 120). Parlando dell'angelo, Dante parla in realtà dell'uomo, che è, come sappiamo, il suo primo e infine unico tema. Ricordiamo il *Convivio* (IV, XIX 7), dove si cita il *Salmo* 8: «Che cosa è l'uomo, che tu, Dio, lo visiti? Tu l'hai fatto poco minore che li angeli, di gloria e d'onore l'hai coronato, e posto lui sopra l'opere delle mani tue».

Ma il secondo significato non è meno importante del primo: nella struttura triplice dell'universo, sopra definita, realtà sensibile e realtà intelligibile vengono ad essere coinvolte, quasi indissolubili l'una dall'altra (è quel *nodo* il cui mistero nell'ultimo canto – vv. 91-3 – si rivelerà a Dante). Tra l'una e l'altra è posto appunto l'uomo, quasi orizzonte, o confine (come è detto in *Mon.* III, XV 3) tra le due dimensioni che in lui si incontrano. Ora quel vitale rapporto, significato nel canto precedente dal corrispondersi delle sfere corporee ai cerchi ignei delle gerarchie angeliche, dà all'uomo stesso, costituito da anima e corpo, il valore quasi di ricapitolazione del cosmo, valore che san Paolo gli attribuisce, e che tutta la *Commedia* infine viene a celebrare.

Nella seconda parte del discorso sugli angeli – la «lezione di angelologia», come è stata chiamata, ma che nella forma e nella passione che la anima oltrepassa in realtà il senso che a questa espressione comunemente è dato – Beatrice affronta non più il problema della loro situazione nel cosmo, ma quelli che riguardano la loro stessa persona: prima quello della loro libertà, e della loro conseguente scelta, origine della caduta, che divise per sempre l'armonioso universo. Poi quello delle loro facoltà. L'uno e l'altro problema, come si vede, ci riportano ancora all'uomo.

La caduta fu causata infatti dalla superbia, come già sappiamo fino dal *Purgatorio* (XII 25-7), che è la stessa colpa di Adamo (*Par.* XXVI 115-7). Non per niente Lucifero è posto come primo esempio tra quelli dei superbi puniti (a lui seguono appunto gli uomini) nella prima cornice della montagna Ma il problema discusso, come si vedrà nelle note al testo, era quello della grazia e del merito, se l'angelo cioè avesse meritato la grazia, o l'avesse avuta fin dall'inizio, per sua natura. Altrettanto discussa era la questione della facoltà della memoria, che alcuni attribuivano all'angelo come all'uomo, mentre altri – seguendo lo pseudo-Dionigi – gliela negavano, in quanto l'angelo vede tutto contemporaneamente in Dio.

Ora la scelta di Dante appare, in ambedue i casi, fatta nella direzione che avvicina l'angelo all'uomo. Egli infatti afferma che l'angelo ricevette la grazia – era questa l'opinione di san Bonaventura – perché il suo cuore (il suo *affetto*) era disposto ad accoglierla, per la «modestia», l'umiltà, con cui si riconobbe dipendente da Dio (vv. 59-66).

Per la memoria invece la scelta – che accoglie la posizione di Dionigi – appare a prima vista opposta: l'angelo in cielo, guardando eternamente in Dio, non ha bisogno di tale facoltà come chi vive nel tempo, dove ogni atto è suddiviso in una successione di momenti diversi. Non separa forse questa condizione l'angelo dall'uomo? Ora noi crediamo che Dante veda, nell'angelo che vive in cielo, realizzata la situazione stessa dell'uomo quando sarà elevato alla gloria. Sì, l'uomo nel tempo, nella sua vita mortale, ha bisogno della memoria. Ma in paradiso, quando anch'egli guarderà in Dio, e sarà fatto «giocondo della sua faccia», come Dante qui dice (vv. 76-7), anche l'uomo sarà come l'angelo, non vi sarà più differenza tra l'uno e l'altro, perché l'uno e l'altro riceveranno da Dio stesso la propria autocoscienza, quella che sulla terra è affidata appunto alla memoria.

Per questo così appassionatamente, crediamo, Dante difende tale posizione. Dietro l'angelo egli vede la divina realtà dell'uomo che, se ugualmente accetterà, «con modestia», la propria insufficienza (ricordiamo, ancora una volta, il *folle volo* di colui che non volle riconoscerla), ugualmente «sarà esaltato» alla visione senza tempo della presenza di Dio.

Tutto questo secondo discorso di Beatrice rivela apertamente la duplice figura – l'una come nascosta nell'altra – che è nel pensiero del poeta. Il *maladetto superbir* di Lucifero, gli altri che *furon modesti a riconoscer sé da la bontate* divina, quella grazia ricevuta *secondo che l'affetto l'è aperto*, infine quel fisso guardare in Dio da cui gli angeli, una volta ottenutolo, *non volser viso* (cfr. XXXIII 100-2), tutto ci ricorda modi e atteggiamenti propri della persona dell'uomo come è presentata nel poema.

Proprio per questo stretto legame stabilito tra le due figure il parlare di Beatrice può passare, quasi inavvertitamente, dal discorso sull'una a quello sull'altra, dagli angeli agli uomini: nasce infatti spontanea la deplorazione perché quegli uomini così simili agli angeli si fanno, per la loro misera superbia e cupidigia, così simili ai bruti. E questa volta sono i filosofi – che vanamente disputano sulla memoria – i primi a cui il rimprovero viene rivolto: *Voi non andate giù per un sentiero / filosofando: tanto vi trasporta / l'amor de l'apparenza e 'l suo pensiero!* Poi, in un vivace crescendo della indignazione, mentre diminuisce la dignità dell'oggetto a cui è rivolta, si passa ai vanitosi predicatori, che *per apparer* distorcono il Vangelo stesso, infine ai monaci che abusano della credulità dei fedeli per riscuotere denaro con cui ingrassare i loro porci e altri loro simili che sono ancor peggio dei porci.

Si ha in questo discorso, che si estende per tutta la seconda parte del canto, come un precipitare dello stile – tono, immagini, linguaggio – che nella prima parte era così nobile ed elevato: il senso di tale violenta diversità, per molti non accettabile, appare in modo evidente quello, già sopra indicato, quasi di specchio stilistico dei due livelli ai quali può salire o scendere la vita dell'uomo.

E il luminoso finale, che riprende il grande tema angelico in una nuova forma – quella delle creature fatte specchi in cui si riflette in mille diversi modi (uno per ognuna) il volto stesso di Dio – ci dice in modo palese quanta amarezza sia all'origine delle dure parole di Beatrice, che suonano così strane sulla sua bocca; mentre lascia intravedere quell'altissimo termine a cui è diretta la vita dell'uomo, e del poema, quel termine al quale il prossimo canto ci avvicinerà in modo definitivo, uscendo dai limiti del tempo e dello spazio, *fuore del maggior corpo* che avvolge l'universo.

CANTO XXIX

Nel Primo Mobile: le intelligenze angeliche

1-9 Conclusa la descrizione delle gerarchie angeliche, Beatrice, fissando lo sguardo nel punto luminoso che è Dio, rimane in silenzio per un breve intervallo di tempo, indicato attraverso una complessa immagine astronomica, quindi riprende a parlare.

10-45 La questione che Beatrice affronta, rispondendo al desiderio inespresso del poeta, riguarda la creazione degli angeli. L'amore divino si effuse in altri amori non per acquistarne vantaggi, ma gratuitamente, solo perché potessero esistere. Il momento della creazione è fuori del tempo: non ha senso discutere di cosa Dio facesse in precedenza, poiché il tempo ebbe inizio in quel momento. La forma e la materia e il loro composto furono create simultaneamente e nello stesso istante si diffusero nell'universo e ricevettero ordine e organizzazione: nel luogo più alto del mondo furono poste le intelligenze angeliche, puro atto; in basso la materia prima, pura potenza; nel mezzo il loro composto, i cieli. San Girolamo sostenne nei suoi scritti che la creazione degli angeli aveva preceduto quella del mondo, ma è smentito dalle Scritture e dalla stessa ragione che non può ammettere in queste creature perfette una mancanza, come quella che avrebbero se fossero impossibilitate a svolgere il loro compito di motori dell'universo.

46-69 La spiegazione fin qui ha chiarito dove, quando e come gli angeli siano stati creati; ora Beatrice prosegue raccontando la caduta degli angeli ribelli, avvenuta subito dopo la creazione. Gli angeli fedeli a Dio restarono nell'Empireo, iniziando il loro incessante ruotare intorno a Lui. L'origine della caduta fu la superbia di Lucifero, mentre l'umiltà rese gli altri capaci di riconoscere la loro dipendenza dalla divina bontà; perciò furono innalzati alla visione di Dio oltre la loro natura, per grazia divina e per il merito che essi ebbero nell'accoglierla.

70-126 Beatrice aggiunge un'ultima parte al suo discorso, in polemica contro le false dottrine che attribuiscono agli angeli la facoltà della memoria: essi, infatti, non hanno bisogno di ricordare poiché vedono tutto direttamente in Dio. Sulla terra però si diffondono credenze senza fondamento, perché gli uomini si lasciano trascinare dal desiderio di mettersi in mostra, fino al punto di trascurare o stravolgere la Scrittura senza pensare al sangue versato per diffondere la verità da essa rivelata. Cristo ha inviato i suoi a predicare il vero, non le ciance; ora invece si predica per soddisfare la propria vanità, promettendo con leggerezza indulgenze per conquistare l'uditorio: della credulità del popolo si approfittano i monaci di sant'Antonio per arricchirsi.

127-135 Ripreso l'argomento principale, Beatrice spiega che il numero degli angeli è inconcepibile per la mente umana. In ognuno di essi, secondo la sua individuale qualità, la luce divina si riflette in modo diverso e perciò ognuno diversamente prova la dolcezza dell'amore: immensa è dunque la potenza di Dio che si irradia in innumerevoli esseri pur rimanendo indivisa.

> Quando ambedue li figli di Latona,
> coperti del Montone e de la Libra,
> 3   fanno de l'orizzonte insieme zona,

1-3. **Quando ambedue...**: quando il sole e la luna (secondo il mito Apollo e Diana, figli di Latona e Giove), trovandosi il primo sotto il segno dell'Ariete e l'altra sotto quello della Bilancia (quindi l'uno opposto all'altro), si fanno ambedue cintura dell'orizzonte (l'uno sorgendo e l'altra tramontando)... Si coglie l'istante in cui i due astri – ai due lati opposti del cielo – sono tagliati a metà dalla linea dell'orizzonte, che fa loro come da cintura (*zona*).

4-6. **quant'è dal punto...**: quanto tempo trascorre dal momento (*punto*) in cui lo zenit (il punto più alto della volta celeste) sembra tenerli in equilibrio, «come sui

◆ *Quando entrambi i figli di La ona (Apollo e Diana: cioè il sole e la luna), il primo sotto il segno dell'Ariete e l'altra sotto quello della Bilancia (Libra), si fanno ambedue cintura dell'orizzonte (l'uno sorgendo e l'altra tramontando), ...*

> quant'è dal punto che 'l cenìt i 'nlibra
>
> infin che l'uno e l'altro da quel cinto,
>
> 6   cambiando l'emisperio, si dilibra,
>
> tanto, col volto di riso dipinto,
>
> si tacque Bëatrice, riguardando
>
> 9   fiso nel punto che m'avëa vinto.
>
> Poi cominciò: «Io dico, e non dimando,
>
> quel che tu vuoli udir, perch'io l'ho visto
>
> 12   là 've s'appunta ogne *ubi* e ogne *quando*.
>
> Non per aver a sé di bene acquisto,
>
> ch'esser non può, ma perché suo splendore
>
> 15   potesse, risplendendo, dir "*Subsisto*",
>
> in sua etternità di tempo fore,
>
> fuor d'ogne altro comprender, come i piacque,
>
> 18   s'aperse in nuovi amor l'etterno amore.

due piatti di una immensa bilancia» (Torraca), cioè dal momento in cui essi sono perfettamente equidistanti da esso, fino a quando l'uno e l'altro, cambiando emisfero (salendo il primo e scendendo il secondo fino ad essere interamente al di sopra o al di sotto dell'orizzonte), si libera, si scioglie (*si dilibra*) del tutto da quella cintura... Tempo dunque breve, ma non istantaneo. I due corpi celesti, immobili nella prima terzina, sono visti ora nel loro movimento per il tempo in cui agli occhi dell'uomo l'uno si leva per intero e l'altro scompare del tutto sotto l'orizzonte: movimento che dura un po' più di un minuto.

– **i 'nlibra**: *li inlibra*, li tiene in bilancia (*libra*). Per la lezione adottata, diversa da quella del testo Petrocchi (*inlibra*), si veda la nota al testo alla fine del canto.

7-9. tanto...: per tanto tempo Beatrice restò in silenzio, sorridendo, e guardando fissamente nel punto che mi aveva sopraffatto con la sua luce. Il breve intervallo del silenzioso guardare in Dio di Beatrice, solennemente misurato dal mutamento di aspetto del cielo, segna la distanza tra i due grandi discorsi sugli angeli che occupano i due canti, la cui diversità abbiamo indicato nella Introduzione al canto. Questo secondo discorso, che dopo la descrizione del loro ordinamento e dei loro nomi si solleva a narrare la storia delle creature celesti, affrontando i grandi problemi teologici della creazione e della caduta, ha una dimensione ben più profonda, e un ben più alto respiro poetico. Per questo l'intervallo è breve – trattandosi dello stesso argomento – ma pervaso di intenso raccoglimento in quel fisso e sorridente guardare in Dio.

10. Poi cominciò...: dopo la pausa di silenzio, nella quale ella guarda in Dio, Beatrice riprende a parlare. Il lungo e solenne discorso che ora comincia è come nutrito da quel silenzio e da quel guardare.

10-2. e non dimando...: e non ti chiedo quello che vuoi sapere, perché l'ho visto là dove ogni luogo e ogni tempo confluisce come a suo termine (cioè in Dio).

– **s'appunta**: cfr. IX 118; XXI 83; per *ubi* e *quando*, avverbi sostantivati, si cfr. XXVIII 95 e XXI 46.

13-8. Non per aver...: non per procurarsi un aumento di bene, cosa che non può essere (essendo Dio bene infinito) – cioè non per proprio vantaggio –, ma perché lo splendore della sua luce riflesso nelle creature potesse, nell'atto stesso del suo risplendere, cioè del suo vivere di vita propria, aver coscienza di sé così da poter dire: «io sono» (perché cioè dalla sua stessa vita sorgessero altre vite, autocoscienti e quindi capaci di intendere e amare), l'eterno amore divino si effuse, si dilatò in altri amori (in altri esseri amanti); e ciò accadde nell'eternità, fuori dal tempo e fuori dallo spazio (tempo e spazio hanno inizio infatti con l'atto stesso della creazione) per un puro atto gratuito (*come i piacque*).

– **fuor d'ogne altro comprender**: senza avere altro limite di spazio che lo contenesse, se non se stesso (*comprender* è infinito sostantivato: luogo che comprende, contiene). Si cfr. XIV 30: *non circunscritto, e tutto circunscrive*.

───── ■ ─────

... quanto è il tempo che trascorre dal momento (punto) in cui lo zenit (il punto più alto della volta celeste) sembra tenerli in equilibrio (i 'nlibra), fino a quando l'uno e l'altro, cambiando emisfero, si liberano (si dilibra) del tutto da quella cintura, per tanto tempo Beatrice tacque, col volto sorridente, e guardando fissamente nel punto che mi aveva sopraffatto (con la sua luce). ✦ Poi cominciò a dire: «Dico io, e non chiedo a te quello che vuoi sapere, perché l'ho visto là dove ogni luogo e ogni tempo confluisce come a suo termine (s'appunta: cioè in Dio). Non per procurarsi un aumento di bene, cosa impossibile, ma perché lo splendore della sua luce potesse, nell'atto stesso del suo risplendere, aver coscienza di sé così da poter dire: "Io sono", l'eterno amore divinò si dilatò in altri esseri amanti, nella sua eternità fuori dal tempo, fuori da ogni altro spazio (se non se stesso) che lo contenesse, per un puro atto gratuito (come i piacque).

Né prima quasi torpente si giacque;

ché né prima né poscia procedette

21   lo discorrer di Dio sovra quest'acque.

Forma e materia, congiunte e purette,

usciro ad esser che non avia fallo,

24   come d'arco tricordo tre saette.

E come in vetro, in ambra o in cristallo

raggio resplende sì, che dal venire

27   a l'esser tutto non è intervallo,

così 'l triforme effetto del suo sire

ne l'esser suo raggiò insieme tutto

19-21. Né prima...: né ha senso dire che prima di quel momento Dio giacque inoperoso, quasi pigramente addormentato (*torpente*); perché prima dell'atto della creazione non vi fu né prima né poi (essendo esso avvenuto fuori del tempo). Il prima e il poi, cioè il tempo, cominciarono infatti con quell'atto. La terzina risponde, con l'argomento di Agostino (*Conf.* XI, XIII), a chi sosteneva l'eternità del mondo creato per non potersi concepire un tempo in cui Dio fosse rimasto inoperoso. – *procedette* vale «precedette»; cfr. *Purg.* IX 52 e nota.

21. lo discorrer di Dio...: il verso definisce il gesto creativo riprendendo una frase della *Genesi*: «e lo spirito di Dio aleggiava sulle acque» (*Gen.* 1, 2). Ora quelle acque bibliche, che nel contesto indicano quelle che Dio separò dalle acque terrestri, situandole «sopra il firmamento» (*Gen.* 1, 6-7), furono interpretate da molti Dottori della Chiesa, tra cui Alberto Magno, Bonaventura e Tommaso, come la sostanza che costituiva il Primo Mobile o cielo Cristallino (detto anche «acqueo», in quanto formato da una materia trasparente e chiara come l'acqua), cielo che appunto avvolge lo Stellato, cioè il firmamento. Dicendo *quest'acque*, Dante allude – con un gesto inventivo dei suoi più

grandi – al cielo che in quel momento circonda lui e Beatrice: quel cielo con il quale è nato il tempo (cfr. XXVII 118-20). Non ci fu dunque né un prima né un poi che precedesse il momento in cui lo spirito divino si distese, quasi sorvolandolo mentre lo creava, sopra questo cielo, radice del tempo.

22-4. Forma e materia...: definiti il *perché* e il *quando* della creazione degli angeli, Beatrice dichiara ora il *come*: la pura forma (o *puro atto*, cioè le intelligenze angeliche: v. 33), la pura materia (o *pura potenza*, cioè la materia prima: v. 34), e il loro composto indissolubile (cioè i cieli) – le tre cose create da Dio *sanza mezzo* come è detto a VII 67-9 e 130-8 – vennero all'essere (cioè furono creati) in modo perfetto con un unico gesto di Dio, come tre frecce che uscissero simultaneamente da un arco a tre corde.

– **che non avia fallo**: che non aveva alcuna mancanza, cioè compiuto in se stesso, non bisognoso di sviluppo: cfr. VII 130-2 e nota.

– **arco tricordo**: la viva ed efficacissima immagine che descrive la triplice creazione ricorda l'arco divino che, nel primo canto, dirige ogni creatura al suo fine: I 118-20 e 124-6. Certamente l'arco tricorde (che, almeno secondo il Lana, era oggetto realmente esistente e non soltanto ipotizzato) è riferimento preciso alla Trinità, che crea a sua immagine il mondo, producendo, con un solo atto, un *triforme effetto* (v. 28).

25-30. E come in vetro...: dalla saetta al raggio di luce: la seconda immagine vuol significare l'istantaneità, come la prima la simultaneità, della triplice creazione: come il raggio luminoso risplende in un corpo trasparente in modo che dal suo giungere in esso al suo splendere in tutte le sue parti non vi è alcun intervallo di tempo, così il triplice effetto dell'azione del creatore (*del suo sire*) risplendette nel suo *essere intero* (cfr. VII 132) in uno stesso momento (*insieme*) senza successione di tempo (*distinzione*) nel sorgere delle sue varie parti (*in essordire*). Il paragone si fonda sul presupposto che la propagazione della luce sia istantanea da qualunque distanza (come si ritenne fino a Galileo e oltre) ed è già in Tommaso (*C.G.* II 19).

– **vetro... ambra... cristallo**: i corpi trasparenti portati ad esempio sono non casualmente tre: essi corri-

---

♦ Né prima di quel momento Dio giacque quasi addormentato (torpente); perché prima che Dio trascorresse (nell'atto della creazione) su questo cielo acqueo (il cielo Cristallino) non vi fu (procedette) né "prima" né "poi". La forma e la materia allo stato puro (purette; cioè le intelligenze angeliche e la materia prima) e il loro composto (congiunte: cioè i cieli) vennero all'essere (cioè furono creati) senza alcuna imperfezione (fallo), come tre frecce scagliate simultaneamente da un arco a tre corde. ♦ E come il raggio luminoso risplende nel vetro, nell'ambra o nel cristallo, in modo che dal suo giungere in essi al suo splendere in tutte le loro parti non vi è alcun intervallo di tempo, così il triplice effetto dell'azione del creatore (del suo sire) risplendette tutto intero nel suo essere in uno stesso momento (insieme), ...

30   sanza distinzïone in essordire.
         Concreato fu ordine e costrutto
         a le sustanze; e quelle furon cima
33   nel mondo in che puro atto fu produtto;
         pura potenza tenne la parte ima;
         nel mezzo strinse potenza con atto
36   tal vime, che già mai non si divima.
         Ieronimo vi scrisse lungo tratto
         di secoli de li angeli creati
39   anzi che l'altro mondo fosse fatto;
         ma questo vero è scritto in molti lati

spondono al *triplice effetto* dell'*arco tricordo*, cioè al riflettersi nell'universo dell'immagine della Trinità creante.

– **ambra**: si intende qui di quella particolare qualità di ambra, la più pregiata, che è limpida e trasparente come appunto il vetro o il cristallo.

31-2. Concreato fu ordine...: insieme alle tre specie di *sustanze* create direttamente da Dio, fu creato anche il loro ordine nel cosmo e la loro strutturazione. – *ordine* indica la disposizione gerarchica (dalla più alta alla più bassa: vv. 32-6). – *costrutto* (propriamente la costruzione sintattica di una frase) indica con forte metafora il rapporto di dipendenza stabilito fra l'una e l'altra: esse formano, nella loro diversità, una frase sola. Non solo dunque queste sostanze furono create tutte insieme e in un solo istante, ma contemporaneamente fu loro dato ordine e organizzazione, costituendo così, d'un sol colpo, la struttura unitaria del cosmo.

32-3. e quelle furon cima...: e furono poste nel luogo più alto nell'universo (*furon cima*: quasi costituirono la sommità) quelle in cui fu prodotto, nella creazione, il *puro atto*, cioè quelle create come pure forme, ossia le intelligenze angeliche.

34-6. pura potenza...: la pura potenza (cioè la materia prima informe) occupò la parte più bassa (*ima*, infima; cfr. *Inf.* XVIII 16 e nota), cioè il luogo dove si trova la terra; *nel mezzo*, cioè fra l'Empireo abitato dagli angeli e la terra, potenza con atto furono stretti in un vincolo così forte (*tal vime*: cfr. XXVIII 100) che non si potrà mai sciogliere (formando così i cieli, concepiti come composto indissolubile di materia e forma).

– **divima**: discioglie; il neologismo, formato sul sostantivo *vime* che immediatamente precede, dà, per mezzo della figura etimologica (*vime... divima*), un fortissimo risalto a quel vincolo indissolubile.

37-9. Ieronimo...: Beatrice ha presentato, in forma completa e chiara, l'atto della creazione degli angeli, definendone il tempo e il modo. Ma resta da chiarire un punto: san Girolamo, di cui era grande l'autorità nell'interpretazione della Scrittura, aveva sostenuto un'opinione diversa riguardo al tempo di tale creazione. Bisognava dunque dimostrarne l'infondatezza. Così Beatrice riprende: Girolamo scrisse nelle sue ope-

re che gli angeli – cioè le creature incorporee – furono creati molti secoli prima che fosse fatto il resto del mondo (cioè i cieli e la terra, vale a dire il mondo sensibile). Tale dottrina era stata oggetto di discussione da parte di tutti i maggiori teologi (cfr. Tommaso d'Aquino *S.T.* I, q. 61 a. 3). Dante la confuterà usando – come sempre fa, quando può – un doppio ordine di argomenti: l'autorità della Scrittura e le deduzioni dell'umana ragione.

– **vi scrisse lungo tratto...**: la frase va così ordinata: vi scrisse degli angeli creati lungo tratto di secoli anzi che ecc.; *de li angeli* è compl. di argomento. Il costrutto, proprio del latino, equivale al nostro: scrisse che gli angeli erano stati creati ecc.

40-1. ma questo vero...: ma questo verità che io ho affermato si trova scritta in più luoghi della Sacra Scrittura. Tali luoghi, citati generalmente dai teologi che avevano discusso l'argomento, sono soprattutto *Eccli.* 18, 1: «Colui che vive in eterno, creò tutte le cose contemporaneamente» e *Gen.* 1, 1: «In principio Dio creò il cielo e la terra». Si veda per esempio l'osservazione di Tommaso nel luogo sopra citato, a proposito di questo ultimo versetto: «e ciò non sarebbe vero, se avesse creato qualcosa prima di essi; dunque gli angeli non furono creati prima della natura corporea».

... *senza successione di tempo* (distinzïone) *nel sorgere delle sue varie parti* (in essordire). ◆ *Insieme alle tre specie di sostanze fu creato anche il loro ordine nel cosmo e la loro strutturazione* (costrutto); *e furono poste nel luogo più alto* (furon cima) *dell'universo quelle in cui fu prodotto, nella creazione, il puro atto* (cioè le intelligenze angeliche); *la pura potenza* (cioè la materia prima informe) *occupò la parte più bassa* (ima: cioè la terra); *nel mezzo, potenza con atto furono stretti* (formando i cieli) *in un vincolo così forte* (tal vime) *che non si potrà mai sciogliere.* ◆ *Girolamo scrisse che gli angeli furono creati molti secoli prima che fosse fatto il resto del mondo; ma la verità che io ho affermato* (questo vero) *si trova scritta in molti luoghi* ...

da li scrittor de lo Spirito Santo,

42 e tu te n'avvedrai se bene agguati;

e anche la ragione il vede alquanto,

che non concederebbe che ' motori

45 sanza sua perfezion fosser cotanto.

Or sai tu dove e quando questi amori

furon creati e come: sì che spenti

48 nel tuo disïo già son tre ardori.

Né giugneriesi, numerando, al venti

sì tosto, come de li angeli parte

51 turbò il suggetto d'i vostri alimenti.

L'altra rimase, e cominciò quest'arte

---

42. se bene agguati: se li guardi bene, cioè li leggi con attenzione. *Agguatare* vale più comunemente «tendere agguati». Qui equivale a *guatare*, con significato di «guardare con particolare attenzione»; si cfr. Livio, *La prima deca* I, p. 255: «egli aveva agguatato e appostato il punto per assalire il comune».

43-5. e anche la ragione...: e anche la ragione, almeno in parte (*alquanto*), è in grado di vedere come questa dottrina sia vera, in quanto non potrebbe ammettere che le intelligenze motrici dei cieli fossero state per tanto tempo (*cotanto*: cfr. *Inf.* XXXIV 109) mancanti della loro perfezione, cioè della possibilità di adempiere il loro ufficio (quello appunto di muovere i cieli), atto nel quale consiste la perfezione di ogni essere. Questo argomento di ragione deriva da quello portato da Aristotele per dimostrare che non esistono altre intelligenze oltre a quelle che muovono i cieli, da Dante citato nel *Convivio* (II, IV 3), dove discute del numero degli angeli e riporta le varie opinioni dei filosofi: secondo Aristotele, egli dice, se ve ne fossero in numero maggiore di quello delle «circulazioni» dei cieli, le intelligenze angeliche «sarebbero state etternalmente indarno, sanza operazione: ch'era impossibile, con ciò sia cosa che loro essere sia loro operazione». Dante naturalmente ammette, d'accordo con tutta la tradizione cristiana, l'esistenza di altre intelli-genze oltre a quelle motrici (si veda più oltre la dichiarazione sul numero per noi inimmaginabile degli angeli: vv. 130-2), ma pensa che per gli angeli addetti a quell'ufficio l'esercitarlo sia, come per ogni altra creatura, il compimento della loro perfezione; che sarebbe dunque mancata a loro, se fossero stati creati prima dei cieli.

46-8. dove... quando... come: fuori dello spazio, fuori del tempo, per puro amore, in modo istantaneo, e simultaneo alle altre due specie di sostanze (la materia prima e i cieli). Così è dunque avvenuta la creazione degli angeli. Sono *spenti*, cioè esauditi, i tre desideri che bruciavano come fuochi ardenti (*ardori*) nella mente di Dante. Ma resta un grande problema riguardo alle creature celesti: la caduta di alcuni e l'innalzamento degli altri alla visione beatifica. Quando e come ciò avvenne? Questo è l'argomento della seconda parte del discorso di Beatrice.

49-51. Né giugneriesi...: la prima questione discussa dai teologi era quella del tempo trascorso tra la creazione degli angeli e la loro caduta. Per alcuni, come Tommaso, si trattò di un solo istante, per altri, come Bonaventura e Duns Scoto, vi fu invece una qualche estensione di tempo, e con questi si pone Dante: non si arriverebbe a contare fino a venti così presto, quanto fu il tempo che passò dall'istante della creazione a quando una parte degli angeli *turbò*, sconvolse (precipitando dal cielo) la crosta terrestre (quell'elemento, la terra, che sottostà, è *suggetto*, a tutti gli altri). Cfr. *Inf.* XXIV 121-6. Per il significato di *suggetto* si cfr. II 107 e nota.

52-4. L'altra rimase...: l'altra parte degli angeli (quelli fedeli) rimase là dove era stata creata, cioè nell'Empireo (*cima nel mondo*), e cominciò questa attività che tu vedi qui davanti a te (di girare perennemente, contemplando e lodando, intorno a Dio), provando in essa tanta gioia che mai non cessa né cesserà da questo suo girare (*si diparte* è tempo presente con aggiunto valore di futuro, forma altre volte incontrata). La terzina ha andamento sereno e disteso, esprimendo la dolce felicità degli angeli che, serbatisi fedeli, godono per sempre della visione di Dio.

■

... *dagli scrittori ispirati dallo Spirito Santo (cioè dagli autori biblici), e te ne accorgerai, se li leggi con attenzione; e anche la ragione, almeno in parte (alquanto), lo capisce, in quanto non potrebbe ammettere che le intelligenze motrici dei cieli fossero state per tanto tempo (cotanto) mancanti della loro perfezione (cioè senza poter adempiere al loro compito). ◆ Ora sai dove, quando e come questi nuovi esseri amanti furono creati: così che sono già spente tre fiamme (ardori) del tuo desiderio. E non si arriverebbe a contare (numerando) fino a venti con la stessa rapidità con cui (dopo che furono creati) una parte degli angeli sconvolse (turbò, precipitando dal cielo) la terra, che sottostà (il suggetto) a tutti gli altri elementi. L'altra parte rimase (nell'Empireo), e cominciò questa attività ...*

che tu discerni, con tanto diletto,
54   che mai da circüir non si diparte.
Principio del cader fu il maladetto
superbir di colui che tu vedesti
57   da tutti i pesi del mondo costretto.
Quelli che vedi qui furon modesti
a riconoscer sé da la bontate
60   che li avea fatti a tanto intender presti:
per che le viste lor furo essaltate
con grazia illuminante e con lor merto,
63   sì c'hanno ferma e piena volontate;
e non voglio che dubbi, ma sia certo,

55-7. Principio del cader...: l'origine prima della caduta fu la superbia di Lucifero, che tu vedesti nel fondo dell'inferno, oppresso da tutto il peso dell'universo (cfr. *Inf.* XXXIV 28-9 e 106-11). Che il peccato degli angeli fosse stato di superbia era opinione di tutta la tradizione teologica: «il primo peccato degli angeli non può essere stato altro che la superbia» (Tommaso d'Aquino *S.T.* I, q. 63 a. 2; si veda anche XIX 46-8 e note). Il primo a ribellarsi, Lucifero, il più bello e nobile fra tutti (*Purg.* XII 25-6), fu causa della caduta anche degli altri che lo seguirono, trascinati dal suo esempio. Quel *maladetto*, così forte in fine di verso, allude alle terribili conseguenze che quell'atto ebbe per tutta la storia umana.

58-60. modesti...: umili (quanto gli altri furono superbi), così da riconoscere che l'essere loro derivava dalla bontà di Dio, che li aveva creati capaci di tanto comprendere (cioè con una intelligenza così alta, pronta a intendere così a fondo il mistero di Dio). Come Lucifero s'insuperbì per le sue alte doti, quasi fossero merito suo, così gli altri riconobbero che tale eccezionale natura era un dono ricevuto dalla pura bontà divina, e in questo semplice atto di umiltà sta tutta la ragione della loro esaltazione alla visione beatifica, come subito sarà detto. Sulla dottrina che riguarda la «prova» degli angeli e il loro stato prima e dopo la loro libera scelta, si veda la nota al v. 62.

61-3. per che le viste lor...: per questo, le loro viste intellettuali furono innalzate oltre la loro natura (per accedere, s'intende, alla visione di Dio), con il concorso della grazia illuminante e del loro proprio merito, sì che essi ora hanno una volontà stabile nel bene e perfetta (che cioè non può più volgersi al male, come prima poteva). Questa terzina descrive il passaggio dell'angelo dallo stato di natura a quello soprannaturale, come è quello della visione beatifica. L'intelletto e la volontà si trasformano: l'uno è fatto capace di vedere Dio, l'altra, in conseguenza di tale visione, non può più peccare. Lo stesso salto di qualità tra i due stati è quello che compie l'uomo quando è elevato al paradiso. Si veda quello che accade a Dante stesso nell'ultimo canto (XXXIII 100-5).

62. con grazia... merto: le due condizioni sono presentate come concorrenti: per potere accedere alla visione beatifica, è indispensabile la grazia. Ma tale grazia è concessa alla creatura in proporzione alla sua buona disposizione ad accoglierla (prodotta negli angeli dal loro «esser modesti» a riconoscere la loro dipendenza da Dio), come preciserà la terzina seguente (e si veda già XXVIII 112-3); e questo è il loro proprio *merto*. Il problema di quando gli angeli avessero ricevuto la grazia, se all'atto stesso della loro creazione o al momento della loro elevazione alla gloria, non aveva soluzione concorde da parte dei teologi. Della prima opinione è Tommaso (*S.T.* I, q. 62 a. 3), della seconda Bonaventura, che avvicina in qualche modo la condizione angelica a quella umana: «negli angeli il libero arbitrio precedette l'infusione della grazia» (*In II Sent.* d. 4, a. 1, q. 2). Dante, che sempre insiste, come tema per lui essenziale, sul merito personale (dell'angelo come dell'uomo), sembra avere scelto la seconda ipotesi.

64. non voglio che dubbi: non voglio che su questo punto tu resti in dubbio. Beatrice, e con lei Dante, sembra avvertire che si tratta di una questione discussa di cui lei offre la sicura soluzione. Si veda quanto si è detto nella nota precedente.

... che tu vedi davanti a te, provando tanta gioia che mai non cessa da questo suo girare intorno (circüir; s'intende, a Dio). ◆ L'origine prima della caduta fu la superbia maledetta di colui (Lucifero) che tu vedesti oppresso da tutto il peso dell'universo. Quelli che vedi qui furono umili, così da riconoscere che l'essere loro (sé) derivava dalla bontà (di Dio) che li aveva creati capaci di tanto comprendere: per cui le loro viste intellettuali furono innalzate (oltre la loro natura) con il concorso della grazia illuminante e del loro proprio merito, così che la loro volontà è ora stabile nel bene e perfetta; ◆ e non voglio che su questo punto tu resti in dubbio, anzi sii certo ...

che ricever la grazia è meritorio

66   secondo che l'affetto l'è aperto.

Omai dintorno a questo consistorio
puoi contemplar assai, se le parole

69   mie son ricolte, sanz'altro aiutorio.

Ma perché 'n terra per le vostre scole
si legge che l'angelica natura

72   è tal, che 'ntende e si ricorda e vole,

ancor dirò, perché tu veggi pura
la verità che là giù si confonde,

75   equivocando in sì fatta lettura.

Queste sustanze, poi che fur gioconde
de la faccia di Dio, non volser viso

65-6. ricever la grazia...: la grazia è offerta gratuitamente; ma il riceverla richiede l'accettazione, o meglio l'attitudine ad accoglierla, della volontà della creatura dotata di libero arbitrio. Il ricevere la grazia dunque costituisce merito (*è meritorio*), in proporzione all'apertura del cuore. (È bensì vero – questo è il punto su cui Beatrice vuol fugare i possibili dubbi – che soltanto la grazia «merita» alle creature la visione di Dio, ma tale merito è ottenuto in quanto il loro cuore è disposto a riceverlo; e per questo può dirsi *loro*, come è affermato al v. 62.) Questi due versi sembrano stabilire con certezza che l'«apertura dell'affetto» precedette nell'angelo l'infusione della grazia – almeno idealmente, perché cronologicamente i due atti coincidono – secondo la dottrina di Bonaventura e della scuola francescana in genere.

67-9. Omai dintorno...: ormai sulla condizione di questo celeste collegio puoi vedere e comprendere da solo, senza bisogno d'altro aiuto (*aiutorio*: latinismo), se hai ben afferrato, accolto nella mente, quanto ti ho detto fin qui.

– **consistorio**: termine già usato a *Purg.* IX 24 per il consesso degli dei, e a *Conv.* IV, V 3 per la stessa Trinità; sempre dunque per indicare altissimi e sacri raduni, come era quello del collegio dei cardinali per cui il vocabolo era specificamente usato.

... *che ricevere la grazia costituisce un merito (è meritorio) in proporzione all'apertura del cuore a riceverla. Ormai sulla condizione di questo celeste collegio puoi comprendere molte cose senza bisogno d'altro aiuto (aiutorio), se hai ben afferrato le mie parole. Ma poiché in terra nelle vostre scuole si insegna che la natura degli angeli è tale da avere (come quella degli uomini) le tre facoltà di intelletto, memoria e volontà, ti dirò qualcosa di più, in modo che tu veda limpidamente (pura) quella verità che laggiù viene confusa, usando equivocamente le stesse parole in tale insegnamento (lettura).* ◆ *Queste sustanze angeliche, una volta che ebbero il godimento del volto di Dio, non distolsero più lo sguardo ...*

---

70. Ma perché 'n terra...: il discorso sugli angeli sarebbe concluso, avendo Beatrice dato soluzione a tutte le principali questioni che la teologia aveva posto su di essi. Ma gli errori, e la mala fede, degli uomini che *in terra* insegnano questa dottrina portano Beatrice ad aggiungere una coda polemica – come tante volte accade nel *Paradiso* – alla trattazione teorica. C'è soprattutto un punto che viene erroneamente insegnato e che a lei, cioè a Dante, preme definire con chiarezza: si insegna in terra che gli angeli esercitano, come gli uomini, oltre all'intelletto e alla volontà, la facoltà della memoria. Cosa che viene qui vivacemente contestata e dichiarata falsa. Perché Dante attribuisca tanta importanza a questo problema da dedicargli una così ampia parte del canto, facendone l'occasione per l'aspro rimprovero ai maestri di teologia, vanitosi, in mala fede, e ignoranti della Scrittura, è questione rilevante ma in genere non posta. Sul vero significato e sulla portata teologica di un problema per noi oggi quasi incomprensibile (la memoria degli angeli!), e quindi sul senso che la sua soluzione poteva avere per Dante, si veda l'Introduzione al canto.

– **per le vostre scole**: c'è già un velato senso di disprezzo per quelle scuole terrene, limitate all'umano sapere (*'n terra, vostre*), quasi confrontate alla celeste scuola del paradiso, disprezzo che prelude all'appassionata requisitoria che presto si leverà.

71. si legge: si insegna; cfr. X 137 e nota.

72. è tal, che 'ntende...: è dotata delle tre facoltà – intelletto, memoria, volontà – proprie anche dell'anima dell'uomo. Sono queste le tre facoltà riconosciute nell'anima razionale da Agostino e rimaste a fondamento di tutta la teologia cristiana dell'anima. Cfr. *Purg.* XXV 83 e nota.

73. pura: limpida, non velata da errori (come il cielo pulito dal vento di maestrale a XXVIII 79-87).

74-5. che là giù si confonde...: quella verità che *là giù*, cioè nel basso mondo degli uomini (*là giù* riprende l'*in terra* del v. 70), viene confusa, usandosi equivocamente le stesse parole in tale specie di insegnamento (*lettura*). – *equivocare* vale «usare lo stesso termine con

78   da essa, da cui nulla si nasconde:
              però non hanno vedere interciso
         da novo obietto, e però non bisogna
81   rememorar per concetto diviso;
              sì che là giù, non dormendo, si sogna,
         credendo e non credendo dicer vero;
84   ma ne l'uno è più colpa e più vergogna.
              Voi non andate giù per un sentiero
         filosofando: tanto vi trasporta
87   l'amor de l'apparenza e 'l suo pensiero!
              E ancor questo qua sù si comporta
         con men disdegno che quando è posposta
90   la divina Scrittura o quando è torta.

differenti significati» (si cfr. *Questio* 25: «la diversità dei concetti è resa equivoca dall'identità delle parole...»), e qui s'intende dei termini che indicano le tre facoltà umane, impropriamente usati per quelle angeliche. Ma mentre intelletto e volontà, per quanto diversi nel grado di perfezione, sono negli angeli facoltà uguali a quelle degli uomini, lo stesso non può dirsi della memoria, sulla quale appunto verte la precisazione di Beatrice.

76-8. poi che fur gioconde...: una volta che ebbero il godimento diretto del volto stesso di Dio, non distolsero più lo sguardo da quel volto, nel quale tutto è eternamente presente (*nulla si nasconde*: nulla resta celato, sia passato, presente o futuro).

79-80. però non hanno...: e per questo loro guardare direttamente e perennemente in Dio (*però*) il loro vedere non è interrotto (*interciso*) dal sopraggiungere di nuovi oggetti (cioè non c'è successione di tempi nel loro vedere).

80-1. e però non bisogna...: e non hanno quindi bisogno di ricordare, perché non c'è in loro suddivisione temporale di concetti (*diviso* vale «suddiviso nel tempo»). La memoria richiama infatti alla mente concetti accolti precedentemente, presuppone quindi un susseguirsi nel tempo di tali apprendimenti. Se l'angelo vede tutto simultaneamente in Dio, non gli è necessario ricordare ciò che attualmente ha davanti agli occhi.

82. là giù: si noti la ripetizione di quella condizione bassa e limitata nella quale sono le umane *scole*.

– **non dormendo, si sogna**: in quelle vostre scuole i maestri, pur non dormendo, cioè ben consapevoli, parlano come sognando, quasi vaneggiando, senza fondamento nel vero.

83-4. credendo e non credendo...: gli uni in buona fede, credendo in coscienza di dire il vero; gli altri in mala fede, cioè consci di dire cosa falsa (ma desiderosi di apparire originali). E certo in questi ultimi maggiore è la colpa, e maggiore quindi la vergogna (s'intende, non quella che essi provano, ma quella che su loro ricade).

85-7. per un sentiero...: per un solo sentiero, seguendo cioè un solo orientamento (come sarebbe giusto che faceste, perché una sola è la verità). Ma a cercare nuove dottrine, diverse da quella vera, vi trascinano il desiderio e lo sforzo (l'*amor* e il *pensiero*) di apparire originali e brillanti.

88-90. E ancor questo...: e tale debolezza di vanità ancora si sopporta, si tollera in cielo, con minor sdegno di quando la Scrittura è posposta alle dottrine dei filosofi o portata a diverso significato (*torta*, quasi forzatamente deviata dal suo vero senso). – *posposta* allude a quei maestri che, trascurando il Vangelo, citano sempre Aristotele, Averroè e altri filosofi, per apparire bravi e sapienti. – *torta* si riferisce al distorcimento della Scrittura fatto consapevolmente per portarla a dire cose contrarie alla vera fede.

... da esso, al quale nulla resta celato: per questo il loro vedere non è interrotto (interciso) dal sopraggiungere di nuovi oggetti, e non hanno quindi bisogno di ricordare a causa della suddivisione (nel tempo) dei vari concetti; cosicché laggiù in terra si sogna a occhi aperti, alcuni credendo in coscienza di dire il vero, altri no; ma in questi ultimi maggiore è la colpa, e maggiore quindi la vergogna (che su loro ricade). ◆ *Voi non procedete per un solo sentiero, nel vostro filosofare; tanto fortemente vi trasporta il desiderio e la preoccupazione di apparire originali (apparenza)! E questo atteggiamento quassù in cielo ancora si sopporta con minor sdegno di quando la Sacra Scrittura è posposta (alle dottrine dei filosofi) o distorta.*

Non vi si pensa quanto sangue costa
seminarla nel mondo e quanto piace
93   chi umilmente con essa s'accosta.
Per apparer ciascun s'ingegna e face
sue invenzioni; e quelle son trascorse
96   da' predicanti e 'l Vangelio si tace.
Un dice che la luna si ritorse
ne la passion di Cristo e s'interpuose,
99   per che 'l lume del sol giù non si porse;
e mente, ché la luce si nascose
da sé: però a li Spani e a l'Indi
102   come a' Giudei tale eclissi rispuose.
Non ha Fiorenza tanti Lapi e Bindi

91-2. Non vi si pensa...: non si pensa là in terra (*vi*) quanto sangue di martiri sia costato spargere nel mondo il seme del Vangelo... Il ricordo del sangue sparso per la Chiesa di Cristo, ora così offeso dai cristiani degeneri, è tema che torna dal discorso di Pietro nel canto XXVII (vv. 40-5).

92-3. e quanto piace...: s'intende a Dio, chi con umiltà (senza cioè pretendere di interpretarla a suo modo, o di trascurarla per seguire l'umana filosofia) si tiene stretto, vicino (*s'accosta*) alle sue parole. Il terzo verso disegna l'atteggiamento a Dio più caro, dell'uomo che non si insuperbisce del proprio ingegno, ma si tiene con umiltà alla parola rivelata.

94-6. Per apparer...: per amore dell'apparenza ognuno cerca di trovare delle nuove, tutte personali interpretazioni del sacro testo. E, quel che è peggio, tali fantasie sono poi ripetute per filo e per segno dai predicatori (al popolo, che meno può difendersi per la sua ignoranza) e non si insegna più il Vangelo.

– **trascorse**: *trascorrere*, detto di una serie di concetti, vale «percorrere» (con lo scritto o con le parole: cfr. *Conv.* III, XII 1). La terzina insiste ancora sull'*apparenza* e sulle *invenzioni* del tutto gratuite che ognuno, personalmente (*sue*), sostituisce alla parola divina.

97-9. Un dice...: uno, per esempio, va dicendo...;

quell'*Un dice* rileva con disprezzo la piccolezza e fatuità dell'uomo che si sovrappone alla parola di Dio.

– **la luna si ritorse...**: ci si riferisce qui al passo del Vangelo dove è detto che alla morte di Cristo il sole si oscurò e si fece buio «per tutta la terra» (*Matth.* 27, 45; *Marc.* 15, 33; *Luc.* 23, 44). Alcuni lo spiegavano in un modo pseudo-scientifico, dicendo cioè che la luna si era «interposta» tra la terra e il sole (come accade appunto nelle eclissi solari), tornando indietro dalla posizione che occupava in quel momento (*si ritorse*); tale retrocessione, data la situazione astronomica del tempo pasquale ebraico, nel quale la luna è in opposizione al sole, doveva essere di ben sei costellazioni. Era questa l'opinione di Dionigi pseudo-Areopagita, seguita da molti teologi, tra cui anche Tommaso (*S.T.* III, q. 44 a. 2), mentre Girolamo affermava – come qui Dante – che il sole aveva ritratto spontaneamente i suoi raggi («per non vedere il suo Signore in croce, e per non dare la sua luce a coloro che lo bestemmiavano»: *Commento al Vangelo di Matteo* IV). Si trattò cioè di un miracolo per così dire assoluto, e non mediato.

100-2. e mente...: e questa è una falsità, perché ciò avvenne per puro miracolo (il sole si oscurò *da sé*, senza bisogno che alcun corpo lo coprisse, come sarebbe necessario in natura), e lo dimostra chiaramente il fatto che tale eclissi fu vista non solo in Palestina (*a' Giudei*), ma in ogni parte del mondo, come dichiara il testo evangelico (*Spani* e *Indi* indicano l'estremo Occidente e l'estremo Oriente, rispetto a Gerusalemme posta, come si sa, al centro della terra abitata). Ora nessuna interposizione lunare può produrre una eclissi su tutta la terra, e dunque non poté trattarsi di un oscuramento miracoloso del sole stesso. Il verbo *mente*, che è parso ad alcuni irriverente riferito all'opinione che era anche di Tommaso, significa semplicemente «dice cosa che non risponde al vero», come appare dal passo della storia biblica di Pietro Comestore (cfr. XII 134 e nota) che Dante probabilmente qui riecheggia: «E non si trattò di un'eclisse di sole, come alcuni hanno sostenuto mentendo» (*Historia scholastica*, in PL 198, col. 1631).

Là in terra (vi) non si pensa quanto sangue (di martiri) sia costato spargere nel mondo il seme di quei sacri testi, e quanto è gradito (a Dio) chi con umiltà si tiene stretto (s'accosta) alle loro parole. ♦ *Per amore dell'apparenza ognuno s'industria di trovare personali interpretazioni; e queste sono poi ripetute dai predicatori, mentre non si parla del Vangelo. Uno dice che durante la passione di Cristo la luna era tornata indietro (si ritorse) e si era interposta (tra il sole e il globo terrestre), in modo che la luce del sole non giungeva giù sulla terra; e dice cosa falsa, perché la luce venne meno da sé (cioè per miracolo): giacché tale eclisse si rese visibile (rispuose) alla Spagna e all'India così come alla Giudea.* ♦ *Non ci sono tanti Lapi e Bindi a Firenze ...*

quante sì fatte favole per anno

105   in pergamo si gridan quinci e quindi:

sì che le pecorelle, che non sanno,

tornan del pasco pasciute di vento,

108   e non le scusa non veder lo danno.

Non disse Cristo al suo primo convento:

'Andate, e predicate al mondo ciance';

111   ma diede lor verace fondamento;

e quel tanto sonò ne le sue guance,

sì ch'a pugnar per accender la fede

114   de l'Evangelio fero scudo e lance.

Ora si va con motti e con iscede

a predicare, e pur che ben si rida,

103-5. tanti Lapi e Bindi...: Lapo e Bindo erano due dei nomi più comuni nella Firenze di allora (il primo abbreviazione di Jacopo, il secondo di Ildebrando): non ci sono tanti Lapi e Bindi a Firenze quante sono le storielle di questo genere che in un anno (*per anno*) vengono predicate dai pulpiti da ogni parte (*quinci e quindi*) per le terre cristiane.

106. le pecorelle...: i fedeli semplici e ignoranti (*pecorelle* indica il gregge dei fedeli, pronto a seguire ciecamente il pastore, senza una propria autonomia di giudizio).

107. tornan del pasco...: tornano dalla predicazione, che dovrebbe essere il loro nutrimento (*pascolo*), pasciute soltanto di discorsi vani, che gonfiano la mente senza nutrire.

108. e non le scusa...: e il fatto di non rendersi conto del danno che ricevono non basta a scusarle; il cristiano infatti, anche il più modesto e ignorante, ma allevato nella fede, dovrebbe essere sempre in grado di riconoscere la falsità di quanto viene affermato contro ciò che insegna il Vangelo.

109. Non disse Cristo...: il discorso polemico cresce e si sviluppa, appellandosi, come altre volte, all'autorità di Cristo stesso (cfr. *Inf.* XIX 90-3). Si ricorda qui il momento in cui Gesù affidò agli apostoli il compito di predicare al mondo il Vangelo.

– al suo primo convento: alla sua prima comunità, cioè al collegio degli apostoli.

110. Andate, e predicate...: il verso riprende le parole stesse di Cristo: «*andando* per tutto il mondo, *predicate* il vangelo a tutte le creature» (*Marc.* 16, 15). Non dunque *ciance*, cioè chiacchiere vuote, ma il Vangelo, quello che ora invece *si tace* (v. 96).

111. verace fondamento: solido e vero fondamento alla loro predicazione: cioè il Vangelo stesso da lui annunciato.

112. e quel tanto...: e soltanto quel fondamento dato da Cristo (cioè la dottrina evangelica) risuonò sulle loro bocche (*sue* è riferito al *primo convento* del v. 109).

113-4. sì ch'a pugnar...: così che si armarono solo del Vangelo (*scudo* e *lance* indicano le due armi essenziali, di difesa e di offesa) nel combattimento intrapreso per accendere nel mondo il fuoco della fede (si veda *Eph.* 6, 16-7, dove Paolo esorta i discepoli di Cristo a combattere contro il mondo con le armi dello spirito: «prendendo lo scudo della fede... e la spada dello Spirito, che è la parola di Dio»). I due versi, con le forti metafore del combattimento e del fuoco acceso, presentano l'azione degli apostoli nel mondo come una dura conquista e quasi il propagarsi di un incendio. Solo quelle armi divine essi impugnavano, e non quelle delle vane elucubrazioni degli uomini.

115. Ora: il contrasto di questo avverbio con l'eroico tempo apostolico non potrebbe essere più stridente.

– con motti e con iscede: con battute di spirito e buffonate (che hanno sostituito le armi evangeliche degli apostoli). – *sceda* valeva «spiritosaggine», «facezia»; cfr. *Rime* LXXXIII 50 e Boccaccio, che sembra ripetere questo luogo dantesco: «le prediche fatte dai frati... piene di motti e di ciance e di scede» (*Dec. Conclus.* 23).

116-7. e pur che ben si rida...: e purché il pubblico abbia di che ridere (*si rida* è forma passiva) il cappuccio del predicatore (s'intende il cappuccio proprio dell'abito dei frati) sembra gonfiarsi per vanità, e nien-

---

... quante sono le favole di questo genere che in un anno (per anno) vengono predicate dai pulpiti da ogni parte (quinci e quindi): così che le pecorelle (cioè il gregge dei fedeli), che sono ignoranti, tornano dal pascolo pasciute soltanto d'aria, e il fatto di non rendersi conto del danno che ricevono non basta a scusarle. Cristo non disse alla sua prima comunità (degli apostoli): "Andate, e predicate al mondo vuote chiacchiere"; ma diede loro un fondamento veritiero; e soltanto quel fondamento risuonò sulle loro bocche (guance), così che nel combattimento per accendere il fuoco della fede si armarono per scudo e lancia solo del Vangelo. ◆ Ora invece si va a predicare con battute di spirito e buffonate (iscede), e purché il pubblico abbia di che ridere ...

117 gonfia il cappuccio e più non si richiede.
     Ma tale uccel nel becchetto s'annida,
     che se 'l vulgo il vedesse, vederebbe
120 la perdonanza di ch'el si confida:
     per cui tanta stoltezza in terra crebbe,
     che, sanza prova d'alcun testimonio,
123 ad ogne promession si correrebbe.
     Di questo ingrassa il porco sant'Antonio,
     e altri assai che sono ancor più porci,
126 pagando di moneta sanza conio.

te altro (nessun altro vantaggio) si richiede all'atto del predicare. Solo cioè il divertimento del pubblico e la soddisfazione della vanità del predicatore sono ora lo scopo della predicazione. – *gonfia* è forma assoluta (cfr. *raffina* a *Purg.* VIII 120 e nota).

118-20. **Ma tale uccel...**: ma nel fondo appuntito del cappuccio (il *becchetto*, lunga striscia che arrivava fino a toccare terra e poi risaliva e si avvolgeva intorno al collo) si nasconde un uccello tale (il diavolo) che, se il popolo potesse scorgerlo, capirebbe di che genere sono le indulgenze promesse nelle quali confida. Le due terzine hanno una fortissima efficacia rappresentativa con l'immagine di quel frate gonfio di vanità, in fondo al cui cappuccio sta annidato il diavolo stesso, pronto a ghermirlo.

– **uccel**: il diavolo è detto uccello perché ha le ali, a lui rimaste dalla sua natura di angelo (cfr. *Inf.* XXII 96 e XXXIV 46-7). Così l'angelo è a sua volta detto *uccel divino* (*Purg.* II 38).

120. **la perdonanza**: s'intende delle indulgenze (cfr. *Purg.* XIII 62) promesse dai predicatori (con leggerezza e senza alcun fondamento) per far accorrere il popolo e avere un uditorio che soddisfacesse la loro vanità e facesse larghe offerte in denaro.

– **di ch'el...**: «confidare di qualcosa» è costrutto latino usato anche a *Purg.* XIV 129.

121-3. **per cui...**: per questo gran confidare nelle indulgenze è tanto cresciuta la stoltezza degli uomini che accorrerebbero in folla ad ogni promessa di predicatore, senza la garanzia di nessuna autorevole testimonianza (*testimonio*) di validità (cioè senza che vi sia alcun documento che testimoni la concessione di tali indulgenze da parte dell'autorità ecclesiastica).

124-6. **Di questo...**: di questa stoltezza popolare i monaci di sant'Antonio ingrassano i porci dei loro conventi, e numerosi altri che sono anche più porci delle bestie stesse, ripagando le offerte degli stolti con moneta non coniata, cioè senza valore (come sono le indulgenze che non hanno avallo ecclesiastico). – *conio* è lo stampo impresso sulla moneta che le dà corso legale: cfr. XXIV 87, o *Inf.* XXX 115.

– **il porco**: sant'Antonio abate (sec. III-IV), uno dei padri del monachesimo, era raffigurato con un porco ai piedi, simbolo del diavolo tentatore da lui più volte sconfitto; per questo era – ed è tuttora – considerato il protettore degli animali domestici. I monaci chiamati «antoniani» (ordine ospedaliero agostiniano, intitolato a S. Antonio) solevano allevare porci nei loro conventi, che poi giravano indisturbati per le case, rispettati e nutriti dal popolo. Molti commentatori prendono l'espressione *il porco sant'Antonio* come soggetto della frase (intendendo sottinteso un *di*, nesso sintattico comune in antico con i nomi propri), e danno quindi a *ingrassa* valore pronominale: «di questo s'ingrassa il porco di sant'Antonio ecc.». Ma la riteniamo interpretazione errata, sia perché rende poco chiaro il secondo verso (se il primo allude agli antoniani, chi sono gli *altri assai*? e se invece gli antoniani sono indicati nel secondo verso, perché *assai*?), sia soprattutto perché, se il soggetto è il *porco*, non può giustificarsi in alcun modo il *pagando* del terzo verso.

125. **e altri assai...**: Dante intende qui dire che con le offerte dei fedeli ottenute con le loro false promesse gli Antoniani provvedevano non solo a nutrire i loro animali, ma anche le persone da loro mantenute, quali concubine e figli naturali (si veda un'allusione simile a XXII 84). Con questa cruda, pesante immagine, Beatrice chiude il suo discorso ammonitore. Molti vedono con stupore e disapprovazione un simile linguaggio sulla bocca della celeste guida. Ma è questo il linguaggio proprio del discorso profetico biblico, che appartiene allo stile comico e che Dante sempre usa, per tutto il poema, per tali sequenze. Così parla san Pietro (si ricordino la *cloaca* e la *puzza* di XXVII 25-6), così Pier Damiano (XXI 133-5). Tale varietà di stile – dalla immateriale visione angelica ai porci ingrassa-

---

... il cappuccio (del predicatore) si gonfia (di boria), e niente altro si richiede. Ma nel fondo appuntito del cappuccio (becchetto) si nasconde un uccello tale (il diavolo) che, se il popolo lo vedesse, capirebbe di che genere sono le indulgenze promesse (perdonanza) nelle quali confida: per questo è tanto cresciuta la stoltezza degli uomini, che accorrerebbero ad ogni promessa (di predicatore), senza la garanzia di nessuna autorevole testimonianza (testimonio). ◆ Di questa situazione i monaci di sant'Antonio ingrassano i loro porci, e numerosi altri che sono anche più porci (delle bestie stesse), ripagando (le offerte degli stolti) con moneta senza valore.

Ma perché siam digressi assai, ritorci
li occhi oramai verso la dritta strada,
129　sì che la via col tempo si raccorci.
Questa natura sì oltre s'ingrada
in numero, che mai non fu loquela
132　né concetto mortal che tanto vada;
e se tu guardi quel che si revela
per Daniël, vedrai che 'n sue migliaia
135　determinato numero si cela.
La prima luce, che tutta la raia,

ti – riflette la distanza massima fra la vita divina e la miseria degli uomini corrotti.

127. siam digressi: ci siamo allontanati dal nostro primo argomento; questa forma è il perfetto del verbo latino «digredior», da cui deriva *digressione*, vocabolo usato da Dante a *Purg.* VI 128. Tutta la terminologia filosofica e dotta in genere è necessariamente travasata dal latino nel volgare (non potendo avere uno sviluppo a livello popolare); e tale operazione è stata fatta per la nostra lingua quasi interamente da Dante, prima nel *Convivio* e poi nella *Commedia*.

– **ritorci...**: rivolgi indietro (tornando all'argomento di prima) gli occhi della mente.

128. la dritta strada: è quella da cui si è compiuta la «digressione» (si cfr. *Conv.* IV, VII 1: «è da ritornare al diritto calle dello inteso processo»); la metafora è implicita nel verbo *digredire*, che significa appunto «deviare dal cammino». Tornare a contemplare il mistero angelico è di fatto per Dante tornare alla vera direzione del suo viaggio che tende, attraverso gli spettacoli che gli appaiono di cielo in cielo, a giungere alla visione di Dio.

129. sì che la via...: espressione sintetica: torniamo all'argomento principale in modo che la strada che resta da percorrere sia abbreviata (trattando cioè in forma rapida l'ultimo concetto da esporre), come si è abbreviato (per la digressione) il tempo concesso per la sosta in questo cielo.

130-2. Questa natura...: la natura degli angeli (qui *natura* indica la specie, come a VIII 127) s'innalza ampliandosi tanto, numericamente (*sì oltre s'ingrada*: quasi salendo, di gradino in gradino, l'infinita scala dei numeri), che non vi fu mai possibilità né per la parola, né per la mente dell'uomo di arrivare a tanto (cioè non solo l'uomo non arriva a esprimere in parole, ma neppure a pensare un simile numero).

– **s'ingrada**: il verbo, denominale da *grado*, è coniato da Dante sul modello di *digradarsi*; come questo indica lo scendere di gradino in gradino (di solito da uno più ampio a uno meno ampio: così si scende nell'imbuto infernale – *Inf.* VI 114 – o nell'anfiteatro formato dalla rosa dei beati – XXXII 13-5 – mentre l'abete *in alto si digrada*, cioè restringe i suoi rami, quasi in scala, verso l'alto, con uso inconsueto del verbo, che infatti è sottolineato: *Purg.* XXII 133), così il verbo dan-

tesco indica l'innalzarsi salendo da un gradino all'altro, da immaginare inversamente sempre più ampi; il numero degli angeli appare così dilatarsi indefinitamente.

131. in numero: il problema che affronta ora Beatrice, quello del numero degli angeli, nasceva dalla contraddizione tra quanto affermato più volte nella Bibbia sulla sua immensità, e l'opinione di Aristotele che lo faceva pari a quello dei cieli, a ognuno dei quali era assegnata una intelligenza motrice. Dante già vi si era soffermato nel *Convivio* (II, IV-V) dimostrando prima per via di ragione, e poi affermandola sull'autorità della Scrittura, la «quasi innumerevole» quantità delle creature angeliche. Qui nel *Paradiso* viene data l'opinione ormai consolidata nella dottrina cristiana, da Dionigi pseudo-Areopagita a Tommaso (cfr. XXVIII 93 e nota).

133-5. e se tu guardi...: e se consideri la rivelazione fatta dal profeta Daniele a questo proposito, ti renderai conto che nelle migliaia di cui lui parla (si veda la citazione in nota a XXVIII 93) resta nascosto, non è identificabile un numero determinato. Tale numero non è dunque indeterminato, cioè infinito, bensì *determinato*, ma inconcepibile alla mente umana. (Sarebbe infatti assurdo che il numero degli angeli fosse infinito, in quanto tutto il creato è per definizione finito.) Nel «milia milium» del testo profetico è espresso simbolicamente (*si cela*) quel numero non formulabile nelle cifre umane.

136-8. La prima luce...: la primigenia luce divina, che si riversa ugualmente su tutta la specie angelica (così Dio è detto la *verace luce* a III 32, o *etterna lu-*

Ma dato che ci siamo molto allontanati (parlando) dal nostro tema, rivolgi gli occhi della mente nella giusta direzione (cioè verso l'argomento principale), in modo che la strada sia abbreviata come si è abbreviato il tempo che ci è concesso. ◆ Questa natura angelica s'innalza ampliandosi tanto, numericamente, che non vi fu mai parola, né pensiero umano che arrivasse a tale grandezza; e se consideri la rivelazione del profeta Daniele, vedrai che nelle migliaia di cui lui parla si nasconde (sotto forma simbolica) un numero determinato non concepibile all'uomo. ◆ La primigenia luce divina, che irraggia tutta la specie angelica, ...

per tanti modi in essa si recepe,
138 quanti son li splendori a chi s'appaia.
Onde, però che a l'atto che concepe
segue l'affetto, d'amar la dolcezza
141 diversamente in essa ferve e tepe.
Vedi l'eccelso omai e la larghezza
de l'etterno valor, poscia che tanti
speculi fatti s'ha in che si spezza,
145 uno manendo in sé come davanti».

ce a V 8, secondo la convenienza del contesto), è ricevuta in tanti diversi *modi* (cioè in misura diversa) quanti sono i singoli angeli ai quali essa si congiunge. Riappare in chiusura il pensiero dominante del poeta in tutta questa trattazione: il valore dell'individuo, cioè della persona, che ha il suo specifico modo – e quindi merito – nel ricevere la luce divina. – *tanti modi*, quindi innumerevoli, come or ora ha detto, come innumerevoli sono gli angeli.

139-41. **Onde, però...**: la ripresa è forte, nel ritmo e nell'accento. Si giunge infatti al punto essenziale: dunque (*Onde*), se la luce è ricevuta (*si recepe*), cioè è concepita dalla mente degli angeli, in un modo diverso per ognuno di loro, poiché (come si è detto a XXVIII 109-11) all'*atto che vede* segue l'*atto che ama*, il secondo in stretta proporzione al primo, essi proveranno in modo ugualmente diverso la dolcezza dell'amore, ardente o tiepido secondo la loro attitudine o disposizione a ricevere la luce divina. Quelle innumerevoli creature intelligenti e capaci di amare che l'*etterno amore* ha come proiettato fuori di sé perché il suo stesso essere prendesse vita autonoma in loro, come è detto all'inizio del canto (vv. 13-8), ecco che alla fine appaiono nella loro molteplice e per ognuna diversa attività di amore, piena d'infinita dolcezza. Se l'atto dell'intendere lo precede e lo fonda, non c'è dub-

bio che quello di amare prende il maggiore spazio e il maggior rilievo in questa raffigurazione, dove *d'amar la dolcezza*, in chiusa di verso, è la punta terminale di quella angelica beatitudine.

142-5. **Vedi l'eccelso omai...**: l'andamento trionfale e conclusivo della quartina che termina il lungo discorso (*omai*: dopo così lunga spiegazione) sottolinea l'idea centrale espressa all'inizio, quello che soprattutto preme far comprendere al pellegrino giunto dalla terra: *l'eccelso* e *la larghezza*, cioè insieme la suprema grandezza e la suprema generosità nel donarsi, quasi l'una relativa all'altra, proprie di Dio. Esse ben si rivelano (*Vedi... omai*) nel fatto che egli abbia creato un così immenso numero di esseri che lo rispecchiano, nei quali si moltiplica la sua stessa vita (e qui è la sua *larghezza*), pur rimanendo uno nel proprio immutabile essere (*in sé*), come era prima (e qui è la sua *eccellenza*). L'idea espressa in questi ultimi versi ripete, come facendosene eco, le immagini e le parole stesse già usate nel passo sulla creazione del canto XIII ai vv. 58-60; e si veda anche II 136-8. Questi ritorni, quasi avvicinamenti concentrici, propri della terza cantica, sono anch'essi una forma di linguaggio poetico: essi esprimono quella perenne identità divina che la mente finita dell'uomo soltanto per molteplici approssimazioni riesce, sempre parzialmente, a percepire.

■

... è ricevuta in tanti diversi modi quanti sono i singoli angeli (splendori) ai quali essa si congiunge. Dunque (Onde), poiché all'atto del vedere intellettuale (l'atto che concepe) segue l'atto dell'amare (affetto), la dolcezza dell'amore sarà in loro ardente o tiepida in modo diverso. Tu vedi ormai la suprema grandezza e generosità dell'eterno valore (Dio), dato che ha creato tanti specchi nei quali si moltiplica, pur rimanendo uno nel proprio immutabile essere (in sé), come era prima».

NOTE AL TESTO

v. 4. **i 'nlibra**: il testo del Petrocchi, come tutte le edizioni precedenti fino a quella del '21, legge *inlibra*. Solo il Vandelli, nel commento dello Scartazzini da lui rivisto nel 1937, corresse la sua lezione precedente nella forma da noi accolta. Ora *inlibrare*, verbo sicuramente transitivo («equilibrare», «bilanciare»), non può avere nel contesto altro oggetto che i due *figli di Latona* (v. 1), come tutti hanno sempre inteso (che l'oggetto sia il *cenìt*, lo zenit, o il *punto*, e l'altro dei due il soggetto, come ipotizza il Petrocchi, non dà alcun senso logico alla frase). Ma l'oggetto richiede di essere indicato in forma esplicita, e non si vede la ragione per cui non si debba farlo, dati i numerosi esempi dell'uso di *i* pronome plurale accusativo presenti nel poema, buona parte dei quali inoltre si trovano, come qui, in proposizione relativa (cfr. XII 26; *Inf.* V 78; VII 53; XVIII 18 ecc.). Riteniamo quindi giusto ripristinare la lezione Vandelli del '37.

SUGGERIMENTI PER LA RICERCA

Temi del canto

«poco meno degli angeli» (Ps. 8, 5-6)

Riassumi schematicamente gli argomenti affrontati nella prima parte del discorso di Beatrice, cioè la creazione degli angeli, la caduta di alcuni, le loro facoltà; quindi rifletti sulla vicinanza che il poeta stabilisce tra angeli e uomo, partendo dalla lettura di *Convivio* II, VII 6 e IV, XIX 7 e aiutandoti con l'Introduzione al canto. Per chiarire i passaggi e conoscere le fonti teologiche di questa «lezione sugli angeli» puoi consultare il saggio di A. Mellone oppure quello di G. Petrocchi, indicati tra le *Letture consigliate*.

L'ultima ammonizione

Individua nel testo le accuse rivolte da Beatrice ai falsi predicatori; quindi confronta questo discorso ammonitore, ultimo della cantica, con i precedenti (ad esempio XXI 127-135 e XXVII 40-66) rilevando le analogie e di contenuto e di linguaggio. Come approfondimenti, leggi il saggio critico di G. Getto, citato tra le *Letture consigliate*.

Personaggi del canto

Lucifero

Riprendi la descrizione di Lucifero in *Inf.* XXXIV 121 segg., poi gli altri passi della *Commedia* in cui è ricordato (*Inf.* XXXIV 18 e 28; *Purg.* XII 25-27; *Par.* XIX 46-48; XXVII 26-27); quindi traccia un profilo del capo degli angeli ribelli come appare nella rappresentazione dantesca. Approfondisci l'argomento consultando la voce *Lucifero*, in *Enciclopedia Dantesca* III, pp. 718-722, a cura di A. Gotti.

Gli Antoniani

Fai una breve ricerca sui monaci Antoniani consultando la voce relativa nel *Dizionario Enciclopedico del Medioevo* I, pp. 105-106, a cura di A. Mischlewski. Su sant'Antonio abate e il suo ordine puoi consultare l'*Enciclopedia italiana Treccani*, vol. III, pp. 563-4.

Lingua e stile

Le parole di Beatrice – vv. 9-24 e 103-126

Analizza, tenendo presente la parafrasi e le note di commento, l'inizio del discorso di Beatrice riguardo alla creazione delle intelligenze separate (vv. 9-24), rilevandone i latinismi, le parole ricercate e le figure retoriche che caratterizzano lo stile alto dell'argomentazione. Confronta quindi questo passo con il tipo di immagini, di lessico e di termini in rima che individuerai nella parte conclusiva del canto (vv. 103-126), al momento del rimprovero e della polemica contro il malcostume dei predicatori.

approfondimenti

CANTO XXX

Introduzione

Q uesto canto ci introduce nell'ultimo luogo del viaggio dantesco, quel cielo divino che non è simile a nessun altro luogo finora visitato. E come l'oggetto, anche la forma poetica che lo descrive si differenzia da tutto ciò che precede. Il cambiamento è segnato all'inizio da una grande similitudine: come spariscono le stelle nel cielo mattutino, così sparisce allo sguardo di Dante ogni forma visibile, ed egli si trova nel vuoto. Il suo occhio è posto nella condizione di *nulla vedere*, cosa che appare straordinaria in questo racconto di *cose vedute* (si veda XXXI 82). Ma tale improvviso venir meno della realtà visibile è chiaro preannuncio del sopraggiungere di una diversa realtà, della nuova dimensione cioè nella quale sta entrando il poema. Al momento in cui Dante e Beatrice arrivano nell'Empireo, essi sono usciti – come qui è detto – dallo spazio, e quindi dal tempo (vv. 38-9). Sparito allo sguardo, in quei primi versi, il cielo umano, ci troviamo in un cielo che non è più fisico, un cielo di *pura luce*, che è anch'essa una luce incorporea, a noi ignota: una *luce intellettüal*.

È la prima volta, nella storia della poesia umana, che si entra in un simile cielo. Questo non è più il cielo di Cicerone, dove dall'alto delle sfere ruotanti Scipione indica la remota terra. E neppure quello del poema allegorico del medievale Marziano Capella, dove giunge stupita la Filologia. A quell'ordine appartenevano ancora i cieli appena lasciati, i cieli del sistema tolemaico. Questo luogo creato da Dante è qualcosa di diverso, mai cantato in poesia, immisurabile e quindi indescrivibile. Di qui nasce la singolarità di questo canto rispetto a tutti gli altri. Esso apre l'ultima parte del *Paradiso*, il blocco dei quattro canti dedicati all'Empireo, che segnano il vertice dell'invenzione poetica di tutta la cantica, e di tutto il poema.

E la loro estrema novità è tutta instaurata, nelle sue soluzioni figurative e stilistiche, in questo canto XXX, che ha quindi una freschezza d'invenzione, un continuo aprirsi di meraviglia, che nessun altro può vantare.

In questo canto di arrivo e di sorprese, non c'è più un punto di riferimento per lo sguardo, in quanto manca lo stesso spazio: vicinanza e lontananza non hanno più alcun valore (*Presso e lontano, lì, né pon né leva...*); sono ormai spariti i fidati cieli tolemaici, su cui posare il piede e a cui commisurare il racconto. Ma siamo anche fuori da ogni riferimento al tempo; siamo oltre la storia. A differenza di tutta la sostanziale storicità che caratterizza la *Commedia*, qui splende un'altra luce, quella dell'ultimo giorno (*l'ultima giustizia*), quella arcana luce che, riflettendosi sulla sommità del cielo Cristallino (vv. 106-107), gli dà vita e movimento, ma è di un'altra natura, e accoglie dentro di sé l'eterna vita dei beati in Dio.

Il canto si struttura in modo semplice, sull'arco di pochi eventi. Tre sono i tempi nei quali si svolge lo straordinario arrivo: la similitudine celeste iniziale, che con lo sparire delle stelle all'alba rappresenta lo sparire allo sguardo di tutto il visibile; l'ineffabile bellezza in cui appare Beatrice, che la poesia di Dante abbandona qui in modo definitivo; l'ingresso nell'Empireo, dove si dispiega una duplice visione, prima simbolica, poi reale. I primi due tempi segnano un distacco, si svolgono al negativo (il non poter più vedere e il non poter più descrivere); il terzo è il vero e solo avvenimento, dove il vedere avrà la sua suprema rivalsa. Qui troveremo il verbo «vedere» (*vidi*) triplicato in rima – come accade solo per il nome di Cristo nel poema –, qui la vista diventa una *novella vista*, qui i termini stessi riferiti al vedere – verbo e sostantivi – si susseguono fittamente per tutto il testo. Questa è infatti la vera e unica visione, a cui ci si andava preparando attraverso le altre innumerevoli del viaggio.

Quella grande immagine celeste che con grande forza di suggestione apre il canto è anche l'ultima similitudine che suggerisce, come le altre del *Paradiso*, l'analogia tra il mondo terreno e quello divino. D'ora in avanti quello che in tal modo si figurava si vedrà direttamente.

Nella sua solenne e misteriosa ampiezza non va dunque cercata tanto la grandiosità del paesaggio cosmico – come fa per esempio un noto critico, il Momigliano – quanto lo specifico significato di distacco dal mondo, e di conseguente solitudine (questo dicono quelle stelle sparenti ad una ad una); essa ha cioè la stessa funzione che è riconoscibile nell'altro attacco simile, quello del canto XXIII, dove non l'immenso cielo, come qui, ma un piccolo uccello è preso a paragone dell'evento interiore, evento che crea l'intensa bellezza dell'una e dell'altra immagine.

L'allontanarsi del visibile è graduale, come è di tutti i fenomeni celesti del poema (ricordiamo il passo speculare a questo del sorgere delle stelle nella *prima sera* nel canto XIV). La lentezza del giro ritmico e sintattico suggerisce tale lento sparire, come le espressioni usate (*comincia – alcuna stella – di vista in vista – a poco a poco*). È come è lento questo sparire, così improvviso e violento sarà l'apparire, per il quale sarà chiamato a paragone l'unico evento naturale che sia improvviso e non graduale, il lampo (*Come sùbito lampo... così mi circunfuse luce viva*).

Una volta concluso il movimento di questo prologo celeste, resta nell'orizzonte di Dante soltanto Beatrice; e questa volta – a indicare il mutamento radicale che sta avvenendo – anche Beatrice, come tutto il visibile, viene meno a Dante, cioè alla sua poesia.

Il secondo tempo del canto segna dunque un altro e più decisivo distacco: lasciando il Cristallino, l'ultima *riva* del tempo, Dante lascia anche Beatrice, cioè la lascia (anche se essa rimane di fatto sulla scena) in quanto cessa di descriverla nel verso (*poetando*): *ma or convien che mio seguir desista / più dietro a sua bellezza, poetando, / come a l'ultimo suo ciascuno artista.*

Questa confessione del poeta, che nella gioia del celeste arrivo pur racchiude un umano rammarico, esprime una profonda realtà: all'entrare nell'Empireo, la bellezza di lei lo oltrepassa e gli sfugge, *si trasmoda*, egli dice, di là dalle sue forze. La misura umana, a cui sola può corrispondere il linguaggio, è qui superata. È finito il tempo della *loda* (cioè del canto della bellezza eterna che traspare in una bellezza terrena) aperto al capitolo XVIII della *Vita Nuova*. Ma quel tempo – il tempo della poesia – coincide con la vita dell'autore: *Dal primo giorno c'h'i vidi il suo viso / in questa vita...* Il limite dell'umano si configura per Dante nel limite di ciò che è dicibile in versi: oltrepassando questo limite, egli oltrepassa la dimensione umana. È questa anch'essa una figura, l'ultima a sparire, un preannuncio della fine del poema.

Se si legge a confronto il passo parallelo a questo del canto XXIII (vv. 55-69), ci si accorge che ciò che differenzia questo secondo brano è l'uso eminente della prima persona: il *mio seguir, vinto mi concedo*, la *mente mia da me mede-smo scema...*

L'assumere su di sé, su di sé poeta, questo momento del racconto, culmina nel ricordo autobiografico, che è anche il culmine poetico del testo (*Dal primo giorno ch'i' vidi il suo viso...*). E nello stesso momento in cui la personale vicenda dell'autore irrompe nel testo, essa viene distanziata, con risoluto distacco: *Cotal qual io la lascio a maggior bando...*

Si entra così nel nuovo mondo; che Beatrice stessa definisce con una grande terzina circolare esprimente nel suo giro ritmico e sintattico la perfezione e l'eternità (vv. 40-2), e nella quale si accendono i tre termini (*luce intellettüal, amore, letizia*) su cui Dante ha costruito il suo Empireo. Un Empireo nuovo e inedito, che invano si cercherebbe fuori di questa pagina: *luce intellettüal, piena d'amore; / amor di vero ben, pien di letizia; / letizia che trascende ogne dolzore.*

Comincia con questi versi il terzo tempo del canto, dove le invenzioni si susseguono senza sosta, in una continua fioritura di immagini: il lampo accecante, il fiume di luce tra i fiori, il lattante che cerca il seno materno, infine l'incredibile rosa formata dai corpi risorti. Sembra che un'immagine si accenda dall'altra e la consumi, come sorgono le faville angeliche dal fiume che qui scorre.

L'idea dell'Empireo, che dai neoplatonici arrivò agli scolastici, è infine una grande metafora che risolve l'insolubile problema della saldatura tra mondo sensibile e mondo intelligibile, rispondendo all'antica domanda sul «luogo dell'universo»: in essa si innesta il tema tipicamente cristiano del corpo glorioso, che abita l'eternità incorporea, resistendo così alla spiritualizzazione del cosmo propria della filosofia greca. Ma di questo si è già detto nella *Introduzione* alla cantica.

Abbiamo tuttavia voluto ricordare qui il vero significato di quell'ultimo cielo, perché l'immagine creata da Dante – che è poi l'unico modo nel quale tale concezione possa esprimersi in parole, trattandosi appunto non tanto di un concetto filosofico, quanto di una metafora, cioè di una figura poetica – si costruisce e prende forma proprio in questi versi. La *novella vista*, che Dante dichiara di ricevere entrando in questo mondo a tutti ignoto, è infatti insieme teologica e poetica. Essa è quella che viene donata ai beati in cielo, permettendo loro di contemplare Dio (il «lumen gloriae» della tradizione cristiana), ma è anche quella del poeta che inventa e crea quel mondo, dandogli figura di bellezza sensibile e pure quasi smaterializzata, nella rarità del linguaggio, nel ripetuto uso dei termini astratti, nella forma vaghissima, e non ritrovabile in terra, delle sue pur riconoscibili immagini.

Come tutte le figure di questi ultimi canti, esse sono come innestate, e quindi comprensibili, nella luce di questo cielo intellettuale; sono immagini del tutto innaturali, che serbano solo una lontana parvenza di ciò che è terrestre, senza tuttavia perdere di realtà.

Sparite le cose visibili del mondo terreno – con quelle stelle dei primi versi del canto – questa nuova realtà percepibile dai sensi ha una sua diversa qualità. La luce che qui fa visibili le cose è infatti la luce stessa di Dio. Il lampo che investe Dante, e gli dà questa *novella vista*, è di fatto esplicitamente riferito, con la citazione del verbo biblico usato nel racconto della visione di san Paolo (*mi circunfulse*), a quello che colpì l'apostolo, il solo altro mortale che sia entrato in quel cielo, ma che nulla ne poté raccontare. Il rimando, con tutta la sua portata di autoinvestitura profetica, di cui si è già detto, comporta anche un valore di definizione della propria nuova poesia: quello che qui si descrive è frutto di una novità di sguardo, di un tentativo cioè nuovo di raffigurare la realtà corporea, vedendovi in trasparenza la sua essenza ultracorporea.

Sotto quella luce, tutto si trasfigura. E di fatto la prima immagine che entra nel campo visivo, il *lume in forma di rivera* che scorre rifulgente d'oro tra due rive fiorite, è cosa straordinaria, dove solo a fatica si riconosce l'antico modello pastorale del fiume tra i fiori, così classicamente amabile nel canto XXVIII del *Purgatorio*. Ma la sua bellezza, il suo incanto, nascono proprio dal confluire in essa delle due realtà, terrena e divina, che sono significate dalle due tradizioni poetiche, la classica e la biblica.

Questo non è tuttavia che un anticipo, un'ombra di ciò che apparirà. Dante ha immaginato infatti una doppia visione per esprimere il necessario adeguarsi della vista umana alla realtà del cielo. Tra l'una e l'altra, egli getta una breve similitudine, e una breve parola: la similitudine del lattante affamato, e la parola che di essa esprime il senso, cioè il *disio*, anzi l'*alto disio*, quello che conduce tutto il poema al suo termine.

Ad esso risponderà la grande immagine che ora sorge davanti agli occhi, del poeta e nostri, forse la più grande invenzione di tutta la *Commedia*, la candida rosa i cui bianchi petali sono i corpi gloriosi – *le bianche stole* – degli stessi beati. Essa nasce lentamente, quasi casualmente, nello svolgersi del verso: prima il fiume di luce si fa da lineare rotondo, poi vi sorge intorno, come fosse un lago, un *clivo* che vi si rispecchia, infine il *clivo* diventa un immenso anfiteatro floreale, e nell'ultimo verso esce inattesa la parola che crea tutta la figura: *quanta è la larghezza / di questa rosa ne l'estreme foglie!*

Sul significato che Dante abbia voluto dare a *questa rosa*, con la quale chiude il poema, si è parlato nella *Introduzione* alla cantica, e se ne dirà nel commento. Esso sarà dichiarato dal poeta nel prossimo canto e la sua definizione sarà completata nell'apertura dell'ultimo, nella preghiera che san Bernardo rivolge a Maria (XXXIII 7-9). Quella rosa per ora ci appare nella sua bellezza di piena e gloriosa espansione, come il più splendido dei fiori della terra (si ricordino i vv. 55-7 del canto XXII), e di essa sappiamo che i suoi bianchi petali sono i corpi dei risorti che Giovanni vide nell'*Apocalisse* («rivestiti di *bianche stole*»: *Ap.* 7, 9), quelli stessi ricordati nel canto XXV con le stesse due parole (vv. 94-6). Ciò che allora si dichiarava come termine della speranza dell'esilio, ora appare nella sua realtà. Nel cielo incorporeo splendono i corpi, come già aveva anticipato il poeta nella ispirata sequenza del canto XIV sulla resurrezione della carne (vv. 37-66).

Su questa visione si conclude di fatto il grande arco inventivo del canto XXX. Ma ad essa segue ancora – inatteso – un breve manipolo di versi, rivelatore della profonda, insopprimibile passione per la misera condizione della terra – della sua terra – che arde nel cuore di colui che già si trova nella dimora eterna. Tale sequenza finale ci riporta, ancora una volta, alla realtà storica, quella che è all'origine stessa del poema del cielo. Indicando i beati, Beatrice mostra a Dante il posto riservato ad Arrigo VII, l'imperatore che scese invano a «drizzare» l'Italia (come nell'*Inferno* era pronto un posto per il papa – Clemente V – che era stato la prima causa del suo fallimento). È questa l'ultima volta che la storia appare nel poema, e appare con le due figure più significative dell'ordine terreno sognato da Dante: l'imperatore, posto da Dio a guida dell'umana convivenza, e il papa, che per brama di potere ha tradito quella divina disposizione. Sono i simboli della città dell'uomo posta qui a confronto con il suo modello celeste, quel modello di concordia e pace sconvolto dalla umana libertà.

CANTO XXX

L'entrata nell'Empireo: la candida rosa

1-15 Come al mattino ad una ad una spariscono le stelle, così i nove cerchi dei cori angelici e il punto luminoso scompaiono gradatamente dalla vista di Dante, che, non vedendo più niente e attratto dall'amore, quasi è costretto a volgersi a Beatrice.

16-33 Tutto quello che fin qui il poeta ha detto della sua donna non basta ora a celebrarla adeguatamente: la bellezza di lei è tale che solo il suo creatore può interamente goderla. Dante è sopraffatto dal ricordo del suo dolce sorriso: per tutta la vita, fin dal giorno in cui per la prima volta la vide, è riuscito a raffigurarla nei suoi versi; ma ora è giunto il momento di rinunciare.

34-45 La donna gli annuncia che sono usciti dal Primo Mobile e si trovano nel cielo che è pura luce, l'Empireo: qui gli sarà concesso di vedere le schiere degli angeli e quelle dei beati, questi ultimi rivestiti della veste corporea che avranno nel giorno del giudizio finale.

46-60 Una luce improvvisamente avvolge Dante che ne è abbagliato: Beatrice lo rassicura spiegando che l'amore divino accoglie così chi arriva in quel cielo, per potenziarne la vista. Il poeta infatti si accorge di aver acquistato una nuova capacità visiva, tanto potente da sostenere qualsiasi splendore.

61-96 Ora Dante riesce a vedere un fiume di luce che scorre tra due rive fiorite, dal quale escono faville che si posano sui fiori; poi, inebriate dal profumo, tornano a immergersi nelle acque. Beatrice invita il poeta a bere di quel fiume per saziare la sua sete di conoscere ciò che vede, e lo avverte che la presente visione è solo una prefigurazione della realtà del Paradiso. Il poeta, chinandosi, sfiora con le palpebre le onde di luce, come bevendo con gli occhi quell'acqua; il corso del fiume si trasforma al suo sguardo in un rotondo lago, mentre i fiori e le faville si rivelano come le due corti del cielo: gli angeli e i beati.

97-123 Come è già accaduto in precedenza, l'eccezionalità del momento è segnata da un'invocazione del poeta che chiede a Dio la capacità di rappresentare quanto ha visto. La luce – che è quel lume per cui Dio si rende visibile alle creature intelligenti – dopo aver preso forma circolare si allarga sempre di più; nello specchio da essa formato si riflettono le anime beate, disposte in più di mille gradini che si allargano verso l'alto formando come un'immensa rosa.

124-148 Beatrice conduce Dante al centro della rosa e indica i pochi posti vuoti, dei quali uno è destinato ad Arrigo VII, che discenderà invano in Italia per raddrizzarne le sorti, non compreso e ostacolato segretamente anche dal pontefice Clemente V. Ma Dio sopporterà per poco quel papa nel suo incarico e lo punirà sprofondandolo nella bolgia dei simoniaci.

Forse semilia miglia di lontano
ci ferve l'ora sesta, e questo mondo
3   china già l'ombra quasi al letto piano,

1-3. Forse semilia miglia...: il mezzogiorno (*l'ora sesta*) arde sulla superficie della terra forse seimila miglia lontano da noi (seimila miglia erano poco più di un quarto della circonferenza terrestre per Dante; si indi-ca dunque un punto situato a circa sette ore dal luogo dove s'immagina l'osservatore, a oriente oltre l'orizzonte; se là sono le dodici, qui saranno circa le cinque del mattino); e quindi la terra (*questo mondo*) proietta la sua ombra nello spazio inclinandola ormai verso lo stesso piano del nostro orizzonte (il che vuol dire che per noi il sole è sul punto di sorgere). Tutta la frase vuole indicare un'ora del giorno, e cioè quella dell'alba. L'uso del *Forse* iniziale pone tutto sotto il segno dell'indeterminato, togliendo in partenza ogni rigidezza scien-

Il mezzogiorno (l'ora sesta) arde sulla superficie della terra forse seimila miglia lontano da noi, e quindi la terra (questo mondo) proietta la sua ombra inclinandola ormai verso il piano (del nostro orizzonte), ...

quando 'l mezzo del cielo, a noi profondo,
comincia a farsi tal, ch'alcuna stella

6 perde il parere infino a questo fondo;
e come vien la chiarissima ancella
del sol più oltre, così 'l ciel si chiude

9 di vista in vista infino a la più bella.
Non altrimenti il trïunfo che lude
sempre dintorno al punto che mi vinse,

12 parendo inchiuso da quel ch'elli 'nchiude,

tifica all'indicazione astronomica. Dante si vale come altrove, in questa apertura di canto, di una perifrasi che corrisponde, nel tono e nelle parole usate, al momento particolare in cui egli si trova come pellegrino. In questo caso si tratta di un momento eccezionale: è l'attacco di uno dei canti più straordinari del poema, dove si narra l'entrata nell'Empireo. Una simile grandiosa e solenne apertura celeste ha quindi una funzione specifica. Il senso di ampiezza e di distanza che ci dà questo cielo, il cono d'ombra della terra che si proietta nello spazio, il lento sparire delle stelle, non sono puri elementi di paesaggio, sia pure con valore cosmico. Essi indicano la solitudine di Dante al momento supremo di lasciare lo spazio e il tempo, e l'allontanarsi ormai al suo sguardo di ogni cosa visibile.

4. 'l mezzo del cielo: la parte centrale del cielo «sopra li capi nostri» (Buti), cioè lo zenit. L'altra interpretazione che si dà di queste parole, e cioè «la parte intermedia del cielo» tra gli occhi e la volta celeste, è per noi inaccettabile in quanto è inconciliabile con le due determinazioni che seguono. La prima, immediata, *a noi profondo*, cioè «alto sopra di noi» (cfr. Virgilio, *Georg.* IV 222: «il cielo profondo»); *profondo* ha il senso latino di «alto», e qui assume un valore predicativo: profondo per noi, per gli occhi che dalla terra vi cercano le stelle. La seconda determinazione è al sesto verso (*infino a questo fondo*), per la quale si veda la nota relativa.

5. comincia...: tra le cinque e le sei del mattino anche la parte più alta del cielo si schiarisce e cominciano a sparirvi alcune stelle, le più pallide (*tal* vale dunque «più chiaro»). Tutto il giro della frase indica la lenta gradualità con cui si svolge il fenomeno celeste, gradualità che prepara a qualcosa di grande e di inatteso.

6. il parere: l'apparire, l'esser visto; cioè la visibilità. – *infino a questo fondo*, fin quaggiù sulla terra dove noi siamo. L'espressione sembra misurare un'infinita distanza, e insieme all'altra (*a noi profondo*) crea una verticale in due direzioni: dello sguardo verso l'alto, del *parere* verso il basso. La parola *fondo* porta inoltre con sé un valore negativo che accentua la distanza: *questo fondo*, questo luogo degli uomini, infimo di fronte al cielo. Tale formulazione non avrebbe evidentemente alcun senso se riferita allo spazio intermedio tra gli occhi e il cielo stellato, secondo l'interpretazione di *mezzo del cielo* da noi respinta.

7-8. la chiarissima ancella / del sol: la maggior parte dei critici intende l'aurora. Tuttavia altrove Dante chiama *ancelle del giorno* le ore (*Purg.* XII 81; XXII 118) e mai l'aurora. La più chiara di tutte (*chiarissima* è probabilmente superlativo relativo) indica forse l'ora prima, quella che si leva col sole, e questa vaghissima espressione sembra diffonderne la luce per tutto il cielo.

8-9. si chiude / di vista in vista: sembra chiudersi di stella in stella (*veduta* per «stella» è già in II 115, in quanto si offre alla vista); si cfr. *Aen.* I 374: «Vespero congederà il giorno *chiudendo l'Olimpo*». Sembra qui di fatto che si chiuda definitivamente uno scenario – quello del cielo terreno, tante volte raffigurato dal verso nella *Commedia* – perché gli occhi di Dante possano aprirsi sull'eterno cielo divino di cui questo era l'ombra e l'annuncio.

10 sgg. Non altrimenti...: comincia qui il secondo termine del paragone: non diversamente da come ad una ad una spariscono le stelle nel cielo del mattino, così...

– **il trïunfo**: i cori angelici trionfanti, apparsi nel canto XXVIII.

– **lude**: latinismo: fa festa, danza e canta; cfr. XXVIII 126.

11. al punto che mi vinse: al punto luminoso (Dio) che vinse la mia vista, mi abbagliò (cfr. XXVIII 16-8).

12. parendo inchiuso...: punto che sembrava (appariva allo sguardo) racchiuso dai cerchi dei cori angelici, mentre in realtà è lui che li racchiude, contenendo in sé tutto l'universo (cfr. XIV 30: *non circunscritto, e tutto circunscrive*). Il verso ricorda la difformità, il rovesciamento della visione apparsa a Dante rispetto alla realtà del *mondo sensibile* (XXVIII 46-57).

... quando la parte centrale del cielo alta (profondo) sopra di noi (cioè lo zenit) *comincia* a divenire così chiara che alcune stelle non arrivano più a essere viste fin quaggiù sulla terra; e come la più luminosa (chiarissima) di tutte le ancelle del sole viene avanti, così il cielo sembra chiudersi di stella in stella, fino alla più bella. ◆ Non diversamente gli angeli trionfanti che fanno sempre festa intorno al punto luminoso (Dio) che sopraffece la mia vista, sembrando racchiuso da ciò che in realtà egli stesso racchiude, ...

a poco a poco al mio veder si stinse:
per che tornar con li occhi a Bëatrice
15 nulla vedere e amor mi costrinse.
Se quanto infino a qui di lei si dice
fosse conchiuso tutto in una loda,
18 poca sarebbe a fornir questa vice.
La bellezza ch'io vidi si trasmoda
non pur di là da noi, ma certo io credo
21 che solo il suo fattor tutta la goda.
Da questo passo vinto mi concedo
più che già mai da punto di suo tema
24 soprato fosse comico o tragedo:
ché, come sole in viso che più trema,

13. **si stinse**: si estinse, si spense. Il verbo corrisponde alle immagini di cerchi di fuoco, di incendio, di scintille, con cui sono raffigurati i cori angelici nel canto XXVIII. Lo spengersi di quei fuochi è graduale (*a poco a poco*) come lo sparire delle stelle, in modo che la solitudine che si crea attorno a Dante e al suo guardare appare più grande.

14-5. **per che tornar...**: per cui il non veder più niente intorno a me (elemento nuovo) e l'amore (elemento costante) mi costrinsero... Dante è «costretto», quasi suo malgrado dunque, a tornare con lo sguardo a Beatrice. Il lettore attento coglie l'eccezionalità della situazione: vuol dire che c'è ormai sulla scena qualcosa che per Dante ha un'attrazione superiore a quella di Beatrice. E questo accade nello stesso momento in cui scompare allo sguardo ogni cosa visibile.

– **nulla vedere**: queste due parole, straordinarie per Dante, hanno una particolare importanza. La sparizione di tutto il visibile è di fatto il motivo centrale dell'inizio del canto: qui si lascia il mondo percepibile dai sensi per entrare nell'altro, di sostanza puramente spirituale (*luce intellettüal*: v. 40), dove la vista sarà nuova, una vista soprannaturale (*novella vista*: v. 58). Questo distacco, questo addio, è il vero significato della grande similitudine iniziale, che sembra svuotare lentamente allo sguardo tutto l'orizzonte.

16 sgg. **Se quanto infino a qui...**: comincia qui il secondo tempo del canto, come un secondo prologo. Ed

---

... a poco a poco si estinsero davanti ai miei occhi: per cui il non veder più niente e l'amore mi costrinsero a tornare con lo sguardo verso Beatrice. ◆ Se tutto quello che fin qui è stato detto di lei (nei miei versi) fosse riunito in una sola lode, tale lode sarebbe ancora insufficiente (poca) ad assolvere questo compito. La bellezza che io vidi oltrepassa non solo la nostra misura, ma credo con certezza che sia goduta interamente solo dal suo creatore (Dio). Da questo passo mi dichiaro vinto, più di quanto mai fosse superato da un punto del suo argomento ogni poeta comico o tragico: poiché, come fa il sole su una vista molto debole, ...

è questo un altro e più profondo distacco, che consegue al primo: è l'addio a Beatrice, che da ora in poi Dante non potrà più descrivere con la sua poesia. Lasciato il mondo visibile, il tempo e lo spazio dove l'uomo vive (il cui limite è il Cristallino), Dante lascia ora colei che in quel mondo era per lui il segno dell'altro mondo invisibile e celeste, cioè l'espressione della sua visibilità in terra. Questa rinuncia, la più grande e definitiva, comincia (come nel canto XXIII, vv. 55 sgg.) con una ipotesi iperbolica: se tutto quello che fin qui ho detto di lei nei miei versi fosse riunito in una sola lode, tale lode sarebbe ancora insufficiente (*poca*)... L'attacco ci avverte che qualcosa di non comune sta per accadere.

18. **a fornir questa vice**: ad assolvere questo compito (lat. «explere vicem»), cioè a celebrare nei versi la sua bellezza.

19-21. **si trasmoda...**: oltrepassa non solo la nostra misura, ma anche quella dei beati e degli angeli, ed è godibile interamente solo da Dio. È dunque una bellezza di qualità divina. Questo indica la nuova dimensione in cui si sta entrando, per cui quella bellezza sempre finora commisurabile all'umano, e quindi descrivibile, ora oltrepassa e sfugge le forze anche più alte dell'arte umana.

22. **vinto mi concedo**: mi dò vinto.

23. **punto di suo tema**: passo, luogo dell'argomento che sta svolgendo. Il singolare valore del termine qui usato è stato rilevato dal Contini: come il *punto* di luce – Dio – *vinse* la sua capacità di vedere (v. 11), così ora la bellezza di Beatrice vince la sua capacità di artista nel ritrarle. (Così un *punto vinse* Paolo e Francesca – *Inf.* V 132 – e ancora un *punto*, di tempo questa volta, basterà a vincere la memoria del poeta dopo aver visto l'unità del molteplice nella profondità di Dio: XXXIII 94-6.)

24. **soprato**: superato, sconfitto.

– **comico o tragedo**: qualunque poeta quindi, di ogni genere letterario. Dante dichiara qui, con accento drammatico, di dover rinunciare a descrivere Beatrice, da lui cantata fin dall'inizio della sua poesia. Il mo-

	così lo rimembrar del dolce riso
27	la mente mia da me medesmo scema.
	Dal primo giorno ch'i' vidi il suo viso
	in questa vita, infino a questa vista,
30	non m'è il seguire al mio cantar preciso;
	ma or convien che mio seguir desista
	più dietro a sua bellezza, poetando,
33	come a l'ultimo suo ciascuno artista.
	Cotal qual io la lascio a maggior bando
	che quel de la mia tuba, che deduce
36	l'ardüa sua matera terminando,
	con atto e voce di spedito duce
	ricominciò: «Noi siamo usciti fore

mento è solenne, ma il significato di tali parole decisive verrà in luce in tutta la sua forza molto lentamente.

25. come sole in viso che più trema: come fa il sole su una vista incerta, tremante. Tanto più la vista è debole, tanto meno sopporta la luce del sole. Si cfr. la canzone *Amor che nella mente mi ragiona*, ai vv. 59-60: «Elle soverchian lo nostro intelletto / come raggio di sole un frale viso», e il relativo commento in *Conv.* III, VIII 14. Il riferimento al sole – figura di Dio – richiama ancora l'idea che quella bellezza, quel *dolce riso*, sono ormai di qualità divina, e trascendono le umane possibilità di espressione.

27. la mente mia...: toglie a me stesso la mente (*scemare da* vale «separare, distaccare una parte da un tutto»), cioè mi rende incapace a parlarne. Il ricordo di quel *dolce riso* sopraffà le forze della mente, che, pur *rimembrando*, non può ridirlo; come è delle supreme realtà del paradiso, che l'intelletto intravede, ma non può tuttavia comprendere (*Conv.* III, XV 6). L'impotenza di Dante a esprimere ciò che ricorda è chiaro segno del nuovo mondo in cui si sta entrando.

28-33. Dal primo giorno...: è questo il momento più alto di tutto il passo, e che ne porta il maggior significato nell'assoluta semplicità dell'espressione. Per tutta la vita, da quel lontano *primo giorno* narrato nella *Vita Nuova*, al capitolo III, egli ha cercato di raffigurare quel viso, di seguirne coi versi (*poetando*) la crescente bellezza, e questo *seguire* non gli è stato impedito (*preciso*: troncato, interrotto da un ostacolo). Ma ora non più: ora è necessario (*convien*) che il suo seguire si arresti, come ogni artista giunto all'*ultimo* delle sue possibilità. È tutta la vita di Dante vista in scorcio, che qui più che mai appare coincidere con la sua poesia. C'è infatti in queste parole un chiaro preannuncio della fine: *A l'alta fantasia qui mancò possa* (XXXIII 142). Dove terminerà la poesia, anche la vita avrà termine. Dante, o meglio la poesia di Dante, lascia dunque Beatrice, ed è un addio definitivo. Lasciarla vuol dire per lui rinunciare a se stesso. E questo distacco coincide infatti coll'uscita dal tempo e dallo spazio, come si dirà ai vv. 38-9.

34-5. Cotal qual io la lascio...: attacco risoluto, come di chi rompe gli indugi e non si volge più indietro: così bella come io la lascio... Finito il prologo, inizia l'azione propria di questo canto: l'entrata nell'Empireo.

– a maggior bando...: alla voce di una tromba di banditore più potente della mia. Sembra difficile che Dante alluda qui a un altro poeta, che meglio di lui possa cantare Beatrice. Viene da pensare piuttosto al bando dell'ultimo giorno (il *novissimo bando* di *Purg.* XXX 13), quello delle trombe angeliche, quando Dio stesso rivelerà i suoi eletti.

35-6. che deduce... terminando: che lavora alla sua alta, difficile materia (cfr. X 27) portandola verso la fine. *Deducere* (detto di versi) valeva in latino «svolgere, comporre con arte»; il verbo esprime l'alta fatica di questo «terminare».

37. spedito: libero ormai dal suo incarico (lat. «expeditus»), perché ha guidato Dante fin qui, all'ultimo cielo.

38-9. Noi siamo usciti fore...: sono le prime parole pronunciate in questo canto. Esse dichiarano il suo primo e straordinario avvenimento. Si esce qui dal *maggior corpo*, cioè dal più grande di tutti i corpi, il cielo Cristallino, il che vuol dire uscire dallo spazio e dal tempo, per entrare in un cielo non più corporeo, ma di *pura luce* che è, nel linguaggio di Dante, la pura ef-

---

... così il ricordare quel dolce sorriso toglie a me stesso le forze della mia mente. ◆ *Dal primo giorno in vita mia che io vidi il suo viso, fino alla vista che io ne ebbi in questo momento, non è stato impedito (preciso) al mio canto di seguirla; ma ora è necessario (convien) che il mio seguire rinunci a tener dietro alla sua bellezza con la poesia (poetando), come ogni artista giunto all'estremo (ultimo) delle sue possibilità.* ◆ *Così bella come io la lascio alla voce di una tromba di banditore più potente della mia, che lavora alla sua difficile materia portandola verso la fine (terminando), con atti e parole di guida decisa ricominciò a dire: «Noi siamo usciti fuori ...*

39　del maggior corpo al ciel ch'è pura luce:
　　　luce intellettüal, piena d'amore;
　　amor di vero ben, pien di letizia;

42　letizia che trascende ogne dolzore.
　　　　Qui vederai l'una e l'altra milizia
　　di paradiso, e l'una in quelli aspetti

45　che tu vedrai a l'ultima giustizia».
　　　　Come sùbito lampo che dissetti
　　li spiriti visivi, sì che priva

48　da l'atto l'occhio di più forti obietti,
　　　così mi circunfulse luce viva,
　　e lasciommi fasciato di tal velo

---

fusione di Dio. Questa luce infatti non è più fisica; e lo spiega il verso che immediatamente segue.

40-2. luce intellettüal, piena d'amore...: per arrivare a questo verso travolgente, che sembra accendersi nel vuoto orizzonte dell'inizio del canto, e che trascina con sé la grande terzina che definisce l'Empireo, ci sono voluti secoli di pensiero e di linguaggio umano. Noi troviamo le tracce di questa idea – di un cielo di fuoco che è il luogo stesso della divinità, il luogo che contiene l'universo – fin dai più antichi scrittori cristiani, che la riprendono dalla filosofia greca. In queste parole di Dante – che già lo descrive nel *Convivio* e più volte vi accenna nel *Paradiso* – esso prende la sua forma splendida e perfetta, che è difficilmente traducibile in altri termini. È una luce della mente (*intellettüal*), ma si sostanzia di amore (*piena d'amore*); e questo amore del vero bene porta con sé la più grande *letizia*, che oltrepassa (*trascende*) ogni dolcezza umana (*dolzore* è forma provenzale comune nella nostra poesia del '200). L'Empireo dunque coincide con quella luce divina per cui Dio si fa intelligibile ed amabile, generando la perfetta beatitudine. È questa luce, come vide il Nardi, il «lume della gloria» della teologia, quello cioè grazie al quale i beati vedono Dio (cfr. vv. 100-2 e nota). L'andamento circolare compie la perfezione di questa terzina, tra le più alte di tutta la *Commedia* per forza di sintesi e splendore verbale, tale che sembra diffondere intorno a sé le cose stesse che pronuncia: *luce* – *amore* – *letizia*, che si irraggiano da questi versi come da centro focale di tutto il *Paradiso*.

43. l'una e l'altra milizia: le due milizie celesti, quella umana e quella angelica. Qui *milizia* non è riferito, come altrove, al combattimento proprio della Chiesa sulla terra: la Chiesa infatti in paradiso non milita, ma trionfa (cfr. V 117 e nota). Ma s'intende dei due eserciti del re del cielo (come *ambo le corti* del v. 96).

44-5. e l'una in quelli aspetti...: e quella umana, i beati, nello stesso aspetto in cui ti si mostrerà nell'ultimo giorno, quello del giudizio finale: cioè con il corpo. Affiora in questi versi la grande invenzione di Dante, che in questo cielo di luce intellettuale ha posto i corpi risorti, i corpi gloriosi dell'ultimo giorno. Il dogma della resurrezione della carne è sempre vivamente presente nella *Commedia* (si vedano almeno XIV 43 sgg.; *Inf.* VI 94-9; *Purg.* I 75; XXX 13-5) ma, con profonda intuizione, soltanto in questo luogo non più corporeo, che è la luce stessa di Dio, Dante renderà manifesta quella *carne glorïosa e santa* (XIV 43).

46-51. Come sùbito lampo...: appena entrato nell'Empireo, Dante è avvolto da una luce che lo acceca. L'accecamento è fase quasi obbligatoria dell'itinerario mistico (si veda poco oltre il riferimento a san Paolo), ma come sempre in Dante il fatto si svolge come naturalmente necessario. Qui è il segno della nuova dimensione in cui siamo entrati, che supera l'uomo in modo assoluto. Tutto il linguaggio si trasfigura nello sforzo di adeguarsi a questa sovrumana realtà, esprimendone i due aspetti: la sua trascendenza sulla dimensione umana, e insieme la sua comprensibilità da parte dell'uomo. Per questo si moltiplicano le parole rare, i latinismi, i neologismi, racchiusi in un dettato ardente, ma mai astruso.

– che dissetti...: che disgreghi (lat. «dissectare») le facoltà visive, sì da privare l'occhio dell'azione di luci anche più forti. Cioè come un lampo che accechi, impedendo di vedere ogni altro oggetto, anche i più luminosi. – Per *dissetti*, si veda la nota al testo alla fine del canto.

49. mi circunfulse: mi rifulse intorno. Lo splendido verbo – su cui fa centro la terzina – è una citazio-

---

... dal più grande di tutti i corpi (il cielo Cristallino) per entrare nel cielo fatto di pura luce: luce della mente (intellettüal), piena d'amore; amore del vero bene, pieno di letizia; letizia che oltrepassa (trascende) ogni dolcezza umana. Qui vedrai le due milizie del paradiso (quella umana e quella angelica), e quella umana (i beati) nello stesso aspetto in cui la vedrai nell'ultimo giorno del giudizio». ◆ *Come un lampo improvviso che disgreghi (discetti) le facoltà visive, così da privare l'occhio dell'azione di oggetti anche più luminosi, così mi rifulse intorno una viva luce, e mi lasciò avvolto con un tale velo, ...*

51   del suo fulgor, che nulla m'appariva.

        «Sempre l'amor che queta questo cielo

        accoglie in sé con sì fatta salute,

54   per far disposto a sua fiamma il candelo».

        Non fur più tosto dentro a me venute

        queste parole brievi, ch'io compresi

57   me sormontar di sopr'a mia virtute;

        e di novella vista mi raccesi

        tale, che nulla luce è tanto mera,

60   che li occhi miei non si fosser difesi;

        e vidi lume in forma di rivera

        fulvido di fulgore, intra due rive

ne dagli *Atti degli Apostoli* (22, 6) dove è narrata la visione di san Paolo: «all'improvviso una gran luce dal cielo rifulse intorno ("circumfulsit") a me». In questo arduo momento Dante cerca aiuto per il suo linguaggio, quasi per confortare a credere cose incredibili, e come altrove si appella all'autorità della Scrittura. Paolo è già stato più volte ricordato, o citato, nella *Commedia* per l'analogia della sua visione con quella di Dante (I 73-5; XXVI 10-2; *Inf.* II 28-30). È venuto ora il momento in cui quella analogia si realizza, e questo verbo ce lo dichiara e ce ne avverte.

52-4. Sempre l'amor...: quell'amore divino che tiene in quiete, cioè in perfetta pace, l'Empireo (in tutti i luoghi danteschi in cui è ricordato, l'Empireo è definito dall'idea di perfetta quiete: cfr. I 122; II 112; XXII 65-6; *Conv.* II, III 9-10) sempre accoglie con simile saluto (*salute* è usato nel doppio senso, che ha già nella *Vita Nuova*, di «saluto» e «salvezza») chi vi giunge – cioè lo acceca colla sua luce – non per togliergli la vista, ma per dargliene una più forte: per disporre cioè la candela (l'anima beata) a sopportare la sua fiamma.

57. sormontar...: salire al di sopra delle mie facoltà naturali (cfr. *Inf.* VI 68 e *Purg.* XVII 119).

58. novella vista: l'accecamento ha prodotto questa nuova vista, che non è più umana. Il verbo *sormontar*, l'aggettivo *novella*, indicano questa trasformazione. Si adombra qui l'esperienza mistica, con la precisione e la chiarezza logica e figurativa proprie della lingua di Dante.

59. mera: lucente, chiara (cfr. XI 18; XVIII 55).

60. che li occhi miei...: che i miei occhi non potessero ormai difendersi da lei, e quindi sostenerla. Tutto questo passo (vv. 34-60) dell'ingresso all'Empireo è guidato dal tema della luce, che ne percorre la trama verbale (*pura luce*: v. 39; *luce intellettüal*: v. 40; *sùbito lampo*: v. 46; *luce viva*: v. 49; *fulgor*: v. 51; *fiamma*: v. 54; *luce... tanto mera*: v. 59). È una invasione di luce, ma di qualità sempre precisa e determinata, che viene così configurando e definendo al lettore, e a Dante stesso, questo mondo oltreumano di cui in qualche modo si tenta l'esprimibilità con parole umane.

61-3. e vidi lume...: comincia qui la visione vera e propria, la vera e sola visione a cui tutte le altre sono ordinate, a cui ci si prepara fin dall'inizio del poema, e forse anche da prima (cfr. *Vita Nuova* XLI e XLII). Finora si è precisata la qualità dello strumento che vede (la *novella vista*). Ora si affronta l'oggetto del vedere. E il verbo *vidi* è la prima parola, parola fondamentale su cui tutto si fonda e che tornerà come protagonista in tutto il seguito del canto. La visione che qui appare è ancora un'approssimazione rispetto a quella reale, come Dante dirà tra poco. Non vediamo ancora Dio o i santi, ma un fiume di luce, anzi una luce in forma di fiume (la luce è il vero oggetto del vedere) tra due rive dipinte di fiori. La bellezza di questi versi ha sempre incantato i lettori di ogni tempo. Il segreto del loro incanto sta in una qualità che è unica di questo testo: si tratta di un'antica immagine della poesia pastorale classica, che si innesta su un'altra grande immagine letteraria della Scrittura, il fiume dell'*Apocalisse*: «Mi mostrò poi un fiume d'acqua viva, limpida come cristallo, che scaturiva dal trono di Dio e dell'Agnello» (22, 1). Le due fonti primarie della *Commedia*, Virgilio e la Bibbia, non a caso confluiscono nel momento supremo del vedere. Dante si rifà sicuramente all'*Apocalisse*, perché il suo testo ne ripete il tono e la situazione. E tuttavia la *mirabil primavera* delle rive porta fin nell'alto Empireo la dolcezza virgiliana della contemplazione della natura.

62. fulvido: color dell'oro, rosso-oro; dal lat. «fulvidus» (derivato di «fulvus»).

... nel suo fulgore, che niente più mi era visibile. «Quell'amore (divino) che tiene in pace (queta) questo cielo Empireo sempre accoglie con un simile saluto chi vi giunge, per disporre la candela (l'anima beata) a sopportare la sua fiamma». ♦ *Queste brevi parole avevano appena finito di entrare dentro di me che io mi accorsi di star superando le mie facoltà naturali (virtute); e si accese nei miei occhi una nuova capacità visiva, tale che nessuna luce è così chiara (mera) che i miei occhi non potessero ormai difendersi (da lei); e vidi una luce a forma di un fiume splendente di color rosso-oro, tra due rive ...*

63   dipinte di mirabil primavera.
      Di tal fiumana uscian faville vive,
      e d'ogne parte si mettien ne' fiori,
66   quasi rubïn che oro circunscrive;
      poi, come inebrïate da li odori,
      riprofondavan sé nel miro gurge,
69   e s'una intrava, un'altra n'uscia fori.
      «L'alto disio che mo t'infiamma e urge,
      d'aver notizia di ciò che tu vei,
72   tanto mi piace più quanto più turge;
      ma di quest'acqua convien che tu bei
      prima che tanta sete in te si sazi»:
75   così mi disse il sol de li occhi miei.

63. **primavera**: fiori, fioritura primaverile (cfr. *Purg.* XXVIII 51); i fiori raffigurano i beati, irrigati, come dice Benvenuto, dal fiume della luce divina.

64. **faville vive**: le faville raffigurano gli angeli, che fanno continuamente da tramite tra Dio e i beati (cfr. XXXI 7-12).

66. **quasi rubin...**: come rubino incastonato in oro; si cfr. *Aen.* X 134: «brilla come una gemma in mezzo a oro splendente» e *Eccli.* 32, 7: «gemma di rubino in castone d'oro».

67. **come inebrïate**: anche questa parola è una citazione biblica (cfr. *Ps.* 35, 9), già presente nell'attacco del canto XXVII (cfr. v. 3 e nota). Il verbo introduce nella figura un forte sentimento umano, così che le faville già si rivelano adombranti una diversa realtà, come sarà detto più avanti (vv. 76-8).

68. **gurge**: gorgo (lat. «gurges»), propriamente «vortice d'acqua» (cfr. *Inf.* XVII 118), qui ampio e veloce scorrer di onde (detto di fiume anche in *Aen.* XI 913 e *Georg.* IV 387). – *miro*, mirabile, perché le onde sono di luce. L'uso del raro latinismo solleva il linguaggio e spiritualizza l'immagine, che non appare più di questa terra. Come dicesse: è un fiume, sì, o meglio sembra un fiume, ma è tutt'altra cosa dai fiumi di questo mondo. È il modo tipico del *Paradiso* di manifestare il divino attraverso le sembianze terrene trasfigurate.

───■───

... adornate di una meravigliosa fioritura primaverile (primavera). Da tale fiume uscivano faville vive, e da ogni parte si posavano in mezzo ai fiori, come un rubino incastonato nell'oro; poi, come inebriate dai profumi, risprofondavano nel meraviglioso vortice (gurge), e se una entrava, un'altra ne usciva fuori. ◆ *«L'alto desiderio che ora ti infiamma e incalza (urge) di avere conoscenza di ciò che tu vedi, tanto più mi è gradito quanto più preme dentro di te (turge); ma per poter saziare la tua ardente sete, devi prima bere di quest'acqua»: così mi disse il sole dei miei occhi (Beatrice).*

70. **L'alto disio**: conclusa la prima apparizione, nell'intervallo che intercorre prima che si manifesti la seconda, fuori della figura, entra nel verso una parola dominante della poesia e della vita di Dante: il *disio*. È il desiderio che trascina la *Commedia* al suo termine, e che ritroveremo finalmente placato nell'ultima terzina del poema. – *alto*, come già a XXII 61, indica «rivolto a cose alte, sublimi» (si veda *l'alto affetto* dei beati verso Maria di XXIII 125).

– *urge*: sospinge, incalza (cfr. X 142).

71. **d'aver notizia...**: di avere conoscenza piena, cioè di sapere che cosa ciò che appare ai tuoi sensi veramente significhi.

– *vei*: vedi, forma del toscano antico.

72. **turge**: è turgido, gonfio, e quindi preme. Continuano i latinismi, portati dalla rara rima *gurge*, che mantengono il già osservato livello di straordinaria tensione linguistica. I due verbi ritraggono con singolare potenza il desiderio che si dilata e preme incontenibile nell'animo, come un'onda compressa.

73-4. **convien che tu bei...**: per poter saziare la tua ardente sete, cioè il tuo desiderio, devi prima bere di quest'acqua. Solo attingendo a quella luce, che è l'effusione di Dio stesso, Dante potrà vedere oltre la figura, e cogliere la realtà di ciò che gli appare. Il che equivale a dire che si può vedere la realtà divina solo con la luce di Dio stesso. Questa concezione, propria della teologia cristiana (cfr. vv. 100-2 e nota), risponde in Dante a un'antica domanda, se la mente umana possa soddisfare il suo desiderio di conoscere (cfr. *Conv.* III, xv). Acutamente Benvenuto riconosce qui gli stessi termini (*sete, saziare, acqua*) di *Purg.* XXI 1-3, passo che già rispondeva a quella stessa domanda (si veda la nota relativa). In questo canto si conclude una vita, e si sciolgono i nodi di lunghi anni. Di qui deriva l'intensità unica dell'espressione.

– *bei*: forma dell'uso antico per *bevi* (cfr. *bee* a *Inf.* XXXIII 141).

75. **il sol de li occhi miei**: Beatrice.

76-8. **Il fiume e li topazi...**: il fiume, le faville luminose (già paragonate a rubini, ora a topazi; il loro

Anche soggiunse: «Il fiume e li topazi
ch'entrano ed escono e 'l rider de l'erbe
78 son di lor vero umbriferi prefazi.

Non che da sé sian queste cose acerbe;
ma è difetto da la parte tua,
81 che non hai viste ancor tanto superbe».

Non è fantin che sì sùbito rua
col volto verso il latte, se si svegli
84 molto tardato da l'usanza sua,

come fec'io, per far migliori spegli
ancor de li occhi, chinandomi a l'onda
87 che si deriva perché vi s'immegli;
e sì come di lei bevve la gronda

colore oscilla quindi tra il rosso e il giallo, come suggerisce l'aggettivo *fulvido* del v. 62) e i fiori (che sono il riso dell'erba: trasposizione metaforica straordinaria, buttata come a caso, in tanta ricchezza) sono anticipazioni (*prefazi*) che adombrano (*umbriferi*) la loro verità, la loro vera essenza.

79. **da sé**: di per sé, nel loro vero essere.

– **acerbe**: immature, cioè non ancora perfette, non ancora nella pienezza della realtà (come appaiono a te).

80-1. **ma è difetto...**: ma il difetto è tuo, non loro, che non hai ancora la vista tanto elevata (*superba*; cfr. *Purg.* IV 41) da poterle vedere nella loro essenza. Cioè tu vedi solo quello che il tuo occhio è capace di vedere. L'oggetto del vedere si adegua, secondo una costante di tutto il *Paradiso*, all'occhio di colui che guarda, mentre per converso la sua vista viene sempre più rafforzata e adeguata a ciò che deve vedere. In questo meccanismo riposa tutta la figurazione della cantica. E tale vitale rapporto fra vista e oggetto del vedere, che si fonderanno nell'ultimo canto (XXXIII 80-1), non è che un'unica continua raffigurazione – su cui si fonda il *Paradiso* dantesco come espressione poetica – del rapporto tra uomo e Dio come è concepito dal cristianesimo.

82-4. **fantin**: bambino, lattante; *rua*: si lanci, si butti (lat. «ruat»). In questo canto pieno di sorprese, non ultima è questa immagine del lattante che si sveglia in ritardo e si precipita verso il seno materno elevato a figura del desiderio ardente che urge il pellegrino dell'Empireo. Ma non c'è da stupirsene. Da una parte il bambino è il migliore esempio della veemenza del desiderio naturale che qui si vuol rappresentare; dall'altra è ben presente a Dante il valore cristiano, anzi evangelico, dell'immagine, in quanto solo al fiducioso abbandono dell'infanzia si apre il regno dei cieli (cfr. XI 111 e *Matth.* 18, 3).

– **molto tardato**: la stessa attenzione a cogliere il moto spontaneo del lattante è a XXIII 121-3; ma qui singolare rilievo prende, in questo spirituale spazio ultracorporeo, la precisazione che interviene nell'inci-

so (*se si svegli...*), osservazione propria di una madre, che introduce nell'Empireo una scena concreta – un bambino vero – della vita di tutte le famiglie del mondo.

85-6. **per far migliori spegli / ancor de li occhi**: per fare dei miei occhi specchi ancora migliori, cioè più atti a rispecchiare la realtà divina.

86-7. **a l'onda / che si deriva...**: a quell'acqua che deriva, fluisce da Dio, perché l'uomo vi si migliori (*immegliarsi* è neologismo dantesco, come *insemprarsi*, *ingradarsi* ecc.). La densità dell'espressione, racchiusa nei due verbi pregnanti e nuovi (*si deriva* – *s'immegli*) con una sintesi tipica del linguaggio dantesco nei momenti forti, corrisponde all'intensità dell'attenzione di Dante, costretto ad acuire le forze della mente, per cui si crea l'acuirsi del linguaggio.

88-9. **la gronda / de le palpebre mie**: le ciglia. Cioè: non appena le mie ciglia toccarono quell'acqua luminosa. Il fatto singolare che da questo fiume si beva con gli occhi, e non con la bocca, sottolinea che la sete che qui si sazia è la sete del vedere, cioè della mente. Tutto il discorso fa centro esclusivamente sullo sguardo e sulla luce.

E aggiunse: «Il fiume e le luci simili a gemme (li topazi) che vi entrano ed escono, e il ridere dell'erba (cioè i fiori) sono anticipazioni (prefazi) che adombrano (umbriferi) la loro vera essenza. Non che di per sé queste cose siano ancora imperfette (acerbe), ma il difetto è da parte tua (non loro), che non hai ancora la vista tanto elevata (superbe)». ◆ Nessun bambino si precipita così velocemente col volto verso il latte materno, se si sveglia con molto ritardo rispetto alle sue abitudini, come feci io per rendere i miei occhi specchi ancora migliori, chinandomi verso quell'acqua che fluisce da Dio perché l'uomo vi si migliori; e non appena le mie ciglia (la gronda de le palpebre mie) bevvero di quell'acqua, ...

> de le palpebre mie, così mi parve
> 90   di sua lunghezza divenuta tonda.
>   Poi, come gente stata sotto larve,
> che pare altro che prima, se si sveste
> 93   la sembianza non süa in che disparve,
>   così mi si cambiaro in maggior feste
> li fiori e le faville, sì ch'io vidi
> 96   ambo le corti del ciel manifeste.
>   O isplendor di Dio, per cu' io vidi
> l'alto trïunfo del regno verace,
> 99   dammi virtù a dir com'ïo il vidi!
>   Lume è là sù che visibile face
> lo creatore a quella creatura

90. di sua lunghezza...: la lunghezza del fiume mi parve cambiarsi in figura circolare. Straordinaria trasformazione, dove si rompono le leggi della geometria. Lo spazio umano è superato, come il tempo. È questo l'inizio della nuova e più vera visione, che si prepara e si svolge gradualmente. La forma circolare è la prima cosa che appare allo sguardo nel mutato vedere di cui sopra si è detto. Essa significa, come sempre, l'eternità, in quanto non ha principio né fine (come la figura lineare indica il tempo). Ed è il primo carattere della beatitudine.

91-3. come gente...: come gente che è stata vestita in maschera (*larve*: maschere) che sembra essere tutt'altra da prima quando si toglie il costume sotto il quale si era nascosta... L'attacco questa volta è lento, e la calma spiegazione della prima terzina ci conduce gradualmente all'improvviso splendore della visione svelata (*manifesta*) del v. 96, fortemente retta dal *vidi* che precede in sede finale di verso.

94. in maggior feste: in una festa più grande – perché reale, e fatta di persone – di quella simbolica dei fiori e delle faville. Con brusco mutamento, il movimento ritmico di questa seconda terzina è fortemente accentuato e, uguale nel primo e nel secondo verso, s'impenna improvvisamente nel terzo, che sembra dispiegare allo sguardo la visione senza veli della corte celeste.

96. ambo le corti: le due *milizie* della corte celeste: gli angeli e gli uomini beati.

97-9. O isplendor di Dio...: l'esclamazione è movimento tipico dei momenti più alti del *Paradiso*, come se la pienezza del cuore non trovasse altra via per esprimersi, in tanta perfezione e finezza di arte, che questa forma primitiva del linguaggio umano. Tuttavia essa non ha nulla di primitivo nella sua formulazione: la triplice rima in *vidi* sottolinea il culmine qui raggiunto dalla vista umana, e vuole ribadire la realtà concreta di quanto si facconta; il *per cui* ci ripete che è solo grazie alla luce di Dio che si può vedere il suo regno (cfr. vv. 73-4); *regno verace*, vale «vero, reale, il solo ad essere vero»; l'implorazione finale, che richiama altre simili invocazioni della cantica (cfr. I 22 sgg.; XXXIII 67-72), riporta in primo piano il fatto poetico, per Dante primario: dammi capacità a dire come io lo vidi. In questo momento decisivo ciò che Dante chiede è la capacità di scrivere in versi ciò che vide. Segno di come l'una cosa – il vedere – sia per lui inseparabile dall'altra – il dire – tanto che il loro stretto legame costituisce la sua stessa vita.

100-2. Lume è là sù...: comincia qui, introdotta dalla grande esclamazione e dalla triplice scansione del *vidi*, la descrizione della visione reale dell'Empireo. Si parte lentamente, pianamente, come narrando una cosa lontana, ma con un'estrema precisione: vi è lassù un lume tale che fa visibile il creatore – Dio – a quella sua creatura, che trova pace solo nel contemplare lui (cioè quella dotata di intelletto, l'uomo e l'angelo, la cui mente non si appaga se non in Dio: ritorna sempre l'antico tema dell'umana insaziabile sete di conoscere, che Dio solo può placare). È questo, così semplicemente narrato, il «lume della gloria» della tradizione teologica cristiana, cioè quella luce da Dio donata per la quale sola i beati e gli angeli possono avere la visione di lui: «nella tua luce vedremo la luce» (Ps. 35, 10). Questa concezione è assunta da Dante a fondamento di tutta la sua visione, come si vedrà sempre più chiaramente.

– ha la sua pace: si cfr. Agostino, *Conf*. I, I 1: «Ci

... la lunghezza del fiume mi apparve cambiata in forma circolare. ♦ *Poi, come gente che è stata vestita in maschera* (larve), *che sembra essere tutt'altra da prima quando si toglie il costume sotto il quale si era nascosta* (disparve), *così i fiori e le faville si tramutarono ai miei occhi in una festa più grande, tanto che vidi chiaramente entrambe le milizie della corte celeste* (gli angeli e gli uomini beati). *O splendore di Dio, grazie al quale io potei vedere l'alto trionfo del celeste regno della verità* (verace), *dammi la capacità di descriverlo come io lo vidi!* ♦ *Lassù c'è una luce che rende visibile il creatore a quelle creature ...*

102 che solo in lui vedere ha la sua pace.
     È si distende in circular figura,
     in tanto che la sua circunferenza
105 sarebbe al sol troppo larga cintura.
     Fassi di raggio tutta sua parvenza
     reflesso al sommo del mobile primo,
108 che prende quindi vivere e potenza.
     E come clivo in acqua di suo imo
     si specchia, quasi per vedersi addorno,
111 quando è nel verde e ne' fioretti opimo,
     sì, soprastando al lume intorno intorno,
     vidi specchiarsi in più di mille soglie
114 quanto di noi là sù fatto ha ritorno.

hai creato per te, e il nostro cuore è inquieto finché non riposa in te».

103-5. È si distende...: la figura lineare del fiume si è già trasformata (v. 90) in circolare. Ora si estende in una misura immensa, tanto che la sua circonferenza sarebbe una cintura troppo larga anche per il sole. Continua il tono di piano e preciso narrare, come di chi vuole rendere conto nel modo più esatto di una concreta realtà sperimentata. Nessuno può sfuggire alla suggestione di udire un racconto di cose viste. Tale modo si prolunga per tutta la terzina seguente, per rompersi poi nella straordinaria similitudine che porta il germe dell'ultima visione.

106-8. Fassi di raggio...: tutta la sua visibilità (*parvenza*), tutto ciò che si vede di questo lume spirituale, è formato da un raggio riflesso sulla sommità del Primo Mobile o cielo Cristallino che da esso prende vita, cioè il suo proprio movimento, e potenza, cioè la virtù che comunica a tutti gli altri cieli. Come altrove, descrivendo il suo viaggio, Dante dà un'apparenza di precisione scientifica a fenomeni nati nella sua fantasia, qual è questo raggio che scendendo da Dio si riflette come su uno specchio al culmine del cielo Cristallino e forma l'immenso cerchio di luce più grande del sole. Pure tale immaginazione non è gratuita, perché in quel punto in cui il raggio si riflette sul Cristallino è in qualche modo adombrato nella forma più leggera possibile il raccordo tra il corporeo e l'incorporeo, ed è là che l'incorporeo si fa visibile: come a dire che l'atto creativo di Dio coincide con la sua stessa visibilità.

109-10. E come clivo...: e come il declivio di una collina si riflette in uno specchio d'acqua che si trovi ai suoi piedi (*di suo imo*: che tocchi la sua parte infima, più bassa)... La similitudine umile e piana porta con sé qualcosa di grande e straordinario, che si manifesterà nella terzina seguente, trionfante e solenne. Si prepara qui lentamente la più grande figura della *Commedia*, quella della rosa celeste. Ma un'immagine così grande e densa di significato nascerà come casualmente proprio dal cuore di questa semplice descrizione di un paesaggio.

110-1. quasi per vedersi...: quasi per il piacere di vedersi adornato, nel tempo in cui è ricco (*opimo*) di verde e di fiori (cioè in primavera)... Il *quasi* introduce nell'immagine un elemento umano (come se godesse di vedersi così adorno) che già cambia il tono (il *clivo* già non è più un semplice declivio) e serve di passaggio al secondo termine di paragone.

112-4. sì, soprastando...: così, soprastanti tutto intorno a quel cerchio di luce, vidi specchiarsi, disposti in più di mille (espressione che indica numero immenso) gradini, tutti gli uomini che (*quanto di noi*) hanno fatto ritorno dalla terra al cielo, cioè tutti i beati. La terzina sembra sollevarsi (*soprastando*) e dilatarsi all'infinito (*più di mille*) nei primi due versi, per assumere una cadenza conclusiva e definitiva nel terzo. L'immagine del *clivo* pare cambiarsi in un anfiteatro (come «i gradi dell'arena di Verona»: Buti), ma la figura che Dante ha in mente e a cui tende tutta la descrizione, quella che sostituirà veramente anche sul piano poetico il *lume in forma di rivera*, è un'altra, e apparirà solo alla fine della terzina seguente.

... che solo nel vedere lui trovano la loro pace. E si estende in forma circolare tanto ampiamente che la sua circonferenza sarebbe una cintura troppo larga anche per il sole. Tutta la sua visibilità (parvenza) è formata da un raggio riflesso sulla sommità del Primo Mobile che da esso prende vita e potenza. E come il declivio (di una collina) si riflette in uno specchio d'acqua ai suoi piedi (di suo imo), quasi per il piacere di vedersi adornato, nel tempo in cui è ricco (opimo) di verde e di fiori (cioè in primavera), così, soprastanti tutto intorno a quel cerchio di luce, vidi specchiarsi, disposti in migliaia di gradini, tutti gli uomini che (quanto di noi) hanno fatto ritorno lassù (cioè tutti i beati).

       E se l'infimo grado in sé raccoglie
       sì grande lume, quanta è la larghezza
117   di questa rosa ne l'estreme foglie!
       La vista mia ne l'ampio e ne l'altezza
       non si smarriva, ma tutto prendeva
120   il quanto e 'l quale di quella allegrezza.
       Presso e lontano, lì, né pon né leva:
       ché dove Dio sanza mezzo governa,
123   la legge natural nulla rileva.

115-7. **E se l'infimo grado...**: e se il gradino più basso recinge uno specchio di luce più grande del sole (come prima si è detto), quale sarà la larghezza di questa rosa (ecco apparire, come portata dal verso stesso, come già l'aspettassimo, la grande immagine dell'Empireo, la candida rosa dei beati) nelle sue foglie ultime, più alte! Questa invenzione della fantasia dantesca, che sostituisce alla tradizionale e scritturale immagine della città quella del fiore – la rosa, suprema bellezza del creato – a rappresentare l'umanità beata nella sua gloria, ha certo le sue radici nella tradizione cristiana, soprattutto, crediamo, negli scritti di san Bernardo, ma è tuttavia assolutamente nuova e unica nel suo genere. Sul significato di questa figura molto si è scritto (si vedano in proposito le *Letture consigliate* relative al canto). Noi pensiamo che essa si comprenda tenendo presenti i vv. 1-3 del canto XXXI e i vv. 7-9 del XXXIII. La rosa, simbolo tradizionale di Maria (cfr. XXIII 73-4) – che secondo la teologia cristiana è la perfezione dell'umanità – e formata dai beati stessi (XXXI 1-3), rappresenta qui il compimento perfetto (la fioritura) della natura umana nella resurrezione finale, reso possibile appunto dalla incarnazione di Cristo in Maria (cfr. XXXIII 7-9 e la relativa nota). La

resurrezione della carne è il senso profondo della rosa dantesca, indicato già dai vv. 44-5 di questo canto e poi dai primi versi del canto seguente.

118-20. **La vista mia...**: la mia vista non si smarriva nella vastità e nell'altezza di questa rosa, ma riusciva a cogliere l'*allegrezza* (vocabolo che corrisponde a *letizia* del v. 41 e indica l'altissima gioia che pervade l'intero Empireo) di tutti quei beati nella sua abbondanza (*il quanto*) e nella sua intensità (*'l quale*). L'uso dei neutri alla latina (*l'ampio* – *il quanto* – *'l quale*, e nel verso seguente *Presso* e *lontano*) aggiunge indeterminatezza e infinità a queste misure umane. Quella vista che tutto abbraccia, anche l'immensità della rosa, sembra finalmente saziarsi (*tutto prendeva*) di un'antica fame.

121-3. **Presso e lontano...**: la vicinanza e la lontananza non aggiungono né tolgono (*né pon né leva*) niente alla vista; giacché dove Dio regna senza mediazione della materia, le leggi della natura non hanno più valore. Si spiega con questo quanto è detto nella terzina precedente, come cioè sia possibile un così completo vedere, senza alcun limite di spazio. È il consueto modo di render ragione scientifica delle cose più incredibili e straordinarie viste nel suo viaggio, che accompagnerà Dante fino agli ultimi versi del poema. Tuttavia c'è qui un senso più profondo, un'assoluta e totale liberazione. Qui siamo finalmente fuori delle leggi della natura. La grande rosa dell'Empireo porta con sé anche questo supremo valore: è finito il tempo, è sparito lo spazio. Nel contemplarla l'occhio umano non ha più limite, quel limite che sempre lo ferma su questa terra. Anche questa terzina concorre quindi a precisare la qualità oltrespaziale e oltretemporale del luogo dove si svolge tutto il canto; luogo spirituale, diverso da ogni altro in cui fin qui ci siamo trovati.

124 sgg. **Nel giallo...**: finita la grande visione, che si svolge in due tempi – quello della figura (il *lume in forma di rivera*) e quello della realtà (*la rosa*) – e che occupa il cuore del canto, sia narrativo che poetico, c'è una terza e ultima breve azione (la prima è l'uscita dal cielo Cristallino, la seconda è il chinarsi di Dante a bere con gli occhi dal fiume di luce): Beatrice trae Dante nel centro della rosa. Il *giallo* è lo specchio circolare di luce intorno al quale la rosa s'innalza, simile al cuore giallo formato dagli stami al centro del fiore.

◆ E se il gradino più basso recinge uno specchio di luce così grande, quale sarà la larghezza di questa rosa nelle sue foglie più alte! La mia vista non si smarriva nella sua vastità e nella sua altezza, ma riusciva a cogliere tutta la gioia di quei beati nella sua abbondanza (il quanto) e nella sua intensità (l quale). Lì la vicinanza e la lontananza (Presso e lontano) non aggiungono né tolgono (né pon né leva) niente alla vista: giacché dove Dio regna senza mediazione (della materia), le leggi della natura non hanno più alcun valore.

> Nel giallo de la rosa sempiterna,
> che si dilata ed ingrada e redole
> 126   odor di lode al sol che sempre verna,
> qual è colui che tace e dicer vole,
> mi trasse Bëatrice, e disse: «Mira
> 129   quanto è 'l convento de le bianche stole!
> Vedi nostra città quant'ella gira;
> vedi li nostri scanni sì ripieni,
> 132   che poca gente più ci si disira.

125. si dilata ed ingrada: si allarga e si innalza di grado in grado (*ingradarsi* è neologismo dantesco; cfr. XXIX 130). Il Petrocchi preferisce la lezione *si digrada* e il diverso ordine dei due verbi: *si digrada e dilata*. Sulle ragioni della nostra scelta si veda la nota al testo alla fine del canto.

125-6. redole...: profuma odor di lode a Dio, sole che fa sempre primavera (*verna*, dal latino «vernare»). Anche «redolere» è latinismo raro, che si trova in Virgilio (*Aen.* I 436), ma che in questo luogo viene a Dante probabilmente da san Bernardo, dato che questi lo usa appunto riferito al giglio («suavissime redolens»: che spande dolcissimo profumo) come figura della futura gloria (*Sermones in Cantica* 70, 7). Una simile espressione significa che il profumo che s'innalza da questa rosa è il canto di lode a Dio dei beati. Il passaggio dalla voce umana al profumo (dall'udito all'odorato) è già al canto XIX, vv. 22-4: *O perpetüi fiori... che pur uno / parer mi fate tutti vostri odori*. E l'eterno canto di lode della rosa ci ricorda il canto delle gerarchie angeliche a XXVIII 115-20, di cui ritornano qui modi e vocaboli. Si noti l'altezza e rarità del linguaggio di questa terzina (*ingrada – redole – verna*: un neologismo e due latinismi non ritrovabili altrove nell'opera di Dante) e il gioco prezioso delle allitterazioni: al vertice della visione anche il linguaggio poetico tocca il suo vertice.

127. qual è colui...: come uno che tace, mentre vorrebbe parlare: le domande si affollano in Dante, che pur tace. Certo tace perché sopraffatto dalla visione, dalla situazione estrema in cui si trova. Ogni sua parola qui sarebbe di troppo. L'incontentabile formulatore di domande ora tace, e lascia ogni parola a Beatrice.

129. quanto è 'l convento...: quanto grande è il raduno, l'assemblea (*convento*; cfr. *Purg.* XXI 62) delle bianche vesti, cioè dei corpi gloriosi. Questo crediamo sia il significato della parola *stole*, che è citazione dell'*Apocalisse* (7, 9: «avvolti in vesti candide») e che Dante usa in questo senso già a XXV 127: *Con le due stole nel beato chiostro* (cioè con l'anima e il corpo, la *doppia vesta* del v. 92 dello stesso canto; si veda la nota relativa). Del resto sempre nella *Commedia* il corpo risorto è indicato come una veste (cfr. *Inf.* XIII 104; *Purg.* I 75; XXX 15). Questo significato precisa e sostiene tutta la visione, dove «bianche vesti» avrebbe

un senso vago e generico, mentre corpi gloriosi vogliono dire ben altro: essi richiamano esplicitamente i vv. 44-5 (*in quelli aspetti / che tu vedrai a l'ultima giustizia*) e creano una presenza di eccezionale forza. Sono, queste *bianche stole*, i corpi sospirati nel canto XIV, vv. 64-5: *per le mamme, / per li padri e per li altri che fuor cari*, sempre presenti in lontananza, come abbiamo visto, nella *Commedia*, e qui sfolgoranti nella loro realtà.

130-2. Vedi nostra città...: vedi la nostra città (la Gerusalemme celeste della Scrittura: *Apoc.* 21, 9-10) quanto ampiamente si allarga in cerchio; vedi i nostri seggi (gli *scanni*) così pieni ormai che manca poca gente ancora (*più*) a colmarli (Dante pensava, come molti al suo tempo, che non mancasse molto alla fine del mondo, del quale si era ormai nell'ultima età; cfr. *Conv.* II, XIV 12 e Agostino, *In Io.* IX 6). Con questa terzina il tono del narrare cambia, e lentamente si sposta verso un altro centro di attenzione. Dalla prospettiva degli ultimi giorni si ritorna alla storia contemporanea. Lo sguardo fisso finora in quella spirituale visione, fuori del tempo e dello spazio, dove si è svolto con estrema tensione quasi tutto il canto, diverge ora lentamente verso il tempo umano.

◆ *Nel giallo della rosa eterna, che si allarga e si innalza di grado in grado e spande profumo di lode al sole che fa sempre primavera (verna; cioè a Dio), come uno che tace, mentre vorrebbe parlare, mi portò Beatrice, e disse: «Guarda quanto grande è l'assemblea (convento) delle bianche vesti (cioè dei corpi gloriosi); vedi la nostra città quanto ampiamente si allarga in cerchio (gira); vedi i nostri seggi (scanni) così pieni ormai che vi manca poca gente ancora (più).*

E 'n quel gran seggio a che tu li occhi tieni

per la corona che già v'è sù posta,

135 prima che tu a queste nozze ceni,

sederà l'alma, che fia giù àgosta,

de l'alto Arrigo, ch'a drizzare Italia

138 verrà in prima ch'ella sia disposta.

La cieca cupidigia che v'ammalia

simili fatti v'ha al fantolino

141 che muor per fame e caccia via la balia.

---

133 sgg. E 'n quel gran seggio...: comincia qui l'ultimo tempo del canto, dedicato appunto alla storia, che si fa presente nel più grande evento storico della vita di Dante, la discesa di Arrigo VII in Italia. Nell'atmosfera del canto, così innalzato con tutte le risorse fantastiche e linguistiche fuori del tempo, questo richiamo alla storia appare a prima vista fuori luogo. E di fatto il tono poetico sembra incrinarsi e decadere, la sintassi e le immagini si fanno più faticose e pesanti. Tuttavia è presente in questo passo – che testimonia quanto profondamente quel fatto storico avesse inciso nel cuore di Dante – una dignità dolorosa che lo sostiene, e se esso non può reggere il confronto con i versi che precedono (confronto del resto improprio), vi si affianca come un potente chiaroscuro. La speranza che Dante aveva concepito allora, di una «rifondazione dell'Impero», così amaramente delusa, era di fatto l'ombra, l'immagine terrena, della città gloriosa che egli vede ora. Introducendo quassù, con laconico rimpianto (*... ch'a drizzare Italia / verrà in prima ch'ella sia disposta*), l'avventura di Arrigo, egli se ne distacca definitivamente. E l'avvio del canto seguente avrà appunto il tono di una totale liberazione.

– a che tu li occhi tieni...: al quale tu tieni fisso lo sguardo; ecco che l'oggetto del vedere discende dall'incredibile e immateriale rosa di corpi risorti a questo trono decisamente umano e storico. Questo è infatti il trono preparato per l'imperatore Arrigo VII, morto nel 1313, prima dunque che Dante muoia e *ceni* alle nozze celesti (l'immagine del regno di Dio come banchetto di nozze è evangelica e si trova già a XXIV 1-2).

136. che fia giù agosta: che giù sulla terra avrà la dignità di augusto, cioè di imperatore (*agosto* è la forma normale dell'italiano antico per *augusto*).

137-8. de l'alto Arrigo...: del grande, nobile Arrigo, che verrà a raddrizzare, a rimettere sulla diritta via l'Italia deviata, prima che essa sia disposta ad accoglierlo; e quindi il suo tentativo fallirà (cfr. *Purg.* VII 96 e nota). Arrigo VII di Lussemburgo, disceso nel 1310 in Italia per ricondurla sotto il dominio imperiale, incontrò fortissima opposizione da parte delle città guelfe, tra cui Firenze, e morì a Buonconvento nel 1313 senza aver potuto portare a termine la sua impresa. Dante sperò vivamente in lui, per l'Italia, per Firenze, e anche per se stesso; e ce ne restano testimoni, oltre al poema, le lettere appassionate da lui scritte in quell'occasione (*Ep.* V, VI e VII). Ma soprattutto sperò per un momento che si potesse realizzare sulla terra il suo sogno di una monarchia universale, quale è descritto nella *Monarchia*. Questo significò Arrigo per lui, e questo è il senso del suo nome nel momento in cui appare la città celeste.

139. La cieca cupidigia...: il rimprovero è rivolto qui in particolare agli italiani. La cupidigia è la fonte di ogni male nella *Commedia* (come in *1 Tim.* 6, 10: «la cupidigia è la radice di tutti i mali»; cfr. XXVII 121-3). Qui ricordiamo l'*Epistola* VI ai fiorentini, scritta appunto in occasione della discesa di Arrigo: «o accecati da una incredibile cupidigia!...» (12); e più oltre: «e non vi accorgete, poiché siete ciechi, che è la cupidigia che vi domina...» (22).

– v'ammalia: vi toglie il senno.

140-1. simili fatti v'ha...: vi ha ridotto come il bambino senza uso di ragione, che muore di fame (come voi andate in rovina per il disordine politico) e respinge la balia, cioè chi può salvarlo.

◆ *E in quel gran seggio al quale tu tieni fisso lo sguardo per la corona che vi è già posta sopra, prima che tu sieda a questo banchetto di nozze, siederà l'anima del nobile Arrigo, che giù sulla terra avrà la dignità di augusto (cioè di imperatore), e che verrà a raddrizzare l'Italia prima che essa sia disposta ad accoglierlo. La cieca cupidigia che vi toglie il senno vi ha resi simili al bambino, che muore di fame e respinge la balia.*

        E fia prefetto nel foro divino
        allor tal, che palese e coverto
144   non anderà con lui per un cammino.
        Ma poco poi sarà da Dio sofferto
        nel santo officio: ch'el sarà detruso
        là dove Simon mago è per suo merto,
148   e farà quel d'Alagna intrar più giuso».

142-4. **E fia prefetto...**: e sarà a capo della Curia (il *foro divino* è contrapposto ai tribunali degli uomini; è il luogo dove si dovrebbe dunque esercitare perfettamente la giustizia) in quel momento un pontefice tale (Clemente V) che non si comporterà con lui nello stesso modo apertamente e di nascosto (cioè apertamente lo asseconderà e segretamente cercherà di ostacolarlo); si veda XVII 82 (*ma pria che 'l Guasco l'alto Arrigo inganni*) e nota.

145-7. **Ma poco poi...**: il passo finisce in tono profetico, come già gli altri luoghi di intonazione politica e di grave ammonimento agli uomini della terza cantica: ma *poi* (cioè dopo tale azione) sarà sopportato (*sofferto*) per poco tempo da Dio nel suo santo ufficio (Clemente V morì infatti il 20 aprile 1314, otto mesi dopo Arrigo), poiché sarà precipitato (*detruso*, dal latino «detrudere», cacciare in basso) nella bolgia dei simoniaci (cfr. *Inf.* XIX 82-4).

148. **e farà quel d'Alagna...**: e così farà scendere più in basso nel foro della bolgia il papa di Anagni (Bonifacio VIII, detto così dall'oltraggio subito in Anagni; cfr. *Purg.* XX 86 sgg.). Ricordiamo che i papi simoniaci sono infitti uno di seguito all'altro nello stesso foro di pietra, così che colui che arriva sospinge verso l'interno, *più giuso*, quello che lo precede (*Inf.* XIX 73-8). La tragica, terribile immagine, viene così a colpire, con maggior violenza che lo stesso Clemente, il papa sprezzantemente indicato dal luogo della sua vergogna al posto del nome, la cui cupa ombra occupa per la terza e ultima volta la scena della *Commedia* (cfr. *Inf.* XIX 52-7 e XXVII 85 sgg.). L'ultimo verso del canto, che è anche l'ultimo ricordo della storia umana prima della visione divina, e l'ultima parola di Beatrice, presenta così, quasi esempio massimo del male in quell'abisso diametralmente opposto al cielo supremo, l'uomo che incarnò per Dante la più grave colpa che portava a rovina il mondo, quella brama di potere per cui la Chiesa si arrogava il diritto di esercitare il governo politico, e non solo spirituale, dell'umanità (cfr. XX 58-60 e *Purg.* XVI 97-111).

■

E in quel momento (allora) sarà a capo della Curia divina un pontefice tale (Clemente V) che non si comporterà con lui nello stesso modo apertamente e segretamente.
◆ *Ma poi sarà sopportato (sofferto) per poco tempo da Dio nel suo santo ufficio: poiché sarà precipitato (detruso) laggiù dove si trova, come ha meritato, Simone Mago (cioè nella bolgia dei simoniaci), e farà così scendere più in basso il papa di Anagni (Bonifacio VIII).*

approfondimenti

NOTE AL TESTO

v. 46. **dissetti**: *discetti*, presente in quasi tutti gli antichi manoscritti (e in tutte le edizioni) è forma del verbo «discettare», dal lat. «disceptare», discutere, che non può essere portato se non forzatamente al senso qui richiesto. Accogliamo perciò la lezione *dissetti* (presente in un codice autorevole), derivante dal latino «dissectare», dissezionare, disgiungere, senso che ben corrisponde al contesto. Il verbo «dissettare» non si ritrova altrove nell'antico italiano, ma ciò è fatto normale nei latinismi danteschi del *Paradiso*.

v. 62. **fulvido**: l'edizione del '21 porta la lezione *fluvido* (fluente), che ripete e conferma l'immagine del verso precedente. Ma la scelta del Petrocchi, già presente nelle prime edizioni del poema e nel Casella, è senz'altro da preferire in quanto unisce all'autorevolezza dei codici che la tramandano la novità improvvisa del colore che accende quel fluire di luce, l'anticipazione del rubino e dei topazi (vv. 66 e 76) a cui sono assomigliate le faville angeliche che escono dal fiume e del *giallo* che sarà poi detto del lago rotondo in cui esso si trasforma (v. 124), e infine il riscontro col virgiliano «fulvum» nel passo che è sicura fonte del v. 66 (cfr. la nota relativa). Come ulteriore sostegno della lezione accolta, che riteniamo una scelta linguistica dantesca di forte rilievo, ricordiamo che *fulvido* non è un derivato da «fulvus», come tutti annotano, ma esiste in tale forma anche in latino, e proprio per indicare il colore dell'oro (si cfr. il «fulvido metallo» – *metallum fulvidum* – in Cassiodoro, *Variae*, 9, 3, 1).

v. 125. **ed ingrada**: recuperiamo la congettura del Vandelli nell'edizione del '21 che suppone la caduta della *-n-* da una scrittura originale *edi(n)grada*. Questa congettura è ritenuta superflua dal Petrocchi (che legge: *si digrada e dilata*), in quanto egli attribuisce al verbo *digradare* il significato neutro di «procedere di grado in grado», quindi non necessariamente «dall'alto verso il basso» (come a XXXII 14), ma anche viceversa, (citando *Purg.* XXII 133: *e come abete in alto si digrada*). Ma in questo caso, proprio come nel precedente, il verbo significa «andar gradatamente restringendosi» (come appunto fanno i rami dell'abete), mentre per il significato opposto Dante stesso ha creato il verbo *ingradarsi*, che si trova nel canto precedente (XXIX 130). La congettura quindi appare necessaria, dato che in questo contesto la presenza di *si dilata* richiede che l'immagine si svolga dal centro verso la circonferenza, allargandosi dunque di grado in grado (si vedano anche i vv. 115-17). La lezione *ed ingrada* è naturalmente possibile solo come secondo termine nella coppia dei due verbi (*si dilata ed ingrada*), ordine sul quale la tradizione manoscritta si divide in modo da non dare indicazioni precise. Tuttavia anche per questa scelta il contesto ci porta a preferire l'ordine da noi accolto, in considerazione di quello seguito nell'analoga coppia che compare al v. 118 (*ne l'ampio e ne l'altezza*).

SUGGERIMENTI PER LA RICERCA

Temi del canto

La «novella vista»

L'ingresso in una nuova dimensione è segnato dall'acquisto di una nuova capacità di vedere. Rileggi nel canto i passi che descrivono il cambiamento: lo sparire del visibile fino al *nulla vedere* (vv. 1-15); l'accecamento (vv. 46-51); la *novella vista* (vv. 55-60) grazie alla quale Dante può vedere una nuova realtà, prima il fiume di luce (vv. 61-69), poi la rosa dei beati (vv. 103-117); quindi cerca di farne un breve commento. Per una piena comprensione del testo ti sarà d'aiuto la lettura dell'Introduzione al canto e del saggio di A. M. Chiavacci Leonardi, citato tra le *Letture consigliate*.

«Dal primo giorno ch'i' vidi il suo viso»

Nel momento del distacco Dante rievoca con un breve accenno il primo incontro con la sua donna. Ripercorri attraverso i testi danteschi i momenti più importanti della storia, leggendo nella *Vita Nuova* i capp. II, IV e III («il primo giorno»), il cap. XI («la mirabile salute») e il cap. XVIII (la «poesia della loda»); il racconto di Virgilio in *Inf.* II 52-73; l'incontro nel Paradiso terrestre in *Purg.* XXX 22-48; i passi del *Paradiso* sull'ineffabile bellezza di Beatrice che si accresce salendo di cielo in cielo (in particolare vedi XVIII 7-18 e XXIII 55-69). Infine, dopo aver letto tra le *Interpretazioni critiche* del volume *Strumenti* il contributo di E. Auerbach e l'*Introduzione* alla cantica, elabora un breve scritto riflettendo sul significato di Beatrice nella vita e nell'opera di Dante.

Il «ciel ch'è pura luce»

Con la straordinaria rappresentazione del cielo di «luce spirituale» Dante dà forma poetica all'idea dell'Empireo su cui avevano tanto dibattuto i pensatori pagani e cristiani: rileggi la descrizione ai vv. 39-42 e 100 e segg., integrandola con gli altri accenni che trovi nei passi XIV 30; XXII 67; XXVII 109-111; poi, per comprenderne adeguatamente il significato, riprendi sia l'Introduzione del canto sia quella dell'intera cantica e consulta la lettura di R. Guardini, *Il «Paradiso» di Dante*, che trovi nel volume *Strumenti*.

Personaggi del canto

Arrigo VII

Ricostruisci la biografia storica di Arrigo VII consultando la voce relativa in *Enciclopedia Dantesca* II, pp. 628-688, a cura di O. Capitani; per renderti conto del ruolo che il personaggio riveste nel pensiero politico di Dante puoi attingere alla stessa fonte, oppure leggere le pagine dedicate alla visione dantesca della storia in Ch. T. Davis, *L'Italia di Dante*, Bologna 1988 (pp. 57-75).

Lingua e stile

salute – v. 53

Rileggi la nota di commento che dà conto dei due significati che il termine *salute* in questo passo contiene, e trovane altri esempi nei capitoli III e XI della *Vita Nuova* e nel sonetto *Di donne io vidi una gentile schiera* (*Rime* LXIX).

di lei bevve la gronda – v. 88

Individua, servendoti delle *Concordanze*, altri passi della *Commedia* in cui l'oggetto del verbo *bere* sia introdotto, come spesso nella lingua antica, dalla preposizione *di* (con funzione partitiva). Sul *Grande Dizionario della lingua italiana* cerca quindi, nelle opere di altri autori, questo stesso tipo di costruzione con i verbi *assaggiare*, *comprare* e *mangiare*.

verna – v. 126

Utilizza le *Concordanze* per individuare i passi della *Commedia* in cui compaia il verbo *vernare* e annotane, servendoti delle note di commento e di un buon *Dizionario* di lingua italiana, le differenze di etimologia e di significato. Leggi quindi quanto osservato in nota a proposito di *svernare* (*Par.* XXVII 142) e *sbernare* (*Par.* XXVIII 118).

CANTO XXXI

Introduzione

S iamo ormai entrati nel mondo dell'eterno, quel
luogo d'arrivo, dove risiede Dio stesso, annunciato all'inizio della cantica (il *ciel che più de la
sua luce prende*), e il poema sacro sembra acquistare una nuova voce, libera e distesa, come di chi è ormai al di là delle preoccupazioni terrene, e contempla
con tutta pace lo splendore della mirabile realtà che lo
circonda.

Questo canto – il secondo dell'Empireo – segue diret-
tamente al primo, senza una qualsiasi forma di esordio, con un familiare *dunque*, quasi a ricapitolare e continuare un discorso lasciato interrotto. E di fatto
tutto il blocco dei quattro canti dedicati all'ultimo cielo forma un unico discorso, che passa senza stacco narrativo dal finale dell'uno all'inizio dell'altro (e il
maggiore esempio si avrà nell'ultimo passaggio, quando alla didascalia che chiude il canto XXXII – *E cominciò questa santa orazione* – segue all'inizio del XXXIII
l'attacco della preghiera alla Vergine). Si crea così un unico grande ambiente di
figure e di linguaggio, nel quale il poeta conduce con mano sicura il racconto
verso la visione estrema, di fronte alla quale tutto lo scenario precedente spa-
rirà, oltrepassato e quasi dimenticato, lasciando l'uomo solo di fronte al raggio
della luce divina.

Ognuno dei quattro canti ha tuttavia – all'interno di questo ambiente tutto
ugualmente teso a un livello estremo di contenuto e di stile – una sua specifica
fisionomia.

Il primo portava l'impatto di meraviglia e di sopraffazione di fronte all'esperienza totalmente nuova e superiore all'umano che vi è narrata: l'uscita dal tempo,
il lampo accecante che, come già a Paolo, dà una vista trasumanata, la visione
dell'umana gloria che appare nella candida e suprema bellezza della grande rosa.
Là il poeta è muto, non c'è che la vista, nessuna azione. È un momento irripetibile nella sua intensità e novità, quello forse della massima invenzione.

Il secondo ha un andamento tutto diverso: come se il poeta, insieme al personaggio, varcato quel limite e raggiunta una condizione in qualche modo simile al luogo dove si trova, si sentisse ormai nella sua casa – come suggerisce l'immagine del pellegrino arrivato *nel tempio del suo voto* – contemplando con tutto
riposo, quasi con confidenza, quel luogo finora straniero.

Tutto il canto si svolge in questo clima di serena e alta contemplazione, libero da ogni costrizione, da ogni domanda o problema. «Veramente esso scorre
– per usare le parole del Gabrieli – come un fiume regale di poesia». Non c'è
più da procedere, da salire. Siamo arrivati. Di qui la profonda calma che pervade il susseguirsi delle varie sequenze, il senso definitivo di ogni visione, parola, azione. Perché questo, a differenza del precedente, è un canto di parola e di
azione: qui il poeta riprende, per così dire, il possesso di se stesso come soggetto storico, e la sua vita personale, la sua umana vicenda, trova il proprio compimento a confronto con il luogo che non conosce né l'ombra, né le lacrime,
come è detto nella Scrittura (*Apoc.* 21, 4; 23).

Quattro sono le sequenze in cui si struttura il canto: in apertura l'ampia e luminosa descrizione della *candida rosa* – appena intravista nel suo insieme alla fine del canto precedente – in tutti i suoi mirabili particolari, figura che funge quasi da prologo e introduzione a tutto il canto; poi si presenta la condizione di Dante nel nuovo mondo, che è quella, insieme stupita e distesa, del pellegrino finalmente giunto nel luogo santo tanto desiderato; al centro si svolge l'evento principale, il distacco da Beatrice, alla quale subentra la nuova, terza guida, san Bernardo; infine la chiusa risponde all'inizio, riportando lo sguardo in alto, verso la rosa, questa volta al suo sommo, dove risplende, come il fulgore dell'aurora sull'orizzonte orientale, la regina di questo regno, non nominata e non descritta, la Vergine Maria.

Introdotta da quel *dunque* sopra ricordato, che stabilisce il collegamento e insieme rivela la nuova libera condizione ormai raggiunta dal poeta rispetto al canto precedente, si distende in tutta la sua bellezza – per nove terzine – la grande figura che Dante ha ideato per il suo paradiso poetico, figura che non esisteva prima di lui, e che genialmente innova quella della tradizione biblica, stabilita ormai nel linguaggio ecclesiastico, dottrinale e liturgico. Secondo quella tradizione, fissata nell'*Apocalisse* e ripresa da tutta l'arte pittorica medievale, il paradiso appare infatti come una città. È la città celeste, la comunità dei santi, che si contrappone nel suo splendore a quella terrestre. Il poeta della *Commedia* invece non trova, giunto nell'Empireo, una costruzione in qualche modo analoga a quelle terrene, ma soltanto un fiore: il fiore più bello di questa terra, immenso e trasfigurato nella luce, ma tuttavia un fiore. E di questo fiore, i petali sono i beati stessi (*In forma dunque di candida rosa / mi si mostrava la milizia santa...*). Dante rovescia la figura biblica, da carnale a spirituale: non le pietre tengono insieme la comunità divina, ma quella vita che tiene insieme i petali di un fiore, vale a dire lo spirito.

Che cosa sia questa rosa, qui è detto chiaramente: è la stessa gloriosa umanità, che fiorisce nel cielo eterno nella sua pienezza e bellezza, in grazia della redenzione operata da Cristo (*che nel suo sangue Cristo fece sposa*).

La stessa idea sarà ripetuta, in altra forma, nella preghiera a Maria che apre l'ultimo canto: dalla incarnazione compiutasi nel suo seno è *germinato* il fiore celeste (XXXIII 7-9). Di dove Dante abbia potuto attingere l'idea, è stato da molti ricercato e discusso, e numerose proposte sono state avanzate: dai rosoni delle cattedrali, dal poema allegorico francese *Roman de la rose*, dai testi biblici, patristici e liturgici che figurano i beati come fiori, e Maria come rosa. Tutto in realtà può avervi concorso, anche se certamente è l'ultima ipotesi quella che più corrisponde al contesto, e al linguaggio stesso del *Paradiso* dantesco. Quello che a noi interessa è il risultato, nuovo e magnifico nel suo apparire, e profondamente nuovo anche nel suo significato, come sopra abbiamo cercato di individuare.

Per questa rosa, come qui è descritta, volano incessanti gli angeli, che in questo cielo appaiono, proprio come gli uomini, in forma visibile (non più astratti cerchi geometrici, ma creature alate, pur raffigurate nel modo più smaterializzato possibile – volti di fuoco, ali d'oro; e *l'altro* tutto bianco). Il loro alacre movimento che trasvola nel verso cantando – *volando vede e canta* – riempie lo spazio senza impedire la vista e crea di fatto l'estensione e l'essenza stessa (*pace e ardore*) di quel fiore che essi percorrono e a cui «porgono» le qualità divine. Così Dante, ancora una volta, riprende il tema per lui tanto importante della figura angelica, diversa dall'umana e pur ad essa simile, tramite fra le due dimensioni, cardine dello stesso ordine dell'universo.

A conclusione del quadro, delineato in forme leggere e pure intense, con un effetto complessivo di luce, volo e ardore, il verso lo raccoglie in unità indicando la direzione unica degli sguardi, portati dall'amore, verso un solo termine, che è Dio.

A questo punto, del tutto inattesa e quindi tanto più efficace, si leva ancora una volta la commossa voce del poeta autore, che dalla terra, descrivendo e contemplando nella memoria ciò che allora (cioè ora) vide, prega quel Dio che così perfettamente *appaga* gli uomini del cielo perché guardi alla tempesta che scuote gli uomini della storia. Entra così nel canto la persona di Dante, con il forte ricordo che egli sempre porta con sé del mondo da cui proviene (*io, che al divino da l'umano, / a l'etterno dal tempo era venuto...*); ricordo che qui – fuori dal tempo – non si fa più voce profetica, ma implorazione del cuore umano all'aiuto divino. E Dante assume ora, in questo cielo dove finalmente è giunto, la figura che per tutto il poema lo accompagna come sua ombra, o suo doppio, quella del pellegrino che si trova nel *tempio del suo voto*, cioè dell'esule che arriva in patria.

La doppia similitudine che descrive il suo sentimento – prima centrata sullo stupore (quello dei barbari che vedono le meraviglie di Roma), poi portata al più vero confronto (quello con il pellegrino finalmente arrivato) – esprime nella sua estensione il lungo cammino compiuto (come quei lontani barbari, come il pellegrino) per giungere a questa meta.

Quel pellegrino che *si ricrea*, e pur tutto preso dal guardare pensa già a come racconterà ciò che ha visto, è straordinaria figura che riassume tutta la vita dell'uomo che nella continua tensione del suo spirito non altro ha fatto che tentare di *ridire* (è il verbo usato nei primissimi versi della cantica) ciò che la sua mente e il suo cuore vedevano, coincidendo vista e parola, il *fatto* e il *dir*, la vita e la poesia.

Ma nel momento stesso in cui egli gode della vista così a lungo desiderata (egli vede qui i *visi* che già cercò inutilmente, davanti a Benedetto e Giovanni, di poter scorgere dentro le loro fiamme), gli viene a mancare l'altra presenza, l'unica presenza corporea che finora lo ha sostenuto, quella di Beatrice.

La parabola viene a compiersi. Quel «peregrino spirito», che nell'ultimo sonetto della *Vita Nuova* saliva oltre il cielo Cristallino per poter contemplare in paradiso, nel pensiero, la donna amata e perduta, ora è la stessa persona di Dante, nella pienezza della sua umanità e della sua storia di dolore e di speranza, che vede nel reale – non immaginato – paradiso quella donna incoronata di gloria che fin qui lo ha condotto.

È difficile commentare questo nodo poetico, dove si racchiude una così lunga e intensa vicenda di vita e di arte.

Il distacco da Beatrice è raffigurato in modo analogo a quello da Virgilio, cioè senza che Dante se ne accorga. Egli si volge, come là nell'Eden, e non la vede più accanto a sé. E il richiamo alla prima guida ha una funzione certamente di carattere strutturale (o meglio diremmo teologico), ricordando le diverse tappe del cammino verso Dio che qui si vengono a completare, ma anche affettiva, come sempre è proprio di simili passaggi nella *Commedia*.

Quelle lacrime non sono rievocate a caso, ora che il distacco è diverso, in quanto Beatrice non sarà perduta se non umanamente, cioè come presenza vicina nella vita del tempo. Ma proprio questa è la somiglianza; egli infatti qui non ritrova, come nell'Eden, ma perde, colei che in terra come in cielo è stata la sua luce e il suo conforto: a lei sola egli guarda infatti, senza nemmeno rispondere alle parole della nuova guida, e le rivolge una preghiera, dove tutta la storia, del poema e della sua vita, viene a raccogliersi.

Del contenuto di tale preghiera, e della stretta somiglianza che essa ha con quella che sarà rivolta a Maria nell'ultimo canto, si dirà nel commento. Qui è importante notare come al centro del canto, tra la visione della celeste beatitudine all'inizio e l'apparire alla fine della stessa Vergine Maria, in questo Empireo di luce intellettuale, al di là di tempo e spazio, si venga a concludere, con la forte presenza del Dante storico, la vicenda umana che tutto il poema narra, e come tale conclusione avvenga nella forma di un alto distacco, distacco che la lontananza in cui appare Beatrice (*sì lontana / come parea, sorrise e riguardommi*) e lo stesso tono della preghiera a lei rivolta stabiliscono; essa appare come vista appunto da un'altra dimensione, dove nulla si perde dell'umano, ma tutto si trasfigura nella suprema pace dell'eternità divina.

Compiutosi questo distacco, entra in scena la terza guida del viaggio, il santo che rappresentava allora, per il mondo cristiano e per Dante, uno dei massimi esempi dell'esperienza mistica: Bernardo di Chiaravalle.

Sul senso delle tre guide – così acutamente e chiaramente indagato dal Singleton – abbiamo detto nella *Introduzione* al poema. Ripetiamo qui che, per conoscere le cose celesti, alla luce naturale dell'intelletto propria di ogni uomo prima o fuori dell'annuncio cristiano (luce rappresentata da Virgilio) si somma nel cristiano la luce della grazia data con la rivelazione, alla quale aderisce la fede (Beatrice); e questa è propria, come dice san Tommaso, di coloro che sono *in via*, cioè in cammino nel mondo terreno. Ma per arrivare a vedere Dio nella sua essenza è necessaria una ulteriore illuminazione, che è la luce della gloria, data ai santi *in patria*. Ed è quello che rappresenta appunto Bernardo.

Ma a questo quadro teorico si deve aggiungere un altro fondamentale elemento, quello concreto e storico: le guide di Dante sono infatti tutte – come ogni altro aspetto del poema – legate alla sua personale storia umana, agli incontri, agli amori che nella realtà lo hanno guidato nella sua vita di appassionata ricerca del vero e del bene. Così è in modo evidente per Virgilio e Beatrice. Così è, e non può non essere, anche per Bernardo, i cui scritti di carattere spirituale Dante ben conosceva e amava – come molteplici riscontri e citazioni denunciano, e come lo stesso spirito che pervade questi ultimi canti rivela – nei loro due principali aspetti, fra loro connessi, quello mistico e quello mariano.

Bernardo è infatti qui, come egli stesso dice, in quanto fedele di Maria, suo ardente innamorato, per cui ella non potrà non esaudirlo (e potrà quindi ottenere a Dante la visione mistica di Dio).

Il semplice candore con cui egli lo dichiara – quasi escludendo ogni altra componente della sua ricchissima e varia attività di scrittore e di uomo di azione – ci rivela come Dante vuole che egli qui sia per lui, e che noi con lui lo vediamo: *e la regina del cielo, ond'ïo ardo / tutto d'amor, ne farà ogne grazia, / però ch'i' sono il suo fedel Bernardo.*

Con quella *regina del cielo* Dante concluderà il grande poema, nel momento in cui egli tocca la fine del suo lungo esilio, dal quale all'inizio del racconto ella stessa per puro moto di compassione, lo trasse in salvo. A lei ora Bernardo lo esorta a volgere lo sguardo, ed ecco che nella parte più alta – lo *stremo* – della grande rosa si vede risplendere una luce chiarissima, simile – e sarà questa l'ultima similitudine tolta dal cielo terreno – a quella dell'aurora nel primo mattino. Ciò che in quella luce appare non è però descritto, è soltanto *una bellezza*, che tuttavia sorride.

In quel non nominato volto, che Bernardo dichiarerà il più simile a quello di Cristo (XXXIII 85-7) – l'unico volto cioè visibile di Dio – Dante fissa ora lo sguardo. I suoi occhi sembrano seguire la traiettoria di quelli del santo, che a sua volta li volge di nuovo verso Maria. Come scrisse con viva intuizione critica il Tommaseo, sembra che i tre sguardi si fondano «in una luce sola»; essa è fatta di amore, che ben quattro parole – *caldo, caler, affetto, ardenti* – fanno ardere nell'ultima terzina.

CANTO XXXI

Nell'Empireo: san Bernardo

1-27 Dante continua a osservare la candida rosa i cui petali sono le anime beate; angeli volanti si posano sul grande fiore, comunicando la pace e l'amore che attingono da Dio, poi a Lui ritornano; il loro interporsi tra Dio e i beati non impedisce loro di vederlo, perché la luce divina non è ostacolata da alcun limite. Tutti nella rosa hanno il volto e il cuore rivolto verso un unico termine, Dio stesso.

28-51 Il poeta prorompe in una invocazione a Dio perché rivolga lo sguardo alle tempeste della vita terrena. Di fronte alla rosa celeste egli, giunto dal tempo all'eterno, è preso da uno stupore anche maggiore di quello dei barbari che, giunti dalle lontane regioni del nord, contemplavano attoniti le meraviglie di Roma. Come il pellegrino trova riposo guardando il santuario mèta del suo cammino, così il poeta percorre con lo sguardo tutta la rosa, vedendo finalmente i volti dei beati e i loro atti pieni di carità e dignità.

52-93 Dante si volge quindi a Beatrice per interrogarla, ma al suo posto scorge un vecchio dall'aspetto venerando, in atteggiamento paterno: a lui subito domanda dove sia la sua donna. Il vecchio gliela indica nel terzo ordine di seggi, spiegandogli di essere stato da lei incaricato di guidarlo nell'ultima parte del viaggio. Dante solleva lo sguardo verso Beatrice e le rivolge una commossa preghiera, quella di custodire in lui fino alla morte l'opera di salvezza che ha iniziato. Alle sue parole la donna risponde con un sorriso e uno sguardo, poi si rivolge di nuovo a Dio.

94-111 Il santo vecchio invita Dante a guardare tutta la candida rosa così da prepararsi alla visione di Dio; la regina del cielo gli concederà tale grazia perché a pregarla è lui, il suo devoto Bernardo. Con la stessa commozione del pellegrino che vede il panno della Veronica su cui è impressa l'immagine del volto di Cristo, Dante osserva quell'uomo che ancora in vita poté gustare nella contemplazione la pace del paradiso.

112-142 Bernardo esorta il poeta ad alzare lo sguardo fino a Maria. Guardando la parte più alta della rosa celeste, Dante vede una zona che vince in splendore tutte le altre; al suo centro, tra più di mille angeli festanti, sorride la bellezza inesprimibile di Maria, guardando la quale tutti gli occhi dei beati si riempiono di letizia. Bernardo, quando vede gli occhi del poeta fissi in lei, rivolge anche i suoi alla Vergine con intenso amore.

       In forma dunque di candida rosa
       mi si mostrava la milizia santa
3   che nel suo sangue Cristo fece sposa;

1-3. **In forma dunque...**: senza esordio, seguendo direttamente alla chiusa del precedente, il nuovo canto apre (in modo simile al XIX) ripresentando nella sua completezza la grande figura che sta davanti agli occhi (*mi si mostrava*) del pellegrino ormai arrivato. Il *dunque* vuol ricapitolare quello che finora è stato detto solo con successive, fuggevoli indicazioni: che si tratti di una rosa (XXX 117; 124); che i suoi abitanti siano vestiti di bianco (XXX 129). Ciò che appare è *dunque* una immensa rosa bianca (e l'aggettivo *candida* ag-

giunge a quel bianco un intrinseco splendore). Ma un'altra importante precisazione è fatta in questa terzina: la rosa è costituita dai beati stessi, quasi petali, nelle loro bianche stole, di un grande fiore che si dilata innalzando il suo profumo di lode a Dio. La rosa che qui fiorisce sono i corpi stessi dei risorti, l'umanità nella sua pienezza gloriosa. Si veda su questa nuova e profonda idea l'Introduzione al canto.

– **la milizia santa...**: Beatrice aveva avvertito Dante (XXX 43-5) che avrebbe visto le due «milizie» del paradiso. Questa che si mostra come bianca rosa è dunque quella degli uomini, che per entrare in paradiso ha dovuto essere riscattata dal sangue di Cristo: il candore delle loro vesti porta con sé il ricordo del versetto dell'*Apocalisse* che segue al loro apparire: «han-

In forma dunque di una candida rosa mi si mostrava la santa milizia, che Cristo fece sua sposa col sangue del suo sacrificio (gli uomini beati); ...

> ma l'altra, che volando vede e canta
>
> la gloria di colui che la 'nnamora
>
> 6   e la bontà che la fece cotanta,
>
> sì come schiera d'ape che s'infiora
>
> una fiata e una si ritorna
>
> 9   là dove suo laboro s'insapora,
>
> nel gran fior discendeva che s'addorna
>
> di tante foglie, e quindi risaliva
>
> 12   là dove 'l süo amor sempre soggiorna.
>
> Le facce tutte avean di fiamma viva
>
> e l'ali d'oro, e l'altro tanto bianco,
>
> 15   che nulla neve a quel termine arriva.
>
> Quando scendean nel fior, di banco in banco
>
> porgevan de la pace e de l'ardore

no lavato le loro vesti rendendole candide col sangue dell'Agnello» (7, 14). Ricordiamo ancora che Beatrice aveva preannunciato che la milizia umana sarebbe apparsa nello stesso *aspetto* che avrebbe avuto al giudizio universale (XXX 44-5), cioè con il corpo glorioso: che è appunto figurato in quelle *bianche stole*.

4. **ma l'altra...**: cioè quella angelica. Il *ma* dice il diverso comportamento: i beati appaiono fermi, gli angeli in continuo movimento.

– **che volando...**: che con volo incessante insieme contempla e celebra la gloria di Dio. Il verso, che con il suo ritmo e suono sembra riprodurre quel volo e quel canto (si cfr. un effetto simile a XVIII 77), esprime con teologica esattezza le due funzioni proprie degli angeli: la contemplazione e la glorificazione di Dio.

5-6. **la gloria... e la bontà**: sono i due aspetti di Dio che l'angelo canta: la sua *gloria*, cioè la sua grandezza e perfezione, ciò che egli è in se stesso, e la sua *bontà*, cioè il suo rivolgersi, effondersi fuori di sé, verso le creature.

7-12. **sì come schiera d'ape...**: come le api vanno e vengono dai fiori all'alveare, così gli angeli scendono e risalgono dalle varie foglie della grande rosa al luogo che essi occupano vicino a Dio. La similitudine, che qui riprende la figura delle faville che entrano ed escono dal fiume di luce per posarsi nei fiori della riva (XXX 64-9), ha un precedente nella tradizione cristiana in un passo già attribuito a sant'Anselmo, che ugualmente paragona a quella delle api l'attività alacre degli angeli tra cielo e terra: «a migliaia di migliaia (...) con voli continui passano tra il cielo e la terra, come api industriose tra l'alveare e i fiori» (Ecberto di Schönau, *Soliloquium*, in PL 195, col. 107).

– **s'infiora**: s'immerge nei fiori, neologismo dantesco che rinnova il virgiliano «si insediano nei fiori» (*Aen*. VI 708).

– **una fiata e una**: una volta e un'altra: ora... ora...

– **dove suo laboro s'insapora**: «dove ciò che con il suo lavoro è stato raccolto si converte in saporoso miele» (Vandelli).

– **là dove...**: al cospetto di Dio, eterno oggetto del suo amore contemplante.

13. **di fiamma viva**: color rosso infuocato, come sono figurati i volti degli angeli in affreschi e tavole delle chiese medievali.

I tre colori indicati nella terzina – il rosso dei volti, l'oro delle ali, il bianco delle vesti – simboleggiano, come dice Pietro di Dante, i tre aspetti della Trinità: il rosso l'ardore della carità, l'oro la sapienza, il bianco la potenza.

14. **l'altro**: l'espressione neutra indica – senza materializzare – l'altra parte visibile degli angeli, oltre la testa e le ali, e cioè il corpo ricoperto dalla veste bianca. Gli angeli appaiono nell'Empireo, come li presenta la Scrittura, in aspetto umano, ma questo pronome neutro ha la virtù di toglier loro ogni corporeità: volti di fuoco, ali d'oro, e un balenare di bianco senza alcuna forma o consistenza.

15. **che nulla neve...**: che nessuna neve raggiunge tale punto di biancore.

16. **di banco in banco**: passando dall'una all'altra *soglia* (XXX 131), dove siedono i beati.

17-8. **porgevan...**: quasi offrivano ai beati di quella pace e di quell'ardore (*de* è partitivo) che essi attingevano in Dio volando fino a lui (*ventilando il fianco*: col battere delle ali; cfr. *Purg*. VIII 30 e XIX 49). –

■

... ma l'altra (quella degli angeli), che volando contempla e canta la gloria di colui che la fa innamorare di sé (cioè Dio) e la bontà che la creò così ricca di doti (cotanta), come uno sciame di api che ora s'immerge nei fiori, ora torna là dove il raccolto del suo lavoro si insaporisce (diventando miele), scendeva nel grande fiore che si impreziosisce di tanti petali, e poi risaliva là dove eternamente risiede l'oggetto del suo amore (Dio). ◆ *Avevano le facce tutte di color rosso fuoco e le ali d'oro, e il resto del loro corpo di tale bianchezza, che nessuna neve giunge a quel livello. Quando scendevano dentro la rosa, passando da un seggio all'altro offrivano (ai beati) di quella pace e di quell'ardore d'amore ...*

18   ch'elli acquistavan ventilando il fianco.
        Né l'interporsi tra 'l disopra e 'l fiore
      di tanta plenitudine volante
21   impediva la vista e lo splendore:
        ché la luce divina è penetrante
      per l'universo secondo ch'è degno,
24   sì che nulla le puote essere ostante.
        Questo sicuro e gaudïoso regno,
      frequente in gente antica e in novella,
27   viso e amore avea tutto ad un segno.
        Oh trina luce che 'n unica stella
      scintillando a lor vista, sì li appaga!
30   guarda qua giuso a la nostra procella!
        Se i barbari, venendo da tal plaga

pace e *ardore* sono i due aspetti della beatitudine (appagamento totale dell'anima e fervore di carità) che costituiscono tutta la figurazione sensibile del *Paradiso*.

19. **tra 'l disopra e 'l fiore**: tra il luogo in alto dove risiede Dio e i petali della rosa, cioè i beati: gli angeli volanti occupavano tutto lo spazio tra gli occhi dei beati e Dio, eppure non impedivano ad essi di vederlo (*la vista*), e alla luce divina di riversarsi su di loro (*lo splendore*).

20. **plenitudine**: manteniamo la lezione delle edizioni precedenti al Petrocchi, che ha preferito *moltitudine*, ritenendola più autorevolmente attestata. Si vedano le ragioni di questa scelta nella nota al testo. Il bellissimo verso si spiega al centro della terzina riempiendo, come dice la parola contestata, tutto lo spazio visibile.

22-4. **ché la luce divina...**: l'irradiarsi della luce divina penetra l'universo e vi risplende con intensità diverse secondo la disposizione dell'essere che la riceve (*secondo ch'è degno*), in modo tale che niente può esserle di ostacolo (*essere ostante*). Si osservi il preciso richiamo all'apertura della cantica (I 1-3), con il tornare dello stesso concetto (*universo – penetra – risplende – più e meno*).

25. **Questo sicuro...**: la terzina conclude la grande visione con un ultimo tratto, che dice la perfetta con-

cordia, l'unità armoniosa di quel *regno* felice. E i due aggettivi introdotti a definirlo sottolineano la sua diversità dal regno terreno: *sicuro*, senza alcuna *cura* o affanno, e *gaudïoso*, totalmente felice (cfr. XXVII 7-9).

26. **frequente**: affollato, popoloso (latinismo).
 – **gente antica... novella**: sono gli uomini dell'*Antico* e del *Nuovo Testamento*.

27. **viso e amore**: lo sguardo, che vede e conosce, e l'amore del cuore: i due atti della beatitudine. – *ad un segno*, cioè volti ad un solo termine, o meta. Con questo verso, che volge tutti gli occhi e gli animi degli abitanti della grande rosa verso l'alto, in una stessa direzione, il poeta chiude, quasi stringendolo in unità, il quadro fin qui delineato in ampiezza.

28-30. **Oh trina luce...**: o triplice luce, luce che risplendendo agli occhi dei beati come una sola stella così perfettamente li appaga, volgiti a guardare quaggiù alla tempesta che scuote la nostra terra! L'esclamazione prorompe dal cuore del poeta che scrive (si noti il tempo al presente), come preparata da ciò che è stato detto nella terzina che precede, terzina che esprime, quasi riassumendolo, il ricordo che quella scena gli ha lasciato (*sicuro, gaudïoso, tutto ad un segno*).
 – **guarda qua giuso...**: «O guarda ormai alla misera terra, tu, chiunque tu sia, che governi le leggi dell'universo. Parte non spregevole di un'opera così grande, noi uomini siamo sballottati sul mare della fortuna...» (*Cons.* I, m. V, vv. 42-5). Come altre volte nel *Paradiso*, Dante parla nei momenti commossi con la voce di Boezio, che sembra prendere il posto di quella di Virgilio nei primi due regni.

31 sgg. **Se i barbari...**: se quelle genti barbare che scendevano a Roma dalle più lontane regioni del nord (le terre dove ogni giorno passano nel cielo le due costellazioni dell'Orsa Maggiore – *Elice* – e Minore – *suo figlio* – cioè oltre il 55 parallelo) rimanevano stupite guardando la città eterna e i suoi grandiosi monumenti al tempo del suo massimo splendore...

32-3. **Elice... suo figlio**: secondo il mito, la ninfa Elice e suo figlio Arcade (da lei avuto da Giove) furono

... che essi acquisivano battendo le loro ali in volo (fino a Dio). E il frapporsi di tutta quella pienezza di angeli volanti tra il luogo in alto (dove risiede Dio) e la rosa non ne impediva la vista e l'effusione della luce: poiché la la luce divina penetra per l'universo con intensità diverse secondo quanto esso ne è degno (nell'essere che la riceve), in modo tale che niente può esserle di ostacolo (essere ostante). ◆ Questo regno senza affanno (sicuro) e pieno di gioia, affollato di uomini dell'Antico e del Nuovo Testamento, aveva lo sguardo e l'amore rivolti ad un solo obiettivo. O triplice luce, che risplendendo ai loro occhi come una sola stella così perfettamente li appaga! volgiti a guardare quaggiù alla nostra tempesta! ◆ Se i barbari, venendo dalle terre ...

che ciascun giorno d'Elice si cuopra,

33   rotante col suo figlio ond'ella è vaga,

veggendo Roma e l'ardüa sua opra,

stupefaciensi, quando Laterano

36   a le cose mortali andò di sopra;

ïo, che al divino da l'umano,

a l'etterno dal tempo era venuto,

39   e di Fiorenza in popol giusto e sano

di che stupor dovea esser compiuto!

Certo tra esso e 'l gaudio mi facea

42   libito non udire e starmi muto.

E quasi peregrin che si ricrea

nel tempio del suo voto riguardando,

45   e spera già ridir com'ello stea,

mutati nelle costellazioni delle due Orse dall'ira di Giunone (Ovidio, *Met.* II 401-530).

– **ond'ella è vaga**: la madre ruota nel cielo (intorno al polo) vicina al figlio, quasi continuando la sua amorosa contemplazione materna (per *vaga* si cfr. il *vagheggia* di VIII 12, detto anche là di un astro).

34. **l'ardüa sua opra**: sono le opere monumentali della Roma imperiale e cristiana. – *ardüa* è riferito all'altezza, come già in Virgilio per gli edifici di Roma (cfr. *Aen.* VII 160-1 e VIII 99-100).

35-6. **quando Laterano...**: il palazzo del Laterano fu la prima sede degli imperatori e, dopo Costantino, dei papi. Scegliendo questo nome a significare la grandezza di Roma, Dante vuole probabilmente comprendere i suoi due tempi, imperiale e cristiano: quando dunque la magnificenza dell'Urbe, sotto gli imperatori prima e sotto i papi poi, *andò di sopra*, sembrò superare ogni altra opera umana (*le cose mortali*).

37-40. **ïo, che al divino...**: ed ecco il paragone: se dunque si stupivano i barbari confrontando la grande Roma alle loro plaghe deserte, quanto più dovevo esser ricolmato dallo stupore io, piccolo uomo giunto non da un luogo all'altro della terra, ma dall'umano al divino, dal tempo all'eterno, dunque da una dimensione finita all'infinita.

– **e di Fiorenza...**: il verso riporta, per l'ultima volta nel poema, al momento del supremo arrivo, il nome della città tanto amata fatto quasi sinonimo dell'ingiustizia e della corruzione; quella città in cui il poeta che entra nel paradiso non potrà rientrare sulla terra.

41. **tra esso...**: tra lo stupore e il *gaudio* che m'invadeva. Non è solo stupore infatti il sentimento che lo prende e lo domina. A differenza dei barbari, egli gode qui la pienezza della beatitudine raggiunta.

41-2. **mi facea / libito**: mi rendeva gradito (cfr. *Inf.* V 56). Lo stupore e la gioia riempiono il suo cuore (*compiuto* vale appunto «riempito», «ricolmato») così che non desidera più né udire né parlare. Ogni parola – domanda o spiegazione, finora sempre necessarie – è ora di troppo per lui.

43-4. **E quasi peregrin...**: con progressione ascendente subentra il secondo paragone, che esprime in forma non più generica, ma specifica, il sentimento dell'uomo arrivato in quel mondo divino, seguendo il reale succedersi psicologico: prima un'impressione di gioioso stupore, poi la profonda consapevolezza di essere giunto alla meta tanto sospirata. Questo pellegrino, che si sente come rinascere guardandosi intorno *del suo voto* (cioè che aveva fatto voto di visitare), è in realtà la figura storica – stabilita nella Bibbia – del cristiano che dal mondo giunge al cospetto di Dio (cfr. *2 Cor.* 5, 6), e l'immagine che Dante assume per sé in tutto il poema (cfr. *Purg.* II 61-3). Il dolce e alto respiro di questi versi – l'agio di chi, ormai senza affanno, si trova nella sua casa, e quasi incredulo guarda e riguarda intorno a sé ciò che ha tanto desiderato – è l'approdo poetico di tutta una vita, e di una lunga fatica di artista (quel *tempio* raggiunto è anche, intendiamo, il poema ormai compiuto).

45. **e spera già ridir**: il verso, che sembra soltanto una nota di acuto realismo, riconduce in realtà l'immagine del pellegrino a quella del poeta, che spera poter *ridire* ciò che ha visto agli uomini della terra (cfr. XXXIII 70-2).

■

... dove ogni giorno passa nel cielo la ninfa Elice (l'Orsa Maggiore) ruotante insieme a suo figlio Arcade (l'Orsa Minore) che ella contempla amorosamente, vedendo Roma e i suoi imponenti edifici rimanevano stupiti, al tempo in cui il palazzo del Laterano sembrò superare (andò di sopra) ogni altra opera umana (le cose mortali); di quale stupore dovevo essere ricolmo io, che ero arrivato dall'umano al divino, dal tempo all'eterno, da Firenze in un popolo di giusti e di santi. ◆ Certo tra questo stupore e la gioia che provavo mi era caro non ascoltare più nulla e tacere. E come il pellegrino, che si sente quasi rinascere (si ricrea) guardandosi intorno nel santuario che aveva fatto voto di visitare, e già spera di poter raccontare come è fatto, ...

su per la viva luce passeggiando,

menava io li occhi per li gradi,

48   mo sù, mo giù e mo recirculando.

Vedëa visi a carità süadi,

d'altrui lume fregiati e di suo riso,

51   e atti ornati di tutte onestadi.

La forma general di paradiso

già tutta mïo sguardo avea compresa,

54   in nulla parte ancor fermato fiso;

e volgeami con voglia rïaccesa

per domandar la mia donna di cose

57   di che la mente mia era sospesa.

Uno intendëa, e altro mi rispuose:

---

46. su per la viva luce: attraverso il *lume* che splendeva al centro della rosa (il *giallo* dove lo ha condotto Beatrice: XXX 124). Intendiamo anche noi, con il Vandelli (e già il Buti), che Dante cammini attraverso il cuore luminoso della rosa; questa interpretazione ci sembra sostenuta dall'espressione *su per la viva luce*, dato che dei *gradi* occupati dalle *bianche stole* dove si aggira il suo sguardo (v. 47) non è stato detto che siano irradiati di luce; inoltre la distinzione dei due complementi di luogo (*per la viva luce*, *per li gradi*) meglio si conviene all'uso dei due diversi verbi (*passeggiando*, *menava*). Per l'espressione *su per* si cfr. X 102 e nota.

– **passeggiando**: il verbo esprime quel libero muoversi, senza limiti di tempo o di spazio, che ormai è concesso al pellegrino.

48. mo sù...: si indicano i tre movimenti dello sguardo: verso l'alto, verso il basso (in linea retta) e in senso circolare, così da abbracciare tutta la rosa *ne l'ampio e ne l'altezza* (XXX 118).

49. visi: finalmente, per la prima volta nel *Paradiso*, si scorgono i volti umani svelati. E sono in assoluto i primi veri volti del poema (giacché i corpi delle ombre di *Inferno* e *Purgatorio* sono, come si sa, corpi eterei, *ombre vane, fuor che ne l'aspetto*: cfr. *Purg.* II 79), i volti dei corpi risorti, gli unici visibili nell'eternità, che appariranno il giorno del giudizio universale. Così aveva promesso Beatrice (XXX 44-5). Su

questa straordinaria invenzione dantesca si veda quanto si è detto nella Introduzione al canto.

– **a carità süadi**: che persuadevano, inducevano a carità. Dal lat. «suadus», suadente.

50. d'altrui lume...: quei volti erano ornati, illuminati, sia dalla luce che su di loro scendeva da Dio (*altrui*), sia dal riso della loro interna letizia (*suo*): con i due distinti possessivi Dante sottolinea, fino all'ultimo, i due elementi presenti nella beatitudine: il dono di Dio e la risposta consapevole dell'uomo. Il *lume* viene da Dio, ma il *riso* nasce dal cuore umano.

51. e atti...: ai volti ornati di carità e di luce si uniscono *atti*, cioè comportamenti, gesti, ornati di onestà, cioè di dignità e gentilezza. Tali *atti* sono appena accennati, non descritti, ma lasciati immaginare, così da non materializzare quell'accolta di corpi gloriosi, pur dichiarando che essi si muovono come quelli terreni e non stanno fissi e fermi come figure.

52. La forma general...: generale, cioè nel suo aspetto complessivo (senza indugiare, come dirà, nei particolari). Il verso sembra riassumere e definire il grande quadro fin qui delineato.

53. compresa: si veda il *tutto prendeva* di XXX 119.

54. in nulla parte...: senza essersi fermato con particolare intensità su nessuna delle sue parti.

55. con voglia rïaccesa: con desiderio di nuovo acceso (di sapere, e quindi di chiedere); di nuovo, dopo quel momento di rapimento, in cui desiderava solo il silenzio (vv. 41-2).

57. di che la mente mia...: sulle quali la mia mente era incerta, dubbiosa.

58. Uno... e altro...: piuttosto che come pronomi personali indefiniti (cercavo una persona, e un'altra mi rispose), il seguito della terzina (*credea... e vidi...*) consiglia di prendere *Uno* e *altro* come pronomi neutri (una cosa, e un'altra): uno era il mio intendimento (*veder Beatrice*), ma altra fu la risposta al mio gesto (*e vidi un sene*).

59. credea... e vidi: uguale è il movimento, cioè il verbo (*volgeami – volsimi*), quando Dante si volge a cercare Virgilio, senza più trovarlo al suo fianco, al-

---

... così muovendomi su quello specchio di luce viva io facevo scorrere gli occhi per i diversi gradini, ora in alto, ora in basso, ora tutto intorno. ◆ *Vedevo visi che spiravano carità, illuminati sia dalla luce di Dio (altrui), sia da quella del loro proprio riso, e gesti ornati di ogni dignità. L'aspetto complessivo del paradiso il mio sguardo l'aveva ormai tutto afferrato, senza essersi ancora soffermato a fondo (fiso) su nessuna delle sue parti; e mi volgevo con rinnovato desiderio (di sapere), per domandare alla mia donna cose sulle quali la mia mente era incerta (sospesa).* ◆ *Io intendevo una cosa (nel volgermi), ma altra fu la risposta (al mio gesto): ...*

credea veder Beatrice e vidi un sene
60   vestito con le genti glorïose.
          Diffuso era per li occhi e per le gene
        di benigna letizia, in atto pio
63   quale a tenero padre si convene.
          E «Ov'è ella?», sùbito diss'io.
        Ond'elli: «A terminar lo tuo disiro
66   mosse Beatrice me del loco mio;
          e se riguardi sù nel terzo giro
        dal sommo grado, tu la rivedrai
69   nel trono che suoi merti le sortiro».
          Sanza risponder, li occhi sù levai,
        e vidi lei che si facea corona

l'apparire di Beatrice nella scena dell'Eden (*Purg.* XXX 43-51).

– **un sene**: un vecchio; allo stesso modo appare, al volgersi di Dante, Catone sulla spiaggia del *Purgatorio* (I 28-31). Qui il latinismo *sene*, come là il nobile vocabolo *veglio*, dà autorità e dignità alla figura che si mostra all'improvviso.

60. **vestito con le genti...**: vestito come tutti i beati, cioè con una *bianca stola*. Per *con* con valore di «come» si cfr. *Purg.* XXIX 145-6.

61-2. **Diffuso era...**: aveva gli occhi e le guance (tutto il volto) cosparsi di benigna letizia. Il costrutto usato qui da Dante è quello latino, suggerito da singoli luoghi virgiliani (cfr. *Aen.* XII 64-5: «bagnata [lat. *perfusa*] le gote di lacrime»). La letizia del santo beato è *benigna*, cioè rivolta con benevolenza verso l'uomo che ha accanto e di cui intuisce la domanda.

62. **atto pio**: atteggiamento pietoso, caritatevole. La terzina porta tre successive determinazioni (*benigna letizia, atto pio, tenero padre*) che delineano, completandosi, tutto l'aspetto del nuovo personaggio, di cui la «tenerezza paterna» viene ad essere il tratto saliente. Chi egli sia, sarà detto soltanto più avanti, dopo che Beatrice avrà lasciato definitivamente la scena.

64. **Ov'è ella?**: la domanda, diretta e immediata, dice l'unico pensiero di Dante in quel momento: egli non chiede infatti chi sia il nuovo venuto, ma soltanto dove sia colei che non vede più accanto a sé.

65-6. **A terminar...**: per portare a compimento il tuo desiderio – cioè per farti giungere fino alla visione di Dio – Beatrice mi fece muovere dal mio posto nella rosa, e scendere, s'intende, vicino a te. (È sempre lei dunque, fa intendere il nuovo venuto, che indirettamente lo accompagna al traguardo.) Beatrice infatti – che figura la sapienza teologica – non poteva portare Dante a quell'ultima meta; solo la contemplazione mistica – raffigurata nel santo che ora Dante incontra (Bernardo) – può condurre l'uomo alla visione diretta di Dio. (Sull'avvicendarsi delle due guide, si veda l'Introduzione al canto.) Per l'espressione *mosse... me* si cfr. XXVI 118 e già *Inf.* II 72.

67-8. **e se riguardi...**: continuando nella sua premurosa risposta, che segue il segreto desiderio di Dante, il santo vecchio gli indica ora dove egli può ancora vedere Beatrice. Prima gli ha detto: è lei che mi ha mandato. Ed ora: se guardi lassù, la rivedrai.

– **nel terzo giro...**: nel terzo ordine di seggi, a cominciare dal più alto (*dal sommo*). È questo il posto di Beatrice, accanto a Rachele, come si dirà nel canto seguente ai vv. 7-9. La precisione dei dettagli descrittivi non viene meno in questi ultimi canti prossimi alla visione di Dio, mantenendo al racconto il suo carattere specifico di veridicità.

69. **le sortiro**: le dettero in sorte, cioè le assegnarono. Ancora una volta appare che è il merito personale a stabilire il diverso grado di gloria nel paradiso.

70. **Sanza risponder**: come prima ha chiesto dove ella fosse, senza chiedere al nuovo venuto chi egli sia, o salutarlo, così ora senza nemmeno rispondergli Dante volge lo sguardo a cercare Beatrice.

71-2. **che si facea corona...**: che riflettendo tutto intorno a sé i raggi della luce divina se ne faceva luminosa corona (i due versi interpretano con profondità teologica il significato dell'aureola che la tradizione pittorica cristiana poneva intorno alla testa dei santi). Questa ultima immagine, incoronata di luce nell'alto paradiso, è quella che Dante ha voluto lasciarci della donna che ha illuminato la sua vita fin dalla fanciullezza e della quale, al suo primo mostrarsi a lui, i suoi

----

... credevo di vedere Beatrice, e invece vidi un vecchio vestito come tutti gli altri beati (genti glorïose). Aveva gli occhi e le guance (cioè tutto il volto) cosparsi di benigna letizia, in atteggiamento affettuoso come si conviene ad un tenero padre. ◆ *E subito dissi: «Dov'è lei?». E lui rispose: «Per portare a compimento il tuo desiderio, Beatrice mi fece muovere dal mio posto (nella rosa); e se guardi su nel terzo ordine di seggi, a cominciare dal più alto (dal sommo grado), tu la rivedrai nel trono che i suoi meriti le assegnarono». Senza rispondere, alzai gli occhi, e la vidi che si faceva corona ...*

72　reflettendo da sé li etterni rai.

　　Da quella regïon che più sù tona
　　occhio mortale alcun tanto non dista,

75　qualunque in mare più giù s'abbandona,

　　quanto lì da Beatrice la mia vista;
　　ma nulla mi facea, ché süa effige

78　non discendëa a me per mezzo mista.

　　«O donna in cui la mia speranza vige,
　　e che soffristi per la mia salute

81　in inferno lasciar le tue vestige,

　　di tante cose quant'i' ho vedute,
　　dal tuo podere e da la tua bontate

84　riconosco la grazia e la virtute.

　　Tu m'hai di servo tratto a libertate

sensi avevano detto: «Ecco che è apparsa la vostra beatitudine» (*Vita Nuova* II 5).

73-6. **Da quella regïon...**: si misura qui l'infinita distanza che ormai lo separa da Beatrice: dalla zona più
alta dell'atmosfera (dove si formano i tuoni) quell'occhio umano che fosse immerso nel mare alla maggiore profondità possibile (quindi alla massima distanza
in verticale misurabile in terra) non sarebbe così distante, quanto lì distava il mio sguardo da Beatrice.

77-8. **ma nulla mi facea...**: segnata la distanza (tra
l'uomo mortale e l'anima beata) si aggiunge ora che
essa è tuttavia annullata dal diretto comunicare dello
spirito: ma ciò non mi era di alcun ostacolo (s'intende, al vederla), perché la sua immagine non giungeva a
me attraverso alcun mezzo sensibile (cioè l'aria, come accade in terra). Si riprende quanto è detto a XXX
121-3, e in modo diverso anche all'inizio del canto (vv.
19-21). La vista qui è sempre immediata e perfetta: non
vi sono «mezzi», cioè corpi intermedi, che possano di-
minuirla. Ciò vale a dire che i sensi non sono più corporei, ma spiritualizzati, agiscono cioè come lo stesso spirito.

79 sgg. **O donna in cui...**: all'ultima vista, risponde

l'ultima preghiera: di ringraziamento, di commossi ricordi, di aiuto che non venga meno in futuro. Costruita, con solenne scansione, in quattro gravi terzine che hanno già il timbro proprio della conclusione,
questa preghiera riepiloga la storia insieme esteriore
(vv. 80-4) e interiore (v. 85) che è l'oggetto dell'intero poema.

– **la mia speranza vige**: prende vigore, cioè alimento
per vivere, quella *speranza* che, ricordiamo, è la principale forza e connotazione di Dante (XXV 52-3). Le
prime parole non sono rivolte al passato, ma al futuro. Colei che fin qui lo ha condotto è anche colei nella quale egli ancora spera per la sua vita.

80-1. **e che soffristi...**: e che tollerasti... Si ricorda
in questa scena finale la scena iniziale del Limbo, vista con gli stessi occhi con cui la vide e la raccontò Virgilio: *Ma dimmi la cagion che non ti guardi / de lo scender qua giuso in questo centro* (*Inf.* II 82-3). Per amore ella non temette di porre piede (*vestige* vale «orme»), dal cielo, nell'inferno.

82-4. **di tante cose...**: e ora subentra il ricordo del
lungo cammino sotto la sua protezione: di tutto ciò
che ho visto riconosco che il privilegio di poterlo vedere (*la grazia*) e la capacità sufficiente a vederlo (*la
virtute*) mi vennero dati soltanto grazie al tuo potere
(la seconda) e alla tua bontà (la prima): figura di chiasmo. Cioè non per i miei meriti. Le due parole (*grazia* e *virtute*) torneranno nella preghiera a Maria
(XXXIII 25) che di questa, come vedremo, è quasi un
duplicato a più alto livello, significando l'identificarsi dell'azione delle due donne – l'una ispirata dall'altra – nella salvezza di Dante.

85. **di servo... a libertate**: il verso solenne esprime
tutto il senso del lungo cammino, e del poema che lo
racconta: il passare dalla schiavitù alla libertà. Questa è infatti l'immagine, che ha origine in san Paolo
(cfr. *Rom.* 6, 17-23), del realizzarsi dell'uomo nella sua
vera vocazione: dalla debolezza della carne, dalla cecità della mente oscurata dall'orgoglio, alla pura libertà
dei figli di Dio.

---

*... dei raggi della luce eterna che rifletteva tutto intorno a
sé. ♦ Dalla zona più alta dell'atmosfera in cui si formano
i tuoni quell'occhio umano che fosse immerso (s'abbandona) nel mare alla maggiore profondità possibile (più giù)
non sarebbe così distante, quanto lì distava il mio sguardo da Beatrice; ma ciò non mi era di alcun ostacolo (nulla mi facea), perché la sua immagine non giungeva a me
attraverso un mezzo sensibile (cioè l'aria). ♦ «O donna in
cui trova alimento la mia speranza, e che tollerasti per la
mia salvezza di lasciare le tue orme nell'inferno, di tutte
le cose che ho visto riconosco che il privilegio e la capacità di vederle mi vennero date grazie al tuo potere e alla tua bontà. Tu, da servo che ero, mi hai portato alla libertà, ...*

per tutte quelle vie, per tutt'i modi
87   che di ciò fare avei la potestate.

La tua magnificenza in me custodi,
sì che l'anima mia, che fatt'hai sana,
90   piacente a te dal corpo si disnodi».

Così orai; e quella, sì lontana
come parea, sorrise e riguardommi;
93   poi si tornò a l'etterna fontana.

E 'l santo sene: «Acciò che tu assommi
perfettamente», disse, «il tuo cammino,
96   a che priego e amor santo mandommi,

vola con li occhi per questo giardino;
ché veder lui t'acconcerà lo sguardo
99   più al montar per lo raggio divino.

87. che di ciò fare...: nei quali avevi il potere di farlo (cioè di «trarmi» *a libertate*): le diverse *vie* e *modi* saranno l'azione (prima nel sollecitare Virgilio scendendo nell'inferno, poi nel guidare Dante di cielo in cielo) e la parola (di maestra e consigliera verso Dante, di sua interprete presso i beati).

88-90. La tua magnificenza...: la conclusione è un'ultima preghiera, che dal passato si rivolge di nuovo al futuro: custodisci, conserva dentro di me la tua opera di regale liberalità, così che la mia anima, che tu hai risanato, redento dal male, possa disciogliersi dal corpo, morendo, ancora tale da piacere a te, cioè ancora in quello stato di grazia a cui tu l'hai condotta.

– **magnificenza**: il vocabolo – larghezza, generosità di chi dona in abbondanza – è inteso da alcuni come riferito non all'atto di chi largisce, ma al frutto, all'effetto di tale atto (la grazia donata a Dante), senso che sembrerebbe meglio convenire al verbo *custodi*. Tuttavia il ripetersi di questo termine – in senso indubbiamente attivo – nella preghiera alla Vergine dell'ultimo canto (XXXIII 20), che come si è detto si modella su questa, fa preferire la prima interpretazione. A questa sembra portare anche il riscontro biblico di *Ps.* 70, 21: «hai moltiplicato la tua magnificenza, e sei tornato a consolarmi».

91-3. sì lontana...: l'*enjambement* aumenta quella lontananza. Il sorriso, l'ultimo, che Beatrice rivolge a Dante, e il suo sguardo di tacita risposta, non sono già più – per quella distanza – quelli di prima. Si è stabilito un distacco – quello tra cielo e terra – lo stesso che si misura nell'ultimo sonetto della *Vita Nuova*. Il terzo verso (*poi si tornò...*) conclude con ritmo alto e definitivo, quasi a chiusura di un cerchio, la vicenda di Beatrice discesa nel canto XXX del *Purgatorio* a prendere il posto di Virgilio nella guida di Dante. Con questo suo «ritorno» a contemplare Dio nel *beato scanno* allora lasciato (*Inf.* II 112), il rapporto terreno tra lei e Dante, aperto nel capitolo I della *Vita Nuova*, è finito. Come lo stesso tono della preghiera che precede ci ha detto, tale rapporto continua su un diver-

so piano, quello soprannaturale e divino.

– **l'etterna fontana**: Dio, sorgente eterna di ogni bene e di ogni vero, immagine spesso ricorrente nel poema: cfr. IV 116; XX 119; *Purg.* XV 132.

94. assommi: porti a compimento (al suo «sommo»); cfr. *Purg.* XXI 112.

96. a che priego...: al qual fine una preghiera mossa da santo amore mi ha mandato a te. Bernardo specifica quel che ha detto ai vv. 65-6. – *priego e amor santo* formano endiadi; che l'amore sia quello di Beatrice, e non di Bernardo, come intendono alcuni, è per noi indubbio, sia per il ricordo di *Inf.* II 72, sia per il verbo (*mandommi*), che vuole come soggetto persona diversa dal mandato.

97. giardino: il termine, che qui indica la rosa nel suo insieme, è proprio dell'assemblea dei beati anche in altri luoghi della cantica (XXIII 71-2; XXX 62-3 ecc.).

98-9. ché veder lui...: giacché contemplare la grande assemblea dei beati preparerà, renderà più atto il tuo sguardo a salire lungo il raggio che conduce fino a Dio.

... attraverso tutte quelle strade, in tutti quei modi nei quali avevi il potere di farlo. Custodisci dentro di me la tua regale munificenza, in modo che la mia anima, che tu hai risanato, possa disciogliersi dal corpo (morendo) ancora tale da piacere a te». Così pregai; e lei, così lontana come mi appariva, sorrise e mi guardò; poi tornò a rivolgersi alla sorgente eterna (Dio). ◆ E il santo vecchio disse: «Affinché tu porti a perfetto compimento il tuo cammino, al qual fine una preghiera mossa da santo amore mi ha mandato a te, vola coi tuoi occhi per questo giardino; giacché contemplarlo preparerà il tuo sguardo a salire più in alto lungo il raggio che conduce fino a Dio.

E la regina del cielo, ond'ïo ardo
tutto d'amor, ne farà ogne grazia,
102 però ch'i' sono il suo fedel Bernardo».
Qual è colui che forse di Croazia
viene a veder la Veronica nostra,
105 che per l'antica fame non sen sazia,
ma dice nel pensier, fin che si mostra:
'Segnor mio Iesù Cristo, Dio verace,
108 or fu sì fatta la sembianza vostra?';
tal era io mirando la vivace
carità di colui che 'n questo mondo,
111 contemplando, gustò di quella pace.
«Figliuol di grazia, quest'esser giocondo»,

100. la regina del cielo: la Vergine Maria. Il santo venuto a portare Dante al compimento dice infine il suo nome, ma quasi nascondendolo, subordinandolo a quello di colei di cui si proclama fedele. La proposizione principale dice infatti: la grande regina di questo regno ci concederà la grazia che noi chiediamo, di farti giungere a vedere Dio; e solo una modesta subordinata aggiunge: perché io sono Bernardo, il suo fedele. E ciò che assicura l'intervento di Maria – il legame causale tra le due frasi – è l'ardente amore che egli ha per lei: *ond'ïo ardo / tutto d'amor.*

102. il suo fedel Bernardo: così si presenta dunque il grande santo prescelto da Dante come sua ultima guida, Bernardo di Chiaravalle. Sulla sua figura si veda la relativa nota di approfondimento posta alla fine del canto.

103-5. Qual è colui...: come il pellegrino che da terre lontane (la *Croazia* è nome specifico con valore generico per luogo remoto, che richiedeva quindi lungo e faticoso viaggio) viene a Roma a vedere il velo con l'immagine del volto di Cristo (*la Veronica*) che si conserva in S. Pietro (*nostra*), e che per il desiderio da tanto tempo coltivato non riesce a saziarsi di vederlo... La nuova similitudine, che si somma alle due precedenti riprendendo il tema del pellegrino che giunge di lontano al luogo sospirato, è qui riferita al-

la commozione provata da Dante al vedersi davanti il grande santo tanto venerato e amato (si veda la nota ai vv. 109-11).

– **Veronica**: così era chiamato il lino con il quale, secondo la tradizione, una donna (*Veronica*) aveva asciugato il volto di Gesù bagnato di sudore e sangue, mentre saliva al Calvario portando la croce, e nel quale i tratti di quel volto erano rimasti impressi, quasi premio alla sua pietà. Il nome Veronica appare evidentemente coniato sulle due parole (una latina e una greca) «vera icona»: vera immagine. Questa reliquia era oggetto di grande venerazione e meta di pellegrinaggi, e Dante stesso così ne parla nella *Vita Nuova*: «molta gente va per vedere quella imagine benedetta la quale Iesu Cristo lasciò a noi per essemplo de la sua bellissima figura» (XL 1). A sua volta il Petrarca la ricorda in un suo famoso sonetto (*RVF* XVI), certo ispirato a questo luogo dantesco.

– **l'antica fame**: si cfr. il *lontano digiuno* di XV 49, il *gran digiuno* di XIX 25, e ancora il *digiun cotanto vecchio* di XIX 33.

106. fin che si mostra: per tutto il tempo che la sacra immagine resta esposta (*si mostra*). Quel tempo era infatti limitato, e non bastava a saziare – s'intende – la fame di chi aveva compiuto un così lungo viaggio.

108. or fu sì fatta...: la forma interrogativa non esprime dubbio o incertezza, ma quasi l'incredulità di poter vedere quella *sembianza* tanto sospirata, che era il volto stesso di Dio: dunque (*or*) fu proprio così il vostro volto, Signore, volto di uomo che era anche vero Dio? L'espressione *Dio verace* ricorda infatti la definizione di Cristo secondo la fede cristiana: «vero Dio e vero uomo». L'ingenua e spontanea esclamazione assomiglia il grande poeta (*tal era io*) all'uomo di semplice fede, quale egli vuol essere.

109-11. tal era io...: lo stesso sentimento era il mio vedendo davanti a me – espressa nella sua umana sembianza – l'ardente carità di colui che già sulla terra gustò, nella contemplazione, la pace del paradiso. Si osservi che Dante non dice: nel vedere i tratti del volto del santo, ma *la vivace carità*, quella luce di amore che

---

E la regina del cielo (Maria), per la quale io ardo tutto d'amore, ci farà ogni grazia, poiché io sono il suo fedele Bernardo». ◆ Come chi forse dalla lontana Croazia viene (a Roma) a vedere il nostro velo della Veronica, che per il desiderio a lungo coltivato non si sazia di vederlo, ma per tutto il tempo che resta esposto (si mostra) dice tra sé e sé: "Signore mio Gesù Cristo, vero Dio, dunque (or) fu proprio così il vostro volto?"; così mi sentivo io vedendo davanti a me l'ardente carità di colui che già sulla terra gustò, nella contemplazione, la pace del paradiso. ◆ «Figliolo della grazia, questo stato di felicità», ...

cominciò elli, «non ti sarà noto,

114   tenendo li occhi pur qua giù al fondo;

ma guarda i cerchi infino al più remoto,

tanto che veggi seder la regina

117   cui questo regno è suddito e devoto».

Io levai li occhi; e come da mattina

la parte orïental de l'orizzonte

120   soverchia quella dove 'l sol declina,

così, quasi di valle andando a monte

con li occhi, vidi parte ne lo stremo

123   vincer di lume tutta l'altra fronte.

E come quivi ove s'aspetta il temo

che mal guidò Fetonte, più s'infiamma,

---

in essi splendeva. Quasi che l'aspetto corporeo del beato sia soltanto irradiazione di quell'amore.

– **quella pace**: così è chiamato il paradiso, a confronto con *questo mondo*, anche a X 129 e XV 148.

112. **Figliuol di grazia**: formula di stampo biblico (si cfr. «figlio della perdizione»: *Io.* 17, 12; «figlio della pace»: *Luc.* 10, 6 ecc.) che vale «segnato, prediletto dalla grazia». Così Dante appare sempre alle anime del *Purgatorio* e del *Paradiso*, per il privilegio a lui dato di salire da vivo nel regno dell'aldilà.

– **quest'esser giocondo**: questo stato di beatitudine, cioè la realtà paradisiaca. – *giocondo* è detto più volte della condizione gioiosa dei beati: cfr. XVIII 56 o XXIX 76.

113-4. **non ti sarà noto...**: non potrai conoscerlo, se continuerai a guardare soltanto quaggiù, nel fondo della rosa. È modo discreto col quale Bernardo porta Dante ad alzare lo sguardo verso l'alto, distogliendolo da lui.

115. **al più remoto**: al più lontano, cioè al più alto di tutti, il *sommo grado* prima ricordato (v. 68), che è il più vicino a Dio.

116. **la regina**: come prima, Bernardo chiama *regina* Maria, di cui si è proclamato il *fedele*: tutto il regno celeste infatti le è *suddito e devoto*. Egli sembra voler sottolineare, con la regalità, la potenza che è propria di colei alla quale ci si può sempre rivolgere con la sicurezza di essere esauditi.

118-20. **e come da mattina...**: la grande similitudine, che chiude il canto con la luce dell'aurora sull'orizzonte assomigliata a quella di Maria nel cerchio estremo della rosa, è l'ultima immagine del cielo terreno proiettata a raffigurare quello divino – quasi l'uno sovrapposto all'altro – della cantica e del poema. La sua serena bellezza, propria dei cieli contemplati dallo sguardo di Dante, chiude con sublime sobrietà (non è usato alcun aggettivo) la lunga serie di tali immagini celesti, forse la più ricca del poema. – Come sul primo mattino (*da mattina*: cfr. *da sera* a *Inf.* XV 18) la zona orientale dell'orizzonte supera (in splendore) quella dove il sole tramonta... Lo stesso aspet

to del cielo, diversamente figurato, è assomigliato all'apparire di Beatrice nell'Eden, a *Purg.* XXX 22-4 (dove è anche la stessa espressione: *la parte orïental*); è stabilito così, sotto altra forma, quel rapporto tra Beatrice e Maria che la preghiera rivolta alla Vergine nell'ultimo canto, ripetendo – come si è notato sopra – i modi di quella qui detta per la donna amata, dichiarerà solennemente.

121. **quasi di valle...**: salendo con lo sguardo come dal fondo di una valle verso l'alto di un monte (dal fondo della rosa al suo ultimo grado).

122-3. **vidi parte...**: vidi un luogo nella sua zona estrema, ultima (*lo stremo*: cfr. *Inf.* XVII 32; *Purg.* XIII 124 ecc.) vincere in luminosità tutto il cerchio di beati che lo fronteggiava.

124-6. **quivi ove s'aspetta il temo...**: indicata prima tutta *la parte orïental* dell'orizzonte, si restringe ora lo sguardo a un punto preciso di essa, quello dove sta per spuntare il sole (il carro – *il temo*, il timone, la parte per il tutto – che Fetonte guidò per la sua rovina: cfr. *Purg.* IV 72): quel punto *più s'infiamma*, si fa più infuocato, mentre da una parte e dall'altra di esso (*quinci e quindi*) la luce via via diminuisce di intensità (*il lume si fa scemo*).

■

... cominciò a dire, «non potrai conoscerlo, se continuerai a guardare soltanto quaggiù nel fondo (della rosa); guarda invece i cerchi fino al più lontano, finché vedrai sedere la regina di cui questo regno è suddito e devoto». ◆ Io alzai gli occhi; e come sul primo mattino la zona orientale dell'orizzonte supera (in splendore) quella dove il sole tramonta, così, quasi salendo con lo sguardo dal fondo di una valle verso l'alto di un monte, vidi un luogo nella sua zona estrema (lo stremo) vincere in luminosità tutto il cerchio di beati che lo fronteggiava (l'altra fronte). E come il punto in cui (ove) si aspetta il carro che Fetonte guidò per sua rovina (cioè il sole) si fa più infuocato (più s'infiamma), ...

126 e quinci e quindi il lume si fa scemo,
   così quella pacifica oriafiamma
nel mezzo s'avvivava, e d'ogne parte
129 per igual modo allentava la fiamma;
   e a quel mezzo, con le penne sparte,
vid'io più di mille angeli festanti,
132 ciascun distinto di fulgore e d'arte.
   Vidi a lor giochi quivi e a lor canti
ridere una bellezza, che letizia
135 era ne li occhi a tutti li altri santi;
   e s'io avessi in dir tanta divizia
quanta ad imaginar, non ardirei
138 lo minimo tentar di sua delizia.
   Bernardo, come vide li occhi miei
nel caldo suo caler fissi e attenti,
li suoi con tanto affetto volse a lei,
142 che ' miei di rimirar fé più ardenti.

127. oriafiamma: così veniva chiamato (dal lat. «aurea flamma», franc. «oriflamme») il vessillo rosso usato in guerra dalla casa di Francia: con questo termine Dante designa lo splendore infuocato che si estendeva nell'alto della rosa, da lui assomigliato a quello dell'aurora nascente. L'insegna di guerra, detta non a caso *pacifica*, vuole probabilmente ricordare il ruolo della Vergine Maria nel mondo terreno, ossia quel ruolo di difesa contro il demonio, per cui ella era figurata nella Scrittura come «esercito schierato per il combattimento» (*Cant.* 6, 3).

128-9. nel mezzo s'avvivava...: come quella dell'aurora, così anche quella rossa luce appariva più viva al suo centro, e decresceva di luminosità (*allentava la fiamma*) via via ai suoi lati. S'intende che quel punto centrale è quello dove siede Maria.

130. e a quel mezzo: e tutt'intorno a quel centro luminoso.

– **sparte**: distese, aperte (nello stesso senso è detto delle mani a *Purg.* I 124).

132. ciascun distinto...: ognuno di loro distinto dagli altri per diversa intensità di luce e diverso fervore negli atti (l'*arte* sono i *giochi* e i *canti* del verso seguente). Torna insistente il motivo della distinta individualità dei singoli, distinzione di merito, di grazia e quindi di gloria, negli angeli come negli uomini (cfr. XXIX 136-41).

133-5. Vidi a lor giochi...: *giochi*, cioè danze di voli, e *canti*, vagamente indicati, sono le forme in cui si esprime la festa che gli angeli fanno a Maria; davanti a loro Dante vede infine il volto di lei, ma esso appare nel verso solo come *una bellezza* ridente; a sua volta tale *bellezza* diventa *letizia*, quasi moltiplicandosi negli occhi di tutti i santi che in lei fissano lo sguardo. Tutta la terzina è un miracolo di indeterminatezza e leggerezza di espressione, dove ogni corporeità sembra dissolversi. Per l'uso degli astratti si veda XXX 118-20 e nota.

– **ridere**: il *riso* è nel *Paradiso* la visibilità della beatitudine (cfr. v. 126 o XXVII 104-5).

136-8. e s'io avessi...: e anche s'io avessi tanta ricchezza di espressione quanta ne ho nell'immaginare (cioè nel raffigurarmi nella mente), pure non oserei tentare di ridire anche una minima parte della *delizia* che in essa era racchiusa.

139-40. Bernardo...: la guida vede che ha compiuto il suo primo ufficio, di portare lo sguardo di Dante fino a Maria: quando egli vide i miei occhi tutti fissi in colei che era il caldo oggetto del suo stesso ardore...

– **caldo... caler**: si noti la forte allitterazione delle due parole legate dall'etimologia, figura retorica detta etimologica (*caler* è l'infinito latino sostantivato di «caleo», essere caldo, ardente).

141-2. li suoi con tanto affetto...: libero di tornare alla sua amorosa contemplazione, il santo rivolge di nuovo i suoi occhi a Maria, con tale intensità di amore da rendere quelli di Dante ancor più desiderosi di contemplarla.

... mentre da una parte e dall'altra di esso (quinci e quindi) la luce diminuisce di intensità (il lume si fa scemo), così quel pacifico rosso vessillo appariva più vivo al suo centro, e decresceva di luminosità (allentava la fiamma) ai suoi lati; ◆ e vidi migliaia di angeli che facevano festa intorno a quel centro luminoso con le ali aperte, ognuno distinto dagli altri per intensità nella luce e fervore negli atti. Vidi qui sorridere alle loro danze e ai loro canti, una bellezza che diventava letizia negli occhi di tutti gli altri beati; e anche se io possedessi tanta ricchezza nell'esprimermi (in dir) quanta ne ho nell'immaginare, pure non oserei tentare di ridire anche una minima parte della sua delizia. ◆ Bernardo, non appena vide i miei occhi fissi e attenti nell'oggetto del suo ardente amore, volse i suoi a lei con tanto affetto, che rese i miei ancor più desiderosi di contemplarla.

PERSONAGGI

L'ultima guida

Bernardo di Chiaravalle (1009-1153) è una delle più grandi figure cristiane del XII secolo. Monaco cistercense, fondatore dell'abbazia di Chiaravalle in Borgogna (da cui fu denominato), rinnovatore della tradizione monastica e oppositore di Pietro Abelardo e di ogni tentativo di ridurre la fede cristiana a filosofia. Grande mistico e grande teologo, promotore di un rinnovamento della cristianità, fu consigliere di papi e di principi. Tra le sue numerose opere ricordiamo, come le più significative in relazione alla figura che di lui ci offre Dante, i *Sermoni sul Cantico*, *La Considerazione*, (citato da Dante in *Ep.* XIII 80) e i *Sermoni in lode della Vergine Maria*. Per i suoi scritti e la sua predicazione divenne nei secoli seguenti il massimo rappresentante della tradizione mistica cristiana. Dante lo sceglie come guida all'ultimo stadio del suo percorso, quello della visione diretta di Dio, per i due aspetti, tra loro concorrenti e più noti, della sua spiritualità: la contemplazione e la devozione a Maria (ricordati ai vv. 100-2 e 109-11, e ancora a XXXII 1). Si veda su questa scelta l'Introduzione al canto. Sulla vita e l'opera di Bernardo di Chiaravalle puoi trovare ulteriori informazioni consultando la voce relativa del *Grande libro dei Santi*, I, pp. 303-309, a cura di C. Leonardi.

NOTA AL TESTO

v. 20. **plenitudine**: negli antichi manoscritti la variante *moltitudine* risulta decisamente in maggioranza, e in quanto tale il Petrocchi la adotta contro la tradizione editoriale precedente, giudicandola inoltre equivalente nel significato a *plenitudine*, e sorretta dall'uso dantesco fondato sulla tradizione biblica (in realtà si tratta di un unico luogo: *Vita Nuova* XXIII 7). Restano tuttavia ancora validi gli argomenti dei precedenti editori e commentatori: in primo luogo le due lezioni non sembrano del tutto equivalenti, e *plenitudine* appare piuttosto come una lezione più difficile: è ben improbabile infatti che ad un originale *moltitudine* un copista abbia potuto sostituire il più raro e dotto *plenitudine*, mentre è del tutto giustificabile l'inverso, proprio in forza di quel frequente uso scritturale del termine «multitudo» che il Petrocchi ricorda.

Moltitudine ha in realtà tutta l'apparenza di una glossa, cioè di una spiegazione del difficile termine entrata poi nel testo. Inoltre sembra mantenere valore anche l'osservazione del Tommaseo, cioè che *plenitudine* esprima il concetto, qui richiesto dal contesto (si veda il verso seguente), di occupazione totale dello spazio: «non è solo fitto, ma pieno».

L'ipotesi di una variante d'autore – che risalga cioè allo stesso Dante –, avanzata qui con cautela dal Petrocchi, è suggestiva ma, come in altri simili casi, per noi indimostrabile.

SUGGERIMENTI PER LA RICERCA

Temi del canto

Dante, pellegrino dell'assoluto

Più volte nella *Commedia* Dante si raffigura come un pellegrino: tutto il racconto, infatti, è il cammino di un pellegrino verso la patria del cielo, unica patria per lui che alla sua casa terrena non può tornare. Rileggi le tre similitudini di questo canto (vv. 31-40; 43-48; 103-111); quindi riprendi altri passi in cui ricorre questa immagine (*Inf.* XV 49-54; *Purg.* VIII 1-6 e XXVII 109-114) rilevando le affinità e le differenze tra i testi. Infine, dopo aver letto nell'*Introduzione* alla *Commedia* il paragrafo *Il racconto in prima persona* e l'Introduzione a questo canto, scrivi le tue riflessioni in proposito.

approfondimenti

L'addio a Beatrice

È il momento del distacco da Beatrice: rileggi a confronto con i vv. 58-90 il passo del *Purgatorio* XXX 40-54 in cui scompare dalla scena Virgilio; rileva le analogie e le differenze nella costruzione delle due situazioni e analizza i sentimenti del poeta; quindi approfondisci la comprensione del testo leggendo con attenzione le osservazioni che trovi nell'Introduzione al canto.

La Veronica

Fai una ricerca sulla reliquia tradizionalmente conosciuta come *Veronica*, consultando la voce relativa nell'*Enciclopedia Italiana Treccani* (vol. XXXV, p. 188) oppure quella dell'*Enciclopedia europea Garzanti*, (vol. XI, p. 855); quindi, per renderti conto dell'importanza che ebbe nel Medioevo il pellegrinaggio ad essa legato, leggi, in un'edizione commentata, il passo della *Vita Nuova* XL, 1 e il sonetto XVI del *Canzoniere* del Petrarca.

Personaggi del canto

Le tre guide

Ormai giunto alla fine della lettura della *Commedia*, cerca di tratteggiare un breve ritratto delle tre guide che hanno accompagnato Dante nel suo viaggio oltremondano (Virgilio, Beatrice e Bernardo), mettendo in evidenza il ruolo di ognuna nella vita e nell'opera del poeta. Per essere guidato a una corretta interpretazione leggi l'*Introduzione* al poema e le pagine del Singleton (*Le tre luci*) che troverai tra le *Interpretazioni critiche* del volume *Strumenti*; quindi ricerca e confronta altre interpretazioni nei commenti o letture critiche a tua disposizione.

Lingua e stile

Gli angeli – vv. 13 sgg.

Confronta la descrizione degli angeli che trovi in questo luogo della *Commedia* e nel canto XIV del *Purgatorio* con i passi della Scrittura che si indicheranno, rilevando le caratteristiche con le quali convenzionalmente si raffiguravano le manifestazioni divine in forma umana: *Daniele* VII 9 sgg., *Matteo* XVII e XXVIII, *Apocalisse* I 14 sgg. e X. Esprimi quindi qualche personale osservazione sul modo con cui Dante le trasforma nella sua poesia.

Perifrasi – vv. 22 e 24

In italiano antico, come mostrano i passi qui indicati (*...è penetrante, ...puote essere ostante*), il participio presente si trova talvolta unito in perifrasi con il verbo *essere* (*è penetrante* vale cioè «penetra»). Individuane altri esempi nel canto I dell'*Inferno*, nel XX del *Paradiso* e nei sonetti CXCII e CXCV del *Fiore*, precisandone, con l'aiuto delle note o della parafrasi, l'esatto significato.

Latinismi

Annota, servendoti del *Grande Dizionario della lingua italiana*, il significato e l'esatta etimologia dei non comuni latinismi che trovi in questo solo canto della *Commedia* (*frequente, gena, sene, vigere*), e individua quali di essi siano rimasti esclusivamente propri del linguaggio letterario e quali sopravvivano in ambiti specifici dell'uso linguistico moderno.

CANTO XXXII

Introduzione

Dei quattro canti dell'Empireo, tutti immersi nell'alta contemplazione dell'ultima realtà, questo terzo appare come una pausa nella grande tensione lirica che pervade gli altri, per il suo carattere di calmo discorso illustrativo, in qualche modo simile a quelli tenuti da Virgilio per spiegare le ripartizioni dei primi due regni, nell'XI dell'*Inferno* e nel XVII del *Purgatorio*. Questo intervallo, che serve insieme da riposo e da preparazione dell'animo, è posto a ragion veduta prima dell'ultimo canto, cioè tra le due specie di visioni che Dante ha nel cielo divino, quella sensibile (la grande rosa dei beati) – che è quindi descrivibile pur nella sua straordinarietà –, e quella spirituale, di cui solo si potrà ridire qualche vaga impressione rimasta nell'animo.

La funzione di questo intervallo non è tuttavia soltanto relativa alla struttura del racconto. Il canto ci descrive infatti, per bocca di san Bernardo, l'ordine secondo il quale è disposto quel regno di amore e di pace raffigurato nella rosa, che sembrava espandersi in tutta libertà, privo di ogni regola o legge, come appunto sembra aprirsi un fiore.

Questo ordine, che è il segno della ragione, non poteva mancare all'interno stesso della rosa che chiude la *Commedia*. Tutta l'invenzione del poema si fonda sull'armonioso ordine che regge l'universo e lo fa simile a Dio (I 103-5): dalla sua struttura primaria – i tre mondi disposti su uno stesso asse, le loro dieci ripartizioni circolari, il concentrico volgersi delle nove sfere intorno alla terra al cui centro è posto l'inferno – a quelle secondarie, delle sempre ragionate suddivisioni di ogni regno, tutto l'aldilà dantesco resiste come invenzione – quasi un blocco di diamante – per la sua qualità dotata di ordine, vale a dire di intelligibilità.

Ciò non è in contrasto con l'infinitezza e la libertà della realtà divina, che la rosa appunto rappresenta, come la ragione non è in contrasto con l'amore, anzi ne è la condizione, per cui l'uomo, come l'angelo, è dotato delle due facoltà (I 118-20). Così è dell'arte, che non può essere disgiunta dalla razionalità.

Come ebbe a osservare l'Auerbach, lo spirito di Dante era uno spirito ordinatore, ed esso fu proprio di uno dei più grandi poeti del mondo.

Dante concepisce l'universo, dagli alti cieli al muoversi delle fronde, come una conclusa armonia. E l'armonia è fatta di accordi, sostanzialmente di numeri, come Pitagora insegnava. La poesia stessa, la più libera delle umane espressioni, si fonda, come la musica, appunto sul numero. Per questo in Dante sempre si trovano unite (e talvolta la loro compresenza può stupire) le più grandi invenzioni fantastiche con le più attente precisazioni strutturali.

Per tornare dunque al nostro canto, nella grande rosa dei beati Dante dispone qui, senza tuttavia eccessive sottigliezze, un certo ben strutturato ordine. Ci sono dei nomi, ci sono delle suddivisioni. E l'ordine, là dove sono degli uomini, non può che avere riferimento al tempo e alla storia, o per lo meno tale è il solo modo con cui dalla dimensione del tempo noi possiamo concepirlo. Se non ci fossero qui dei nomi, e delle date, la *Commedia* stessa, o meglio quel mondo dell'aldilà che ne è l'oggetto, svanirebbe, si dissolverebbe perdendo ogni consistenza, quella consistenza che risiede nel rapporto, stabilito fin dal primo canto, tra il mondo dell'eterno e il mondo della storia.

Con la consueta sicurezza con la quale domina il quadro dell'universo così come era concepito dalla teologia cristiana, Dante spartisce la sua rosa secondo i due tempi del mondo alla luce del progetto provvidenziale della storia della salvezza, cioè prima e dopo Cristo, il tempo dell'*Antico* e quello del *Nuovo Testamento*: due grandi emicicli, al cui punto di spartizione sono posti nell'ultimo gradino, l'una di fronte all'altro, Maria e il Battista, le due persone partecipi dei due tempi, nella cui vita, si potrebbe dire, passò il confine tra l'uno e l'altro. Al di sotto dei due, due file di personaggi santi dividono verticalmente gli emicicli; sotto Maria grandi donne ebree, le madri del popolo d'Israele, cioè del popolo dell'*Antico Testamento*; sotto Giovanni grandi uomini del tempo cristiano, dei quali si nominano i fondatori dei tre principali Ordini allora esistenti, Francesco, Benedetto e Agostino, quasi padri del nuovo popolo di Dio.

Con intuizione teologicamente acuta, Dante pone per l'*Antico Testamento* le madri secondo la carne, per il *Nuovo* i padri secondo lo spirito, distinzione che corrisponde alla reale differenza tra i due tempi e i due «popoli», l'uno nato per via di sangue, l'altro per via di grazia (*Io.* 1, 13).

I nomi dati sono pochissimi (se si pensa che i gradi sono *più di mille*: XXX 113), come un breve accenno, che non turbi appunto, pur dandole una fisionomia storica, la vaghezza della celestiale rosa.

Una seconda spartizione è poi indicata da san Bernardo in senso orizzontale, una linea che divide cioè al suo centro la parte superiore dall'inferiore dell'anfiteatro, occupata quest'ultima dai bambini morti prima di avere l'uso della ragione, e salvi *per merito altrui*, a date condizioni (fede dei genitori, circoncisione, battesimo). La doppia suddivisione crea così una figura geometrica nella quale i concentrici cerchi degradanti sono intersecati da due opposte croci, compiendo in tal modo la serie delle doppie figure (cerchio e croce) che variamente accompagnano lo svolgersi della visione dell'aldilà.

Con questa indicazione termina la prima parte della descrizione fatta da san Bernardo sull'ordinamento dei beati nella rosa celeste. Appare chiaro che qui non ci sono gradazioni di merito, come nell'*Inferno* o nel *Purgatorio*. L'ordine spartisce solo i due tempi della storia – prima e dopo la redenzione – e le due fasce dell'umanità, adulti e bambini, cioè coloro che hanno o non hanno avuto consapevolezza morale dei loro atti. Nel cielo infatti il grado di gloria è soltanto individuale, dovuto al grado di carità di ciascuno, e noto a Dio solo (cfr. IV 34-6 e XIV 40-2). Le suddivisioni che appaiono nelle sfere dei pianeti riguardavano le diverse forme o specie di santità quali appaiono nella storia, come già dicemmo, e non la santità non misurabile dei singoli.

I faticosi tentativi fatti da alcuni critici per far corrispondere in qualche modo le sette sfere ai gradini della rosa celeste (che sono, ricordiamolo, *più di mille*, accennandosi forse così alle infinite gradazioni delle individuali capacità di gloria) appaiono quindi inutili, anzi errati.

Ma un problema c'è, nell'ordine così presentato, ed è quello che fa interrompere a san Bernardo la sua descrizione; egli si accorge infatti del dubbio che nasce nel suo ascoltatore, e si ferma a darne soluzione. Si apre quindi un intervallo in quella ordinata descrizione, che sarà conclusa più avanti, con altre indicazioni, evitando così una possibile stanchezza nel lettore. L'intervallo sarà di due sequenze, ben diverse tra loro: la prima è di carattere dottrinale – l'ultima di questo genere della cantica –, la seconda è di carattere contemplativo e lirico, dedicata alla Vergine Maria, e costituisce il centro e come il cuore del canto.

Il problema teologico qui posto riguarda la gerarchia di merito attribuita ai bambini senza uso di ragione, collocati come si è visto su diversi gradi della rosa.

La risposta è di grande importanza nell'universo morale dantesco, e per questo crediamo sia stata qui introdotta alla fine del poema, pur essendo la sua sostanza già in vari modi dichiarata anche in questa ultima cantica: ogni individuo ha una sua inconfondibile specificità, a nessun altro uguale, a lui data al momento della nascita; nell'ordine della natura (cioè per quanto riguarda i corpi, vale a dire l'indole, il carattere) assegnata dai cieli (come è detto nel canto VIII); nell'ordine della grazia (per quanto riguarda le anime, cioè la capacità di intendere e di amare) data da Dio al momento in cui esse sono da lui create (si vedano i vv. 64-6). Ritorna qui sullo sfondo il grande problema, di cui già si è trattato nei canti dal XIX al XXI, della predestinazione; e come allora si porta, seguendo san Paolo, l'esempio di Esaù e Giacobbe già diversamente connotati nel seno della madre; e come allora ci si rimette all'infinità inaccessibile di colui che amorosamente («lietamente» v. 64) crea la misteriosa differenza.

Senza indugiare oltre, come dando il discorso per definito una volta per sempre, san Bernardo cambia la direzione, dell'argomento e dello sguardo, facendo volgere gli occhi di Dante verso il volto di Maria; *Riguarda ormai ne la faccia che a Cristo / più si somiglia...*

Quell'*omai* sembra voler suggerire che il tempo del discutere e ragionare è finito, che soltanto una cosa ora resta, a cui bisogna prepararsi. E il verso continua infatti: *ché la sua chiarezza / sola ti può disporre a veder Cristo.*

La visione di Maria, posta tra le due sequenze che descrivono l'ordinamento della rosa, come quella di colei che fu al centro della storia umana – compiendosi nella sua persona la divisione del tempo prima e dopo Cristo, – risplende nel canto con amabile e insieme sublime bellezza. Le tre parole-rima che la introducono – *chiarezza, allegrezza, altezza* – esprimono il senso di questa sua presenza, luminosa, alta, e tale da diffondere intorno a sé la gioia. Tutto questo passo riprende con maggiore ampiezza, quasi svolgendoli, i motivi già presenti nella rapida apparizione della Vergine alla fine del canto precedente: quella bellezza posta in alto, simile all'aurora nascente, che si rifletteva in *letizia* negli occhi dei beati tutt'intorno a lei. Ora quel volto acquista un tratto di singolare umanità – quello che *a Cristo più si somiglia* – senza tuttavia esser descritto, e tale che niente di più simile a Dio è stato visto fin qui in tutto il paradiso (vv. 91-3). Si aggiunge poi la festa angelica, e quasi il ripetersi, nell'atto dell'arcangelo che apre le ali davanti a Maria cantando le parole di allora, della scena, trasfigurata, dell'annunciazione di Nazaret. Quell'annunciazione che nel poema è il riferimento principale della figura di Maria, e che, con la misericordia, caratterizza la sua persona.

Coloro che riconoscono alla presenza della Vergine nella *Commedia* solo un carattere devozionale e affettivo, non colgono il segreto della sua potente presenza poetica che sta appunto nello stretto rapporto tra la sua umanità – da cui derivano nei versi la dolcezza dei sentimenti, la devota fiducia, la semplice preghiera – e la sua grandezza divina.

La sublime preghiera teologica che aprirà l'ultimo canto, dove pur si ricorre alla sua pietà con filiale confidenza, è forse la migliore dimostrazione di quanto intendiamo dire. E lo stesso Bernardo, il grande teologo che si addentrò forse più di ogni altro nei misteri mariani, e che si presenta qui come il fedele innamorato di lei, al pari di ogni umile cristiano, sembra impersonare quello che fu l'atteggiamento dello spirito di Dante verso Maria, e che crea la forma dei suoi alti e umili versi. Dal «compiangersi» di lei nell'alto cielo per colui che precipitava nella selva (*Inf.* II 94-6), alla invocazione del morente Buonconte (*Purg.* V 100-2), ai beati che come lattanti si protendono verso di lei nel canto XXIII, a questo apparire di aurora ed effondersi di umana letizia su tutti gli abitanti del cielo, alla preghiera dell'ultimo canto, tutta la linea mariana della *Commedia* mantiene questo doppio aspetto, di confidenza e di sublimità, che ne costituisce la forza e l'incanto.

Ma ora Bernardo guida gli occhi di Dante (per usare il modo con il quale il santo stesso sempre si esprime: vv. 115-6; 142; e cfr. il v. 85 e XXXI 112-5) verso gli altri grandi santi che siedono nella rosa, i *patrici*, cioè i nobili signori dell'impero divino. Riprende così la presentazione prima interrotta della distribuzione dei beati nel fiore celeste. Tuttavia anche questa volta sono nominati soltanto alcuni pochi, quelli che siedono ai lati dei due personaggi centrali.

La scelta non dipende da particolari simpatie, né da graduatorie di merito ma, anche in questo caso, come per i primi nomi, dalle ragioni dell'ordinamento storico del mondo secondo il modello cristiano: Pietro e Adamo, i due uomini *radici* o capostipiti dei due popoli di Dio, generato il primo secondo la carne, il secondo secondo lo spirito. Lucia e Anna, le due donne che rappresentano forse la luce concessa nella fede, rispettivamente a quei due popoli. Si aggiungono Mosè e Giovanni Evangelista, gli autori del primo e dell'ultimo libro della Bibbia, il primo e l'ultimo uomo dei due *Testamenti* a cui fu dato di vedere Dio.

Dopo questi nomi, che completano l'inquadratura generale dell'ordinamento, sempre visto nelle sue due fondamentali componenti storiche, Bernardo dice a Dante che il tempo concessogli per la grande visione è ormai quasi finito; è arrivato il momento di rivolgere lo sguardo al *primo amore*, Dio stesso. Ma a questa vista l'uomo non può giungere da solo. Occorre chiedere l'aiuto di colei che ha il potere di darlo, come Bernardo farà all'attacco del prossimo, ultimo canto. Torna così nelle parole del santo, dette al momento del supremo incontro (*...ne forse tu t'arretri / movendo l'ali tue, credendo oltrarti...*), il ricordo dell'uomo che tentò con le ali dei suoi remi (*Inf.* XXVI 125) di «inoltrarsi» fino al mondo di Dio, finché su di lui si richiuse quel mare che aveva voluto varcare.

CANTO XXXII

Nell'Empireo: l'ordinamento della rosa

1-27 San Bernardo, assumendosi il compito di maestro del poeta, inizia a descrivere la disposizione dei beati nella candida rosa: ai piedi della Vergine Maria siede Eva, nella fila sottostante stanno Rachele e Beatrice, poi, scendendo di gradino in gradino si trovano le più grandi donne d'Israele: Sara, Rebecca, Giuditta e Ruth, bisavola del re David. Sotto di loro continua la successione delle donne ebree che dividono in due zone i petali della rosa: da un lato siedono i beati che credettero in Cristo venturo, dall'altro quelli che ebbero fede in Cristo venuto.

28-39 Di fronte alla Vergine, sul lato opposto dell'anfiteatro, siede Giovanni Battista: la fila di beati sotto di lui divide verticalmente il fiore anche da questo lato. I seggi più alti sono occupati da Francesco, Benedetto e Agostino, fondatori dei grandi Ordini della Chiesa. La provvidenza divina ha disposto che alla fine dei tempi il numero dei beati del Nuovo e dell'Antico Testamento sia uguale.

40-60 I gradini della metà inferiore del fiore sono occupati da anime salvate non per proprio merito, ma per l'altrui, a determinate condizioni: siedono qui, infatti, i bambini innocenti, come rivelano i volti e le voci infantili. Niente nel regno celeste è lasciato al caso, perciò anche questa sistemazione – che ha reso Dante dubbioso circa la ragione della disposizione in gradi diversi di fanciulli che non sono lì per loro merito – viene adeguatamente motivata da san Bernardo.

61-84 Dio crea le anime dotandole di grazia in diversa misura, dunque anche i bambini sono collocati in gradini differenti in proporzione alla loro diversa vista intellettuale, ottenuta per grazia. Nei primi tempi bastava alla salvezza degli innocenti la fede dei genitori, in seguito fu necessaria per i maschi la circoncisione: ma dopo la venuta di Cristo divenne indispensabile il Battesimo.

85-99 San Bernardo conclude esortando il poeta a riportare lo sguardo al volto della Vergine che è il più somigliante al volto di Cristo: contemplando lei si disporrà alla visione di Cristo stesso. Dante guarda ammirato la luce carica di allegrezza che dagli angeli discende su Maria, mentre uno di essi, volato davanti alla Vergine, intona Ave Maria, gratïa plena, *canto a cui risponde in coro la corte celeste.*

100-138 Dante domanda chi sia quell'angelo che guarda con tanto amore la regina del cielo: Bernardo gli risponde che si tratta dell'angelo dell'Annunciazione, poi lo invita a osservare i beati che gli indicherà. I primi due, seduti ai lati di Maria, sono Adamo e Pietro, affiancati il primo da Mosè, il secondo dall'apostolo Giovanni. Dal lato opposto della rosa, di fronte a Pietro siede sant'Anna, la madre di Maria, e di fronte ad Adamo santa Lucia, che aveva inviato Beatrice a soccorrere il poeta.

139-151 Qui san Bernardo si ferma perché il tempo concesso alla visione sta per finire: ormai è giunto il momento della contemplazione di Dio. Per questo occorre chiedere la grazia a Dio per intercessione della Vergine Maria, e il santo invita Dante a seguire col cuore la preghiera che si accinge a pronunciare.

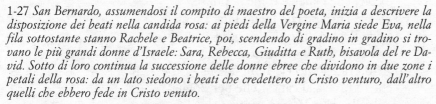

Affetto al suo piacer, quel contemplante
libero officio di dottore assunse,

1-3. Affetto al suo piacer...: con l'animo tutto rivolto verso l'oggetto del suo amore, quello spirito contemplativo si assunse liberamente il compito di maestro verso di me, e così cominciò il suo santo insegnamento. La terzina fa intendere che Bernardo, definito *contemplante*, si prende questo incarico in via provvisoria, perché questo non è il suo proprio. E lo fa con libertà di spirito (*libero officio... assunse*), per puro amore. – *Affetto* (dal lat. «affectus», participio di «afficior»)

Con l'animo tutto rivolto verso l'oggetto del suo amore (affetto al suo piacer), quello spirito contemplativo si assunse liberamente il compito di maestro, ...

3   e cominciò queste parole sante:
       «La piaga che Maria richiuse e unse,
       quella ch'è tanto bella da' suoi piedi
6   è colei che l'aperse e che la punse.
       Ne l'ordine che fanno i terzi sedi,
       siede Rachel di sotto da costei
9   con Bëatrice, sì come tu vedi.
       Sarra e Rebecca, Iudìt e colei
       che fu bisava al cantor che per doglia
12   del fallo disse '*Miserere mei*',
       puoi tu veder così di soglia in soglia
       giù digradar, com'io ch'a proprio nome
15   vo per la rosa giù di foglia in foglia.
       E dal settimo grado in giù, sì come
       infino ad esso, succedono Ebree,

vale «colpito nell'animo da un qualche sentimento»; qui varrà «tutto preso», «assorto»; *piacer* sta per la cosa che piace, come *disio* per la cosa desiderata ecc.

4-6. La piaga che Maria...: la donna bellissima che siede sotto a Maria è colei che aprì, e inasprì, quella ferita che Maria stessa richiuse e risanò (*Sermone sull'Assunzione*, 4: «quella ferì, questa risanò»). *La piaga* è il peccato originale, inteso dai padri come una ferita («vulnus») inferta alla natura umana. I due atti (*aperse* e *punse*) sono riferiti il primo alla disobbedienza, il secondo alla seduzione di Adamo coinvolto da Eva nella colpa.

– **richiuse e unse**: due sono anche gli atti di Maria: sanò quella ferita col divenir madre del redentore; la unse, cioè ne curò la guarigione, con la sua materna cura verso gli uomini. Il primo spirito beato nominato da Bernardo nella rosa è dunque Eva, colei che aveva escluso gli uomini da quella beatitudine. Sono poste così, l'una sotto l'altra, le due madri dell'umanità, secondo lo spirito e secondo la carne.

– **tanto bella**: Eva è immaginata bellissima tra le donne, in quanto formata direttamente dal creatore (*Gen.* 2, 21-2).

7. Ne l'ordine...: nella fila formata dai terzi seggi (anche oggi si dice «ordine» di palchi in un teatro); ter-

za fila s'intende dall'alto, dopo quella occupata da Maria e da Eva; *sedi* è plurale di *sedio*, seggio, o trono, voce arcaica.

8. Rachel: la seconda moglie di Giacobbe, simbolo, ricordato nell'Eden (*Purg.* XXVII 104), della vita contemplativa. Si fa intendere così che la zona più alta della rosa è occupata dagli spiriti contemplanti. Accanto a lei, come è detto in *Inf.* II 101-2, siede Beatrice. Il ricordo della scena del Limbo chiude il cerchio della presenza di Beatrice nel poema: di là venne e là è ritornata.

10. Sarra e Rebecca...: i nomi di questa terzina sono compl. oggetto dei vv. 13-4; l'inversione serve a lasciare ininterrotta la serie delle grandi donne ebree che «dirimono» verticalmente in due parti la rosa celeste. Sara è la moglie di Abramo e madre di Isacco, Rebecca la moglie di Isacco e madre di Giacobbe. Sono dunque queste le mogli dei tre patriarchi di Israele e madri del popolo ebreo, delle quali Rachele è posta per prima e non per ultima, come vorrebbe l'ordine cronologico, per il suo significato simbolico.

– **Iudìt**: Giuditta, colei che uccise Oloferne, salvando così il popolo di Israele dall'occupazione assira (cfr. *Purg.* XII 58-60).

10-2. colei...: Ruth sposò Booz, il quale, come dice la Bibbia, «generò Obed, che generò Isaia, che generò David» (*Ruth* 4, 21-2). Fu dunque bisavola del *sommo cantor* di Dio, come Dante chiama altrove David (XXV 72), dalla cui stirpe doveva nascere il Cristo, qui connotato (come già nella scena di *Purg.* X 64-6) dalla sua umiltà: egli compose infatti il salmo 50 (il *Miserere*) per il dolore del suo peccato (*doglia del fallo*), l'aver commesso adulterio con Betsabea e l'aver fatto uccidere il marito di lei Uria (*2 Sam.* 11). Nella fila dunque tutta di madri, da Maria a Eva a Ruth, sembra fare eccezione Giuditta, ma la sua impresa è intesa anch'essa come azione materna, in quanto dette vita simbolicamente al popolo ebreo.

... e così cominciò il suo santo insegnamento: «La donna bellissima che siede ai piedi di Maria è colei che aprì e inasprì (punse) quella ferita che Maria stessa richiuse e risanò. Nella fila formata dai terzi seggi, sotto di lei siede Rachele accanto a Beatrice, come vedi. Sara e Rebecca, Giuditta e colei che fu bisavola del poeta che per il dolore del proprio peccato compose il Miserere mei, tu puoi vedere disposte così digradanti da un ordine all'altro, come faccio io che, dicendo il nome di ognuna, scendo giù per la rosa di petalo in petalo. ◆ E dal settimo gradino in giù, come in quelli precedenti, si succedono donne ebree, ...

18 dirimendo del fior tutte le chiome;
 perché, secondo lo sguardo che fée
la fede in Cristo, queste sono il muro
21 a che si parton le sacre scalee.
 Da questa parte onde 'l fiore è maturo
di tutte le sue foglie, sono assisi
24 quei che credettero in Cristo venturo;
 da l'altra parte onde sono intercisi
di vòti i semicirculi, si stanno
27 quei ch'a Cristo venuto ebber li visi.
 E come quinci il glorïoso scanno
de la donna del cielo e li altri scanni
30 di sotto lui cotanta cerna fanno,
 così di contra quel del gran Giovanni,
che sempre santo 'l diserto e 'l martiro

13-5. puoi tu veder...: tu puoi vedere queste donne disposte così digradanti da un ordine all'altro come vado digradando io nel nominarle (come faccio io che, dicendo il nome di ognuna, scendo giù per la rosa di seggio in seggio).

16-8. E dal settimo grado in giù...: cioè dopo quelli fin qui contati, che sono appunto sette, continuano a succedersi, una sotto l'altra, donne ebree, come in quelli fino al settimo, *dirimendo*, cioè dividendo, spartendo in due zone, tutti i petali del fiore. – *dirimere*, spartire in due, è voce latina usata anche in *Ep.* V 27.

19-21. perché, secondo lo sguardo...: per cui queste donne sono come una parete che divide le sacre scalinate della rosa secondo la direzione dello sguardo della fede in Cristo professata dai suoi abitanti.

– **lo sguardo che fée...**: la specie di sguardo che (oggetto) la fede in Cristo fece, cioè in quale direzione lo tenne rivolto. Questa espressione si rende chiara al v. 27, dove i credenti del *Nuovo Testamento* sono indicati come quelli che *ebber li visi* al Cristo venuto, cioè rivolsero lo sguardo della fede all'indietro, verso un evento passato, come gli altri in avanti, verso un evento futuro.

22-4. Da questa parte...: qui non è detto quale sia la parte accennata da Bernardo, evidentemente col gesto; ma si saprà ai vv. 121 sgg., dove appaiono alla sinistra di Maria Adamo e alla destra Pietro. Per Dante che guarda, la parte *onde*, dalla quale, il *fiore è maturo*, cioè ormai pieno in tutti i suoi seggi, sarà dunque la destra.

– **quei che credettero...**: tutti gli uomini che credettero nel Cristo redentore che sarebbe un giorno venuto a salvare l'umanità.

25-6. onde sono intercisi...: dalla quale i semicerchi sono interrotti (*intercisi*, dal latino «intercidere») qua e là da seggi vuoti (perché il tempo storico non è ancora terminato).

27. quei ch'a Cristo venuto...: quelli che tennero lo sguardo rivolto a Cristo già venuto, cioè vissuti nell'era cristiana. Per il sintetico uso dei due participi a designare i tempi si vedano i *passuri* e i *passi piedi* di XX 105.

28-30. E come quinci...: e come di qua (dove si sta ora guardando) il trono della Vergine e gli altri sotto di esso segnano questa grande divisione (*cerna*, sostantivo derivato da *cernere*, distinguere, oggi «cernita»)...

31. così di contra...: così dirimpetto (fa, s'intende, tale *cerna*) il seggio di Giovanni Battista (*gran*, perché di lui disse Gesù: «tra i nati di donna non è sorto uno più grande di Giovanni il Battista» (*Matth.* 11, 11; cfr. *Purg.* XXII 153-4).

32-3. che sempre santo...: che soffrì prima l'austera vita di penitenza nel deserto, poi il martirio per opera di Erode, e poi ancora il soggiorno nel Limbo fino alla morte di Cristo, pur essendo santo fin dall'inizio della vita, quando era ancora nel grembo materno (*Luc.* 1, 15).

... dividendo in due zone tutti i petali del fiore (le chiome); per cui queste donne sono come una parete che divide le sacre scalinate, secondo la direzione dello sguardo della fede in Cristo (professata dai beati). Da questa parte, dove il fiore è completo di tutti i suoi petali, sono seduti coloro che credettero nel Cristo che sarebbe un giorno venuto (venturo); dall'altra parte, nella quale i semicerchi sono interrotti (intercisi) da posti vuoti, stanno coloro che tennero lo sguardo rivolto a Cristo già venuto. ◆ *E come di qua il glorioso trono della regina del cielo (cioè della Vergine) e gli altri sotto di esso segnano questa grande divisione (cerna), così dirimpetto fa il seggio del sommo Giovanni Battista, che pur essendo santo da sempre, soffrì prima le pene del deserto, poi il martirio ...*

33   sofferse, e poi l'inferno da due anni;
      e sotto lui così cerner sortiro
      Francesco, Benedetto e Augustino
36   e altri fin qua giù di giro in giro.
      Or mira l'alto proveder divino:
      ché l'uno e l'altro aspetto de la fede
39   igualmente empierà questo giardino.
      E sappi che dal grado in giù che fiede
      a mezzo il tratto le due discrezïoni,
42   per nullo proprio merito si siede,
      ma per l'altrui, con certe condizioni:
      ché tutti questi son spiriti asciolti
45   prima ch'avesser vere elezïoni.

– **da due anni**: circa due anni trascorsero tra l'uccisione del Battista e quella di Gesù, quando furono liberati i giusti dal Limbo (*Inf.* IV 52 sgg.).

34-6. e sotto lui...: e sotto Giovanni ebbero in sorte (*sortiro*) di continuare tale suddivisione Francesco, Benedetto, Agostino, e altri di seguito, di grado in grado, fino qua al fondo. Due file dunque, una di grandi donne ebree, una di grandi uomini dell'era cristiana, separano i beati dei due tempi della storia. I santi cristiani sembrano scelti tra i grandi fondatori di Ordini, o padri spirituali, come le donne ebree tra le madri carnali. Dante non dà comunque sette nomi di uomini, come ha fatto per le donne, ma solo quattro, crediamo volutamente, per non costringere in uno schema troppo rigido quell'ordinamento. Sul criterio seguito nello scegliere questi nomi, si veda l'Introduzione al canto.

35. Francesco, Benedetto e Augustino: per Francesco e Benedetto si vedano le relative note ai canti XI e XXII. Agostino, uno dei più grandi padri della Chiesa, nacque in Africa nel 354 da madre cristiana (santa Monica), ma nella giovinezza si allontanò dalla fede. Come maestro di retorica insegnò a Milano, dove l'incontro con sant'Ambrogio lo portò alla conversione. Tornato in Africa ed eletto vescovo di Ippona, vi rimase fino alla morte avvenuta nel 426. Delle sue

numerose opere, rimaste a fondamento di tutta la teologia occidentale, ricordiamo le due più note, e più importanti per Dante: il *De Civitate Dei* e le *Confessiones*. Agostino, appena nominato nel poema (qui e a X 120), fu tuttavia uno dei grandi ispiratori – se non il più grande – della spiritualità dantesca; più volte i suoi scritti sono citati nel *Convivio* e nella *Monarchia*.

37. l'alto proveder divino: la mirabile disposizione a cui ha provveduto la sapienza divina.

38-9. ché l'uno e l'altro...: poiché i due diversi sguardi della fede (cfr. vv. 19-20 e nota) riempiranno con numero eguale di beati questo grande fiore celeste (*giardino*, immagine portata dalla figura della rosa, è anche, ricordiamo, il valore etimologico di *paradiso*); per *aspetto*, sguardo, si cfr. XI 29; XXII 21 ecc. È stato osservato che molto più numerosi dovrebbero essere in realtà i beati dell'era cristiana, e che Dante segue qui una ragione di simmetria e di convenienza poetica piuttosto che di verosimiglianza storica. Ma se si ricorda che gli anni da Adamo a Cristo erano stati, secondo la cronologia da lui seguita, 5200 (cfr. XXVI 118-23 e nota), e che egli pensava, nel 1300, non lontana la fine del mondo (cfr. XXX 131-2), la proporzione stabilita – certo in omaggio a un perfetto ordine posto da Dio nella storia – appare del tutto plausibile.

40-5. dal grado in giù...: da quel gradino in giù che taglia a metà, in senso orizzontale, le due divisioni verticali dei beati, gli spiriti che vi si trovano siedono non per merito proprio ma per merito altrui, a determinate condizioni (le condizioni senza le quali tali anime sarebbero destinate al Limbo vengono precisate ai vv. 79-84); essi sono infatti tutti spiriti usciti dal corpo prima di avere capacità di scegliere (*elezione* è la scelta del bene e del male propria della ragione): sono questi i bambini innocenti, morti prima di avere l'uso della ragione. Si noti come la linea orizzontale che taglia in due l'anfiteatro della rosa formi con le due linee verticali come due grandi croci, che spartiscono i seggi in quattro zone, due per ogni *aspetto de la fede*. Anche questa divisione a metà – tra adulti e

---

... e quindi l'inferno (nel Limbo) per due anni; e sotto di lui ebbero in sorte (sortiro) di continuare tale suddivisione Francesco, Benedetto, Agostino, e altri di gradino in gradino, fino qua al fondo. ◦ Osserva ora la mirabile disposizione voluta da Dio: poiché i due diversi sguardi della fede riempiranno con numero eguale di beati questo grande fiore celeste (giardino). E sappi che da quel gradino che taglia a metà, in senso orizzontale, le due divisioni verticali (dei beati) fino in basso (in giù), non vi si siede per merito proprio ma per merito altrui, a determinate condizioni: poiché tutti questi sono spiriti sciolti (dal corpo) prima che avessero vera possibilità di scegliere (elezioni).

Ben te ne puoi accorger per li volti
e anche per le voci püerili,
48   se tu li guardi bene e se li ascolti.
Or dubbi tu e dubitando sili;
ma io discioglierò 'l forte legame
51   in che ti stringon li pensier sottili.
Dentro a l'ampiezza di questo reame
casüal punto non puote aver sito,
54   se non come tristizia o sete o fame:
ché per etterna legge è stabilito
quantunque vedi, sì che giustamente
57   ci si risponde da l'anello al dito;
e però questa festinata gente

infanti – è parsa sproporzionata a molti lettori. Tuttavia, se si pensa da una parte all'altissima percentuale di mortalità infantile prima dell'età moderna, e dall'altra al fatto che i gradi della rosa vanno restringendosi via via dall'alto in basso, anche questa «invenzione simmetrica» di Dante apparirà non priva di un razionale fondamento.

– **discrezioni**: da *discernere*, separare (cfr. *cerna* e *cerner* ai vv. 30 e 34).

– **asciolti**: assolti, cioè sciolti, s'intende dal corpo. Si veda *Purg.* II 88-9: *... Così com'io t'amai / nel mortal corpo, così t'amo sciolta*.

46-7. per li volti... per le voci: l'improvviso apparire di volti e voci fanciulleschi dà a questa solenne rosa una singolare dolcezza e una viva evidenza, trasformando in concreta realtà (con l'aggiungersi dell'udito alla vista) quella presenza dei corpi risorti finora soltanto vagamente percepita (XXXI 49-51). La teologia scolastica insegnava che i risorti avrebbero avuto tutti un corpo perfettamente sviluppato e un'età giovanile, simile a quella di Cristo al momento della morte (*S.T.* III, Suppl., q. 81 aa. 1-2). Ma Dante preferisce seguire una diversa opinione, che lo stesso Agostino avvallava (*Civ. Dei* XXII 16), secondo il quale ognuno avrebbe mantenuto l'aspetto avuto alla morte, anche se immune da difetti e manchevolezze. Così anche Bernardo appare qui in aspetto di vecchio (XXXI 59).

49. Or dubbi tu...: ma quella vista suscita in Dante un dubbio, anche se egli lo tace (*sili*: taci, dal latino «sileo»), e il dubbio è questo: come è possibile che quei fanciulli, non avendo potuto avere alcun proprio merito in vita, siedano ora in gradi diversi, abbiano cioè diversi gradi di beatitudine? Sembrerebbe infatti che ad essi dovesse esser data una misura di gloria eguale per tutti, e che quindi la disposizione sui gradi non possa essere che casuale.

50-1. discioglierò...: scioglierò il grave dubbio (il dubbio come nodo da sciogliere è metafora usata anche altrove) nel quale resti avvinto dal tuo sottile ragionare.

52-4. Dentro a l'ampiezza...: in tutta l'immensa estensione di questo regno celeste non può trovarsi (*aver sito*) nessun punto, nessuna minima condizione che sia dovuta al caso, proprio come non può trovarvisi né tristezza, né sete, né fame, cioè tutto ciò che affligge o condiziona l'uomo sulla terra. Così è scritto nell'*Apocalisse*: «non avranno più fame, né avranno più sete» (7, 16); «non ci sarà più la morte, né lutto... né ci sarà più il dolore» (21, 4). La casualità appartiene infatti, come il dolore e la morte, al regno del caduco, cioè al tempo storico.

55-7. ché per etterna legge...: giacché tutte le cose che (*quantunque*) tu vedi qui sono *stabilite*, disposte, da una legge eterna, così che si corrispondono tra loro con perfetta giustizia, come la misura dell'anello corrisponde a quella del dito per cui è fatto (e così per tutti il grado di grazia corrisponde al grado di merito).

58-9. questa festinata gente / a vera vita: tutti questi spiriti che si sono affrettati, sono corsi presto alla *vera vita*, cioè alla vita eterna. Il verbo *festinare*, affrettarsi (cfr. *Purg.* XXXIII 90), usato per esprimere la morte precoce, in tenerissima età, trasforma quella dolorosa condizione quasi in una volontaria, felice scelta, una corsa verso la vita *vera*, dove non ci sono più lacrime e lutti.

◆ Te ne puoi facilmente accorgere dai loro volti e anche dalle loro voci infantili, se li guardi e li ascolti bene. Ora hai un dubbio, e in questo dubbio resti in silenzio (sili); ma io scioglierò il grave nodo nel quale resti avvinto dal tuo sottile ragionare. ◆ In tutta l'immensa estensione di questo regno celeste non può trovarsi (aver sito) nessun punto che sia governato dal caso (casüal), proprio come non può trovarvisi né tristezza, né sete, né fame: giacché tutte le cose che (quantunque) tu vedi qui sono stabilite da una legge eterna, così che si corrispondono tra loro con perfetta giustizia (giustamente), come la misura dell'anello corrisponde a quella del dito; perciò tutti questi spiriti che sono giunti in fretta ...

a vera vita non è *sine causa*

60 intra sé qui più e meno eccellente.

Lo rege per cui questo regno pausa

in tanto amore e in tanto diletto,

63 che nulla volontà è di più ausa,

le menti tutte nel suo lieto aspetto

creando, a suo piacer di grazia dota

66 diversamente; e qui basti l'effetto.

E ciò espresso e chiaro vi si nota

ne la Scrittura santa in quei gemelli

69 che ne la madre ebber l'ira commota.

Però, secondo il color d'i capelli,

di cotal grazia l'altissimo lume

72 degnamente convien che s'incappelli.

59-60. non è sine causa...: non sono qui disposti in gradi fra loro (*intra sé*) diversi in eccellenza senza una precisa ragione, cioè a caso (*sine causa*).

61. Lo rege: Dio, presentato come re o imperatore del cielo fin da *Inf*. I 124.

– **pausa**: riposa appagato, senza più nulla desiderare. Il raro verbo, singolarmente espressivo, dice quello che tante volte si ripete nel *Paradiso*: cfr. XXVII 9; *si tranquilla* di IX 115; *li appaga* di XXXI 29.

62-3. in tanto amore...: in uno stato di amore e di gioia tali, che nessuna volontà osa (*è ausa*) desiderare di più.

64-6. le menti tutte...: nel creare, con pienezza di gioia, tutte le anime, le dota ognuna di grazia in diversa misura, secondo il suo beneplacito.

– **nel suo lieto aspetto**: il volto di Dio sembra illuminarsi di gioia nell'atto di creare l'anima, la creatura che più gli assomiglia, e che egli contempla con amore già prima di darle vita (cfr. *Purg*. XVI 85-7).

– **a suo piacer**: si tocca qui ancora una volta il tema della predestinazione – o preferenza di Dio verso alcuni piuttosto che verso altri – della quale la mente umana non può sondare il mistero (cfr. XX 130 sgg.; XXI 73 sgg.).

66. e qui basti l'effetto: e a questo proposito basti

l'evidenza dell'effetto, a tutti visibile (perché la causa non è conoscibile dalla nostra ragione). Che ci sia differenza di grazia tra gli uni e gli altri si vede, e non può dunque esser messo in discussione. Ma ciò deve bastare, in quanto noi non possiamo arrivare a comprendere il perché.

67-9. E ciò espresso e chiaro...: e tale fatto, cioè il diverso gradimento divino a prescindere da ogni merito personale, si può osservare chiaramente nella Sacra Scrittura, dove si parla di quei due gemelli che già nel seno materno contendevano fra loro. Il riferimento è a Esaù e Giacobbe, i due gemelli figli di Isacco, che già prima della nascita erano destinati da Dio a diversa sorte, l'uno (Giacobbe) maggiore dell'altro, perché l'uno più amato dell'altro (*Gen*. 25, 21-5; *Mal*. 1, 2-3). Il fatto che essi fossero gemelli e non ancora nati, dunque per natura del tutto uguali e incapaci di compiere alcunché di bene o di male, faceva di questo caso l'esempio principe – portato da san Paolo (*Rom*. 9, 11-3) – della insondabile scelta fatta da Dio nell'assegnare diversità di grazia alle sue creature, diversità che dipende, come scrive l'Apostolo, «non dalle loro opere, ma dalla volontà di colui che li elesse» (*ibid*. 12). Cfr. XX 77-8 e nota. L'esempio è infatti ripreso, a proposito della predestinazione, da Pietro Lombardo (*Sent*. I, IV 41) e da Tommaso (*S.T.* I, q. 23 a. 3).

– **ebber l'ira commota**: è forma latina («iram commovere») per «adirarsi contro qualcuno». Così è scritto nella *Genesi* (25, 22) dei due figli di Rebecca: «i figli si urtavano nel suo grembo».

... alla vera vita (eterna) non si trovano qui in posizioni fra loro (intra sé) più o meno eccellenti senza una precisa ragione (sine causa). ◆ *Il re grazie al quale questo regno riposa in uno stato di amore e di gioia tali che nessuna volontà osa desiderare di più, nel creare, con volto gioioso, tutte le anime, le dota ognuna di grazia in diversa misura, secondo il suo beneplacito (a suo piacer); e a questo proposito basti l'evidenza dell'effetto. E tale fatto si può osservare chiaramente nella Sacra Scrittura, dove si parla di quei due gemelli che già nel seno materno si adiravano fra loro.* ◆ *Perciò è giusto che il lume di gloria (l'altissimo lume) incoroni ciascuno in diversa misura, secondo il diverso colore dei capelli che dà a ognuno tale grazia.*

70-2. Però, secondo il color...: perciò è giusto che il lume di gloria (*l'altissimo lume*) incoroni ciascuno in diversa misura, secondo il diverso colore dei capelli che dà a ciascuno tale grazia, per ognuno diversa. Il colore dei capelli (diverso in Giacobbe ed Esaù: *Gen*. 25, 25) è figura della diversità di ogni singola persona dall'altra: diversità colta nell'aspetto corporeo, che determina appunto la persona. – **s'incappelli** è forma passiva: sia portato come corona di gloria (*cappello* per «corona» anche a XXV 9).

Dunque, sanza mercé di lor costume,
locati son per gradi differenti,
75   sol differendo nel primiero acume.
Bastavasi ne' secoli recenti
con l'innocenza, per aver salute,
78   solamente la fede d'i parenti;
poi che le prime etadi fuor compiute,
convenne ai maschi a l'innocenti penne
81   per circuncidere acquistar virtute;
ma poi che 'l tempo de la grazia venne,
sanza battesmo perfetto di Cristo
84   tale innocenza là giù si ritenne.
Riguarda omai ne la faccia che a Cristo
più si somiglia, ché la sua chiarezza

73-5. Dunque...: si conclude il ragionamento: dunque anche senza alcun merito (*mercé*) dovuto al loro comportamento (*costume*) tutti questi fanciulli morti prima di saper scegliere il bene e il male (v. 45) sono disposti su differenti gradini non a caso, ma secondo la diversità, ricevuta per grazia, della loro congenita capacità di vedere (*primiero acume*), cioè di intendere, penetrare la realtà divina. – *acume* indica l'acutezza della vista intellettuale (cfr. XXII 126 e *Purg.* XVIII 16), vista che caratterizza lo stato di beatitudine, come è detto a XXVIII 109-10.

76-8. ne' secoli recenti...: chiarito il dubbio di Dante, Bernardo definisce ora le *condizioni* (di cui ha detto al v. 43) per le quali i bambini possono entrare in paradiso *per merito altrui*, condizioni che sono diverse secondo le epoche della storia umana distinte in tre grandi periodi: nei primi tempi del mondo (da Adamo ad Abramo) bastava ai bambini per la loro salvezza eterna, insieme alla loro innocenza, la sola fede dei genitori (fede, s'intende, nel *Cristo venturo*).

– **Bastavasi**: per l'uso antico di *bastarsi* si cfr. *Purg.* I 93 e nota linguistica.

– **recenti**: nuovi, i primi dopo la creazione.

78. la fede d'i parenti: la fede dei genitori, fede senza la quale non c'è salvezza (cfr. XXV 10-1), è appunto il *merito altrui* che apriva ai bambini la porta del paradiso.

79-81. poi che le prime etadi...: ma finiti i primi tempi, diminuendo col passare dei secoli il fervore della fede e oscuratasi la ragione naturale, come scrive Tommaso d'Aquino (*S.T.* III, q. 70 a. 2), divenne necessario (*convenne*) che i maschi acquistassero forza (per volare in cielo) alle loro ali innocenti attraverso la circoncisione (*per circuncidere*: costrutto con valore strumentale, come a IX 70), cioè istituire un segno visibile per i credenti. Il rito della circoncisione fu istituito al momento del patto di alleanza tra Dio e Abramo (*Gen.* 17, 10-4), patto che divide appunto in due tempi (*etadi*) la storia del mondo prima di Cristo.

82. 'l tempo de la grazia: cioè quella nuova età del mondo che cominciò alla nascita di Cristo.

83-4. sanza battesmo perfetto...: venuto Cristo, che portò nel mondo il vero battesimo (di cui la circoncisione era solo figura), senza di quello i bambini innocenti furono trattenuti (*si ritenne*, forma passiva) nel Limbo (*là giù*).

85. Riguarda omai...: finite le spiegazioni dottrinali, l'*omai*, con valore liberatorio, porta infine lo sguardo verso quella bellezza che, già intravista alla fine del canto precedente, rifulge al vertice della rosa e può essere ora contemplata in tutto il suo amabile splendore. Questa serie di terzine dedicate a Maria interrompe a metà, con puro andamento lirico, la lunga descrizione degli abitanti del grande fiore dell'Empireo; la sua luce quasi si riversa sulle due zone della rosa descritte prima e dopo questo momento, illuminando la necessaria spiegazione con l'incanto della sua bellezza.

85-6. la faccia che a Cristo...: il volto di Maria, che *somiglia* a quello di Cristo più di ogni altro; e questa somiglianza di Maria a Cristo, come già videro gli antichi, è tale sia sul piano carnale, in quanto è sua madre, sia su quello spirituale, in quanto è la creatura più vicina a Dio per grazia.

Dunque, anche senza alcun merito (mercé) dovuto al loro comportamento (costume), tutti questi fanciulli sono disposti su differenti gradini secondo la diversità della loro congenita capacità di intendere (primiero acume). ◆ *Nei primi tempi dopo la creazione (ne' secoli recenti) bastava per la salvezza eterna, insieme all'innocenza, la sola fede dei genitori (parenti); ma finiti i primi tempi, divenne necessario (convenne) che i maschi acquistassero forza (per volare in cielo) alle loro ali innocenti attraverso la circoncisione (per circuncidere); ma quando venne il tempo della grazia (l'era cristiana) senza il vero battesimo portato da Cristo i bambini innocenti furono trattenuti (si ritenne) nel Limbo (là giù). Guarda ora nel volto (di Maria) che somiglia a quello di Cristo più di ogni altro, poiché il suo splendore ...*

87 sola ti può disporre a veder Cristo».
Io vidi sopra lei tanta allegrezza
piover, portata ne le menti sante

90 create a trasvolar per quella altezza,
che quantunque io avea visto davante,
di tanta ammirazion non mi sospese,

93 né mi mostrò di Dio tanto sembiante;
e quello amor che primo lì discese,
cantando 'Ave, Maria, gratia plena',

96 dinanzi a lei le sue ali distese.
Rispuose a la divina cantilena
da tutte parti la beata corte,

99 sì ch'ogne vista sen fé più serena.
«O santo padre, che per me comporte
l'esser qua giù, lasciando il dolce loco

102 nel qual tu siedi per etterna sorte,

86-7. la sua chiarezza...: il suo alto splendore è la sola vista che può prepararti a sostenere quella del volto di Cristo suo figlio (in quanto appunto gli è così simile). Con profondità teologale e insieme con umana dolcezza questa terzina dantesca tocca il cuore della devozione mariana nella Chiesa di Cristo: Maria è una creatura, madre di un figlio a cui somiglia come ogni altra madre, ma è anche partecipe dello splendore divino di quel figlio in modo unico ed eminente tra gli uomini. Per questo a lei, come a nessun altro in terra o in cielo, si può rivolgere l'uomo per raggiungere Dio.

88-9. tanta allegrezza / piover: vidi scendere dall'alto su di lei tanta luce di beatitudine... – *allegrezza*, come a VIII 47 o XXI 88, è vocabolo astratto (proprio solo del *Paradiso*) che esprime l'esterno manifestarsi della gioia interiore. L'uso dell'astratto (come a XXXI 134) toglie ogni fisicità a quel volto umano simile a Dio.

89-90. portata...: portata a lei dagli angeli (*le menti sante*, le intelligenze angeliche), creature fatte per distribuire volando attraverso (*trasvolar*) l'Empireo (*quella altezza*) la gloria divina (cfr. XXXI 4-18).

91-3. che quantunque...: che tutto quello che ave-

... soltanto può prepararti a vedere Dio». ◆ Io vidi scendere dall'alto su di lei tanta luce di beatitudine, portata a lei dagli angeli (le menti sante), creature fatte per volare attraverso l'Empireo (quella altezza), che tutto quello che avevo visto prima non mi aveva tenuto sospeso in tanta stupita meraviglia, né mi aveva mostrato una tale somiglianza con Dio; e quell'angelo (amor) che primo fra tutti discese lì, cantando Ave Maria, piena di grazia, distese le sue ali davanti a lei. A quel canto divino rispose da tutte le parti la corte dei beati, così che ogni volto (vista) divenne più luminoso. ◆ «O santo padre, che per amor mio sopporti di stare quaggiù, lasciando il dolce posto nel quale tu siedi per eterna destinazione, ...

---

vo visto prima (il *che* consecutivo dipende da *tanta* del v. 88) non mi aveva tenuto sospeso in tanta stupita meraviglia né mi aveva mostrato una tale somiglianza con Dio. – *sembiante*, cosa somigliante, è aggettivo con valore di sostantivo (si cfr. *Conv.* II, IV 12: «quanto la cosa è più divina è più di Dio simigliante»).

94. quello amor...: quell'angelo che primo fra tutti discese davanti a lei: è l'arcangelo Gabriele (detto *amore angelico* anche a XXIII 103, dove ugualmente appare a rendere onore a Maria), come spiegherà Bernardo ai vv. 109-14, e come già si deduce dal suo ripetere, quassù nel cielo, l'atto e le parole (vv. 95-6) della scena dell'annunciazione.

95. Ave, Maria...: sono le parole con cui Gabriele saluta Maria nel Vangelo di Luca (1, 28); e si cfr. la scena di *Purg.* X 34-42.

96. le sue ali distese: lo stesso gesto, che è quello in cui tutti i pittori fermano l'arcangelo nel ritrarre l'annunciazione, gli attribuisce Dante anche a IX 138.

97. Rispuose...: continuando, s'intende, il saluto di Gabriele con le parole che seguono nel testo di Luca, come nella preghiera dell'*Ave Maria*.

98. la beata corte: tutta la corte celeste, angeli e beati.

99. sì ch'ogne vista...: e quel soave canto divino fece sì che ogni volto (*vista*, aspetto; cfr. IX 68 ecc. e *Purg.* XIII 66) divenisse più luminoso (*serena*: cfr. XIII 5). Il dolce e armonioso andamento della terzina, che presenta tutta l'accolta dei beati illuminarsi cantando le lodi di Maria, conclude la visione centrale del canto con un tratto di musicale rapimento, come altre volte si chiudono altre visioni del *Paradiso*.

100-1. che per me comporte...: che per amor mio accetti, sopporti (cfr. XXIX 88) di stare *qua giù*, nel fondo dell'anfiteatro celeste.

101. dolce loco: «*dolce* dà rilievo alla privazione che il santo comporta» (Torraca).

qual è quell'angel che con tanto gioco
guarda ne li occhi la nostra regina,
105   innamorato sì che par di foco?».
Così ricorsi ancora a la dottrina
di colui ch'abbelliva di Maria,
108   come del sole stella mattutina.
Ed elli a me: «Baldezza e leggiadria
quant'esser puote in angelo e in alma,
111   tutta è in lui; e sì volem che sia,
perch'elli è quelli che portò la palma
giuso a Maria, quando 'l Figliuol di Dio
114   carcar si volse de la nostra salma.
Ma vieni omai con li occhi sì com'io
andrò parlando, e nota i gran patrici
117   di questo imperio giustissimo e pio.
Quei due che seggon là sù più felici

---

102. per etterna sorte: per destinazione a te assegnata da Dio per l'eternità (cfr. XXXI 69).

103. gioco: gioia, diletto (cfr. XX 117 e *Purg.*
XXVIII 96).

105. che par di foco: l'amore fa risplendere tutto
l'angelo come un fuoco ardente; si cfr. l'aspetto di Piccarda a III 68-9.

106. ancora: riprende cioè a domandare spiegazioni, come prima aveva fatto se pur tacitamente (v. 49).

107-8. ch'abbelliva di Maria...: che, tenendo sempre lo sguardo fisso in Maria (v. 1), se ne abbelliva, si
adornava della luce che da lei si rifletteva sul suo volto, come la stella del mattino (Venere) si adorna della luce del sole (cfr. VIII 11-2).

109. Baldezza e leggiadria: il primo termine, che indica sicurezza, fiducia (cfr. XVI 17), varrà qui, come
annota il Tommaseo, «ardente sicurezza d'amore», cioè
quell'atteggiamento fiducioso e sicuro proprio di chi
ama ed è riamato; il secondo è la virtù propria del cavaliere (cantata da Dante in *Rime* LXXXIII) qui portata a significato spirituale (come altri termini propri
dell'uso feudale), e raffigura il portamento nobile e pieno di grazia e di gioia dell'angelo di fronte a Maria. I
due vocaboli insieme vogliono rappresentare Gabriele
nel suo atteggiamento proprio, quello del messaggero che porta l'annuncio della salvezza all'*umile e alta*
fanciulla di Nazaret (si vedano i vv. 112-4).

110. in angelo e in alma: quanta ve ne può essere
sia negli angeli, sia nelle anime degli uomini.

111. e sì volem...: e così anche noi vogliamo che sia
(cfr. XX 138), cioè anche noi godiamo di questa eccellenza dell'angelo in *baldezza* e *leggiadria*, perché egli
è il portatore dell'annuncio di salvezza.

112. la palma: la palma era data al vincitore della
gara; Maria riceve così dall'angelo quasi «lo segno della sua vittoria, ch'ella vinceva tutte l'altre creature in
piacere a Dio» (Buti). Spesso l'angelo dell'annuncia-

zione era raffigurato dai pittori con in mano una palma.

114. carcar si volse...: volle caricarsi, prendere su
di sé (il verbo indica il peso di quel corpo sul *Figliuol
di Dio*) il nostro corpo mortale.

115-6. Ma vieni omai...: ma seguimi ormai (ritorna
l'*omai*, come al v. 85, a indicare l'incalzare del tempo,
che non permette indugi) con lo sguardo via via che
io parlerò.

116. i gran patrici: patrizi erano tutti i nobili nel
mondo romano; qui prosegue la metafora del cielo come una grande corte imperiale (così gli apostoli sono
detti baroni e conti a XXIV 115; XXV 17 e 42).

118-20. Quei due...: Bernardo comincia dai due che
siedono ai due lati di Maria, *più felici* di tutti perché
sono i più vicini (*propinquissimi*) alla regina, e occupano quindi il posto più alto e più ricco di grazia. Essi sono i capostipiti (detti *quasi radici*, trattandosi di
un fiore) delle due grandi accolte di beati in cui è suddivisa la rosa, appartenenti alle due età del mondo, prima e dopo Cristo.

■

*... chi è quell'angelo che con tanta gioia guarda negli occhi
la nostra regina, così innamorato che sembra ardere come
il fuoco?». Così ricorsi ancora all'aiuto della sapienza di colui che si adornava della luce di Maria, come la stella del
mattino (Venere) si adorna della luce del sole.* ◆ *Ed egli mi
rispose: «Sicurezza e nobiltà d'animo, quanta ve ne può essere sia negli angeli, sia nelle anime degli uomini, è tutta in
lui; e così anche noi vogliamo che sia, perché egli è colui che
portò la palma dell'annuncio giù a Maria, quando il Figlio
di Dio volle caricarsi del nostro corpo mortale. Ma seguimi
ormai con lo sguardo via via che io parlerò, e osserva i grandi patrizi di questo impero di somma giustizia e misericordia.* ◆ *Quei due che siedono lassù più felici di tutti ...*

per esser propinquissimi ad Agusta,
120 son d'esta rosa quasi due radici:
colui che da sinistra le s'aggiusta
è 'l padre per lo cui ardito gusto
123 l'umana specie tanto amaro gusta;
dal destro vedi quel padre vetusto
di Santa Chiesa a cui Cristo le clavi
126 raccomandò di questo fior venusto.
E quei che vide tutti i tempi gravi,
pria che morisse, de la bella sposa
129 che s'acquistò con la lancia e coi chiavi,
siede lungh'esso, e lungo l'altro posa
quel duca sotto cui visse di manna

121. **da sinistra le s'aggiusta**: le si affianca a sinistra: i credenti in *Cristo venturo* (di cui Adamo è la radice) sono dunque posti a sinistra; il posto più nobile – quello a destra – è riservato ai cristiani (per destra e sinistra si cfr. XII 129 e nota).

122-3. **per lo cui ardito gusto...**: per la cui presunzione nell'aver voluto gustare il frutto proibito contro l'ordine divino, tutta la specie umana gusta, prova le amarezze della vita, e della morte, amara sopra ogni altra cosa. La forte contrapposizione tra i due *gusti*, l'uno dolce e l'altro amaro, propone ancora una volta il confronto tra quell'unico gesto e i lunghi secoli di dolore che ne seguirono (cfr. VII 25-9; XXVI 115-7).

– **ardito**: l'aggettivo esprime il senso ultimo di quell'atto: la superbia di chi osa sfidare Dio stesso (cfr. XXVI 115-7).

124. **quel padre vetusto**: Pietro, il primo (*vetusto*, il più lontano nel tempo) padre della Chiesa.

125-6. **a cui Cristo le chiavi...**: quasi la stessa espressione a XXIV 35-6. Il regno dei cieli di cui Cristo dette a Pietro le chiavi (*Matth.* 16, 19), chiamato là genericamente *questo gaudio miro*, è rappresentato qui dalla rosa: il fiore *venusto*, mirabilmente bello tra tutti i fiori.

127-30. **E quei che vide...**: e vicino a Pietro (*lungh'esso*: v. 130) siede Giovanni Evangelista, colui che prima di morire ebbe la visione di tutti i tempi difficili che la Chiesa (la *sposa* di Cristo) avrebbe dovuto attraversare. Si allude qui all'*Apocalisse*, il testo profetico in cui Giovanni narra le difficoltà e le persecuzioni sofferte dalla Chiesa negli ultimi tempi, e la fine del mondo.

– **la bella sposa...**: la Chiesa, che Cristo si acquistò a prezzo del suo sangue, come è detto a XI 32-3 (la lancia e i chiodi sono appunto la causa delle ferite dalle quali sgorgò il sangue del redentore).

– **clavi**: chiodi (lat. «clavus»); cfr. XIX 105.

130-2. **e lungo l'altro posa...**: e accanto all'altro dei due padri, Adamo, siede Mosè, colui che condusse (*quel duca*) il popolo di Israele dall'Egitto alla Terra promessa.

– **sotto cui visse di manna...**: sotto il quale visse per molto tempo di *manna* (il cibo miracoloso che nutrì gli Ebrei durante la traversata del deserto: *Ex.* 16, 13-35) il popolo di Israele, ingrato, volubile e ribelle (*retrosa*, ricalcitrante) verso quel Dio che lo aveva salvato dalla schiavitù. Del comportamento ingrato del popolo ebreo parla più volte l'*Antico Testamento* (cfr. *Ex.* 32, 9; *Deut.* 9, 7; 31, 27 ecc.).

133. **Di contr'a Pietro**: si intende diametralmente opposta, quindi alla destra di Giovanni Battista, come Pietro è alla destra di Maria.

– **Anna**: la madre di Maria, moglie di Gioachino, di cui è rimasta notizia nel cosiddetto *Protovangelo di Giacomo*, testo del II secolo non accolto nel canone biblico; santa che ha sempre goduto di grande venerazione presso il popolo cristiano in tutte le regioni d'Europa dove il cristianesimo si estese. Si è voluto osservare (Russi) che qui Dante commette una grave «svista», ponendo Anna tra i santi dell'*Antico Testamento*. Ma Dante non sbaglia: Anna appartiene di fatto a quel tempo, perché il momento storico che dette inizio alla nuova «Alleanza» (o «Testamento») fu non la nascita, ma la morte di Cristo, che riconciliò Dio con gli uomini, e riaprì le porte del cielo (VII 48).

134-5. **tanto contenta...**: la gioia di contemplare, qua-

... perché sono i più vicini (propinquissimi) alla regina (Augusta), sono come le radici di questa rosa; colui che le si affianca a sinistra è il padre per la cui presunzione nel gustare (il frutto proibito) tutta la specie umana prova le amarezze terrene; alla destra vedi il più antico padre della Santa Chiesa (san Pietro), a cui Cristo assegnò le chiavi di questo fiore bellissimo (venusto). ◆ E vicino a lui (lungh'esso) siede colui (Giovanni Evangelista) che prima di morire ebbe la visione di tutti i tempi difficili (gravi) della bella sposa (la Chiesa), che fu acquistata da Cristo a prezzo del suo sangue, ferito dalla lancia e dai chiodi (clavi); e accanto all'altro siede quel condottiero (Mosè) sotto il quale visse di manna ...

132   la gente ingrata, mobile e retrosa.
　　　Di contr'a Pietro vedi sedere Anna,
　　tanto contenta di mirar sua figlia,
135   che non move occhio per cantare osanna;
　　　e contro al maggior padre di famiglia
　　siede Lucia, che mosse la tua donna
138   quando chinavi, a rovinar, le ciglia.
　　　Ma perché 'l tempo fugge che t'assonna,
　　qui farem punto, come buon sartore
141   che com'elli ha del panno fa la gonna;
　　　e drizzeremo li occhi al primo amore,
　　sì che, guardando verso lui, penètri
144   quant'è possibil per lo suo fulgore.

si di fronte a lei, la figlia regina del cielo, è tale che essa non ne distoglie mai lo sguardo pur cantando osanna con tutti gli altri beati (*per cantare*: forma concessiva). Tutti i lettori hanno rilevato il delicato, umanissimo tratto che coglie in questi due versi la forza della tenerezza materna, uguale in paradiso come sulla terra (si ricordi, per questo gioioso mirare il volto di chi *fu caro*, la terzina di XIV 64-6). Anche più rilevante, questa breve indicazione, in quanto è l'unica che Dante si concede nella descrizione di tutti gli abitanti della rosa.

136. **contro al maggior padre**: cioè dirimpetto (sempre diametralmente) ad Adamo, alla sinistra di Giovanni Battista.

137-8. **Lucia...**: la santa martire siracusana che, sollecitata da Maria, mosse Beatrice a scendere in soccorso di Dante quando egli stava per precipitare di nuovo nella selva (*chinavi... le ciglia*: abbassavi lo sguardo, prima alzato verso il colle soleggiato, perdendo la speranza di salvarti: *Inf.* I 16-8; 52-4; 61). Si rievoca qui la scena celeste narrata da Beatrice a Virgilio in *Inf.* II 94-114 (per Lucia si veda la nota relativa). Ritroviamo così in questa chiusa del poema, nel luogo dell'arrivo, le *tre donne benedette* (*Inf.* II 124) che si muovono a soccorrere il poeta alla sua apertura, quando egli si trova nel luogo di partenza, la selva oscura.

139. **Ma perché 'l tempo...**: ma poiché il tempo che ti tiene in stato di visione sta per terminare... – *fugge*, quasi s'affretta a scomparire per sempre. Si cfr. Petrarca, *RVF* CCLXXII 1: «La vita fugge, et non s'arresta una hora...».

– **t'assonna**: ti tiene come addormentato. Il verbo indica lo stato proprio della visione mistica, il quale viene assomigliato tradizionalmente al sonno, in quanto la mente è come distaccata dai sensi: «all'inizio della contemplazione, bisogna che l'uomo, quasi assopito, allenti i suoi sensi, in una specie di sonno...» (Bonaventura, *In Evangelium S. Lucae* IX 32). Così di san Paolo rapito al cielo Agostino scriveva: «è come se dormisse stando sveglio» (*De Genesi ad litteram* XII, v). La precisa corrispondenza di questo significato al

contesto rende secondo noi sicura l'interpretazione del verbo in tal senso (Dante stesso del resto presenta l'autore dell'*Apocalisse* che avanza *dormendo* a *Purg.* XXIX 144).

140-1. **qui farem punto...**: mi fermerò qui, come il bravo sarto che fa il vestito a seconda del panno che ha. L'espressione propria del parlare quotidiano – che nasce con tutta naturalezza in mezzo alle alte formulazioni teologiche – dà a questo parlare di Bernardo, nell'alto paradiso, la concretezza e la veridicità delle cose reali, quasi ci trovassimo in un luogo familiare della nostra terra.

142. **al primo amore**: verso Dio stesso: dei tre termini usati per la Trinità (potestà o valore – sapienza – amore) Dante sceglie qui per indicare Dio non quello solitamente impiegato a designare il Padre (*valore*: cfr. I 107; X 3; XXIX 143), ma l'amore, dal quale Dio è definito da Giovanni («Dio è carità»: *1 Io.* 4, 8), e che è quello nel quale si compie la cosiddetta «visione unitiva», cioè l'ultimo grado dell'unione mistica dell'uomo con Dio.

143-4. **penètri / quant'è possibil...**: così che tu possa penetrare con la tua vista spirituale dentro alla sua luce, cioè nella sua essenza divina, quanto è possibile a un uomo.

─────────────── ∎ ───────────────

... il popolo di Israele, ingrato, volubile e ribelle (retrosa). Di fronte a Pietro vedi seduta Anna, tanto contenta di rimirare sua figlia, che non ne distoglie lo sguardo pur cantando osanna; e di fronte al più antico padre di famiglia (Adamo) siede Lucia, che fece muovere la tua donna, quando abbassavi lo sguardo verso la tua rovina. ◆ *Ma poiché il tempo che ti tiene come addormentato (t'assonna) sta per terminare, ci fermeremo qui, come il bravo sarto che fa il vestito a seconda del panno che ha; e rivolgeremo gli occhi verso il primo amore (Dio stesso), così che tu possa penetrare con la tua vista spirituale dentro alla sua luce, quanto è possibile a un uomo.*

Veramente, *ne* forse tu t'arretri
movendo l'ali tue, credendo oltrarti,
147 orando grazia conven che s'impetri,
grazia da quella che puote aiutarti;
e tu mi seguirai con l'affezione,
sì che dal dicer mio lo cor non parti».
151 E cominciò questa santa orazione:

---

145. **Veramente**: latino «veruntamen»; ha valore avversativo attenuato: ma, tuttavia (cfr. I 10).

145-6. **ne... tu t'arretri...**: il *ne* è latinismo puro (come vuole indicare il corsivo nel testo), congiunzione finale negativa: affinché tu non debba indietreggiare credendo di avanzare (*oltrarsi*, andare oltre), muovendo verso Dio le tue deboli ali d'uomo. È questo il rischio proprio dell'umana superbia quando, senza chiedere l'aiuto divino, con le sue sole forze, pretende di raggiungere l'infinito (si cfr. *Purg.* XI 13-5 e si ricordino le *ali* impotenti della nave di Ulisse: *Inf.* XXVI 125).

147-8. **orando...**: è necessario impetrare, ottenere grazia con la preghiera (quella grazia che sola può permettere all'uomo di vedere Dio), e ottenerla da colei che ha il potere di aiutarti in questo atto supremo, cioè la Vergine Maria (cfr. vv. 86-7). Per la punteggiatura di questa terzina, nella quale ci discostiamo dal testo

Petrocchi, ponendo una virgola dopo *s'impetri* come la maggior parte dei precedenti editori, si veda la nota al testo alla fine del canto.

149-50. **con l'affezione**: con il sentimento, in modo da non discostarti col cuore dalle parole che io pronuncerò. Non si tratta più ora dunque di seguire con gli occhi (vv. 115-6), ma con tutto l'animo, le parole della guida.

150. **sì che... non parti**: così da non separare (*partire*: cfr. IX 90), cioè tenere strettamente unito. La precisazione sembra rimandare a un passo di Isaia (29, 13) citato anche da Matteo (15, 8) e da Marco (7, 6): «mi onora con le labbra, mentre il suo cuore è lontano da me».

151. **E cominciò...**: il verso finale stabilisce una pausa solenne, e serve insieme di apertura al canto seguente, dove la preghiera s'innalzerà senza alcuna didascalia o commento, pura ed assoluta.

Tuttavia, affinché tu non debba indietreggiare credendo di avanzare (oltrarti), usando solo le tue capacità umane (movendo l'ali tue), è necessario ottenere grazia con la preghiera, e ottenerla da colei che ha il potere di aiutarti in questo atto supremo (cioè la Vergine Maria); e tu mi seguirai con il sentimento, in modo da non discostarti col cuore dalle parole che io pronuncerò». E cominciò questa santa preghiera:

approfondimenti

NOTE AL TESTO

v. 147. **orando grazia conven che s'impetri,**: si ripristina la punteggiatura adottata dalla maggioranza degli editori, inserendo la virgola alla fine del verso; *grazia* viene così a dipendere da *s'impetri*, isolando il gerundio iniziale (*orando*: con la preghiera) e così meglio esprimendo la contrapposizione con l'atto indicato dal gerundio del verbo precedente (*movendo l'ali tue*), contrapposizione che è il senso di tutto il discorso. (Così il Landino: «... se l'ingegno umano non basta a tale investigazione e cognizione, è necessario orando impetrare grazia da Dio, la quale t'illumini, pel mezzo di Maria, che può aiutarti».) Si aggiunga l'eccezionalità dell'uso di *orare* transitivo, e la discutibile ridondanza della frase («invocando grazia conviene impetrare grazia») che la soluzione adottata dal Petrocchi comporta.

NOTE LINGUISTICHE

v. 63 **ausa**: «ausus» è il participio del verbo semideponente latino «audeo», osare, che con l'ausiliare essere forma i tempi del perfetto (qui forma invece il presente) con significato attivo; la forma italiana *oso* si trova ugualmente costruita col verbo essere alla latina a *Purg.* XI 126 e XX 149.

SUGGERIMENTI PER LA RICERCA

Temi e personaggi del canto

L'ordinamento della rosa

Rappresenta in forma schematica la distribuzione dei beati nella candida rosa, indicando la posizione delle anime nominate; cerca poi di spiegarne il significato aiutandoti con la lettura dell'Introduzione al canto e del saggio di F. Montanari citato tra le *Letture consigliate*. Per orientarti sul problema teologico della distinzione di merito tra i bambini, puoi consultare il saggio di B. Nardi elencato fra le *Letture consigliate*.

La visione di Maria

Rileggi le tre apparizioni di Maria nel *Paradiso*, innanzitutto nel canto XXIII i vv. 88-129, poi nel canto XXXI i vv. 118-142, infine i vv. 85-114 di questo canto; rileva le affinità nel linguaggio e nelle immagini impiegate nella sua rappresentazione e osserva i sentimenti del poeta di fronte all'eccezionalità degli eventi. Sull'argomento puoi leggere il saggio di A. M. Chiavacci Leonardi che trovi indicato tra le *Letture consigliate* del canto XXIII e quello di R. Stefanini, citato tra le *Letture consigliate* di questo stesso canto.

Agostino

Tra i fondatori dei grandi Ordini è citato, per la prima volta nella *Commedia*, sant'Agostino. Fai una breve ricerca sul personaggio e sulla sua rilevanza nella storia della Chiesa consultando, in aggiunta alle informazioni che puoi trovare in un dizionario enciclopedico a tua disposizione, la voce relativa del *Grande Libro dei Santi*, a cura di V. Grossi, I, pp. 43-55.

Lucia

Santa Lucia è una delle *tre donne benedette* che concorrono alla salvezza del poeta: rileggi i versi a lei dedicati in *Inf.* II 97-108 e in *Purg.* IX 19-33 e 52-57, dove per la seconda volta la santa interviene in aiuto del suo devoto; approfondisci quindi, con l'aiuto delle note di commento, le ragioni della scelta di questo personaggio e il suo

approfondimenti

significato all'interno dell'opera. Completa il lavoro con una ricerca sulla storia di santa Lucia, di cui puoi trovare notizie alla voce relativa a cura di T. Sardella del *Grande Libro dei Santi*, II, pp. 1228-1231.

Lingua e stile

abbelliva – v. 107

Leggi gli altri due passi del poema in cui compare il verbo *abbellire* (*Par.* XXII 24; XXVI 132) e distinguine le due diverse accezioni, riconoscendo quella, assai comune in antico, corrispondente all'antico francese *abelir* che trovi nel XXVI canto del *Purgatorio*. Al corretto significato riconduci poi i seguenti passi: *Convivio* II, VII 5 «"soave" è tanto quanto "suaso", cioè abbellito, dolce, piacente e dilettoso», e *Fiore* I, 1-2 «Lo Dio d'Amor con su' arco mi trasse [= mi colpì] / perch'i' guardava un fior che m'abellia».

La preposizione per *nell'uso antico*

Riconosci, aiutandoti con le note di commento e la parafrasi, il valore della preposizione *per* ai vv. 11, 46-47, 55, 81, 135 di questo canto, distinguendo i significati propri della lingua antica (altre volte segnalati, vedi ad esempio la nota a *Inf.* IV 11) da quelli corrispondenti all'uso moderno. Per completare la ricerca, puoi consultare la *Grammatica italiana* del Serianni al cap. VIII.112 dove troverai segnalate le diverse interpretazioni di *per* nel *Cantico di frate sole* di Francesco d'Assisi.

primo amore – v. 142

Cerca di definire, servendoti delle note di commento e della parafrasi, il significato dell'aggettivo *primo* nell'espressione qui indicata, che puoi anche trovare, riferita alla terza persona della Trinità, in *Inf.* III 6 e *Par.* VI 11. Individua poi, aiutandoti con le *Concordanze*, altre analoghe espressioni (formate cioè con il medesimo aggettivo) che Dante utilizza per indicare la divinità nei canti IV, XV, XX e XXIX del *Paradiso*.

CANTO XXXIII

Introduzione

Questo ultimo canto del grande poema del ritorno a Dio, dove si tocca il termine di quel cammino cominciato nella selva oscura, tocca anche il vertice della possibilità della parola poetica del suo autore, che, come sempre, non sarà «diversa» dal «fatto» che vuole narrare.

Siamo qui nelle regioni più alte dell'umano universo (fisico e spirituale), e insieme dell'umana poesia, che affronta il cimento di rappresentare in parole ciò che non ha forma sensibile.

Nel canto XXX si sono lasciati il tempo e lo spazio, varcando il limite del cosmo, l'«esterna riva» del Cristallino, ed entrando così nella dimensione eterna, figurata dall'Empireo. Ora anche l'Empireo, luogo spirituale ma che ancora accoglie un insieme di realtà visibili – la rosa, i beati, gli angeli, Maria stessa –, è in qualche modo oltrepassato. Dante resta qui solo di fronte al raggio della luce divina; davanti ai suoi occhi sparisce ogni forma.

Come già all'apertura della cantica sparì l'Eden con il suo dolce paesaggio terreno, restando Dante e Beatrice soli nel grande cielo che era pur sempre il cielo noto e visibile da questa terra, ma fattosi improvvisamente vuoto e diverso, così qui svanirà l'Empireo, il grande ambiente di luce con le sue spiritualizzate forme corporee, dove pure ancora ci si trova. E una volta scomparso dai versi anche san Bernardo, l'umana figura di Dante – raccolta tutta nel suo sguardo – sarà l'unica protagonista di fronte a un antagonista di cui non c'è parola, perché non c'è forma.

Dopo l'alto preludio – costituito dalla preghiera a Maria, che si protende fino ad un terzo del canto – il poeta infatti abbandona ogni mezzo diretto di descrizione; è venuto *a l'ultimo*, come ha detto all'entrata in questo cielo (XXX 33), delle possibilità del linguaggio.

I mezzi usati saranno ora alternamente la similitudine, la metafora, l'esclamazione-invocazione, e la dichiarazione di impotenza, il cosiddetto *topos* dell'ineffabile, che ricorre come un filo che si riannoda dall'inizio del canto I (vv. 4-9) via via più volte lungo la cantica, per trovare qui la sua massima espressione, il suo compimento.

La descrizione di ciò che si vide (*Inf.* II 8) – cardine di tutto il poema – è ormai finita. Il «parlare» dice il poeta, può «mostrare» molto meno di quello che l'occhio poté vedere (vv. 55-56), perché è ad esso inferiore come capacità, come lo è la memoria, delle cui immagini il «parlare» si alimenta e trae i suoi segni, o parole.

Quel poco, quel «meno», saranno le tre sole raffigurazioni che si daranno – e queste a loro volta fuori da ogni legge della fisica e della geometria – occupando in tutto soltanto sei terzine (due coppie ognuna) nell'arco di 145 versi.

Siamo giunti al limite di ciò che può essere «significato *per verba*», come fu detto nel canto I, quando si compie quell'evento, il *trasumanare*, che trasferisce il protagonista nel mondo della realtà divina. E il *topos* dell'ineffabile che qui si ripeterà in varie forme, in tre successive riprese, segna appunto questa soglia.

Prima di oltrepassarla, Dante chiede aiuto a colei che, come disse Bernardo, sola può darlo. E la preghiera alla Vergine, che si innalza, pura ed assoluta, all'apertura del canto, e si estende poi con più disteso respiro quasi ad avvolgere l'intera vicenda umana, passata e futura, dell'uomo che umilmente la formula per mezzo di un altro, introduce alla visione ultima, cioè la rende possibile, come al personaggio nell'immaginato racconto, così al poeta nel verso scritto sulla pagina.

Nella sua iniziale altezza teologica e nel successivo aprirsi di umana speranza e divina misericordia, essa funge infatti da tramite tra le due dimensioni; e tale funzione è significata anche dallo sguardo di risposta con cui si conclude, che da Maria scende verso l'uomo e da lui risale a Dio.

Tre cose essenziali sono dette, in questa preghiera, che ci appare tanto più commovente quanto più alto è il suo riserbo. La prima è che nella persona di Maria nacque il germe da cui è sbocciato nell'eterno il grande fiore della umana beatitudine: quella rosa è sorta dall'amore che compì in lei il supremo miracolo di Dio, l'incarnazione di Cristo. Così ci viene detto che quel bianco, innumerevole splendore di risorti che ora ci circonda è il frutto di quel momento centrale della storia del mondo (*quel dì che fu detto 'Ave'*: XVI 34) che si consumò nella fanciulla di Nazaret, a cui Dio guardava fin dall'eternità, come al *termine*, nel tempo, del suo *etterno consiglio* (v. 3).

La seconda idea dominante di questo grande testo è quella della speranza, che non serve in cielo, ma che è l'unico conforto e sostegno dei *mortali* in terra; quella speranza che, come è stato detto nel canto ad essa dedicato (XXV 52-53), è la prerogativa principale dell'uomo che qui è giunto, grazie alla quale egli ha potuto resistere nella sua dolorosa vita. Anch'essa, come *questo fiore*, ha la sua viva sorgente (*fontana vivace*) nella donna cui si rivolge la preghiera.

Infine di lei si ricorda la prima connotazione, quella da cui muove lo stesso racconto del poema: *In te misericordia, in te pietate...* Quella misericordia che è uno dei volti o «facce» di Dio (si cfr. *Purg.* III 126; e ricordiamo le due *vie* del canto VII – misericordia e giustizia – per cui si compì la redenzione) prende quasi persona in Maria; attraverso di lei, si direbbe, Dio vuole manifestarla e riversarla sugli uomini, come scriveva in un celebre testo il santo che qui parla. Così quando ella si è mossa – non richiesta – a salvare Dante all'inizio di questa storia, ha «infranto» lo stesso giudizio divino (*Inf.* II 94-6).

La misericordia risponde alla speranza: esse hanno condotto l'uomo del poema, e della storia, dall'infimo luogo, materiale e morale, dell'umana condizione (quel centro dell'universo dove è confitto Lucifero), fino a questo vertice di ogni luogo. Ed egli chiede ora, a quella stessa misericordia, di poter vedere quell'ultima bellezza che il suo desiderio senza limiti (la sua *affezione immensa*: XXIV 7) ha da sempre cercato.

Al termine di questa preghiera l'uomo e il poeta possono così varcare la soglia dell'inesprimibile incontro. È questo il momento in cui sta per compiersi quel desiderio che fu posto all'inizio della cantica, da dove infatti ritornano qui le parole (*perché appressando sé al suo disire...*; *E io ch'al fine di tutt'i disii / appropinquava...*).

Come allora fu scritto, a quell'avvicinamento *dietro la memoria non può ire*. Comincia così, al momento stesso in cui anche la figura di san Bernardo scompare dalla pagina, il combattimento della lingua umana con l'argomento indicibile: *Da quinci innanzi il mio veder fu maggio / che 'l parlar mostra, ch'a tal vista cede, / e cede la memoria a tanto oltraggio*.

Quel qualcosa che il parlare riuscirà a ripetere, a «mostrare», viene indicato con tre successive similitudini, di suprema vaghezza. Ma le similitudini non servono, come fino ad ora accadeva, a descrivere con riferimenti terrestri ciò che il poeta ha veduto, cioè le forme sconosciute del mondo celeste, in quanto nessuna forma ormai apparirà più nel campo visivo; esse servono soltanto a descrivere quello sparire dalla memoria, in che modo cioè quel che è stato visto si è ora dileguato dalla mente lasciandovi solo una debole traccia. La prima è tolta dal sogno, le cui immagini svaniscono al risveglio, e ne resta soltanto nell'animo la *passione*, il sentimento provato; in questo caso una dolcezza (un *dolce*) che si distilla, goccia a goccia, nel cuore. La seconda è tolta dalla neve che si scioglie al sole, perdendo così la sua forma (*si disigilla*). La terza dalle lievi foglie dove era scritto l'oracolo di Sibilla, disperse dal vento come raccontò Virgilio nell'*Eneide*. Tre forme che svaniscono, di cui tuttavia resta qualcosa (una passione nel cuore, l'acqua in natura, le foglie nel mito). I dolci e dileguanti versi delle terzine che descrivono le tre figure, delle quali la prima, che è solo una figura dell'animo, o figura interna (già sperimentata nel canto XXIII), dà il senso alle altre, riescono a esprimere nel modo più alto ciò che esse significano: il dissolversi di una forma, cioè di un concetto esprimibile in parole, e il permanere di una sua *ombra* (come è detto nel canto I, al v. 23), che è leggera e imprendibile come ogni ombra, ma pure è il segno, ad esso identico, del reale, una «impressione» che rimane, come stanno impressi i sentimenti nel cuore. Si noti il verbo al presente: la visione, l'oggetto veduto, *cessa*, quasi si ritrae dalla mente del poeta, mentre ora scrive, ma il *dolce* ancora resta (si *distilla / nel core*) e da quello egli trae tutto ciò che qui sarà detto.

Tutto, o quasi tutto, si è dunque dissolto e dileguato. Si leva ora la prima invocazione del canto (*O somma luce che tanto ti levi / da' concetti mortali...*), ed essa chiede, sempre al tempo presente, non un aumento di grazia, ma un aumento di potenza alla lingua del poeta, perché possa *lasciare* ai posteri almeno una *favilla* dell'incendio veduto.

Questa forte presenza del poeta, immedesimato ormai col personaggio, è caratteristica, come già appare da quanto fin qui si è detto, di tutto il canto, fino alla sua ultima sequenza (*A l'alta fantasia qui mancò possa...*).

Non altro è infatti, questo testo estremo, che il racconto di una guerra tra lo sguardo dell'uomo e la luce divina (quella luce che egli «si fa ardito a sostenere», e nella quale *s'affige* per penetrarne il mistero), che si identifica con la guerra del poeta con le parole per esprimerla.

Così si può chiedere a un tempo a Dio di vederlo (come è stato chiesto a Maria: *sì che 'l sommo piacer li si dispieghi*) e di aiutare chi vide a ridirlo. La richiesta non è infine diversa. E il ridire, anche un minimo, come una sola *favilla* di una fiamma, è ciò che il poeta vuole per coloro ai quali tutta la sua fatica è destinata: ... *possa lasciare a la futura gente*.

Tre cose Dante riuscirà a ridire, come si è prima ricordato, in tre brevi sequenze di sei versi l'una, tre oggetti dei quali in lui è rimasta qualche traccia, o ombra, dopo la dissolta visione.

E sono questi i tre misteri dell'universo di cui tutto il poema si alimenta. Il primo appartiene non solo alla fede, ma anche alla filosofia, ed è di quelli che più hanno attratto la meditazione dantesca: come possa spiegarsi l'unità del molteplice, cioè come l'infinita varietà dell'universo possa conciliarsi con la semplice unità del suo creatore.

Quel *nodo*, come lo chiama Dante, che qui gli si rivela, è l'ordine che tiene insieme il creato, quell'ordine che costituisce la struttura del poema, e del quale in molte pagine egli ha in vari modi tentato di dare la ragione (nel I, nel II, nel

XIII e nel XXIX canto) nella misura in cui la filosofia e la teologia potevano darla.

Una immagine sola, antica e biblica, quella del libro, del *volume* che raccoglie e lega gli sparsi, «squadernati» fogli, dà ora una pallida, ma precisa idea del mistero. Quelle foglie sparse dal vento della sentenza della Sibilla prima ricordate diventano così leggibili. Di più non si può dire. Di avere inteso il segreto di quel *nodo*, l'autore sa soltanto perché gode a ridirlo. (Ed è forse questo il momento in cui la presenza del poeta è più forte in tutto lo svolgersi del canto.)

Gli altri due misteri della cui visione è fatto ricordo sono quelli propri del cristianesimo, la Trinità e l'incarnazione, che, cantati e quasi intessuti nella trama stessa di tutta la *Commedia*, fin dal suo inizio (si ricordi l'apertura del canto III dell'*Inferno*), e in particolare in quella del *Paradiso*, in questo ultimo canto vengono come offerti allo sguardo di chi è arrivato.

Se al primo mistero soccorre l'immagine del *volume*, a delineare in figura il secondo non esistevano sicuri precedenti, se non uno, in un autore che sappiamo molto vicino allo spirito di Dante, e cioè la rappresentazione della Trinità fatta nel *Libro delle figure* di Gioacchino da Fiore (tre cerchi uguali di diverso colore in parte sovrapposti l'uno all'altro).

Ad essa pare che Dante si sia qui ispirato, trasfigurando tuttavia a suo modo quella immagine che, come già accadde per le gerarchie angeliche, si serve della sola scienza che offra figura e astrazione congiunte, cioè la geometria.

Anche Dante presenta, come Gioacchino, tre cerchi di diverso colore, ma questi ne fanno uno solo riflesso il primo dal secondo come l'arcobaleno, e il terzo spirante come fuoco da ambedue. Indisegnabili, come si vede, soltanto dicibili, e solo vagamente immaginabili. Una nuova esclamazione di impotenza nasce qui infatti (*Oh quanto è corto il dire e come fioco...*) per il *dire* che non può esser pari a quel che fu compreso (*concetto*), non solo a ciò che fu visto. Siamo già al punto in cui la parola è minore del pensiero stesso («e però è da sapere che più ampi sono li termini dello 'ngegno [a pensare] che a parlare...»: *Conv.* III, IV 12).

E accade allora qualcosa che cambia il ritmo finora seguito. Procedendo in modo contrario al solito, il poeta lascia la figura per rappresentare concettualmente quel che ha visto, e che il pensiero ha in qualche modo ritenuto. E nasce la terzina – forse la più alta del poema – che rappresenta la Trinità. Non più tre cerchi, ma ciò che essi volevano significare: *O luce etterna che sola in te sidi, / sola t'intendi, e da te intelletta / e intendente te ami e arridi!*

È quasi impossibile sciogliere in parafrasi questi conclusi versi che esprimono, come nessun teologo ha potuto, il nesso misterioso delle tre persone divine, la loro diversità e unità, nella circolarità ardente del ritmo e delle ripetute parole. Ma l'ultimo dei tre porta un elemento nuovo, che Dante ha ardito introdurre, quasi suo segno di riconoscimento, nella definizione rigorosamente teologica delle tre persone: è il verbo «arridere», detto della terza, cioè dell'Amore che spira tra Padre e Figlio. Il riso è la forma sensibile, la bellezza, con cui per tutta la cantica si manifesta esternamente la «dilettazione dell'anima» (*Conv.* III, VIII 11) propria dell'amore. Quel divino sorridere esprime qui il gaudio dell'amore divino per cui il mondo vive.

Toccato questo vertice, non è posta più alcuna sequenza di passaggio a ciò che segue, come prima le esclamazioni o le dichiarazioni di ineffabilità. Ma senza intervallo, lo sguardo dell'uomo tenta di comprendere, nella figura da lui stesso creata, con lo sguardo fisso nel secondo dei tre cerchi (il Verbo) il terzo e più alto mistero, quello della incarnazione. Là egli vede, o crede di vedere, dipinta *del suo colore stesso*, quindi da esso indistinguibile, la sua propria immagine: la *nostra effige* (quella stessa che egli piangendo vide *torta* nella bolgia infernale degli indovini: *Inf.* XX 19-24).

Ciò che più di ogni altra cosa lo affascina e lo tiene avvinto, e che è l'immagine ultima con cui si chiude il poema, è dunque il mistero della presenza in Dio della persona umana, che assume lo stesso volto di Dio.

Il mistero resta tale. Ma a dichiararne l'essenza soccorre a Dante ancora una volta la scienza della geometria, che offriva (e ancora oggi offre) le due inconciliabili misure, o meglio le due incommisurabili entità, in cui è racchiuso il mistero dell'universo: cerchio e quadrato, fra loro non misurabili (il cerchio figura dell'eterno, la retta figura del tempo). Quello che ancora la scienza non è riuscita a fare (sono state trovate fino a 100 milioni di cifre decimali cercando di definire numericamente il π – cioè il rapporto tra le due misure –, ma la serie è risultata infinita) è ciò che Dio ha compiuto quel giorno nel seno di Maria, come già il poeta-teologo Alano di Lilla, vissuto nel XII secolo, cantava nel suo *Ritmo sulla Incarnazione*: «Il geometra sbaglia / nel giudizio della sua stessa arte / quando l'immisurabile si pone / nella misura delle cose terrene: / la curva del cerchio / si cambia in linea retta...».

Su questo mistero, quasi ultimo limite, Dante ha voluto chiudere il suo poema dell'umano e del divino. Il mistero gli viene infatti svelato da una improvvisa luce, della durata di un lampo, ma egli non ha più la possibilità di parlarne: *A l'alta fantasia* venne meno, come egli dice, la possibilità stessa di vedere, e quindi di *ridire*. Il *fatto*, la realtà vissuta, è sempre connesso, in Dante, fino all'ultimo, con il *dire*, l'esprimere in poesia. *Ma*, continua il verso, ormai le cose sono cambiate in lui: la stessa poesia, fidata compagna della sua vita, non è più necessaria, perché la guerra inerente alla condizione umana nel tempo è finita: il suo volere si è identificato ormai con quello di Dio, in quella pace suprema di cui parlò Piccarda nel canto III. Non c'è più contesa fra la passione umana e la volontà.

E su questa pace si chiude il poema del desiderio, poiché, come dice l'*Epistola* dedicatoria del *Paradiso*, «trovato il primo principio di ogni cosa, vale a dire Dio, non c'è più altro da cercare».

CANTO XXXIII

Nell'Empireo: la visione di Dio

1-45 Bernardo innalza una preghiera alla Vergine Maria di cui celebra la misteriosa realtà di madre e figlia di Dio, e il suo essere luce di carità e fonte di speranza per i mortali, intermediaria di misericordia tra gli uomini e il cielo; a lei chiede di intercedere ancora per il poeta, perché possa arrivare a contemplare Dio, e perché possa conservare puro il suo cuore per tutta la vita: anche Beatrice e gli altri beati giungono le mani in segno di supplica. Maria dà segno di gradire la preghiera col fissare lo sguardo sul suo devoto, poi torna a rivolgersi a Dio.

46-75 Ormai prossimo al compimento, l'ardore del desiderio in Dante giunge al culmine. Bernardo lo invita a guardare in alto, ma il poeta ha già inoltrato lo sguardo nel profondo della luce divina. Da qui in poi né la parola né la memoria possono tener dietro all'esperienza della visione: egli implora tuttavia la grazia di riuscire a dare coi suoi versi almeno una pallida immagine di ciò che ha visto in modo da lasciarne memoria ai posteri.

76-96 Una luce acutissima colpisce Dante, che non ne distoglie gli occhi per evitare di rimanerne abbagliato. Fissando quella luce il suo sguardo si inoltra nel mistero di Dio: in essa vede come tutta la realtà creata possa essere molteplice e nello stesso tempo una. Il ricordo è confermato dalla gioia che egli sente a raccontarlo; quell'esperienza è infatti cancellata dalla sua memoria.

97-126 Mentre Dante è assorto nella contemplazione la sua vista acquista sempre più forza e potenza: perciò quello che vede sembra trasformarsi davanti ai suoi occhi. Distingue ora tre cerchi di diversi colori ma di uguale circonferenza: il secondo sembra riflesso dal primo, il terzo sembra un fuoco che si sprigioni dai primi due (è il mistero della Trinità). Ma la parola è inadeguata a ridire tale visione. Solo Dio può comprendere se stesso.

127-143 Nel secondo cerchio appare dipinta l'immagine dell'uomo (è il mistero dell'Incarnazione): come il geometra non sa trovare la formula che risolva il problema della quadratura del cerchio, così Dante per quanto si sforzi non può capire come l'immagine si adatti al cerchio (cioè come si congiungano in Cristo natura umana e divina). D'improvviso la mente del poeta è percossa da un lampo luminoso che esaudisce il suo desiderio. Qui gli viene meno la possibilità di vedere, ma ormai il suo desiderio e la sua volontà sono mossi da quell'immutabile amore che muove gli astri del cielo.

«Vergine Madre, figlia del tuo figlio,
umile e alta più che creatura,

1. **Vergine Madre...**: la preghiera che si leva, ferma e severa nel suo dettato classicamente sobrio, e che pure racchiude un così esteso e profondo ambito di significati, è degno preludio alla conclusione di questo *Paradiso* dove il narrare poetico è costantemente tenuto su un registro sempre al di sopra della sensibilità umana, e che pure coinvolge i più profondi sentimenti di cui l'uomo è capace. Le antitesi che, senza commento, si susseguono nella prima terzina, raccolgono secoli di teologia e devozione mariana, con quella forza di sintesi e purezza di ritmo che sono peculiari del genio dantesco. Non vi è in esse alcuna retorica, perché

tali antitesi sono un fatto, la realtà stessa del mistero di Maria nella fede cristiana. Il primo verso racchiude – in due antitesi puramente enunciate – le tre prerogative che la fede cristiana attribuisce a Maria, definendone la straordinaria realtà: vergine, madre, e figlia di colui del quale è madre, cioè di Dio. Il mistero è espresso in vari modi in tutti i più noti testi mariani, dogmatici o liturgici («madre sempre vergine»; «hai generato chi ti ha creato» ecc.), ma nessun luogo può competere con questo nudo verso dantesco, che col suo ritmo alto e la sua sobrietà assoluta – fatta di quattro parole – fa risuonare il grande mistero in apertura del canto finale del poema. Sulla struttura tripartita di questa preghiera (invocazione – vv. 1-3 – elogio – vv. 4-21 – petizione – vv. 22-39), risalente a modelli classici e biblici, si cfr. Auerbach, *Studi*, pp. 273-308.

«Vergine Madre, figlia del tuo figlio, umile e alta più di ogni altra creatura, ...

3   termine fisso d'etterno consiglio,
          tu se' colei che l'umana natura
     nobilitasti sì, che 'l suo fattore
6   non disdegnò di farsi sua fattura.
          Nel ventre tuo si raccese l'amore,
     per lo cui caldo ne l'etterna pace
9   così è germinato questo fiore.
          Qui se' a noi meridïana face
     di caritate, e giuso, intra ' mortali,
12   se' di speranza fontana vivace.
          Donna, se' tanto grande e tanto vali,
     che qual vuol grazia e a te non ricorre,

2. umile e alta...: col secondo verso quella eccezionale realtà si fa persona concreta: definita la sua essenza (con i quattro sostantivi), ora i due aggettivi, due qualità umane, anch'esse antitetiche, le danno una caratterizzazione che la fa apparire, quale essa è, una creatura tra le altre, anche se più di ogni altra *umile e alta*. L'ispirazione di questo verso discende dal *Magnificat*, il canto pronunciato da Maria stessa nel Vangelo di Luca (1, 48): «ha guardato l'umiltà della sua serva... tutte le generazioni mi chiameranno beata».

3. termine fisso...: termine stabilito nel tempo dall'eterno consiglio divino per il compiersi dell'umana salvezza: la giovane donna di Nazaret – quanto di più fragile si possa immaginare – è nel fluire della storia quel punto fermo a cui Dio affida dall'eternità il cambiamento del mondo, con l'ingresso del Figlio nel tempo (cfr. *Conv.* IV, V 3-5). In questo terzo verso si compendia (anche qui con una antitesi: eternità-tempo) il misterioso disegno della redenzione.

4-6. tu se' colei...: la seconda terzina, introducendo il *tu* anaforico proprio degli elogi della poesia classica come di quella biblica, discende ora a dire la suprema nobiltà che la natura umana raggiunge in quella creatura, tale che il suo creatore non trovò disdicevole farsi *sua fattura*, prendendo da lei l'umana carne. Era anche questo un motivo topico dei testi mariani; si cfr. Pier Damiani, *Carmina* 61, col. 937: «si fa Fattore e fattura, Creatore e creatura».

7-9. Nel ventre tuo...: la terza terzina porta infine il fatto, l'evento storico compiutosi in quella creatura, fissato fin dall'eternità: nel suo grembo si rinnovò quell'amore tra Dio e l'uomo («spento per lo peccato di Adamo»: Buti) per cui fiorì nel paradiso – come una pianta nutrita dal calore del sole – la celeste rosa dei beati. L'incarnazione e passione di Cristo riaprì infatti alla natura umana le porte del cielo. L'immagine dantesca dello schiudersi del fiore umano sotto l'azione del caldo amore divino racchiude in figura di pura bellezza tutto il mistero della redenzione.

– **germinato**: il bel verbo biblico («si apra la terra e germogli ["germinet"] il salvatore»: *Is.* 45, 8) è riferito al seno di Maria già da sant'Ambrogio: «nel grembo della Vergine... germinava la grazia del giglio» (*De institutione Virginis* 91). Altre espressioni simili sono ritrovabili negli autori cristiani (così in Bernardo, *In Adventu Domini* II 4: «il grembo della Vergine fiorì...»). Ma la novità di Dante è in quel fiore celeste che si identifica col fiore-Cristo, quella rosa formata dagli uomini nel cielo di Dio, che è forse la sua più grande invenzione.

10-2. Qui se' a noi...: dopo aver contemplato Maria nella sua essenza di mistero e di grazia, ora il testo si volge a considerare il suo rapporto con gli uomini, di suprema mediatrice, in cielo e in terra. *Qui*, nel paradiso, fiaccola di carità; *giuso*, tra gli uomini soggetti alla morte, fonte di speranza.

– **meridïana face**: come il sole risplende di maggior luce quando è al mezzogiorno, così la luce di Maria risplende su tutte le altre, ravvivando nei beati la loro carità: «gloriosa Vergine – scrive Bernardo – la cui luce ardentissima fece meravigliare anche gli stessi angeli» (*In Assumptione* II 9).

– **di speranza**: delle tre virtù teologali, ai beati in cielo basta la sola carità, ma in terra i *mortali* hanno il maggior aiuto e conforto dalla speranza. Agli uni e agli altri Maria dà quello di cui vivono: luce alla carità dei primi, sicurezza alla speranza dei secondi.

13. Donna: come già Dante a Beatrice, Bernardo rivolge a Maria il titolo di signora. La preghiera va ora sempre più discendendo verso la concreta richiesta di aiuto. – *tanto vali*: sei tanto potente.

14. qual: chiunque.

... termine stabilito (nella storia) dall'eterno consiglio divino (per la redenzione dell'uomo), tu sei colei che nobilitasti a tal punto la natura umana, che il suo creatore non disdegnò di farsi sua creatura. Nel tuo ventre si riaccese quell'amore, per il cui calore è sbocciato questo fiore nella pace eterna (del paradiso). Qui tu sei per noi fiaccola solare di carità, e giù in terra, tra gli uomini soggetti alla morte, sei sorgente viva di speranza. ♦ *Signora, sei tanto grande e hai tale potenza, che chiunque desidera una grazia e non ricorre a te, ...*

15   sua disïanza vuol volar sanz'ali.

La tua benignità non pur soccorre

a chi domanda, ma molte fïate

18   liberamente al dimandar precorre.

In te misericordia, in te pietate,

in te magnificenza, in te s'aduna

21   quantunque in creatura è di bontate.

Or questi, che da l'infima lacuna

de l'universo infin qui ha vedute

24   le vite spiritali ad una ad una,

supplica a te, per grazia, di virtute

tanto, che possa con li occhi levarsi

27   più alto verso l'ultima salute.

---

15. sua disïanza...: il suo desiderio è destinato a fallire, come chi volesse volare senza ali. Il paragone, per esprimere una pretesa impossibile, era del linguaggio quotidiano, ma qui acquista una particolare evidenza, riferito al desiderio che s'innalza dal cuore umano verso Dio, come un uccello che spiega le ali per il volo. Anche questa idea, tradizionale tra i cristiani, è formulata da Bernardo: «Dio volle che non ottenessimo niente, che non fosse passato dalle mani di Maria» (*In Vigilia nativitatis* III 10).

16-8. non pur soccorre...: alla dichiarazione di potenza segue, in crescendo, quella della generosità nel donare: non solo a chi chiede, ma anche a chi non chiede Maria viene in soccorso, precorrendo la domanda con moto gratuito (*liberamente*: senza esser richiesta). Tale gesto – che presuppone l'attenta premura capace di riconoscere la necessità dell'altro – è proprio del vero amore, prerogativa di Dio e segno di riconoscimento dei sinceri affetti umani (cfr. XVII 73-5). Ricordiamo che questo «soccorso» non richiesto è appunto l'atto da cui parte il poema, nella scena celeste narrata a Virgilio da Beatrice nel canto II dell'*Inferno* (vv. 94 sgg.): *Donna è gentil nel ciel che si compiange...* Grazie a quel «compiangersi» della donna qui ora pregata, Dante, salvato dalla selva oscura, è salito fino a questo supremo incontro nell'alto Empireo.

19-21. In te misericordia...: l'ultima terzina dedicata alla lode celebra, in un forte crescendo, non varie virtù di Maria, ma un'unica sua virtù, quella per cui ora è invocata: la sua misericordiosa, pietosa, larga bontà pronta a riversarsi sugli uomini. L'accumularsi dei sostantivi è il mezzo per esprimere quella straordinaria misura di bontà che in lei si raccoglie (*s'aduna*), tutta quella che (*quantunque*) può trovarsi in una creatura.

22-4. Or questi...: comincia ora la richiesta di aiuto: e prima Bernardo dice il lungo e faticoso cammino in salita compiuto dal suo protetto per giungere fino a quel punto, quasi merito che possa valere ad ottenergli ora quell'aiuto: egli viene *da l'infima lacuna*, il luogo più basso dell'universo, il centro della terra. E ha visto le anime dei trapassati *ad una ad una*, con costante e paziente percorso.

25. supplica a te: costrutto latino (cfr. XV 85; XXVI 94).

25-6. di virtute / tanto: tanta virtù, forma partitiva; *virtute* vale qui «capacità», «potenza virtuale», come nel linguaggio degli scolastici e spesso nella *Commedia*.

27. l'ultima salute: l'estrema, suprema salvezza dell'uomo, Dio; più avanti *sommo piacer* (v. 33), e ancora il *fine di tutt'i disii* (v. 46). Tre variazioni nelle quali è espressa sempre l'idea di termine estremo, finale: *ultima – sommo – fine*.

28-9. che mai per mio veder...: che (in terra) non arsi mai di desiderio per il mio proprio giungere a vedere Dio più di quanto ardo ora perché possa giungervi lui.

29-30. tutti miei prieghi...: l'insistenza su questa parola (che sarà ripetuta con variazioni ai vv. 30, 32 e 34) dice insieme l'ardore caritatevole di Bernardo e la profonda insufficienza dell'uomo di fronte a tale grazia, per cui è necessaria tanta e così alta preghiera. Bernardo chiede infatti umilmente che i suoi *prieghi non*

... il suo desiderio è destinato a volare senza ali (cioè a fallire). La tua benevolenza viene in soccorso non solo a chi chiede, ma spesso precorre la domanda con moto gratuito. In te misericordia, in te pietà, in te munificenza, in te si raccoglie tutta quella bontà che può trovarsi in una creatura. ◆ *Ora quest'uomo, che dal luogo più basso dell'universo fino a qui ha visto le anime dei trapassati ad una ad una, ti supplica, per grazia, di ottenere tanta virtù, da poter levare gli occhi più in alto, verso l'estrema salvezza (cioè Dio).*

> E io, che mai per mio veder non arsi
>
> più ch'i' fo per lo suo, tutti miei prieghi
>
> 30   ti porgo, e priego che non sieno scarsi,
>
> perché tu ogne nube li disleghi
>
> di sua mortalità co' prieghi tuoi,
>
> 33   sì che 'l sommo piacer li si dispieghi.
>
> Ancor ti priego, regina, che puoi
>
> ciò che tu vuoli, che conservi sani,
>
> 36   dopo tanto veder, li affetti suoi.
>
> Vinca tua guardia i movimenti umani:
>
> vedi Beatrice con quanti beati
>
> 39   per li miei prieghi ti chiudon le mani!».
>
> Li occhi da Dio diletti e venerati,

sieno scarsi, cioè insufficienti (la stessa forte passione è espressa nello stesso modo a *Inf.* XXVI 65-6).

31-3. ogne nube li disleghi...: affinché tu dissipi, disciolga dai suoi occhi la nebbia della sua condizione mortale, così che possa «dispiegarsi», rivelarsi a lui in tutto il suo splendore, il volto di Dio, supremo termine dell'amore. – *piacer* qui vale «oggetto dell'amore», come a XXXII 1; si cfr. *Conv.* IV, XII 17: «l'ultimo desiderabile, che è Dio».

– **ogne nube...**: è qui evidente il ricordo di una invocazione del libro di Boezio tanto caro a Dante: «Dissolvi le nebbie e i gravami della mia corporeità terrena / e rifulgi nel tudel lo splendore...» (*Cons.* III, m. IX, vv. 25-6).

34-6. Ancor ti priego...: l'*ancor* introduce una seconda richiesta, subordinata alla prima: che Maria conservi *sani*, cioè retti, puri, gli affetti di Dante nella vita che ancora gli resta da vivere in terra; che dopo aver visto il *sommo piacer* (*dopo tanto veder*) egli non si lasci più sedurre dai beni del mondo. Cosa che sembrerebbe impossibile dopo una tale grazia, ma Dante sa che anche il più santo tra gli uomini può cadere nella tentazione. La richiesta ripete il finale della preghiera a Beatrice (cfr. XXXI 88-90), che di questa è, come si osservò, una anticipazione «in minore», e compie il motivo di profonda umiltà che percorre tutta questa seconda parte della santa orazione (*supplica a te... che non sieno scarsi... di sua mortalità...*), culminando nell'accorato verso iniziale della terzina successiva.

37. Vinca tua guardia...: la tua custodia, la tua difesa, vinca in lui le umane passioni, quei moti dell'animo dovuti all'umana fragilità. Il verso, che si leva commosso a concludere la preghiera, rivela un sentimento profondo: il timore che una così grande grazia possa esser vanificata dall'umana debolezza. E si può pensare che il rischio temuto riguardi soprattutto la passione che il poeta ha confessato come dominante in lui, la superbia, che il privilegio ottenuto poteva alimentare nel suo animo.

– **guardia**: risponde al *custodi* detto a Beatrice

(XXXI 88) e, come il verbo *vincere*, appartiene al linguaggio militare: in quella *milizia* che è la vita dell'uomo sulla terra, la Vergine è la vigile guardia contro gli assalti delle passioni.

– **movimenti umani**: così Tommaso d'Aquino: «si chiama passione ogni movimento dell'appetito sensibile» (*S.T.* Iª IIªᵉ, q. 35 a. 1).

38. vedi Beatrice...: quel *vedi* apre all'improvviso allo sguardo la vista di tutta l'assemblea dei beati che prega per Dante, quasi facendo coro a Beatrice che, nominata qui per l'ultima volta, adempie ancora, fino all'ultimo, il suo compito di guida alla salvezza.

39. ti chiudon le mani!: giungono le mani nella preghiera. L'orazione di Bernardo si chiude così con una grande immagine del paradiso – i beati oranti intorno a Maria, come in tante pale dei pittori del tempo – che è l'ultima raffigurazione del regno celeste offertaci nella terza cantica. Anche qui il breve gesto rileva – senza insistere – la presenza dei corpi. Qui sono indicate solo le mani, come nella terzina seguente di Maria si vedranno soltanto gli occhi.

40. Li occhi da Dio...: si veda con quale delicata e insieme dolce formulazione vengono descritti – senza descriverli – gli occhi di Maria: quegli occhi che Dio amò e venerò, e tuttora ama e venera; amò come di sposa, venerò come di madre.

E io, che (in terra) non arsi mai di desiderio per giungere a vedere Dio (per mio veder) più di quanto ardo perché possa giungervi lui (per lo suo), tutte le mie preghiere ti offro, e prego che non siano scarse, affinché con le tue preghiere tu disciolga dai suoi occhi ogni nebbia della sua condizione mortale, così che possa rivelarsi a lui il supremo termine dell'amore (cioè Dio). ◆ *Inoltre ti prego, o regina, che puoi ottenere ciò che vuoi, che tu conservi puri i suoi affetti, dopo aver visto realtà tanto sublimi (dopo tanto veder). La tua custodia vinca in lui le umane passioni: vedi come Beatrice e tanti altri beati giungono le mani verso di te perché tu esaudisca la mia preghiera!».* ◆ *Gli occhi amati e venerati da Dio, ...*

fissi ne l'orator, ne dimostraro

42 quanto i devoti prieghi le son grati;

indi a l'etterno lume s'addrizzaro,

nel qual non si dee creder che s'invii

45 per creatura l'occhio tanto chiaro.

E io ch'al fine di tutt'i disii

appropinquava, sì com'io dovea,

48 l'ardor del desiderio in me finii.

Bernardo m'accennava, e sorridea,

perch'io guardassi suso; ma io era

51 già per me stesso tal qual ei volea:

ché la mia vista, venendo sincera,

41-2. fissi ne l'orator...: col tenere lo sguardo fisso in colui che la prega (*l'orator*) la Vergine dimostra – senza bisogno di parlare – di gradire la sua preghiera. E questo silenzioso e attento sguardo è la più alta risposta alle parole di Bernardo: sguardo che dal beato si rivolge, sempre nel silenzio, a Dio stesso, quasi trasmettendo a lui la preghiera dell'uomo attraverso la sua mediazione.

43. indi a l'etterno lume...: «la sua richiesta consiste in quel puro sguardo, che esprime l'armonia della sua volontà con quella divina. Il raggio dei suoi occhi incontra direttamente quello della luce divina, e colei che guarda diventa una sola cosa con ciò che essa guarda» (Dronke).

44-5. nel qual...: nel quale lume non si deve pensare che alcuna creatura possa immergere l'occhio con uguale chiarezza (cfr. XXI 91 sgg.). Maria è ritenuta da tutta la tradizione teologica cristiana superiore anche agli angeli (*alta più che creatura*: v. 2): «Maria è anche superiore agli angeli, poiché li sopravanza in purezza, contemplando la divinità in modo più diretto di loro» (Riccardo di San Vittore, *In Cantica* 39).

– **s'invii**: è forma passiva, col complemento d'agente retto da *per* (cfr. *Inf.* I 126: *per me si vegna*).

46. al fine di tutt'i disii: al termine ultimo di tutti i desideri, Dio. Questo concetto teologico è per Dante il più forte sentimento che ha condotto la sua vita,

e che in questa terzina trova il suo compimento. Ricordiamo tra i tanti luoghi citabili la pagina del *Convivio* (IV, XII 17) in cui si sospira verso l'«ultimo desiderabile», oppure *lo bene / di là dal qual non è a che s'aspiri* di *Purg.* XXXI 23-4, o ancora la chiusa dell'*Epistola* XIII: «... dopo aver trovato colui che è principio di tutto, cioè primo, vale a dire Dio, non c'è più niente da cercare...». A questo ininterrotto sospiro dantesco il testo più vicino è ancora quello di sant'Agostino: «Ci creasti per te, e il nostro cuore è inquieto finché non riposa in te» (*Conf.* I, I 1).

47. appropinquava: mi avvicinavo; si cfr. I 7: *perché appressando sé al suo disire*.

48. finii: portai al suo culmine: «quanto la cosa desiderata più appropinqua al desiderante, tanto lo desiderio è maggiore» (*Conv.* III, X 2). E ancora: «ogni cosa amabile è tanto più amata quanto è più vicina a chi ama» (*Mon.* I, XI 15). L'idea è chiaramente formulata anche da san Tommaso: «Quanto più qualcosa si avvicina alla sua fine, tanto più tende a quella fine con desiderio maggiore» (*C.G.* III 50). Queste citazioni ci sembra rendano certa l'interpretazione di questo verbo, da altri inteso come «esaurii», «terminai», essendo ormai prossimo ad essere esaudito. È del resto evidente che, in questo momento di suprema tensione, quell'ardore non può che aumentare al suo massimo, e non certo indebolirsi e spengersi.

49. m'accennava: con lo sguardo; *e sorridea*, come ad incoraggiare, e a participare a quella suprema gioia. È l'ultima figura che appare accanto a Dante, con atto di affettuosa protezione, nel poema. Ma già egli non ne ha più bisogno; come se la guida arrivasse, per massima sicurezza, un passo oltre al punto in cui era ancora necessaria.

50-1. ma io era...: d'ora in poi, Dante è solo sulla scena di fronte a quel Dio al quale è rivolto tutto il cammino del suo poema e della sua vita.

52. venendo sincera: divenendo sempre più pura, libera da ogni scoria.

53. intrava per lo raggio: penetrava, quasi facendosi strada lungo quel raggio.

54. da sé è vera: cioè riceve l'«esser vera» da se stes-

... con lo sguardo fisso in colui che la pregava (l'orator), ci dimostrarono quanto le preghiere devote le sono gradite; poi si rivolsero verso la luce eterna, nella quale non si deve pensare che alcuna creatura possa penetrare con sguardo altrettanto chiaro. E io che mi avvicinavo al termine ultimo di tutti i desideri (cioè Dio), portai al suo culmine in me, così come dovevo, l'ardore del desiderio. ◆ Bernardo mi faceva segno e sorrideva, invitandomi a guardare in alto; ma io ero già per mio conto disposto così come lui voleva: poiché la mia vista, divenendo via via più pura (sincera), ...

      e più e più intrava per lo raggio

54   de l'alta luce che da sé è vera.

      Da quinci innanzi il mio veder fu maggio

      che 'l parlar mostra, ch'a tal vista cede,

57   e cede la memoria a tanto oltraggio.

      Qual è colüi che sognando vede,

      che dopo 'l sogno la passione impressa

60   rimane, e l'altro a la mente non riede,

      cotal son io, ché quasi tutta cessa

      mia visïone, e ancor mi distilla

63   nel core il dolce che nacque da essa.

      Così la neve al sol si disigilla;

---

sa, essendo essa stessa la verità (mentre tutte le altre cose lo ricevono da lei): «da ciò consegue che non soltanto in lui (Dio) ci sia la verità, ma che egli stesso sia propriamente la verità assoluta» (*S.T.* I, q. 16 a. 5).

55-7. Da quinci innanzi: da questo momento in poi. D'ora in avanti, avverte il poeta, le parole umane non sono più sufficienti a ridire quello che io vidi: il mio vedere superò quello che il mio parlare riesce a riferire, perché esso *cede*, viene meno, di fronte a tale vista, come la stessa memoria *cede*, è impari, di fronte a cosa che le è di tanto superiore (*oltraggio*: cosa che va oltre, che eccede le sue possibilità. Il termine vale in antico «eccesso», «dismisura»). Si realizza qui la situazione dichiarata in apertura della cantica (I 4-9): nell'ultimo cielo io vidi cose che non posso ridire, perché la stessa memoria non ha potuto tener dietro all'intelletto (cfr. le note relative). E da qui in avanti infatti non ci sono più oggetti visibili da poter descrivere, come finora era stato: i cieli, l'Empireo stesso, la rosa, i beati, il volto di Maria. Ora di fronte allo sguardo di Dante c'è soltanto l'inaccessibile luce divina, e di quel che egli vide potrà «mostrare» solo qualche vaga immagine e qualche impressione rimasta nella sua mente e nel suo cuore.

58-61. Qual è colüi...: io sono nello stesso stato di colui che vede qualcosa in sogno, e quando si sveglia gli resta impresso nell'animo il sentimento provato (*la passione*: gioia, dolore, paura o altro; cfr. *Purg.* XXI 107), ma la visione stessa (*l'altro*) non gli ritorna alla memoria. (Per l'attenzione di Dante al momento del risveglio, come a quello dell'addormentarsi, si cfr. XXVI 70-5 e *Purg.* IX 34-6.)

61-3. ché quasi tutta cessa...: giacché ciò che io vidi sfugge, si ritira (*cessa*) quasi del tutto dalla mia memoria, ma tuttora sento fluirmi nel cuore la dolcezza che me ne provenne. Quella *passione impressa*, quella suprema dolcezza, è *l'ombra... segnata nel mio capo* di I 23-4, la sola cosa che il poeta potrà ridire: e di fatto tutto il canto si sostanzia non della descrizione di ciò che egli vide, che è ineffabile al *parlar* degli uomini, ma del sentimento profondo da lui provato nel vedere. Per questa similitudine si suole citare un pas-

so di san Tommaso, che tratta del ritorno di san Paolo dal terzo cielo: «Paolo, dopo che cessò di vedere Dio per essenza, si ricordò di ciò che aveva conosciuto in quella visione, mediante alcune specie intelligibili rimaste nel suo intelletto (come quando, sparito l'oggetto sensibile, rimangono nell'anima alcune impressioni) che poi, convertendole in immagini, ricordava. Così non poteva né pensare, né esprimere in parole tutto ciò che aveva conosciuto» (*S.T.* IIª IIae, q. 175 a. 4). Tuttavia, nella somiglianza dei due testi, c'è una fondamentale differenza: per Tommaso restano in Paolo delle «specie intelligibili», cioè delle immagini; per Dante resta solo una *passione*, cioè un sentimento provato. Ciò che vide non è ricordabile, e quindi non esprimibile. – *distilla*, scende goccia a goccia, esprime la soavità e insieme la tenuità di quella impressione che è rimasta nel cuore. – *dolce* è neutro sostantivato, come a XVIII 3.

64. Così...: per quello sparire, *cessare* della visione dalla sua memoria, Dante porta due paragoni, uno dal mondo fisico e uno da quello della mitologia: la natura e la mente dell'uomo offrono così l'immagine a quel misterioso evento. – La visione si è dissolta, è svanita dalla mia mente, come la neve si dissolve al calore del sole. – *si disigilla*, cioè perde la propria natura, l'impronta (il sigillo) che le dà forma, ritornando acqua.

∎

... penetrava sempre di più lungo il raggio dell'alta luce che è vera per se stessa. Da questo momento in poi la mia capacità di vedere fu superiore a quanto possono riferire le mie parole, che a tale vista vengono meno, così come viene meno la memoria di fronte a cosa che tanto oltrepassa le sue capacità (tanto oltraggio). ◆ Come colui che vede qualcosa in sogno, e finito il sogno gli resta impresso nell'animo il sentimento provato (la passione), ma il resto (l'altro) non gli ritorna alla memoria, così sono io, giacché la mia visione si ritira (cessa) quasi del tutto dalla mia memoria, ma tuttora sento fluirmi nel cuore la dolcezza che me ne provenne. Così la neve si scioglie al sole; ...

     così al vento ne le foglie levi
66   si perdea la sentenza di Sibilla.
        O somma luce che tanto ti levi
     da' concetti mortali, a la mia mente
69   ripresta un poco di quel che parevi,
        e fa la lingua mia tanto possente,
     ch'una favilla sol de la tua gloria
72   possa lasciare a la futura gente;
        ché, per tornare alquanto a mia memoria
     e per sonare un poco in questi versi,
75   più si conceperà di tua vittoria.
        Io credo, per l'acume ch'io soffersi

65-6. così al vento...: allo stesso modo l'oracolo, il responso della Sibilla, da lei scritto su foglie ordinatamente disposte, si disperdeva quando un soffio di vento entrava nella sua grotta e faceva volare le foglie scompigliandone l'ordine. La cosa è descritta in *Aen.* III 448-51, passo da cui Dante riprende il leggero movimento: «Ma se all'aprirsi della porta un lieve soffio di vento penetra, e scompiglia le *tenere fronde...*». Come la neve perde la sua forma, così la sentenza perde il suo ordine; forma e ordine che sono appunto ciò che è proprio dell'essenza di Dio, da lui impressa nel creato (I 103-5), e che Dante ha avuto il privilegio di intravedere, come tra poco dirà (vv. 85-90). Tale profonda idea teologica è espressa qui con una straordinaria delicatezza poetica: i due paragoni sono riferiti a cose e fatti di estrema leggerezza e finezza (la neve, le foglie; lo sciogliersi, il disperdersi al vento), quali soltanto poteva sopportare il confronto con la spirituale realtà divina, e la terzina è condotta con lenta musicalità e dolcezza di suoni, tutta intessuta di consonanti nasali e liquide (come a XXIII 25-7 la similitudine di Trivia tra le stelle del cielo).

67-75. O somma luce...: tutto ciò che vide è dunque svanito dalla mente del poeta. Ed ecco levarsi l'invocazione – che ripete quella del primo canto (vv. 22-4) – perché quel Dio stesso che lo trascende conceda ancora (*ripresti*) alla sua memoria almeno *un poco* di quel che allora gli mostrò di se stesso (*quel che parevi* vale «quel che di te era visibile»), e gli conceda le parole perché egli *possa lasciare* a coloro che verranno dopo di lui almeno *una favilla*, un barlume, dell'incendio della sua gloria che egli vide. Egli chiede dunque non per sé, che già vide, ma per gli altri: perché grazie ai suoi versi gli uomini possano meglio comprendere l'immensa realtà divina, che ogni cosa infinitamente trascende (questo è il senso di *vittoria*, che riprende ciò che è detto all'inizio della preghiera: *che tanto ti levi...*).

– **ti levi / da' concetti mortali**: ti sollevi, t'innalzi al di sopra di ciò che l'intelletto può concepire (per *levarsi da* si veda XXVI 139).

69. ripresta: concedimi ancora; riprende il *presti* di I 22, come la *favilla* riecheggia *l'ombra* di I 23.

69-71. un poco... una favilla: il poeta sottolinea di nuovo la piccolezza di quel che egli potrà dire con la sua arte giunta al colmo delle sue possibilità, a confronto con la grandezza che gli fu dato di contemplare.

70. e fa la lingua mia...: la richiesta è duplice, come duplice è l'impotenza prima denunciata (vv. 55-7): non gli basta poter ricordare il veduto, bisogna che *la lingua*, il parlare, riesca ad esprimerlo. Egli vuole infatti lasciare agli altri il dono di ciò che vide. E qui parla l'ardente desiderio del poeta, giunto all'ultimo del suo supremo cimento. Egli sa che il suo linguaggio deve raggiungere il massimo della potenza per lasciare ai posteri anche un minimo barlume della luce che vide.

72. lasciare a la futura gente: l'espressione qui usata rivela l'uomo che si sa giunto alla fine della vita, conscio che questi suoi ultimi versi saranno letti solo dopo la sua morte, e per molti secoli ancora (cfr. XVII 98-9). E quel verbo – *lasciare* – fa di questo canto quasi un'eredità, un dono di quanto aveva di più prezioso, lasciato da Dante agli uomini. Fino all'ultimo, nel cuore del racconto stesso dell'unione con Dio, il poema non viene meno alla sua primaria ispirazione: «togliere quelli che vivono in questa vita dallo stato di miseria e condurli a uno stato di felicità» (*Ep.* XIII 39).

73-4. per tornare... per sonare: *per* + infinito con valore causale: per il fatto di.

75. più si conceperà...: si capirà di più, si avrà un concetto più profondo (il verbo risponde ai *concetti mortali* del v. 68). – *di tua vittoria* è compl. di argomento.

◆ ... così l'oracolo della Sibilla scritto su foglie leggere si disperdeva al soffiare del vento. ◆ O luce suprema, che t'innalzi tanto al di sopra di ciò che può intendere la mente dei mortali, concedi ancora (ripresta) alla mia memoria almeno un poco di quello che di te era allora visibile (quel che parevi) e rendi la mia lingua tanto potente che io possa lasciare agli uomini del futuro almeno un barlume della tua gloria; poiché se tornerà in qualche misura nella mia memoria e se risuonerà un poco nei miei versi, meglio si potrà intendere l'immensità della tua grandezza che trascende ogni realtà. ◆ Per l'acutezza del vivo raggio che dovetti sopportare, ...

del vivo raggio, ch'i' sarei smarrito,

78   se li occhi miei da lui fossero aversi.

        È mi ricorda ch'io fui più ardito

per questo a sostener, tanto ch'i' giunsi

81   l'aspetto mio col valore infinito.

        Oh abbondante grazia ond'io presunsi

ficcar lo viso per la luce etterna,

84   tanto che la veduta vi consunsi!

        Nel suo profondo vidi che s'interna

legato con amore in un volume,

87   ciò che per l'universo si squaderna:

sustanze e accidenti e lor costume

---

76 sgg. Io credo...: solo da questo punto comincia – dopo l'invocazione di aiuto – il racconto della visione vera e propria; e comincia con una impressione di fortissima luce, che quasi sopraffaceva la vista. – Per l'acutezza del raggio che i miei occhi dovettero allora sopportare, io credo che, se li avessi distolti (*aversi*, dal latino «avertere»), sarei rimasto come abbagliato (*smarrito*). E per questo (cioè per questo timore) io ardii di sostenere più a lungo tale acuta luce, fino a che io congiunsi il mio sguardo (*aspetto*: cfr. XI 29) con l'essenza stessa di Dio (il *valore infinito*: altrove *l'etterno valore*, il *primo valore* ecc.).

– **l'acume**: la parola, tipicamente dantesca (usata per la luce anche a XXVIII 18, per il desiderio a I 84), fa di quel raggio una punta acuta che ferisce l'occhio, quasi provocando un dolore appena sopportabile.

77. smarrito: dice lo stato di abbagliamento: smarrito, perduto, come chi tutt'a un tratto non ci vede più (cfr. XXVI 9 e *Purg.* VIII 35).

79. ardito: la «congiunzione» del debole sguardo dell'uomo con la trafiggente luce divina appare in questi versi quasi come una prova dall'uomo arditamente (cioè con ardire, quasi temerariamente) sostenuta. Ma a tale aspetto temerario subito risponde la terzina seguente, così che l'uomo ci si presenta insieme nella sua alta dignità (che non subisce passivamente la visione, ma arditamente vi collabora) e nella sua totale dipendenza da colui che di quella dignità gli fa dono.

82. Oh abbondante grazia...: al verso che dichiara il momento supremo dell'incontro con Dio segue una commossa esclamazione: il ringraziamento dell'uomo che sa di aver ottenuto ciò solo dalla grazia divina. Così quel momento sta tra due invocazioni: la richiesta di aiuto a poterlo ridire (*O somma luce...*) e il rendimento di grazie. Come si vedrà, altre due esclamazioni ricorreranno verso la fine del canto, quasi che l'alto argomento non sopportasse – a momenti – altre forme espressive che questa.

– **ond'io presunsi**: grazie alla quale io potei avere l'ardire...: è ciò che ha detto nella terzina precedente, ora riconosciuto all'intervento della grazia, e una grazia *abbondante*, copiosa.

83. ficcar: esprime l'intensità dello sguardo (cfr. *Inf.* XV 26).

84. vi consunsi: vi consumai, fino alle sue estreme possibilità. Il verbo *consumare* vale «esaurire», «spendere fino all'ultimo»: si cfr. *Inf.* II 41 e in questa cantica, detto ugualmente della vista, XXVI 5.

85-7. Nel suo profondo...: ed ecco finalmente egli dice qualcosa di ciò che vide: nella profondità di quella luce (*profondo* è aggettivo neutro sostantivato, come *dolce* al v. 63) si racchiude in un'unità fatta di amore ciò che appare disperso nella molteplicità dell'universo, come i vari quaderni sparsi si riuniscono a formare un solo volume. La prima cosa che Dante vede in Dio è dunque il mistero dell'unità del molteplice, che egli raffigura con l'immagine, a lui cara, del libro: nel mondo vediamo come fogli sparsi, «squadernati», ciò che in Dio è unito in un volume unico, e ha dunque un ordine e un senso (ricordiamo le foglie sparse al vento dei vv. 65-6, dove era illeggibile la sentenza della Sibilla).

88. sustanze e accidenti...: termini comuni della filosofia scolastica per definire il reale, tutto costituito appunto da sostanze e accidenti: *sustanza* è ciò che ha in se stesso la propria ragion d'essere; *accidenti* sono le qualità, non necessarie, che modificano la sostanza, ed esistono solo in funzione di essa; *lor costume* indica il loro «modo di essere», cioè il loro rapporto reciproco. Il verso abbraccia così tutta la realtà dell'universo nella sua molteplicità (ciò che in esso *si squaderna*), filosoficamente definita.

... io credo che, se avessi distolto (aversi) i miei occhi da lui, sarei rimasto come abbagliato (smarrito). E mi ricordo che per questo (cioè per questo timore) io ebbi il coraggio di sostenere più a lungo (tale acuta luce), fino a che io congiunsi il mio sguardo (aspetto) con l'infinito valore (cioè Dio). ◆ Oh abbondante grazia, per la quale io osai fissare il mio sguardo nella luce eterna, fino a consumarvi la vista! Nella profondità di quella luce vidi che si racchiude, tenuto insieme dall'amore come in un libro, ciò che appare disperso come in fascicoli nella molteplicità dell'universo: sustanze e accidenti e il loro rapporto reciproco (costume) ...

quasi conflati insieme, per tal modo
90 che ciò ch'i' dico è un semplice lume.
La forma universal di questo nodo
credo ch'i' vidi, perché più di largo,
93 dicendo questo, mi sento ch'i' godo.
Un punto solo m'è maggior letargo
che venticinque secoli a la 'mpresa
96 che fé Nettuno ammirar l'ombra d'Argo.
Così la mente mia, tutta sospesa,
mirava fissa, immobile e attenta,

89. **conflati**: letteralmente «soffiati insieme», cioè fusi l'uno nell'altro, compenetrati sotto l'azione di un forte soffio in un modo tale, così misterioso, che ciò che io dico non è che un pallido barlume di tale realtà. E il *quasi* sottolinea l'approssimazione dell'espressione usata, che è soltanto una metafora, quanto il *parlar* può riuscire a «mostrare» (vv. 55-6); di fatto il raro latinismo (dove è presente l'idea del soffio creativo) è uno dei più begli esempi dell'invenzione linguistica di Dante nel rappresentare in figura gli ardui concetti della sua teologia. Infatti *conflare*, detto propriamente dei metalli forgiati nel fuoco (che era alimentato dal soffio del mantice), esprime potentemente la fusione dei vari elementi dell'universo, quasi forgiati in un unico oggetto dal soffio divino. Il verbo deriva forse a Dante dal noto versetto di Isaia (2, 4): «forgeranno ("conflabunt") le loro spade in aratri», dove il traduttore san Girolamo sembra, per un singolare incontro, averlo a sua volta derivato da un simile verso di Virgilio: «le falci ricurve si fondono ("conflantur") in spade diritte» (*Georg.* I 508).

91. **questo nodo**: il *nodo* è lo stretto vincolo che lega in un solo *volume*, facendone una sola realtà, la molteplicità degli esseri. Di tale misterioso nodo Dante vide dunque, nella profondità divina, la *forma universal*, cioè l'idea archetipo, quell'idea del mondo, uno nella mente di Dio, che informa e tiene unita la molteplicità del creato.

92-3. **credo**: non dice dubbio, ma certezza: io so di averlo visto, anche se non posso ricordarlo, per il sentimento di maggior gioia che provo a dirne anche quel poco che ho potuto. La *passione impressa*, dunque, è la prova della visione che è scomparsa dalla memoria, come sopra ha detto. I due versi sono – in questo straordinario canto – forse la più nuova e altamente

poetica delle dichiarazioni: la «larga», abbondante gioia che invade il suo cuore nel parlarne (*più di largo*, più largamente: l'espressione ricorda l'*abbondante grazia* che gli permise di vedere) è l'unico segno, ma certo, che gli è rimasto della eccezionale visione.

94-6. **Un punto solo...**: un solo momento è causa per me di maggiore oblio di quanto siano stati venticinque secoli per l'impresa degli Argonauti. La frase segue logicamente a quanto precede (io so di aver visto solo per il sentimento di gioia che provo, dal momento che non ricordo niente); infatti l'istante successivo a quello della visione essa era già scomparsa dalla sua mente (come accade a chi si sveglia da un sogno: un attimo prima, finché sognava, vedeva; una volta sveglio non ricorda più), mentre dopo venticinque secoli ancora si ricorda il viaggio della prima nave sull'oceano.

– **letargo**: il significato di questa parola, su cui a lungo si è discusso, si desume logicamente dal contesto (il confronto con l'impresa degli Argonauti, ancora non dimenticata), che non lascia altre possibilità. Tale significato coincide poi con quello di oblio («obliviònem») che danno gli antichi vocabolari (Papia, Uguccione). Non ci sembra dunque che possa esserci dubbio sulla interpretazione da noi accolta. Se Dante non usa i termini comuni (dimenticanza, oblio), è per significare che quell'oblio non è un fatto naturale: *letargo* (considerato una malattia – «morbus» – e quindi un'alterazione delle naturali condizioni psichiche) indica qualcosa di diverso e di più, lo smemoramento dovuto allo stato estatico, che ha sollevato la mente come fuori da se stessa.

95. **venticinque secoli**: l'impresa degli Argonauti era datata nella cronologia medievale al 1223 a.C.

96. **che fé Nettuno...**: l'inattesa, straordinaria perifrasi indica l'impresa degli Argonauti, per la quale una nave solcò per la prima volta le acque; essa fece sì che Nettuno, il dio del mare che vive nel fondo dell'oceano, vedesse stupito passare sopra di sé l'ombra di quella nave. La potente fantasia, che vede il viaggio non dalla parte della nave, ma dalla parte di colui che dal profondo del mare ne scorge l'ombra sulle acque, è qualità propria dei grandi poeti, il cui occhio penetra il reale vedendo ciò che gli altri non vedono. L'impresa di Giasone, più volte ricordata nel poema, non è qui citata a caso (come non lo è nessuna citazione della

---

... come fusi l'uno nell'altro, in un modo tale che ciò che io dico non è che un pallido barlume (di tale realtà). ◆ *So di aver visto la forma universale di questo vincolo, perché dicendo queste parole sento una gioia più grande. Un solo momento è causa per me di maggiore oblio di quanto siano stati venticinque secoli per l'impresa che fece ammirare a Nettuno l'ombra di Argo. Così la mia mente, tutta sospesa, contemplava fissamente, immobile e attenta, ...*

99   e sempre di mirar faceasi accesa.

        A quella luce cotal si diventa,

        che volgersi da lei per altro aspetto

102   è impossibil che mai si consenta;

        però che 'l ben, ch'è del volere obietto,

        tutto s'accoglie in lei, e fuor di quella

105   è defettivo ciò ch'è lì perfetto.

        Omai sarà più corta mia favella,

        pur a quel ch'io ricordo, che d'un fante

108   che bagni ancor la lingua a la mammella.

Commedia). Essa è portata, all'apertura della cantica (cfr. II 16-8), a paragone di quella che Dante stesso compie nell'*ultimo lavoro* (I 13). E torna ora nella chiusura, significando ancora la somiglianza tra le due imprese: quella nave che solca arditamente il mare è la stessa poesia di Dante che tenta di raffigurare l'infinito. Tale rapporto è significato anche dall'immagine, profondamente suggestiva, dell'ombra: come Dante, Nettuno vede solo *l'ombra* della eccezionale realtà che lo sovrasta (cfr. I 23); e come Dante, egli guarda dal basso verso l'alto.

97-9. Così la mente mia...: la terzina descrive lo stato di rapimento in cui era assorbita la mente attraverso ben quattro aggettivi che sono quattro variazioni della stessa idea, ottenendo con la ripetizione l'effetto di immobile intensità che si vuole appunto figurare: *sospesa* vale «in sospensione», «in attesa» (cfr. XX 87 e XXIII 13); *fissa*, *immobile* e *attenta* esprimono l'intensa concentrazione dello sguardo, e la totale immobilità in cui la mente è *sospesa*.

– e sempre di mirar...: mentre, così *sospesa*, *mirava*, si accendeva via via in lei il desiderio di *mirar* ancora.

100-2. A quella luce...: il nesso logico è sempre, in questa tesissima sequenza, sottinteso: la mente era tutta sospesa e immobile senza distogliersi un attimo da quel guardare, è stato detto. Ora se ne dà la ragione: in presenza di quella luce divina l'uomo è così rapito che non potrebbe mai consentire a distogliere da lei lo sguardo per guardare un'altra cosa (*aspetto*: oggetto del vedere; cfr. II 111; XXI 20 ecc.). Si cfr. *S.T.* Iª IIᵃᵉ, q. 5 a. 4: «La visione dell'essenza divina riempie l'anima di tutti i beni, dato che la congiunge con la fonte di ogni bontà... Così è chiaro che chi è beato non può abbandonare la beatitudine di propria volontà».

103-5. però che 'l ben...: perché il bene, che è l'oggetto proprio della volontà, è tutto raccolto in lei, mentre fuori di lei ogni bene è manchevole (*defettivo*), incompiuto. Di conseguenza la volontà, raggiunto quel bene, non può desiderare altra cosa che sia fuori di esso.

106-8. Omai sarà più corta...: al primo tempo della visione, ne segue ora un secondo, e anche questo è introdotto da una dichiarazione di insufficienza a ridirlo; così accadrà per il terzo tempo (vv. 121-3), crescendo come in gara l'una sull'altra la sublimità di ciò che si è veduto e l'incapacità della lingua umana ad esprimerlo. L'*omai* dice appunto che tale impotenza è divenuta ancora maggiore: anche a dire quel poco che ricordo, ormai la mia lingua sarà più inadeguata di quella di un lattante: la grande lingua del poeta, che ha saputo narrare ogni aspetto dell'universo creato e dell'animo umano, di fronte alla realtà divina è meno di un balbettio di infante.

– un fante: per la terza volta il lattante al seno – cioè il rapporto bambino-madre nella sua forma più stretta – torna in questi canti dell'Empireo: due volte nel canto XXX (vv. 82-4 e 139-41), a significare prima lo slancio ardente dell'uomo verso l'amore divino e poi il cieco rifiuto di tale amore. In questo la lingua del lattante, la più incapace ad esprimersi, dà la misura dell'impotenza totale della lingua del poeta. Ma forse c'è qui anche il ricordo di un versetto biblico: «dalla bocca dei bambini e dei lattanti ti sei procurata una lode» (*Ps.* 8, 3; e cfr. anche *Matth.* 21, 16). L'innocente col suo balbettio può dire la grandezza divina meglio che il più grande poeta possa mai fare con la sua altissima arte.

... e si accendeva via via del desiderio di contemplare ancora. ◆ *In presenza di quella luce divina ci si trasforma in tal modo che è impossibile consentire a distogliere da lei lo sguardo (volgersi da lei) per guardare un'altra cosa (aspetto); perché il bene, che è l'oggetto proprio della volontà, è tutto raccolto in lei, e fuori di lei è incompiuto (defettivo) ciò che in lei è perfetto.* ◆ *Ormai le mie parole saranno più inadeguate, anche per dire quel poco che ricordo, di quelle di un bambino che ancora si nutra del latte materno.*

Non perché più ch'un semplice sembiante

fosse nel vivo lume ch'io mirava,

111 che tal è sempre qual s'era davante;

ma per la vista che s'avvalorava

in me guardando, una sola parvenza,

114 mutandom'io, a me si travagliava.

Ne la profonda e chiara sussistenza

de l'alto lume parvermi tre giri

117 di tre colori e d'una contenenza;

e l'un da l'altro come iri da iri

parea reflesso, e 'l terzo parea foco

120 che quinci e quindi igualmente si spiri.

109-11. Non perché più...: comincia la seconda visione: dopo il mistero dell'unità del molteplice (la creazione), si rivela ora a Dante il mistero della Trinità. Egli spiega perché, nell'unica essenza divina, diversi misteri gli si mostrassero successivamente, con diverse immagini: non perché in Dio (quel *vivo lume* che io contemplavo) vi fosse più di un aspetto, in quanto egli è sempre uguale a se stesso, e non può mai cambiare (*semplice* ha il valore del lat. «simplex», uno solo)...

112-4. ma per la vista...: ma a causa della mia vista che, mentre guardavo, acquistava sempre maggior potenza (*s'avvalorava*: acquistava valore), l'unico aspetto divino si trasformava ai miei occhi (*si travagliava*) via via che io stesso cambiavo. Ero io dunque a cambiare, non l'oggetto che io guardavo.

– **si travagliava**: espressione pregnante: il verbo *travagliare*, che vale «tormentare», anche mentalmente (cfr. *Inf.* XXXIV 91 e *Purg.* XXI 4), indica qui il trasformarsi della visione come lo riceve lo sguardo di Dante (*a me*), cioè con fatica e sforzo mentale.

115-7. Ne la profonda e chiara...: ed ecco quello che vide (come sopra, ai vv. 85-90, la visione vera e propria ha la durata di due sole terzine): all'interno dell'essenza divina, che mi si mostrava profonda e luminosa (*chiara*), mi apparvero tre cerchi, di tre diversi colori ma di una stessa dimensione (*d'una contenenza*: di una uguale capacità di contenuto, quindi di uguale circonferenza). I tre colori e l'identica misura rispondono alla definizione teologica della Trinità: tre persone uguali e distinte. Il cerchio è la figura geometrica che rappresenta l'eternità, non avendo principio né fine.

118-20. e l'un da l'altro...: e uno di essi pareva riflesso dall'altro, come un secondo arcobaleno si genera dal primo (cfr. XII 10-5); mentre il terzo, ardente come fuoco, pareva essere «spirato», in modo uguale, dall'uno e dall'altro. Il generarsi per riflesso (come si riteneva allora) del secondo arcobaleno identico al primo raffigura in modo quasi immateriale, e con aerea bellezza, la generazione del Figlio dal Padre in tutto uguale a sé; lo spirare del terzo, come fiamma, dall'uno e dall'altro (il *foco* è l'amore: si cfr. X 1-2; *quinci* e *quindi* indicano le due direzioni del movimento: dal Padre verso il Figlio e dal Figlio verso il Padre), è precisa ed evidente immagine della definizione che il *Credo* dà dello Spirito Santo: «che procede dal Padre e dal Figlio». Tutta la figurazione è volutamente vaga e non geometricamente descrivibile (invano si cercherebbe di capire come il terzo cerchio possa essere «spirato» dagli altri due, né come il secondo, di uguale diametro, possa apparire *riflesso* dal primo). Essa è probabilmente suggerita da un'immagine che nel *Libro delle figure* di Gioacchino da Fiore rappresenta la Trinità: tre cerchi uguali appunto, uno verde uno aureo e uno rosso, affiancati e parzialmente sovrapposti. Ma la figura di Gioacchino, materializzata nel disegno, è imparagonabile a questa, aerea e imprendibile come permettono le parole, che mantengono il senso profondo dell'inconoscibile mistero.

121-3. Oh quanto è corto...: a questa ultima visione, e prima del nuovo mistero che sta per apparire, ecco innalzarsi di nuovo – per la terza volta – il sospiro del poeta che misura l'inadeguatezza del suo linguaggio (*corto*, e poco prima già disse *corta* la sua favella) a ridire ciò che gli apparve, e vuol così farne intendere ai suoi lettori l'immensità e il fulgore. In mo-

---

Non perché vi fosse più di un solo aspetto, in quella viva luce che io contemplavo, in quanto essa è sempre uguale a se stessa; ma a causa della mia vista che, mentre guardavo, acquistava in me sempre maggior potenza (s'avvalorava), l'unico aspetto divino si trasformava ai miei occhi (si travagliava) via via che io stesso cambiavo. ◆ *Nella profonda e luminosa (chiara) essenza della divina luce mi apparvero tre cerchi, di tre diversi colori ma di una stessa dimensione (contenenza); e uno di essi pareva riflesso dall'altro, come un secondo arcobaleno si genera dal primo, mentre il terzo pareva un fuoco che provenisse, in modo uguale, dall'uno e dall'altro.*

Oh quanto è corto il dire e come fioco

al mio concetto! e questo, a quel ch'i' vidi,

123   è tanto, che non basta a dicer 'poco'.

O luce etterna che sola in te sidi,

sola t'intendi, e da te intelletta

126   e intendente te ami e arridi!

Quella circulazion che sì concetta

pareva in te come lume reflesso,

129   da li occhi miei alquanto circunspetta,

dentro da sé, del suo colore stesso,

mi parve pinta de la nostra effige:

132   per che 'l mio viso in lei tutto era messo.

do progressivo egli esprime tale insufficienza del *dire*: *corto* e *fioco*, inadeguato e debole, a confronto di ciò che la sua mente concepì, e ritiene di quella visione (*al mio concetto*); *questo* a sua volta meno che *poco* a confronto di quel che vide.

124-6. **O luce etterna...**: una esclamazione segue l'altra, nell'eccezionale tessuto stilistico di questa parte finale del canto. In questa mirabile terzina Dante cerca di esprimere, per via esclamativa, quel *poco* che egli ha colto dell'essenza della Trinità divina. I tre cerchi erano solo una figura, della quale egli dice ora il senso intellettuale, ciò che la mente umana può percepire di quel mistero. E nessuna definizione teologica può avere l'intensità e l'incanto di questa, che pur non è in nessun punto meno precisa di quelle. Il ritmo circolare, che stringe in unità i tre versi con le riprese verbali (*sola* – *sola*; *t'intendi* – *intelletta* – *intendente*) e si chiude con i due ardenti verbi finali (*ami* – *arridi*), è esso stesso figura di quella eterna, triplice e una realtà creata dall'amore.

– **che sola in te sidi**: che sola risiedi in te stessa (nessun luogo ti accoglie, ma tu sei luogo a te stessa): la frase indica la Trinità nella sua unità.

125. **sola t'intendi**: che sola intendi te stessa: questo è l'atto con cui il Padre genera il Figlio, il se stesso oggetto del suo intendere.

125-6. **e da te intelletta / e intendente te**: qui si indica il mutuo rapporto di conoscenza interno alla Trinità: il Padre intende se stesso nel Figlio e a sua volta il Figlio intende il Padre. Si cfr. *Matth*. 11, 27: «nessuno conosce il Figlio se non il Padre, e nessuno conosce il Padre se non il Figlio».

126. **ami e arridi**: all'interno di quel rapporto si genera l'amore (la terza persona, lo Spirito) che si effonde dall'uno e dall'altro. Qui finisce la definizione del processo interno alla Trinità secondo la teologia. Ma Dante aggiunge un verbo – *arridi* – che non è nei teologi. Quel divino riso irradiato sul mondo, per cui esso vive, è il sigillo del poeta del *Paradiso* al mistero della Trinità.

127-32. **Quella circulazion...**: ed ecco l'ultima visione, l'ultimo mistero intravisto, l'incarnazione del Fi-

glio. Quel cerchio (il secondo) che, così da me inteso (cfr. *concetto* al v. 122), in te appariva come un lume riflesso (vv. 118-9), attentamente guardato dai miei occhi, mi parve che avesse dipinta al suo interno, col suo stesso colore, la nostra sembianza umana (*la nostra effige*: in fine di verso, e di tutta la visione, queste tre parole acquistano una forte carica emotiva).

130. **del suo colore stesso**: come quella dei tre cerchi, anche questa figura è impossibile a disegnare: una immagine dipinta su un fondo con lo stesso colore non è infatti distinguibile; essa adombra il mistero per cui nella divinità di Cristo è presente la sua umanità.

132. **per che 'l mio viso...**: per cui il mio sguardo era tutto concentrato in lei. La propria immagine che egli scorge nel cuore stesso della Trinità divina assorbe tutta l'attenzione dell'uomo giunto a contemplare l'essenza di Dio. Tutto il resto svanisce ai suoi occhi, quando egli vede se stesso non vicino a Dio, ma in Dio, Dio egli stesso. È questo il culmine della visione, e del poema, supremo canto della dignità dell'uomo: quella realtà che la poesia di Dante sempre persegue, e che i dolorosi volti infernali, che hanno perduto quella somiglianza, significavano (si cfr. il pianto di *Inf*. XX 19-26 di fronte a *la nostra imagine... sì torta*).

◆ *Oh quanto è inadeguato il mio dire, e come rende debolmente il concetto che voglio esprimere! e questo, in confronto a ciò che vidi, è talmente poca cosa (è tanto) che dire 'poco' non è sufficiente. O luce eterna che sola risiedi in te stessa, sola intendi te stessa, e mentre sei da te intesa, e intendi te, spiri amore e lo effondi intorno come un sorriso! Quel cerchio (il secondo) che, così da me inteso (concetta), in te appariva come un lume riflesso, attentamente guardato dai miei occhi, mi parve che avesse dipinta al suo interno, col suo stesso colore, la nostra sembianza umana (la nostra effige): per cui il mio sguardo era tutto concentrato in lei.*

Qual è 'l geomètra che tutto s'affige
per misurar lo cerchio, e non ritrova,
135   pensando, quel principio ond'elli indige,
tal era io a quella vista nova:
veder voleva come si convenne
138   l'imago al cerchio e come vi s'indova;
ma non eran da ciò le proprie penne:

133-5. Qual è 'l geomètra...: come il geometra, che si concentra tutto nel problema di misurare il cerchio, e non riesce a trovare, per quanto si sforzi col pensiero (*pensando*), il principio matematico di cui ha bisogno (*indige*: dal latino «indigere») per risolverlo...

– **per misurar lo cerchio**: il problema, discusso in una diffusa operetta di Archimede (*Sulla misura del cerchio*), era noto agli studiosi medievali: il *principio* che mancava era l'esatta misura del fattore per cui bisognava moltiplicare il diametro per avere la circonferenza (il π, anche oggi numero indefinito); conoscere tale rapporto voleva dire poter costruire un quadrato di superficie identica a quella del cerchio dato. Così Dante nel *Convivio* (II, XIII 27): «lo cerchio per lo suo arco è impossibile a quadrare perfettamente, e però è impossibile a misurare a punto»; e si veda anche *Mon.* III, III 2: «il geometra ignora la quadratura del cerchio». Per intendere la perfetta convenienza della similitudine qui usata ricordiamo che, come il cerchio era considerato figura dell'eternità, cioè del divino, così il quadrato era invece figura della finitezza, cioè dell'umano.

136. tal era io...: nella stessa condizione – di teso sforzo mentale e di impossibilità a comprendere – di fronte a quella vista straordinaria (*nova*).

137. veder voleva: i due verbi dicono la tensione della volontà e dell'intelletto, protesi fino all'ultimo nel cercare di penetrare il mistero. Davanti al quale Dante si pone – come la similitudine del geometra dice – non abbandonandosi, né rinunciando a capire, ma *volendo* capire. Il *disio* di tutto possedere, che sempre lo guida, non viene meno neppure all'ultimo. E alla

richiesta ardente dell'uomo risponderà il dono di Dio.

137-8. come si convenne...: come l'immagine che vi vedevo riflessa (la *nostra effige*) poteva «convenirsi», cioè «adattarsi», «assimilarsi» al cerchio, e trovarvi posto (*indovarsi*, trovar luogo, neologismo costruito su *dove* sostantivato, come *insusarsi* e altri simili); come cioè l'immagine dell'uomo poteva identificarsi con quella di Dio.

139. ma non eran da ciò...: ma le mie ali (le forze della mia mente umana) non erano capaci di tanto, di volare cioè a tale altezza. L'immagine delle ali – riferita alla mente che s'innalza nel conoscere, come un uccello nel cielo – ricorda, per l'ultima volta, alla chiusa del poema, le impotenti ali del folle volo di Ulisse (*Inf.* XXVI 125). Questo verso risponde – con semplice umiltà – all'ardita tensione dei due che lo precedono.

140-1. se non che...: le mie forze non erano sufficienti, e non avrei compreso quel mistero, se non fosse accaduto che, in modo subitaneo, la mia mente fu violentemente colpita (*percossa*) da un improvviso fulgore nel quale il suo desiderio (*sua voglia*: si ricordi il *veder voleva* del v. 137) *venne*, giunse fino a lei; *sua voglia* va preso nel senso di «l'oggetto della sua voglia» (cfr. *disire* a I 7 e nota). Altri intendono: avvenne, si compì.

– **un fulgore**: una illuminazione simile a un lampo, brevissima ed intensa. Si ricordi il verbo della visione di Paolo sulla via di Damasco («circumfulsit», rifulse intorno: *Act. Ap.* 22, 6), ripetuto all'entrata nell'Empireo (XXX 49).

142. A l'alta fantasia...: a questo momento – e solo a questo momento (*qui*), quando anche il più alto mistero è stato svelato – manca alla *fantasia* la forza, cioè la possibilità di vedere. Con quel *fulgore* si chiude la grande visione che mostrava alla mente, per immagini, le realtà divine. Alla *fantasia*, a quella facoltà cioè che percepì la visione (apparsa alla sua mente in forma sensibile, e non in forma concettuale: cfr. XIX 8-9 e nota), viene meno la possibilità di vedere ancora. Con semplice e conclusivo moto del verso, il poeta dichiara infine di aver toccato il termine del suo vedere e del suo poetare, e rinuncia, quasi posando la penna, a *ridire*, cioè a scrivere ancora. L'espressione *mancò possa* dice infatti due cose insieme: che egli non vide più, e che egli non ebbe più la possibilità di raccontare, ridire il veduto. I due atti sempre congiunti nella sua vita, e tra loro indistinguibili, il *fatto* e il *dir* (*Inf.* XXXII 12), terminano insieme nel momento in

◆ *Come il geometra, che si concentra tutto nel problema di misurare il cerchio, e non riesce a trovare, per quanto si sforzi col pensiero (pensando), il principio matematico di cui ha bisogno (indige), così ero io di fronte a quella visione straordinaria (nova): volevo capire come l'immagine (che io vi scorgevo) poteva adattarsi (si convenne) al cerchio, e trovarvi posto (vi s'indova); ma le mie ali non erano capaci di tanto: ...*

se non che la mia mente fu percossa

141   da un fulgore in che sua voglia venne.

A l'alta fantasia qui mancò possa;

ma già volgeva il mio disio e 'l *velle*,

sì come rota ch'igualmente è mossa,

145   l'amor che move il sole e l'altre stelle.

---

cui – e l'ultima terzina ne esprime la consapevolezza – anche la sua stessa vita avrà fine.

143-5. ma già volgeva...: ma anche se non vede più, ora che la visione si è dileguata dalla sua mente, egli è ormai (*già*) stabilito nell'eterno e non mutabile stato di amore che volge intorno a Dio l'universo. Quello stesso amore che muove gli astri (quindi eternamente uguale) volgeva il mio desiderio e la mia volontà come una ruota che si muove di moto uniforme (un moto cioè che non subisce alterazioni, come invece accade alla volontà dell'uomo sulla terra, soggetta all'inclinazione al male).

– **disio... velle**: sul valore di questi due termini, molto discussi, per il quale noi seguiamo l'interpretazione che intende il primo come istinto naturale e il secondo come volontà deliberata (coincidenti ora col volere divino), si veda la nota di approfondimento alla fine del canto.

145. l'amor che move...: riteniamo che *amor* vada qui inteso non tanto come quello di Dio che muove l'universo, ma come quello (suscitato da Dio) dell'universo che lo fa muovere, volgere verso di lui. Ricordiamo la definizione aristotelica («Dio muove in quanto è amato»: *Metaph.* XII 7), tradotta da Dante a I 76-7: ... *la rota che tu sempiterni / desiderato*, dove è usata – è importante notarlo – la stessa immagine della ruota.

Lo stesso immutabile amore dunque, che fa volgere gli astri intorno a Dio, muoveva ormai la mia volontà, libera da ogni condizionamento terreno. Sempre nel canto I era stato detto (vv. 130-2) che dalla direzione centripeta impressa da Dio verso se stesso a tutte le creature *si diparte* talvolta l'unica tra esse – l'uomo – che per la sua libertà ha il potere di resistere a tale divino impulso; ma l'uomo, una volta unito per grazia a Dio, non corre più questo rischio, in quanto la sua libera volontà si identifica con quella divina (cfr. III 79-87; XX 138). Tale è la condizione di Dante alla fine del poema, stabilito nel puro amore di Dio.

Come è stato osservato, si avvera in lui l'auspicio di Boezio (citato in *Mon.* I, IX 2-3) che, dopo aver celebrato l'amore che stringe in armonia l'universo, così esclama: «O felice genere umano, / se i vostri animi fossero governati / da quell'amore che governa il cielo!» (*Cons.* II, m. VIII, vv. 28-30), versi che sembrano illuminare con evidenza il testo dantesco. E tanto più sicuro sembra il rapporto fra i due luoghi, se si osserva che nel citato passo del canto I si trova anche l'espressione *amor che 'l ciel governi* (v. 74), che

sembra tradurre l'«amor / quo coelum regitur» del testo boeziano.

– **stelle**: la parola che chiude il poema è quella stessa che brilla alla fine delle prime due cantiche. Uscendo dall'inferno, quelle luci sono appena intraviste, lontanissime e pure infondenti speranza. Alla cima del purgatorio esse sono già divenute meta sicura, che si è pronti e vicini a raggiungere. Qui, al termine dell'ultima cantica, il poeta è come assimilato ad esse, fatto partecipe della loro vita celeste e del loro stesso splendore. Come è stato acutamente osservato, anche Virgilio chiude con una stessa parola tre sue opere (la I e la X *Egloga* e l'*Eneide*). La parola del poeta latino è «umbrae» (quelle ombre verso le quali l'anima di Turno precipita alla fine dell'*Eneide*); ad essa sembra rispondere quella del poeta cristiano, che dall'ombra del mondo antico – dove la morte non aveva riscatto – esce alla luce della presenza divina nella realtà dell'uomo.

... se non fosse accaduto che la mia mente fu violentemente colpita da un fulgore nel quale l'oggetto del suo desiderio (sua voglia) giunse fino a lei. ◆ *A questo punto (qui) alla mia facoltà di percepire le immagini, giunta così in alto, venne a mancare la forza (possa); ma il mio desiderio e la mia volontà erano ormai mossi, come una ruota che si muove di moto uniforme, da quello stesso amore che muove il sole e le altre stelle.*

◆

approfondimenti

Impulso naturale e volere deliberato   *verso 143.*   *... il mio disio e 'l velle*

L'interpretazione di questi due termini è controversa. La maggior parte dei critici ritiene che il primo di essi si riferisca all'intelletto (come desiderio di conoscere) e il secondo alla volontà (come amore del bene), le due facoltà cioè dell'anima razionale, ormai perfettamente armonizzate nella contemplazione e nell'amore di Dio. Tale interpretazione si appoggia al passo di XV 73-8, dove l'*affetto* e il *senno* sono dichiarati in tutto uguali nei beati, mentre sono disuguali nei *mortali*, nei quali alla *voglia* (l'*affetto*) non sempre corrisponde l'*argomento* (il mezzo espressivo proprio dell'intelletto, o *senno*). Tuttavia quella perfetta concordia col moto dell'universo che l'ultimo verso dichiara sembra ben più propriamente convenire alla condizione di totale coincidenza del volere dell'uomo (l'istintivo e il razionale) con quello divino, condizione che fu celebrata da Piccarda come caratteristica dello stato di beatitudine (III 82-4). Oltre all'evidente riscontro col testo di Boezio citato nel commento (si veda la nota al v. 145), la proprietà dei due termini *disio* e *velle* (riferiti il primo al desiderio o impulso naturale e il secondo al volere deliberato), che corrisponde alla distinzione tante volte ricordata da Dante (*Conv.* IV, XXII 10; *Purg.* XVII 91-6 e XVIII 55-63; e si veda anche l'uso di *disio* e *voler* a *Inf.* V 82-4) – distinzione teorizzata da Tommaso nei termini di «dilectio naturalis» (amore naturale) e «dilectio electiva» (amore di elezione) – ci convince che questa sia la giusta interpretazione. Così inteso, il testo ci dice infine che Dante ha raggiunto quella suprema stabilità e pace dell'animo, proveniente dalla assimilazione al volere divino, che è la meta di tutta la sua vita. Per questa interpretazione, si vedano i precisi riferimenti alle fonti medievali offerti da P. Dronke nel saggio citato tra le *Letture consigliate*, pp. 37-8.

SUGGERIMENTI PER LA RICERCA

Temi del canto

La preghiera alla Vergine

Rileggi la preghiera di Bernardo ai vv. 1-39 del canto, ripercorrendo anche le note di commento, e individuane le idee dominanti. Per comprendere adeguatamente il testo, puoi leggere il commento che ne fa il Fallani nel saggio indicato tra le *Letture consigliate*.

Il «fine di tutt'i disii»

Il viaggio di Dante è giunto alla sua mèta, dove si compie il «disire» che ne era all'origine: per chiarirti il valore della parola «desiderio» (con i suoi sinonimi) nel poema e nella vita di Dante, riprendi innanzitutto le osservazioni in nota al v. 46 di questo canto, poi ricerca i passi *Conv.* IV, XII 17; *Ep.* XIII 90; *Purg.* XXXI 23-24; *Par.* I, 7 e nota; XXII 62-65; infine scrivi un breve commento sul concetto teologico espresso dal poeta nei luoghi indicati..

L'impresa degli Argonauti

Dopo aver letto il racconto della gesta degli Argonauti nelle *Metamorfosi* di Ovidio (VII 1-158), da cui Dante ne ha avuto notizia, riprendi i due passi del *Paradiso* in cui tale impresa è ricordata (II 16-18 e XXXIII 94-96) osservando quali aspetti ne vengano messi in risalto. Completa il lavoro con una ricerca sul mito degli Argonauti, per la quale puoi consultare la voce relativa nell'*Enciclopedia Garzantina*, *Mitologia* (1999), pp. 61-66 e anche la voce dell'*Enciclopedia Dantesca* I, pp. 364-365 a cura di G. Padoan.

Le ombre e le stelle

Rileggi l'ultima terzina di ogni cantica, che si chiude con la parola *stelle*, poi la conclusione delle tre opere virgiliane, I e IX *Ecloga* e *Eneide,* che finiscono tutte con la parola *umbrae*. Alla luce di quanto è osservato nella nota di commento al v. 145 (alla parola *stelle*), ripensa al profondo legame di Dante col mondo classico e alla sua importanza nella *Commedia*, ma rifletti anche sulla radicale differenza che li separa; quindi elabora un tema sull'argomento, citando passi ed episodi a tuo giudizio significativi.

Lingua e stile

La preghiera di San Bernardo – vv. 1 sgg.

Rileggi la nota al v. 1 in cui si indicano le partizioni principali, ciascuna contraddistinta da una precisa funzione, della preghiera di San Bernardo alla Vergine. Analizza quindi le preghiere o invocazioni di *Purgatorio* XI 1-24, *Paradiso* XXIV 1-9, XXXI 79-90, e annota le somiglianze e le differenze nella loro strutturazione.

Il verbo «potere» – v. 34

Documenta l'uso assoluto del verbo *potere* nella *Commedia*, riconoscendone alcuni esempi, oltre al luogo qui indicato, nei canti III dell'*Inferno*, V, VII e XXVIII del *Purgatorio*; distingui poi, con l'aiuto delle note di commento, i casi in cui esso sottintenda un infinito da quelli in cui abbia significato di «aver potenza, efficacia». Leggi quindi quanto annotato a proposito di *poter arme* in nota a *Par.* XVI 47.

fantasia – v. 142

Rileggi, in nota a *Purg.* XVII 25, la definizione del termine *fantasia* secondo la filosofia scolastica e annota il significato dell'aggettivo *alto* che anche in questo caso gli è unito. Individua poi, utilizzando le *Concordanze*, gli altri passi del poema in cui il vocabolo compaia, facendo particolare attenzione ai casi in cui se ne dichiari l'insufficienza a rappresentare le esperienze soprannaturali.

letture consigliate
indice dei nomi

■ **Letture consigliate** 613
■ **Indice dei nomi delle 3 Cantiche** 617

CANTO I
U. Bosco, *Il proemio del Paradiso*, in *Dante vicino*, pp. 297-315.
C.F. Goffis, in LDS, *Paradiso*, pp. 1-32.
E. Paratore, in NLD V, pp 255-84.
P. Giannantonio in LDN, *Paradiso*, pp. 9-23.
I. González Fernandez-V. Jacomuzzi in LC, 20-21 (1992), pp. 175-83.
B. Nardi, *Perché dietro la memoria non può ire* in *L'Alighieri* 1/1, 1960, pp. 5-13.

CANTO II
B. Nardi, *La dottrina delle macchie lunari nel II canto del Paradiso*, in *Saggi di filosofia dantesca*, pp. 3-39.
M. Pecoraro, in LDS, *Paradiso*, pp. 37-60.
G. Stabile, in LCD, *Paradiso*, pp. 35-100.
C. Vasoli, *Il canto II del Paradiso*, in *Lectura Dantis Metelliana*, II, Roma 1992, pp. 27-51.

CANTO III
M. Marti, in LD, *Paradiso*, pp. 39-50.
M. Fubini, *Donati Piccarda*, in ED II, pp. 565-8.
A. Vallone, *Paradiso III*, in SD LXII (1990), pp. 69-84.
F. Montanari, in *Lectura Dantis Metelliana, I primi undici canti del Paradiso* (1993), pp. 55-60.

CANTO IV
G. Albini, in LD, *Paradiso*, pp. 53-71.
G. Varanini, in NLD V, pp. 317-39.
P. Giannantonio, in LCD, *Paradiso*, pp. 121-43.
A. Baldi, in *Lectura Dantis Metelliana, I primi undici canti del Paradiso* (1993), pp. 63-84.

CANTO V
M. Pastore Stocchi, in NLD V, pp. 341-74.
S. Pasquazi, in LDS, *Paradiso*, pp. 125-72.
A. Tartaro, *La questione dei voti (Par. V)*, in LCD, *Paradiso*, pp. 145-65.
G. Oliva, in LDN, *Paradiso*, pp. 73-87.

CANTO VI
O. Bacci, in LD, *Paradiso,* pp. 93-116.
E. Paratore, *Il canto dell'Aquila romana*, in SD XLIX (1972), pp. 49-77.
F. Mazzoni, in LCD, *Paradiso*, pp. 167-222.
P. Brezzi, in LDM, *Paradiso*, pp. 37-56.
B. Nardi, *Il concetto dell'Impero nello svolgimento del pensiero dantesco*, in *Saggi di filosofia dantesca*, pp. 215-75.

CANTO VII
W.Th. Elwert, in LD, *Paradiso*, pp. 119-40.
C. Galimberti, in LDS, *Paradiso*, pp. 217-52.
G. Fallani, in LCD, *Paradiso*, pp. 223-39.
G. Muresu, in *La Rassegna della Letteratura Italiana*, gennaio-agosto 1994, pp. 5-19.
G. Rati, in *Lectura Dantis Metelliana, I primi undici canti del Paradiso* (1993), pp. 133-53.

CANTO VIII
A. Pézard, in LD, *Paradiso*, pp. 71-140.

C. Muscetta, in LDS, *Paradiso*, pp. 255-92.
E. Paratore, in LCD, *Paradiso*, pp. 241-67.
F. Tateo, in LDP II, pp. 191-216.

CANTO IX
R. Roedel, in LD, *Paradiso*, pp. 171-93.
A. Vallone, in NLD VI, pp. 45-68.
S. Pasquazi, in LCD, *Paradiso*, pp. 269-91.
M. Picone, *Paradiso IX: Dante, Folchetto e la diaspora trobadorica*, in «Medioevo Romanzo» 8 (1981-1983), pp. 47-61.

CANTO X
F. Forti, in LDS, *Paradiso*, pp. 349-86.
J. Freccero, *La danza delle stelle (Paradiso X)* in *Dante, la poetica della conversione*, Bologna 1989, pp. 289-317.
G. Vallese, in NLD VI, pp. 69-91.
E. Giachery, in LCD, *Paradiso*, pp. 293-312.

CANTO XI
E. Auerbach, *Francesco d'Assisi nella Commedia*, in *Studi su Dante*, Milano 1971, pp. 221-35.
B. Nardi, in LCD, *Paradiso*, pp. 312-29.
N. Mineo, *La «vita» di San Francesco nella «festa di paradiso»*, in *Lectura Dantis Metelliana*, II, Roma 1992, pp. 223-320.
E. Bonora, in LDN, *Paradiso*, pp. 237-53.
S. da Campagnola, *Francesco d'Assisi*, in ED III, pp. 17-22.

CANTO XII
A. Bertoldi, in LD, *Paradiso*, pp. 239-54.
R. Manselli, in NLD VI, pp. 107-28.
G. Petrocchi, *Gli influssi della spiritualità duecentesca*, in «Cultura e scuola» 14 (1965), pp. 87-93.
M. Scotti, in LDN, *Paradiso*, pp. 255-78.

CANTO XIII
G. Vandelli, in LD, *Paradiso*, pp. 257-78.
M. Aurigemma, in NLD VI, pp. 129-46.
U. Bosco, *Introduzione al canto XIII*, in Dante Alighieri, *La Divina Commedia, Paradiso*, a c. di U. Bosco e G. Reggio, Firenze 1979.
G. Rati, in LCD, *Paradiso*, pp. 353-79.

CANTO XIV
C. Steiner, in LD, *Paradiso*, pp. 281-96.
G. Fallani, in NLD VI, pp. 147-62.
E. Soprano, in LDS, *Paradiso*, pp. 481-99.
G. Muresu, *La «gloria della carne»: disfacimento e trasfigurazione (Paradiso XIV)*, in «La Rassegna della letteratura italiana» 91 (1987), pp. 253-68.

CANTO XV
E. Donadoni, in LD, *Paradiso*, pp. 299-319.
A. Ciotti, in NLD VI, pp. 136-86.
D. Consoli, in LCD, *Paradiso*, pp. 397-422.
Per i tre canti XV-XVI-XVII si vedano:
F. Figurelli, *I canti di Cacciaguida*, in «Cultura e scuola» 4 (1965), pp.634-61.
F. Forti, *Cacciaguida*, in ED I, pp. 733-9.

letture consigliate

letture consigliate

CANTO XVI
E.G. Parodi, in LD, *Paradiso*, pp. 323-38.
F. Allevi, in LDS, *Paradiso*, pp. 533-72.
R. Morghen, in NLD VI, pp. 187-208.
U. Carpi, *La nobiltà di Dante (a proposito di Paradiso XVI)*, in «Rivista di letteratura italiana» 8 (1990), pp. 229-60.
I. Del Lungo, *La gente nuova in Firenze ai tempi di Dante*, in *Dante nei tempi di Dante*, pp. 1-132.

CANTO XVII
C. Grabher, in LD, *Paradiso*, pp. 341-61.
N. Vianello, in LDS, *Paradiso*, pp. 579-622.
A.M. Chiavacci Leonardi, *Paradiso XVII*, in *Filologia e critica dantesca. Studi offerti a Aldo Vallone*, Firenze 1989, pp. 309-27.
G. Brugnoli, in *L'Alighieri* XXXVI (1995), pp. 47-57.
G. Petrocchi, in LDN, *Paradiso*, pp. 335-43.

CANTO XVIII
G. Barberi Squarotti, in LD, *Paradiso*, pp. 365-85.
A. Accame Bobbio, in LDS, *Paradiso*, pp. 627-58.
S. Vazzana, *Il canto XVIII del Paradiso*, Torino 1965.
G. Iorio, in LCD, *Paradiso*, pp. 469-96.
L. Battaglia Ricci, in *L'Alighieri* XXVI. 6 (luglio-dicembre 1995), pp. 7-28.

CANTO XIX
S.A. Chimenz, in LD, *Paradiso*, pp. 387-413.
G. Fallani, *Il canto XVIII del Paradiso*, Torino 1959.
V. Russo, in LCD, *Paradiso*, pp. 497-525.
A. Battistini, in LDN, *Paradiso*, pp. 363-86.

CANTO XX
E. Paratore, in LDS, *Paradiso*, pp. 687-728.
F. Gabrieli, in NLD VI, pp. 261-76.
A. Frattini, in LCD, *Paradiso*, pp. 527-52.
M. Picone, in LDN, *Paradiso*, pp. 387-406.

CANTO XXI
A. Seroni, in LD, *Paradiso*, pp. 435-48.
M. Pecoraro, in LDS, *Paradiso*, pp. 735-82.
M. Aurigemma, *Il canto XXI del Paradiso*, in LCD, *Paradiso*, pp. 553-72.
G. Muresu, *Lo specchio e la contemplazione (Paradiso XXI)* in *L'Alighieri* XXXVII 1996, 8, pp. 7-40.

CANTO XXII
M. Bontempelli, in LD, *Paradiso*, pp. 451-65.
G. Varanini, in LDS, *Paradiso*, pp. 787-813.
E. De Michelis, in NLD VII, pp. 35-66.
M. Aurigemma, in LDM, *Paradiso*, pp. 187-99.

CANTO XXIII
C.F. Goffis, in LDS, *Paradiso*, pp. 821-35.
R. Lo Cascio, in NLD, pp. 67-105.
A.M. Chiavacci Leonardi, in LDM, *Paradiso*, pp. 201-14.
M. Picone, *Miti, metafore e similitudini del Paradiso. Un esempio di lettura*, in SD LXI (1989 ma 1994), pp. 193-218.

CANTO XXIV
A. Jenni, in LD, *Paradiso*, pp. 483-95.
G. Getto, in LC I (1966), pp. 83-108.
M. Marcazzan, in LDS, *Paradiso*, pp. 861-85.
A. Greco, in NLD VII, pp. 107-26.

CANTO XXV
G. Getto, *Il canto XXV del Paradiso*, in *Aspetti della poesia di Dante*, Firenze 1966, pp. 83-102.
G. Margiotta, in LDS, *Paradiso*, pp. 895-924.
A. Tartaro, in LCD, *Paradiso*, pp. 667-83.
A.M. Chiavacci Leonardi, in LDN, *Paradiso*, pp. 485-99.

CANTO XXVI
G. Getto, in LDS, *Paradiso*, pp. 929-55.
F. Figurelli, *Il canto XXVI del Paradiso*, in NLD VII, pp. 127-49.
B. Nardi, *Il canto XXVI del Paradiso*, in «L'Alighieri» 23-1 (1985), pp. 24-32.
P.V. Mengaldo, *La lingua di Adamo*, in ED I, pp. 47-8.

CANTO XXVII
R.R. Bezzola, in LD, *Paradiso*, pp. 551-66.
D. Consoli, in NLD VII, pp. 151-73.
S. Vazzana, in LCD, *Paradiso*, pp. 701-30.
G.P. Marchi, in LDN, *Paradiso*, pp. 521-36.

CANTO XXVIII
G. Contini, in LDS, *Paradiso*, pp. 999-1026.
G. Padoan, in NLD VII, pp. 175-91.
A. Mellone, in LCD, *Paradiso*, pp. 731-54.
R. Guardini, *L'angelo nella Divina Commedia*, in *Studi su Dante*, Brescia 1967, pp. 11-130.

CANTO XXIX
G. Getto, in LD, *Paradiso*, pp. 597-621.
G. Petrocchi, *La lezione sugli angeli*, in *Itinerari danteschi*, Bari 1969, pp. 333-51.
S. Pasquazi, in LDS, *Paradiso*, pp. 1033-55.
A. Mellone, in NLD VII, pp 193-213.

CANTO XXX
W. Binni, in LDS, *Paradiso*, pp. 1061-92.
A.M. Chiavacci Leonardi, *Il canto XXX del Paradiso*, in «Paragone» (Letteratura) 26, n° 308 (1975), pp. 3-34.
R. Hollander, *Paradiso XXX*, in SD LX (1988 ma 1992), pp. 1-33.
S. Bellomo, in *L'Alighieri* XXXVII 1996, 8, pp. 41-55.
B. Nardi, *La dottrina dell'Empireo*, in *Saggi di filosofia dantesca*, pp. 167-214.

CANTO XXXI
F. Maggini, in LD, *Paradiso*, pp. 641-51.
G. Fallani, *Il canto XXXI del Paradiso*, Torino 1964.
C. Jannaco, in LC 1 (1966), pp. 109-20.
G. Petrocchi, in NLD VII, pp. 235-53.
M. Pecoraro, in LDM, *Paradiso*, pp. 251-78.

CANTO XXXII

G. Di Pino, in LD, *Paradiso*, pp. 655-72.

F. Montanari, in NLD VII, pp. 255-64.

L. Scorrano, in *L'Alighieri* XXXVII 1996, 7, pp. 19-36.

R. Stefanini, *Le tre Mariofanie del Paradiso*, in «Italica» 68 (1991), pp. 297-309.

B. Nardi, *I bambini nella candida rosa*, in *Nel mondo di Dante*, Roma 1944, pp. 317-34.

CANTO XXXIII

M. Casella, in LD, *Paradiso*, pp. 673-92.

M. Fubini, *L'ultimo canto del Paradiso*, in *Due studi danteschi*, Firenze 1951, pp. 55-103 (poi in *Il peccato di Ulisse e altri scritti danteschi*, Milano-Napoli 1966, pp. 101-36).

P. Boitani, *Il tragico e il sublime nella letteratura medievale*, Bologna 1992, pp. 315-50.

G. Fallani, in LCD, *Paradiso*, pp. 849-68.

P. Giannantonio, in LDN, *Paradiso*, pp. 679-705.

L'Indice registra i nomi propri di persona, di luogo e di popolo che appaiono nel testo delle 3 Cantiche; personaggi e luoghi sono registrati, con l'eccezione di Virgilio, anche quando siano indicati con perifrasi (come vas d'elezione, San Paolo, *o* vecchio padre di Ulisse, Laerte *ecc.). I nomi compaiono nell'Indice nella forma che hanno nel testo, mentre tra parentesi è data la forma moderna. Quando la differenza lo richieda, è posto un rinvio dall'una all'altra forma.*

Abate in San Zeno a Verona, (*Purg.*), XVIII 118

Abati, (*Inf.*), famiglia fiorentina, v. Bocca degli A.

Abbagliato (l'), (*Inf.*), Bartolomeo de' Folcacchieri detto l'A., XXIX 132

Abèl (Abele), (*Inf.*), figlio di Adamo, IV 56

Abido, (*Purg.*), città sull'Ellesponto, XXVIII 74

Abraàm (Abramo), (*Inf.*), patriarca biblico, IV 58

Absalone (Assalonne), (*Inf.*), figlio di David, XXVIII 137

Acàn, (*Purg.*), personaggio biblico, XX 109

Accorso (d') Francesco, (*Inf.*), giureconsulto, XV 110

Acheronte, fiume infernale, (*Inf.*), III 78; XIV 116; (*Purg.*), I 88; II 105; XXV 86

Achille, eroe greco, (*Inf.*), V 65; XII 71; XXVI 62; XXXI 5; (*Purg.*), IX 34; XXI 92

Achilleide, (*Purg.*), poema di Stazio, XXI 92-3

Achitofèl, (*Inf.*), consigliere di David, XXVIII 137

Acone, (*Par.*), in Val di Sieve, luogo d'origine dei Cerchi, XVI 65

Acone VII, (*Par.*), re di Norvegia, XIX 139

Acquacheta, (*Inf.*), affluente del Montone, XVI 97 sgg.

Acquasparta, (*Par.*), paese dell'Umbria, patria di Matteo d'A. (v.), XII 124

Acri (san Giovanni d'), (*Inf.*), città della Siria, XXVII 89

Adamo, il primo uomo secondo la Bibbia, (*Inf.*), III 115; IV 55; (*Purg.*), IX 10; XI 44; XXVIII 142; XXIX 86; XXXII 37; XXXIII 62; (*Par.*), VII 26, 86, 148; XIII 37, 82, 111; XXVI 83, 91-2, 100; XXXII 122, 136

Adamo, maestro, (*Inf.*), falsario, XXX 61, 104

Adice (Adige), fiume, (*Inf.*), XII 5; (*Purg.*), XVI 115; (*Par.*), IX 44

Adimari, (*Par.*), famiglia fiorentina, XVI 115-20

Adriano V (Ottobuono Fieschi), (*Purg.*), papa, XIX 79 sgg.

Adriano, lito, (*Par.*), v. Adriatico

Adriatico, mare, (*Inf.*), V 98; (*Purg.*), XIV 92; (*Par.*), XXI 123

Affricano, (*Purg.*), v. Scipione (Africano)

Africa, (*Purg.*), XXX 89; XXXI 72

Africano, (*Inf.*), v. Scipione

Agamennone, (*Par.*), eroe greco, V 69

Agapito I, papa, (*Par.*), VI 16

Agatone, (*Purg.*), poeta tragico greco, XXII 107

Aghinolfo da Romena, (*Inf.*), XXX 77

Aglauro, (*Purg.*), figlia di Cecrope re d'Atene, XIV 139

Agli, (*Inf.*), v. Lotto degli A.

Agnel (Agnolo) **Brunelleschi**, (*Inf.*), ladro fiorentino, XXV 68

Agobbio (Gubbio), (*Purg.*), città dell'Umbria, XI 80

Agostino (sant'), (*Par.*), dottore della Chiesa, X 120; XXXII 35

Agostino, (*Par.*), francescano, v. Augustino

Alagia Fieschi, (*Purg.*), nipote di Adriano V, XIX 142

Alagna (Anagni), cittadina del Lazio, (*Purg.*), XX 86; (*Par.*), XXX 148

Alardo (Erard di Valéry), (*Inf.*), consigliere di Carlo I d'Angiò, XXVIII 18

Alba (Alba Longa), (*Par.*), città del Lazio, VI 37

Alberichi (Alberighi), (*Par.*), famiglia fiorentina, XVI 89

Alberigo (frate) de' Manfredi, (*Inf.*), traditore, XXXIII 118

Albero (Alberto) **da Siena**, (*Inf.*), nobile senese, XXIX 109

Alberti (degli) Alberto, (*Inf.*), conte di Mangona, padre dei due seguenti, XXXII 57

Alberti (degli) Alessandro, (*Inf.*), XXXII 21, 55 sgg.

Alberti (degli) Napoleone, (*Inf.*), XXXII 21, 55 sgg.

Alberti (degli) Orso, (*Purg.*), dei conti di Mangona, VI 19

Alberto d'Austria, imperatore, (*Purg.*), VI 97; (*Par.*), XIX 115

Alberto della Scala, (*Purg.*), signore di Verona, XVIII 121

Alberto di Cologna (Alberto Magno), (*Par.*), teologo, dottore della Chiesa, santo, X 98

Albia (Elba), (*Purg.*), fiume della Germania, VII 99

Alboino della Scala, (*Par.*), signore di Verona, XVII 71 (v. Bartolomeo della Scala)

Alcide, (*Par.*), v. Ercole

Alderotto, (*Par.*), v. Taddeo d'Alderotto

Aldobrandesco Guiglielmo, (*Purg.*), conte di Santafiora, XI 59

Aldobrandesco Omberto (Umberto), (*Purg.*), figlio del precedente, XI 58 sgg.

Aldobrandi Tegghiaio degli Adimari, (*Inf.*), sodomita fiorentino, VI 79; XVI 41

Alepri, (*Par.*), famiglia fiorentina, XVI 127-9

Alessandria, (*Purg.*), città del Piemonte, VII 135

Alessandro da Romena, (*Inf.*), dei conti Guidi, XXX 77

Alessandro degli Alberti, (*Inf.*), v. Alberti

Alessandro di Fere, (*Inf.*), XII 107 (?)

Alessandro Magno, (*Inf.*), XII 107 (?); XIV 31

Alessandro Novello, (*Par.*), vescovo di Feltre, IX 52 sgg.

Alessio Interminelli, (*Inf.*), v. Interminei

Aletto, (*Inf.*), una delle Furie, IX 47

Alfonso III, (*Purg.*), re d'Aragona, VII 116

Alì, (*Inf.*), genero di Maometto, XXVIII 32

Alichino, (*Inf.*), demonio dei Malebranche, XXI 118; XXII 112

Alighieri, (*Par.*), famiglia, XV 138

Alighiero I, (*Par.*), figlio di Cacciaguida (v.), bisavolo di Dante, XV 91-4

Almeone (Alcmeone), figlio di Anfiarao, (*Purg.*), XII 50; (*Par.*), IV 103

Alpe, (*Inf.*), catena alpina, XX 62

Alpi, (*Par.*), VI 51

Altaforte (Hautefort), (*Inf.*), castello del Périgord, XXIX 29

Aman, (*Purg.*), personaggio biblico, XVII 26

Amata, (*Purg.*), moglie del re Latino, XVII 35

Amiclate, (*Par.*), pescatore della Beozia, XI 68

Amidei, (*Par.*), famiglia fiorentina, XVI 136

Amore, (*Purg.*), figlio di Venere, divinità mitologica, XXVIII 66; XXXI 117

Anagni, (*Purg.*), (*Par.*), v. Alagna

Anania, marito di Saffira, personaggio biblico, (*Purg.*), XX 112; (*Par.*), XXVI 12

Anassagora di Clazomene, (*Inf.*), filosofo greco, IV 137

Anastagi, (*Purg.*), famiglia ghibellina di Ravenna, XIV 107

Anastasio II, (*Inf.*), papa, XI 8

Anchise, padre di Enea, (*Inf.*), I 74; (*Purg.*) XVIII 137; (*Par.*), XV 25; XIX 132

Andalò, (*Inf.*), v. Loderingo degli A.

Andrea III, (*Par.*), re d'Ungheria, XIX 142-3

Anfiarao, uno dei sette che assediarono Tebe, (*Inf.*), XX 34; (*Par.*), IV 104

Anfione, (*Inf.*), poeta mitico, XXXII 11

Angeli, (*Par.*), terzo ordine della terza gerarchia angelica, XXVIII 126; XXXI 13 sgg.

Angiolello da Carignano, (*Inf.*), nobile di Fano, XXVIII 77

Anibàl o **Annibale**, condottiero cartaginese, (*Inf.*), XXXI 117; (*Par.*), VI 50

Anna (sant'), (*Par.*), madre di Maria Vergine, XXXII 133

Anna, (*Inf.*), suocero di Caifa, XXIII 121

Anselmo (sant'), d'Aosta, (*Par.*), arcivescovo di Canterbury, teologo, dottore della Chiesa, XII 137

Anselmuccio, (*Inf.*), nipote del conte Ugolino, XXXIII 50, 90

Antandro, (*Par.*), porto della Frigia, VI 67

Antenora, (*Inf.*), seconda zona di Cocito, XXXII 88

Antenori, (*Purg.*), i padovani, V 75

Anteo, (*Inf.*), gigante, XXXI 100, 113, 139; XXXII 17

Antifonte, (*Purg.*), poeta tragico greco, XXII 106

Antigone, (*Purg.*), figlia di Edipo, XXII 110

Antioco IV Epifane, (*Inf.*), re di Siria, XIX 87

Antonio (sant'), (*Par.*), eremita, XXIX 124

Anziani di Santa Zita, (*Inf.*), rettori di Lucca, XXI 38

Apennino o **Appennino**, la catena montuosa degli Appennini, (*Inf.*), XVI 96; (*Purg.*), V 96; XIV 32, 92; XXX 86; v. anche Pennino

Apocalisse, libro biblico, (*Inf.*), XIX 106; (*Purg.*), XXIX 105, 143; (*Par.*), XXV 94 sgg.

Apollo, dio del sole, (*Purg.*), XII 31; XX 132; (*Par.*), I 13 sgg.; XXIX 1

Apostoli, (*Purg.*), XXII 78; (*Par.*), XI 102; XXIII 74; XXV 33

Appennini, (*Par.*), catena montuosa, XXI 106

Aquario, (*Inf.*), costellazione, XXIV 2

Aquila, (*Purg.*), simbolo dell'Impero, XXXII 109 sgg., 125

Aquilone, (*Purg.*), vento settentrionale, IV 60; XXXII 99

Aquino, (*Par.*), paese del Lazio, X 99

Arabi, (*Par.*), VI 49

Arabia, (*Inf.*), deserto di, XXIV 90

Aracne (Aragne), mitica tessitrice della Lidia, (*Inf.*), XVII 18; (*Purg.*), XII 43

Aragona, (*Purg.*), regno, III 116

Arbia, (*Inf.*), fiume della Toscana, X 86

Arca (dell'), (*Par.*), famiglia fiorentina, XVI 92

Arcade, (*Par.*), figlio di Elice e di Giove, mutato nella costellazione di Boote, XXXI 33

Arcangeli, (*Par.*), secondo ordine della terza gerarchia angelica, XXVIII 124-6

Archiano, (*Purg.*), affluente dell'Arno, V 95, 125

Ardinghi, (*Par.*), famiglia fiorentina, XVI 93

Aretini, abitanti di Arezzo, (*Inf.*), XXII 5; (*Purg.*), XIV 46-8

Aretusa, (*Inf.*), ninfa mutata in fonte, XXV 97

Arezzo, (*Inf.*), XXIX 109

Argenti Filippo, (*Inf.*), nobile fiorentino, VIII 61

Argia, (*Purg.*), moglie di Polinice, XXII 110

Argo, (*Par.*), mitica nave, XXXIII 96

Argo, (*Purg.*), mitico pastore dai cento occhi, XXIX 95; XXXII 64-6

Argolica, gente (i Greci), (*Inf.*), XXVIII 84

Argonauti, (*Par.*), II 16; XXXIII 96

Arianna, figlia di Minosse, (*Inf.*), XII 20; (*Par.*), XIII 14

Ariete, segno dello Zodiaco, (*Purg.*), XXXII 53; v. anche Montone; (*Par.*), XXVIII 117; XXIX 2; v. anche Montone

Aristotele (**Aristotile**), filosofo greco, (*Inf.*), IV 131; (*Purg.*), III 43; (*Par.*), VIII 120; XXVI 38

Arli (Arles), (*Inf.*), città in Provenza, IX 112

Arnaut Daniel, (*Purg.*), poeta provenzale, XXVI 115, 142

Arno, fiume, (*Inf.*), XIII 146; XV 113; XXIII 95; XXX 65; XXXIII 83; (*Purg.*), V 122, 126; XIV 17, 24, 51; (*Par.*), XI 106

Aronta (Arunte), (*Inf.*), indovino etrusco, XX 46

Arpie, (*Inf.*), mostri mitologici, XIII 10, 101

Arrigo (forse Odarrigo dei Fifanti, fiorentino), (*Inf.*), VI 80

Arrigo Mainardi, (*Purg.*), signore di Bertinoro in Romagna, XIV 97

Arrigo (Enrico) **I**, (*Purg.*), re di Navarra, VII 104, 107-9

Arrigo (Enrico) **III**, (*Purg.*), re d'Inghilterra, VII 131

Arrigo (Enrico) **VI**, (*Par.*), imperatore, III 119

Arrigo (Enrico) **VII** di Lussemburgo, imperatore, (*Purg.*), VI 102; VII 96; (*Par.*), XVII 82; XXX 133 sgg.

Arrigucci, (*Par.*), famiglia fiorentina, XVI 108

Arrio (Ario), (*Par.*), eretico, XIII 127

Artù, (*Inf.*), re del ciclo bretone, XXXII 62

Arzanà (Arsenale) **de' Veneziani**, (*Inf.*), XXI 7

Ascesi (Assisi), (*Par.*), città dell'Umbria, XI 53

Asdente, (*Inf.*), calzolaio di Parma, XX 118

Asopo, (*Purg.*), fiume della Beozia, XVIII 91

Assiri, (*Purg.*), XII 59

Assuero, (*Purg.*), biblico re di Persia, XVII 28

Atamante, (*Inf.*), re di Orcomeno in Beozia, XXX 4

Atene, (*Inf.*), XII 17; (*Purg.*), VI 139; XV 97; (*Par.*), XVII 46

Atropòs, (*Inf.*), una delle Parche, XXXIII 126

Attila, (*Inf.*), re degli Unni, XII 134; XIII 149

Augusta, (*Par.*), appellativo di Maria Vergine, XXXII 119

Augustino, (*Par.*), d'Assisi, francescano, XII 130

Augusto, imperatore romano, (*Inf.*), I 71; (*Purg.*), VII 6; XXIX 116

Augusto, (*Inf.*), XIII 68; v. Federico II di Svevia

Augusto, (*Par.*), v. Ottaviano Augusto

Aulide, (*Inf.*), porto della Beozia, XX 111

Aurora, (*Purg.*), mitica sposa di Titone, II 8; IX 1 sgg.

Ausonia (Italia), (*Par.*), VIII 61

Austria, (*Inf.*), v. Osterlicchi

Austro, (*Purg.*), vento meridionale, XXXI 72; XXXII 99

Avellana, (*Par.*), v. Fonte Avellana

Aventino, (*Inf.*), colle romano, XXV 26

Averoìs (Averroè), (*Inf.*), filosofo arabo, IV 144

Avicenna, (*Inf.*), filosofo arabo, IV 143

Azzo (Azzone) **VIII d'Este**, (*Inf.*), XII 112; (*Purg.*), V 77; XX 80

Azzo degli Ubaldini, (*Purg.*), signore in Romagna, XIV 105

Azzolino (Ezzelino) **II** da Romano, (*Par.*), IX 31

Azzolino (Ezzelino) **III da Romano**, (*Inf.*), XII 110; (*Par.*), IX 29

Babele, torre di, (*Purg.*), XII 34; (*Par.*), XXVI 125

Babillòn (Babilonia), (*Par.*), per 'vita terrena', XXIII 135

Bacchiglione, fiume del Veneto, (*Inf.*), XV 113; (*Par.*), IX 46-7

Bacco, dio del vino, (*Purg.*), XVIII 93; (*Par.*), XIII 25

Baco (Bacco), (*Inf.*), dio del vino, protettore di Tebe, XX 59

Badia, (*Par.*), chiesa fiorentina, XV 97-8

Bagnacaval (Bagnacavallo), (*Purg.*), cittadina della Romagna (sta per la famiglia dei Malvicini), XIV 115

Bagnoregio (Bagnorea), (*Par.*), presso il lago di Bolsena, patria di san Bonaventura, XII 128

Baldo d'Aguglione, (*Par.*), giurista fiorentino, XVI 56

Barbagia, (*Purg.*), regione della Sardegna, XXIII 94, 96

Barbari, (*Par.*), XXXI 31

Barbariccia, (*Inf.*), demonio dei Malebranche, XXI 120; XXII 29, 59, 145

Barbarossa, (*Purg.*), v. Federigo I

Bari, (*Par.*), VIII 62

Barone, (*Par.*), v. Ugo di Brandeburgo

Bartolomeo della Scala, (*Par.*), signore di Verona, XVII 70-5 (v. anche Alboino della Scala)

Bartolomeo Pignatelli, (*Purg.*), arcivescovo di Cosenza (*il pastor di Cosenza*), III 124

Barucci, (*Par.*), famiglia fiorentina, XVI 104

Batista (san Giovanni Battista), patrono di Firenze, (*Inf.*), XIII 143; XXX 74; (*Purg.*), XXII 152; (*Par.*), IV 29; XVI 47; XVIII 134; XXXII 31

Batisteo, (*Par.*), v. San Giovanni

Beatrice, (*Inf.*), II 53, 70, 76, 103; X 63, 131; XII 88; XV 90; (*Purg.*), VI 46; XV 77; XVIII 48, 73; XXIII 128; XXVII 36, 53; XXX 73; XXXI 80, 107, 114, 133; XXXII 36, 85, 106; XXXIII 4; (*Par.*), I 46, 64; II 22; III 127; IV 13, 139; V 16, 85, 122; VII 16; IX 16; X 37, 52, 60; XI 11; XIV 8, 79; XV 70; XVI 13; XVII 5, 30; XVIII 17, 53; XXI 63; XXII 125; XXIII 19, 34, 76; XXIV 10, 22, 55; XXV 28, 137; XXVI 77; XXVII 34, 102; XXIX 8; XXX 14, 128; XXXI 59, 66, 76; XXXII 9; XXXIII 38

Beatrice, (*Purg.*), figlia di Carlo II d'Angiò e moglie di Azzo VIII d'Este, XX 80

Beatrice, (*Purg.*), figlia di Obizzo II d'Este, moglie di Nino Visconti, VIII 73

Beatrice, figlia di Raimondo Beringhieri e moglie di Carlo I d'Angiò, (*Purg.*), VII 128; (*Par.*), VI 133

Beccheria, (*Inf.*), v. Tesauro di B.

Becchi, (*Inf.*), famiglia; v. Buiamonte Giovanni

Beda, (*Par.*), il Venerabile, dottore della Chiesa, X 131

Belacqua, (*Purg.*), liutaio fiorentino, IV 123

Belisar (Belisario), (*Par.*), generale di Giustiniano, VI 25

Bella (della), (*Par.*), famiglia fiorentina, XVI 127-9

Bellincion Berti, (*Par.*), nobile fiorentino, XV 122; XVI 99

Belo, (*Par.*), padre di Didone, IX 97

Belzebù (Lucifero), (*Inf.*), XXXIV 127

Benaco (lago di Garda), (*Inf.*), XX 63, 74, 77

Benedetto da Norcia (san), (*Par.*), XXII 40; XXXII 35

Benevento, (*Purg.*), città della Campania, III 128

Benincasa da Laterina, (*Purg.*), giureconsulto aretino, VI 13

Bergamaschi, (*Inf.*), XX 71

Beringhieri, (*Par.*), v. Raimondo Beringhieri

Bernardin di Fosco, (*Purg.*), gentiluomo di Faenza, XIV 101

Bernardo da Chiaravalle (san), (*Par.*), XXXI 59, 94, 102, 110, 139; XXXII 1, 107, 109; XXXIII 41, 49

Bernardo da Quintavalle, (*Par.*), francescano, XI 79

Bernardone, (*Par.*), v. Pietro Bernardone

Berta, (*Par.*), donna qualunque per antonomasia, XIII 139

Berti, (*Par.*), famiglia fiorentina; v. Bellincion Berti

Bertinoro, (*Purg.*), v. Bretinoro

Bertram dal Bornio, (*Inf.*), poeta provenzale, XXVIII 134

Bianchi, fazione politica, (*Inf.*), VI 65; XV 71; XXIV 150; (*Par.*), XVII 52, 62-9

Bilance, (*Purg.*), costellazione dello Zodiaco, II 5; v. anche Libra

Bindo, (*Par.*), nome diffuso in Firenze, XXIX 103

Bisenzo (Bisenzio), (*Inf.*), affluente dell'Arno, XXXII 56

Bismantova, (*Purg.*), monte dell'Emilia, IV 26

Bocca degli Abati, (*Inf.*), fiorentino, traditore, XXXII 106

Boemia, (*Purg.*), VII 98; (*Par.*), XIX 117, 125

Boezio, (*Par.*), filosofo e teologo, X 124-9

Bologna, (*Inf.*), XXIII 142; (*Purg.*), XIV 100

Bolognesi, (*Inf.*), XVIII 58 sgg.; XXIII 103

Bolsena, (*Purg.*), lago di, XXIV 24

Bonacolsi, (*Inf.*), v. Pinamonte dei B.

Bonagiunta Orbicciani da Lucca, (*Purg.*), poeta, XXIV 19, 34 sgg.

Bonatti Guido, (*Inf.*), astrologo, XX 118

Bonaventura da Bagnoregio (san), (*Par.*), teologo, dottore della Chiesa, XII 29 sgg., 127

Bonconte (Buonconte) **da Montefeltro**, (*Purg.*), capitano di parte ghibellina, figlio di Guido, V 85 sgg.

Bonifazio dei Morubaldini, (*Par.*), giurista fiorentino, XVI 56-7

Bonifazio Fieschi, (*Purg.*), arcivescovo di Ravenna, XXIV 29

Bonifazio (o Bonifacio) **VIII**, papa, (*Inf.*), XV 112; XIX 53; XXVII 70, 85; (*Purg.*), XX 87; (*Par.*), XVII 49; XXVII 22; XXX 148

Bonturo Dati, (*Inf.*), barattiere lucchese, XXI 41

Boote, (*Par.*), costellazione, XXXI 33; v. anche Arcade

Borea, (*Par.*), vento del Nord, XXVIII 81

Borgo SS. Apostoli, (*Par.*), rione fiorentino, XVI 134

Bornio (dal), (*Inf.*), v. Bertram dal B.

Borsiere Guglielmo, (*Inf.*), fiorentino, cavaliere, XVI 70

Bostichi, (*Par.*), famiglia fiorentina, XVI 93

Brabante, (*Purg.*), v. Maria di Brabante

Branca Doria, (*Inf.*), nobile genovese, XXXIII 137, 140, 155

Brandizio (Brindisi), (*Purg.*), città della Puglia, III 27

Brenno, (*Par.*), capo dei Galli, VI 44

Brenta, fiume del Veneto, (*Inf.*), XV 7; (*Par.*), IX 27

Brescia, (*Inf.*), XX 68

Bresciani, (*Inf.*), XX 71

Bretinoro (Bertinoro), (*Purg.*), cittadina della Romagna, XIV 112

Briareo, gigante mitologico, (*Inf.*), XXXI 98; (*Purg.*), XII 28

Brigata (il), (*Inf.*), Nino o Ugolino, nipote del conte Ugolino, XXXIII 89

Brindisi, (*Purg.*), v. Brandizio

Brisso, (*Par.*), filosofo greco, XIII 125

Bruggia (Bruges), città delle Fiandre, (*Inf.*), XV 4; (*Purg.*), XX 46

Brunelleschi, (*Inf.*), v. Agnel B.

Brunetto Latino (Latini), (*Inf.*), scrittore e uomo politico fiorentino, XV 30, 32, 101

Bruto, Lucio Giunio, primo console romano, (*Inf.*), IV 127

Bruto, Marco Giunio, uno degli uccisori di Cesare, (*Inf.*), XXXIV 65; (*Par.*), VI 74

Bucoliche, (*Purg.*), opera di Virgilio, XXII 57

Buemme, (*Par.*), v. Boemia

Buggea (Bùgia), (*Par.*), città dell'Algeria, IX 91-2

Buiamonte Giovanni dei Becchi, (*Inf.*), fiorentino, usuraio, XVI-II 72

Bulicame, (*Inf.*), laghetto di acque termali presso Viterbo, XIV 79

Buondelmonte dei Buondelmonti, (*Par.*), nobile fiorentino, XVI 140

Buondelmonti, (*Par.*), famiglia fiorentina, XVI 66, 135

Buoso da Duera, (*Inf.*), cremonese, traditore, XXXII 106, 114, 116

Buoso (Donati?), (*Inf.*), fiorentino, ladro, XXV 140

Buoso Donati, (*Inf.*), di Vinciguerra, fiorentino, XXX 44

Caccia d'Asciano, (*Inf.*), senese, XXIX 131

Cacciaguida, (*Par.*), trisavolo di Dante, XV 28, 97, 135, 145; XVI 22, 28 sgg.; XVII 5, 28, 35, 101, 121; XVIII 2, 25, 28, 50

Caccianemico Venedico, (*Inf.*), bolognese, ruffiano, XVIII 50

Caco, (*Inf.*), centauro, figlio di Vulcano, XXV 25

Cacume, (*Purg.*), cima dei monti Lepini, IV 26.

Cadice, (*Par.*), v. Gade

Cadmo, (*Inf.*), mitico fondatore di Tebe, XXV 97

Cagnano, (*Par.*), fiume veneto, IX 49

Cagnazzo, (*Inf.*), demonio dei Malebranche, XXI 119; XXII 106, 120

Caifàs (Caifa), (*Inf.*), pontefice ebreo, XXIII 115

Caina, (*Inf.*), prima zona di Cocito, V 107; XXXII 58

Caino, biblico figlio di Adamo e fratello di Abele, (*Inf.*), XX 126; (*Purg.*), XIV 133; (*Par.*), II 51

Calaroga (Calahorra, in Castiglia), (*Par.*), patria di san Domenico, XII 52

Calboli (da), (*Purg.*), casata romagnola, XIV 89; v. Fulcieri da C. e Rinieri da C.

Calcabrina, (*Inf.*), demonio dei Malebranche, XXI 118; XXII 133

Calcanta (Calcante), (*Inf.*), augure greco, XX 110

Calfucci, (*Par.*), famiglia fiorentina, XVI 106

Caliopè (Calliope), (*Purg.*), una delle nove Muse, I 9

Calisto I, (*Par.*), papa, XXVII 44

Camaldoli (eremo di), (*Purg.*), v. Eremo

Camino (da), (*Purg.*), nobile famiglia della Marca Trevigiana; v. Gaia da C. e Gherardo da C.

Camiscion (Alberto detto Camicione)

de' Pazzi, (*Inf.*), traditore, XXXII 68

Cammilla (Camilla), (*Inf.*), giovane guerriera dell'*Eneide*, I 107; IV 124

Campagnatico, (*Purg.*), castello nel territorio senese, XI 66

Campaldino, (*Purg.*), pianura del Casentino, V 92

Campi, (*Par.*), paese presso Firenze, XVI 50

Campo Piceno, (*Inf.*), il territorio pistoiese, XXIV 148

Canavese, (*Purg.*), territorio del Marchesato di Monferrato, VII 136

Cancellieri, (*Inf.*), v. Focaccia dei C.

Cancro, (*Par.*), costellazione, XXV 101

Cangrande della Scala, (*Par.*), signore di Verona, IX 46-8; XVII 76 sgg.

Cantico dei Cantici, (*Purg.*), libro biblico, XXX 10, 17

Caorsa (Cahors), (*Inf.*), città francese, XI 50

Caorsini, (*Par.*), abitanti di Cahors, in Francia; con allusione al papa Giovanni XXII, XXVII 58

Capaneo, (*Inf.*), uno dei sette a Tebe, XIV 63; XXV 15

Capetingi, (*Purg.*), discendenti di Ugo Capeto re di Francia, XX 43 sgg.

Capeto, (*Purg.*), v. Ciappetta

Capocchio, (*Inf.*), senese, alchimista, XXIX 136; XXX 28

Caponsacco (Caponsacchi), (*Par.*), famiglia fiorentina, XVI 121

Cappelletti, (*Purg.*), famiglia guelfa di Cremona, VI 106

Capraia, (*Inf.*), isoletta del Tirreno, XXXIII 82

Capricorno, segno zodiacale, (*Purg.*), II 57; (*Par.*), XXVII 69

Caprona, (*Inf.*), castello del Pisano, XXI 95

Cardinale (il), (*Inf.*), per antonomasia; v. Ubaldini Ottaviano, X 120

Carentana, (*Inf.*), il ducato di Carinzia, XV 9

Cariddi, (*Inf.*), vortice sottomarino nello stretto di Messina, VII 22

Carignano, (*Inf.*), v. Angiolello da C.

Carisenda, (*Inf.*), v. Garisenda

Carità, (*Par.*), una delle tre virtù teologali, III 43, 71, 77; V 105, 118; XXI 70; XXIII 32; XXVI 7-66; XXXI 49

Carlino de' Pazzi, (*Inf.*), di Valdarno, traditore, XXXII 69

Carlo di Lorena, (*Purg.*), XX 54

Carlo di Valois, (*Purg.*), XX 71 sgg.

Carlo I d'Angiò, re di Napoli, (*Inf.*), XIX 99; (*Purg.*), VII 113, 124, 127; XI 137; XX 67-9; (*Par.*), VIII 72(?)

Carlo II d'Angiò, re di Napoli, (*Par.*), V 69; VII 127; XX 79; (*Par.*), VI 106; VIII 72 (?); XIX 127; XX 63

Carlo Magno, imperatore, (*Inf.*), XXXI 17; (*Par.*), VI 96; XVIII 43

Carlo Martello, (*Par.*), figlio di Carlo II d'Angiò, VIII 31, 55, 64; IX 1

Carnaro (Quarnaro), (*Inf.*), golfo dell'Adriatico, IX 113

Carolingi, (*Par.*), XX 53

Caron (Caronte), (*Inf.*), mitico nocchiero dell'Acheronte, III 83, 94, 98, 109, 128

Carpigna, (*Purg.*), v. Guido da Carpigna

Carrarese (il), (*Inf.*), gli abitanti di Carrara, XX 48

Carro, la costellazione dell'Orsa Maggiore, (*Inf.*), XI 114; (*Purg.*), I 30; XXX 5; v. anche Orse; (*Par.*), XIII 7

Cartaginesi, (*Par.*), v. Arabi

Casale, (*Par.*), città del Monferrato; con allusione a Ubertino da Casale, XII 124

Casalodi, (*Inf.*), Alberto da, XX 95

Casella, (*Purg.*), musico, II 76 sgg.

Casentinesi, (*Purg.*), XIV 43-4

Casentino, l'alta valle dell'Arno, (*Inf.*), XXX 65; (*Purg.*), V 94, 115; XIV 43-5

Cassero (del) Guido, (*Inf.*), nobile di Fano, XXVIII 77

Cassero, (*Purg.*), v. Iacopo del Cassero

Cassino, (*Par.*), paese sotto il monte Cairo, XXII 37

Cassio Longino, uno degli uccisori di Cesare, (*Inf.*), XXXIV 67; (*Par.*), VI 74

Castalia, (*Purg.*), fonte del monte Parnaso, XXII 65; XXXI 141

Castello (il), (*Inf.*), Castel Sant'Angelo in Roma, XVIII 32

Castello, (*Purg.*), v. Guido da Castello

Castiglia, (*Par.*), regno della Spagna, XII 53-4

Castore, (*Purg.*) fratello di Polluce e con questi formante la costellazione dei Gemelli, IV 61

Castrocaro, (*Purg.*), cittadina della Romagna (sta per i conti di C.), XIV 116

Catalano de' Malavolti, (*Inf.*), bolognese, frate godente, XXIII 104, 114

Catalogna, (*Par.*), regione della Spagna, VIII 77

Catellini, (*Par.*), famiglia fiorentina, XVI 88

Catona, (*Par.*), paese della Calabria, VIII 62

Catone, Marco Porcio, detto l'Uticense, (*Inf.*), XIV 15; (*Purg.*), I 31 sgg.; II 119

Catria, (*Par.*), monte dell'Appennino umbro, XXI 109

Cattolica (La), (*Inf.*), cittadina sull'Adriatico, XXVIII 80

Cavalcanti (de') Gianni Schicchi, (*Inf.*), v. Gianni Schicchi

Cavalcanti Cavalcante, (*Inf.*), nobile fiorentino, padre di Guido C., X 53

Cavalcanti Francesco, (*Inf.*), ladro fiorentino, XXV 151

Cavalcanti Guido, poeta, (*Inf.*), X 60, 63, 111; (*Purg.*), XI 97

Cavalieri di Santa Maria, (*Inf.*), v. Frati Godenti

Cecilio Stazio, (*Purg.*), poeta comico latino, XXII 98

Cecina, (*Inf.*), località della Maremma, XIII 9

Cefàs, (*Par.*), XXI 127; v. anche Pietro (san)

Celestino V, (*Inf.*), papa (Pietro da Morrone), III 59 sgg., XXVII 105

Cenìt (Zenit), (*Par.*), XXIX 4

Centauri, esseri mitici con membra umane ed equine, custodi infernali, (*Inf.*), XII 56; XXV 17; (*Purg.*), XXIV 121

Ceperano (Ceprano), (*Inf.*), località sul Liri, XXVIII 16

Cerbero, (*Inf.*), mitico cane a tre teste, custode infernale, VI 13, 22, 32; IX 98

Cerchi, (*Par.*), famiglia fiorentina, XVI 65, 94-6

Cerere, (*Purg.*), dea delle messi, madre di Proserpina, XXVIII 51

Certaldo, (*Par.*), paese della Valdelsa, XVI 50

Cervia, (*Inf.*), cittadina della Romagna, XXVII 42

Cesare, titolo imperiale, (*Purg.*), VI 92, 114; (*Par.*), I 29; VI 10, 86; XVI 59

Cesare, Caio (Gaio) Giulio, (*Inf.*), I 70; IV 123; XXVIII 98; (*Purg.*), XVIII 101; XXVI 77; (*Par.*), VI 57; XI 69

Cesena, (*Inf.*), città della Romagna, XXVII 52

Cherubini, (*Par.*), secondo ordine della prima gerarchia angelica, XXVIII 99

Chiana, fiume tra Arezzo e Chiusi, (*Inf.*), XXIX 47; (*Par.*), XIII 23

Chiara d'Assisi (santa), (*Par.*), III 98-9

Chiaramontesi, (*Purg.*), famiglia fiorentina, XII 105

Chiascio, (*Par.*), fiume dell'Umbria, XI 43

Chiassi (Classe), (*Purg.*), antico porto presso Ravenna, XXVIII 20

Chiaveri (Chiavari), (*Purg.*), cittadina della Liguria, XIX 100

Chiesa Romana, (*Purg.*), III 137; XVI 127; XXIV 22; XXXII 115 sgg.; XXXIII 44; (*Par.*), IV 46; V

35, 77; VI 22, 95; IX 133 sgg.; X 108, 139 sgg.; XI 31; XII 86, 88; XVIII 132; XXII 82; XXV 52; XXVII 40 sgg.; XXXI 3; XXXII 125, 128

Chirone (Chirón), centauro educatore di Achille, (*Inf.*), XII 65, 71, 77, 79; (*Purg.*), IX 37

Chiusi, (*Par.*), città della Toscana, XVI 75

Ciacco, (*Inf.*), fiorentino, goloso, VI 52, 58

Ciampolo (Jean Paul), (*Inf.*), barattiere navarrese, XXII 32, 44, 47, 48, 77 sgg.

Cianfa (de') Donati, (*Inf.*), fiorentino, ladro, XXV 43

Cianghella, (*Par.*), della Tosa, XV 128

Ciappetta (Capeto) Ugo, (*Purg.*), re di Francia, XX 43, 49 sgg.

Cicerone, (*Inf.*), v. Tulio

Cicilia (Sicilia), (*Inf.*), XII 108; (*Purg.*), III 116; (*Par.*), VIII 67; XIX 131 sgg.; XX 62 sgg.

Ciclopi, (*Inf.*), mitici aiutanti di Vulcano, XIV 55

Cieldauro, (*Par.*), chiesa di S. Pietro in Pavia, X 128

Cimabue, (*Purg.*), Cenni di Pepo detto, pittore, XI 94

Cincinnato, (*Par.*), cittadino dell'antica Roma, VI 46; XV 129

Cinira, (*Inf.*), re di Cipro, padre di Mirra, XXX 39 sgg.

Cinquecento diece e cinque, (*Purg.*), 'messo di Dio', XXXIII 43

Ciotto di Gerusalemme (il), (*Par.*), v. Carlo II d'Angiò

Cipri (Cipro), isola del Mediterraneo, (*Inf.*), XXVIII 82; (*Par.*), XIX 145-7

Ciprigna, (*Par.*), Venere, VIII 2

Circe, la maga figlia del Sole, (*Inf.*), XXVI 91; (*Purg.*), XIV 42

Ciriatto, (*Inf.*), demonio dei Malebranche, XXI 122; XXII 55

Ciro, (*Purg.*), re di Persia, XII 56

Cirra, (*Par.*), il giogo di Parnaso sacro al dio Apollo, I 17

Citerea, (*Purg.*), v. Venere, pianeta

Clemente IV, (*Purg.*), papa, III 125

Clemente V, papa, (*Inf.*), XIX 82 sgg.; (*Par.*), XVII 82; XXVII 58; XXX 142 sgg.

Clemenza, (*Par.*), moglie di Carlo Martello, IX 1

Cleopatra (Cleopatràs), regina d'Egitto, (*Inf.*), V 63; (*Par.*), VI 76

Cleto, (*Par.*), papa, XXVII 41

Climenè (Climene), (*Par.*), madre di Fetonte, XVII 1

Cliò, (*Purg.*), una delle Muse, XXII 58

Cloto, (*Purg.*), una delle Parche, XXI 27

Clugnì (Cluny), (*Inf.*), monastero benedettino in Borgogna, XXIII 63

Cocito, (*Inf.*), fiume infernale, XIV 119; XXXI 123; XXXIII 156; XXXIV 52

Colchi, (*Inf.*), abitanti della Colchide, XVIII 87

Colco (Colchide), (*Par.*), regione raggiunta dagli Argonauti, II 16

Colle (Colle Val d'Elsa), (*Purg.*), castello del senese, XIII 115

Cologna (Colonia), (*Par.*), città tedesca, X 99

Colonne d'Ercole, (*Inf.*), XXVI 107 sgg.

Colonnesi, (*Inf.*), nobile famiglia romana, XXVII 86

Coluro equinoziale, (*Par.*), I 39

Conio (Cunio), (*Purg.*), castello di Romagna (sta per i conti di C.), XIV 116

Conte Guido, (*Par.*), dei Conti Guidi, XVI 98

Conti, (*Par.*), per antonomasia: i Conti Guidi, XVI 64

Corneto, (*Inf.*), cittadina della Maremma, l'attuale Tarquinia, XII 137; XIII 9

Corniglia (Cornelia), madre dei Gracchi, (*Inf.*), IV 128; (*Par.*), XV 129

Corno, (*Par.*), la costellazione dell'Orsa Minore, XIII 10-2

Corno della Capra, (*Par.*), v. Capricorno

Coro, (*Inf.*), maestrale, vento di nord-ovest, XI 114

Corona, (*Par.*), costellazione, XIII 13-5

Corradino di Svevia, (*Purg.*), v. Curradino di Svevia

Corrado, (*Par.*), v. Currado III

Corsi, (*Purg.*), abitanti della Corsica, XVIII 81

Corso Donati, fiorentino, capo dei Neri, (*Purg.*), XXIV 82 sgg.; (*Par.*), III 106

Cosenza, (*Purg.*), città della Calabria, III 124

Costantino, imperatore, (*Inf.*), XIX 115; XXVII 94; (*Purg.*), XXXII 125; (*Par.*), VI 1; XX 55, 57

Costantinopoli, (*Par.*), VI 5

Costanza d'Altavilla, imperatrice, madre di Federico II di Svevia, (*Purg.*), III 113; (*Par.*), III 118; IV 98

Costanza, (*Purg.*), regina d'Aragona, figlia di Manfredi, III 115, 143; VII 129

Crasso, Marco Licinio, (*Purg.*), il triumviro, XX 116

Creta, (*Inf.*), isola del Mediterraneo, XII 12; XIV 95

Creusa, (*Par.*), prima moglie di Enea, IX 98

Crisostomo, (*Par.*), san Giovanni

d'Antiochia, uno dei Padri della Chiesa, XII 136-7

Cristallino, (*Par.*), cielo; v. Primo Mobile

Cristiani, (*Par.*), V 73; XII 37, 41; XIX 109; XXVII 48, 51

Cristo, (*Inf.*), (*Purg.*), (*Par.*), v. Gesù Cristo

Croazia, (*Par.*), terra lontana per antonomasia, XXXI 103

Cunizza da Romano, (*Par.*), sorella di Ezzelino III, IX 13 sgg.

Cupido, figlio di Venere, (*Purg.*), v. Amore; (*Par.*), VIII 7

Curiazi, (*Par.*), i tre fratelli avversari degli Orazi, VI 37-9

Curio (Curione), (*Inf.*), tribuno romano, XXVIII 93 sgg., 102

Curradino (Corradino) **di Svevia**, (*Purg.*), XX 68

Currado (Corrado) **da Palazzo**, (*Purg.*), conte bresciano, XVI 124

Currado (Corrado) **Malaspina**, (*Purg.*), v. Malaspina Currado

Currado III di Svevia, (*Par.*), imperatore, XV 139-40

Dafne, (*Par.*), v. Peneia

Damiano, (*Par.*), v. Pietro Damiano

Damiata (Damietta), (*Inf.*), città dell'Egitto, XIV 104

Daniele (Daniello), (*Par.*), profeta biblico, IV 13; XXIX 134

Daniello (Daniele), (*Purg.*), profeta biblico, XXII 146

Danoia, (*Inf.*), il fiume Danubio, XXXII 26

Dante, (*Purg.*), XXX 55

Danubio, (*Par.*), fiume, VIII 65

David (**Davide**, **Davìd**), biblico re d'Israele, (*Inf.*), IV 58; XXVIII 138; (*Purg.*), X 65; (*Par.*), XX 38; XXV 72; XXXII 11

Deci, (*Par.*), eroi romani, VI 47

Dedalo, mitico costruttore del Labirinto, (*Inf.*), XVII 111; XXIX 116; (*Par.*), VIII 125 sgg.

Deianira, (*Inf.*), moglie di Ercole, XII 68

Deidamia, figlia di Licomede re di Sciro, amata da Achille, (*Inf.*), XXVI 62; (*Purg.*), XXII 114

Deifile, (*Purg.*), moglie di Tideo, XXII 110

Delfica deità, (*Par.*), v. Apollo

Delia, (*Purg.*), nome mitologico della luna, XXIX 78

Delo, (*Purg.*), isola dell'Egeo, XX 130

Democrito di Abdera, (*Inf.*), filosofo greco, IV 136

Demofoonte, (*Par.*), amato da Fillide, IX 101

Diana, dea, figlia di Latona e sorella di Apollo, (*Purg.*), XX 132; XXV

131; (*Par.*), X 67; XXII 139; XXIII 26; XXIX 1

Diana, (*Purg.*), favoleggiato fiume sotterraneo di Siena, XIII 153

Dïascoride (Dioscoride) di Cilicia, (*Inf.*), medico e filosofo, IV 140

Diavolo, (*Purg.*), V 104 sgg.

Dido (Didone), regina di Cartagine, (*Inf.*), V 61, 85; (*Par.*), VIII 9; IX 97

Dio, (*Purg.*), II 29, 123; III 36, 120, 122, 126; IV 129, V 56, 104; VI 42, 93; VII 5, 26; VIII 66; IX 104, 140; X 108; XI 1, 71; XIII 117, 122, 124; XV 67; XVI 18, 40, 89, 108, 123, 141; XVII 91, 102; XIX 63, 76, 92, 113; XXI 13, 20; XXII 66; XXIII 58, 74, 81, 91; XXV 70; XXVII 6, 24; XXVIII 91, 125; XXX 142; XXXI 23; XXXIII 36, 44, 59, 71; (*Par.*), I 74, 107, 121; II 29, 42; III 32, 84, 86, 90, 108; IV 45, 96, 116, 118, 125; V 8, 19, 27; VI 4, 23, 88, 111, 121; VII 30, 31, 35, 47, 56, 64, 80, 91, 103, 109, 115, 119, 143; VIII 90, 97, 101; IX 8, 62, 73, 105; X 3, 50, 53, 56, 140; XI 20, 28; XII 17, 93, 132; XIII 33, 45, 79, 80, 86; XIV 47, 89, 96; XV 29, 50, 74, 76; XVI 143; XVII 17, 33; XVIII 4, 105, 129; XIX 29, 64, 86; XX 110, 122, 134, 138; XXI 87, 114; XXII 80, 83, 95, 124; XXIII 114, 137; XXIV 4, 9, 113, 130, 140; XXV 11, 41, 54, 63, 72, 74, 90; XXVI 16, 17, 38, 40, 48, 56, 65, 83, 106, 109, 134, 136; XXVII 1, 24, 57, 61, 105; XXVIII 41, 95, 128; XXIX 21, 28, 77, 136; XXX 52, 97, 101, 122, 126, 145; XXXI 28, 107; XXXII 61, 93, 113, 142; XXXIII 5, 27, 40, 43, 67, 81, 83, 116, 124, 145

Dïogenès (Diogene), (*Inf.*), filosofo greco, IV 137

Diomede, (*Inf.*), eroe greco, XXVI 56

Dione, (*Par.*), madre di Venere, VIII 7, 8; XXII 139

Dionisio, (*Inf.*), tiranno di Siracusa, XII 107

Dionisio l'Agricola, (*Par.*), re del Portogallo, XIX 139

Dionisio (Dionigi) **pseudo-Areopagita**, (*Par.*), teologo mistico, X 115 sgg.; XXVIII 130

Dite (**città di**), (*Inf.*), la regione del basso inferno, VIII 68

Dite (Lucifero), (*Inf.*), re dell'inferno, XI 65; XII 39; XXXIV 20, 28; v. anche Lucifero

Doagio (Douai), (*Purg.*), città nelle Fiandre, XX 46

Dolcino Tornielli, (*Inf.*), scismatico, XXVIII 55

Domenico (san), (*Par.*), X 95; XI 38; XII 31 sgg.

Dominazioni, (*Par.*), primo ordine

della seconda gerarchia angelica, XXVIII 122

Domizian (Domiziano), (*Purg.*), imperatore, XXII 83

Don, (*Inf.*), fiume, v. Tanai

Donati, (*Purg.*), famiglia fiorentina; v. Corso D., Forese D., Piccarda D.; (*Par.*), XVI 106

Donati Buoso, (*Inf.*), v. Buoso D.

Donati Cianfa, (*Inf.*), v. Cianfa D.

Donato (Elio Donato), (*Par.*), grammatico, XII 137

Doria, (*Inf.*), v. Branca D.

Douai, (*Purg.*), v. Doagio

Draghignazzo, (*Inf.*), demonio dei Malebranche, XXI 121; XXII 73

Duca d'Atene, (*Inf.*), v. Tesëo

Duera (Dovera o Dovara), (*Inf.*), XXXII 116

Durazzo, (*Par.*), città greca, VI 65

Ebree, (*Par.*), donne, nella candida rosa, XXXII 17

Ebrei, popolo, (*Purg.*), IV 83; XVIII 134; XXIII 29; XXIV 124; (*Par.*), V 49-50, 81; VII 47; XXIX 102; XXXII 132

Ebro, (*Purg.*), (*Par.*), v. Ibero

Eclittica, (*Par.*), I 39; X 14

Eco, (*Par.*), ninfa, XII 14

Ecuba, (*Inf.*), moglie di Priamo, XXX 16

Edoardo I, (*Purg.*), re d'Inghilterra, VII 132

Edoardo II, (*Purg.*), re d'Inghilterra, XIX 122

Egidio, d'Assisi, (*Par.*), francescano, XI 83

Egina, (*Inf.*), isoletta dell'Egeo, XXIX 59

Egitto, (*Purg.*), II 46; (*Par.*), XXV 55

El, (*Par.*), nome ebraico di Dio, XXVI 136

Elba, (*Purg.*), v. Albia

Elena, (*Inf.*), moglie di Menelao re di Sparta, V 64

Eleonora, (*Par.*), figlia di Raimondo Beringhieri e moglie di Arrigo III d'Inghilterra, VI 133

Elesponto (Ellesponto), (*Purg.*), lo stretto dei Dardanelli, XXVIII 71

Eletra (Elettra), (*Inf.*), madre di Dardano fondatore di Troia, IV 121

Elia, profeta biblico, (*Inf.*), XXVI 35; (*Purg.*), XXXII 80

Elice, ninfa amata da Giove, trasformata nell'Orsa Maggiore, (*Purg.*), XXV 131; (*Par.*), XXXI 32 sgg.

Elicona, (*Purg.*), giogo di Parnaso, XXIX 40

Eliodoro, (*Purg.*), tesoriere del re Seleuco IV di Siria, XX 113

Eliòs (il Sole; sta per 'Dio'), (*Par.*), XIV 96

Elisabetta (santa), (*Purg.*), madre di Giovanni Battista, XVIII 100

Eliseo, (*Inf.*), profeta discepolo di Elia, XXVI 34

Eliseo, (*Par.*), fratello di Cacciaguida, XV 136

Eliso, (*Par.*), il 'paradiso' dei pagani, XV 27

Elsa, (*Purg.*), fiume affluente dell'Arno, XXXIII 67

Ema, (*Par.*), torrente toscano, XVI 143

Empedoclès (Empedocle), (*Inf.*), filosofo di Agrigento, IV 138; XII 42 sgg.

Empireo, (*Par.*), l'ultimo cielo, sede dei beati, I 4, 122; II 112; IV 34; XXII 62; XXIII 102, 108; XXVII 112; XXX 39

Enea, eroe troiano, (*Inf.*), I 74; II 13, 32; IV 122; XXVI 93; (*Purg.*), XVIII 137; (*Par.*), VI 3; XV 27

Eneide, (*Purg.*), poema di Virgilio, XXI 95 sgg.

Enrico (Arrigo) **III d'Inghilterra**, (*Inf.*), detto il **Re Giovane**, XXVIII 135

Enrico (Arrigo) **Il Plantageneto**, (*Inf.*), re d'Inghilterra, XXVIII 136

Enrico di Cornovaglia, (*Inf.*), XII 120

Enrico di Susa, (*Par.*), decretalista, v. Ostiense

Eolo, (*Purg.*), re dei venti, XXVIII 21

Epicuro, (*Inf.*), di Samo, filosofo greco, X 14

Equatore, (*Purg.*), IV 80; (*Par.*), I 39

Era, (*Par.*), fiume della Francia, VI 59

Eraclito, (*Inf.*), di Efeso, filosofo greco, IV 138

Ercole (Ercule), semidio greco, (*Inf.*), XXV 32; XXVI 108; XXXI 132; (*Par.*), IX 101

Eretici, (*Par.*), combattuti da san Domenico, XII 100 sgg.

Erifile, moglie di Anfiarao, (*Purg.*), XII 50; (*Par.*), IV 104

Erine (Erinni) o **Furie**, (*Inf.*), divinità dell'Averno, IX 38, 45

Erisittone, (*Purg.*), figlio del re tessalo Triope, XXIII 26

Eritòn (Eritone), (*Inf.*), maga tessala, IX 23

Ermo (l'), (*Purg.*), l'eremo di Camaldoli, V 96

Esaù, (*Par.*), biblico fratello di Giacobbe, VIII 130; XXXII 68-70

Esopo, (*Inf.*), v. Isopo

Este, (*Inf.*), v. Azzo e Obizzo d'E.

Ester, (*Purg.*), biblica regina di Persia, XVII 29

Esti (Este), (*Purg.*), casata, v. Azzo VIII d'E.

Eteòcle (Eteocle), (*Inf.*), figlio del re tebano Edipo, XXVI 54; (*Purg.*), XXII 56

Etiope, (*Par.*), 'infedele' per antonomasia, XIX 109

Etiopia, (*Inf.*), regione a sud dell'Egitto, XXIV 89

Etiopo (Etiope), (*Purg.*), XXVI 21

Etna, (*Inf.*), v. Mongibello; (*Par.*), vulcano, VIII 67

Ettor (Ettore), (*Inf.*), eroe troiano, IV 122; (*Par.*), VI 68

Euclide, (*Inf.*), di Alessandria, matematico, IV 142

Eufratès (Eufrate), (*Purg.*), fiume della Mesopotamia, XXXIII 112

Euneo, (*Purg.*), figlio di Isifile, XXVI 95

Eunoè, (*Purg.*), fiume del paradiso terrestre, XXVIII 131; XXXIII 116, 127

Eurialo, (*Inf.*), giovane guerriero troiano dell'*Eneide*, I 108

Euripide, (*Purg.*), poeta tragico greco, XXII 106

Euripilo, (*Inf.*), augure greco, XX 112

Euro, (*Par.*), vento di sud-est, VIII 69

Europa, (*Par.*), ninfa amata da Giove, XXVII 84

Europa, continente, (*Purg.*), VIII 123; (*Par.*), VI 5; XII 48

Eva, biblica prima donna, (*Purg.*), VIII 99; XII 71; XXIV 116; XXIX 24; XXX 52; XXXII 32; (*Par.*), XIII 38; XXXII 6

Evangelio o **Vangelio**, (*Par.*), IX 133; XXIV 137; XXIX 96, 114

Evangelisti, (*Purg.*), XXIX 92 sgg. (i loro quattro Vangeli)

Ezechia, (*Par.*), re di Giuda, XX 49 sgg.

Ezechiel (Ezechiele), (*Purg.*), profeta biblico, XXIX 100

Ezzelino, (*Inf.*), v. Azzolino

Fabbro dei Lambertazzi, (*Purg.*), capo ghibellino bolognese, XIV 100

Fabi, (*Par.*), famiglia patrizia dell'antica Roma, VI 47

Fabrizio, **Caio Luscinio**, (*Purg.*), console romano, XX 25

Faenza, città della Romagna, (*Inf.*), XXVII 49; XXXII 123; (*Purg.*), XIV 101

Falaride, (*Inf.*), tiranno di Agrigento, XXVII 7

Falterona, (*Purg.*), monte dell'Appennino toscano, XIV 17

Famagosta, (*Par.*), città dell'isola di Cipro, XIX 146

Fanciulli salvati, (*Par.*), per la grazia di Dio e per i meriti dei genitori, XXXII 43

Fano, città delle Marche sull'Adriatico, (*Inf.*), XXVIII 76, (*Purg.*), V 71

Fantolini, (*Purg.*), famiglia faentina; v. Ugolin de' F.

Farfarello, (*Inf.*), demonio dei Male-branche, XXI 123; XXII 94
Farinata degli Uberti (Manente), (*Inf.*), fiorentino, capo ghibellino, VI 79; X 32
Farisei, (*Inf.*), setta ebraica, XXIII 116
Farisei, nuovi, (*Inf.*), i sacerdoti cristiani corrotti, XXVII 85
Farsalia (Farsalo), (*Par.*), città della Tessaglia, VI 65
Fede, (*Par.*), una delle tre virtù teologali, II 43; VI 15, 17, 19; XII 56, 62; XX 104; XXIV (esame sulla fede) 5 sgg.; XXV 75; XXIX 113
Federico II di Svevia, (*Inf.*), imperatore, X, 119; XIII 59, 68; XXIII 66; (*Purg.*), XVI 117; (*Par.*), III 120
Federico II, (*Par.*), re di Sicilia, XIX 131; XX 63
Federigo I Barbarossa, (*Purg.*), imperatore, XVIII 119
Federigo II d'Aragona, (*Purg.*), re di Sicilia, III 116; VII 119
Federigo Novello, (*Purg.*), dei conti Guidi di Casentino, VI 17
Federigo Tignoso, (*Purg.*), nobile riminese, XIV 106
Fedra, (*Par.*), moglie di Teseo, XVII 47
Fegghine (Figline), (*Par.*), paese nel Valdarno, XVI 50
Felice, (*Par.*), padre di san Domenico, XII 79
Feltro (Feltre), (*Par.*), città nel Trevigiano, IX 52
Fenice, (*Inf.*), uccello favoloso, XXIV 107
Fenicia, (*Par.*), regione asiatica, XXVII 83
Fetonte o **Fetòn**, figlio del Sole, (*Inf.*), XVII 107; (*Purg.*), IV 72; (*Par.*), XVII 3; XXXI 125
Fïalte (Efialte), (*Inf.*), gigante, XXXI 94, 108
Fiamminghi, (*Inf.*), XV 4
Fieschi, (*Purg.*), conti di Lavagna; v. Adriano V, Alagia F., Bonifazio F.
Fiesole, città toscana, (*Inf.*), XV 62; (*Par.*), VI 53; XV 126; XVI 122
Fifanti, (*Par.*), famiglia fiorentina, XVI 104
Figline, (*Par.*), v. Fegghine
Filippeschi, (*Purg.*), famiglia ghibellina di Orvieto, VI 107
Filippi, (*Par.*), famiglia fiorentina, XVI 89
Filippi, (*Purg.*), i re francesi di questo nome, XX 50
Filippo Argenti, (*Inf.*), v. Argenti F.
Filippo il Bello, (*Inf.*), re di Francia, XIX 87
Filippo III di Francia, (*Purg.*), il Nasetto, VII 103
Filippo IV di Francia, il Bello, (*Purg.*),

VII 109; XXXII 152 sgg.; XXXIII 45; v. anche Pilato novo; (*Par.*), XIX 120
Fillide, (*Par.*), personaggio mitologico, suicida per amore, IX 100
Filomela, (*Purg.*), personaggio mitologico, mutata in rondine, IX 14
Fiordaliso, (*Purg.*), insegna dei re di Francia, XX 86; v. anche Giglio
Fiorentine, donne, (*Purg.*), XXIII 101; (*Par.*), XV 97 sgg.
Fiorentini, (*Inf.*), XV 61; XVI 73; XVII 70; (*Purg.*), XIV 50
Fiorenza o **Firenze**, (*Inf.*), VI 49, 61; X, 26, 92; XIII 143; XV 78; XVI 9, 75; XXIII 95; XXIV 144; XXVI 1; XXXII 120; (*Purg.*), VI 127; XII 102; XIV 64; XX 75; XXIII 96; XXIV 79; (*Par.*), VI 53; IX 127; XV 97, 110, 132; XVI 25, 84, 111, 146, 149; XVII 48; XXV 5; XXIX 103; XXXI 39
Fiorino, (*Inf.*), moneta d'oro fiorentina, XXX 89
Flegetonta (Flegetonte), (*Inf.*), fiume di sangue bollente, XII 47, 75, 101, 117, 121, 125, 128; XV 11, 77, 81, 89, 116, 121, 131, 132, 134
Flegïàs, (*Inf.*), mitico re dei Lapiti, nocchiero dello Stige, VIII 17, 19, 24, 80
Flegra, (*Inf.*), vallata in Tessaglia, XIV 58
Focaccia (Vanni) **de' Cancellieri**, (*Inf.*), pistoiese, traditore, XXXII 63
Focara, (*Inf.*), promontorio tra Cattolica e Pesaro, XXVIII 89
Folcacchieri Bartolomeo, (*Inf.*), v. Abbagliato
Folco (o **Folchetto**) **di Marsiglia**, (*Par.*), trovatore provenzale, IX 37 sgg., 82 sgg.
Folo, (*Inf.*), centauro, XII 72
Fonte Avellana, (*Par.*), eremo nell'Appennino, XXI 110
Fonte Branda, (*Inf.*), sorgente in Siena (o nel Casentino), XXX 78
Forese Donati, (*Purg.*), fratello di Corso e di Piccarda, XXIII 48, 76; XXIV 74
Forlì, città della Romagna, (*Inf.*), XVI 99, XXVII 43; (*Purg.*), XXIV 32
Fortuna Maggiore, (*Purg.*), figura geomantica, XIX 4
Fortuna, (*Inf.*), VII 62, 68 sgg.; XV 93, 95
Fortuna, (*Par.*), ministra della volontà divina, XVI 84
Fotino, (*Inf.*), diacono eretico, XI 9
Francesca da Rimini, (*Inf.*), figlia di Guido da Polenta, V 116
Francescani, frati minori, (*Inf.*), XXIII

3; (*Par.*), XI 79 sgg.; XII 112 sgg.
Franceschi (Francesi), (*Inf.*), XXVII 44; XXIX 123 (gente francesca); XXXII 115
Francesco d'Accorso, (*Inf.*), v. Accorso (d')
Francesco d'Assisi (san), (*Inf.*), XXVII 112; (*Par.*), XI 35-117; XIII 33; XXII 90; XXXII 35
Francesco d'Assisi,
Francia, (*Inf.*), XIX 87; (*Purg.*), VII 109; XX 51, 71; (*Par.*), XV 120
Franco Bolognese, (*Purg.*), miniatore, XI 83
Frati Godenti, (*Inf.*), v. Gaudenti, frati
Frisoni, (*Inf.*), abitanti della Frisia, XXXI 64
Fucci Vanni, (*Inf.*), v. Vanni F.
Fulcieri da Calboli, (*Purg.*), nobile forlivese, XIV 58
Furie, (*Inf.*), v. Erine

Gabriele, arcangelo, (*Purg.*), X 34 sgg.; (*Par.*), IV 47; IX 138; XIV 36; XXIII 94, 103; XXXII 94 sgg., 112
Gaddo, (*Inf.*), figlio del conte Ugolino, XXXIII 68
Gade (Cadice), (*Par.*), città della Spagna, XXVII 82
Gaeta, città sul Tirreno, (*Inf.*), XXVI 92; (*Par.*), VIII 62
Gaia da Camino, (*Purg.*), figlia di Gherardo, XVI 140
Galassia, (*Par.*), la Via Lattea, XIV 99
Galeotto (Galehaut), (*Inf.*), personaggio del romanzo di Lancillotto, V 137
Galieno (Galeno), (*Inf.*), medico di Pergamo, IV 143
Galigai, (*Par.*), famiglia fiorentina, XVI 101
Galizia, (*Par.*), regione della Spagna, XXV 18
Galli, (*Par.*), famiglia fiorentina, XVI 105
Gallura, uno dei quattro giudicati della Sardegna, (*Inf.*), XXII 82; (*Purg.*), VIII 81
Galluzzo, (*Par.*), paese presso Firenze, XVI 53
Ganellone (Gano di Maganza), (*Inf.*), traditore, XXXII 122
Gangalandi, (*Par.*), famiglia fiorentina, XVI 127-9
Gange, fiume, estremo confine orientale della terra abitata, (*Purg.*), II 5; XXVII 4; (*Par.*), XI 51
Ganimede, (*Purg.*), coppiere degli dei, IX 23
Gano degli Scornigiani, (*Purg.*), pisano, VI 17
Garda, lago di, (*Inf.*), v. Benaco
Garda, (*Inf.*), villaggio sulla sponda

orientale del lago omonimo, XX 65

Gardingo, (*Inf.*), località in Firenze, XXIII 108

Garisenda, (*Inf.*), torre bolognese, XXXI 136

Gaudenti o **Godenti**, (*Inf.*), frati, Cavalieri dell'Ordine di S. Maria Gloriosa, XXIII 103

Gaville, (*Inf.*), località del Valdarno, XXV 151

Gedeon (Gedeone), (*Purg.*), giudice d'Israele, XXIV 125

Gelboè, (*Purg.*), monte della Samaria, XII 41

Gemelli, costellazione dello Zodiaco, (*Inf.*), XV 55; XXVI 23; (*Purg.*), IV 61; (*Par.*), XXII 110, 152; XXVII 98

Genesì, (*Inf.*), il primo libro della Bibbia, XI 107

Genovese, (*Par.*), il territorio di Genova, IX 90

Genovesi, (*Inf.*), XXXIII 151

Gentili, (*Par.*), i pagani, XVII 31-2; XX 104; XXII 39

Gentucca, (*Purg.*), gentildonna di Lucca, XXIV 37

Gerarchie, angeliche, (*Par.*), XXVIII 122 sgg.

Geri del Bello, (*Inf.*), parente di Dante, XXIX 27

Gerico, (*Par.*), città della Palestina, IX 124

(Gerione),

Geriön (Gerion, Gerione), mostro e demone infernale, (*Inf.*), XVII 97, 133; XVIII 20; (*Purg.*), XXVII 23

Germania, (*Inf.*), v. Lamagna

Gerolamo (san), (*Par.*), v. Ieronimo

Gerusalemme o **Ierusalemme**, (*Par.*), città della Palestina, XIX 127; XXV 56

(Gerusalemme) Ierusalem, (*Inf.*), XXXIV 114

Gerusalemme, (*Purg.*), v. Ierusalemme

Gesù Cristo, (*Inf.*), IV 53; VI 96; XII 38-9; XIX 91; XXXIV 115; (*Purg.*), VI 118; XV 89; XVI 18; XX 87; XXI 8; XXIII 74; XXVI 129; XXXII 102; XXXIII 63; (*Par.*), II 41; VI 14; VII 30, 119; IX 120; X 1; XI 31, 72, 102, 107; XII 37, 71, 73, 75; XIII 27, 40, 55, 79, 111; XIV 104, 106, 108; XVII 33, 51; XIX 72, 104, 106, 108; XX 47; XXII 41; XXIII 20, 37, 72, 73, 105, 107, 120, 136; XXIV 2, 35; XXV 15, 33, 41, 113; XXVI 53; XXVII 24, 40; XXIX 98, 109; XXXI 3, 107; XXXII 20, 24, 27, 83, 85, 87, 113, 125; XXXIII 131

Gherardesca (della), (*Inf.*), v. Ugolino

Gherardo da Camino, (*Purg.*), nobi-

le di Treviso, XVI 124, 133, 138

Gherardo II, (*Purg.*), abate di San Zeno in Verona, XVIII 118

Ghibellini, (*Par.*), VI 33, 100 sgg.; XXVII 48

Ghin (Ghino) **di Tacco**, (*Purg.*), brigante senese, VI 14

Ghisolabella, de' Caccianemico, (*Inf.*), sorella di Venedico, XVIII 55

Giacobbe, (*Par.*), v. Iacob

Giacolo II, (*Par.*), re di Maiorca, XIX 137

Giacomo (san), (*Par.*), v. Iacopo

(Giacomo) Iacomo II d'Aragona, (*Purg.*), III 116; VII 119

Giandonati, (*Par.*), famiglia fiorentina, XVI 127-9

Gianfigliazzi Catello di Rosso, (*Inf.*), usuraio, XVII 59

Gianni dei Soldanieri, (*Inf.*), fiorentino, traditore, XXXII 121

Gianni Schicchi dei Cavalcanti, (*Inf.*), falsificatore di persona, XXX 32

Giano della Bella, nobile fiorentino, (*Par.*), XVI 132

Giano, (*Par.*), v. Iano

Giasone, capo degli Argonauti, (*Inf.*), XVIII 86; (*Par.*), II 18

Giasone, (*Inf.*), sommo sacerdote ebreo, XIX 85

Giganti, esseri mitici, (*Inf.*), XXXI 44 sgg.; (*Purg.*), XII 33

Giglio, (*Purg.*), insegna dei re di Francia, VII 105; v. anche Fiordaliso

Ginevra, moglie di re Artù, (*Inf.*), V 133; (*Par.*), XVI 15

Gioacchino da Fiore, (*Par.*), abate calabrese, XII 140-1

Giocasta, (*Purg.*), v. Iocasta

Giordano, (*Purg.*), (*Par.*), v. Iordan

Gioseppo (Giuseppe), (*Inf.*), patriarca ebreo, XXX 97

Giosuè, (*Purg.*), (*Par.*), v. Iosuè

Giotto, (*Purg.*), pittore, XI 95

Giovane (il Re), (*Inf.*), v. Enrico III d'Inghilterra

Giovanna, (*Purg.*), figlia di Nino Visconti, VIII 71

Giovanna, (*Purg.*), moglie di Buonconte da Montefeltro, V 89

Giovanna, (*Par.*), madre di san Domenico, XII 80

Giovanna, (*Par.*), regina di Navarra, XIX 143-4

Giovanni (San), (*Par.*), Battistero di Firenze, XV 134; XVI 25; XXV 8

Giovanni (san), apostolo, autore del quarto *Vangelo* e dell'*Apocalisse*, (*Purg.*), XXIX 92 (il suo *Vangelo*), 105, 142 (la sua *Epistola*), 143 (l'*Apocalisse*); XXXII 76; (*Par.*), IV 29; XXIV 126; XXV 94-6, 100, 121; XXVI 53; XXXII 127

Giovanni Battista (san), (*Purg.*), (*Par.*), v. Batista

Giovanni Evangelista (san), (*Inf.*), autore dell'*Apocalisse*, XIX 106

Giovanni XXI, (*Par.*), papa, v. Pietro Ispano

Giovanni XXII, (*Par.*), papa, XVIII 130 sgg.; XXVII 58

Giove ('sommo Giove' per Gesù Cristo), (*Purg.*), VI 118

Giove, (*Par.*), pianeta, XVIII 68, 70, 95, 115; XX 17; XXII 145; XXVII 14

Giove, re degli dei, (*Inf.*), XIV 52; XXXI 45, 92; (*Purg.*), XII 32; XXIX 120; XXXII 112; (*Par.*), IV 62

Giovenale, (*Purg.*), poeta latino, XXII 14

Giraut de Bornelh, (*Purg.*), poeta provenzale, XXVI 120

Giuba, (*Par.*), v. Iuba

Giuda (san), (*Purg.*), l'apostolo autore di un'epistola, libro neotestamentario, XXIX 142 (la sua *Epistola*)

Giuda, (*Par.*), della famiglia fiorentina dei Giudi, XVI 123

Giuda, (*Purg.*), l'apostolo traditore di Cristo, XX 74; XXI 84

Giuda Maccabeo, (*Par.*), liberatore degli Ebrei, XVIII 40

Giuda Scarotto (Iscariota), (*Inf.*), IX 27; XIX 96; XXXI 143; XXXIV 62

Giudecca, (*Inf.*), quarta zona di Cocito, IX 27; XXXIV 117

Giudei, (*Inf.*), XXIII 123; XXVII 87

Giuditta, (*Par.*), v. Iudit

Giulia, (*Inf.*), v. Iulia

Giulio Cesare, (*Inf.*), v. Cesare C.G.

(Giunone) Iunone, (*Inf.*), moglie di Giove, XXX 1

Giunone, (*Par.*), v. Iuno o Iunone

Giuochi, (*Par.*), famiglia fiorentina, XVI 104

Giuseppe (san), (*Purg.*), XV 91

Giustiniano, (*Par.*), imperatore, V 115; VI 1-142; VII 5-7

Glauco, (*Par.*), dio marino, I 68

Gomita, (*Inf.*), frate, vicario di Nino Visconti, XXII 67, 81 sgg.

Gomorra, (*Purg.*), città della Palestina, XXVI 40

Gorgòn (Gorgone), (*Inf.*), la testa di Medusa, IX 56

Gorgona, (*Inf.*), isoletta del Tirreno, XXXIII 82

Gottifredi (Goffredo) **di Buglione**, (*Par.*), capo della prima crociata, XVIII 47

Governolo, (*Inf.*), castello tra il Mincio e il Po, XX 78

Graffiacane, (*Inf.*), demonio dei Malebranche, XXI 122; XXIII 34

Graziano, (*Par.*), canonista, X 104

Greci, (*Par.*), famiglia fiorentina, XVI 89

Greci, popolo, (*Purg.*), IX 39; XXII 88; (*Par.*), V 69; XX 57

Greci, (*Inf.*), XXVI 75; XXX 98, 122

Grecia, (*Inf.*), XX 108

Gregorio Magno (san), papa, (*Purg.*), X 75; (*Par.*), XX 108; XXVIII 133

Grieve (Greve), (*Par.*), fiume in Toscana che dà nome a una valle, XVI 66

Griffolino d'Arezzo, (*Inf.*), alchimista, XXIX 109 sgg.; XXX 31, 37

Grifone, (*Purg.*), simbolo di Cristo, XXIX 108; XXX 8; XXXI 80, 113, 120; XXXII 26, 43 sgg., 89

Gualandi, (*Inf.*), famiglia pisana, XXXIII 32

Gualdo (Gualdo Tadino), (*Par.*), cittadina nell'Umbria, XII 48

Gualdrada, figlia di Bellincione Berti, (*Inf.*), XVI 37; (*Par.*), XVI 97-8

Gualdrada Donati, (*Par.*), XVI 141

Gualterotti, (*Par.*), famiglia fiorentina, XVI 133

Guanto (Gand), (*Purg.*), città delle Fiandre, XX 46

Guaschi, (*Par.*), i Guasconi, XXVII 58

Guasco (il), (*Par.*), papa Clemente V, XVII 82

Guascogna, (*Purg.*), regione della Francia, XX 66

Gubbio, (*Purg.*), v. Agobbio

Guccio de' Tarlati da Pietramala, (*Purg.*), ghibellino aretino, VI 15

Guelfi, (*Par.*), VI 33, 100, 107; XXVII 47

Guglielmo Borsiere, (*Inf.*), v. Borsiere G.

Guglielmo di Nogaret, (*Purg.*), ministro di Filippo il Bello, XX 90

Guidi, (*Par.*), famiglia fiorentina, XVI 64, 98

Guidi, conti di Romena, (*Inf.*), v. Aghinolfo, Alessandro e Guido; (*Purg.*), XIV 43

Guido, (*Par.*), conte, il vecchio, capostipite dei Conti Guidi, XVI 98

Guido Cavalcanti, (*Purg.*), v. Cavalcanti G.

Guido da Castello, (*Purg.*), nobile di Reggio Emilia, XVI 125

Guido da Montefeltro, (*Inf.*), condottiero ghibellino, XXVII 4, 19 sgg., 33, 36, 61 sgg.

Guido da Prata, (*Purg.*), nobile romagnolo, XIV 104

Guido da Romena, (*Inf.*), dei conti Guidi, XXX 77

Guido del Duca, (*Purg.*), degli Onesti di Ravenna, XIV 76 sgg.; XV 44

Guido di Carpigna, (*Purg.*), nobile romagnolo, XIV 98

Guido di Montfort, (*Inf.*), XII 118-20

Guido Guerra, (*Inf.*), dei conti Guidi, fiorentino, sodomita, XVI 38

Guido Guinizzelli, (*Purg.*), poeta, XI 97; XXVI 92, 97

Guiglielmo, (*Par.*), duca d'Orange, XVIII 46

Guiglielmo, (*Purg.*), marchese di Monferrato, VII 134

Guiglielmo Aldobrandesco, (*Purg.*), v. Aldobrandesco G.

Guiglielmo II, (*Par.*), re di Sicilia, XX 62

Guiscardo, (*Inf.*), (*Par.*), v. Roberto o Ruberto Guiscardo

Guittone d'Arezzo, (*Purg.*), poeta, XXIV 56; XXVI 124

Guizzante (Wissant), (*Inf.*), città fiamminga, XV 4

I, (*Par.*), il nome con cui Adamo indicava Dio, XXVI 134

Iacòb (Giacobbe), (*Par.*), patriarca biblico, VIII 131; XXII 71; XXXII 68

Iacomo d'Aragona, (*Purg.*), v. Giacomo II d'A.

Iacopo (**Giacomo**), (san), apostolo, (*Purg.*), XXIX 142 (la sua *Epistola*), XXXII 76; (*Par.*), XXVI 17-8, 29 sgg.

Iacopo da Lentini (**il Notaro**), (*Purg.*), poeta, XXIV 56

Iacopo da Santo Andrea, (*Inf.*), scialacquatore, XIII 133

Iacopo del Cassero, (*Purg.*), nobile di Fano, V 64 sgg.

Iacopo Rusticucci, (*Inf.*), v. Rusticucci I.

Iano (Giano), (*Par.*), divinità, VI 81

Iarba, (*Purg.*), re della Nimidia, XXXI 72

Iasòn, (*Inf.*), v. Giasone

Ibero (Ebro), fiume della Spagna, (*Purg.*), XXVII 3; (*Par.*), IX 89

Icaro, figlio di Dedalo, (*Inf.*), XVII 109; (*Par.*), VIII 126

Ida, (*Inf.*), monte nell'isola di Creta, XIV 98

Ida, (*Purg.*), monte della Troade, IX 22

Ieptè (Iefte), (*Par.*), giudice di Israele, V 66

Ieronimo (san), (*Par.*), XXIX 37

Ierusalem, (*Inf.*), v. Gerusalemme

Ierusalemme, (*Par.*), v. Gerusalemme

Ierusalemme, Ierusalèm, Sion, (*Purg.*), II 3; IV 68; XXIII 29; XXVII 2

Ifigenia, (*Par.*), figlia di Agamennone, V 70

Ilerda (Lerida), (*Purg.*), città della Spagna, XVIII 101

Ilïon (**Ilión**, **Ilion**), rocca e città di Troia, (*Inf.*), I 75; (*Purg.*), XII 62; (*Par.*), VI 6, 68

Illuminato da Rieti, (*Par.*), francescano, XII 130

Imola, (*Inf.*), città della Romagna, XXVII 49

Impero, (*Purg.*), VI 91 sgg.; XVI 94 sgg.; XXXIII 38

Importuni, (*Par.*), famiglia fiorentina, XVI 133

Indi (indiani), (*Purg.*), XXVI 21; XXXII 41; (*Par.*), XXIX 101

India, (*Inf.*), XIV 32

Indo, (*Par.*), fiume, XIX 71

Infangati, (*Par.*), famiglia fiorentina, XVI 123

Inghilterra, (*Purg.*), VII 131

Innocenzo III, (*Par.*), papa, XI 92

Ino, (*Inf.*), moglie di Atamante, XXX 5

Interminei (Interminelli) **Alessio**, (*Inf.*), lucchese, lusingatore, XVIII 122

Iocasta (Giocasta), (*Purg.*), madre di Eteocle e Polinice, XXII 56

Iole, (*Par.*), amata da Ercole, IX 102

Iordan (Giordano), fiume della Palestina, (*Purg.*), XVIII 135; (*Par.*), XXII 94

Iosafàt, (*Inf.*), valle presso Gerusalemme, luogo del giudizio universale, X 11

Iosuè (Giosuè), biblico condottiero degli Ebrei, (*Purg.*), XX 111; (*Par.*), IX 125; XVIII 38

Iperione, (*Par.*), padre del Sole, XXII 142

Ipocràte (**Ippocrate**), medico greco, (*Inf.*), IV 143; (*Purg.*), XXIX 137; (*Par.*), XI 4

Ippolito, (*Par.*), figlio di Teseo, XVII 46

Iri (Iride), (*Par.*), ancella di Giunone raffigurata nell'arcobaleno, XII 12; XXVIII 32; XXXIII 118

Isacco, (*Inf.*), patriarca biblico, IV 59

Isaia, (*Par.*), profeta biblico, XXV 91

Isara (Isère), (*Par.*), fiume della Francia, VI 59

Isidoro di Siviglia (sant'), (*Par.*), X 131

Isifile, figlia di Toante re di Lemno, (*Inf.*), XVIII 92; (*Purg.*), XXII 112; XXVI 95

Ismene, (*Purg.*), figlia di Edipo, XXII 111

Ismeno, (*Purg.*), fiume della Beozia, XVIII 91

Isopo (Esopo), (*Inf.*), favolista greco, XXIII 4

Ispagna, (*Purg.*), v. Spagna

Ispani, (*Par.*), abitanti della Spagna, XXIX 101

Ispano, (*Par.*), v. Pietro Ispano

Israèl (Giacobbe), (*Inf.*), patriarca biblico, IV 59

Israele, (*Purg.*), il popolo ebreo, II 46
Italia, (*Inf.*) I 106; IX 114; XX 61; XXIII 80; v. anche Latina terra; (*Purg.*), VI 76, 105, 124; VII 95; XIII 96; XX 67; XXX 86; (*Par.*), IX 25; XXI 106; XXX 137
Iuba (Giuba), (*Par.*), re della Mauritania, VI 70
Iudit (Giuditta), (*Par.*), eroina biblica, XXXII 10
Iulia (Giulia), (*Inf.*), figlia di Giulio Cesare, IV 128
Iulio, (*Inf.*), v. Cesare
Iuno o **Iunone** (Giunone), moglie di Giove, (*Inf.*), v. Giunone; (*Par.*), XII 12; XXVIII 32

Lacedemona (Sparta), (*Purg.*), VI 139
Làchesis, (*Purg.*), una delle Parche, XXI 25; XXV 79
Laerte, (*Inf.*), padre di Ulisse, XXVI 94
Lamagna (Germania), (*Inf.*), XX 62
Lambertazzi, (*Purg.*), v. Fabbro dei L.
Lamberti, (*Inf.*), v. Mosca dei L.
Lamberti, (*Par.*), famiglia fiorentina, XVI 110
Lamone, (*Inf.*), fiume della Romagna, XXVII 49
Lancialotto (Lancillotto), (*Inf.*), cavaliere amante di Ginevra, V 128, 134
Lanfranchi, (*Inf.*), famiglia pisana, XXXIII 32
Langia, (*Purg.*), fonte della Grecia, XXII 112
Lano (Arcolano Maconi), (*Inf.*), senese, scialacquatore, XIII 120
Lapo, (*Par.*), nome diffuso in Firenze, XXIX 103
Lapo Salterello, (*Par.*), giurista fiorentino, XV 128
Laterano, (*Inf.*), S. Giovanni in Laterano, residenza papale, XXVII 86
Laterano, (*Par.*), sede imperiale, poi papale; sta per 'Roma', XXXI 35
Latina terra, (*Inf.*), l'Italia, XXVIII 71
Latino (Latini) **Brunetto**, (*Inf.*), v. Brunetto L.
Latino, (*Inf.*), re del Lazio, IV 125
Latona, madre di Apollo e Diana, (*Purg.*), XX 131; (*Par.*), X 67; XXII 139; XXIX 1
Lavagna, (*Purg.*), fiume della Liguria, XIX 101
Lavina (Lavinia), figlia del re Latino, (*Inf.*), IV 126; (*Purg.*), XVII 37; (*Par.*), VI 3
Leandro, (*Purg.*), amante della fanciulla Ero, XXVIII 73
Learco, (*Inf.*), figlio di Atamante, XXX 5, 10 sgg.
Leda, (*Par.*), amata da Giove, XXVII 98

Lemosì (Limoges), (*Purg.*), quel di; v. Giraut de Bornelh
Lenno (Lemno), (*Inf.*), isola nel Mar Egeo, XVIII 88
Leone, (*Par.*), costellazione dello Zodiaco, XVII 37; XXI 14
Lerice (Lerici), (*Purg.*), città della Liguria, III 49
Letè, fiume del paradiso terrestre, (*Inf.*), XIV 131, 136; (*Purg.*), XXVI 108; XXVIII 130; XXX 143; XXXI 1; XXXIII 96, 112, 123
Lettere degli apostoli, (*Purg.*), quattro libri neotestamentari, XXIX 142
Levì, (*Purg.*), (i figli di) sacerdoti del popolo ebraico, XVI 132
Lia, (*Purg.*), biblica sorella di Rachele, moglie di Giacobbe, XXVII 101
Libano, (*Purg.*), monte della Siria, XXX 11
Libia, (*Inf.*), XXIV 85
Libicocco, (*Inf.*), demonio dei Malebranche, XXI 121; XXII 70
Libra, costellazione dello Zodiaco (Bilancia), (*Purg.*), XXVII 3 (v. anche Bilance); (*Par.*), XXIX 2
Libri dell'Antico Testamento (Ventiquattro seniori), (*Purg.*), XXIX 82 sgg.; XXX 7-8
Ligurgo, (*Purg.*), re di Nemea, XXVI 94
Lilla, (*Purg.*), città della Fiandra, XX 46
Limbo, primo cerchio dell'inferno, (*Inf.*), IV 24 sgg.; (*Purg.*), VII 28; XXI 31; XXII 14, 103; XXX 139; (*Par.*), XXXII 82-4
Lino, (*Inf.*), poeta mitico, IV 141
Lino, (*Par.*), papa, XXVII 41
Lippo Velluti, (*Par.*), XVI 110
Lito adriano, (*Par.*), v. Adriatico
Lito rubro, (*Par.*), v. Mare Rosso
Livio (Tito Livio), (*Inf.*), storico latino, XXVIII 12
Lizio, (*Purg.*), signore di Valbona in Romagna, XIV 97
Loderingo degli Andalò, (*Inf.*), bolognese, frate godente, XXIII 104
Logodoro (Logudoro), (*Inf.*), uno dei quattro giudicati sardi, XXII 89
Lombardi (abitanti dell'Italia settentrionale), (*Inf.*), I 68; XXII 99
Longobardi, (*Par.*), VI 94
Lorenzo (san), (*Par.*), martire, IV 83
Lotto degli Agli (?), (*Inf.*), suicida fiorentino, XIII 151
Luca (san), (*Purg.*), evangelista e autore degli *Atti degli Apostoli*, XXI 7; XXIX 92 (il suo *Vangelo*), 136 (sta per gli *Atti degli Apostoli*)
Lucano, Marco Anneo, (*Inf.*), poeta latino, IV 90; XXV 94
Lucca, città della Toscana, (*Inf.*),

XVIII 122; XXI 38; XXXIII 30; (*Purg.*), XXIV 20, 35, 45
Lucia (santa), vergine e martire siracusana, (*Inf.*), II 97, 100; (*Purg.*), IX 55, 59, 63; (*Par.*), XXXII 137
Lucifero (Satana), (*Inf.*), XXXI 143; XXXIV 89 (v. anche Dite); (*Purg.*), XII 25; (*Par.*), IX 127; XIX 46; XXVII 26; XXIX 56
Lucrezia, la virtuosa moglie di Collatino, (*Inf.*), IV 128; (*Par.*), VI 41
Luigi, (*Purg.*), i re francesi di questo nome, XX 50
Luna, pianeta, (*Inf.*), VII 64; X 80; XV 19; XX 126; XXVI 131; XXIX 10; XXXIII 26; (*Purg.*), X 14; XVIII 76; XIX 2; XX 132; XXIII 120; XXVIII 33; XXIX 53, 78; (*Par.*), I 115; II 25 sgg., 49-148; X 67; XVI 82; XXII 139; XXIII 26; XXVII 132; XXVIII 19-20; XXIX 1, 97
Luni, antica città etrusca, (*Inf.*), XX 47; (*Par.*), XVI 73
Lupa, (*Purg.*), simbolo della cupidigia, XX 10

Maccabei, (*Inf.*), libro biblico, XIX 86
Maccabeo, (*Par.*), v. Giuda Maccabeo
Maccario, (*Par.*), Macario (san), iniziatore del monachesimo orientale, XXII 49
Macra (Magra), (*Par.*), fiume della Lunigiana, IX 89
Madian, (*Purg.*), regione della Palestina, XXIV 126
Maestro Adamo, (*Inf.*), v. Adamo, maestro
Maghinardo Pagani, da Susinana, detto 'il demonio', signore di Faenza e di Imola, (*Inf.*), XXVII 50; (*Purg.*), XIV 118
Magra, fiume della Lunigiana, (*Inf.*), XXIV 145; (*Purg.*), VIII 116
Maia, (*Par.*), madre di Mercurio, XXII 144
Mainardi, (*Purg.*), signori di Bertinoro in Romagna, XIV 113; v. Arrigo M.
Maiolica (Maiorca), isola delle Baleari, (*Inf.*), XXVIII 82; (*Par.*), XIX 138
Malacoda, (*Inf.*), demonio dei Malebranche, XXI 76, 79 sgg.; XXIII 141
Malaspina, (*Purg.*), nobile famiglia della Lunigiana, VIII 124 sgg.
Malaspina Currado, (*Purg.*), il giovane, VIII 65, 109, 118
Malaspina Currado, (*Purg.*), il vecchio, VIII 119
Malaspina Moroello, (*Inf.*), condottiero dei Neri, XXIV 145 sgg.
Malatesta da Verrucchio, (*Inf.*), signore di Rimini, padre dei tre se-

guenti, XXVII 46

Malatesta Gianciotto, (*Inf.*), marito di Francesca, V 107

Malatesta Malatestino, (*Inf.*), XXVII 46; XXVIII 81, 85

Malatesta Paolo, (*Inf.*), amante di Francesca, V 101, 135, 140

Malavolti, (*Inf.*), famiglia bolognese; v. Catalano de' M.

Malebolge, (*Inf.*), ottavo cerchio dell'inferno, XVIII 1 sgg.; XXI 5; XXIV 37; XXIX 41

Malebranche, (*Inf.*), diavoli custodi della quinta bolgia, XXI 37; XXII 100; XXIII 23; XXXIII 142

Malehaut, (*Par.*), dama di; personaggio del romanzo di Lancillotto, XVI 14

Malvicini, (*Purg.*), signori di Bagnacavallo; v. Bagnacaval

Manfredi, (*Inf.*), famiglia di Faenza; v. Alberigo de' M.

Manfredi, (*Purg.*), re di Sicilia e di Puglia, III 103 sgg.; IV 14

Mangiadore, (*Par.*), Pietro; v. Pietro Mangiadore

Manto, indovina figlia di Tiresia, (*Inf.*), XX 55 sgg.; (*Purg.*), XXII 113

(Mantova) Mantua o **Mantüa**, città sul Mincio, (*Inf.*), XX 93; (*Purg.*), VI 72

Mäometto, (*Inf.*), fondatore dell'islamismo, XXVIII 31, 62 sgg.

Marca Anconetana, (*Purg.*), V 68

Marca Trevigiana, regione del territorio veneto, (*Purg.*), XVI 115; (*Par.*), IX 25, 43

Marcabò, (*Inf.*), castello dei Veneziani, XXVIII 75

Marcel (Marcello), (*Purg.*), Marco Claudio console o Caio Claudio condottiero, VI 125

Marchese, (*Inf.*), v. Opizzo II d'Este

Marchese degli Argugliosi, (*Purg.*), nobile di Forlì, XXIV 31

Marco (san), (*Purg.*), evangelista, XXIX 92 (il suo *Vangelo*)

Marco Lombardo, (*Purg.*), uomo di corte, XVI 25 sgg.

Mardoceo (Mardocheo), (*Purg.*), personaggio biblico, zio della regina Ester, XVII 29

Mare Mediterraneo, (*Inf.*), v. Mediterraneo

Mare, oceano, (*Par.*), IX 84; XII 49; XXVII 82

Mare Rosso, (*Inf.*), XXIV 90; (*Par.*), VI 79; XXII 95

Maremma, regione costiera selvaggia tra Lazio e Toscana, (*Inf.*), XIII 9; XXV 19; XXIX 48; (*Purg.*), V 134

Margherita di Borgogna, (*Purg.*), seconda moglie di Carlo I d'Angiò, VII 128

Maria di Brabante, (*Purg.*), seconda moglie di Filippo III, VI 23

Maria di Eleazaro, (*Purg.*), donna ebrea, XXIII 30

Maria Vergine, (*Inf.*), II 94 sgg., 124; (*Purg.*), III 39; V 101; VIII 37; X 41-2, 50; XIII 50; XV 88; XVIII 100; XX 19, 97-8; XXII 142; XXVI 59 (?); (*Par.*), III 122; IV 30; XI 71; XIII 84; XIV 36; XV 133; XVI 34; XXI 123; XXIII 88, 106, 111, 126, 137; XXV 128; XXXI 100, 116, 127; XXXII 4, 29, 85, 95, 104, 107, 113, 119, 134; XXXIII 1-45

Marocco, (*Inf.*), (*Purg.*), v. Morrocco

Marsia, (*Par.*), satiro, I 20

Marsilia (Marsiglia), (*Purg.*), città della Francia, XVIII 102

Marte, dio della guerra, (*Inf.*), XIII 144; XXIV 145; XXXI 51; (*Purg.*), XII 31; (*Par.*), IV 63; VIII 132; XVI 47, 145

Marte, pianeta, (*Purg.*), II 14; (*Par.*), XIV 101; XVII 77; XXII 146; XXVII 14

Martino, (*Par.*), nome diffuso in Firenze, XIII 139

Martino Bottaio, (*Inf.*), barattiere lucchese, XXI 38

Martino IV, (*Purg.*), papa, XXIV 20 sgg.

Marzïa o **Marzia**, moglie di Catone l'Uticense, (*Inf.*), IV 128; (*Purg.*), I 79, 85

Marzucco degli Scornigiani, (*Purg.*), nobile pisano, VI 18

Mascheroni, (*Inf.*), v. Sassol Mascheroni

Mastin vecchio e nuovo da Verrucchio, (*Inf.*), v. Malatesta da Verrucchio e Malatestino

Matelda, (*Purg.*), donna nel paradiso terrestre, XXVIII 40 sgg.; XXIX 1-15, 61; XXXI 92 sgg.; XXXII 28, 82 sgg.; XXXIII 119 sgg.

Matia (Mattia) (san), (*Inf.*), apostolo XIX 94

Matteo (san), (*Purg.*), evangelista, XXIX 92 (il suo *Vangelo*)

Matteo d'Acquasparta, (*Par.*), francescano, cardinale, XII 124

Medea, (*Inf.*), maga della Colchide, XVIII 96

Medicina, (*Inf.*), cittadina in Emilia, v. Pier da M.

Mediterraneo, mare, (*Inf.*), XIV 94; XXVI 100 sgg.; XXVIII 82; (*Par.*), mare, IX 82

Medusa, (*Inf.*), una delle tre Gorgoni, IX 52

Megera, (*Inf.*), una delle Furie, IX 46

Melanesi (Milanese), (*Purg.*), i milanesi, VIII 80

Melchisedec, (*Par.*), sacerdote biblico, VIII 125

Meleagro, (*Purg.*), figlio del re di Caledonia, XXV 22

Melicerta, (*Inf.*), figlio di Atamante XXX 5, 10 sgg.

Melisso, (*Par.*), filosofo greco, XIII 125

Menalippo, (*Inf.*), guerriero tebano, XXXII 131

Mercurio, (*Par.*), cielo di, V 93; VI 127; pianeta, XXII 144

Mercurio, (*Par.*), dio figlio di Maia, IV 63

Meschite, (*Inf.*), torri della città di Dite, VIII 70

Metello, Quinto Cecilio, (*Purg.*), tribuno romano, IX 138

Michele arcangelo (San), vincitore degli angeli ribelli, (*Inf.*), VII 11; (*Purg.*), XIII 51; (*Par.*), IV 47

Michele Scotto, (*Inf.*), filosofo e astrologo scozzese, XX 116

Michele Zanche, (*Inf.*), governatore del Logudoro, barattiere, XXII 88 sgg.; XXXIII 144

Micòl, (*Purg.*), figlia di Saul e moglie di David, personaggio biblico, X 68, 72

Mida, (*Purg.*), re della Frigia, XX 106

Milan (Milano), (*Purg.*), XVIII 120

Milanesi, (*Purg.*), v. Melanesi

(Mincio) Mencio, (*Inf.*), emissario del lago di Garda, XX 77

Minerva, dea della sapienza, (*Purg.*), XV 98, XXX 68 (v. anche Pallade); (*Par.*), II 8

Minòs (**Minoi** o **Minosse**), (*Inf.*), re di Creta, giudice infernale, V 4 sgg., 17; XIII 96; XX 36; XXVII 124; XXIX 120, (*Purg.*), I 77; (*Par.*), XIII 14

Minotauro, (*Inf.*), essere mostruoso mezzo uomo e mezzo toro, XII 12, 19, 25

Mira (la), (*Purg.*), villaggio del padovano, V 79

Mirra, (*Inf.*), figlia di Cinira re di Cipro, XXX 38

Modena, (*Par.*), VI 75

Moisè o **Moïse** (Mosè), capo e legislatore del popolo ebreo, (*Inf.*), IV 57, (*Purg.*), XXXII 80; (*Par.*), XXVI 41; XXXII 131; come autore del *Pentateuco*, XXIV, 136

Molta (Moldava), (*Purg.*), fiume della Boemia, VII 99

Monaldi, (*Purg.*), famiglia guelfa di Orvieto, VI 107

Mongibello (l'Etna), (*Inf.*), XIV 56; (*Par.*), VIII 67

Montagna de' Parcitati, (*Inf.*), capo ghibellino riminese, XXVII 47

Montagne Rife, (*Purg.*), v. Rife, montagne

Montaperti, (*Inf.*), castello del Senese, X 85; XXXII 81

Monte (Giordano), (*Inf.*), altura in Roma, XVIII 33

Monte San Giuliano, (*Inf.*), tra Pisa e Lucca, XXXIII 29

Monte Viso (Monviso), (*Inf.*), XVI 95

Montecchi, (*Purg.*), famiglia ghibellina di Verona, VI 106

Montefeltro, (*Purg.*), regione delle Marche, V 88

Montemalo (Monte Mario), (*Par.*), presso Roma, XV 109

Montemurlo, (*Par.*), segno zodiacale, v. Ariete

Montereggion (Monteriggioni), (*Inf.*), castello del Senese, XXXI 41

Montone, (*Inf.*), fiume di Romagna, XVI 94 sgg.

Montone, (*Purg.*), segno zodiacale, VIII 134; v. anche Ariete

Mordret, (*Inf.*), figlio di re Artù, XXXII 61

Moroello Malaspina, (*Inf.*), v. Malaspina M.

Moronto, (*Par.*), fratello di Cacciaguida, XV 136

Morrocco (Marocco), regione dell'Africa, (*Inf.*), XXVI 104; (*Purg.*), IV 139

Mosca dei Lamberti, (*Inf.*), fiorentino, seminatore di discordie, VI 80; XXVIII 106

Mozzi (**dei**) **Andrea**, (*Inf.*), fiorentino, vescovo sodomita, XV 112

Mozzi (**dei**) **Rocco** (?), (*Inf.*), suicida fiorentino, XIII 143

Muse, divinità ispiratrici e protettrici delle arti, (*Inf.*), II 7; XXXII 10; (*Purg.*), I 8; XXII 102; XXIX 37; (*Par.*), II 9; XII 7; XVIII 33, 82; XXIII 56

Muzio Scevola, (*Par.*), eroe romano, IV 84

Nabuccodonosor, (*Par.*), re di Babilonia, IV 14

Naiade (Naiadi), (*Purg.*), ninfe dei fiumi, XXXIII 49

Napoleone degli Alberti, (*Inf.*), v. Alberti

Napoli, (*Purg.*), III 27

Narcisso (**Narciso**), personaggio mitologico, (*Inf.*), XXX 128; (*Par.*), III 18

Nasetto, (*Purg.*), v. Filippo III di Francia

Nasidio, (*Inf.*), soldato romano, personaggio della *Farsaglia*, XXV 95

Nasuto, (*Purg.*), v. Carlo I d'Angiò

Natan, (*Par.*), profeta biblico, XII 136

Navarra, regno della penisola iberica, (*Inf.*), XXII 48; (*Par.*), XIX 143

Navarrese, (*Inf.*), v. Ciampolo

Nazarette (Nazaret), (*Par.*), città della Galilea, IX 137

Nella, (*Purg.*), moglie di Forese Donati, XXIII 87

Nembrotto (**Nembrot** o **Nembròt**), re biblico, uno dei giganti, (*Inf.*), XXXI 77; (*Purg.*), XII 34; (*Par.*), XXVI 126

Neri, (*Inf.*), fazione politica, XXIV 143

Nerli, (*Par.*), famiglia fiorentina, XV 115; XVI 127-9

Nesso, (*Inf.*), centauro, XII 61, 67, 98, 100, 104, 115, 129; XIII 1

Nettuno, dio del mare, (*Inf.*), XXVIII 83; (*Purg.*), XV 98; (*Par.*), XXXIII 96

Niccolò (san), (*Purg.*), vescovo di Mira nella Licia, patrono di Bari, XX 32

Niccolò III, (*Inf.*), papa, XIX 31 sgg.

Niccolò Salimbeni, (*Inf.*), senese, XXIX 127

Nicosia, (*Par.*), città nell'isola di Cipro, XIX 146

Nilo, fiume dell'Africa, (*Inf.*), XXXIV 45; (*Purg.*), XXIV 64; (*Par.*), VI 66

Ninfe, (*Purg.*), XXIX 4; come simboli delle virtù: XXXI 106; XXXII 98; (*Par.*), per 'stelle', XXIII 26

Nino o **Ugolino**, (*Inf.*), nipote del conte Ugolino, v. Brigata (il)

Nino Visconti, (*Purg.*), pisano, giudice di Gallura, VIII 53 sgg.

Nino, (*Inf.*), re dell'Assiria, V 59

Niobè, (*Purg.*), regina di Tebe, XII 37

Niso, (*Inf.*), giovane guerriero troiano dell'*Eneide*, I 108

Noarese (Novarese), (*Inf.*), gli abitanti di Novara, XXVIII 59

Nocera, (*Par.*), città dell'Umbria, XI 48

Noè, patriarca biblico, (*Inf.*), IV 56; (*Par.*), XII 17

Nogaret, (*Purg.*), v. Guglielmo di N.

Noli, (*Purg.*), città della Liguria, IV 25

Normandia, (*Purg.*), regione della Francia, XX 66

Norvegia, (*Par.*), XIX 139

Notaro (**il**), (*Purg.*), v. Iacopo da Lentini

Novello, (*Par.*), v. Alessandro Novello

Numidia, (*Purg.*), regione dell'Africa, XXXI 72

Oceano, (*Par.*), v. Mare

Oderisi d'Agobbio (Gubbio), (*Purg.*), miniatore, XI 79 sgg.; XII 2

Olimpo, (*Purg.*), monte della Grecia, XXIV 15

Oloferne, (*Purg.*), biblico condottiero assiro, XII 59

Omberto Aldobrandesco, (*Purg.*), v. Aldobrandesco Omberto

Omero, poeta greco, (*Inf.*), IV 88; (*Purg.*), XXII 101

Onorio III, (*Par.*), papa, XI 98

Opizzo (Obizzo) **II d'Este**, (*Inf.*), XII 111; XVIII 56

Orazi, (*Par.*), i tre romani vincitori dei Curiazi, VI 39

Orazio (Quinto Orazio Flacco), (*Inf.*), poeta latino, IV 89

Orbicciani, (*Purg.*), v. Bonagiunta Orbicciani

Orbino (Urbino), (*Inf.*), città delle Marche, XXVII 29

Ordelaffi, (*Inf.*), famiglia forlivese, XXVII 45

Oreste, (*Purg.*), figlio di Agamennone, amico di Pilade, XIII 32

Orfeo, (*Inf.*), mitico poeta tracio, IV 140

Oriaco (Oriago), (*Purg.*), villaggio del padovano, V 80

Orlando, paladino di Carlo Magno, (*Inf.*), XXXI 18; (*Par.*), XVIII 43

Ormanni, (*Par.*), famiglia fiorentina, XVI 89

Orosio Paolo, (*Par.*), storico cristiano, X 119

Orsa maggiore, (*Inf.*), (*Purg.*), v. Carro

Orse, costellazioni, (*Purg.*), IV 65; v. anche Carro; (*Par.*), II 9

Orsini, (*Inf.*), famiglia romana, XIX 70 sgg.

Orso degli Alberti, (*Purg.*), v. Alberti

Osterlicchi (Austria), (*Inf.*), XXXII 26

Ostiense (Enrico di Susa), (*Par.*), vescovo di Ostia, XII 83

Ottaviano Augusto, (*Inf.*), (*Purg.*), v. Augusto, imperatore romano; (*Par.*), VI 73-81

Ovidio (Publio Ovidio Nasone), (*Inf.*), poeta latino, IV 90; XXV 97

Oza, (*Purg.*), personaggio biblico, X 57

Pachino, (*Par.*), promontorio nella Sicilia meridionale, VIII 68

Pado (Po), (*Par.*), fiume, VI 51; XV 137

Padova, (*Par.*), IX 46

Padovani, cittadini di Padova, (*Inf.*), XV 7; (*Purg.*), v. Antenori; (*Par.*), IX 48

Pagan (Pagani), (*Purg.*), famiglia ghibellina di Faenza, XIV 118

Pagani Maghinardo, (*Inf.*), v. Maghinardo P.

Palazzo, (*Purg.*), Currado da; v. Currado da Palazzo

Palermo, (*Par.*), VIII 75

Palestina, (*Par.*), la Terrasanta, IX 125; XV 144

Palestrina, (*Inf.*), v. Penestrino

Pallade, (*Purg.*), dea, XII 31; v. anche Minerva

Pallante, (*Par.*), figlio di Evandro alleato di Enea, VI 36

Pantasilea, (*Inf.*), v. Pentesilea

Paolo (san), apostolo, autore delle *Epistole*, (*Inf.*), II 28, 32; (*Purg.*), XXIX 134, 139 (sta per le sue *Epistole*); (*Par.*), XVIII 131, 136; XXI 127; XXIV 62; XXVIII 138

Paolo Orosio, (*Par.*), v. Orosio

Paolo, (*Inf.*), amante di Francesca, v. Malatesta P.

Papi, (*Par.*), ricordati nel *Paradiso*: Agapito, Bonifacio VIII, Calisto, Clemente V, Cleto, Giovanni XXI, Giovanni XXII, Gregorio Magno, Lino, Pietro, Pio I, Silvestro, Sisto I, Urbano I; v. *ad voces*

Paradiso terrestre, (*Purg.*), XXVIII-XXXIII; (*Par.*), XXVI 110

Parcitati, (*Inf.*), v. Montagna de' P.

Parigi, Parisi, città, (*Purg.*), XI 81, XX 52; (*Par.*), X 137; XIX 118

Parìs (Paride), (*Inf.*), figlio di Priamo, V 67

Parmenide, (*Par.*), filosofo greco, XIII 125-6

Parnaso, il monte sacro alle Muse, (*Purg.*), XXII 65, 104; XXVIII 141; XXXI 141; (*Par.*), I 16

Pasife (Pasifae), moglie di Minosse e madre del Minotauro, (*Inf.*), XII 13; (*Purg.*), XXVI 41, 86

Pastor di Cosenza, (*Purg.*), v. Bartolomeo Pignatelli

Pazzi, (*Inf.*), famiglia del Valdarno, v. Rinier Pazzo

Pazzi Camicione, (*Inf.*), v. Camiscion de' P.

Pazzi Carlino, (*Inf.*), v. Carlino de' P.

Peana, (*Par.*), sta per 'Apollo', XIII 25

Pegasea, (*Par.*), diva, sta per le Muse in genere, XVIII 82

Peleo, (*Inf.*), padre di Achille, XXXI 5

Pellicano, (*Par.*), appellativo di Cristo, XXV 113

Peloro, promontorio della Sicilia, (*Purg.*), XIV 32; (*Par.*), VIII 68

Peneia, (*Par.*), fronda: l'alloro, così detto da Dafne, figlia di Peneo mutata in alloro, I 33

Penelopè (Penelope), (*Inf.*), moglie di Ulisse, XXVI 96

Penestrino (Palestrina), (*Inf.*), roccaforte dei Colonna, XXVII 102

Pennino, (*Inf.*), catena alpina, XX 65

Pentesilea, (*Inf.*), regina delle Amazzoni, IV 124

Pera (della), (*Par.*), famiglia fiorentina, XVI 126

Perillo, (*Inf.*), artefice ateniese, XXVII 8-9

Perse, (*Par.*), i Persiani, XIX 112

Persio (Aulo Persio Flacco), (*Purg.*), poeta latino, XXII 100

Perugia, (*Par.*), VI 75; XI 46

Pescator(e) (**il**), (*Purg.*), v. Pietro (san); (*Par.*), XVIII 136

Peschiera, (*Inf.*), città fortificata sul Garda, XX 70

Pesci, costellazione dello Zodiaco, (*Inf.*), XI 113; (*Purg.*), I 21; XXXII 54

Pettinaio, (*Purg.*), v. Pier Pettinaio

Pia de' Tolomei, (*Purg.*), gentildonna senese, V 132 sgg.

Piava (Piave), (*Par.*), fiume, IX 27

Piccarda Donati, sorella di Forese e di Corso, (*Purg.*), XXIV 10; (*Par.*), III 34 sgg.; IV 97, 112

Piceno (**Campo**), (*Inf.*), v. Campo P.

Piche, (*Purg.*), figlie di Pierio mutate in gazze, I 11

Pier da la Broccia (Pierre de la Brosse), (*Purg.*), ciambellano del re di Francia Filippo III l'Ardito, VI 22

Pier da Medicina, (*Inf.*), seminatore di discordie, XXVIII 73

Pier delle Vigne (o della Vigna), (*Inf.*), di Capua, cancelliere di Federico II, XIII 32-108

Pier Pettinaio, (*Purg.*), uomo di santa vita, XIII 128

Pier Traversaro, (*Purg.*), signore di Ravenna, XIV 98

Pietola (Pietole), (*Purg.*), presso Mantova, luogo natale di Virgilio, XVIII 83

Pietrapana, (*Inf.*), monte nelle Alpi Apuane (la Pania), XXXII 29

(Pietro) Piero (san), (*Inf.*), apostolo, I 134; II 24; XIX 91, 94; (il **pescator**), (*Purg.*), IX 127; XIII 51; XIX 99; XXI 54; XXII 63; XXIX 142 (la sua *Epistola*); XXXII 76; (*Par.*), IX 141; XI 120; XVIII 131, 136; XXI 127; XXII 88; XXIII 139; XXIV 34, 39, 59, 115, 124, 153; XXV 12; XXVII 22 sgg.; XXXII 124, 133; v. anche Cefàs

Pietro Bernardone, (*Par.*), padre di san Francesco d'Assisi, XI 89

Pietro da Morrone, (*Inf.*), v. Celestino V, papa

Pietro Damiano (san), (*Par.*), monaco, cardinale, teologo, XXI 121-2

Pietro III d'Aragona, (*Purg.*), re, VII 112, 125

Pietro Ispano (Giovanni XXI), (*Par.*), papa, XII 134

Pietro Lombardo, (*Par.*), teologo, X 107

Pietro Mangiadore (Petrus Comestor), (*Par.*), teologo e storico, XII 134

Pietro Peccatore, (*Par.*), v. Pietro Damiano

Pieve del Toppo, (*Inf.*), v. Toppo

Pigli, (*Par.*), famiglia fiorentina, XVI 103

Pigmalion (Pigmalione), (*Purg.*), fratello di Didone, XX 103

Pilato, novo (sta per Filippo il Bello), (*Purg.*), XX 91

Pinamonte dei Bonacolsi, (*Inf.*), signore di Mantova, XX 96

Pio I, (*Par.*), papa, XXVII 44

Piramo, (*Purg.*), mitico giovane innamorato di Tisbe, XXVII 38; XXXIII 69

Pirenei, (*Par.*), catena montuosa, XIX 144

Pirro, re dell'Epiro, (*Inf.*), XII 135; (*Par.*), VI 44

Pisa, città della Toscana, (*Inf.*), XXXIII 79; (*Purg.*), VI 17

Pisani, cittadini di Pisa, (*Inf.*), XXXIII 30; (*Purg.*), XIV 53

Pisistràto, (*Purg.*), tiranno di Atene, XV 101

Pistoia, (*Inf.*), XXIV 126, 143; XXV 10

Platone o Plato, filosofo ateniese, (*Inf.*), IV 134; (*Purg.*), III 43; (*Par.*), IV 24, 49-60

Plauto, (*Purg.*), poeta comico latino, XXII 98, 100

Pluto, (*Inf.*), dio della ricchezza, custode infernale, VI 115; VII 2 sgg.

Po, fiume, (*Inf.*), V 98; XX 78; (*Purg.*), XIV 92; XVI 115; (*Par.*), v. Pado

Podestati (Potestà), (*Par.*), terzo ordine della seconda gerarchia angelica, XXVIII 123

Pola, (*Inf.*), città dell'Istria, IX 113

Polenta (da), (*Inf.*), famiglia dei signori di Ravenna, XXVII 41

Policleto, (*Purg.*), scultore greco, X 32

Polidoro, figlio di Priamo, (*Inf.*), XXX 18; (*Purg.*), XX 115

Polimnia (Polinnia), (*Par.*), una delle Muse, XXIII 56

Polinestòr (Polinestore), (*Purg.*), l'uccisore di Polidoro, XX 115

Polinice, figlio di Edipo e fratello di Eteocle, (*Inf.*), XXVI 54; (*Purg.*), XXII 56

Polissena, (*Inf.*), figlia di Priamo, XXX 17

Polo antartico, (*Purg.*), I 23; VIII 90

Polo artico, (*Purg.*), I 29

Polo, (*Par.*), per 'Paolo'; v. Paolo (san)

Poluce (Polluce), (*Purg.*), fratello di Castore, e con questi formante la costellazione dei Gemelli, IV 61

Pompeo, (*Par.*), avversario di Cesare, VI 53

Ponte di Benevento, (*Purg.*), III 128

Ponte Vecchio, in Firenze, (*Inf.*), XIII 146; (*Par.*), XVI 146

Ponte, (*Inf.*), di Castel Sant'Angelo in Roma, XVIII 29

Pontì, (*Purg.*), la contea di Ponthieu in Francia, XX 66

Porta del purgatorio, (*Purg.*), IX 90; X 1 sgg.; XXVIII 102

Porta dell'inferno, (*Inf.*), III 1 sgg.; VIII 125; XIV 86

Porta di San Pietro (la porta del purgatorio), (*Inf.*), I 134

Porta Peruzza, (*Par.*), in Firenze, XVI 125-6

Porta San Pietro, (*Par.*), in Firenze, XVI 94

Porta Sole, (*Par.*), in Perugia, XI 47

Portogallo, (*Par.*), XIX 139

Praga, (*Par.*), XIX 117

Prato, (*Inf.*), città toscana, XXVI 9

Pratomagno, (*Purg.*), massiccio nel-l'Appennino toscano, V 116

Pressa (della), (*Par.*), famiglia fiorentina, XVI 100

Priamo, (*Inf.*), re di Troia, XXX 15

Primo Mobile, (*Par.*), cielo, I 123; II 113; XIII 24; XXIII 112-7; XXVII 99, 108, 110-8; XXX 39, 107

Principati (Principi celesti), (*Par.*), primo ordine della terza gerarchia angelica, VIII 34; XXVIII 125

Prisciano di Cesarea, (*Inf.*), grammatico latino, XV 109

Proenza (Provenza), (*Purg.*), contea della Francia, VII 126; XX 61

Profeti, (*Par.*), libri biblici, XXIV 136

Progne, (*Purg.*), moglie di Tereo mutata in usignolo, XVII 19

Proserpina, dea dell'Averno e figlia di Cerere, (*Inf.*), IX 44; X 80; (*Purg.*), XXVIII 50

Provenza, (*Par.*), regione della Francia, VIII 58

Provenzali, (*Par.*), abitanti della Provenza, VI 130

Provenzan Salvani, (*Purg.*), capo ghibellino senese, XI 109 sgg.

Puccio Sciancato, (*Inf.*), de' Galigai, ladro fiorentino, XXV 148

Puglia (Italia meridionale), (*Inf.*), XXVIII 9; (*Purg.*), regno di, III 131; VII 126; nella sua parte continentale, (*Par.*), VIII 61

Pugliesi, (*Inf.*), XXVIII 17

Pulci, (*Par.*), famiglia fiorentina, XVI 127-9

Putifarre (moglie di), (*Inf.*), personaggio biblico, XXX 97

Quarnaro, (*Inf.*), v. Carnaro

Quattro animali, (*Purg.*), simbolo dei quattro Evangelisti, v. Evangelisti

Quattro donne, (*Purg.*), simbolo delle quattro virtù cardinali, XXIX 130 sgg.; XXXI 104 sgg.; XXXII 25, 98; XXXIII 2, 7, 13,

109; v. anche Quattro stelle

Quattro stelle, (*Purg.*), simbolo delle virtù cardinali, I 23; VIII 91; v. anche Quattro donne

Quirino (Romolo), (*Par.*), VIII 131

Raab, (*Par.*), meretrice di Gerico, IX 116

Rabano Mauro, (*Par.*), teologo, XII 139

Rachele o **Rachel**, figlia di Labano e moglie di Giacobbe, (*Inf.*), II 102; IV 60; ; (*Purg.*), XXVII 104(*Par.*), XXXII 8

Raffaele, (*Par.*), arcangelo, IV 48

Raimondo Beringhieri, (*Par.*), conte di Provenza, VI 133 sgg.

Rascia, (*Par.*), la Serbia, XIX 140

Ravenna, città della Romagna, (*Inf.*), V 97; XXVII 40; (*Par.*), VI 61; XXI 123

Ravignani, (*Par.*), famiglia fiorentina, XVI 97

Rea, (*Inf.*), moglie di Saturno e madre di Giove, XIV 100

Rebecca, (*Par.*), moglie di Isacco, XXXII 10, 69

Regi antichi, (*Purg.*), gli antichi re francesi; v. Carolingi

Reginaldo degli Scrovegni, (*Inf.*), usuraio padovano, XVII 64

Regno (il), (*Purg.*), v. Puglia, regno di

Reno, fiume dell'Emilia, (*Inf.*), XVIII 61; (*Purg.*), XIV 92

Reno, (*Par.*), fiume della Germania, VI 58

Renoardo, (*Par.*), personaggio dei poemi epici, XVIII 46

Rialto, (*Par.*), isola veneziana, IX 26

Riccardo di San Vittore, (*Par.*), teologo, X 131

Rife, (*Purg.*), montagne (i monti Rifei nel settentrione d'Europa) XXVI 43

Rifeo, (*Par.*), eroe troiano, XX 68, 118-29

Rimini, (*Inf.*), città della Romagna, XXVII 48; XXVIII 86

Rinier (Rinieri) **da Calboli**, (*Purg.*), nobile romagnolo, XIV 88

Rinier de Corneto, (*Inf.*), predone della Maremma, XII 137

Rinier Pazzo, (*Inf.*), o de' Pazzi di Valdarno, predone, XII 137

Rizzardo da Camino, (*Par.*), signore di Treviso, IX 50

Roberto d'Angiò, (*Par.*), re di Napoli, VIII 76 sgg., 147

Roberto I, (*Purg.*), re di Francia, XX 59

Roberto o **Ruberto Guiscardo**, (*Par.*), normanno conquistatore della Puglia, XVIII 48

Roboàm (Roboamo), (*Purg.*), biblico re d'Israele, XII 46

Rodano, fiume della Francia, (*Inf.*), IX 112, (*Par.*), VI 60; VIII 59

Rodolfo I d'Asburgo, imperatore, (*Purg.*), VI 103; VII 94; (*Par.*), VIII 72

Rodopea, (*Par.*), v. Fillide

Roma, (*Inf.*), I 71; II 20, 22; XIV 105; XIX 107 sgg.; XXXI 59

Roma, (*Purg.*), VI 112; XVI 106, 127; XVIII 80; XXI 89; XXIX 115; XXXII 102; (*Par.*), VI 57; IX 140; XV 126; XVI 10; XXIV 63; XXVII 25, 62; XXXI 34

Romagna, (*Inf.*), XXVII 37; XXXIII 154; (*Purg.*), V 69; XIV 92; XV 44

Romagnuoli, abitanti della Romagna, (*Inf.*), XXVII 28; (*Purg.*), XIV 99

Roman principato, (*Purg.*), l'imperatore Traiano, v. Traiano

Romane antiche (le), (*Purg.*), XXII 145

Romani, popolo, (*Inf.*), XV 77; XVIII 28; XXVI 60; XXVIII 10; (*Par.*), VI 44; XIX 102

Romano, (*Par.*), castello della Marca Trevigiana, IX 28

Romena, (*Inf.*), castello nel Casentino, XXX 73

Romeo di Villanova, (*Par.*), siniscalco di Raimondo Beringhieri, VI 127 sgg.

Romoaldo (san), (*Par.*), fondatore dell'Ordine camaldolese, XXII 49

Romolo, (*Par.*), v. Quirino

Roncisvalle, (*Inf.*), nei Pirenei, XXXI 17

Rosso, mare, (*Purg.*), XVIII 134; (*Par.*), v. Mare Rosso

Rubaconte, (*Purg.*), ponte sull'Arno a Firenze, XII 102

Ruberto (Roberto) **Guiscardo**, (*Inf.*), normanno, figlio di Tancredi d'Altavilla, XXVIII 14

Rubicante, (*Inf.*), demonio dei Malebranche, XXI 123; XXII 40

Rubicone, (*Par.*), fiume, VI 62

Ruggieri, (*Inf.*), v. Ubaldini

Rusticucci Iacopo, (*Inf.*), cavaliere fiorentino, sodomita, VI 80; XVI 44 sgg.

Ruth, (*Par.*), bisavola del re David, XXXII 10

Sabellio, (*Par.*), eretico, XIII 127

Sabello, (*Inf.*), soldato romano, personaggio della *Farsaglia*, XXV 95

Sabine, (*Par.*), donne, VI 40

Sacchetti, (*Par.*), famiglia fiorentina, XVI 104

Saffira, (*Purg.*), biblica moglie di Anania, XX 112

Saladino, (*Inf.*), sultano d'Egitto, IV 129

Salimbeni Niccolò, (*Inf.*), v. Niccolò S.

Salmi, (*Par.*), libro biblico, XXIV 136

Salmista, (*Purg.*), v. David

Salomone, figlio di Davide, re d'Israele, autore del *Cantico dei Cantici*; (*Purg.*), v. Cantico dei Cantici; (*Par.*), X 109; XIII 48, 89 sgg.; XIV 34 sgg.

Saltarello, (*Par.*), v. Lapo Saltarello

Salvani, (*Purg.*), v. Provenzan Salvani

Samaritana, (*Purg.*), l'evangelica donna di Samaria, XXI 3

Samuele, (*Par.*), giudice di Israele, IV 29

San Benedetto dell'Alpe, (*Inf.*), monastero benedettino, XVI 101

San Giovanni, (*Inf.*), il battistero di Firenze, XIX 17

San Miniato al Monte, (*Purg.*), chiesa di Firenze, XII 101

San Pietro, (*Inf.*), basilica in Roma, XVIII 32; XXXI 59

San Zeno, (*Purg.*), abbazia di Verona, XVIII 118

Sancia, (*Par.*), figlia di Raimondo Beringhieri, VI 133

Sanesi (Senesi), (*Purg.*), cittadini di Siena, XI 65; XIII 115, 151 sgg.

Sanleo (San Leo), (*Purg.*), cittadina del Montefeltro, IV 25

Sannella (della), (*Par.*), famiglia fiorentina, XVI 92

Sant'Andrea (Iacopo da), (*Inf.*), v. Iacopo da S.A.

Santa Maria in Porto, (*Par.*), chiesa presso Ravenna, XXI 122-3

Santafior (Santafiora), (*Purg.*), contea del senese, VI 111; conti di, XI 62, 68

Santerno, (*Inf.*), fiume della Romagna, XXVII 49

Santo Volto, (*Inf.*), immagine venerata a Lucca, XXI 48

Sapìa, (*Purg.*), donna di nobile famiglia senese, zia di Provenzan Salvani, XIII 100 sgg.

Sara, (*Par.*), moglie di Abramo, XXXII 10

Saracine, donne, (*Purg.*), XXIII 103

Saracini, musulmani, 'infedeli', (*Inf.*), XXVII 87; (*Par.*), XV 142-5

Sardanapalo, (*Par.*), re assiro, XV 107

Sardi, abitanti della Sardegna, (*Inf.*), XXVI 104; (*Purg.*), XVIII 81

Sardigna (Sardegna), (*Inf.*), XXII 89; XXVI 104; XXIX 48; (*Purg.*), XXIII 94

Sassol Mascheroni, (*Inf.*), traditore fiorentino, XXXII 65

Satàn, (*Inf.*), altro nome di Lucifero, VII 1

Saturno, padre di Giove, (*Inf.*), XIV 96; (*Par.*), XXI 26

Saturno, pianeta, (*Purg.*), XIX 3; (*Par.*), XXI 13; XXII 146

Saùl, (*Purg.*), biblico primo re d'Israele, XII 40

Sàvena, (*Inf.*), fiume dell'Emilia, XVIII 61

Savio, (*Inf.*), fiume della Romagna, XXVII 52

Scala (della), (*Purg.*), nobile famiglia di Verona, v. Alberto della S.; (*Par.*), v. Alboino, Bartolomeo, Cangrande

Scarmiglione, (*Inf.*), demonio dei Malebranche, XXI 105

Schiavi, (*Purg.*), venti di nord-est, provenienti dalla Schiavonia, XXX 87

Schicchi Gianni, (*Inf.*), v. Gianni S.

Schiro (Sciro), (*Purg.*), isola dell'Egeo, IX 37

Sciarra Colonna, (*Purg.*), aggressore di Bonifacio VIII, XX 90

Scilocco (Scirocco), (*Purg.*), vento, XXVIII 21

Scipio, (*Par.*), Scipione l'Africano, VI 53; XXVII 61

Scipione (Africano), **Affricano**, (*Inf.*), XXXI 116; (*Purg.*), XXIX 116

Scorpio (Scorpione), (*Purg.*), costellazione dello Zodiaco, IX 5; XXV 3

Scotto Michele, (*Inf.*), v. Michele S.

Scotto, (*Par.*), il re di Scozia, XIX 122

Scrovegni, (*Inf.*), v. Reginaldo degli S.

Semelè, madre di Bacco, (*Inf.*), XXX 2; (*Par.*), XXI 6

Semiramìs (Semiramide), (*Inf.*), regina degli Assiri, V 58

Seneca (Lucio Anneo Seneca), (*Inf.*), filosofo latino, IV 141

(Senesi) Sanesi, (*Inf.*), XXIX 122, 134

Senna, (*Par.*), fiume della Francia, VI 59; XIX 118

Sennaàr, (*Purg.*), regione mesopotamica, XII 36

Sennacherìb, (*Purg.*), biblico re d'Assiria, XII 53

Serafini, (*Par.*), primo ordine della prima gerarchia angelica, IV 28; VIII 27; IX 77; XXI 92; XXVIII 72, 99

Serchio, (*Inf.*), fiume della Lucchesia, XXI 49

Serena (Sirena), (*Purg.*), essere mitologico, simbolo degli allettamenti terrestri, XIX 19 sgg.; XXXI 45

Serpente, (*Purg.*), simbolo di Satana, VIII 39, 100, 107; XXXII 32

Serse, re di Persia, (*Purg.*), XXVIII 71; (*Par.*), VIII 124

Sesto, (*Inf.*), figlio di Pompeo, XII 135

Sesto, (*Purg.*), città dell'Ellesponto, XXVIII 74

Setta (Ceuta), (*Inf.*), città del Marocco, XXVI 111

Sette candelabri, (*Purg.*), nella processione simbolica del paradiso terrestre, XXIX 43 sgg., 154; XXXII 18

Sette donne, (*Purg.*), simboli delle virtù teologali e cardinali, XXIX 121 sgg.; XXXII 25, 98; XXXIII 2, 109

Sette regi, (*Inf.*), quelli che assediarono Tebe, XIV 68-9

Sfinge, (*Purg.*), mostro favoloso di Tebe, XXXIII 47

Sibilia (Siviglia), (*Inf.*), città della Spagna, XX 126; XXVI 110

Sibilla Cumana, (*Par.*), XXXIII 66

Sicheo, marito di Didone, (*Inf.*), V 62; (*Par.*), IX 98

Sicilia, (*Inf.*), (*Purg.*), (*Par.*), v. Cicilia

Siena, città della Toscana, (*Inf.*), XXIX 109, 129; (*Purg.*), V 134; XI 111, 123, 134

Siestri (Sestri), (*Purg.*), cittadina della Liguria, XIX 100

Sigieri di Brabante, (*Par.*), filosofo aristotelico, X 136

Signa, (*Par.*), paese presso Firenze, XVI 56

Sile, (*Par.*), fiume del Veneto, IX 49

Silvestro (san), papa, (*Inf.*), XIX 117; XXVII 94; (*Par.*), XX 57

Silvestro, (*Par.*), francescano, XI 83

Silvio, (*Inf.*), figlio di Enea, II 13

Simifonti, (*Par.*), castello in Toscana, XVI 62

Simoenta, (*Par.*), fiume della Troade, VI 67

Simon mago, di Samaria, (*Inf.*), XIX 1; (*Par.*), XXX 147

Simonide, (*Purg.*), poeta greco, XXII 107

Sinigaglia, (*Par.*), città delle Marche, XVI 75

Sinone, (*Inf.*), guerriero greco, simulatore, XXX 91 sgg., 98 sgg.

Siòn, (*Purg.*), v. Ierusalemme

Siratti (Soratte), (*Inf.*), monte presso Roma, XXVII 95

Siringa, (*Purg.*), ninfa amata da Pan, XXXII 65

Sismondi, (*Inf.*), nobile famiglia pisana, XXXIII 32

Sisto I, (*Par.*), papa, XXVII 44

Siviglia, (*Inf.*), v. Sibilia

Sizii, (*Par.*), famiglia fiorentina, XVI 108

Soave, (*Par.*), la Svevia, III 119

Socrate, (*Inf.*), filosofo greco, IV 134

(Sodoma) Soddoma, città della Palestina, (*Inf.*), XI 50; (*Purg.*), XXVI 40, 79

Soldanieri, famiglia fiorentina, (*Inf.*), v. Gianni dei S.; (*Par.*), XVI 93

Soldano, sultano d'Egitto (al-Malik al-Kamil), (*Inf.*), V 60; XXVII 90; (*Par.*), XI 101

Sole, pianeta, (*Inf.*), I 17, 38; XXVI 26; XXXIV 96, 105; (*Par.*), I 38, 47, 54, 80; X 28; XX 1, 31; XXII 56, 116

Solone, (*Par.*), legislatore ateniese, VIII 24

Sordello da Goito, (*Purg.*), trovatore, VI 58 sgg.; VII 3 sgg., 52, 67, 86; VIII 38, 43, 62, 64, 94; IX 58

Sorga, (*Par.*), fiume della Francia, VIII 59

Spagna (**Ispagna**), (*Inf.*), XXVI 103; (*Purg.*), XVIII 102; (*Par.*), VI 64; XIII 46; XIX 125

Sparta, (*Purg.*), v. Lacedemona

Speranza, (*Par.*), una delle virtù teologali, XXV 28 sgg.

Spirito Santo, la terza persona della Trinità, (*Purg.*), XX 98; (*Par.*), III 53; VI 11; VII 33; X 1; XIII 57; XIV 76; XIX 101; XX 38; XXI 128; XXIV 92, 138; XXVII 1; XXIX 41; XXXIII 119, 126

Stazio, (*Purg.*), Publio Papinio, poeta latino, XXI 10 sgg.; XXII 25 sgg.; XXIV 119; XXV 29, 32; XXVII 47; XXXII 29; XXXIII 134

Stefano (santo), (*Purg.*), XV 106 sgg.

Stefano Uroš, (*Par.*), re di Rascia, XIX 140

Stelle, (*Par.*), cielo delle, II 64-6, 115-7; XXII 112 sgg.

Stelle, (*Purg.*), con valore simbolico; v. Quattro stelle e Tre stelle

Stige, (*Inf.*), palude infernale, VII 106; IX 81; XIV 116

Strami, (*Par.*), Vico degli, strada di Parigi, X 137

Stricca dei Salimbeni, (*Inf.*), senese, XXIX 125

Strofade (Strofadi), (*Inf.*), isole nello Ionio, XIII 11

Subasio, (*Par.*), il monte di Assisi, XI 45

Sultano, (*Par.*), v. Soldano

Taddeo d'Alderotto, (*Par.*), medico fiorentino, XII 83

Tagliacozzo, (*Inf.*), località in Abruzzo, XXVIII 17

Tagliamento, (*Par.*), fiume, IX 44

Taïde, (*Inf.*), personaggio dell'*Eunuco* di Terenzio, XVIII 133

Talamone, (*Purg.*), porto della Toscana, XIII 152

Tale (Talete) di Mileto, (*Inf.*), filosofo greco, IV 137

Tambernicchi, (*Inf.*), monte; forse la Tambura nelle Alpi Apuane, XXXII 28

Tamiri, (*Purg.*), regina degli sciti, XII 56

Tamisi (Tamigi), (*Inf.*), fiume di Londra, XII 120

Tanaï, (*Inf.*), il fiume Don, XXXII 27

Tarlati, (*Purg.*), v. Guccio de' Tarlati

Tarpea, (*Purg.*), la rupe del Campidoglio, IX 137

Tarquino (Tarquinio il Superbo), (*Inf.*), re di Roma, IV 127

Tartari, (*Inf.*), XVII 17

Taumante, (*Purg.*), centauro, XXI 50

Tauro (Toro), costellazione dello Zodiaco, (*Purg.*), XXV 3; (*Par.*), XXII 111

Tebaide, (*Purg.*), poema di Stazio, XXI 92

Tebaldello degli Zambrasi, (*Inf.*), faentino, traditore, XXXII 122

Tebaldo II, (*Inf.*), re di Navarra, XXII 52

Tebani (**Teban**), cittadini di Tebe, (*Inf.*), XX 32; (*Purg.*), XVIII 93

Tebe novella (Pisa), (*Inf.*), XXXIII 89

Tebe, città greca della Beozia, (*Inf.*), XIV 69; XX 59; XXV 15; XXX 22; XXXII 11; XXXIII 89; (*Purg.*), XXI 92; XXII 89

Tedesche ripe (del Danubio), (*Par.*), VIII 66

Tedeschi, (*Inf.*), XVII 21

Tegghiaio Aldobrandi, (*Inf.*), v. Aldobrandi T.

Telemaco, (*Inf.*), figlio di Ulisse e di Penelope, XXVI 94

Temi, (*Purg.*), divinità della giustizia, XXXIII 47

Tempio (ordine dei Templari) (*Purg.*), XX 93

Tempio di Gerusalemme, (*Purg.*), XV 87

Terra Santa, (*Par.*), v. Palestina

Terra, dea madre dei giganti, (*Inf.*), XXXI 121; (*Purg.*), XXIX 119

Terrenzio, (*Purg.*), Publio Terenzio Afro, poeta comico latino, XXII 97

Tesauro di Beccheria, (*Inf.*), abate di Vallombrosa, XXXII 119

Tesëo (**Teseo**), mitico eroe greco, (*Inf.*), IX 54; XII 17; (*Purg.*), XXIV 123

Tesifòn (Tisifone), (*Inf.*), una delle Furie, IX 48

Teti, (*Purg.*), divinità marina, IX 37; XXII 113

Tevere (Tevero), fiume, (*Inf.*), XXVII 30; (*Purg.*), II 101; XXV 86; (*Par.*), XI 106

Tiberio, (*Par.*), imperatore, VI 86

Tidëo, (*Inf.*), re di Caledonia, uno dei sette a Tebe, XXXII 130

Tifo (Tifeo), uno dei giganti, (*Inf.*), XXXI 124; (*Par.*), VIII 70

Tignoso, (*Purg.*), v. Federigo Tignoso

Tigri, (*Purg.*), fiume della Mesopotamia, XXXIII 112

Timbreo, (*Purg.*), appellativo di Apollo, XII 31

Timeo, (*Par.*), dialogo di Platone, IV 49

Tiralli, (*Inf.*), la contea del Tirolo, XX 63

Tiresia, indovino tebano, (*Inf.*), XX 40, 58; (*Purg.*), XXII 113

Tirolo, (*Inf.*), v. Tiralli

Tisbe, (*Purg.*), la fanciulla amata da Piramo, XXVII 37

Tito, imperatore romano, (*Purg.*), XXI 82; (*Par.*), VI 92

Titone, (*Purg.*), lo sposo dell'Aurora, IX 1

Tizio, (*Inf.*), uno dei giganti, XXXI 124

Toante, (*Purg.*), figlio di Isifile, XXVI 95

Tobia, (*Par.*), personaggio biblico, IV 48

Tolomea, (*Inf.*), terza zona di Cocito, XXXIII 124

Tolomeo Claudio, (*Inf.*), astronomo e matematico, IV 142

Tolomeo, (*Par.*), re d'Egitto, VI 69

Tommaso (san), (*Par.*), apostolo, XVI 129

Tommaso d'Aquino (san), teologo, (*Purg.*), XX 69; (*Par.*), X 82 sgg.; XI 16 sgg.; XII 2, 110, 144; XIII 31 sgg.; XIV 6

Toppo (Pieve del Toppo), (*Inf.*), località presso Arezzo, XIII 121

Toro, (*Purg.*), v. Tauro

Torquato, (*Par.*), eroe romano, VI 46

Torso (Tours), (*Purg.*), città della Francia, XXIV 23

Toscana, (*Inf.*), XXIV 122; (*Purg.*), XI 110; XIII 149; XIV 16; (*Par.*), IX 90

(Toscani) Toschi, gente tosca, (*Inf.*), XXII 99; XXVIII 108

Tosco o **Toscano**, (*Par.*), cittadino o popolo, IX 90; XXII 117

Tosinghi, (*Par.*), famiglia fiorentina, XV 128; XVI 112

Tours, (*Purg.*), v. Torso

Traiano, imperatore romano, (*Purg.*), X 74 sgg.; (*Par.*), XX 43-8, 100-17

Trasfigurazione di Cristo, (*Purg.*), XXXII 73 sgg.

Trasone, (*Inf.*), personaggio dell'*Eunuco* di Terenzio, XVIII 134

Traversara, casa, (*Purg.*), nobile famiglia ravennate, XIV 107; v. anche Pier Traversaro

Tre donne, (*Purg.*), simbolo delle virtù teologali, XXIX 121 sgg.; XXXI 111, 131; XXXII 8, 25, 98; XXXIII 2, 7, 13, 109; v. anche Tre stelle

Tre stelle, (*Purg.*), simbolo delle virtù teologali, VIII 89; v. anche Tre donne

Trento, (*Inf.*), XII 5

Trespiano, (*Par.*), località presso Firenze, XVI 54

Trinacria, (*Par.*), v. Cicilia

Trinità, (*Par.*), VII 30 sgg.; X 1 sgg.; XIII 79; XIV 28 sgg.; XXIV 139; XXXI 28; XXXIII 115 sgg., 124 sgg.

Tristano, (*Inf.*), cavaliere della Tavola Rotonda, V 67

Trivia, (*Par.*), la Luna, XXIII 26

Troia, città dell'Asia Minore, (*Inf.*), I 74; XXX 98, 114; (*Purg.*), XII 61; (*Par.*), VI 6, 68

Troiani, abitanti di Troia, (*Purg.*), XVIII 136; (*Par.*), XV 126; XX 68

Troni, (*Par.*), terzo ordine della prima gerarchia angelica, IX 61; XXVIII 103 sgg.

Tronto, (*Par.*), fiume, VIII 63

Tulio (Marco Tullio Cicerone), (*Inf.*), scrittore latino, IV 141

Tupino, (*Par.*), fiume, XI 43

Turbìa, (*Purg.*), villaggio della Liguria, III 49

Turchi, (*Inf.*), XVII 17

Turno, (*Inf.*), figlio del re dei Rutuli, personaggio dell'*Eneide*, I 108

Ubaldini (**degli**) **Azzo**, (*Purg.*), XIV 105

Ubaldini (**degli**) **Ottaviano**, (*Inf.*), detto **il Cardinale**, X 120

Ubaldini (**degli**) **Ruggieri**, (*Inf.*), arcivescovo di Pisa, XXXIII 14 sgg.

Ubaldini (**degli**) **Ugolin**, (*Purg.*), XIV 105

Ubaldo (sant'), (*Par.*), vescovo di Gubbio, XI 44

Uberti, famiglia fiorentina, (*Inf.*), X 47, 51, 84, 94, 108; (*Par.*), XVI 109 sgg.

Ubertino da Casale, (*Par.*), francescano, XII 124

Ubertino Donati, (*Par.*), genero di Bellincion Berti, XVI 119

Ubriachi o **Obriachi**, **Ciappo** o **Locco**, (*Inf.*), patrizio fiorentino, usuraio, XVII 62 sg.

Uccellatoio, (*Par.*), monte presso Firenze, XV 110

Ughi, (*Par.*), famiglia fiorentina, XVI 88

Ugo Ciapetta o **Capeto**, (*Purg.*), v. Ciappetta

Ugo da San Vittore, (*Par.*), teologo XII 133

Ugo di Brandeburgo, (*Par.*), marchese toscano, XVI 128

Ugolin de' Fantolin, (*Purg.*), nobile faentino, XIV 121

Ugolino della Gherardesca, (*Inf.*), conte di Donoratico, signore di Pisa, XXXII 125 sgg.; XXXIII 13 sgg.

Uguiccione, (*Inf.*), figlio del conte Ugolino, XXXIII 89

Ulisse, eroe greco, (*Inf.*), XXVI 56 sgg.; (*Purg.*), XIX 22; (*Par.*), XXVII 83

Ungheria, (*Par.*), regno, VIII 65; XIX 142

Uranìe (Urania), (*Purg.*), una delle nove Muse, XXIX 41

Urbano I, (*Par.*), papa, XXVII 44

Urbino, (*Inf.*), v. Orbino

Urbisaglia, (*Par.*), città delle Marche, XVI 73

Utica, (*Purg.*), città dell'Africa, I 74

Val Camonica, (*Inf.*), vallata alpina, XX 65

Val di Magra (la Lunigiana), (*Inf.*), XXIV 145; (*Purg.*), VIII 116

Val di Pado, (*Par.*), la Val Padana, XV 137

Valdarno, (*Purg.*), XIV 30, 41

Valdichiana, (*Inf.*), nel territorio aretino, XXIX 47

Valdigrieve (Valdigreve), (*Par.*), in Toscana, XVI 66

Valletta dei principi, (*Purg.*), VII-VIII

Vangeli, (*Purg.*), XIX 136; XXII 154; XXIX 92 sgg.

Vangelo, (*Par.*), v. Evangelio

Vanni Fucci, (*Inf.*), pistoiese, ladro sacrilego, XXIV 125

Varo, (*Par.*), fiume della Francia, VI 58

Varro, (*Purg.*), Lucio Vario Rufo, poeta latino, XXII 98

Vaticano, (*Par.*), colle di Roma, IX 139

Vecchio (**del**), (*Par.*), famiglia fiorentina, XV 115

Veglio di Creta, (*Inf.*), XIV 103 sgg.

Veltro, (*Inf.*), figura profetica, I 101 sgg.

Venedico Caccianemico, (*Inf.*), v. Caccianemico V.

Venere (**Citerea**), pianeta, (*Purg.*), I 19; XXVII 95; (*Par.*), VIII 3, 11, 37; IX 33, 110

Venere, dea dell'amore, (*Purg.*), XXV 132; XXVIII 65; (*Par.*), VIII 2, 7, 8, 10

Venezia, (*Par.*), v. Vinegia

(**Veneziani**) **Viniziani**, (*Inf.*), XXI 7

Ventiquattro seniori, (*Purg.*) v. Libri dell'*Antico Testamento*

Vercelli, (*Inf.*), XXVIII 75

Verde, fiume (il Liri o Garigliano), (*Purg.*), III 131; (*Par.*), VIII 63

Verna, monte della Toscana, (*Par.*), XI 106

Verona, città del Veneto, (*Inf.*), XV 122; (*Purg.*), XVIII 118

Veronica, (*Par.*), il lino con l'immagine di Cristo, XXXI 104

Verrucchio, (*Inf.*), castello nel Forlivese, XXVII 46

Vespri Siciliani, (*Par.*), VIII 75

Via Lattea, (*Par.*), v. Galassia

Vicenza, (*Inf.*), XV 113; (*Par.*), IX 47

Vico degli Strami, (*Par.*), v. Strami

Vigne (**delle**) **Pier**, (*Inf.*), v. Pier delle V.

Vincislao II, (*Purg.*), re di Boemia, VII 101

Vinegia (Venezia), (*Par.*), XIX 141

Viniziani, (*Inf.*), v. Veneziani

Virgilio (Publio Virgilio Marone), poeta latino, (*Inf.*), I 79; XIX 61; XXIII 124; XXIX 4; XXXI 133; (*Purg.*), II 61; III 74; VI 67; VII 7; VIII 64; X 53; XIII 79; XIX 28; XXI 14, 101, 103, 125; XXII 10; XXIII 130; XXIV 119; XXVII 20, 118, 126; XXIX 56; XXX 46, 49, 50, 51, 55; (*Par.*), XV 26; XVII 19; XXVI 118

Virtù cardinali, (*Purg.*), v. Quattro donne e Quattro stelle

Virtù teologali, (*Purg.*), v. Tre donne e Tre stelle

Virtù, (*Par.*), secondo ordine della seconda gerarchia angelica, XXVIII 122

Visconti di Pisa, (*Purg.*), v. Nino V.

Visconti, (*Purg.*), signori di Milano, VIII 80

Visdomini, (*Par.*), famiglia fiorentina, XVI 112

Vitalïano del Dente, (*Inf.*), usuraio, XVII 68

Vulcano, (*Inf.*), dio del fuoco, XIV 52, 57

Zama, (*Inf.*), città dell'Africa, XXXI 115

Zambrasi, (*Inf.*), famiglia di Faenza, v. Tebaldello degli Z.

Zanche Michele, (*Inf.*), v. Michele Z.

Zefiro, (*Par.*), vento occidentale, XII 47

Zenit, (*Par.*), v. Cenìt

Zeno (San), (*Purg.*), abbazia di Verona, v. San Zeno

Zenone di Elea, (*Inf.*), filosofo greco, IV 138

Zita, (*Inf.*), santa, patrona di Lucca, XXI 38

Zodiaco, (*Purg.*), IV 64; (*Par.*), v. Eclittica

FONTI DELLE ILLUSTRAZIONI

Inserto iconografico a colori

Le immagini dell'inserto sono state fornite direttamente dalle Biblioteche che conservano i codici. Solo le immagini a p. 1, dal Codice 1080, 70r, Milano, Biblioteca Trivulziana, sono state riprese da: *I tesori della Biblioteca Trivulziana*, Nardini Editore, Firenze 1995.

Illustrazioni ai Canti

Le immagini di apertura ai Canti sono tratte dall'edizione a stampa di Petro de' Piasi detto Veronese con commento di Cristoforo Landino, impressa a Venezia nel novembre del 1491, conservata presso la Biblioteca Trivulziana di Milano.

Le immagini nelle pagine di commento sono riproduzioni in bianco e nero di quelle dell'inserto; solo l'immagine a p. 78, dal Codice 67, Padova, Biblioteca del Seminaio, è stata ripresa da: *La miniatura a Padova dal Medioevo al Settecento*, Franco Cosimo Panini Editore, Modena 1999.